Robert Stadler

HISTOIRE DE L'ÉGLISE

****

De la mort de Théodose
à l'élection de Grégoire le Grand

HISTOIRE DE L'ÉGLISE
DEPUIS LES ORIGINES JUSQU'A NOS JOURS

PUBLIÉE SOUS LA DIRECTION DE
AUGUSTIN FLICHE & VICTOR MARTIN

4

De la mort de Théodose à l'élection de Grégoire le Grand

par

. de LABRIOLLE
Membre de l'Institut
Professeur à la Sorbonne

G. BARDY

Louis BREHIER
Membre de l'Institut, Professeur à la Faculté des Lettres de Clermont-Fd

G. de PLINVAL
Professeur au Lycée Voltaire

BLOUD & GAY

1948

BIBLIOGRAPHIE GÉNÉRALE

Il est presque impossible, pour la période étudiée dans ce volume, de dresser une bibliographie générale à peu près complète. Ce n'est pas que les documents nous fassent défaut ni que l'on n'ait publié d'importants travaux sur les deux siècles qui vont de la mort de Théodose le Grand à l'élection de saint Grégoire le Grand. Mais la plupart des historiens modernes n'ont traité que l'un ou l'autre des événements de cette époque, si bien que l'indication de leurs travaux est plus naturellement réservée aux bibliographies spéciales qui figurent en tête de chacun des chapitres. Les sources anciennes elles-mêmes nous renseignent d'ordinaire sur certains aspects particuliers des problèmes ou sur certains personnages qui sont l'objet d'une biographie. Bien rares sont les historiens qui, tels Eusèbe de Césarée, Socrate, Sozomène ou Théodoret, s'efforcent encore de donner une vue générale des choses.

Bien des raisons expliquent d'ailleurs cette situation. D'une part, l'Orient et l'Occident sont séparés d'une manière définitive. Même sous Justinien, l'Empire romain sera très loin de comprendre toutes les provinces qu'il possédait au temps de Théodose et la réunion de l'Italie et de l'Afrique à cet Empire ne sera que passagère. L'Occident mènera donc sa vie propre : plus exactement encore, chacun des royaumes barbares qui se le partageaient aura son organisation, ses difficultés, ses soucis. Seuls les papes garderont le sens de l'unité et affirmeront leur pouvoir sur l'ensemble de ces royaumes, en dépit des obstacles sans cesse renaissants. D'autre part, l'extrême complexité des problèmes, les divisions causées en Orient par les hérésies, le réveil des vieilles nationalités feront se multiplier les récits partiels, au grand détriment des tableaux d'ensemble.

I. — SOURCES. — Socrate, Sozomène et Théodoret nous guident encore pour l'histoire des premières années du ve siècle ; mais leurs récits s'arrêtent vers le début de la controverse nestorienne. Il en va de même de l'arien Philostorge.

Les œuvres de leurs continuateurs ne nous sont parvenues le plus souvent qu'en mauvais état. *L'Histoire ecclésiastique* de Zacharie de Mytilène (vi^{e} s.) est perdue dans son texte grec ; elle a été insérée dans les livres III-VI d'une chronique syriaque en 12 livres qui s'étend jusqu'à 568-69 (édit. Brooks dans le *Corpus Scriptorum christianorum orientalium, Scriptores Syri*, t. V et VI, 1919-1924 ; traduction allemande par Ahrens et Krueger, 1899). Théodore le Lecteur est l'auteur d'une *Historia Tripartita*, rédigée d'après Socrate, Sozomène et Théodoret. Il a également écrit une *Histoire ecclésiastique* qui allait de 450 à 527 : nous n'en avons que des fragments. De même, il ne reste que des fragments d'un *Résumé de l'histoire ecclésias-*

tique (jusqu'à 612), rédigée au début du IXe siècle, qui contenait de nombreux extraits de Théodore.

Jean d'Éphèse († vers 586) avait écrit une *Histoire ecclésiastique* en trois parties, dont la première est perdue, la seconde insérée dans une *Chronique* de 774-75, due à Denis de Tell-Mahré ou à Josué le Stylite, la troisième conservée dans une traduction syriaque (édit. CURETON, Oxford, 1853). Une nouvelle édition, avec traduction latine, de cette troisième partie va paraître par les soins de E. W. BROOKS.

Nous avons par contre l'*Historia ecclesiastica* d'EVAGRIUS († vers 600) qui comprend six livres et qui couvre la période 431-594 (*P. G.*, LXXXVI, 2, 2405-2906 ; édit. BIDEZ et PARMENTIER, Londres, 1899). Cet ouvrage est composé d'après de bonnes sources et donne d'importants renseignements sur le nestorianisme et le monophysisme. Mais il laisse de côté de nombreux événements.

Les chroniqueurs sont assez nombreux : citons PROSPER D'AQUITAINE, dont la *Chronique* va jusqu'à 455 ; l'évêque espagnol IDACE (jusqu à 468) ; l'illyrien MARCELLINUS COMES (de 379 à 534), CASSIODORE (jusqu'en 519). La *Chronique* de l'Africain VICTOR DE TONNENA († après 566) a été continuée par le Goth JEAN, abbé du monastère de Biclar († après 590), puis par MARIUS D'AVENCHES († 594). ISIDORE DE SÉVILLE est l'auteur d'une courte chronique (jusqu'à 615). Ces différents ouvrages sont publiés par MOMMSEN, *Chronica minora*, II (*Monumenta Germaniae historica. Auctores antiquissimi*, t. XI) ; Berlin, 1894.

L'histoire des peuples barbares d'Occident a été l'objet de recherches dont les principales sont celles de CASSIODORE : *De origine actibusque Getarum* (ouvrage perdu, mais connu par un ouvrage du même titre de JORDANES) ; de GRÉGOIRE DE TOURS : *Historia Francorum* (édit. POUPARDIN, Paris, 1913) ; de BÈDE LE VÉNÉRABLE : *Historia ecclesiastica gentis Anglorum* (*P. L.*, XCV, 23-290 ; édit. HOLDER, Leipzig, 1882-1890) ; d'ISIDORE DE SÉVILLE, *Historia Gothorum, Vandalorum, Suevorum* (*P. L.*, LXXXIII, 1057-1082). Pour l'Afrique, il faut signaler l'ouvrage de VICTOR DE VITA, *Historia persecutionis Africanae provinciae*, qui raconte les faits entre 428 et 484 (*P. L.*, LVIII ; édit. PETSCHENIG, dans le *Corpus* de Vienne, t. VII, 1881).

En dehors des ouvrages que nous venons de signaler, on doit encore mentionner les écrits relatifs à la controverse des Trois-Chapitres, qui éclairent toute l'histoire du nestorianisme : FACUNDUS D'HERMIANE, *Pro defensione trium capitulorum* (*P. L.*, LXVII, 527-878) ; LIBERATUS, *Breviarium causae Nestorianorum et Eutychianorum* (*P. L.*, LXVIII, 969-1052) ; PÉLAGE, *In defensione trium capitulorum* (édit. DEVREESSE, dans *Studi e testi*, LVII ; Cité du Vatican, 1932).

Les sources orientales sont importantes à consulter. Nous n'indiquons ici que les principales : *Histoire des patriarches d'Alexandrie*, édit. H. EVETTS, *The history of the patriarchs of the coptic church of Alexandria* (*Patrologia orientalis*, t. I, Paris, 1903) ; *Chronique de Seert* (édit. ADDAI SCHER, *Patrologia orientalis*, t. IV, 3 ; t. V, 2 ; t. VII, 2 ; t. XIII, 4, Paris, 1908-1919) ; les *Plérophories* de JEAN DE MAIOUMA, traduites par F. NAU, dans *Revue de l'Orient chrétien*, t. III, 1898 ; la *Chronique* de MICHEL LE SYRIEN, édit. CHABOT, Paris, 1899-1924.

Plusieurs petites Chroniques syriaques d'importance variée ont été publiées sous le titre de *Chronica Minora* dans le tome IV du *Corpus Scriptorum christianorum orientalium.*

De très nombreuses monographies renseignent également sur les personnages les plus importants de cette période : PALLADIUS (?), *Dialogus de vita S. Joannis Chrysostomi* (édit. COLEMAN-NORTON, Cambridge, 1929) ; MARC LE DIACRE, *Vita Porphyrii* (édit. GRÉGOIRE et KUEGENER, Paris, 1930) ; THÉODORET, *Historia religiosa* (recueil de vies de moines, dans *P. G.*, LXXXII, 1283-1496) ; JEAN D'ÉPHÈSE, *Histoire des saints orientaux* (édit. E. W. BROOKS, dans *Patrologia orientalis*, t. XVII-XIX, Paris, 1923-1925) ; CYRILLE DE SCYTHOPOLIS, Vies de *saint Euthyme*, de *saint Jean le Silentiaire*, de *Cyriaque* († 557), de *Théodose* († 529), de *Theognius* († 522) ; JEAN MOSCHUS, *Pratum Spirituale* (*P. G.*, LXXXVII, 2851-3112) ; les vies anonymes de *Rabboula d'Edesse*, de saint *Siméon le Stylite*, de *Pierre d'Ibérie* ; ZACHARIE DE MYTILÈNE, Vies de *Sévère d'Antioche* et d'*Isaïe* ; JEAN DE BEIT-APHTHONIA, *Vie de Sévère d'Antioche* (*Patrologia orientalis*, t. II, fasc. 1 et 3).

Il est à peine besoin d'ajouter que l'on trouve de nombreux renseignements historiques dans les œuvres des écrivains ecclésiastiques de cette période ; qu'il nous suffise de rappeler les noms de saint Jean Chrysostome, de saint Cyrille d'Alexandrie, de Nestorius, de Théodoret de Cyr, de Timothée Aelure, de Sévère d'Antioche, de Julien d'Halicarnasse, de Procope de Gaza, de Léonce de Byzance, d'Anastase d'Antioche, pour l'Orient ; de saint Augustin, de saint Léon le Grand, de Cassien, de saint Grégoire de Tours, de Venance Fortunat, de Fulgence de Ruspe, de Martin de Braga pour l'Occident. Bien d'autres encore seraient à citer, s'il s'agissait de faire un catalogue.

Les lettres des papes jusqu'à saint Léon Ier, éditées autrefois par COUSTANT, Paris, 1721, sont dispersées dans la *Patrologie latine* de MIGNE.

Pour les papes postérieurs à saint Léon, on verra A. THIELE, *Epistolae romanorum pontificum genuinae et quae ad eos scriptae sunt a s. Hilario usque ad Pelagium II*, t. I, Brunsbergae, 1868. Beaucoup de ces lettres sont conservées dans la *Collectio avellana* (*Epistolae imperatorum, pontificum, aliorum, inde ad anno 367 usque ad annum 543 datae* ; édit. GUENTHER dans le *Corpus* de Vienne, t. XXXV-XXXVI, 1895 et 1898).

D'une manière générale, on trouvera l'indication et le résumé des lettres pontificales dans JAFFÉ-WATTENBACH, *Regesta pontificum romanorum*, Leipzig, 1885. Cf. K. SILVA-TAROUCA, *Beiträge zur Ueberlieferungsgeschichte der Papstbriefe des 4., 5. und 6. Jahrhunderts*, dans *Zeitschrift für katholische Theologie*, t. XLIII, 1919, p. 467-481 et 657-692 ; F. MAASSEN, *Geschichte der Quellen und der Literatur des kanonischen Rechts im Abendlande*, t. I, Graz, 1870.

Le *Liber Pontificalis* n'a qu'une valeur fort inégale et souvent très faible jusqu'au début du VIe siècle. Il devient ensuite un recueil de notices à peu près contemporaines des papes dont il parle ; c'est dire son importance On consultera l'édition L. DUCHESNE, Paris, 1886.

Pour les lettres des patriarches de Constantinople, voir V. GRUMEL, *Les regestes des actes du patriarcat de Constantinople*, t. I, *Les actes des patriarches*, Kadi-Köy, 1932.

Les actes des conciles ont été publiés par MANSI, *Sacrorum conciliorum nova et amplissima collectio*, t. III et suiv. Mais pour les conciles d'Éphèse, de Chalcédoine et de Constantinople (553), il faut consulter désormais la publication de E. SCHWARTZ, *Acta conciliorum oecumenicorum* (en cours de publication, à Berlin) ; l'éditeur y reproduit telles quelles les anciennes collections dont il s'efforce de déterminer l'origine et le caractère : c'est dire qu'il fournit des matériaux à l'historien, sans prétendre les exploiter. Mais les textes sont édités avec beaucoup de soin et la tradition manuscrite étudiée dans le détail. Les listes conciliaires sont étudiées et discutées dans le *Corpus notitiarum episcopatuum ecclesiae orientalis graecae*, t. I. *Les listes conciliaires*, par E. GERLAND et V. LAURENT ; Kadi-Köy, 1932 et suiv.

Les actes de la chancellerie impériale de Constantinople sont résumés par DŒLGER, *Regesten von Kaiserurkunden des oströmischen Reiches von 565-1453*, Berlin et Munich, 1924 et suiv. Le droit justinien est publié par MOMMSEN, KRUEGER et SCHOELL, *Corpus iuris civilis*, Berlin, 1872-1895, 3 vol.

Pour les inscriptions, on verra les recueils de G. MILLET, *Inscriptions chrétiennes de l'Athos*, Paris, 1904 ; G. LEFÈVRE, *Inscriptions chrétiennes d'Égypte*, Paris, 1907 ; H. GRÉGOIRE, *Inscriptions chrétiennes d'Asie-Mineure*, Paris, 1922 (en cours) ; de E. DIEHL, *Inscriptiones latinae christianae veteres*, Berlin, 1925-1930 ; de LE BLANT, *Inscriptions chrétiennes de la Gaule*, Paris, 1856-1892 ; de E. ÉGLI, *Die christlichen Inschriften der Schweiz vom IV-IX. Jahrh.*, Zurich, 1895 ; de F.-X. KRAUS, *Die altchrislichen Inschriften der Rheinlande*, Fribourg-en-Br., 1890 et suiv.

II. — OUVRAGES MODERNES. — Il faut une dernière fois rappeler ici le nom de LE NAIN DE TILLEMONT, *Mémoires pour servir à l'histoire ecclésiastique des six premiers siècles*, Paris, 1693-1712, et *Histoire des empereurs et autres princes qui ont régné durant les six premiers siècles de l'Église*, Paris, 1690-1738. Les *Mémoires* s'arrêtent à la fin du Ve siècle, c'est dire qu'ils n'ont pas été achevés. Tillemont ignorait un grand nombre de documents, spécialement d'origine orientale, qui ont été mis au jour au cours du XIXe et du XXe siècle, ce qui donne à ses derniers volumes une allure plus vieillie qu'aux précédents. Cependant, on y trouve toujours l'admirable lucidité de l'historien et beaucoup de ses conclusions restent valables.

Les *Histoires générales* de l'Église publiées récemment, ou en cours de publication, ont été citées dans la bibliographie du t. III. Il est inutile d'en reproduire la liste. Signalons seulement que l'*Histoire de l'Église* du R. P. JACQUIN s'est enrichie d'un tome II, Paris, 1936, consacré au Haut Moyen Age. Les volumes à consulter de L. DUCHESNE sont l'*Histoire ancienne de l'Église*, t. III, Paris, 1910, et l'*Église au VIe siècle*, Paris, 1925.

Ajoutons E. Caspar, *Geschichte des Papsttums*, t. II, Tubingue, 1933 ; H. Grisar, *Histoire de Rome et des papes au moyen âge*, traduction G. Ledos, Paris, 1906 ; J. Maspero, *Histoire des patriarches d'Alexandrie, depuis la mort de l'empereur Anastase jusqu'à la réconciliation des églises jacobites (518-616)*, Paris, 1923 ; G. Krueger, *Monophysitische Streitigkeiten im Zusammenhange mit der Reichspolitik*, Iéna, 1884 ; J. Lebon, *Le monophysisme sévérien*, Louvain, 1909 ; J. Pargoire, *L'Église byzantine de 527 à 847*, Paris, 1905.

Pour l'Occident, Hauck, *Kirchengeschichte Deutschlands*, Leipzig, 1887-1920 ; H. Leclercq, *L'Espagne chrétienne*, Paris, 1901 ; H. Leclercq, *L'Afrique chrétienne*, Paris, 1905 ; Dom Cabrol, *L'Angleterre chrétienne avant les Normands*, Paris, 1909 ; Dom Gougaud, *Les chrétientés celtiques*, Paris, 1911 ; avec les compléments donnés par l'ouvrage anglais, *Christianity in celtic lands*, Londres, 1932 ; F. Martroye, *L'Occident à l'époque byzantine : Goths et Vandales*, Paris, 1904.

Les rapports de l'Église et de l'Empire byzantin sont étudiés dans toutes les histoires de l'Empire d'Orient. Nous signalerons : Koulakovski, *Histoire de Byzance* (en russe), Kiew, 1910-1913 ; F. Ouspenski, *Histoire de l'empire byzantin* (en russe), Saint-Pétersbourg, 1914-1927 ; Vasiliev, *Histoire de l'empire byzantin*, traduction française, Paris, 1932 ; Bury, *A history of the later roman empire from Arcadius to Irene*, Londres, 1889 ; 2e édition plus développée et s'arrêtant à la mort de Justinien, Londres, 1923 (à compléter par *A history of the eastern roman empire from the fall of Irene to the ascension of Basil I*, Londres, 1912). Ch. Diehl et G. Marçais, *Le monde oriental, de 395 à 1081* (t. III de l'*Histoire générale, Moyen âge* sous la direction de G. Glotz), Paris, 1936.

Ceux de l'Église et des divers États occidentaux sont traités dans J. Calmette, *Le monde féodal*, Paris, s. d. (1935) ; A. Fliche, *La chrétienté médiévale* (t. VII, 2 de l'*Histoire du monde* sous la direction de Eug. Cavaignac), Paris, 1929 ; L. Halphen, *Les Barbares* (t. V des *Peuples et Civilisations* sous la direction de L. Halphen et Ph. Sagnac. Paris, 1926 ; Lot, Pfister et Ganshof, *Les destinées de l'empire en Occident de 395 à 898* (t. I de l'*Histoire générale, Moyen âge* sous la direction de G. Glotz), Paris, 1935 ; F. Lot, *La fin du monde antique et le début du Moyen Age*, Paris, 1927.

Pour l'histoire des doctrines, on verra surtout J. Tixeront, *Histoire des dogmes*, t. III, Paris, 1912 ; A. Harnack, *Lehrbuch der Dogmengeschichte*, 4e édit., Tubingue, 1910 ; R. Seeberg, *Lehrbuch der Dogmengeschichte*, 3e édit., Leipzig, 1923 ; M. Jugie, *Nestorius et la controverse nestorienne*, Paris, 1910 ; Id., *Theologia dogmatica christianorum orientalium*, t. V, *De theologia dogmatica nestorianorum et monophysitarum*, Paris, 1935 ; J. Lebon, *Le monophysisme sévérien*, Louvain, 1909 ; R. Draguet, *Julien d'Halicarnasse et sa controverse avec Sévère d'Antioche sur l'incorruptibilité du corps du Christ*, Louvain, 1924.

Pour l'histoire des littératures chrétiennes, on consultera O. Bardenhewer, *Geschichte der altkirchlichen Literatur*, t. IV et V, Fribourg en Br., 1924-1932 ;

P. de Labriolle, *Histoire de la littérature latine chrétienne*, 2e édit., Paris, 1924 ; F. Cayré, *Précis de Patrologie, Histoire et doctrine des Pères et docteurs de l'Église*, t. II, Paris, 1930 ; A. Baumstark, *Geschichte der syrischen Literatur mit Ausschluss der christlichpalästinischen Texte*, Bonn, 1932 ; J.-B. Chabot, *La littérature syriaque*, Paris, 1934 ; J. Karst, *La littérature arménienne*, Paris, 1933.

Les encyclopédies et dictionnaires ont été cités dans la *Bibliographie* du tome III.

PREMIÈRE PARTIE

DE LA MORT DE THÉODOSE AU CONCILE DE CHALCÉDOINE (395-451)

CHAPITRE PREMIER

LA DESTRUCTION DU PAGANISME [1]

§ 1. — La législation.

LES FILS DE THÉODOSE

Quand Théodose mourut, le 17 janvier 395, il laissait l'Empire en partage à ses deux fils, Arcadius qui reçut l'Orient, Honorius qui eut l'Occident pour son lot. Le premier avait alors dix-huit ans ; le second en avait onze. Ils étaient bien jeunes encore pour s'être formé une doctrine politique ! Mais l'exemple de leur père défunt leur imposait une ligne de conduite ; et d'ailleurs, en Occident, Stilicon, *magister utriusque militiae*, en Orient, Rufin, *praefectus praetorio Orientis*, étaient là pour les guider l'un et l'autre.

LES LOIS

Dès le 7 août 395, Arcadius et Honorius déclaraient solennellement que les lois de leur divin père [2] contre les païens — et les hérétiques — devraient être appliquées avec une vigueur redoublée [3] ; que chacun aurait à s'abstenir d'entrer dans les temples et de célébrer des sacrifices ; et que les *moderatores provinciarum* qui se déroberaient au devoir de sévir seraient eux-mêmes punis lourdement. Quant aux *officia* négligents, la peine capitale s'abattrait sur eux [4].

Le 7 décembre 396, les prêtres, les « ministres », les « préfets », les hiérophantes se voyaient dépouillés de leurs dernières immunités et prérogatives légales [5].

Au début de l'année 399, Honorius — guidé par ses conseillers —

(1) BIBLIOGRAPHIE. — A. BEUGNOT, *Histoire de la destruction du paganisme en Occident*, 2 vol., Paris, 1835 ; G. BOISSIER, *La fin du paganisme*, 2 vol., Paris, 1891 ; A. DIETERICH, *Der Untergang der antiken Religion*, dans *Kleine Schriften*, Leipzig, 1911, p. 449-539 ; J. GEFFCKEN, *Der Ausgang des griechisch-römischen Heidentums*, Heidelberg, 1920, p. 178-223 ; Ed. GIBBON, *The History of the decline and fall of the roman Empire*, nouv. édit. par J. B. BURY, 1896, 7 vol., trad. F. GUIZOT, Paris, 1812, 13 vol. ; G. E. A. GRINDLE, *The Destruction of paganism in the roman Empire*, Oxford, 1892 ; Maude A. HUTTMANN, *The Establishment of Christianity and the proscription of paganism*, New-York, 1914 (Columbia University Studies) ; P. DE LABRIOLLE, *La réaction païenne*, Paris, 1934, 5e partie ; Dom H. LECLERCQ, art. *Persistance du paganisme*, dans *Dict. d'Archéol. chrét. et de liturgie*, 1936 ; F. LOT, *La fin du monde antique et le début du moyen âge*, Paris, 1927 ; V. SCHULTZE, *Geschichte des Untergangs des griechisch-römischen Heidentums*, Iéna, 1887-1892 ; O. SEECK, *Geschichte des Untergangs der antiken Welt*, 6 vol., et *Anhang*, 5 vol., Berlin, 1895-1922 ; ID., art. *Honorius*, dans la *Realencyklopädie* de PAULY-WISSOWA, col. 393-423 ; Ernst STEIN. *Geschichte des spätrömischen Reiches*, t. I, Vienne, 1928 ; UHLHORN, *der Kampf des Christentums mit dem Heidentum*, Stuttgart, 1899 ; G. WISSOWA, *Religion und Kultus der Römer*, 2e édit., 1912, p. 95-102.

(2) *Divi genitoris nostri.*

(3) *Nunc acrius exsequendum.*

(4) *Code Théodos.*, XVI, x, 13 : la loi est datée de Constantinople.

(5) *Ibid.*, XVI, x, 14, loi d'Arcadius.

sentit le besoin d'arrêter le zèle trop prompt des iconoclastes. Il porta, le 29 janvier, un édit qui, tout en interdisant de nouveau les sacrifices, prescrivait la sauvegarde des ornements des monuments publics[1]. Précaution qui fut renouvelée le 20 août 399 : les temples, une fois vidés de toutes représentations illicites, ne devraient pas être renversés[2].

Après le meurtre de Stilicon (23 août 408), Honorius — poussé, s'il faut en croire Zosime[3], par son *magister officiorum*, l'Asiate Olympius, — inaugura des mesures plus rigoureuses encore. Par la loi du 14 novembre 408, il excluait de l'administration du « Palais » tous « les ennemis de la secte catholique », c'est-à-dire tous ceux qui ne partageaient pas la foi de l'Empereur[4].

C'était la première fois que le libéralisme impérial, en ce qui concernait les personnes, était sérieusement mis en échec[5].

La loi du 15 novembre 407[6] adressée à Curtius, préfet du prétoire d'Italie, supprima les allocations (*annonae*) qui servaient à payer les *epula sacra* et les jeux rituels. Les statues des *templa* et des *fana* en seraient retirées. Les édifices mêmes, soit dans les cités, soit dans les *oppida*, soit même en dehors des *oppida*, étaient revendiqués *ad usum publicum*. Les *arae* devaient être détruits. Toutes les festivités en l'honneur de l'ancien culte (*in honorem sacrilegi ritus*) seraient supprimées ; et les évêques étaient invités à y tenir la main. Les magistrats et leur personnel (*officia*) seraient frappés d'une amende de vingt livres d'or, en cas de connivence avec les délinquants.

Le 30 août 415, Honorius reprit la loi déjà promulguée en 408[7] pour en préciser et en aggraver les dispositions, spécialement en ce qui concernait l'Afrique, mais aussi, disait-il, « *per omnes regiones in nostro orbe positas* ».

Nous ordonnons que la coercition requise frappe les *sacerdotales* de la superstition païenne, si, avant le 1er novembre, ils ne sont pas sortis de Carthage et rentrés dans leurs cités natales. Que dans toute l'Afrique les *sacerdotales* soient tous assujettis à la même contrainte, s'ils ne quittent les nécropoles pour rentrer dans leurs propres cités.

Nous ordonnons, conformément aux décrets du divin Gratien, d'annexer à nos domaines tous les biens que l'erreur des Anciens a affectés aux choses sacrées, avec cette condition que les usurpateurs de ces biens en restitueront les revenus à partir du jour où il a été interdit d'appliquer des dépenses publiques à l'exécrable superstition.

(1) *Code Théodos.*, XVI, x, 15 : *sicut sacrificia prohibemus, ita volumus publicorum operum ornamenta servari.* Seeck (*Regesten*, p. 298) assigne à cette loi la date du 29 août.

(2) *Code Théodos.*, XVI, x, 18 : *Aedes illicitis rebus vacuas... ne quis conetur evertere.*

(3) Zosime, V, xxxv, 1.

(4) *Code Théodos.*, XVI, v, 42. « *Eos, qui catholicae sectae sunt inimici, intra palatium militare prohibemus, ut nullus nobis sit aliqua ratione coniunctus, qui a nobis fide et religione discordat.* »

(5) L'historien païen Zosime (V, xlvi) affirme que l'empereur Honorius aurait annulé bientôt les effets de cette loi, en accordant à chacun « la faculté de conserver son opinion avec ses magistratures et ses commandements militaires ». Il n'aurait pas voulu se priver des services de Généride, un barbare, haut dignitaire dans l'armée, et futur *magister militum*, qui était atteint par la loi.

(6) *Code Théodos.*, XVI, x, 19.

(7) *Code Théodos.*, XVI, x, 20.

Pourtant les largesses impériales concédées à des individus devaient rester dans les mains des bénéficiaires. Mais la religion chrétienne pourrait revendiquer les biens déjà dévolus par de multiples ordonnances à la « vénérable Église ». La « superstition » ayant été justement condamnée, tous les frais qu'elle entraînait jadis seraient supprimés. Les objets consacrés par des sacrifices seraient retirés des bains et lieux publics, pour ne plus séduire les passants.

En Orient, les temples ruraux, pour lesquels Libanios avait élevé naguère une si éloquente et touchante protestation [1], ne bénéficièrent d'aucune indulgence officielle. La loi du 10 juillet 399 [2], promulguée par Arcadius, est d'une brièveté sans ambages : « *Si qua in agris templa sunt, sine turba ac tumultu diruantur. His enim deiectis atque sublatis, omnis superstitioni materia consumetur.* »

Théodose II, que sa femme Eudocie avait incliné quelque temps à plus de clémence, fut incité à de nouvelles rigueurs par sa sœur Pulchérie. Le 7 décembre 415, il exclut à son tour les dissidents de l'administration, comme l'avait fait Honorius en 408 [3]. Le 9 avril 423, il voulut revigorer par une ordonnance énergique toutes les lois portées par ses prédécesseurs contre l'ancien culte [4]. Peu de mois après, il eut comme un retour de longanimité : il remplaça par l'exil et la confiscation la peine de mort pour ceux qui auraient offert les sacrifices prohibés [5] ; et il interdit toute violence contre les Juifs et les païens inoffensifs [6]. Mais une loi du 14 novembre 435 marqua un revirement nouveau [7]. Les sacrifices étaient interdits une fois de plus. Aux temples et aux sanctuaires restant encore debout seraient substituées des églises [8]. La peine de mort serait infligée aux contrevenants.

Dans la *Novelle III*, du 31 janvier 438, il constatait que certains « Gentils » bravaient ouvertement les ordonnances impériales et il portait contre ces récalcitrants la même peine avec confiscation de leurs biens. Le 12 novembre 451 Marcien et Valentinien III prohibaient toute réouverture des temples fermés, tout sacrifice, « sous menace de confiscation et de mort [9] ».

Dès ce moment, ceux qui tenaient à pratiquer les rites traditionnels étaient obligés de se cacher [10]. En 468, Léon Ier déclarera les adorateurs

(1) Cf. t. III, p. 193.
(2) *Code Théodos.*, XVI, x, 16.
(3) *Code Théodos.*, XVI, x, 21.
(4) *Code Théodos.*, XVI, x, 22. Noter le début : « *Paganos qui supersunt, quanquam jam nullos esse credamus* ».
(5) *Ibid.*, XVI, x, 23 (8 juin 423).
(6) *Ibid.*, XVI, x, 24 (même date).
(7) *Ibid.*, XVI, x, 25.
(8) Le texte dit « *praecepto magistratuum destrui collocationeque venerandae christianae religionis expiari* ». GODEFROY a sans doute raison de ne pas prendre *destrui* au sens strict, car une « destruction » eût été une opération bien maladroite, en l'espèce.
(9) *Code Justinien*, I, xi, 7.
(10) Cf. MARINUS, *Vita Procli*, xi-xix.

des dieux incapables d'ester en justice. En 505, Anastase leur interdira l'accès des charges municipales. Certains groupes plus ou moins denses se maintinrent longtemps dans les villes, surtout parmi les classes cultivées. Quand le fameux Jean d'Éphèse eut été chargé par Justinien, en 546, de repérer ces obstinés, il eut la surprise de les trouver fort nombreux à Constantinople, dans les milieux lettrés, chez les grammairiens, les sophistes, les médecins, les « scolastiques ». Cette longue fidélité leur coûta fort cher, car l'empereur théologastre était sans pitié pour tout dissident.

§ 2. — L'application des lois.

L'ACTION DES AUTORITÉS LOCALES

Il est évident que le gouvernement d'un Théodose, d'un Honorius ou d'un Arcadius n'avait pas les moyens d'information rapide et d'action efficace dont dispose un État moderne.

Étant données les difficultés d'un contrôle toujours aux aguets, une large part d'initiative était laissée aux autorités locales ; et, selon le zèle, l'indolence ou la complicité des autorités, l'application des lois se faisait rigoureuse ou restait molle et précaire.

De là ces répétitions des mêmes édits, ces menaces qui apparaissent dans la plupart des constitutions contre les fonctionnaires peu consciencieux ; de là aussi cette idée de donner aux évêques une sorte de droit de regard [1].

Mais il se trouva justement que, vers la fin du IVe siècle et au début du Ve, des fonctionnaires énergiques, des évêques de tempérament combatif, des moines peu amis des demi-mesures, prirent en main l'action directe contre les sanctuaires païens et la menèrent avec une vigueur sans défaillance. Rappelons le nom de Maternus Cynegius, qui fut préfet du prétoire depuis le début de l'année 384 (ou la fin de 383) jusqu'en 388. Sa mission en Orient, commencée, semble-t-il, en 386, fut particulièrement efficace. Les païens l'accusaient d'être étroitement asservi à l'influence de sa femme Achantia, elle-même dévote passionnée [2]. — En Afrique, à partir du 19 mars 399 — cette date précise est indiquée par saint Augustin [3] — les deux comtes Jovius (ou Jovinianus) et Gaudentius opérèrent avec une aussi ferme décision.

En Orient, un des évêques les plus remuants fut ce Théophile d'Alexandrie que nous rencontrerons encore dans l'affaire origéniste. Impulsif,

(1) Voir *Code Théodos.*, XVI, x, 18.

(2) Le nom d'Achantia est fourni par les *Fasti Idatiani* à l'année 388 (édit. MOMMSEN, dans M. G. H., *Auctores antiquissimi*, t. IX, p. 244). C'est presque sûrement Cynegius que vise Libanios, *Pro Templis*, XLIV.

(3) *De civitate Dei*, XVIII, LIV. Le *Liber de promiss. et praedic. Christi* (*Hist. eccl.*, III, XXXVIII, 41) dit faussement « sous Théodose » (*P. L.*, LI, 834).

téméraire, ardent disputeur, nul scrupule ne l'arrêtait quand il voulait pousser à bout quelque dessein. Mais il savait se ménager et se couvrir : en 388, lors du conflit entre Théodose et Maxime, il avait envoyé en Italie le prêtre Isidore avec deux lettres et des cadeaux, destinés à celui des deux rivaux qui sortirait vainqueur de la lutte. Cette habileté transpira et il en recueillit peu d'honneur [1]. Se prévalant des autorisations impériales [2], il excella durant les premières années de son épiscopat à mobiliser forces officielles et francs-tireurs du monachisme contre les sanctuaires païens. Une fois la victoire obtenue, il l'exploitait sans réserve ni pitié. — Plus tard, le fameux Schenoudi, implacable et fougueux batailleur qui dirigea le *Couvent Blanc* d'Atripe, en Thébaïde, de 383 à 466, fut lui aussi un terrible pilleur et renverseur de temples. Il partageait de tout son cœur la haine des Coptes à l'égard des « Hellènes », c'est-à-dire des « païens » ; et, non content de combattre ceux-ci dans des ouvrages, où sa polémique ne renouvelle guère les thèmes traditionnels, il excellait à monter de fructueuses razzias contre les édifices cultuels qu'il vidait de leurs richesses, brûlait ou jetait bas. Il s'appuyait sur le sentiment complice des masses, aux yeux desquelles il passait pour un saint, et les autorités n'osaient rien contre lui [3].

QUELQUES FAITS

Voici un tableau récapitulatif des principaux faits de ce genre attestés par les historiens, pour les dernières années du IVe siècle et le début du Ve.

				Sources
1	386-388	Le préfet Cynégius et l'évêque Marcel d'Apamée détruisent le temple de Zeus à Apamée et divers autres sanctuaires.	Syrie.	THÉODORET, *Hist. eccl.*, V, XXI, 5-15 ; LIBANIOS, *Epist.*, 1053; RUFIN, *Hist. eccl.*, XI, XXIII.
2		Des soldats et des gladiateurs, sous la conduite du même Marcel, démolissent le temple d'Aulon, près d'Apamée.	do	SOZOMÈNE, *Hist. eccl.*, VII, XV.
3		Beaucoup de temples fermés à Alexandrie.	Égypte.	ZOSIME, IV, XXXVII, 3.

(1) SOCRATE, *Hist. eccl.*, VI, II ; SOZOMÈNE, VII, XV.
(2) Socrate (*Hist. eccl.*, V, XVI) parle d'un « ordre » ; Sozomène (*Hist. eccl.*, VII, XV), d'une « permission ».
(3) V. J. LEIPOLDT, *Schenute von Atripe und die Entstehung des national aegyptischen Christentums*, dans *Texte und Untersuchungen*, X, I (1903), p. 175 et suiv.

4		A Égée, le temple d'Asclépios est abattu.	Cilicie.	LIBANIOS, *Pro Templis*, XXXIX.
5		De même à Carrhae (ou peut-être à Édesse).	Mésopotamie.	*Ibid.*, XLIV ; THÉODORET, *Hist. eccl.*, IV, XVIII, 14.
6		Une belle statue d'Asclépios est brisée à Bérée.	Syrie.	LIBANIOS, *Pro Templis*, XXII.
7		Les moines d'Égypte entreprennent des expéditions contre les temples ; beaucoup sont abattus dans les campagnes.	Égypte.	LIBANIOS, *ibid.*, XXII.
8	**389**	Un temple, à Damas, est transformé en église chrétienne.	Syrie.	*Chron. d'Alexandrie.*
9		De même à Héliopolis.	Phénicie.	*Ibid.*
10	**390**	Libanios écrit son *Pro Templis.*	Antioche.	Édit. REISKE, II, 155 ; édit. FOERSTER, III, 87 et suiv.
11		Théophile d'Alex. purifie un Mithraeum.	Égypte.	SOCRATE, *Hist. eccl.*, V, XVI ; SOZOMÈNE, *Hist. eccl.*, VII, XV.
12		Il transforme en église un temple de Dionysos.	d°	*Ibid.*
13	**391**	Destruction du Sérapéum.	d°	SOCRATE, *Hist. eccl.*, V, XVI ; RUFIN, *Hist. eccl.*, XI, XXX ; SOZOMÈNE, *Hist. eccl.*, VII, XV ; THÉODORET, *Hist. eccl.*, V, XXII.
14		De nombreux temples sont détruits par Théophile et leurs statues fondues.	d°	EUNAPE, *Vie des Sophistes* (édit. BOISSONADE), p. 472.
15		Une statue d'Artémis est détruite par un certain Damaas, à Éphèse.	Asie (Ionie).	*Forsch. d. oesterr. Institut. in Ephesos*, I, 103.
16	**399**	Des moines, dépêchés par saint Jean Chrysostome, détruisent divers temples en Phénicie.	Phénicie.	THÉODORET, *Hist.*

				eccl., V, XXIX ; saint JEAN CHRYSOSTOME, *Epist.*, CXXVI.
17	399	Les comtes Jovius et Gaudentius abattent ou ferment beaucoup de temples dans l'Afrique du Nord.	Afrique.	*De civitate Dei*, XVIII, LIV ; *Liber de promissionibus*, III, XXXVIII, 41.
18	400	Porphyre de Gaza obtient de l'empereur la destruction du *Marnéion* et de sept autres temples de Gaza.	Palestine.	MARC LE DIACRE, *Vie de Porphyre*, XXVI et suiv.
19	404	Nouvelle expédition monacale en Phénicie, à l'instigation de saint Jean Chrysostome.	Phénicie.	Saint JEAN CHRYSOSTOME, *Epist.*, CCXXI.
20	Premières dizaines d'années du ve s.	Schenoudi brûle le temple du bourg d'Atripe.	Égypte.	LEIPOLDT, dans *Texte und Untersuchungen*, X, I, 1903, p. 175 et suiv.
21		Il pille et détruit dans le district de Schmin le temple du bourg de Pleuit, ainsi que de nombreux oratoires privés.	d°	d°
22		Il commet un attentat — dont nous ignorons le détail — contre le temple de Chronos.	d°	d°

RÉSISTANCE DES POPULATIONS

Les opérations dirigées contre les temples étaient soutenues d'ordinaire par des détachements de troupes dont la présence intimidait les populations [1]. Cependant, les séditions n'étaient pas rares. Déjà, sous Gratien, saint Martin avait eu plus d'une fois maille à partir avec les populations [2]. Quand Théophile eut converti en église le temple de Dionysos, à Alexandrie, il crut devoir exhiber aux regards de la foule les *phalli*

(1) Cf. THÉODORET, *Hist. eccl.*, V, XXI.
(2) SULPICE SÉVÈRE, *Vita Martini*, XIII, XIV et XV.

et autres objets cultuels trouvés dans les *adyla*. Des païens, révoltés de cet outrage, fomentèrent un soulèvement au cours duquel beaucoup de chrétiens furent tués ou blessés ; de plus, ils s'emparèrent du Sérapéum, s'y retranchèrent et firent subir de cruelles tortures aux fidèles qui, amenés de force, refusaient de sacrifier. Il fallut l'intervention impériale pour les décider à mettre bas les armes.

Sozomène signale encore des troubles à Pétrée et à Aréopolis, en Arabie ; à Raphi et à Gaza, en Palestine ; à Hiéropolis, en Phénicie [1]. Les habitants d'Apamée, sur l'Axios, en Syrie, armèrent pour la défense de leurs sanctuaires des Galiléens et des paysans du Liban. Dans le district d'Aulon, près d'Apamée, Marcel, l'évêque de cette ville, qui conduisait contre le temple du lieu une troupe de soldats et de gladiateurs, eut l'imprudence — gêné qu'il était par la goutte — de se tenir un peu à l'écart de ses hommes. Quelques païens s'aperçurent qu'il était seul. Ils se saisirent de lui et le brûlèrent.

Un peu plus tard, en 399, dans la *Colonia Sufelana*, en Byzacène, pour venger l'outrage infligé à une statue d'Hercule qui avait été mutilée ou renversée, les tenants de l'ancien culte firent un vrai massacre de chrétiens, dont soixante périrent [2].

N'allons donc pas croire que le sentiment païen soit demeuré inerte durant les agressions contre les lieux de culte. Nombreuses furent les résistances qu'il y opposa, quand l'occasion paraissait favorable [3]. Et chez les lettrés qui contemplaient, impuissants, ces désastres, que de rancunes secrètes [4] ! Il faut voir de quel ton Eunape de Sardes rappelle, dans sa *Vie des Sophistes*, les attentats commis contre les temples de Canope, près d'Alexandrie, et surtout la chute du *Sérapéum* : « Sans raison valable, écrit-il, sans la moindre rumeur de guerre, le temple de Sérapis fut donc détruit. Les statues, les offrandes votives furent dérobées. Il n'y eut que le sol du temple qu'on ne put prendre, parce que les pierres étaient trop lourdes. *Et après cela ils se vantaient d'avoir vaincu les dieux !* » [5].

LE SÉRAPÉUM D'ALEXANDRIE

Eunape évoque, dans ce passage, un des épisodes les plus célèbres de cette lutte. La destruction du Sérapéum d'Alexandrie, en 391, eut un immense

(1) Sozomène, *Hist. eccl.*, VII, xv. On verra (p. 23) les détails de ce conflit.
(2) *Ibid.*
(3) Saint Augustin, *Epist.*, L.
(4) En 400, Cynégius fait charger à coups de bâtons et de lanières la foule qui gémit et proteste contre la destruction des temples de Gaza (*Vita Porphyrii*, LXIII). Vers 402, il y eut des morts et des blessés parmi les moines que saint Jean Chrysostome dépêcha en Phénicie pour abattre les temples : Cf. Théodoret, *Hist. eccl.*, V, XXIX et saint Jean Chrysostome, *Epist.*, CXXVI, CCXXI.
(5) Édit. Boissonade, p. 421.

retentissement. Bâti sur un tertre artificiel que soutenaient des voûtes brillamment éclairées, ce temple formait le centre de tout un ensemble de cours, de bâtiments destinés aux desservants et aux reclus volontaires et de galeries. L'édifice était d'une grande richesse, avec ses colonnes de marbre et ses murailles plaquées de lames d'or et d'argent. Ammien-Marcellin affirme que, le Capitole mis à part, l'univers ne connaissait rien de plus prestigieux [1]. Au centre du temple, se dressait une statue gigantesque de Sérapis, dont les bras étendus touchaient presque les deux murs opposés.

Au lendemain de la terrible émeute de 390, dont le principal animateur avait été le philosophe Olympios, lui-même prêtre de Sérapis, Théodose consentit, dans un désir d'apaisement, à laisser les morts invengés, mais il exigea la destruction de tous les temples de la ville. Le Sérapéum fut rasé et une église élevée sur ses fondements. La statue du dieu, protégée quelque temps par le bruit qui courait que d'y toucher serait le signal d'une catastrophe cosmique, se décela inoffensive quand un soldat eut osé y porter la cognée ; et, bientôt mise en pièces, les fragments en furent brûlés en divers endroits de la ville.

Sophronius, un ami de saint Jérôme et le traducteur de certaines de ses œuvres, raconta dans un opuscule spécial les péripéties de cet exploit [2], qui provoqua autant d'enthousiasme chez les chrétiens [3] que d'amertume chez les vaincus.

LE TEMPLE DE JUPITER A APAMÉE

Un autre épisode fameux fut le démantèlement du temple de Zeus à Apamée.

L'évêque d'Apamée, Marcel, avait obtenu le soutien du préfet d'Orient, Cynégius, qu'accompagnait une escorte commandée par deux tribuns.

La population n'osait réagir ; mais, quand l'opération eut été mise en train, on dut reconnaître que ce magnifique bâtiment, dont les pierres étaient liées avec du plomb et des crampons de fer, opposait aux démolisseurs une résistance insurmontable.

Voyant le préfet prêt à abandonner l'entreprise, Marcel lui demanda de ne pas s'attarder à Apamée et de poursuivre sa mission dans d'autres villes. Mais il ne renonçait pas pour autant au projet interrompu et suppliait Dieu de l'aider.

Or voici qu'un simple laboureur — nullement un spécialiste — lui promit la réussite, moyennant un salaire modéré. Le marché conclu, ce

(1) XXII, XVI, 12 : « ... *ut, post Capitolium, quo se venerabilis Roma in aeternum attollit, nihil orbis terrarum ambitiosius cernat* ». Cf. RUFIN, *Hist. eccl.*, XI, XXIII.
(2) Cf. saint JÉRÔME, *De Viris illustribus*, LXXXIV : l'ouvrage était intitulé *De subversione Serapis*, et parut avant 392, date de la rédaction du *De Viris*.
(3) Saint JÉRÔME, *Epist.*, CVII, 2 ; PAULIN DE NOLE, XIX, 109 ; cf. RUFIN, XI, XXIII ; SOCRATE, V, XVI, 1 ; THÉODORET, V, XXII, 3.

laboureur fit creuser le pied de trois des colonnes du portique qui, de quatre côtés, entouraient le temple. Il les étayait à mesure avec des poutres en bois d'olivier. Puis, il mit le feu à ces supports. A plusieurs reprises, un « noir démon » éteignit la flamme. Ce que voyant, Marcel fit asperger les foyers d'une eau bénite qui mit en fuite le démon et, loin de paralyser la combustion, l'activa. Les colonnes s'écroulèrent, entraînant celles qui n'avaient pas été minées et les côtés de l'édifice qui s'y appuyaient [1].

LES MYSTÈRES SINISTRES DES TEMPLES

Parmi les récits plus ou moins tendancieux qui coururent à ce moment, il en est certains où se trahit, du côté chrétien, un état d'esprit nouveau, qu'on peut ainsi définir.

Jusqu'alors les chrétiens ne parlaient guère des temples et des statues qu'avec une sorte de crainte, parce qu'ils les considéraient comme les habitacles des démons qui humaient, avec volupté, croyait-on, la fumée des victimes et le parfum de l'encens [2].

Vers la fin du IVe siècle, un point de vue différent, qu'on pourrait presque qualifier de « rationaliste », supplanta à demi ces suspicions terrifiées. Les temples, livrant leurs secrets aux destructeurs qui les envahissent, sont dépeints comme les asiles de tous les truquages, de toutes les duperies, combinées par l'astuce des prêtres pour leurrer leurs fidèles.

Rufin raconte que, dans le Sérapéum, la statue du dieu étant placée à l'Ouest, ils avaient disposé à l'Est une étroite ouverture, juste suffisante pour laisser passer un rayon. Ils annonçaient au peuple que le soleil allait visiter Sérapis et ils lui présentaient un simulacre figurant, en effet, le soleil. Juste à ce moment la fenêtre, s'ouvrant, laissait passer le rayon qui venait jouer sur les lèvres de l'idole, à l'émerveillement du populaire [3].

Toujours au sujet du Sérapéum, l'historien Théodoret vante le bon sens et le courage de Théophile, l'évêque d'Alexandrie. Le compliment se trompe peut-être d'adresse. Quoi qu'il en soit, Théodoret loue l'évêque d'avoir délivré Alexandrie de l'erreur idolâtrique [4].

Non content, de faire raser jusqu'au sol les temples des idoles, il mit les supercheries des prêtres sous les yeux des victimes de leurs artifices.

Ceux-ci, en effet, avaient construit des statues de bronze et de bois, creuses à l'intérieur, et ils en fixaient le dos aux murs du temple, après avoir pratiqué dans ces murs certaines ouvertures invisibles.

Alors, sortant de chambres secrètes, ils s'installaient à l'intérieur des statues,

(1) THÉODORET, *Hist. eccl.*, V, XXI, 7 et suiv.

(2) Cf. sur ce point Charlie CLERC, *Les théories relatives au culte des images chez les auteurs grecs*, Paris, 1915, p. 150 et suiv. « Les dieux ont une âme et un corps, déclare saint AUGUSTIN (*De civitate Dei*, VIII, XXVI) : *l'âme, c'est le démon ; le corps, c'est la statue* ». Quelques citations significatives dans DŒLGER, *Antike und Christentum*, Bd IV, H. 4, p. 266 et suiv.

(3) RUFIN, *Hist. eccl.*, XI, XXIII.

(4) *Hist. eccl.*, V, XXII.

et de là formulaient les ordres qu'ils voulaient, à quoi leurs auditeurs, dupés et floués, ne manquaient pas d'obéir.

Si l'on en croit Rufin, déjà cité, un certain Tyrannus, prêtre de Saturne, aurait employé ces statues évidées à un peu édifiant usage. Quand une dévote lui plaisait, il faisait savoir à son mari que le Dieu désirait qu'elle passât la nuit dans le temple. Après avoir enfermé l'orante, Tyrannus feignait de s'en aller ; mais il rentrait par des couloirs secrets et s'insérait dans la statue. Bientôt sa voix, crue divine, venait frapper la jeune femme d'un saint émoi, dont, éteignant les lampes toutes ensemble grâce à un dispositif secret, le pseudo-Saturne profitait bientôt. Son malheur voulut que, tombant une fois sur une femme plus fine ou plus chaste que les autres, il fut dénoncé par elle à son mari, et il dut, au milieu des tortures, avouer sa honteuse supercherie [1].

Le *Liber de promissionibus et praedicationibus Christi*, dont l'auteur est peut-être Quodvultdeus, le disciple et le successeur de saint Augustin, raconte encore, à propos du Sérapéum, une historiette qui, moins scandaleuse que la précédente, était faite pour ôter toute confiance dans la bonne foi des prêtres païens [2].

Un quadrige de fer [3], qui n'était supporté par aucune base ni attaché à la muraille par aucun crampon, demeurait suspendu en l'air, faisant l'étonnement général, et imposait aux regards l'idée d'une intervention des dieux.

En fait, c'était un aimant fixé sur un point de la voûte, qui retenait le fer et supportait toute la machine.

Un serviteur de Dieu, inspiré par lui, comprit la combinaison. Il détacha l'aimant de la voûte ; et aussitôt tout ce prestigieux appareil dégringola et se brisa en mille morceaux.

Des palais d'illusion — et aussi des cavernes de débauche, des officines de crimes rituels [4] —, voilà quelle conception des temples les historiens ou polémistes de ce temps substituent peu à peu à l'idée ancienne de repaires démoniaques, sans pourtant que cette dernière interprétation soit complètement refoulée et évincée [5].

LES DESTINÉES DES ŒUVRES D'ART ET DES TEMPLES

Au moment où Libanios rédigeait son *Pro Templis* — vers 389-390 [6] — le vieux rhéteur pouvait encore faire semblant de croire que Théodose était fort loin de vouloir les brimades commises en son nom. Cette façon d'opposer les

(1) Rufin, *Hist. eccl.*, XI, xxv. On notera le parallélisme de cette anecdote avec celle que l'historien juif Josèphe rapporta à l'époque de Tibère (*Antiq. jud.*, XVIII, iv).

(2) *Liber de promissionibus et praedicationibus Christi*, III, xxxviii.

(3) Rufin, lui, parle, non pas d'un quadrige, mais du simulacre du soleil dont il a été question plus haut (*Hist. eccl.*, XI, xxiii).

(4) Cf., en particulier, Rufin, *Hist. eccl.*, XI, xxiv.

(5) Voir plus haut p. 24, n. 2, la citation de saint Augustin. Cf. la *Vie de Porphyre*, par le diacre Marc, lxi

(6) Cf. t. III, p. 516 et 193.

intentions réelles du pouvoir impérial aux abus des exécutants demeura pendant longtemps encore l'illusion ou la tactique dont tirèrent parti les fidèles des anciens cultes [1]. Mais il fallut bien se résigner peu à peu à l'évidence : ni Théodose, ni ses fils, ni aucun des empereurs subséquents ne se montraient d'humeur à laisser intacts, ou sans emploi, les édifices d'où les *gentiliciae superstitiones* étaient désormais exclues [2].

On a cru pouvoir définir d'une façon précise la politique ecclésiastico-impériale à l'égard des temples : elle se serait inspirée de ce double principe : détruire le paganisme, épargner les monuments de l'art antique [3].

Cette « règle » aurait été si capricieusement appliquée, elle aurait comporté tant d'exceptions, qu'on peut douter de son bien-fondé. Il est probable que la répulsion morale a fait souvent échec au sentiment du beau [4]. Ce qui est sûr, c'est que les dévots du paganisme ne se sentaient pas très rassurés au sujet des intentions chrétiennes, quand une statue était chère à leur piété ou à leur goût esthétique. Le *Liber de promissionibus et praedicationibus Christi* signale leur effort pour les sauver en les dérobant aux regards, et il leur fait l'application d'un passage d'Isaïe : « *Abscondent deos suos in speluncis et cavernis, neque ibi celabunt eos* ». « J'ai vu, ajoute-t-il, dans une région de la Maurétanie, tirer des grottes et des cavernes d'antiques idoles qui y avaient été cachées [5]. Que la chose se soit passée aussi dans d'autres provinces, c'est un fait de notoriété publique ». Voici, d'autre part, un passage de saint Augustin, destiné aux païens de Madaure, où l'on ne manquera pas de noter le mot souligné [6] :

> Vous voyez les temples tomber en ruines sans qu'on les répare, ou bien renversés, ou fermés, ou servant à d'autres usages ; les idoles brisées, brûlées, *cachées* ou détruites. Les puissances de ce monde, qui, jadis, persécutaient le peuple chrétien à cause de ces idoles..., tournent leurs lois et les coups de leur autorité contre ces mêmes idoles, pour lesquelles auparavant ils égorgeaient les chrétiens [7]...

(1) Cf. l'*Epist.* XCVII, 2, de saint AUGUSTIN.

(2) En revanche, certains ambitieux qui cherchaient la faveur du parti païen lui faisaient luire l'espoir d'une politique tout opposée : tel Eucher, fils de Stilicon, *qui ad conciliandum sibi favorem paganorum, restitutione templorum et eversione ecclesiarum imbuturum se regni primordia minabatur* (OROSE, VII, XXXVIII, 6).

(3) Paul ALLARD, *L'art païen sous les empereurs chrétiens*, Paris, 1879.

(4) Cela est très sensible dans un épisode de la *Vie de Porphyre* par le diacre MARC, LIX. Cf. aussi *ibid.*, LXXI.

(5) *Liber de promissionibus et praedicationibus Christi*, III, XXXVIII, 45.

(6) *Epist.*, CCXXXII, 3 (date inconnue).

(7) Le *partim clausa* est d'ailleurs susceptible de deux interprétations. Cela peut signifier « que vous êtes obligés de cacher » ; mais aussi « que l'on cache pour qu'elles soient définitivement soustraites à vos adorations ». On a retrouvé en divers endroits des fragments de statues, entassés après avoir été préalablement brisées : par exemple, dans la fosse centrale de la scène du théâtre de Vaison : Cf. *Bulletin de la Soc. nat. des Antiquaires de France*, 1922, p. 309-310. Dans une lettre à E. RENAN (*Revue archéologique*, nouv. série, t. VI, 1862, p. 244-245), MELCHIOR DE VOGÜÉ dit avoir repéré à Chypre, au fond d'un ravin, « une véritable nécropole de statues où, sous quelques pieds de terre, gisent pêle-mêle les œuvres de plusieurs siècles, ...idoles, portraits, symboles, tous mutilés à dessein... Il est évident qu'à une certaine époque, on a brisé systématiquement toutes les statues et on les a jetées dans des fosses creusées près des temples qui les renfermaient ».

Ed. Le Blant rappelle que trois parmi les plus célèbres de nos statues antiques furent tirées de réduits où elles avaient été jadis dissimulées : « la Vénus du Capitole, trouvée dans un mur du quartier de Suburra ; la Vénus de Milo découverte dans un caveau étroit que chargeaient deux mètres de terre ; le colosse d'Hercule en bronze doré, dit Hercule Mastaï, que renfermait à huit mètres sous le sol une petite fosse murée »[1].

Pour ce qui est des temples, le traitement qu'ils subirent fut assez différent, semble-t-il, selon les régions. Nous sommes loin, au surplus, de connaître tout le détail des faits.

En Orient, la destruction des temples de campagne paraît avoir été poussée fort allègrement. La loi de 435, citée plus haut, met en doute, d'une façon générale, qu'il en reste encore d'intacts (*si qua etiam nunc restant integra*) [2]. Mais les sanctuaires des dieux rustiques étaient si nombreux qu'ils défiaient le zèle des exécutants. Dès 399, saint Jean Chrysostome lança les moines à l'assaut dans les plaines de Phénicie et sur les monts du Liban, avec l'autorisation écrite d'Arcadius. Ce raid fut renouvelé en 404 [3]. Il fit abattre également tous les temples de Cybèle qui subsistaient encore en Phrygie [4]. En Palestine, l'évêque de Gaza, Porphyre — dont la *Vie* nous est venue, rédigée par le diacre Marc — obtint d'Arcadius un ordre de fermeture des temples de sa ville épiscopale. Le fonctionnaire chargé de cette mission se laissa corrompre et épargna le temple de Marnas. Alors Porphyre, accompagné de son métropolitain, Jean de Césarée, fit une démarche personnelle auprès de l'empereur et, grâce à l'entremise de saint Jean Chrysostome et à l'appui de l'impératrice, il obtint non sans peine un ordre en vertu duquel huit temples devaient être détruits, ordre qui fut exécuté dans les dix jours [5]. En Égypte, nous avons déjà signalé [6] l'activité du terrible Schenoudi, ses pilleries, ses violences, et l'attitude intimidée des juges, quand les plaignants réussissaient à le traduire devant un *comes* ou un ἡγεμών [7].

A Rome et en Italie, il semble que les temples, même abandonnés, aient été mieux respectés qu'en Orient. Un certain sentiment esthétique, auquel on voit que le chrétien Prudence, fort animé lui-même

(1) *Mélanges de l'École de Rome*, t. X, 1890, p. 388 et suiv. — Des statues et des objets cultuels ont été trouvés dans une basilique byzantine de Carthage : cf. A. Schulten, *Archäol. Anzeiger*, 1900, p. 63 ; cf. P. Gauckler, *Le sanctuaire syrien du Janicule*, 1912, p. 269 et suiv.
(2) *Code Théodos.*, XVI, x, 25.
(3) Théodoret, *Hist. eccl.*, V, xxix ; saint Jean Chrysostome, *Epist.*, cxxvi et ccxxi.
(4) Proclus, *Oratio XX in laud. S. Joh. Chrys.*, dans *P. G.*, LXV.
(5) Cette histoire est racontée dans tous ses détails par Marc, § xxvi et suiv. Elle est confirmée en ce qui concerne le *Marneion* par saint Jérôme, *Epist.*, cvii et *Comm. in Isaiam*, vii, 17, dans *P. L.*, XXIV, 241. La partie intérieure du *Marneion* fut brûlée ; on utilisa l'enceinte extérieure pour l'église édifiée sur les ruines.
(6) Cf. *supra*, p. 19.
(7) Cf. saint Jérôme, *Adv. Jovinianum*, II, xxxviii. « *Squalet capitolium, templa Iovis et caerimoniae conciderunt...* »

contre le paganisme, cédait pourtant, à l'occasion [1], les défendit des attentats brutaux, sinon de l'abandon de leurs fidèles [2]. D'ailleurs la loi du 29 janvier 399, celle même du 15 novembre 407, avaient arrêté certaines mesures conservatoires pour parer aux abus déjà constatés [3].

En Afrique, un bon nombre de temples furent détruits ou fermés dès 399, lors de la mission des comtes Jovius et Gaudentius. Les écrits de saint Augustin témoignent de la surexcitation que la rigueur de ces mesures avait provoquée parmi les persécutés. « Les païens joignaient leurs murmures, rappelle-t-il dans un de ses sermons, à ceux des hérétiques [il vise les donatistes] et des Juifs. Hérétiques, Juifs, païens faisaient l'unité contre l'unité catholique [4] ».

Naturellement, les richesses mises au jour suscitaient bien des avidités, qu'Augustin s'efforçait de tenir en bride. Il considérait les destructions comme licites et ordonnées par Dieu. Il savait qu'elles avaient commencé « en beaucoup d'endroits » et qu'à Carthage ces opérations seraient fort ardues [5]. Mais il n'admettait pas qu'un fidèle s'appropriât aucun objet d'un temple abattu ni fît transporter chez lui un arbre provenant d'un bois sacré détruit [6]. Il ne voulait pas non plus qu'usurpant sur le droit d'autrui, des chrétiens abattissent aucune idole sans l'aveu du propriétaire du terrain sur lequel elle se dressait [7]. — Ces scrupules étaient-ils alors très répandus ? Il est permis d'en douter. En tous cas, les mesures, pourtant péremptoires, prises par Jovius et Gaudentius, ne parurent pas encore assez efficaces aux évêques d'Afrique, puisque, en 401, un concile réuni à Carthage ordonna de solliciter des empereurs la permission de parachever la destruction des temples encore debout [8].

Naturellement, beaucoup de sanctuaires restèrent intacts pendant une longue suite d'années, protégés qu'ils étaient par des raisons particulières. C'est ainsi que le fameux temple d'Isis à Philae, en Égypte, se maintint jusque vers le milieu du VIe siècle. Les Romains y avaient conclu, en 452, un traité, valable pour cent années, avec les Nubiens et les Blemmyes. Il eût été imprudent de jeter bas le sanctuaire qui avait servi de cadre à ce pacte solennel [9].

(1) *In Symmachum*, I, 502. Voir les allusions groupées par Paul ALLARD dans *Revue des Questions historiques*, t. XXXVI, 1884, p. 6-7.
(2) Saint JÉRÔME, *Epist.*, CVII, 2.
(3) Cf. *supra*, p. 16.
(4) *Sermo* LXII, 12, 18. Cf. *Epist.*, XCIII, 8, 26. « *Pagani vero nos blasphemare possunt de legibus quas contra idolorum cultores christiani imperatores tulerunt...* »
(5) *Sermo* XXIV, 6 (a. 399).
(6) *Epist.*, XLVI.
(7) *Sermo* LXI. Cf. *Epist.*, XLVII (a. 398) : « Lorsqu'après en avoir reçu la permission, nous renversons des temples, des idoles, des bois, etc., nous devons nous garder de nous en attribuer quelque chose pour notre usage personnel. Autrement nous aurions l'air de n'avoir mis la main à cette démolition que par pure cupidité, et non pas par piété ».
(8) Canon 2 (HEFELÉ-LECLERCQ, *Histoire des conciles*, t. II, 1re p., p. 126).
(9) Voir les trois inscriptions, trouvées par F. LENORMANT et commentées par LETRONNE : *Mémoires de l'Académie des Inscriptions*, t. IX, 1831, p. 128 ; t. X, 1833, p. 168 et suiv. ; *Recueil des Inscriptions gr. et lat. d'Égypte*, t. II, p. 198-206, n° 149-151.

Au VIe siècle encore, les villes de Borium et d'Angila, en Libye, avaient un temple de Jupiter Ammon et un temple d'Alexandre de Macédoine [1]. A Héliopolis, en Phénicie, sont encore signalés en 554 un temple et une statue d'Apollon [2]. Saint Benoît rencontrera sur le Mont-Cassin un temple d'Apollon, entouré de plusieurs bois sacrés, où les paysans d'alentour apportaient leurs offrandes et célébraient des sacrifices [3]. La persistance très longue des usages païens assurait la vie des sanctuaires là où l'éloignement des centres les garantissait plus ou moins contre le mauvais vouloir des autorités.

LA TRANSFORMATION DES TEMPLES EN ÉGLISES

Au surplus, l'on comprit peu à peu que de démolir à grands frais des monuments que souvent le travail de l'art avait parés de son prestige, fût-ce en utilisant ensuite les matériaux dégagés, c'était une solution peu raisonnable ; pareillement, de les laisser fermés sans emploi. Mieux valait les adapter à une destination nouvelle, au prix de certains remaniements architecturaux ; car le temple antique était fait pour les liturgies et pour les prêtres qui les accomplissaient, non pour les multitudes qu'accueillaient désormais les églises. L'on connaît bon nombre de ces transformations de sanctuaires païens en sanctuaires chrétiens. Mais il ne semble pas qu'elles aient été systématiquement pratiquées avant le Ve ou le VIe siècle [4].

C'est ainsi qu'en Grèce le Parthénon fut sensiblement modifié pour servir ensuite au culte chrétien, et consacré à l'*Hagia Sophia* [5] ; l'*Erechtheion* fut consacré à la « Mère de Dieu », le *Theseion* à saint Georges, le temple de Proserpine à la Très Sainte Vierge du Rocher [6]. En Galatie, l'*Augusteum* fut remanié aussi pour un emploi inédit. C'est sur une de ses murailles, on le sait, que figure la fameuse inscription, signalée dès le XVIe siècle, publiée seulement en 1862, où Auguste avait consigné le souvenir des gloires et des bienfaits dont il avait comblé le peuple romain.

En Afrique, le temple de la *Dea Caelestis* avait été transformé en église de bonne heure, vers 400, semble-t-il ; mais il fut rasé un peu plus tard,

(1) PROCOPE, *De Aedif.*, VI, II.
(2) ASSEMANI, *Biblioth. orient.*, t. II.
(3) GRÉGOIRE LE GRAND, *Dial.*, II, VIII.
(4) V. MARANGONI, *Delle cose gentilesche e profane trasportate ad uso ed ornamento delle Chiese*, Rome, 1744, p. 256-287 ; Paul ALLARD, *L'art païen sous les empereurs chrétiens*, p. 259-298 ; S. BEISSEL, *Die Umwandlung der heidnischen Tempel in christlichen Kirchen*, dans *Stimmen aus Maria-Laach*, juillet et août 1905.
(5) Au VIIe siècle, seulement, d'après BEULÉ, *L'Acropole d'Athènes*, Paris, 1853, t. I, p. 58 ; à une date inconnue, avoue PETIT DE JULLEVILLE, *Archives des Missions scientifiques*, nouv. série, t. V (1868), p. 470.
(6) Cf. PETIT DE JULLEVILLE, *ibid.*, p. 475.

en 421 [1]. Nous avons signalé déjà que le temple d'Isis à Philae ne fut voué au culte chrétien, après une importante mise au point, que vers le milieu du VIe siècle [2].

A Rome, il est possible qu'une impulsion dans le même sens ait été donnée par la loi de 435, si le mot *destrui* doit être entendu, comme le veulent certains interprètes, dans un sens atténué [3]. Nous savons qu'en 470 le pape Simplicius changea en église la basilique élevée sur l'Esquilin par le consul Julius Bassus (317) : elle devint la Basilique de saint André [4]. Sous Félix IV (526-530), deux temples furent employés pour une seule basilique dédiée à saint Cosme et saint Damien [5]. Sous Boniface IV (608-615), le Panthéon devint aussi une église chrétienne, consacrée à la Vierge Marie et à « tous les martyrs » [6].

Dans les diverses parties de l'Italie, la même méthode d'utilisation fut fréquemment pratiquée. C'est ainsi qu'à Milan les temples de Minerve, de Janus, d'Hercule, d'Apollon servirent au culte chrétien [7]. De même, en Ombrie, un sanctuaire construit sur les bords du Clitumne fut dédié « aux Anges, aux Prophètes et aux Apôtres » [8].

En Sicile, après le concile d'Éphèse (431), huit temples païens furent dédiés à la Sainte Vierge : à Messine, le temple de Vénus et celui de Saturne ; près de l'Etna, un temple de Vulcain ; à Catane, le temple de Cérès et le Panthéon, ainsi que le sépulcre de Stésichore. A Agrigente, le Mausolée du tyran Phalaris fut converti en une église de Notre-Dame de la Miséricorde. Quant au temple de Vénus au mont Eryx, on le purifia par la dénomination de Sainte-Marie-des-Neiges [9].

Cette appropriation des lieux de culte est la plus *voyante* de ces utilisations des éléments païens dont nous aurons à signaler des formes bien plus subtiles et plus audacieuses.

(1) *De promiss. et praedic. Dei*, III, XXXVIII, 44, « *templum suo vero caelesti Regi et Domino consacrarunt* ».
(2) Cf. *supra*, p. 28.
(3) Cf. *supra*, p. 17 et 27.
(4) On y ajouta seulement un autel et des mosaïques (J.-B. DE ROSSI, *Bull. di Archeol. crist.*, 1866, p. 55 ; 1871, p. 1-30, 41-64 ; *Liber pontificalis*, édit. DUCHESNE, t. I, p. 250).
(5) *Liber Pontificalis*, édit. DUCHESNE, t. I, p. 279.
(6) *Ibid.*, p. 317.
(7) V. l'article MILAN, dans le *Dictionnaire d'Archéologie chrétienne et de Liturgie*, t. XI, I.
(8) DE ROSSI, dans *Bull. di Archeol. crist.*, 1871, 143.
(9) BEUGNOT, *La destruction du paganisme en Occident*, t. II, p. 271 ; Paul ALLARD, *L'art chrétien sous les empereurs païens*, p. 269.

CHAPITRE II

SAINT JÉRÔME ET L'ORIGÉNISME [1]

LES VICISSITUDES DE LA GLOIRE D'ORIGÈNE

On connaît la singulière fortune de la réputation d'Origène. De son vivant même, il avait déjà suscité certaines défiances, parfois de vives oppositions. Mais un groupe de disciples passionnés se serrait autour de lui : « Personne, nous dit l'un d'eux, n'écoutait Dieu d'une manière plus intelligente. Peut-être vaut-il mieux dire que, le prenant pour ami, le Maître de toutes choses avait fait de lui son porte-parole... Il lui avait accordé le don d'explorer et de découvrir. C'était, je crois, par une communication de l'Esprit divin. La même puissance qui avait inspiré les prophètes éclairait leur interprète. Il avait reçu le plus beau don — une part splendide — *celle d'être auprès des hommes celui qui expliquait Dieu* » [2]. Son intellectualisme qui, sans dédaigner la foi commune, et prétendant même la garder comme soubassement aux constructions les plus hardies, jetait si haut vers le ciel la flèche de ses spéculations, ravissait une élite d'esprits, à qui il communiquait son désir insatiable de connaître. Naturellement, ces auditeurs passionnés poussaient à bout le système du Maître et transformaient en certitudes, en vérités démontrées, les rêveries métaphysiques auxquelles celui-ci aimait à s'abandonner devant eux.

C'est surtout dans son *Periarchôn* (*De principiis*) qu'Origène avait inséré quelques-unes de ses conceptions les plus inquiétantes. Il composa cet ouvrage à Alexandrie, peu après 220, en utilisant, sans doute, les conférences qu'il donnait depuis une vingtaine d'années à l'École catéchétique, où se pressait une affluence de chrétiens cultivés et de païens à demi convertis, ou tout au moins curieux des choses du christianisme. Rompu à tous les systèmes de la philosophie grecque, familier

(1) Bibliographie. — I. Sources. — Les principales sont les œuvres de saint Jérôme qui seront indiquées au fur et à mesure et que l'on trouvera dans *P. L.*, XX-XXIII.

II. Travaux. — F. Cavallera, *Saint Jérôme, sa vie et son œuvre* (*Spicilegium sacrum Lovaniense*, fasc. I et II), Louvain et Paris, 1922, t. I, p. 193-288 ; t. II, p. 31-46, 115-126 (fondamental) ; Georg Gruetmacher, *Hieronymus*, Berlin, 1901-1908, t. III, p. 1-94 ; Karl Holl, *Die Zeitfolge des ersten origenistischen Streits*, dans les *Sitzungsberichte der Königl. preussischen Akademie der Wissenschaften*, t. IX, 1916, p. 226-255 ; Juelicher, observations sur l'article ci-dessus de Holl, dans *Sitzungsberichte der Königl. preussischen Akad. der Wissenschaften*, 1916, t. IX, p. 256-275.

(2) Grégoire le Thaumaturge, *Remerciement*, XV, 174-183.

avec les spéculations gnostiques, mais profondément attaché aussi à ce qu'il appelait le κήρυγμα ἐκκλησιαστικόν, autrement dit à la règle de foi, il conçut l'idée d'une vaste synthèse théologique où il incorporerait les principes fondamentaux de la doctrine chrétienne sur Dieu, l'homme, l'univers et sur l'Écriture, source de toute vérité. L'auteur ne visait point les « simples » et ne parlait d'eux que pour critiquer leur attachement étroit à la lettre, meurtrière de l'esprit. Armé de la méthode allégorique, il étayait de formules évangéliques ses vues personnelles qui, surtout dans le domaine « eschatologique », ne cadraient guère avec les croyances coutumières.

Jamais, au surplus, les hardiesses de son exégèse n'avaient affaibli chez lui la vivacité de ses intimes convictions. De tendances ascétiques, et même rigoristes, il avait vécu dans l'attente du martyre. Pendant la persécution de Dèce, il fut emprisonné, torturé, « les pieds dans les ceps au quatrième trou », raconte Eusèbe de Césarée [1]. Il ne céda pas et mourut peu après.

DISCIPLES ET ADVERSAIRES DU MAITRE

En somme, il était mort dans la paix de l'Église et sans avoir été l'objet d'aucune condamnation doctrinale. Pendant une cinquantaine d'années, tout alla bien. Ses élèves, dont quelques-uns étaient devenus des personnalités de premier plan, défendaient sans grand combat son prestige et son enseignement. C'étaient, par exemple, saint Grégoire le Thaumaturge ; saint Firmilien, métropolitain de Césarée en Cappadoce, qui avait naguère réussi à amener Origène dans son diocèse et à l'y conserver deux années ; saint Denis le Grand ; saint Alexandre de Jérusalem. Pourtant d'assez vives critiques commençaient à se faire jour. C'est ainsi que saint Méthode, évêque d'Olympe, qui devait mourir martyr en 311, attaqua les idées d'Origène dans une série d'ouvrages ; saint Eustathe d'Antioche s'en prit à sa façon d'exploiter la méthode allégorique ; enfin saint Pierre d'Alexandrie (mort en 311) réfuta, paraît-il, ses théories sur la préexistence des âmes, esprits déchus qui expieraient dans l'enveloppe grossière du corps les fautes commises au cours d'une existence antérieure. A ces offensives, de nombreux admirateurs opposèrent dès lors d'ardentes justifications. Saint Pamphile, mort martyr en 307, composa, en collaboration avec Eusèbe, une *Apologie* d'Origène en six livres ; saint Pierius mérita le nom d'*Origenes iunior*, tant il s'attacha fidèlement aux conceptions du maître ; Didyme l'Aveugle s'ingénia à démontrer que les expressions jugées suspectes du *De principiis* étaient parfaitement susceptibles d'un sens orthodoxe ; saint Basile et saint Grégoire de Nazianze éditèrent conjointement une *Philocalie*, sorte de florilège des œuvres d'Origène.

(1) *Hist. eccl.*, VI, XXIX, 5.

On voit d'ailleurs, en Orient aussi bien qu'en Occident, les écrivains les plus scrupuleux sur les choses de la foi, un saint Athanase, un saint Basile, un saint Grégoire de Nazianze, un saint Grégoire de Nysse appuyer telle opinion sur l'autorité d'Origène, sans économiser à l'adresse de celui-ci les épithètes honorifiques ; et de même un Hilaire de Poitiers, un Eusèbe de Verceil, un Ambroise de Milan. Quant aux hérétiques, notamment les Sabelliens, les Ariens, les Pélagiens, ils ne se réclamaient point d'Origène et ne témoignaient à son égard aucune sympathie compromettante. On peut dire que, jusque fort avant dans le IVe siècle, la gloire du penseur chrétien continuait de briller du plus vif éclat, en dépit des efforts de quelques-uns pour l'obscurcir.

SAINT ÉPIPHANE DE SALAMINE

L'entrée en lice d'un adversaire particulièrement tenace et redoutable allait changer tout cela, et composer une atmosphère d'orages.

A partir de 374, l'évêque de Salamine, Épiphane, s'assigna pour tâche de perdre Origène dans l'opinion catholique. A qui douterait encore que l'érudition la plus étendue puisse s'allier dans le même esprit avec une réelle médiocrité d'intelligence et les partis-pris les plus entêtés, on pourrait présenter Épiphane comme un spécimen assez réussi de ce déplaisant amalgame. C'était personnellement un homme d'une piété édifiante et d'une vie digne de respect ; mais, tout brûlant d'un zèle passablement brouillon, il s'était constitué chasseur d'hérésies, et il avait flairé en « l'origénisme » une proie magnifique. Dans son *Ancoralus*, écrit en 374, il rangea Origène parmi les hérésiarques et lui reprocha son allégorisme, sa doctrine christologique, ses idées sur la résurrection des corps. Il réédita les mêmes griefs, en les amplifiant, dans son *Panarion*[1] ; et ses autres ouvrages, en particulier l'*Anacephalaeosis*, qui est un appendice au *Panarion*, témoignent de la même hostilité.

Épiphane allait trouver un auxiliaire puissant — et tout à fait imprévu — en la personne de saint Jérôme.

LES PREMIERS ENTHOUSIASMES DE SAINT JÉROME

Que Jérôme ait été pendant de longues années le très fidèle disciple d'Origène, c'est là une évidence contre laquelle il se débattra, au cours des âpres luttes où il allait se trouver engagé : ses œuvres mêmes en portent de si évidents témoignages que toute contestation est superflue. L'immense érudition du docteur alexandrin l'avait littéralement subjugué et il ne trouvait nulle expression trop forte pour lui payer sa dette d'admiration et de gratitude. Déjà, à Constantinople, entre 379 et 382, il traduisait trente-sept homélies d'Origène (quatorze sur Jérémie, quatorze sur Ézéchiel, neuf sur Isaïe) et il le trai-

(1) *Panarion*, LXIV.

tait dans sa Préface de « maître des églises, qui se place au second rang après les apôtres (*alterum post apostolos ecclesiarum magistrum*). A Rome même (382-385), il le défendait contre les « chiens en fureur » qui osaient aboyer après sa réputation [1], de même que, quelques années plus tard, à Bethléem, il affirmait que, pour avoir la science d'un exégète de cette qualité, il assumerait volontiers l'*invidia* dont certaines « larves » le poursuivaient [2]. Quand on l'accusait de plagier Origène, il déclarait que cette sujétion même était pour lui une gloire « *cum illum imitari volo quem cunctis prudentibus... placere non dubito* » [3]. Qu'on lise seulement, dans le *De viris illustribus*, rédigé en 392, la notice enthousiaste qui y est consacrée à Origène [4] : elle donne la mesure de la vénération de Jérôme pour cet « immortel génie ». C'était surtout au commentateur de l'Écriture sainte qu'il vouait cette dilection. Mais il n'était pas jusqu'à certaines opinions dogmatiques d'Origène — par exemple, sur la préexistence des âmes, sur le salut final de tous les chrétiens, sur la hiérarchie des anges, — qu'il n'eût accueillies, sans adhésion explicite, mais sans réserves nettement articulées.

RUFIN D'AQUILÉE

Comment le revirement complet auquel nous allons assister se fit-il dans son esprit ? Par suite de quels incidents ? Ici il nous faut présenter un nouveau personnage qui joua un rôle très important dans toute cette crise, et qui ne mérite pas les disqualifications que certains critiques anciens et modernes [5] ont cru devoir lui infliger. Rufin (*Tyrannius Rufinus*) était né à Concordia, près d'Aquilée. Il avait lié connaissance avec Jérôme à Rome, et leur amitié s'était avivée jusqu'à la tendresse dans le cercle ascétique d'Aquilée. Quand ce cercle se dispersa, Rufin, devenu moine, s'attacha à la personne d'une riche patricienne, Mélanie, la fille de Marcellinus, consul en 341 ; il devint un peu son directeur de conscience et son indispensable conseiller. En novembre 372, ils partirent tous deux pour l'Orient. Ils s'arrêtèrent d'abord en Égypte : Rufin y prolongea son séjour, tandis que Mélanie poussait jusqu'à Jérusalem et y fondait un monastère, où Rufin la rejoignit en 378. L'influence d'Origène était alors prépondérante en Orient, surtout en Égypte, parmi les moines. Rufin la subit d'autant plus aisément qu'il n'avait pas une originalité d'esprit très vigoureuse. Si nous jetons un regard sur son œuvre (presque tout entière postérieure à 397), nous constatons que, mis à part ses écrits de polémique et un ou deux traités exégétiques, elle est faite de traductions.

(1) *Epist.*, XXXIII.
(2) Préface des *Quaestiones Hebraicae*.
(3) Préface au livre II du *Commentaire* sur Michée.
(4) *De viris illustribus*, LIV.
(5) BARONIUS, NORIS, BROCHET. Sur l'ouvrage de ce dernier (*Saint Jérôme et ses ennemis*, Paris, 1905), voir l'appréciation sévère de CAVALLERA, *Saint Jérôme*, t. II, p. 97.

Rufin avait observé qu'on savait de moins en moins le grec en Occident, que des penseurs de l'envergure d'Origène y étaient totalement ignorés, même dans les hautes sphères ecclésiastiques. Il se dit que ce serait besogne utile que de transposer diverses œuvres maîtresses de la théologie grecque — fût-ce au prix de quelques infidélités et remaniements — dans un latin aussi correct que possible.

Mélanie partageait elle-même l'engouement de Rufin à l'égard d'Origène ; et par l'autorité de sa naissance et de ses richesses, grâce aussi à la générosité dont elle avait fait preuve au bénéfice des évêques et des moines chassés d'Égypte par Valens, elle jouissait ainsi que Rufin d'une situation très en vue.

Quand Jérôme et Paula arrivèrent à leur tour en Palestine (386), ils s'installèrent à Bethléem. Il n'y eut donc pas contact immédiat avec Rufin et Mélanie, qui avaient leur habitacle à Jérusalem. Certains indices laissent penser que de menus froissements durent parfois indisposer très légèrement les deux amis l'un contre l'autre. Jérôme avait peine à retenir les propos mordants et, d'autre part, Rufin goûtait peu les travaux bibliques de Jérôme, qui tendaient à diminuer l'autorité des Septante. Les rapports restaient pourtant cordiaux.

LA DÉMARCHE D'ATARBIUS

Or voici que, dans les premiers mois de 393 [1], un certain Atarbius, agissant, semble-t-il, de son chef, vint demander à Jérôme et à Rufin de condamner l'origénisme, dont les progrès en Palestine étaient alors sensibles. Jérôme ne put manquer, devant cette démarche, d'éprouver quelque perplexité. Jusqu'alors il avait envisagé surtout en Origène l'interprète de la Bible, plutôt que l'audacieux constructeur d'idées. La sainteté d'Épiphane, dont Atarbius lui avait sans nul doute fait connaître l'état d'esprit, son universelle érudition, son zèle orthodoxe durent intimider son jugement et éveiller en lui une crainte de dévier de la droite voie, s'il s'attachait obstinément à défendre tout un système théologique qu'il n'avait guère scruté jusqu'alors. Bref, il s'associa à la réprobation des erreurs qu'Atarbius lui signalait chez le grand Alexandrin.

Rufin, lui, refusa purement et simplement de recevoir Atarbius. Cette différence d'attitude créait d'emblée un certain malaise entre lui et Jérôme.

ÉPIPHANE A JÉRUSALEM

Or, vers Pâques de la même année, Épiphane, déjà presqu'octogénaire, qui avait été élevé en Palestine et y revenait de temps à autre, crut devoir se

(1) La chronologie suivie ici est celle qu'a déterminée le P. Cavallera, *Saint Jérôme*, t. II, p. 31-47, qui a mis au point les recherches de Holl et de Juelicher (voir la *Bibliographie*) et a signalé certaines méprises commises par ces deux savants.

porter de sa personne à Jérusalem pour combattre directement la *peste* de l'origénisme, dont l'évêque Jean était infecté. Il invita celui-ci à ne plus jamais louer Origène, père de l'arianisme [1]. Quelques jours plus tard, une série de duels oratoires où, sous les dehors d'une courtoisie frémissante, bouillonnaient les passions adverses, mirent aux prises Épiphane et Jean dans la chapelle du Saint-Sépulcre. L'un prêchait contre Origène ; l'autre s'emportait contre les « anthropomorphites » en affectant de se tourner vers Épiphane, comme s'il le rendait solidaire de leur grossière conception de Dieu [2].

Finalement, le vieillard quitta Jérusalem et vint se réfugier à Bethléem. Sur la prière de Jérôme et de ses moines, il revint bientôt à Jérusalem, mais ne s'y attarda pas et s'installa au monastère de Besanduc.

L'ORDINATION DE PAULINIEN

Au début de 394, un fâcheux incident allait achever de tout gâter.

Les moines du monastère de Bethléem s'étaient plaints à Épiphane de n'avoir parmi eux aucun prêtre qui voulût célébrer le saint Sacrifice. Jérôme et son ami Vincent, dont il avait fait la connaissance à Constantinople, se dérobaient à toute fonction liturgique *propter verecundiam et humilitatem.* Épiphane, qui, de loin, endoctrinait volontiers ces moines pour les mettre en défiance contre Jean, saisit l'opportunité d'une délégation qui était venue le trouver et ordonna prêtre, quasi de force, le frère de saint Jérôme, Paulinien [3]. C'était un empiétement assez indiscret sur les prérogatives de Jean de Jérusalem et celui-ci, déjà mal disposé, fut offensé de cette initiative. Épiphane lui écrivit, pour justifier son acte, une lettre qui aboutissait à une nouvelle sommation de renoncer aux erreurs origénistes. Jean s'abstint d'y répondre. Alors Épiphane invita les moines palestiniens à rompre avec lui. Jean riposta en interdisant l'entrée de l'église de la Nativité à tout moine qui reconnaîtrait comme valable l'ordination de Paulinien.

JÉROME TRADUIT LA LETTRE D'ÉPIPHANE

Les esprits commençaient à être fort montés, de part et d'autre. Rufin en tenait pour l'évêque Jean, Jérôme pour Épiphane, et rien que ce dissentiment aurait suffi à jeter un froid entre les deux amis. Or voici que sur la prière d'un pieux laïc qui ne savait pas le grec, Jérôme consentit à traduire en latin la fameuse lettre d'Épiphane à Jean, dont on parlait partout [4]. Il lui avait bien recommandé de garder pour lui

(1) *Epist.*, LI, 3 (dans saint JÉRÔME).
(2) *Contra Ioh. Hieros.*, XI.
(3) *Epist.*, LI, 1. Cet épisode plus qu'étrange est raconté par Épiphane lui-même. On notera les expressions « *ignorantem eum et nullam penitus habentem suspicionem per multos diaconos adprehendi iussimus* et teneri os eius ». Et plus bas : « *rursus cum ingenti difficultate* tento ore eius... »
(4) *Epist.*, VII, 2.

cette traduction. Mais dix-huit mois plus tard, en 395, le document fut dérobé par un *pseudomonachus* et tomba entre les mains de Rufin et de l'évêque Jean, qui purent croire que Jérôme s'associait personnellement à la campagne ouverte par Épiphane. Ils en furent d'autant plus froissés que la traduction de Jérôme amortissait plutôt les expressions fort polies par lesquelles Épiphane avait essayé de ménager l'amour-propre de Jean.

LA PETITE GUERRE Alors commença une guerre de manœuvres souterraines, d'intrigues et de chausse-trapes, coupée de trêves, de réconciliations verbales, pour reprendre ensuite avec plus d'acharnement et de traîtrise. Jean exigeait un désaveu sans réserves de l'ordination irrégulière de Paulinien. Ses adversaires exigeaient de lui un désaveu sans réserves de l'origénisme. Il eut la fâcheuse idée d'en appeler à l'arbitrage de Théophile, l'évêque d'Alexandrie, personnage inconsistant et équivoque. Entre temps, il avait sollicité contre les moines une sentence d'expulsion [1], qui ne put être exécutée en raison de soucis politiques infiniment plus graves, une incursion des Huns qui menaçaient la Palestine [2].

Théophile délégua à Bethléem le prêtre Isidore qui n'obtint rien, mais rapporta à Théophile un mémoire justificatif où l'évêque Jean reprenait l'histoire de la querelle et protestait de sa parfaite orthodoxie [3]. Ce mémoire fut envoyé à Rome, où tous ces débats intéressaient vivement l'opinion ; et les ennemis de Jérôme — ils étaient fort nombreux — furent bien aises d'évoquer malignement la faveur, la ferveur plutôt, qu'il avait toujours réservée à Origène.

Informé de ces rumeurs par son fidèle Pammachius, Jérôme en fut piqué au vif. Dans les derniers mois de 396, il lança contre Jean de Jérusalem un pamphlet d'une extrême violence [4] où, chantant sa palinodie, il désavouait Origène au point de vue dogmatique et reprochait à Jean ses hauteurs et les faux-fuyants dont il palliait ses douteuses doctrines. Il citait même un exemple de sa tactique peu loyale : en neuf passages, remarquait-il, Jean parle de la résurrection ; mais nulle part il n'ajoute les mots « de la chair » ; et par ce silence même, il avoue son origénisme équivoque et honteux.

LA RÉCONCILIATION DE 397 On eût pu croire tout brisé entre Jérôme et Jean. Mais cette querelle réserve plus d'une surprise. Théophile, prenant au sérieux le rôle de médiateur,

(1) *Epist.*, LXXXII, 10.
(2) *Epist.*, LXXVII, 8.
(3) Ce mémoire a été recomposé par CASPARI dans ses *Ungedruckte, unbeachtete und wenig beachtete Quellen zur Geschichte des Taufsymbols und der Glaubensregel*, Christiana, 1866, t. I, p. 166-172, d'après les citations insérées dans le *Contra Iohannem Hierosolymitanum* de JÉRÔME.
(4) Le *Contra Iohannem Hierosolymitanum* est édité dans *P. L.*, XXIII, 355-396.

intervint une fois encore par un appel à la concorde, auquel Jérôme ne resta pas insensible. Sans abandonner ses griefs contre Jean, il affirma dans sa réponse à Théophile [1] qu'il ne cherchait autre chose que « boire les eaux de la paix ». Une réconciliation (toute provisoire, hélas !) intervint : un matin de l'année 397, Jérôme et Rufin lui-même unissaient publiquement leurs mains dans l'église de la Résurrection [2].

RUFIN A ROME Quelque temps après, au cours de cette même année, Rufin partait pour Rome, suivi bientôt de quatre moines du monastère de Bethléem, parmi lesquels Paulinien. Il y fut accueilli avec une grande curiosité, que ne décourageaient pas son aménité naturelle et la dignité de son maintien. Il restait pieusement fidèle à la mémoire d'Origène, et persuadé que ce serait un gain pour l'Occident que de connaître ses œuvres, préalablement expurgées des idées fausses que les hérétiques y avaient, croyait-il, semées à dessein. Sa sincérité était moins douteuse que son esprit critique.

Sur la prière d'un de ses nouveaux amis romains, un certain Macaire, il traduisit du grec l'*Apologie* d'Origène qu'avait rédigée Pamphile, mort martyr en 307, et fit suivre cette traduction d'un opuscule, le *De adulteratione librorum Origenis* où il partait de ce principe qu'un génie de cette qualité n'avait pu se contredire ; donc, les contradictions, qu'il était aisé de relever dans ses œuvres, décelaient la mauvaise foi d'interpolateurs sans conscience. Il rattachait son ouvrage aux récents événements par une allusion précise à Épiphane « qui se fait, disait-il, une obligation de calomnier Origène par tous pays, en toutes langues, et se prend pour un apôtre chargé d'évangéliser contre lui ».

RUFIN TRADUIT LE PERIARCHON La curiosité de ses lecteurs réclamant davantage, Rufin leur servit le fameux livre *Des Principes* (398). Il y avait fait les éliminations et retouches nécessaires, et dans deux préfaces, l'une au début de l'ouvrage, l'autre avant le troisième livre, il justifiait sa méthode [3]. Dans la première de ces préfaces, il mettait habilement (on n'ose dire « perfidement », quoique certains s'y soient risqués) son entreprise sous le patronage de Jérôme qu'il désignait clairement sans le nommer ; et il se donnait comme le continuateur « de ce grand homme », traducteur fécond des *tomes* d'Origène.

Eusèbe de Crémone, qui n'était pas très regardant sur le choix de ses

(1) *Epist.*, LXXXII (fin 396 ou début 397).
(2) *Apol. c. Rufin*, III, XXIV.
(3) « J'ai omis, déclarait-il, de traduire *ce qui paraissait contraire au reste de sa doctrine et à notre foi*, le passant sous silence comme inséré par d'autres et adultéré ». Voir l'ouvrage essentiel de G. Bardy, *Recherches sur l'histoire du texte et des versions latines du* De Principiis *d'Origène*, Paris, 1923, p. 89 et suiv.

moyens, réussit à se procurer par fraude un exemplaire de ce travail et il le communiqua au groupe des familiers de Jérôme, qui lui restaient profondément dévoués [1]. Ceux-ci ne manquèrent pas d'alerter leur illustre ami. Etonnés de trouver tellement inoffensif le texte d'Origène, tel que Rufin venait de le transposer en latin, Pammachius et Oceanus le sollicitèrent d'en donner une traduction exacte, complète, où apparût toute la nocivité des idées origénistes ; ils lui signalèrent aussi la façon peu loyale [2] dont Rufin venait de le compromettre « en insinuant obliquement qu'ils avaient les mêmes sentiments ».

SAINT JÉROME TRADUIT A SON TOUR LE PERIARCHON

Paraphrasée de la sorte, l'attitude de Rufin ne pouvait que blesser au vif la susceptibilité de Jérôme, encore qu'il ne soit nullement prouvé que Rufin ait eu des intentions sournoises en se prévalant des travaux antérieurs de Jérôme [3]. Rufin était peiné de la cabale montée contre lui, à Rome même, et il s'en plaignit à Jérôme en des termes dépourvus de toute animosité. — Déjà celui-ci avait en mains le dossier de cette nouvelle histoire. Toute affaire cessante, il se mit à la traduction du vrai *De Principiis*. Dès qu'elle fut achevée, il l'expédia à Rome, avec deux lettres, l'une destinée à Rufin, où il lui demandait sur un ton assez modéré de ne pas gâter leur vieille amitié ressoudée [4] ; l'autre adressée à Pammachius et Oceanus [5], qui était destinée à circuler et où il fixait sa position personnelle à l'égard d'Origène. Là encore il s'efforçait au calme, mais sans pouvoir retenir quelques grondements, précurseurs des prochains éclats.

Les amis de Jérôme n'imitèrent pas cette relative sérénité, qui avait dû lui coûter beaucoup. Ils commirent l'indélicatesse de garder par devers eux la lettre destinée à Rufin, qui ne connut ainsi que la réponse à Pammachius et Oceanus, beaucoup plus montée de ton. Puis, profitant d'un changement de pontificat — Sirice venait de mourir le 26 novembre 399, — ils s'efforcèrent d'obtenir du nouveau pape, Anastase, une condamnation en règle de l'origénisme.

LA RÉACTION ANTI-ORIGÉNISTE EN ORIENT

Juste à ce moment, une réaction marquée contre l'origénisme se dessinait en Orient, sous l'impulsion de l'évêque d'Alexandrie, Théophile, qui, opérant une volte-face inattendue, venait de s'en déclarer l'ennemi. Certains dissentiments avec les moines

(1) Cf. *Epist.*, LXXIII, 1.
(2) *Epist.*, LXXXIII.
(3) Lire à ce sujet les pages excellentes du P. CAVALLERA, *Saint Jérôme, sa vie et son œuvre*, t. II, p. 240 et suiv.
(4) *Epist.*, LXXXI.
(5) *Epist.*, LXXXIV. On désigne volontiers cette lettre sous le nom d'apologie à Pammachius. Elle est de 399.

origénistes de Nitrie l'avaient décidé à ce changement d'attitude. Non seulement il fit condamner l'origénisme, au début de 400, par une assemblée d'évêques « accourus de presque toute l'Égypte », mais il prit l'initiative d'une sorte de croisade contre les idées du maître alexandrin, et envoya à Rome lettres et missions pour faire entrer l'Occident dans la lutte dont il se constituait l'animateur. Anastase, déjà travaillé par les partisans de Jérôme, céda à ses instances. Il condamna à son tour les « propositions » blasphématoires qu'on lui présentait [1] : il en était une qui était donnée (faussement) comme extraite de la version rufinienne du *De principiis* [2].

L'APOLOGIE DE RUFIN A ANASTASE

Profondément irrité de toute cette campagne, Rufin voulut se dégager de l'impasse où l'on essayait de l'acculer. Il fit d'abord présenter au pape une *Apologie* [3] « afin d'effacer, disait-il, toute trace de suspicion et de remettre au pape le bâton de sa foi, qui lui permettrait de chasser ceux qui continuaient d'aboyer après lui » [4]. Il y justifiait son orthodoxie, ses procédés de traducteur qui n'avait eu d'autre souci que de corriger Origène là où besoin était, en restant strictement fidèle à la foi de Rome, d'Alexandrie, de Jérusalem et d'Aquilée. Etait-il, au surplus, le premier à l'avoir mis en latin ? Rufin terminait en flétrissant ceux dont l'esprit de dénigrement s'employait à susciter des dissensions et des scandales entre frères.

Cette *Apologia ad Anastasium* ne paraît pas avoir produit une forte impression sur le pape. Il évita de trancher la question des intentions véritables de Rufin en tant que traducteur du *Periarchon* et l'abandonna à sa conscience et au jugement de Dieu [5].

L'APOLOGIE CONTRE JÉROME

Alors Rufin se décida à réfuter l'*Apologie* de Jérôme à Pammachius [6]. Il prit tout son temps et sut extraire de son dossier un pamphlet fort habile, en deux livres, l'*Apologia ad Apronianum* [7], qui parut seulement en 401. Cette fois, Jérôme était pris à partie, sans ménagements et avec un redoutable appareil de preuves et de textes.

(1) *Epist. ad Simplicianum*, dans *P. L.*, XX, 51 et XXII, 772.
(2) C'est Marcella qui l'avait fournie à Eusèbe de Crémone, parmi d'autres textes que celui-ci s'était chargé de soumettre à Anastase (RUFIN, *Apol.*, I, XVII-XX).
(3) *P. L.*, XXI, 623-628.
(4) § I.
(5) Tel est le sens général de sa lettre à Jean de Jérusalem (*P. L.*, XX, 68-73 ; XXI, 627-632) qui l'avait consulté sur le cas de Rufin, dans un esprit plutôt favorable à celui-ci. Anastase indique dans cette lettre que les empereurs *viennent d'interdire la lecture d'Origène.*
(6) Cf. *supra*, p. 39, n. 5.
(7) Ou *Apologiae in Hieronymum libri duo*, dans *P. L.*, XXI, 541-624. — Il est bon de savoir que cette pièce importante a été traduite en anglais, ainsi que la réponse de saint Jérôme, et divers opuscules de Rufin, dans *A select Library of Nicene and Post-Nicene Fathers...*, 2e série, vol. III, Oxford et New-York, 1892, par les soins de William-Henry FREMANTLE.

Au seuil même de l'œuvre, Rufin rappelait l'*Apologie* à Pammachius et se félicitait d'être victime de la calomnie, comme le Christ l'avait été de la part des Juifs. Toutefois, par respect pour la justice, il croyait devoir rétablir les faits, car en matière de foi le silence n'est point de mise. Ses lecteurs sauraient discerner le vrai, en dépit des insuffisances de son style.

Il repoussait solennellement toute incrimination d'hérésie et réitérait les déclarations les plus explicites sur la Trinité et la résurrection de la chair. Quant aux griefs d'ordre dogmatique portés contre Origène (par exemple, l'hypothèse des âmes créées avant les corps, et insérées après coup dans ceux-ci), il ne lui appartenait pas de les réfuter : « Je ne plaide pas, déclarait-il, la cause d'Origène, ni n'écris pour lui une apologie [1] ». Rappelant ensuite les termes mêmes de plusieurs de ses préfaces, il définissait l'esprit de prudence et d'équité dont il s'était inspiré en traduisant le *Periarchon*. Il ne méritait pas, à coup sûr, un tel déchaînement de calomnies et d'« aboiements ».

Se tournant alors contre Jérôme, il l'accusait formellement d'être l'inspirateur lointain, mais actif, des intrigues tramées contre lui. Il lui remettait sous les yeux son passé de disciple, d'admirateur d'Origène, ses complaisances pour les thèses suspectes hasardées par celui-ci, alors qu'il lui eût été si facile, les citant, de les réfuter d'un mot ; et il l'enfermait dans le dilemme que voici [2] : « Ou bien Jérôme avait raison dans ses louanges de naguère, et son jugement a été depuis lors gâté par son esprit de chicane : en ce cas, il ne mérite aucune audience ; ou bien, il s'est trompé en accordant lesdits éloges, et s'il se condamne lui-même par des aveux, quel jugement peut-il attendre d'autrui ? » Examinant le *Commentaire* de Jérôme sur l'*Épître* de saint Paul *aux Éphésiens*, il s'évertuait à y découvrir des traces d'origénisme. Puis, passant dans son second livre à des griefs encore plus incisifs, il évoquait le fameux « songe cicéronien » de Jérôme, et l'accusait d'avoir violé le serment articulé dans cette espèce d'extase [3]. Il lui reprochait d'avoir puisé sa science à des sources impures, Porphyre, l'ennemi du christianisme, pour la logique, le juif Barabbas pour l'hébreu. Il citait une série de textes où Jérôme avait magnifié Origène, alors qu'il prétendait n'avoir préconisé que deux fois seulement ses mérites. Il montrait Jérôme portant une main audacieuse sur l'Écriture sainte, ravalant l'autorité des *Septante*, contestant l'historicité du *Livre de Judith* et du *Livre de Daniel*. « Je ne veux pas, s'écriait Rufin, d'une science que ni Pierre ni Paul n'ont enseignée. Je ne veux pas d'une « vérité » que les Apôtres n'ont

(1) § 10.
(2) *Apol.*, I, XXII.
(3) *Apol.*, II, VII et suiv.

point approuvée. Vous l'avez dit vous-même [1] : il ne faut pas qu'après quatre cents ans une doctrine nouvelle vienne troubler les simples, parmi les Latins ».

Entre temps, il ramassait en faisceau tous les sujets de rancune que l'apostolat parfois peu mesuré de Jérôme avait semés dans les cœurs romains : ses attaques virulentes contre les veuves, les vierges, le clergé ; sa façon de disqualifier le mariage sous prétexte d'exalter la virginité, etc. ; et, par une série de touches habilement placées, il lui composait la figure d'un être versatile, vaniteux, chicanier, jaloux des meilleures gloires de l'Église.

L'APOLOGIE DE JÉROME CONTRE RUFIN

Jérôme sut bientôt que le pamphlet circulait en Italie, en Dalmatie, en Afrique même, et était lu, commenté avec passion. Instruit de l'essentiel de l'opuscule par les soins de Pammachius, de Marcella et de son frère Paulinien, il n'attendit pas d'avoir en mains le texte complet, et élabora une prompte riposte. Dès ce moment, il était devenu le collaborateur actif de Théophile, et ravitaillait l'Occident en documents susceptibles de servir la cause anti-origéniste [2]. Mais cette fois, c'était son honneur, son loyalisme catholique qu'il s'agissait de défendre. Deux livres, dédiés à Pammachius et à Marcella, apportèrent à Rome ses justifications [3].

Dans le premier livre, il s'attachait à définir son attitude à l'égard d'Origène. Pourquoi avait-il fait lui-même une traduction du *Periarchon* ? Parce que la traduction de Rufin, audacieusement édulcorée dans les questions connexes au dogme de la Trinité, laissait subsister beaucoup d'autres erreurs, pour le péril des âmes. Il avait voulu, lui, en donner une image absolument fidèle et « livrer ainsi l'auteur hérétique à l'Église, afin qu'elle en fît justice ». Pourquoi avait-il écrit la fameuse lettre à Pammachius ? Parce que, mis en cause inopinément par Rufin, il fallait qu'il se défendît, même si, à cette époque, Rufin n'avait pas eu l'intention arrêtée de lui nuire. Pourquoi, enfin, avait-il suivi fidèlement Origène dans certains de ses Commentaires de l'Écriture sainte ? C'est qu'un Commentaire consiste essentiellement à grouper les diverses explications des interprètes, sans que l'auteur les prenne toutes à son compte, afin que le lecteur intelligent puisse choisir. Jamais les commentateurs profanes de Plaute ou de Virgile n'avaient procédé autrement. Il est vrai, ajoutait-il, que Rufin n'avait guère fréquenté l'école, et cela se voyait à son mauvais style ! Reprenant alors l'examen de certains passages de

(1) Cf. *Epist.*, LXXXIV, 8.
(2) *Epist.*, XC-XCIV (a. 400) ; traduction de la lettre pascale de Théophile contre les erreurs d'Origène (*Epist.*, XCVI).
(3) *Apologiae adversus Rufini libros libri duo* ou *Contra Rufinum*, dans *P. L.*, XXII, 397-456, a. 401.

son Commentaire sur l'*Épître aux Éphésiens*, Jérôme en rétablissait le sens et en marquait la véritable portée.

Autre grief, le songe cicéronien. Rufin s'était avisé que Jérôme n'avait nullement tenu son serment de ne plus lire des œuvres profanes, « serment inouï, effroyable », articulé avec une solennité inaccoutumée : « Relisez-le, écrivait-il, y a-t-il dans son œuvre une page qui ne vous le montre encore cicéronien, une seule où il ne vous dise : « Mais *notre* Tullius, *notre* Horace, *notre* Virgile... » Nulle échappatoire ne pouvait, au gré de Rufin, tirer Jérôme *de tam sacrilego periurii barathro* [1]. — Fort simple est la réponse de Jérôme : « J'ai déclaré, répond-il à Rufin, que je ne lirais plus désormais d'œuvres profanes : *de futuro sponsio est, non praeteritae memoriae abolitio*, cette promesse ne visait que l'avenir : le moyen d'abolir la mémoire de ce qu'on a appris dans le passé, ces souvenirs de jeunesse dont la ténacité est si vivace [2] ? — Quant au songe fameux que Rufin avait affecté de prendre au tragique, Jérôme le traite avec désinvolture : « Voici que, par un genre nouveau d'impudence, Rufin m'objecte mon rêve. Lui qui incrimine les songes, qu'il écoute donc la parole du Prophète qui défend d'y croire, vu que ni l'adultère commis en songe ne conduit à l'enfer, ni la couronne du martyre reçue de même n'ouvre le ciel... Combien de fois n'ai-je pas volé au-dessus de la terre, franchi les monts et les mers ! Vais-je donc me voir condamner à mort, ou à porter des ailes, sous prétexte que ces rêves absurdes ont parfois amusé mon imagination ? »

Dans son second livre, Jérôme visait plus spécialement l'*Apologie* de Rufin à *Anastase*. Les attaques directes se multiplient : Rufin s'est prévalu de son exil, des souffrances subies pour la foi en Égypte. C'est se moquer du monde. Quelles pièces, quels témoins autorisent ces vantardises ? — Il prétend s'être justifié sur ses croyances ; or, sur les points essentiels, il a constamment répondu à côté. — Il donne sa traduction du *Periarchon* comme une œuvre pie. Pourquoi livrer au public un livre hérétique, même en le retouchant ? Et quoi de plus absurde que cette théorie des interpolations, par laquelle tout hétérodoxe pourrait se disculper de ses erreurs ? — Rufin lui a reproché son attitude à l'égard des *Septante*. Faut-il donc que Jérôme se défende encore, après avoir tant peiné pour mériter l'estime de l'élite chrétienne ? Il n'a nullement voulu éliminer les *Septante* (il s'en sert lui-même tous les jours), mais seulement montrer l'utilité de l'hébreu dans nombre de cas [3], comme l'avaient fait Origène, Eusèbe et Didyme, — sans compter certaines paroles du Sauveur lui-même qui se réfèrent certainement à l'hébreu.

Jérôme se félicitait, en terminant, que la situation fût devenue nette,

(1) *Apol. in Hier.*, II, VII-IX.
(2) *Apologia contra Rufinum*, I, XXX et suiv.
(3) *Ibid.*, II, XXXIV.

car « il est plus facile, remarquait-il, de se garer d'un ennemi déclaré que de faire tête à qui cache son hostilité sous le nom de l'amitié ».

A cette terrible contre-attaque, Rufin répondit d'Aquilée par une lettre privée, rapidement rédigée [1], dont nous n'avons plus le texte, mais qui, d'après Jérôme, ressassait explications et griefs, mêlés de graves menaces au cas où celui-ci persisterait dans ses calomnies. La réplique de Jérôme [2] respire la passion allumée par cette interminable joute. Il y dévoile la tactique tortueuse de son ancien ami, ses louanges destinées à le compromettre, « les détours de ses arguties et ses pièges de renard » [3]; il lui intime l'ordre de déposer les armes, si vraiment il souhaite la paix, et de s'unir à lui pour condamner Origène, désormais condamné dans tout l'univers.

LA FIN DU CONFLIT

Rufin eut le bon esprit de ne pas insister davantage et prit le parti de se taire. Il s'enferma dans une retraite laborieuse, où ne lui firent pas défaut l'estime et la sympathie de quelques-uns des plus notoires personnages de ce temps, saint Paulin de Nole, Gaudence de Brescia, Chromace d'Aquilée. Et il continua tranquillement à traduire Origène, jusqu'au jour où, fuyant les barbares, il partit précipitamment pour Jérusalem avec Mélanie qu'accompagnait sa fille Albine et ses petits-enfants. Mais la mort le prit en Sicile (411).

Jérôme, lui, avait été si profondément atteint dans ses œuvres vives qu'il ne put se résigner à l'oubli. « Le scorpion », « le porc qui grogne » (*Grunnius*), « le serpent », tels sont les sobriquets peu flatteurs dont il poursuivit Rufin, même après sa disparition [4]. Il lâcha même un « *intus Nero, foris Cato* » qui dépasse sensiblement les limites du bon goût [5].

LES ENSEIGNEMENTS DE CES DÉBATS

Cette interminable querelle qui occupa l'Orient et l'Occident pendant une dizaine d'années n'est pas avare d'enseignements psychologiques. On y voit à plein à quelle âpreté, à quelle violence, glisse parfois l'*odium theologicum* : « Ce n'est pas un spectacle édifiant que nous présentons à nos lecteurs, avoue Jérôme à Rufin [6]; celui de deux hommes ainsi engagés, à propos d'un hérétique, dans un véritable combat de gladiateurs, alors qu'ils prétendent l'un et l'autre passer pour des catholiques... ». « Malheur au monde à cause du scandale ! s'écriait de son côté saint Augustin [7]. Quels cœurs pourront s'assurer de leur fidélité désormais ? Dans

(1) Le capitaine d'un navire de commerce aurait remis à Rufin les deux livres de saint Jérôme, et ne lui aurait laissé que deux jours pour sa réponse.
(2) C'est le troisième livre du *Contra Rufinum* (a. 402).
(3) *Contra Rufinum*. III, VII.
(4) Textes réunis par CAVALLERA, *op. cit.*, t. II, p. 131-135.
(5) *Epist.*, CXXV, 18.
(6) *Contra Rufinum*, III, IX.
(7) *Epist.*, LXXIII (*Epist.*, LX, dans la *Correspondance* de Jérôme).

le sein de qui se jettera tout entière une sûre affection ? Quel ami ne redoutera de devenir quelque jour un ennemi, s'il est possible qu'ait surgi entre un Jérôme et un Rufin ce que nous déplorons ? (*Quis denique amicus non formidetur quasi-futurus inimicus, si potuit inter Hieronymum et Rufinum hoc quod plangimus exoriri* ?) ». Oui, l'analyse découvre dans cet *odium* des éléments de qualité douteuse. Elle en dégage aussi qu'il serait peu équitable de sous-estimer le souci de la croyance correcte, la préoccupation angoissée du salut individuel et du salut d'autrui. Ce n'est pas dans ces milieux de foi très vive que les « idées » sont tenues pour simples jouets dialectiques : on les y prend au sérieux, parfois même au tragique. Notons aussi le rôle contestable que jouèrent dans cette affaire certains amis des protagonistes. Pour une âme « irénique » comme Chromace d'Aquilée — dont l'influence contribua beaucoup, semble-t-il, à pacifier définitivement Rufin — que de zèles intempestifs et brouillons ! Un Eusèbe de Crémone, un Théophile d'Alexandrie poussèrent la passion partisane jusqu'aux confins de l'indélicatesse. Les meilleurs mêmes — Marcella, Pammachius, par exemple — ne furent pas toujours aussi scrupuleux qu'on l'eût attendu de leur notoire vertu. Les luttes doctrinales sont rarement menées par de purs esprits ! Combien, en l'espèce, l'accord eût été pourtant facile, si les questions de personnes, les blessures d'amour-propre, n'étaient venues les aigrir et les empoisonner !

Quant aux acteurs principaux du drame, Jérôme et Rufin, nous avons dit à quel point ont varié les jugements portés sur leur attitude. On a donné à Rufin la figure d'un fourbe, toute la droiture étant imputée à Jérôme, lequel n'aurait fait que se cabrer contre d'insidieux procédés. L'opposition est un peu trop « manichéenne ». Rufin manquait de discernement ; et il se laissa aller à des insinuations regrettables. Qu'il ait été vraiment « perfide », cela n'est pas démontré, et son attitude finale fut très digne. Quant à Jérôme, jamais peut-être sa nature éruptive ne se libéra autant que dans ce conflit, dont il resta tout enfiévré même après la mort de Rufin. Qu'il se soit souvent contredit, c'est une évidence qu'il est difficile d'éluder : « Ces contradictions, observe très justement le P. Cavallera, s'expliquent par ses procédés littéraires et son tempérament. On aurait tort de crier à la mauvaise foi. Jérôme est seulement passionné ; il oublie ce qu'il a écrit. C'est pourquoi il le nie, sous l'action du sentiment qui le domine actuellement, *mais les textes restent* »[1].

LA VICTOIRE FINALE DE L'ANTIORIGÉNISME

Sa victoire, au surplus, ne cessa de s'élargir. En Occident l'accord des trois évêques de Rome, de Milan et d'Aquilée décida le pouvoir impérial à défendre la lecture des œuvres d'Origène — proscription d'effet douteux. En Orient, Théophile menait sa campagne anti-origé-

(1) *Op. cit.*, t. II, p. 247.

niste avec un acharnement redoublé. Pour avoir accueilli avec bienveillance, à Constantinople, quelques moines de Nitrie, les « Longs-frères » (quatre frères, chefs du parti origéniste égyptien, fort réputés pour leur haute taille et leur grande vertu), saint Jean Chrysostome fut déposé au synode du « Chêne »[1] et exilé. Rappelé peu après par l'impératrice Eudoxie, il ne devait pas tarder à reprendre le chemin de l'exil, il y laissa sa vie. Jérôme eut le tort de s'associer aux intrigues de Théophile ; il traduisit même un libelle lancé par celui-ci contre Jean[2], ainsi que les lettres pascales publiées par Théophile en 401, 402 et 404[3].

La querelle origéniste s'apaisa provisoirement. Elle devait avoir plus d'un sursaut tout au long du ve et du vi^{e} siècle[4], jusqu'à l'édit impérial porté par Justinien en 543 où les « erreurs » d'Origène étaient codifiées en dix propositions[5], et jusqu'aux anathématismes du cinquième concile général de la même année[6].

(1) Voir sur ce nouvel épisode, Chr. Baur, *Der hl. Chrysostomus*, t. II, p. 166 et suiv. Ce synode se tint à Chalcédoine dans un domaine qui avait appartenu à Rufin et qu'on appelait *le Chêne*.

(2) Fragments dans le *Pro Defensione trium capitulorum* de Facundus d'Hermiane, vi, 5, dans *P. L.*, LXVII, 676 et suiv.

(3) *Epist.*, xcvi, xcviii et c.

(4) Voir Fr. Dickamp *Die origenistischen Streitigkeiten in sechsten Jahrhundert und das fünfte allgem. Konzil*, Munster i. W., 1899.

(5) Denzinger-Bannwart, *Enchiridion Symbolorum*, Fribourg-en-Br., 1908, p. 87-89 ; Hefelé-Leclercq, *Histoire des Conciles*, t. II, 2e partie, p. 1184.

(6) Discussion de leur authenticité, *ibid.*, p. 1187 et suiv

CHAPITRE III

SAINT AUGUSTIN[1]

§ 1. — La personnalité[2].

OBSERVATION PRÉLIMINAIRE

Toute étude sur saint Augustin devrait commencer par une esquisse de sa vie, surtout de la période instable où il se cherchait lui-même à travers les doctrines sans réussir à contenter des aspirations qu'il n'aurait pas toujours su définir, si vivement qu'il les sentît.

Il n'est pas rare — et il est naturel — que les penseurs tirent de leur expérience le meilleur de leur spéculation. Les théories ne sont impersonnelles qu'en apparence : elles s'enracinent d'ordinaire dans la sensibilité de celui qui les forme. Mais cela est vrai d'Augustin plus que d'aucun autre. Il est resté marqué des luttes, des perplexités, des faiblesses où tant d'années de sa jeunesse s'étaient consumées. Plus on approfondit son œuvre, et plus nombreuses se décèlent les sutures qui la relient à son passé. Par exemple quand, sur le tard, il mettra dans un relief si saisissant contre le breton Pélage sa théorie de la Grâce — les défaillances de la volonté humaine, la nécessité inéluctable d'un secours d'en-haut — il aura grand soin, sans doute, d'étayer ses raisonnements sur des textes de la Bible, qui est la source où il veut puiser toute vérité. Mais il se rappellera surtout les années de médiocrité morale où il luttait contre de pesantes habitudes sans avoir la force de s'en exonérer, et où il sentait le péché vicier son vouloir et paralyser ses efforts de libération. Plus encore que les versets des Évangiles et de saint Paul, ce qu'il clamera à ses adversaires pélagiens, ce sont les conclusions personnelles auxquelles l'avaient obligé tant de défaites.

(1) **Bibliographie. — Elle sera indiquée à propos de chacune des questions traitées dans les diverses subdivisions de ce chapitre.**

(2) Sources. — Une courte biographie rédigée par Possidius, évêque de Calama (*P. L.*, XXII, 33-36 ; édit. avec commentaire, de H. T. Weiskotten, Princeton, 1919), précieuse pour connaître l'activité d'Augustin durant son épiscopat. — Les *Rétractations*, sorte d'*erratum* théologique rédigé par Augustin, en 427, et très précieux catalogue descriptif de ses œuvres. — La *Correspondance*, où, à dire vrai, il ne parle qu'assez peu de lui-même. — Les *Confessions*, livre admirable (partiellement illisible, là où Augustin, aux livres XII et XIII, entame l'explication des premiers versets de la *Genèse*) où s'entrelacent les événements de sa vie — ceux-là seulement qu'il juge significatifs —, les « jugements de valeur », les discussions d'ordre purement philosophique ou psychologique, et qui respire et fomente une exaltation enthousiaste de la grâce.

LES ÉTAPES DE SA DESTINÉE Il ne saurait être question ici que de noter quelques faits et quelques dates.

Augustin naît le 13 novembre 354, à Thagaste (aujourd'hui Souk-Ahras), un gros bourg de Numidie. Son père s'appelait Patricius, et sa mère Monique. Il avait des frères et des sœurs ; il n'a parlé qu'en passant de l'une de celle-ci, et son frère Navigius est le seul dont la vie se soit quelquefois mêlée à la sienne.

Il fréquente d'abord l'école de Thagaste pour y apprendre les premiers rudiments. La discipline y était dure, selon les usages pédagogiques du temps, et Augustin en conservera le plus mauvais souvenir. Sa mère, très fervente chrétienne, fait de son mieux pour développer chez l'enfant le sentiment religieux ; toutefois, selon un usage courant au IVe siècle (encore que déjà combattu), elle ne le fait pas baptiser, pour lui ménager le bienfait d'une amnistie ainsi différée.

Envoyé ensuite à Madaure, la ville voisine, il y poursuit ses études sous la direction du grammairien, et connaît là ses premières émotions littéraires, où il percevra plus tard quelque chose d'un peu malsain, les prodromes d'une sensibilité trop ardente à laquelle il faudra, coûte que coûte, un aliment, une pâture, une assouvissance.

Il revient à Thagaste au cours de l'été 369 et est en voie de tourner au franc mauvais sujet. Grâce à la munificence d'un riche habitant de Thagaste, Romanianus, il part en 370 pour Carthage, ville d'études, mais aussi ville de joie, et il y exauce son vœu secret de vivre *dangereusement* et d'exercer toutes ses puissances de *sentir*.

Sa première secousse intellectuelle, c'est à dix-neuf ans qu'il la reçoit, de l'*Hortensius* de Cicéron, magnifique éloge de la philosophie. Un élan puissant, enthousiaste et un peu vague, l'emporte dès lors vers « la Vérité », à laquelle sa pensée incertaine n'attribue encore aucun linéament précis. Tout féru de raison pure, il est bien décidé à ne jamais se laisser endoctriner.

Il lit la Bible, et la juge incompréhensible et barbare. Déçu, il s'affilie à la secte manichéenne, où il demeurera neuf ans comme simple « auditeur ». Il est devenu, entre temps, professeur dans sa ville natale, à Thagaste ; et il vit avec cette femme innomée qui traverse les *Confessions* sans qu'il nous permette de rien deviner d'elle. L'astrologie le séduit un moment, mais il en est vite détrompé. Puis la mort d'un ami cher le réduit à un tel dégoût de son cadre coutumier qu'il quitte Thagaste pour Carthage, où une place de rhéteur lui est offerte (376). Il y reste environ huit ans, et se détache du manichéisme.

Vers l'automne de 383 — il a alors vingt-neuf ans — il part pour Rome où on lui promet des appointements plus élevés et des élèves plus tranquilles. Il subit alors une crise violente de scepticisme et penche vers les théoriciens de la Nouvelle-Académie, selon qui le sage devait se contenter de la probabilité, équivalent pratique de l'insaisissable vérité. Avec l'appui du païen Symmaque, il obtient à Milan une chaire municipale, rémunérée par la ville. Il y rencontre quelques livres néo-platoniciens — ceux de Plotin, sans doute, et de Porphyre — et il est subjugué par le sentiment intense de la vie spirituelle qui y respire, par ce mépris des passions et des convoitises terrestres dont Plotin faisait une condition nécessaire pour se rapprocher du Dieu ineffable. Il supporte de plus en plus impatiemment l'esclavage moral, la servitude sensuelle dont il ne réussit pas à s'évader. Cela d'autant plus qu'il suit fidèlement les enseignements publics de l'évêque de Milan, saint Ambroise, et qu'il admire la richesse des interprétations qu'Ambroise sait donner de certains passages de l'Écriture Sainte qui lui avaient paru naguère inacceptables. La parole de l'évêque fond les préjugés dont il rassurait sa tiédeur dédaigneuse.

C'est en juillet 386, dans le jardin de sa maison de Milan, que la crise décisive se déclenche. Il n'y a pas lieu d'expliquer ni de paraphraser l'incident qui en fut l'occasion [1] : il ne saurait prêter qu'à des hypothèses assez vaines. Ce qui seul importe, c'est l'interprétation qu'Augustin en a donnée, l'avertissement direct et personnel qu'il y a entendu, et qui eut pour effet d'apaiser les contradictions prolongées de sa pensée, dans la quiétude enfin conquise d'une résolution inébranlable.

Il ne reçoit le baptême que huit mois plus tard, le 24 avril 387. Après quelques semaines de repos à Cassiciacum (Cassago de Brianza, à 35 km. de Milan), il se démet de ses fonctions de rhéteur et songe à revenir en Afrique et à installer avec ses intimes à Thagaste une sorte de communauté pour y vivre dans la piété, le travail et l'amitié. Sur ces entrefaites, sa mère meurt à Ostie. Quelques mois après, Augustin refait en sens inverse, d'Ostie à Carthage, le voyage qu'il avait fait quatre ans auparavant, le cœur alors gonflé de tant de passions et de tant d'incertitudes.

Son élévation au sacerdoce, en 391, est tout improvisée. C'est l'acclamation populaire qui le désigne quand le vieil évêque d'Hippone, Valérius, exprime son désir d'être aidé pour la parole publique par un prêtre coadjuteur. En 395, Valérius lui confère lui-même l'ordination épiscopale. Bientôt Augustin lui succède comme évêque d'Hippone, et il le reste jusqu'à sa mort, qui survient le 28 août 430, au troisième mois du siège de la ville par Genséric, le roi des Vandales.

SON TEMPÉRAMENT

Sa santé fut toujours assez débile. La bronchite chronique dont il souffrait au moment de sa conversion dut ne jamais guérir complètement. Il se plaint plus d'une

(1) Cf. *Confessions*, VIII, VIII, 19.

fois dans ses sermons du tapage de ses auditeurs, qui l'obligent à donner trop de voix [1]. Il était assez souvent malade [2]. Il dormait mal, et c'est pendant ses nuits d'insomnie qu'il rédigeait ou dictait sa vaste correspondance. Au surplus, cette infirmité corporelle ne l'empêchait nullement d'accomplir des prodiges d'activité, d'écouter des plaideurs pendant des journées entières, de soutenir d'épuisantes controverses orales avec des adversaires qui multipliaient parfois les procédés d'obstruction les plus énervants — et nous ne parlons pas de la centaine d'ouvrages qu'il a composés. Ces âmes d'ardeur et de foi ne connaissent pas les lassitudes où s'amollissent celles qui *s'écoutent*, qui s'auscultent trop anxieusement elles-mêmes. Leur incandescence les conserve, dirait-on, au lieu de les consumer. Au témoignage de son biographe Possidius [3], quand il mourut, à soixante-seize ans, il jouissait encore d'une vue, d'une ouïe intactes, et il avait gardé le plein usage de ses facultés.

SA SENSIBILITÉ

Le fond le plus riche d'humanité, de modération, de bonté, voilà ce qu'on découvre chez Augustin, quand on veut atteindre l'homme à travers ses livres.

Il n'avait pas une de ces natures pauvres, courtes et sèches qui, lorsqu'elles entreprennent de se réformer, semblent n'offrir qu'une matière presque inerte aux retranchements ascétiques qu'elles s'imposent. C'était une nature riche, comblée de dons, secrètement amoureuse de la vie, de ses émotions multiformes et de toutes ses ivresses. Ce qui donne à tant de ses pages leur charme, leur tonalité toute spéciale, c'est la puissance d'aimer dont il dispose.

Cette sensibilité a pénétré son intelligence, sa croyance, son langage même. Il cherche la vérité, mais surtout il l'aime et, pour dire cet amour, il trouve des paroles de poète, des images parfois presque intraduisibles en français : « *O Veritas, Veritas, quam intime etiam tum medullae animi mei suspirabant tibi !* »... « *Quam intendebam aures meas, dulcis veritas, in interiorem melodiam tuam !* » Il passionne tout, même les discussions les plus abstraites. Le XIe livre des *Confessions* est partiellement rempli par une critique minutieuse et serrée de la notion de *temps*. Quoi de plus sec, de plus technique qu'une discussion de ce genre ? Eh bien ! Augustin y fait souvent penser à Lucrèce, aux accents de triomphe que faisait éclater le poète quand il avait réussi à exposer en vers quelque aspect plus sévère de la doctrine épicurienne — tant il est heureux et enthousiaste des résultats auxquels son analyse l'achemine successivement.

(1) Par exemple *Enarr. in psalm.*, L, 1 ; LXXX, 1 ; *Serm.*, CLIV, 1.
(2) *Epist.*, XXVIII, 1 (il se plaint de gerçures et de tumeurs qui l'obligent à garder le lit) ; *Epist.*, CXVIII, 34 (une rechute de fièvre) ; *Epist.*, CXXII, 1 (sa faiblesse est telle qu'elle l'empêche de supporter les voyages par mer) ; *Epist.*, CCXXIX, 1 (ses infirmités, le « froid des années ») ; *Epist.*, CCLXIX (sa « vieillesse glacée » ne lui permet plus de déplacements en hiver), etc...
(3) *Vita Augustini*, XXXIII.

A sa piété Augustin mêlait la tendresse brûlante, l'ardeur passionnée dont son âme était pleine. Nul converti n'a su prier comme lui, avec tant d'humilité, de componction, de confiance. La langue qu'il parle, quand il s'adresse à Dieu, ressemble à une suave mélodie.

SON INTELLIGENCE

Un cœur chaleureux, passionné : et maintenant voyons un peu l'esprit.

Augustin fut un grand intellectuel, c'est-à-dire un homme passionné pour les idées, pour la controverse. Nul ne s'est assujetti plus résolument, plus humblement que lui aux données de la foi ; nul cependant n'a eu plus que lui la volonté de ne pas subir sa foi, mais de la *penser* et d'en inventorier le contenu.

« Dieu nous garde, écrivait-il à Consentius [1], de supposer qu'il haïsse en nous ce par quoi justement il nous a élevés au-dessus des autres êtres. A Dieu ne plaise que croire nous empêche de chercher et de trouver la raison de ce que nous croyons, puisque nous ne pourrions pas même croire, si nous n'étions capable de raison... De toute votre âme aimez à comprendre (*intellectum valde ama*), puisque ces mêmes Écritures Saintes, qui nous conseillent de croire à ces grandes choses avant de les comprendre, ne sauraient nous être utiles si vous ne les compreniez pas elles-mêmes ».

Dès ses premiers ouvrages, ceux de Cassiciacum, il voulut démontrer, par une argumentation méthodique, que l'homme peut trouver la vérité. Au fond, il n'en doutait déjà plus ; mais les sophismes de la Nouvelle Académie le gênaient encore, après qu'il avait cessé d'en être le captif. Une fois garantie à ses yeux la possibilité de la certitude, il s'est persuadé que de la poursuivre, de la saisir, c'était là l'emploi le plus haut qu'il pût faire de ses facultés. *Noverim me, noverim te* : connaître Dieu, connaître l'âme humaine, tel est le double objet vers lequel s'est portée, d'un élan sans cesse ravivé, la pensée augustinienne. Pensée enthousiaste, qui n'admet pas qu'on puisse philosopher efficacement sans amour, puisque le but suprême qu'elle se propose, c'est de jouir de Dieu, *Deo frui* ; pensée épurée, et qui ne croit jamais l'être assez, car Augustin ne juge possible la connaissance de Dieu, la vision immédiate de Dieu, que par ce dégagement du sensible, cette purification allégeante, qu'avaient déjà préconisée Platon et le néo-platonisme.

Saint Augustin est, parmi les Pères latins, le seul qui ait eu réellement le génie spéculatif, les dons du penseur. Il a recueilli quelques-unes des sources les plus pures de la philosophie antique, surtout celles du Platonisme ; mais il s'était scruté lui-même d'un regard trop clairvoyant pour ne pas enrichir d'un apport nouveau les hautes leçons qu'il captait ainsi. De système personnel, il n'en a pas eu et n'a pas cherché à en avoir. Sa philosophie ne se pique point d'indépendance. Elle se soumet docilement à la foi, à l'Église : c'est à plein cœur qu'Augustin accepte

(1) *Epist.*, cxx, 2 et 13.

l'autorité de la *Catholica*, et tout l'effort de sa dialectique ne va qu'à la justifier rationnellement, mais dans les limites qu'il se trace à lui-même, et qu'il entend bien ne jamais dépasser, il a fait preuve d'initiative créatrice.

LES RÉSERVES NÉCESSAIRES Certes, des réserves s'imposent. Dans le domaine des faits, des connaissances positives, il ne porte pas toujours la même aisance ni la même curiosité d'esprit que dans le monde des idées. Il a moins de défiance critique que n'en gardait saint Jérôme. Puis, dans cette âme profondément fraternelle, vivait la dureté redoutable du dialecticien. Il est inexorable quand, parlant d'un texte scripturaire, bien ou mal, mais juridiquement interprété et qui trouve un écho certain dans son expérience personnelle, il se met à en déduire les conséquences qui y sont impliquées. Certaines de ses thèses, en dépit de son immense autorité, n'ont jamais été pleinement assimilées par le catholicisme. — Enfin on a pu lui reprocher de n'avoir pas su opérer une distinction formelle entre le domaine de la philosophie et celui de la théologie, c'est-à-dire entre l'ordre des vérités rationnelles et celui des vérités révélées [1], non plus qu'entre la « nature » et la « grâce ».

CONCLUSION Tel qu'il fut, Augustin reste la figure la plus belle, la plus complexe, la plus séduisante de l'Église latine. C'est un des rares grands artistes de l'antiquité chrétienne. Mais la vanité de bien écrire lui paraissait peu de chose auprès de l'action conquérante à laquelle il s'était consacré. On peut dire que presque toutes ses œuvres sont des œuvres de circonstance, nées sous la pression d'une nécessité immédiate ou sous la menace d'un danger prochain.

§ 2. — La Cité de Dieu [2].

OCCASION DE L'OUVRAGE Qu'Augustin fût vraiment la conscience de la chrétienté d'Occident, jamais on ne le sentit mieux qu'au lendemain de la prise de Rome par Alaric.

Peu importait que ce coup d'audace n'eût guère d'importance au

(1) Mandonnet, *Siger de Brabant*, p. 55.

(2) Bibliographie. — La *Cité de Dieu* a provoqué en ces dernières années, surtout en Allemagne, une abondante « littérature » : B. Seidel, *Die Lehre des hl. A. vom Staate*, dans *Kirchengeschtl. Abhandl. hsg. von M. Stralek*, Bd IX, Heft 1 ; O. Schilling, *Die Staats-und Sociallehre des hl. A.*, Fribourg-en-Br., 1910 ; Scholz, *Glaube und Unglaube in der Weltgeschichte*, Leipzig, 1911 (essentiel) ; R. Knoepf, *Die Himmelstadt*, dans les *Neutest. Studien* dédiés à G. Heinrici, Leipzig, 1914, p. 213-217 ; Fr. Offergelt, *Die Staatslehre des hl. Augustins nach seinen sämtlichen Werken*, Bonn, 1914 ; Mager, *Die Staatsidee Augustins*, Munich, 1920 ; J. M. Figgis, *The political aspect of St. Augustin's City of God*, Londres, 1921 ; Beyerhaus, *Neue Augustins probleme*, dans *Histor. Zeitschrift*, 1923, p. 189 et suiv. ; P. Gerosa, *Sant' Agostino e la decadenza dell'Imperio romano*, dans *Didaskaleion*, t. IV, s. 4 ; H. Leisegang, *Die Ursprung der Lehre Augustinus von der Civitas Dei*, dans *Archiv für Kulturgeschichte*, t. XVI, 2, p. 127-153 ; Hermelink, *Die Civitas terrena bei Augustinus*, dans le *Festgabe Harnack*, Tubingue, 1921, p. 302-324 ; K. Holl, dans

point de vue proprement politique, Alaric ne songeant nullement à détruire l'Empire, ni à se substituer au débile Honorius. Mais l'idée de l'intangibilité, de l'éternité de Rome était enracinée dans les esprits ; elle faisait partie du patrimoine que se léguaient les générations ; elle était devenue dans la littérature une sorte de lieu commun. Et voici que la mère de toute civilisation, la maîtresse des peuples, subissait les odieuses atteintes d'un vainqueur !

Nous avons déjà dit le désarroi des esprits, le malaise qui travaillait beaucoup de croyants, les amers propos des partisans de l'ancienne religion, les premières tentatives d'Augustin pour assainir une atmosphère épaissie de rancunes et de lourdes préoccupations [1]. Mais Augustin sentit qu'il fallait faire plus encore, en aidant ses contemporains à situer dans le plan providentiel des infortunes qu'ils auraient volontiers jugé incomparables. Et c'est ainsi que naquit dans sa pensée le projet grandiose de la *Cité de Dieu.*

CHRONOLOGIE DE LA COMPOSITION L'ouvrage l'occupa pendant treize à quatorze ans, de 412 (ou 413) à 426. Il va de soi qu'il n'attendit pas de l'avoir terminé pour le lancer dans le public. Il avait bien trop pour cela le sens de ce que nous appelons « l'actualité ». Dès 413, il faisait paraître en une seule fois les trois premiers livres, qui obtinrent le plus vif succès. En 414-415 sortirent les livres IV et V. L'année suivante, les livres VI à XI. Les livres XII à XVIII s'échelonnèrent de 417 à 425. Enfin les trois derniers livres furent publiés en 425-426.

PLAN DU LIVRE Le plan de la *Cité de Dieu* apparaît un peu confus, à une première lecture. Les digressions y abondent, et viennent se greffer sur le sujet principal avec une liberté capricieuse qui rappelle parfois celle des *Essais* de Montaigne. C'est que, soucieux avant tout de pacifier les intelligences, Augustin s'accorde le loisir de traiter au passage toutes les questions dont il sait ses contemporains préoccupés. Mais si lâche que soit la composition, on peut aisément en retrouver et en dégager les grandes lignes. Augustin a pris soin d'y aider par les repères qu'il ménage en maint endroit (II, I ; III, I ; IV, I et II ; VI, I ; IX, I ; XI, I ; XVIII, I ; XIX, I) et par le résumé très clair qu'il a consigné dans ses *Rétractations* (II, XLIII).

les *Abhandl.* de l'Acad. de Berlin, 1922, p. 40 et suiv. ; K. Voelker, *Die Gottesstaat. Die staatswissenschaftlichen Teile, übers.*, Iéna, 1923 ; Tillich, *Die Staatslehre A. nach de Civitate Dei*, dans *Marburger theologischen Blättern*, 1925, nº 4 ; E. Salin, *Civitas Dei*, Tubingue, 1926 ; P. von Sokolinski, *Der hl. A. und die christliche Zivilisation*, Halle, 1927 ; Gustave Combès, *La doctrine politique de saint Augustin*, Paris, 1927 ; Jaeger, *A. und der antike Friedensgedanke*, dans les *Neue philol. Untersuchungen*, Berlin, 1928 ; V. Stegemann, *Augustins Gottesstaat*, Tubingue, 1928 ; P. Monnot, *Essai de synthèse philosophique, d'après le XIe livre de la Cité de Dieu*, dans *Archives de Philos.*, t. VII, 1930, p. 142-185.

(1) Cf. t. III, p. 202.

Du livre Ier au livre X, c'est la partie *critique.* Il s'agit pour Augustin de dénouer l'association d'idées qui s'était formée dans beaucoup d'esprits et qui tendait à rendre le christianisme responsable des malheurs publics. Cela même l'incite à ouvrir sur le paganisme, et spécialement sur la religion romaine traditionnelle, une enquête approfondie pour en évaluer les prétendus bienfaits, soit dans l'ordre matériel, soit dans l'ordre moral et religieux.

De cette enquête, une foule d'écrivains anciens lui fournissent les éléments ; au premier rang, Varron, dont l'érudition en matière de théologie latine restait incontestée.

Du livre XI jusqu'à la fin de l'ouvrage, c'est la partie *positive.* Le débat s'élargit et s'élève. Les attaques dont le christianisme vient d'être l'objet, la recrudescence de haine que laissent éclater les païens, tout cela n'est, au gré d'Augustin, qu'un nouvel épisode de la grande lutte permanente entre la Cité divine et la Cité terrestre, l'une où règne l'amour de Dieu jusqu'au mépris de soi, l'autre où règne l'amour de soi jusqu'au mépris de Dieu (XIV, xxviii). De ces deux Cités, il marque l'origine, il expose le développement historique, et il fait prévoir la destinée à venir.

ORIGINE DE LA NOTION DE « CITÉ » Dès le début de l'ouvrage, Augustin emploie les mots « Cité de Dieu », « Cité terrestre », sans prendre la peine d'excuser la nouveauté de l'expression, ce qu'il n'eût pas manqué de faire s'il eût risqué de déconcerter son public. Il faut donc chercher les antécédents de ce concept. On a voulu remonter jusqu'à Platon [1] ; on a remarqué aussi que la distinction entre le royaume du visible et le royaume de l'invisible, entre le domaine des choses temporelles et le domaine des choses éternelles, avait été fortement souligné par le néo-platonisme. Les stoïciens, et surtout le Juif alexandrin Philon, ont fourni également des pensées assez analogues. Mais des rapports plus précis, des sources plus voisines s'offrent à notre investigation. C'est la Bible qui avait familiarisé les lecteurs chrétiens avec l'idée de la « Cité » divine. Au début du livre XI, Augustin se réfère expressément au psaume lxxxvi, 3. L'auteur de l'*Épître aux Hébreux* avait fait allusion à la πόλις, à la cité promise par Dieu aux hommes de foi. Sans prononcer le mot de cité, saint Paul, dans l'*Épître aux Romains*, avait divisé l'humanité en deux groupes, non pas clos et irréductibles, mais nettement séparés : les justes et les injustes, ceux qui restent sous l'empire de la mort, introduite dans le monde par le péché d'Adam, ceux qui bénéficient de la justification par la foi en Jésus-Christ, et seront acheminés, selon le choix que Dieu a fait d'eux, à la vie éternelle. L'image était donc traditionnelle. Ajoutons que la prédication de saint Ambroise avait dû l'imposer à l'imagination d'Augustin, car Ambroise

(1) *Républ.*, p. 592 B ; *Théétète*, p. 176 E.

se complaisait à employer des expressions comme *civitas Dei*, *regnum peccati*, pour désigner, soit les croyants, soit les incroyants ; qu'en outre le donatiste Tyconius, dont Augustin appréciait hautement, en dépit de son hétérodoxie, la pénétration exégétique, avait donné à cette opposition un vigoureux relief dans son *Commentaire sur l'Apocalypse*, rédigé peu avant 380. Augustin l'utilisa, en passant, dans plusieurs de ses ouvrages ou sermons [1]. Enfin il la développa avec l'ampleur qu'on sait dans son grand ouvrage.

SENS DU TITRE

Qu'est-ce donc que la « Cité », selon la conception d'Augustin ?

C'est en premier lieu le groupement toujours renouvelé des hommes qui règlent leur vie, soit selon la volonté divine, soit selon des maximes purement humaines et presque toujours dépravées : « Ce genre humain, écrit-il [2], nous le partageons en deux catégories (*in duo genera*), l'une composée des hommes qui vivent selon l'homme, l'autre composée des hommes qui vivent selon Dieu : et nous leur donnons aussi le nom mystique de cités (*quas etiam mystice appellamus civitates duas*) ».

Ces deux cités, ainsi envisagées sous leur aspect mystique, symbolique, sont mêlées, enchevêtrées ici-bas, *perplexae in hoc saeculo invicemque permixtae* [3] ; elles se compénètrent et se confondent — du moins aux regards bornés de l'homme — jusqu'au jugement dernier. — D'autre part, pour composer l'image de chacune d'elles, Augustin emprunte de nombreux traits aux réalités historiques du passé et du présent. La cité terrestre, c'est bien la *societas improborum*, mais c'est aussi l'État païen, en tant qu'il manque trop souvent, par la défaillance de ses dirigeants, de la justice qui devrait en être le principal ressort. Pareillement, la cité divine est la collectivité où entrent les âmes libérées du péché par la grâce, c'est la *communio electorum*, mais c'est aussi l'Église militante qui « pérégrine » sur cette terre et y lutte avec ses ennemis, en attendant le triomphe qui lui est réservé.

Augustin juxtapose constamment le point de vue réaliste et le point de vue symbolique. De là quelque désarroi pour qui n'en est pas averti.

INCONVÉNIENTS DE L'OPPOSITION ENTRE LES DEUX « CITÉS »

On peut se demander, au surplus, s'il n'a pas été en quelque sorte prisonnier de l'opposition trop crue, trop tranchée, ainsi posée au seuil de l'œuvre, et qu'il a été obligé de maintenir jusqu'au bout. Ces deux notions, cité de Dieu, cité du monde, se

(1) *De vera Religione*, L, dans *P. L.*, XXXIV, 144 ; *De catechizandis rudibus*, XIX, 31, dans *P. L.*, XXX, 333 ; XX, 36 (*Ibid.*, 336) ; XXI, 37 (*Ibid.*, 337) ; *Enarr. in ps.* LXI et LXIV, dans *P. L.*, XXXVI, 773 et 772 ; *in ps.* CXXXVI, dans *P. L.*, XXXVII, 1761 ; etc...

(2) *De civitate Dei*, XV, I.

(3) *Ibid.*, I, XXXV.

dressent l'une en face de l'autre en plein antagonisme, en sorte que tout ce qui participe à l'une semble éclairé d'un rayon de la grâce céleste, tout ce qui ressortit à l'autre rougeoit déjà, dirait-on, des feux de la Géhenne. On s'est parfois demandé s'il n'y aurait pas eu chez Augustin une influence inconsciente de la doctrine manichéenne où il s'était attardé si longtemps et qui mettait en conflit direct le royaume de Lumière et le royaume de Ténèbres. Ce qui est sûr, c'est que la logique même de cette construction symétrique des deux Cités l'a obligé à des exagérations verbales que ses autres œuvres mettent au point.

En voici un exemple :

Si la *Civitas terrena* est une *societas impiorum*, là où il est obligé pour en montrer la réalisation dans l'histoire de l'identifier momentanément avec l'*imperium romanum*, il est comme acculé à accepter l'équation *societas impiorum = imperium romanum*. Mais cette identification dépasse et fausse assurément sa pensée ; et l'on voit bien qu'il essaie çà et là d'en corriger l'excessive rigueur.

AUGUSTIN ET L'ÉTAT Il a pu donner quelquefois l'impression — et certains critiques n'hésitent pas à affirmer — qu'il était hostile à l'État comme tel, à la puissance publique civilement organisée. Le mépris qu'il affiche pour l'État païen de l'ancienne Rome n'atteint-il pas tout organisme politique qui, poursuivant des fins purement humaines, refuserait de se constituer en une sorte de théocratie ou de gouvernement sacerdotal ?

A qui veut démêler le sentiment vrai d'Augustin, quelques réflexions s'offrent d'elles-mêmes. Prétendre qu'Augustin était par principe et conviction ferme un ennemi de l'État, c'est poser une affirmation qui *a priori* est invraisemblable. La règle, la norme de la pensée d'Augustin, c'est la Bible : il en est nourri, il la sait par cœur, il en médite constamment les préceptes. Or au XIIIe chapitre de l'Épître aux Romains, saint Paul avait défini, avec son admirable bon sens pratique, les devoirs de tout chrétien à l'égard du pouvoir civil. Ses ordonnances avaient fixé inébranlablement l'attitude chrétienne, ou du moins le principe chrétien en ce domaine. Augustin ne songe pas à refuser à l'État une certaine *iustitia civilis* ; il le loue en tant que tuteur de l'ordre public ; il recommande aux chrétiens une soumission patiente aux puissances établies, quelles qu'elles soient : *... pessimam etiam, si ita necesse est, flagitiosissimamque ... rempublicam... tolerare iubentur* [1]. — Plus on lit la *Cité de Dieu*, et mieux on s'aperçoit que ce que saint Augustin a voulu y présenter, ce n'est pas une théorie de la politique, mais des considérations morales et religieuses sur la destinée humaine. On ne voit pas qu'il s'intéresse vraiment aux conditions techniques de la bonne

(1) *De civitate Dei*, II, XIX.

marche des États, à l'organisation rationnelle des collectivités humaines. Il ne spécule point sur la valeur propre des diverses formes d'institutions ni sur les conceptions abstraites du bien public. Quel que soit le cadre social où il vit, tout chrétien peut faire son salut ; et au lieu d'user son temps à essayer de le changer, mieux vaut l'employer à se changer soi-même, dans le sens d'une amélioration toujours plus sensible. Ce que souhaite la Cité céleste, pendant la durée de son pèlerinage ici-bas, c'est de vivre en bonne intelligence avec la Cité terrestre. Aussi se soumet-elle volontiers aux lois qui règlent les intérêts temporels, pour autant que ces lois n'usurpent pas sur le domaine de la foi.

Est-ce à dire qu'uniquement préoccupé de l'au-delà et des fins morales, Augustin néglige toute préoccupation du mieux-être terrestre et du bonheur humain ? Ici encore, il faut marquer les justes nuances et se garder de méconnaître sa bonne volonté. Il n'est pas un politique, mais il est un moraliste clairvoyant qui ne fait fi d'aucun intérêt légitime, n'eût-il rien de spécifiquement surnaturel. On a remarqué la sévérité avec laquelle il juge toute guerre qui ne s'inspire pas de motifs légitimes. Il ne condamne pas la guerre en *soi* ; mais il considère comme inexcusable, comme un « brigandage en grand » (*grande latrocinium*)[1], la conquête rapace qui ne se prévaut que du droit du plus fort. — L'idéal personnel d'Augustin est un idéal essentiellement pacifique. Il en était arrivé, au fil de ses méditations, à considérer *la paix* comme le souverain bien auquel tend l'humanité, dès sa vie terrestre et dans ses plus hautes pensées religieuses. Il la définit, cette paix, « la tranquillité de l'ordre », l'ordre lui-même étant « un aménagement des choses semblables ou différentes qui assigne à chacune sa juste place »[2]. Il y a la paix physique, qui résulte d'un heureux équilibre des organes ; la paix de l'âme qui est l'accord bien réglé de la connaissance et de l'action (*ordinate cognitionis actionisque consensus*) ; la paix domestique qui est, parmi les habitants d'un même foyer, l'harmonie entre le commandement et l'obéissance ; la paix de la cité ; la paix de la société, etc., et ces formes diverses trouvent leur modèle et leur couronnement dans la paix de la Cité céleste, qu'il définit « l'ordre parfait, l'union à plein cœur dans la jouissance de Dieu, dans la jouissance mutuelle de tous en Dieu ».

L'État que souhaite Augustin — et à ce point de vue, la politique de Théodose lui donnait déjà toute satisfaction — c'est un État chrétien où règne la vraie foi, gage du bonheur de tous ; où l'Église soit reconnue comme la dispensatrice de toute vie morale supérieure et puisse compter, à l'égard des dissidents, sur la force séculière en cas de conflit insoluble autrement.

Les tendances générales de l'ouvrage ne sont donc pas douteuses.

(1) *De civitate Dei*, IV, VI.
(2) *Ibid.*, XIX, XIII.

Mais le vocabulaire d'Augustin, comme la notion même de Cité, n'a pas une rigueur précise, scientifique ; et l'on ne peut recomposer sa pensée authentique et complète qu'en joignant à la *Cité de Dieu* (il convient d'insister sur ce point) les autres écrits d'Augustin, ses lettres, ses ouvrages de polémique contre le donatisme, etc... qui rectifient les méprises auxquelles certaines outrances d'expression donnent lieu.

PORTÉE PHILOSOPHIQUE DE L'ŒUVRE A tout prendre, ce par quoi la *Cité de Dieu* marque une date et reste une œuvre de haute importance, c'est qu'elle est le premier essai en grand de philosophie de l'histoire. L'idée de coordonner l'évolution humaine à la grande bataille entre croyants et incroyants est une vue d'ensemble, discutable comme toutes les simplifications du même genre, mais qui a sûrement sa beauté, sa poésie, sa vérité. Avec Augustin, l'apologétique chrétienne prend une ampleur, une portée insoupçonnée. — Dans le détail de l'ouvrage, on rencontre non seulement quantité de belles et hautes réflexions, mais parfois des vues neuves, pénétrantes, qui ouvrent des perspectives soudaines. Au chapitre VI du livre XIX, c'est une protestation contre la torture en tant que moyen d'instruction judiciaire, aussi ironique que celle de Montaigne dans les *Essais* (II, V), aussi éloquente que celle qu'élèveront au XVIIIe siècle Voltaire et Beccaria. Au chapitre VI du livre XI, on lit de frappantes observations sur la nature du temps. Augustin avait déjà développé ses idées sur ce sujet dans le XIe livre des *Confessions* : ce difficile problème plaisait au tour philosophique de son esprit. Augustin a prononcé avant Descartes le « Je pense, donc je suis »[1]. Descartes, à dire vrai, n'avait pas lu ce texte au moment où il rédigeait son *Discours de la Méthode*, mais quand des amis le lui signalèrent, il reconnut que saint Augustin avait devancé son raisonnement, encore qu'il n'en eût pas tiré tout ce qui y était impliqué[2].

LES PARTIES CADUQUES DE L'OUVRAGE Est-ce à dire que toutes les parties de ce vaste ensemble apparaissent aujourd'hui également solides, également probantes ? Il serait fort imprudent de le soutenir. — En premier lieu, Augustin prend souvent le point d'appui de ses démonstrations sur la science de son temps ; il accepte et utilise plus d'une conception périmée. Il serait aisé de dresser toute une liste d'affirmations qu'Augustin pose avec une sereine et entière bonne foi, en se référant soit à la croyance commune, soit à la parole des doctes (comme Pline l'Ancien) et qui n'ont plus de valeur

(1) *De civitate Dei*, XI, XXVI.
(2) *Epist.*, CCXIX, édit. ADAM-TANNERY ; cf. L. BLANCHET, *Les antécédents historiques du « Je pense, donc je suis »*, Paris, 1920.

qu'au point de vue de l'histoire du folklore ou de celle des illusions pseudo-scientifiques [1]. — En second lieu, il faut observer que, dans sa façon même de raisonner et de déduire, se décèle une hardiesse, une intrépidité dont, à tort ou à raison, nous avons peine à approuver toutes les entreprises. Aucun défaut, certes, n'est plus étranger à l'âme d'Augustin que la présomption. Il pose quelque part un principe excellent : *Mihi quisquam non videtur errare, cum aliquid nescire se scit, sed cum se putat scire quod nescit* [2]. Mais il fournit sur les questions dont il voyait les esprits préoccupés, à propos des énigmes de l'homme et de l'univers, quantité de solutions de détail qui dépassent ce que les modernes les plus émerveillés de sa virtuosité de logicien se croient autorisés à *savoir*, au sens strict du mot. De là, dans la *Cité de Dieu*, surtout vers les derniers livres, bien des affirmations qui, sans cesser d'éveiller l'intérêt et de le retenir, nous apparaissent surtout comme des constructions personnelles et de curieuses hypothèses.

PRESTIGE DE LA CITÉ DE DIEU Ces réserves ne sauraient affaiblir l'admiration que mérite cette puissante synthèse doctrinale. On ne peut s'étonner de l'influence que la *Cité de Dieu* a exercée sur le Moyen Age. Il en existe dans les bibliothèques d'Europe plus de cinq cents manuscrits : les plus anciens sont du VIe siècle. Au lendemain même de l'invention de l'imprimerie, entre 1467 et 1495, vingt-quatre éditions la divulguaient déjà. C'est la traduction de Raoul de Presles, en 1375, qui a le plus contribué à rendre l'ouvrage populaire en France. Non seulement les lettrés se mirent à l'étudier, mais les artistes y cherchèrent des sujets d'inspiration. Le comte Alex. de Laborde a étudié, dans un magnifique ouvrage paru en 1909, les manuscrits à peintures de la *Cité de Dieu*. Il en a trouvé soixante-deux, dont quatre seulement sont antérieurs à la traduction de Raoul de Presles.

§ 3. — Le Manichéisme [3].

MANI Manès, ou Mâni, ou Manichée, était Persan de race, et né dans la région de Babylone, vers 215-216, d'une famille qui, du côté de sa mère, avait des attaches royales. Il avait commencé à prêcher

(1) Par ex. IX, XVI ; XV, IX, XXIII, XXVI ; XXI, IV, etc.
(2) *Epist.*, CXCIX.
(3) BIBLIOGRAPHIE. — I. SOURCES. — Ce sont les divers traités de saint Augustin contre le manichéisme. Ils seront indiqués au fur et à mesure de l'exposé. On les trouvera au tome XXXII de la *Patrologie latine*.

II. TRAVAUX. — P. ALFARIC, *Les écritures manichéennes*, 2 vol., Paris, 1918-1919 ; P. ALPHANDÉRY, *Traces de manichéisme dans le moyen âge latin*, dans la *Revue d'Histoire et de Philosophie religieuses* (de Strasbourg), t. IX, 1929, p. 451-467 ; P. ALFARIC, *L'évolution intellectuelle de saint Augustin*, vol. I : *du Manichéisme au Platonisme*, Paris, 1918 (voir, au sujet de ce volume, l'édition des *Confessions* par P. DE LABRIOLLE dans la collection Guillaume BUDÉ, p. XII-XXII et notamment les références de la p. XXII, n. 1. On pourra constater que l'idée que P. ALFARIC se

de bonne heure sa doctrine, dès 242, et avait rencontré une si vive opposition du côté du clergé madzéen qu'il avait été obligé de s'exiler [1]. Soit par son action personnelle, soit grâce au zèle de ses disciples [2], ses idées se

forme de l'« évolution intellectuelle » de saint Augustin ne paraît plus admise aujourd'hui) ; ANDREAS-HENNING, *Mitteliran. Manichäica*, I, dans *Sitzungsberichte der preussischen Akademie*, t. X, 1932 ; BANG, *Manich. Laien-Beichtspiegel*, dans *Museon*, t. XXXVI, 1923, p. 137-242 ; *Manichäische Hymnen*, *ibid.*, t. XXXVIII, 1925, p. 1-55 ; G. BARDY, article *Manichéisme*, dans le *Dictionnaire de Théologie catholique*, t. IX, col. 1841-1895 ; ID., *Récentes découvertes sur le manichéisme*, dans *Revue pratique d'Apologétique*, mai 1934 ; A. BAUMSTARK, *Manichäische Literaturdenkmäle in koptische Uebersetzung*, dans *Oriens Christianus*, série 3, t. VIII, 1933, p. 33 et suiv. ; F. CH. BAUR, *Das Manichäische Religionssystem*, 1928, in-8° (reproduction de l'édition de 1831) ; IS. DE BEAUSOBRE, *Histoire critique de Manichée et du Manichéisme*, 2 vol. in-4°, Amsterdam, 1734 et 1739 ; J. BIDEZ, *La bibliothèque d'un manichéen d'Égypte*, dans *Académie royale de Belgique, Bulletin de la classe des Lettres*, t. XVIII, 1932, p. 462-469 ; BROECKX, *Le Catharisme*, diss. Louvain, 1916 ; A. BRUCKNER, *Faustus von Milev*, Bâle, 1901 ; F. C. BURKITT, *The Religion of the Manichees*, Cambridge, 1925 ; CHAVANNES et PELLIOT, *Un traité manichéen retrouvé en Chine*, traduit et annoté, Paris, 1913 ; FR. CUMONT, *La propagation du manichéisme dans l'Empire romain*, dans *Revue d'Histoire et de Littérature religieuses*, N. S., 1910, p. 31-43 ; ID. et A. KUGENER, *Recherches sur le Manichéisme*, I-III, Bruxelles, 1908-1912 ; ID., compte rendu d'Alfaric dans *Revue de l'Histoire des Religions*, t. LXXXI, 1920, p. 37-46 ; ID., *La bibliothèque d'un manichéen découverte en Égypte*, dans *Revue de l'Histoire des Religions*, 1933, p. 180-189 ; F. G. DOELGER, *Antike und Christentum*, t. II, 1930, p. 311 et suiv. ; G. FLUEGEL, *Mani, seine Lehre und seine Schriften*, Leipzig, 1862 ; GRESSMANN, dans *Zeitschrift für Kirchengeschichte*, t. XLI, 1922, p. 154 et suiv. ; F. HAASE, *Altchristliche Kirchengeschichte nach orientalischen Quellen*, Leipzig, 1925, p. 359 et suiv. ; A. VON HARNACK, *Lehrbuch der Dogmengeschichte*, 4e édit., t. II, Tubingue, 1909, p. 513-527 ; W. HENNING, *Ein manichäisches Henochbuch*, dans *Sitzungsber. der preussischen Akademie, Philos.-hist. Kl.*, 1934, 5, p. 27-35 ; ID., *Der Traditionalismus bei Mani* dans *Forschungen und Forschritten*, t. X, 1934, p. 245 ; K. KESSLER, *Mani... Forschungen über die manichäische Religion*, dans *Voruntersuchungen und Quellen*, Berlin, 1889 ; ID., article *Mani*, dans la *Realencyklopädie für protestantische Theologie und Kirche*, t. XII, p. 192 à 228 ; Dom H. LECLERCQ, article *Manichéisme*, dans le *Dict. d'Archéologie chrétienne et de Liturgie*, t. X, I, col. 1390-1411 ; A. von LE COQ et E. WALDSCHMIDT, *Die buddhistische Spätantike in Mittelasien* : I, *Die Plastik*, 1922 ; II, *Die manichäischen Miniaturen*, 1923 ; III, *Die Wandmalereien*, 1924 ; IV, *Atlas zu den Wandmalereien* ; V, *Neue Bildwerke* ; VI, *Neue Bildwerke*, II, 1928 ; A. von LE COQ, *Bilderatlas zur Kunst und Kulturgeschichte Mittelasiens*, 1925 (cf. V. MUELLER, dans *Gnomon*, t. II, p. 712 et suiv.) ; F. LEGGE, *Western Manichaeism and the Turfan Discoveries*, dans *Journal of the Asiatic Society*, 1913, p. 60-94, 696-698 ; ED. LEHMANN, dans CHANTEPIE DE LA SAUSSAYE, A. BERTHOLET, ED. LEHMANN, *Lehrbuch der Religionsgeschichte*, t. II, 1925, p. 264 ; W. LENTZ, voir E. WALDSCHMIDT ; LIDZBARSKI, *Ein manichäisches Gedicht*, dans *Nachrichten von der Kgl. Gesellschaft der Wiss. zu Göttingen*, 1918 ; G. MESSINA, *La dottrina Manichea e le origini del Cristianismo*, dans *Biblica*, 1929, p. 313-331 ; Paul MONCEAUX, *Le manichéen Faustus de Milev. Restitution de ses capitula*, 1924 ; P. PELLIOT, *Les grottes de Touen-Houang*, 6 atlas, Paris, 1914 ; POLOTSKY, article *Manichäismus*, dans la *Real-Encyclopädie der class. Altertumswiss.* de PAULY-WISSOWA-KROLL, Supplementband VI, 1935, p. 239-271 et *Nachträge*, *ibid.*, p. 1363 ; R. REIZENSTEIN und H. H. SCHAEDER, *Studien zum antiken Synkretismus, aus Iran und Griechenland*, dans *Studien der Bibliothek Warburg* hsg. von Fritz SAXL, Leipzig-Berlin, 1926 ; *Zur manichäischen Urmenslehre* (p. 240-305) ; *die manichäische Kosmogenie nach Theodor bar Koni deutsch* (p. 342-350) ; R. REITZENSTEIN, *Eine wertlose und eine wertvolle Ueberlieferung über den Manichäismus*, dans les *Nachrichten der kön. Gesellschaft der Wiss. zu Göttingen*, 1931, I, p. 28-58 ; C. SALEMANN, *Manichäische Studien*, I. *Mittelpersische Texte*, dans *Mém. de l'Acad. de St-Pétersbourg*, VIIIe série, t. VIII, n° 10, 1908 ; H. H. SCHAEDER, *Urform und Fortbildungen des manichäischen Systems*, dans *Vorträge der Bibliothek Marburg*, 1924-1925, 1927 ; ID. Voir à R. REITZENSTEIN ; ID., *Zur Frage der manichäischen Sakramente*, dans SCHAEDER, *Iranica. Abhandl. der Ges. d. Wiss. zù Göttingen, Philol.-hist. Kl.*, Folge 3, n° 10, p. 19-24 ; cf. p. 68-83, *die Komposition des manichäischen Fragments* ; J. SCHEFTELOWITZ, *Die Entstehung der manich. Religion und des Erlösungsmysteriums*, Giessen, 1922 ; C. SCHMIDT, *Neue original-Quellen des Manichäismus aus Aegypten*, dans *Zeitschrift für Kirchen-Geschichte*, 1933, p. 1-28 ; DE STOOP, *Essai sur la diffusion du manichéisme dans l'empire romain* (Université de Gand. Recueil de travaux de la Faculté de Philosophie, XXXVIII), 1909 ; E. WALDSCHMIDT et W. LENTZ, *Die Stellung Jesu im Manichäismus*, dans *Abhandlungen der preussischen Akademie d. Wiss., Phil.-hist. Kl.*, Berlin, 1926, t. CLVI, 4 ; E. WALDSCHMIDT et W. LENTZ, *Manichaeische Dogmatik aus chines. und iran. Texten*, Berlin, 1933 ; O. VON WESENDONCK, *Die Lehre des Mani*, Leipzig, 1922.

(1) Sur les débuts du Manichéisme, voir t. II, p. 312-318.

(2) Il en aurait eu trois, Thomas, Addas et Hermas (*Acta Archelai*, c. 64 et 65 ; THÉODORET, *Haeret. fab.*, I, 26) ; mais c'est là une donnée très peu sûre, que la tradition orientale ignore.

répandirent rapidement en Orient. Quand il revint dans sa ville natale, Ctésiphon, le clergé madzéen n'avait pas désarmé. Emprisonné, puis libéré, il fut finalement condamné à mort vers 275 ; et le roi Bahram Ier le fit écorcher vif. Sa peau, soigneusement empaillée, fut exposée à l'une des portes de la ville de Gundé-Shapour.

DIFFUSION DE SA DOCTRINE

En dépit de cette fin tragique, le « manichéisme » poursuivit d'Orient vers l'Occident sa marche conquérante. La prompte et large diffusion de la secte à travers le monde ancien est une des curiosités de l'histoire. Elle passe de Mésopotamie en Syrie et en Égypte ; elle gagne aussi le Khorassan, le Turkestan, la Chine et l'Inde. L'Asie Mineure l'accueille au IVe siècle. Pareillement la Judée. Vingt-sept ans après la mort du prophète, l'empereur Dioclétien la considérait déjà, en Occident, comme un danger public ; et, en mars 296, il portait contre elle un rigoureux édit [1]. On en repère les traces plus ou moins fréquentes et profondes dans le Sud de la Gaule, en Espagne, à Rome, à Milan, et surtout en Afrique, où les polémiques de saint Augustin la montrent en pleine vitalité. Il n'est pas jusqu'à l'Illyricum où certains indices n'en révèlent la présence [2].

LE DOGME MANICHÉEN

Il n'est pas facile de résumer d'une façon systématique la doctrine manichéenne. Il est douteux que cette doctrine ait été véritablement *une*. On n'a pu le soutenir, qu'aussi longtemps qu'on l'a recomposée à l'aide des seuls documents grecs et latins. Mais quand, dans la seconde moitié du XIXe siècle, ont été produits au jour des textes orientaux — arabes, persans, syriaques — bientôt complétés par les trouvailles faites en Chine et dans le Turkestan, il a bien fallu admettre qu'elle s'était adaptée avec beaucoup de souplesse à des milieux très divers.

Si nous connaissions les écrits du prophète dans leur teneur originale, les éléments fondamentaux du manichéisme, le *substratum* commun aux diverses sectes qui se réclamaient de son nom, seraient aisés à dégager. Nous ne les atteignons guère que par des sources secondaires, qui sont souvent des ouvrages de polémique. Ce qui est sûr, c'est que, niant formellement toute possibilité de ramener le bien et le mal à un principe primitif unique, Mani opposait deux royaumes, celui de la Lumière, où règne le Dieu suprême, et celui des Ténèbres, où habitent Satan et ses démons : royaumes perpétuellement en lutte, dont l'opposition se retrouve dans le cœur de l'homme lui-même, qui est un mélange d'éléments lumineux et d'éléments ténébreux. De l'humanité, en qui ces élé-

(1) Texte dans l'*Enchiridion Fontium Hist. Eccl. Antiquae*, de C. Kirch, Fribourg-en-Br., 1910, n° 294. Trad. dans P. Batiffol, *La paix constantinienne*, p. 171.

(2) Inscription de Salone, *Bolletino di Archeologia Dalmata*, t. XXIX, p. 134, commentée par F. Cumont, dans la *Revue d'Histoire ecclésiastique*, Louvain, t. IX, 1908, p. 19-20.

ments se combattent, la lumière captive tend à se dégager. Les démons s'efforcent de l'y retenir, par les passions, l'erreur, les faux cultes, tandis que les Esprits lumineux favorisent son émancipation. C'est pour cette libération de la Lumière qu'ont œuvré Noé, Abraham, Zoroastre, Bouddha, Jésus — et Manès en dernier lieu.

PLACE DU CHRIST DANS LA DOCTRINE On a cru longtemps que cette incorporation du Christ au manichéisme avait été une ruse diplomatique de la secte pour mieux conquérir les fidèles dans les pays où les catholiques étaient nombreux. Mais c'est une interprétation à laquelle font échec les récentes découvertes des orientalistes. Le traité chinois manichéen publié par MM. Chavannes et Pelliot ; les documents rapportés par sir Aurel Stein du Turkestan chinois ; les fragments d'hymnes de Turfan qu'a fait connaître Reitzenstein, tous ces documents imposent une conclusion que le savant anglais F.-C. Burkitt a formulée dans son livre sur la religion des Manichéens [1]. Selon le système de Manès, Jésus était le dernier des prophètes de la Vérité, avant Manès lui-même ; mais il était quelque chose de plus que cela, et Manès se proclamait lui-même l'apôtre de Jésus. Au surplus, la conception que Manès se formait du Christ (obscure pour nous par plus d'un côté) différait sensiblement de la conception orthodoxe, et il n'est pas impossible que ces divergences aient été estompées en Occident pour faciliter l'œuvre de la propagande manichéenne.

En somme, Manès avait emprunté divers éléments au Zoroastrisme, au Bouddhisme, au Christianisme, pensant par cette synthèse hardie gagner les âmes religieuses les plus diversement façonnées.

AUGUSTIN ET LE MANICHÉISME Quand on compulse aujourd'hui les documents et les témoignages relatifs à cette étrange religion manichéenne, et qu'on a subi l'étourdissement — l'éblouissement — de sa cosmogonie et de sa métaphysique [2], on s'étonne qu'un esprit de la qualité d'Augustin ait pu se laisser séduire à de telles chimères, et y soit demeuré si longtemps impliqué.

Notons d'abord que la secte lui promettait « la vérité ». Et cette seule promesse, dans l'ardeur d'esprit où il était alors, dans son inquiète avidité mal satisfaite, suffisait à l'attirer. — Elle le retint ensuite par diverses attaches qu'il a su parfaitement définir.

D'abord, les Manichéens prétendaient n'imposer aucune vérité avant que cette vérité fût devenue évidente à celui qui devait l'embrasser. Or, justement, le sens propre aiguisé par les exercices de l'école était très

(1) *The Religion of the Manichees*, Cambridge, 1925. Cf. W. Lentz (*op. cit.*, dans la *Bibliographie*).
(2) Voir par exemple dans les *Recherches sur le Manichéisme* de Franz Cumont, fasc. 1, l'exposé de la Cosmogonie manichéenne d'après Théodore Bar Khôni, évêque nestorien de Kashkar (fin VIe ou début VIIe s.).

fort chez Augustin, et lui rendait pénible la méthode d'autorité, ordinairement préférée par les catholiques. Écoutons l'aveu qu'il fait dans le *de utilitate credendi* à son ami Honorat :

Tu le sais, la seule cause qui nous fit tomber aux mains de ces hommes fut la prétention qu'ils affichaient d'écarter le spectre de l'autorité au profit de la raison pure et simple. Par elle, ils promettaient d'amener leurs disciples jusqu'à Dieu et de les arracher à toute erreur. Quel motif me forçait, pendant près de neuf années, à mépriser la religion que mes parents m'avaient inculquée dès l'enfance, pour suivre ces docteurs et les écouter assidûment ? Celui-ci seulement, qu'à leur dire, on nous tenait dans une terreur superstitieuse en nous commandant de croire avant de raisonner, tandis que chez eux personne n'était contraint à la foi sans en avoir au préalable discuté et démontré la vérité. Qui ne se laisserait prendre à de telles promesses, surtout parmi les jeunes intelligences avides de connaître et toutes fières des premières leçons reçues à l'école de ceux qui savent ?[1]

Donc, la méthode générale dont se prévalaient les Manichéens plaisait à Augustin et lui paraissait alors la seule rationnelle.

En outre, mal disposé comme il se sentait à l'égard de la Bible, les critiques exercées par les Manichéens contre l'Ancien Testament (qu'ils haïssaient autant que l'avait haï Marcion), leurs questions ironiques sur le premier chapitre de la Genèse, sur les licences octroyées par Dieu aux patriarches, sur certaines prescriptions de la loi mosaïque, avivaient les perplexités qu'il avait éprouvées de lui-même et aggravaient du même coup ses répugnances.

Il avoue aussi qu'il avait quelque peine à concevoir Dieu comme un être purement spirituel. Il lui semblait que tout ce qui *est* doit être corporel, de façon si épurée et quintessenciée qu'on entende ce mot. Or, justement, les Manichéens n'admettaient autre chose que la matière, plus ou moins subtilisée.

Et voici qui faisait sur son esprit une impression plus profonde encore. La théorie manichéenne sur les deux principes coéternels, l'un, principe du bien, l'autre, principe du mal, ayant mis tous deux leur empreinte sur chaque créature, élucidait à ses yeux le problème de l'origine du mal — ce problème dont toutes les philosophies se sont préoccupées, mais qui se posait avec une insistance toute particulière devant la pensée de son temps et déjà devant la sienne.

Il y trouvait, dans ses heures de repliement sur soi et de malaise, ce réconfort de se dire que l'idée même d'une responsabilité personnelle est une illusion psychologique, dont la métaphysique manichéenne lui révélait l'origine.

Enfin, le nom du Christ, que la secte mêlait à ses affirmations, achevait de le rassurer et de l'incliner à la sympathie.

Augustin demeura près de neuf ans dans le manichéisme. Il affirme qu'il n'y adhéra qu'assez mollement et sans grande conviction. Ce qui

(1) *De utilitate credendi*, I, II.

est sûr, c'est qu'il y resta simple catéchumène, ou, selon la terminologie manichéenne, simple « auditeur », sans vouloir s'élever plus haut. Car il y avait dans le manichéisme toute une hiérarchie, douze apôtres ou maîtres, soixante-douze disciples ou évêques, des prêtres, des diacres, des élus (ou élues) spécialement chargés de la propagande, enfin les auditeurs, dans les rangs desquels s'attarda Augustin. Il dut pourtant avoir une courte période de prosélytisme, puisque nous voyons qu'il amena au manichéisme son ami Honorat et beaucoup d'autres [1] : une âme de feu comme la sienne n'aurait pu garder pour soi une croyance quelconque, même précaire et mal affermie. Puis, son premier ouvrage, le *De Pulchro et Apto*, composé vers 380 (il en donne, de souvenir, une analyse dans les *Confessions*, IV, xv, car il l'avait égaré), devait être apparenté sur plus d'un point à la métaphysique manichéenne. L'hypothèse dualiste sur l'origine du mal le travaillera, le subjuguera, même à une époque où déjà ses illusions sur la secte seront dissipées. Et c'est une question de savoir jusqu'à quel point, en s'en détachant, il n'a pas conservé à son insu certains vestiges de l'influence longtemps subie.

CAUSES DE SA DÉSAFFECTION Pourquoi s'en délia-t-il, après s'y être inféodé si longtemps ? Comme il arrive toujours en pareil cas, une série d'impressions défavorables avaient opéré en lui un sourd travail de désaffection. A son âme avide de vérité, la secte offrait pour principale pâture des fables absurdes sur le soleil et sur la lune, qui y étaient représentés comme les véhicules des âmes échappées aux liens de la matière et qui montent vers Dieu, et bien d'autres contes de même sorte. Son sens critique, aiguisé par la forte culture qu'il s'était donnée (il venait d'approfondir les *Catégories* d'Aristote et avait compris d'emblée ce difficile ouvrage), percevait chez elle une autre infériorité : très habiles à l'attaque, dès là qu'il s'agissait, par exemple, de démolir l'Ancien Testament, les Manichéens étaient beaucoup moins experts à défendre leurs propres positions ; et, quand on leur opposait des textes de l'Écriture gênants pour eux, ils se tiraient d'affaire en soutenant, contre toute vraisemblance, que ces textes avaient été interpolés. — Ajoutons que la doctrine de Mani prescrivait aux *Élus* une vie mortifiée, un ascétisme très strict. Or Augustin était bien obligé de constater que bon nombre parmi ceux-ci se dérobaient, en

(1) *De moribus Manicheorum*, II, xix, 68 ; *Confess.*, III, xii ; *De duabus anim.*, xi.

(2) Cf. Buonaiuti, *Manichaeism and Augustin's Idea of massa perditionis*, dans *The Harvard Theological Rewiew*, t. XX, 1927, p. 117 et 252. Sans doute n'y a-t-il pas lieu de trop presser cette hypothèse. Notons pourtant qu'au cours des polémiques pélagiennes, Julien d'Éclane accusera Augustin de dévier vers le manichéisme, par sa façon d'associer une sorte de tare physique à l'acte sexuel, au moyen duquel se transmettrait le péché originel (*Opus imperf. contra Iulianum*, II, xxx, 1).

fait, aux obligations qu'ils faisaient mine d'assumer, et glissaient parfois à des écarts assez scandaleux [1].

Mais ces suspicions légitimes ne prirent toute leur consistance, toute leur valeur à ses yeux que quand, sur un point précis, il se crut assuré du mensonge manichéen. Voici comment. Les fantaisies de Mani en certaines questions d'ordre scientifique, où un contrôle personnel était possible, lui avaient toujours paru étranges, et il s'étonnait que Mani les eût présentées comme inspirées. Les Manichéens, qu'il interrogeait à ce propos, avaient esquivé ses questions. — Or un jour arriva à Carthage un évêque manichéen, nommé Faustus, qui passait pour éloquent et docte entre tous. C'était un des plus redoutables polémistes de la secte, et ce que nous connaissons de ses ouvrages par certaines réfutations ultérieures d'Augustin lui-même donne une idée favorable de sa dextérité d'esprit. Augustin s'empressa donc de lui soumettre ses doutes dès qu'il en trouva l'occasion. Mais l'autre ne sut lui répondre que de jolies phrases, d'un tour fort agréable ; il éluda les objections précises d'Augustin et finit par lui avouer bonnement qu'il n'entendait pas grand'chose à ces matières-là [2]. Augustin apprécia sa franchise, mais il sentit que mourait en lui cette foi manichéenne que bien d'autres causes avaient déjà contribué à anémier. Au surplus, il n'y eut pas rupture ouverte. Augustin comptait d'excellentes relations parmi les Manichéens. Puis la secte, fort mal vue des pouvoirs publics pour ses tendances antisociales, et de l'Église pour ses enseignements hétérodoxes, formait quelque chose comme une société secrète, une sorte de franc-maçonnerie commode, dont les membres relativement peu nombreux s'aidaient les uns les autres et se faisaient la courte échelle. Augustin était, à cette époque, peu disposé à renoncer à de tels avantages. Mais, à mesure qu'il évoluait vers le catholicisme, son antipathie croissait, sans que toutefois il trouvât de solution aux difficultés dont il repoussait maintenant l'interprétation manichéenne. Il gardait toujours l'impression troublante que « ce n'est pas nous qui péchons, mais *je ne sais quelle nature étrangère qui est en nous* [3] » (les Manichéens disaient « la partie ténébreuse de notre être »). C'est seulement après avoir connu le néoplatonisme que le problème du mal se posera pour lui dans des termes nouveaux. La lecture de Porphyre et de Plotin lui apportera un grand soulagement en écartant l'obstacle auquel il se heurtait, lequel était de concevoir le mal, soit comme une substance, soit comme une créature de Dieu. L'effort d'Augustin dans ses débats ultérieurs avec les Manichéens tendra à démontrer qu'au fond le mal n'existe pas, qu'il est quelque chose de négatif ; bien mieux, qu'il est une aversion pour ce qui *est* et une conversion à ce qui

(1) *De moribus Manich.*, XIX, 68.
(2) *Conf.*, V, VI, 10.
(3) *Conf.*, V, X.

n'*est* pas, aux biens matériels, éphémères, fugaces. Le mal n'est pas dans les choses : le venin du scorpion n'est pas un mal pour le scorpion. Le mal ne résulte jamais que de l'usage inconvenant ou intempérant des choses et réside dans l'activité même de celui qui use des choses. Le péché n'est, au fond, qu'une déficience d'être, quelque chose qui, étant un manque, procède du néant. Il est donc impossible que Dieu en soit l'auteur : il vient de nous, qui sommes libres, qui nous sentons tels, et usons mal de notre liberté.

SES POLÉMIQUES

Telles sont les vues qu'Augustin développera dans toute une suite d'ouvrages antimanichéens [1], en même temps qu'il défendait les Livres Saints contre les critiques souvent habiles des docteurs manichéens, et soulignait leurs impudentes déformations de la personne du Christ [2]. Il paracheva cette œuvre écrite par une discussion publique avec le prêtre manichéen Félix. Après cinq jours de débats dans une des églises d'Hippone, celui-ci dut reconnaître les contradictions irréductibles de la doctrine et accepta de jeter l'anathème à Mani [3].

LA VITALITÉ DE LA SECTE AU Ve SIÈCLE

Dès lors Augustin passa à d'autres controverses, contre le donatisme, puis contre le pélagianisme. Mais on aurait tort de supposer que la secte était extirpée d'Afrique. Elle y conservait une sourde vitalité. En 420, le tribun Ursus, préfet de la maison impériale, arrêta un certain nombre de Manichéens à Carthage et les obligea à avouer les turpitudes auxquelles ils se livraient sous couleur de religion. Longtemps auparavant, saint Basile avait déjà traité les fidèles de Mani de « pourriture des églises [4] » ; et il faut bien croire que leurs théories anti-sociales et l'immoralité de certaines pratiques soulevait contre eux l'opinion [5], car il n'est guère de groupement hétérodoxe qui ait été pourchassé avec une égale rigueur [6], aussi bien par les autorités civiles que par l'Église elle-même [7].

(1) Ces quinze traités figurent dans la *Patrologie latine*, t. XXXII, XXXIV, XLII, et partiellement dans le *Corpus* de Vienne, t. XXV.

(2) Il proteste à diverses reprises sur la façon qu'avaient les Manichéens d'assimiler Jésus au Soleil : *Contra Faustum*, IX, II ; XX, VI ; XX, VIII ; *Sermo* IV, 5 ; XII ; XXXIV, 2 ; *Enarr. in Ps.*, XCIII, 5.

(3) *De actis cum Felice Manichaeo.*

(4) *Deuxième Homélie sur l'Hexaméron*, IV.

(5) V. AUGUSTIN, *Contra Secundinum*, IX ; *De moribus ecclesiae*, II, XVIII ; *De Natura Boni*, XLIV-XLV.

(6) Ils furent les seuls hérétiques que les empereurs chrétiens aient puni de la peine capitale. Leur crime est qualifié par Honorius de *publicum crimen* (*Code Théodos.*, XVI, V, 40).

(7) Lois de Valentinien Ier (*Code Théodos.*, XVI, V, 3) et de Gratien (SOCRATE, *Hist. eccl.*, V, II ; SOZOMÈNE, *Hist. eccl.*, VII, I) ; de Théodose, 8 mai 381 et 31 mars 382 (*ibid.*, XVI, V, 7 ; 9) ; de Théodose, 17 juin 389 (XVI, V, 18) ; d'Honorius, 12 février 405 et 22 février 407 (XVI, V, 38 et 40) ; de Valentinien III, 17 juillet 425 (XVI, V, 62) ; de Théodose II, 29 mai 428 (XVI, V, 65) ; de Valentinien III, 19 juin 445 (*Novelle* XVII) ; de Justin et de Justinien, 9 août 510 ; 529 (*Code Just.*, I, V, 12, 15, 16).

L'absence presque totale, chez eux, de culte public, leur art de se dissimuler et de mentir au besoin, ne permettait de les saisir que quand on obtenait des dénonciations [1].

Déjà vers la fin du IVe siècle, le pape Sirice en avait exilé de Rome quelques-uns : il fixa les règles sévères qui permettraient de contrôler la sincérité de leur conversion [2]. Son successeur, le pape Anastase Ier, réussit à en découvrir aussi un certain nombre [3]. Ils pullulaient dans la ville, au milieu du ve siècle, et le pape saint Léon les pourchassa avec un zèle infatigable [4]. Vers la fin de 443, il traduisit un certain nombre d'*élus* devant une assemblée d'évêques et de prêtres qu'il présida lui-même, et réussit à leur arracher l'aveu de leurs abominations [5]. On les obligea à signer un acte d'abjuration [6], et les récalcitrants furent condamnés à un exil perpétuel. Léon communiqua aux évêques d'Italie le procès-verbal de l'assemblée, et il mit en garde également les évêques d'Espagne [7] et le clergé d'Orient [8]. Le *Liber Pontificalis* atteste, au surplus, que parmi les successeurs de Léon Ier, plusieurs, comme Gélase Ier (492-496), Symmaque (498-514), Hormisdas (514-523) [9], durent sévir à leur tour contre les obstinés partisans du prophète babylonien.

Ce n'était pas seulement l'Église qui déployait cette inquisitoriale sévérité. En Afrique, le roi vandale Hunéric (447-484) fit brûler beaucoup des Manichéens qui s'étaient coulés dans le clergé arien, et il en fit transporter d'autres, après confiscation de leurs biens, par delà la Méditerranée [10].

LES LIMITES DE L'INFLUENCE MANICHÉENNE

Il est donc indiscutable qu'en dépit des lois terribles édictées par l'État romain, le prosélytisme manichéen travailla dans les sapes pour la conquête individuelle des âmes, tout au long du ve siècle, et au delà.

Faut-il admettre, par surcroît, qu'il ait constitué pour l'Église un véritable péril, en diffusant sournoisement un grand nombre d'apocryphes [11], grâce auxquels les idées de la secte se répandaient partout ;

(1) Un spécimen de ce genre de délation dans *P. L.*, XLII, 517 (pour la région de Césarée, en Afrique). Formule d'anathème, *ibid.*, LXV, 23.
(2) *Liber Pontificalis* (édit. Duchesne, t. I, p. 86).
(3) *Ibid.*
(4) Prosper, *Chronique* (édit. Mommsen, p. 479).
(5) Saint Léon, *Sermo* XVI, 4 ; *Epist.*, XV, 16. Beaucoup de livres manichéens furent alors détruits (Prosper, *Chron.*, p. 479).
(6) Saint Léon, *Epist.*, VII (30 janvier 444).
(7) *Epist.*, XV. Il leur prescrit de réunir un concile général, pour examiner les cas suspects dans le clergé.
(8) Prosper, *loc. cit.*
(9) *Liber Pontif.* (édit. Duchesne, t. I, p. 116, 122, 130).
(10) Victor de Vite, II, I.
(11) Les *Acta Thomae*, les *Acta Andreae*, les *Acta Petri* ; les *Acta Iohannis* ; le *De ortu Mariae et infantia Salvatoris* ; le *De transitu Mariae* ; le *De pueritia secundum Thomam* ; les *Acta Pilati* ; le *Descensus in inferos* ; les *Thesauri Manichaeorum* ; le *Liber gigantum* ; l'*Hymnus Domini* ; la *Memoria apostolorum*.

à tel point que cette pernicieuse littérature hérétique aurait suscité toute une floraison d'écrits orthodoxes qui auraient été comme autant de ripostes destinées à déjouer l'effort manichéen et à neutraliser le venin de ses enseignements [1] ?

Ici un doute est permis.

1° Les textes du ve et du vi^e siècle, où les Manichéens sont désignés nommément comme des adversaires particulièrement actifs et dangereux, sont en fort petit nombre. Le *Liber Pontificalis*, la *Chronique* de saint Prosper fournissent trois ou quatre notices. On trouve aussi dans les *Lettres* et les *Sermons* de saint Léon, dans quelques homélies de saint Césaire, des renseignements assez précieux.

Quant à la littérature conciliaire, elle est presque muette.

Pour nourrir ces maigres données, il faut, au manichéisme, lier le priscillianisme, comme étroitement apparenté. Or certaines distinctions s'imposent. Il est extrêmement douteux qu'à ses débuts le priscillianisme ait été marqué d'un caractère dualiste nettement accentué. D'autre part, Priscillien admettait l'Ancien Testament, l'humanité réelle du Christ ; il cherchait l'origine du péché dans les défaillances de la volonté humaine : toutes croyances contraires à la doctrine manichéenne. C'est donc seulement dans son évolution ultérieure que le priscillianisme a pu se rapprocher insensiblement du manichéisme, au point que les autorités ecclésiastiques les aient traités parfois (non sans arrière-pensée de compromettre davantage encore le premier) comme plus ou moins solidaires [2]. Mais il ne faut pas exagérer cette identification progressive des deux sectes. Saint Léon constate lui-même [3] que les Priscillianistes reconnaissent l'Ancien Testament (quitte à l'interpréter à leur manière), tandis que les Manichéens le rejettent. — Pas davantage ne peut-on admettre que, toutes les fois qu'un écrivain de cette période touche à des lieux communs dogmatiques, tels que l'économie de la Révélation, l'unité de la Bible, etc., sans nommer d'ailleurs aucun hérétique, on doive lui prêter le dessein arrêté de faire pièce aux Manichéens, contempteurs de cette économie, dissociateurs de cette unité.

2° Parmi les « apocryphes » qu'on cite comme sortis d'officines manichéennes, il en est qui ne portent aucune trace des idées de la secte (par exemple, les *Acta Pilati*, le *Descensus in inferos*, le *De transitu Mariae*). Il en est d'autres, comme les *Actes* de Pierre, de Jean, d'André, de Thomas, qui couraient dans *tous* les milieux où l'idéal ascétique, lourdement aggravé, était en honneur.

(1) Telle est la thèse développée avec une vaste érudition par Albert Dufourcq, dans son *Étude sur les Gesta Martyrum*, t. IV, Paris, 1910.

(2) Par ex. saint Léon (*Epist.*, xv, 15) : « *Faciunt hoc Priscillianistae, faciunt Manichaei, quorum cum istis* tam foederata sunt corda, ut, solis nominibus discreti, sacrilegiis autem suis inveniantur uniti... »

(3) *Ibid.*

Quant à organiser en fonciton du manichéisme toute une collection d'œuvres catholiques du vᵉ et du viᵉ siècle, le lien de causalité qu'on suppose entre ces ouvrages et le « néo-manichéisme » est le plus souvent si frêle qu'il ressemble à un simple procédé de classement, commode, mais très artificiel.

CONCLUSION Il ne faut donc pas exagérer la virulence du « microbe » néo-manichéen, l'émoi de la Chrétienté occidentale, ni l'importance des mesures de prophylaxie destinées à paralyser le fléau.

Irritant par le mystère dont il s'entourait, le manichéisme a préoccupé les hommes d'église, qui l'ont combattu par la dialectique et par l'action directe ; mais pour croire qu'il ait fait planer une telle angoisse sur plusieurs générations, au vᵉ et viᵉ siècle, il nous faudrait des attestations (surtout conciliaires) plus nombreuses et plus explicites.

Pendant bien des siècles encore, l'idée manichéenne exercera sur des élites restreintes une étrange puissance de séduction, en dépit du caractère exotique de ses dogmes et des exigences anti-sociales de sa morale.

§ 4. — La fin du donatisme [1].

LE DONATISME A LA FIN DU IVᵉ SIÈCLE Les trente-cinq années d'épiscopat de saint Augustin furent fatales au donatisme : celui-ci passa d'une surprenante prospérité à un état de décrépitude qui devait se prolonger, vaille que vaille, pendant deux siècles encore.

Du jour où prêtre d'Hippone, vers 391, Augustin eut compris le péril donatiste, — il y avait été d'abord assez indifférent, la secte n'ayant alors à Thagaste qu'une faible vitalité, — il commença sa campagne.

Rappelons que, depuis près de quatre-vingts ans, les Donatistes, puritains et brouillons, entretenaient l'émeute dans l'Afrique du Nord, que désolait cette perpétuelle anarchie ; que ce parti était né dès les premières années du ivᵉ siècle, au lendemain de la persécution de Dioclétien, sous prétexte que certains évêques « traditeurs » des Livres Saints, — c'est-à-dire qui avaient livré leurs exemplaires de la Bible, sur réquisition des agents de l'empereur, — étaient indignes de rester préposés à la direction de leur troupeau ; qu'à ces scrupules, certainement sincères dans beaucoup de consciences, se mêlèrent tout de suite des querelles de personnes, des jalousies, des rancunes, des intrigues de toutes sortes ; et que, dégradé par une minorité de violents, l'idéal évangélique de l'Église des « Saints » (comme ils s'intitulaient) devint trop souvent, dans la réalité, une école de pillage, de haine et de meurtre [2].

(1) **Bibliographie. — Cf. t. III, p. 41, 205 et 455.**
(2) **Voir le t. III, p. 41-65, 205-216 et 457-461.**

SES PRINCIPAUX CHAMPIONS

Au moment où Augustin entama la lutte, le donatisme était quelque peu désemparé par certaines dissensions intestines [1]. Il en souffrait plus qu'il n'avait à pâtir des constitutions impériales, mollement appliquées [2]. Augustin eut pourtant affaire à forte partie. La secte avait quelques champions de valeur — nous disons parmi ceux qui se livraient, non pas à l'*action directe*, c'est-à-dire à l'assassinat, à la torture, au vol et à l'incendie, mais à leur mission d'apologistes.

Ces protagonistes, c'étaient Pétilien de Constantine, le seul adversaire vraiment digne d'Augustin, la personnification la plus haute du schisme, l'oracle de son parti, grâce à l'énergie farouche de ses convictions, à ses dons d'orateur et à ses roueries de juriste retors [3] ; Cresconius, bel esprit d'école, grammairien qui sentait son pédant et même parfois son bouffon, laïc à demi fourvoyé dans ces débats théologiques [4] ; Primien, l'évêque schismatique de Carthage, intelligence bornée, dont la politique incohérente, avec des indulgences et des brutalités également scandaleuses, fit le plus grand tort à la secte [5] ; Emeritus, l'évêque schismatique de Césarée, honnête homme, galant homme même, chez qui la mentalité donatiste paralysait, en même temps que les élans du cœur, les clairvoyances de l'intelligence, orateur de talent, que saint Augustin, en un colloque mémorable [6], saura pourtant réduire à un mutisme fort humiliant ; Gaudence de Thamugadi, le fanatique intégral, nourri d'un seul livre, la Bible donatiste, écrivain d'ailleurs médiocre et plat [7] ; Fulgence enfin, physionomie plus pâle et plus incertaine, aux traits à demi estompés [8]. — Encore faudrait-il, aux œuvres de ces polémistes, ajouter la vaste littérature donatiste anonyme [9] — anonyme

(1) Élu évêque de Carthage à la place de Parmémien, qui était une intelligence élevée et d'une certaine modération, Primien se montra d'une telle maladresse qu'un certain nombre de dissidents donatistes se groupèrent autour du diacre Maximien, lequel devint le chef de ce parti d'opposition. Cf. t. III, p. 459.

(2) Cf. Paul MONCEAUX, *Histoire littéraire de l'Afrique chrétienne*, t. IV, p. 55 et suiv.

(3) « *Illius hominis... quem solet fama praedicare, quod inter eos doctrina atque facundia maxime excellat* », dit saint Augustin, dans *Contra litteras Petiliani*, I, I. Ses lettres et opuscules s'encadrent entre 399 ou 400 et juin 411. M. Paul MONCEAUX a pu reconstituer, à l'aide des citations d'Augustin, son fameux pamphlet contre l'Église catholique, où se mêlent trois éléments, doctrine, textes sacrés, invectives, ainsi que son pamphlet contre Augustin (*Epist. I ad Augustinum*, dans *Histoire littéraire de l'Afrique chrétienne*, t. VI, p. 17-60).

(4) Son *Epistula ad Augustinum*, composée en 401, peut également être restituée à l'aide du *Contra Cresconium*, d'Augustin (MONCEAUX, *op. cit.*, p. 92 et suiv.).

(5) Son œuvre personnelle se réduit pour nous à quelques fragments (MONCEAUX, *op. cit.*, p. 128 et suiv.).

(6) Le 20 septembre 418, dans la cathédrale de Césarée (Voir les *Gesta cum Emerito*, dans *P. L.*, XLIII, 697 ; *Corpus* de Vienne, t. LIII, p. 181).

(7) Voir le mémoire de Paul MONCEAUX : *Le Dossier de Gaudentius, restitution ou fragments de ses ouvrages et des documents qui s'y rattachent*, dans *Revue de Philologie*, 1907, p. 111-133 ; et *Histoire littéraire de l'Afrique chrétienne*, t. VI, p. 198-219. Le *Contra Gaudentium*, d'Augustin, permet, grâce à des citations copieuses et littérales, cette reconstitution.

(8) Son *Libellus de baptismo* nous est connu grâce à un *Contra Fulgentium donatistam* attribué à saint Augustin, mais qui n'est pas de sa manière, et dut être composé en Afrique entre 411 et 420.

(9) Recensée par P. MONCEAUX, *Histoire littéraire*, t. VI, p. 233-258, qui y étudie également la *littérature épistolaire* des donatistes (p. 259-328). Pour l'épigraphie donatiste, cf. *ibid.*, t. IV, p. 437 et suiv.

d'intention ou anonyme de fait, par suite de l'insuffisance de nos renseignements — bien monotone avec ses interminables exhibitions de textes scripturaires, ses récriminations contentieuses, ses anathèmes furibonds, et qui, à tout prendre, roule comme toutes les productions de la secte, autour d'un nombre de thèmes fort restreint : le schisme et son histoire, la « véritable » Église, les conditions de validité du baptême, la légitimité d'une contrainte officielle en matière de religion.

L'ENTRÉE EN LICE D'AUGUSTIN

C'est donc à partir de son installation à Hippone qu'Augustin, mis en contact avec une communauté schismatique très florissante, entra à son tour dans la bataille.

Dès ce moment la littérature antidonatiste est représentée par lui presque tout entière, comme elle l'était par Optat pour la période précédente [1]. Il devait guerroyer pendant plus de trente ans, d'abord dans des escarmouches locales, puis en portant la lutte au delà des frontières de son diocèse, en la développant grâce à des initiatives sans cesse élargies, avec le souci de consolider les résultats acquis et de ne jamais se reposer sur une victoire, si brillante qu'elle pût paraître.

C'est dans cette longue et magnifique campagne que se révèlent à plein ses dons d'homme d'action et d'homme de doctrine. « Il a trois idées fixes, remarque M. Monceaux [2]. D'abord il veut convaincre et gagner les gens de bonne foi : pour cela, il leur présentera sans cesse la vérité dans sa lumineuse évidence. Puis il veut en finir avec l'erreur africaine : il réfutera sans se lasser, sans craindre de se répéter, tous les défenseurs de l'Église ennemie, il dénoncera les préjugés, il démasquera les sophismes. Enfin il veut à tout prix supprimer le schisme : il l'attaquera partout, il essaiera de tous les moyens, en commençant par ceux qui agréent le plus à sa raison, mais avec la résolution d'aller jusqu'au bout, dût-il pour cela se résigner à l'emploi de la contrainte ».

LE « BRAS SÉCULIER »

Une question d'une grande portée historique est, en effet, sous-jacente à ces débats : c'est celle des opinions successives d'Augustin au sujet de l'intervention du pouvoir séculier dans les luttes doctrinales.

D'abord partisan d'une tolérance aussi large que possible [3], Augustin fut amené dès 405, au lendemain de l'édit d'union qui supprimait en fait l'Église dissidente, à souhaiter en certains cas la coercition directe de l'État, et à reconnaître qu'une « utile terreur » peut être bienfaisante puisqu'en fait elle ramène au bercail, ou empêche de s'en écarter, les

(1) Cf. *Histoire de l'Église*, t. III, p. 214.
(2) *Histoire littéraire de l'Afrique chrétienne*, t. VII, p. 17.
(3) Voir les lettres XCIII, 5, 17 ; CLXXXV, 7, 25 ; cf. *Retract.*, II, XXXI.

hésitants et les timorés [1]. Il ne faisait pas difficulté d'avouer qu'il avait changé d'avis, devant l'évidence de certains résultats [2].

> Primitivement, écrivait-il au donatiste Vincentius [3], mon avis était que personne ne devait être amené de force à l'unité du Christ ; qu'on devait agir par la parole, combattre par la discussion, vaincre par la raison ; qu'autrement nous aurions avec nous de faux catholiques, au lieu d'avoir contre nous de francs hérétiques. Telle était ma conviction. Elle a dû s'incliner devant celle de mes contradicteurs : non pas devant leurs paroles, mais devant les faits qu'ils citaient en exemple. D'abord, on m'opposait l'histoire de ma ville natale, de Thagaste, qui jadis avait tout entière appartenu au parti de Donat, et qui depuis avait été ramenée à l'unité catholique par la crainte des lois impériales ; maintenant elle est si hostile à votre parti de haine et de mort, qu'elle semble y avoir été toujours étrangère. De même, on me citait l'exemple de beaucoup d'autres villes, dont on me racontait l'histoire en les nommant...

Au surplus, les violences et les attentats des Donatistes lui paraissaient appeler l'intervention des autorités.

Pour bien juger cette théorie, il faut l'étudier dans ses rapports avec les vicissitudes de sa campagne antidonatiste. Les Donatistes eux-mêmes ne se privaient pas de harceler de leurs requêtes les empereurs ou les magistrats, et ils se gardaient de tenir la puissance publique à l'écart de leurs querelles, dès là qu'ils espéraient la mettre en branle contre leurs adversaires. C'est par étapes successives, et non sans hésitation, qu'Augustin en arriva à penser que le cas des Donatistes devait être réglé par des procédés exceptionnels — qu'il se garda de solliciter dans ses autres polémiques.

Si le principe qu'il posait ainsi était redoutable, il en modéra toujours les effets avec une réelle charité [4], et, répétons-le, il en limitait exclusivement l'application aux Donatistes dont la folie fratricide avait lassé ses efforts de conciliation. Le moyen âge a eu grand tort de couvrir, sinon de son exemple, du moins de sa doctrine, des abus qu'il n'eût certes pas avoués.

FORMES DIVERSES DE SA POLÉMIQUE

Ajoutons que ce n'est point dans les coups de force ni dans les brimades qu'Augustin mit le meilleur de sa confiance ; ce fut dans la force démonstrative d'une argumentation où triomphèrent ses dons de *disertus atque cautissimus disputator* (comme l'appellera Cassiodore). Rien n'est plus instructif que d'étudier les formes diverses de son action.

(1) Cette doctrine nouvelle se développe dans les lettres LXXXVIII, LXXXIX, XCVII, C, CV, CLXXIII, CLV, 4, 17 ; CCIV, et surtout dans la fameuse lettre CLXXXV, à Boniface.
(2) *Epist.*, XCIII ; CLXXXV, 7, 25-29.
(3) *Epist.*, XCIII, 5, 17.
(4) Voir *Epist.*, LXI, 2 ; LXIX, 1-2 ; LXXXVIII, 7 ; CXXXIII ; CXXXIV ; CXXXIX ; CLXXXV, 10, 44-47 ; *Contra Cresconium*, III, XLVII, LI.

LES TRAITÉS

Il procédait, d'abord, par voie d'exposés et de réfutations écrites. Plus de vingt traités antidonatistes, dont beaucoup en plusieurs livres, portent témoignage de son incomparable effort de controversiste. Les redites n'y manquent pas, mais on y peut suivre aussi l'enrichissement progressif de son arsenal de preuves, tirées des circonstances mêmes qui l'avaient obligé à reprendre la plume. Sa polémique apparaît à de bons juges comme un chef-d'œuvre de précision, d'exactitude et de bonne foi. Il y eut quelque mérite en face d'adversaires qui allaient jusqu'à exploiter, en les déformant, les aveux des *Confessions* pour essayer de le disqualifier [1]. Avec sa belle loyauté, il se gardait de prêter à ses adversaires des opinions qui ne fussent pas exactement les leurs, pour se réserver de faciles triomphes. Divers pamphlets donatistes ont pu être ainsi recomposés complètement, rien que d'après les citations d'Augustin [2]. « La lecture seule de l'ouvrage ainsi restitué suffit à prouver que la restitution est certaine. Les développements y naissent l'un de l'autre, sans heurt ni lacune. *Rien ne manque, ni le préambule, ni les citations bibliques, ni la conclusion, ni une transition, ni un mot* [3] ».

Jamais polémiste n'a eu les ciseaux plus généreux, ni les coupures plus honnêtes.

A ce souci du vrai s'ajoutait celui de ne pas humilier ceux qu'il essayait de conquérir. A la différence de saint Jérôme, dont les polémiques foisonnent d'outrages, saint Augustin excellait à ménager les amours-propres, à gagner les cœurs en même temps qu'il conquérait les esprits : c'est ainsi qu'il avait soin de conserver aux clercs ralliés la dignité dont ils avaient joui dans le camp adverse. Et même après que l'urgence de résultats décisifs l'eut réduit à faire appel à l'intervention du pouvoir civil, il sut recommander la modération et multiplier les démarches pour tempérer les rigueurs officielles [3].

SES IDÉES MAITRESSES

Sans se perdre dans les incidents de la lutte quotidienne — encore qu'il les évoquât d'une façon parfois fort pittoresque — Augustin revenait sans lassitude sur les idées essentielles qui lui paraissaient dominer et éclairer toute la querelle : à savoir l'origine vraie de la secte, la responsabilité de la rupture dont Donat et ses partisans avaient pris l'initiative ; puis la conception authentique de l'Église.

L'Église ne pouvait, quoi qu'en disent les Donatistes, ne se composer que de « purs » et de « saints », puisque son caractère distinctif était la catholicité, c'est-à-dire l'universalité. A ce prix, comment la secte de

(1) Voir P. de Labriolle, dans *Bulletin de l'Assoc. Guillaume Budé*, juillet 1926 : « *Pourquoi saint Augustin a-t-il écrit les Confessions ?* »
(2) Cf. *supra*, p. 70.
(3) Monceaux, *Histoire littéraire de l'Afrique chrétienne*, t. VI, p. 18.

Donat, exclusivement africaine, avait-elle le droit de revendiquer cette œcuménicité ? Pas davantage n'était-elle fondée à répéter aux catholiques que l'efficacité du sacrement dépend de la sainteté du ministre, et que les prêtres catholiques étaient gravement suspects de ne distribuer que des sacrements invalides : le sacrement, régulièrement administré, a une efficacité objective, indépendante de la vertu de l'opérant.

Sur ce dernier point, Augustin fut certainement gêné par le « précédent », favorable aux théories donatistes, que créait la doctrine baptismale de saint Cyprien, l'illustre évêque de Carthage. Cyprien avait tenu pour nul et non avenu tout baptême conféré, fût-ce dans les formes légales, par un hérétique ou un schismatique. Augustin dut déployer ses plus ingénieuses ressources pour éluder cette difficulté et se tirer de ce mauvais pas.

HABILETÉ DE SA PROPAGANDE

Notons aussi qu'il eut toujours le souci et l'art de garder le contact avec la masse des fidèles, sans permettre que la discussion entre catholiques et donatistes devînt jamais, exclusivement, une affaire de théologiens. Il faisait appel directement au public africain, sans distinction, et ne voulait point que des débats qui devaient intéresser tout chrétien demeurassent enfermés dans des conventicules de clercs. — Il remuait l'opinion par son infatigable prédication : dans ce qui nous reste de ses sermons, une centaine visent le schisme africain, et ils sont nourris de faits précis, d'allusions concrètes, de documents livrés parfois dans leur teneur littérale [1]. — Il la travaillait aussi par ses lettres : un cinquième environ de sa correspondance est relatif au donatisme. Certaines de ces lettres sont assez développées pour ressembler à de petits traités [2] ; mais d'ordinaire elles prennent des proportions plus modestes. Elles s'adressent aux destinataires les plus divers, y compris beaucoup de dissidents qu'il essaie de ramener à une vue équitable des choses. Le dossier du donatisme s'y enrichit de quantité de données précieuses. — Parfois même Augustin avait recours à la propagande par voie d'affiches. C'est ainsi qu'en 406 il fit transcrire sur les murs de la basilique donatiste d'Hippone, qui venait d'être confisquée, un recueil de pièces destiné à démontrer aux fidèles la légitimité de cette mesure [3].

LE PSAUME ABÉCÉDAIRE

Dès 393, il avait compris la nécessité de traiter au grand jour, sous une forme parfaitement intelligible, même aux gens peu cultivés, les problèmes vitaux soulevés par le donatisme [4]. C'est à cette date qu'il écrivit son *Psaume*

(1) Par exemple, *Sermo* II *in Ps.* XXXVI, 20.
(2) Ainsi la lettre XCIII, la lettre CXXXV.
(3) *Retract.*, II, LIII, 1.
(4) *Retract.*, I, XIX.

contre le parti de Donat : « J'ai voulu, expliquera-t-il lui-même, porter le procès des Donatistes à la connaissance de tous [1], même des plus humbles, des gens tout à fait ignorants et sans instruction ; j'ai voulu, autant que je le pourrais, les forcer à s'en souvenir ». Il composa donc pour eux une sorte de poème de 288 vers [2] destiné à être chanté, où chaque strophe de douze lignes était suivie d'un refrain : « *Omnes qui gaudetis de pace, modo verum iudicate* » : « Vous tous qui aimez la paix, voyez seulement de quel côté est le vrai » et commençait par une lettre dans l'ordre même de l'alphabet ; où chaque ligne s'achevait sur le même son (*e* ou *ae*), afin d'aider les mémoires rebelles. Le tout se terminait par un épilogue de trente vers sans refrain. Augustin en avait exclu à dessein la prosodie traditionnelle : « J'ai tenu, écrit-il, à n'employer aucune espèce de mètre, dans la crainte que la nécessité métrique ne me contraignît à user d'expressions étrangères à l'usage populaire [3] ». Il avait fait choix d'une espèce de vers de seize syllabes, coupé par une césure en deux hémistiches égaux de huit syllabes et formant un sens complet. Seul, le refrain a dix-sept syllabes. Était-ce une innovation totale ? On en peut douter, puisqu'Augustin souhaitait avant tout de ne pas déconcerter son public ; toujours est-il qu'on ne connaît pas d'autre spécimen exactement semblable à cette formule [4]. Il y donnait à la fois un résumé de l'histoire du donatisme et une paraphrase de la véritable conception de l'Église.

LES CONCILES

Cette préoccupation d'intéresser les masses et d'orienter leurs sympathies ne pouvait avoir sa fin en elle-même. Il fallait que, captant le bénéfice de l'état d'esprit ainsi créé, des organismes qualifiés donnassent corps et formule aux revendications catholiques et arrêtassent une commune ligne d'action.

C'est aux réunions conciliaires que ce rôle était dévolu. En août 403, en juin 404, en juin 410, en mai 411, en juin 412, les évêques d'Afrique, dans des assemblées générales ou partielles, confrontèrent leurs points de vue et déterminèrent les démarches à tenter. Encore que les *Actes* de ces conciles ne nous soient parvenus que dans des compilations postérieures où leur vraie physionomie n'apparaît guère, plus d'un indice décèle qu'Augustin y fit prévaloir ses idées et que c'est lui qui suggéra à ses collègues la plupart des décisions auxquelles ceux-ci aboutirent.

(1) Il ne les connaissait guère à cette époque que par les polémiques d'Optat.
(2) Il devait en comprendre originairement 291.
(3) *Retract.*, *ibid.*
(4) *Retract.*, I, xx. H. Vroom, *Le Psaume abécédaire de saint A. et la poésie latine rythmique*, Nimègue, 1933, voit en Augustin « le père de la poésie rythmique » (p. 49). Matthieu Nicolau (*Les deux sources de la versification latine accentuelle*, extrait du *Bulletin du Cange*, t. IX, 1934) considère les lignes du *Psaume abécédaire* comme des *kôla*, non comme des vers, et tire des indications mêmes d'Augustin la preuve qu'il n'avait nullement eu l'intention de composer un *carmen*.

LES COLLOQUES PUBLICS

Un autre moyen, fort en honneur au temps d'Augustin, et dont il fit lui-même un fréquent usage, c'étaient les colloques publics.

Voici quelle en était la procédure ordinaire.

On convoquait par un procès-verbal en forme l'adversaire avec lequel on désirait se mesurer. Ce procès-verbal (*publica gesta*) permettait de constater son refus, s'il déclinait l'offre qui lui était faite. En cas d'acceptation, on prenait un jour, on fixait une heure et le lieu de la rencontre. Des sténographes, en nombre égal pour chaque parti, étaient chargés de recueillir les débats. Puis la séance s'ouvrait sous une présidence réglée d'avance, et le public y était largement admis. — Les procès-verbaux de la conférence, une fois mis au net, étaient signés par les deux partis. Un certain nombre de ces pièces sont insérées parmi les œuvres d'Augustin. Elles sont impayables de vie et de vérité. La sténographie était arrivée, dans l'antiquité, à un tel point de perfection qu'elle savait saisir et fixer, non pas seulement les discours, mais les interruptions et tous les « mouvements » d'une assemblée.

Ces joutes oratoires ne vont jamais sans danger. C'est qu'elles présupposent chez ceux qui les soutiennent beaucoup de facilité de parole, une connaissance exacte des arguments de l'adversaire, et une imperturbable présence d'esprit. La doctrine est donc livrée aux hasards d'une défaillance de mémoire ou d'information, ou même à la malchance d'une disposition physique moins favorable. Augustin fit une fois l'expérience de cet *alea*. Un de ses opposants — c'était un évêque donatiste — exhiba tout d'un coup un document, une lettre, qu'Augustin ne connaissait pas, dont il n'avait jamais entendu parler. Il allait demeurer coi (c'est lui-même qui l'avoue), si son ami Alypius, qui parcourait rapidement cette pièce par-dessus son épaule, ne l'avait mis, d'un mot, en garde contre ce document, lequel, vu son origine, n'était pas recevable dans la présente discussion [1].

Les porte-parole, dans ces controverses orales, sont donc plus ou moins à la merci d'un incident. Mais Augustin se sentait assez sûr de lui pour ne pas trop s'effrayer d'éventualités de ce genre. Il n'arrivait à la discussion qu'armé d'un dossier dont il avait compulsé toutes les pièces et qu'il possédait à fond. Il se piquait d'une exactitude scrupuleuse, mais il l'exigeait aussi d'autres ; aux assertions téméraires, aux accusations sans fondement, aux faux-fuyants, il opposait des faits, des textes, des

(1) Une mésaventure d'un autre genre, disons-le en passant, devait arriver bien des siècles plus tard à Bossuet, dans la dispute qu'il soutint en 1678 contre Claude, le docteur le plus autorisé de l'Église réformée. La dialectique de Claude fut à ce point habile et perçante que Bossuet trembla à diverses reprises — il en convint depuis — « que sa faiblesse ne mît l'âme des auditeurs en péril ». Et même, devant une objection non prévue, il resta un moment déconcerté. Les assistants, ébranlés eux-mêmes et anxieux, le virent se recueillir et demander à Dieu, en une prière muette, « des paroles pour mettre la vérité dans tout son jour ». Cf. A. Rébelliau, *Bossuet historien du Protestantisme*, Paris, 1891, p. 67.

documents, comme le ferait aujourd'hui le plus consciencieux des avocats d'affaires. Et ces matériaux indiscutables, il les vivifiait par sa dialectique redoutable qui ne laissait à la partie adverse d'autres ressources que de le traiter d'ergoteur, de sophiste, d'académicien (c'est-à-dire de sceptique indifférent au fond des choses), et de lui reprocher, comme le faisait le donatiste Pétilien, « le cliquetis de ses menues et multiples questions [1] ».

Il était admirable de souplesse et de fermeté — quelquefois de malice — quand il s'agissait d'élaguer les questions parasites et de dégager les points fondamentaux d'où la décision devait sortir. Il dominait ses adversaires de toute sa culture, rompu qu'il était aux méthodes traditionnelles du bien-dire, en même temps que sa mémoire fidèle lui fournissait à point nommé les textes bibliques dont l'usage voulait alors qu'on se perçât réciproquement.

Aussi son influence contribua-t-elle à élargir le système des conférences avec les dissidents, à les transformer en débats à grand spectacle, où les mandataires des églises en présence se réunissaient, d'accord avec le pouvoir civil, et même sous la présidence d'un arbitre, d'un commissaire impérial, à qui le droit d'articuler la sentence était dévolu.

LES RÉSULTATS OBTENUS Les résultats d'une action si bien concertée ne tardèrent pas à s'affirmer. Vers le début de 404, après un attentat dont Possidius, évêque de Calama, le futur biographe d'Augustin, avait failli être la victime, Crispin, l'évêque donatiste de Calama, fut déclaré hérétique par le proconsul d'Afrique, puis par l'empereur, et condamné comme tel à une amende de dix livres d'or. C'était la première fois que cette qualification d'hérétique était officiellement attachée à la secte. En 405 était promulgué un édit d'union qui impliquait la suppression de l'Église dissidente, mais qui ne fut, en maint endroit, que mollement appliqué. Enfin, le 1er juin 411, s'ouvrit à Carthage, devant Marcellin, l'arbitre désigné par l'empereur, la grande conférence entre les mandataires des deux partis. Pendant les trois séances — dont le procès-verbal détaillé est venu jusqu'à nous — Augustin prit la parole plus de soixante fois. Le débat aboutit à la condamnation solennelle du donatisme [2], bientôt suivie par des édits de proscription [3], qui portèrent à la secte un coup fatal. Non qu'elle se soit dissoute sans résister. Traqués par la loi, les schismatiques esquissèrent

(1) *Contra Litteras Petiliani*, III, LII, LXIV.
(2) Déclaration de Marcellin (cf. *Brevic. Collat.*, III, xxv, 43).
(3) Édit de Marcellinus (26 juin 411). Confirmation de cet édit par Honorius (30 janvier 412 : *Code Théodos.*, XVI, v, 52). Édit de Cécilien, nouveau commissaire impérial (début de 413). Loi du 21 mars 413 (*Code Théodos.*, XVI, vi, 6) ; du 17 juin 414 (XVI, v, 54) ; du 30 août 414 (XVI, v, 55) ; du 25 août 415 (XVI, v, 56) ; du 6 novembre 415 (XVI, v, 58) ; du 6 juillet 425 (XVI, v, 63) ; du 6 août 425 (XVI, v, 64) ; du 30 mai 428 (XVI, v, 65).

en maint endroit des tentatives de rébellion. Quelques îlots de dissidents se maintinrent longtemps encore, ici et là. Mais, après plus d'un siècle de luttes et de désordres, le donatisme était enfin maté. Les deux livres d'Augustin contre Gaudentius, en 420, marquent la fin de la polémique dont nous avons retracé les multiples aspects, et qu'il jugea dès lors superflue.

Naturellement, Augustin n'avait pas accompli tout seul cette tâche gigantesque, qui ne représentait qu'un des aspects de son activité. Il avait mobilisé avec succès le zèle de nombreux auxiliaires — les évêques d'Afrique, opérant chacun dans leur diocèse, les prêtres missionnaires qui y risquaient et y perdirent plus d'une fois la vie, des laïcs même en certains cas, des fonctionnaires empressés à coopérer avec lui ; — mais c'est lui qui fut l'animateur de cette croisade, qui en détermina les objectifs et les méthodes. « S'il a triomphé, c'est qu'il a su ce qu'il voulait, et qu'il en a voulu les moyens ; c'est qu'il a su recruter les alliés nécessaires, divers selon les temps ou les circonstances, et qu'il les a tous entraînés à sa suite, dans cette campagne victorieuse dont il était l'âme [1] ».

(1) P. Monceaux, *Histoire littéraire de l'Afrique chrétienne*, t. VII, p. 76.

CHAPITRE IV

LES LUTTES PÉLAGIENNES [1]

§ 1. — Pélage et le mouvement pélagien.

ASPECTS DE LA PIÉTÉ CHRÉTIENNE On ne saisirait qu'imparfaitement l'esprit du pélagianisme si on ne se rappelait divers courants qui, à Rome et en Occident, ont traversé la masse chrétienne dans les dernières années du IVe siècle.

Une foule dévote, mais plus crédule que croyante, dans laquelle des néophytes, convertis de la veille, ont la majorité numérique, beaucoup de catéchumènes échappant à l'influence d'un clergé peu nombreux et qui tend à se former en caste, presque tous les nouveaux fidèles attachés par les liens du sang à des alliés très proches, époux, frères ou beaux-parents, qui continuent à vivre dans le paganisme, c'est ainsi que l'on

(1) BIBLIOGRAPHIE. — I. SOURCES. — Les renseignements historiques essentiels sont donnés par saint AUGUSTIN, *De gestis Pelagii*, XXIII, XXV et XLVI, pour les événements antérieurs à 416, édit. URBA et ZYCHA (*Corpus* de Vienne, t. XLII, 1900) ; *De gratia Christi et peccato originali* (même volume du *Corpus*), II, VIII-XXIV, concerne surtout Célestius et les événements de 417 et 418 ; *Contra II epistulas Pelagianorum* (*Corpus*, t. LX, 1913), II, V, au sujet de l'attitude de Zosime et du schisme de Julien d'Éclane. Voir aussi *Lettres* de saint Augustin : *Epist.*, CLVI-CLVII, à Hilaire ; CLXXV-CLXXXIII (conciles de Milève et Carthage) ; CLXXXVI, à Paulin de Nole ; CXCI et CXCIV, à Sixte, édit. GOLDBACHER (*Corpus* de Vienne, t. XLIV et LVII) ; saint JÉRÔME, *Epist.* CXXXIII (lettre à Ctésiphon) ; *Epist.*, CXXXVIII-CXLIII, CLI-CLIV, sur les événements de 416 à 419, édit. HILBERG (*Corpus* de Vienne, t. LVI, 1918) ; *Dialogues* contre les Pélagiens (*P. L.*, XXIII, 495-590) ; PAUL OROSE, *Liber apologeticus* (incidents de juillet 415), édit. ZANGMEISTER (*Corpus* de Vienne, t. V, 1882) ; MARIUS MERCATOR, *Commonitoria* (édit. SCHWARTZ, *Acta Concil. Ephes.*, V, I, 1922, ou *P. L.*, XLVIII). — Sur les différents conciles, MANSI, t. IV, et HEFELÈ-LECLERCQ, t. II, 1re partie, p. 169-196. Très bonne collection de documents, dans l'*Appendice* du t. X de l'édition des Bénédictins : *S. Aurelii Augustini... opera omnia.* — Choix de textes pélagiens : Alb. BRUECKNER, *Quellen zur Gesch. des pelagian. Streites* (collection KRUEGER, *Quellenschrift*, 2°, VII, Tubingue, 1906).

II. TRAVAUX. — Bibliographie très abondante, de valeur très inégale. Parmi les travaux anciens : J. USHER (Usserius), *Britannicarum ecclesiarum antiquitates*, Dublin, 1639, Londres, 1687 ; LENAIN DE TILLEMONT, *Mémoires*, t. XIII, 1702, art. 212 et suiv. L'*Historia Pelagiana* de H. NORIS, Padoue, 1673, est sans intérêt. Les *Dissertations* de GARNIER, 1673 (*P. L.*, XLVIII) et de QUESNEL (*P. L.*, LVI) renferment un grand nombre de détails suspects ou erronés (en particulier, sur l'histoire des conciles d'Afrique) ; tenir compte des observations des BALLERINI (*P. L.*, LVI). Ouvrages modernes : F. WOERTER, *Der Pelagianismus nach seinem Ursprung und seiner Lehre*, Fribourg-en-Br., 1866 (2e édit., 1874), très consciencieux ; F. KLAESEN, *Die innere Entwickelung des Pelagianismus*, Fribourg-en-Br., 1882 (documentation insuffisante). Sur l'évolution ultérieure du pélagianisme : Alb. BRUECKNER, *Julian von Aeclanum, sein Leben und seine Lehre*, Leipzig, 1893 (*Text. und Untersuch.*, XV, 3a) ; Herm. VON SCHUBERT, *Der sogenn. Prädestinatus*, Leipzig, 1903 (*Text. und Untersuch.*, XXIV, 4). — Exposés d'ensemble par A. HARNACK, *Lehrbuch der Dogmengeschichte*, 3e édit., 1897, t. III, chap. IV ; L. DUCHESNE, *Histoire ancienne de l'Église*, 3e édit., 1910, t. III (chap. VI, VII et VIII) ; R. HEDDE et E. AMANN, art. *Pélagianisme*, dans *Dict. de Théologie catholique*, t. XII, 1933, col. 675-715, et Dom CH. POULET, *Hist. du Christianisme*, 1933 (fasc. III, c. X, ch. II). L'étude de FR. LOOFS, dans *Real Encyklopädie* de HAUCK, t. XV, col. 747-774, est souvent discutable.

peut se représenter le « gros » de la population chrétienne. Cette foule a une confiance absolue dans l'efficacité du baptême ; elle proclame bien haut sa foi en Jésus et cherche sa protection sous le signe de la Croix. Mais la seule chose qui l'intéresse profondément dans le christianisme, c'est la garantie de la rémission des péchés et la promesse du salut éternel. Un trop grand nombre de ces gens n'ont pas encore le sentiment que leur conduite morale puisse dépendre de leur religion et qu'un minimum d'honnêteté et de vertu soit la condition et la preuve de leur foi. Des personnalités indulgentes acquiescent à cet abus : « Qu'on les baptise d'abord, après on les instruira à bien vivre... »[1] Certains moines enseignent même que le baptême absout les péchés une fois pour toutes et confère une sainteté définitive[2].

Cependant, l'exemple généreux d'une élite compensait les faiblesses immenses de la religion populaire. Pour les uns, l'adhésion au christianisme était le témoignage d'un revirement sincère et total ; ils étaient venus à la foi, « de tout leur cœur », se livrant entièrement au Christ, ayant réellement « enseveli le vieil homme » et rompu sans retour avec les liens du passé. Chez d'autres, une influence maternelle ou conjugale, une hérédité qui pouvait remonter à plusieurs générations avaient affiné la délicatesse de leur conscience et les avait préparés aux plus hautes aspirations de l'idéal chrétien.

Des dignitaires de rang sénatorial, Domnion, Oceanus et Pammachius, étaient réputés pour leur science et leur sainteté[3]. Paulin de Nole trouvait dans sa dévotion à saint Félix et dans sa gratitude envers le Christ sauveur la paix dont avait besoin son âme indécise et scrupuleuse ; trop candide pour supporter les charges d'un rang social élevé, trop conscient de ses faiblesses intimes, il lance vers la miséricorde de Dieu cet appel implorant : « Qu'Il nous donne son appui contre nos volontés et ne nous livre pas aux désirs de notre cœur[4] » !

N'y a-t-il pas dans cette invocation un écho du livre tout récent des *Confessions* dans lequel le jeune évêque d'Hippone, en décrivant les étapes de sa marche vers la lumière, adressait au Dieu qui l'avait retiré des ténèbres et du mal l'effusion de sa reconnaissance ? De son passé tumultueux, de sa conscience troublée, Augustin aurait voulu décharger tout ce qu'y avaient apporté de mal l'erreur ou les passions, et il ne serait resté alors au plus secret de son âme que la splendeur éblouissante de Dieu ; car tout ce qui venait de son fait propre n'était que vanité ou péché : « Que possèdes-tu, que tu n'aies pas reçu ? *Quid habes quod non*

(1) Saint Augustin, *De fide et operibus*, ix et xviii.

(2) C'est en particulier la doctrine de Jovinien. Voir saint Jérôme, *Adversus Jovinianum* (*P. L.*, XXIII). Cf. W. Haller, *Jovinianus*, 1897 (*Text. und Untersuch.*, XVII, 2) et *Histoire de l'Église*, t. III, p. 361-363.

(3) Saint Jérôme, *Epist.*, xlix, 4, et lxvi (éloge de Pammachius). Sur Océanus et Domnion, cf. Tillemont, *Mémoires...*, t. XII, art. 31-32.

(4) Saint Paulin de Nole, lettre à Sulpice Sévère (*Epist.*, xxiv, 23).

accepisti ». Aussi, livrant son âme frémissante à l'emprise de Dieu, il lui faisait cette prière : « *Da quod jubes*... Donne-nous ce que tu nous ordonnes et ordonne-nous ce que tu nous donnes ! » Antithèse de rhétorique, mais qui traduit bien l'abandon total du « moi » à la grâce souveraine[1].

La ferveur d'Augustin est un cas limite ; mais, sans aller jusqu'à cet enthousiasme, beaucoup de chrétiens, moins mystiques que lui, n'en éprouvaient pas moins le besoin de se retourner vers l'appui divin pour y puiser un surcroît d'énergie, et devaient redire comme saint Ambroise : « *Adtrahe nos ad te*... Attire-nous à toi... Nous avons le désir de te suivre, mais, parce que nous ne pouvons égaler ta course, prends-nous, pour qu'avec ton aide nous puissions marcher sur tes pas[2] » !

Il faut se représenter ces diverses tendances de la piété chrétienne dans la foule ou dans l'élite, vers la fin de l'époque théodosienne, pour mieux saisir l'esprit particulier du moralisme pélagien. Contre la conception vulgaire et souvent immorale de la foi sans les œuvres, ce sera une doctrine de devoir qui, contre la tendance mystique, s'efforcera d'exalter les forces humaines. Doctrine de raison et d'effort, elle plaira surtout à ceux dont la conscience, façonnée par le stoïcisme, ne cherche dans la religion qu'une forme extérieure, un certain cadre dans lequel puisse se déployer leur action vertueuse. Nettement pragmatique, orientée vers « les œuvres », elle conviendra bien au caractère romain. Elle ne manque ni de noblesse ni de logique ; mais, inconsciemment réfractaire aux réalités surnaturelles qui sont l'essence même d'une religion vivante, elle se montrera finalement incompatible avec le christianisme[3].

PÉLAGE Aucun biographe ne nous a conservé la vie de Pélage ; aucune « confession » ne nous renseigne sur ses origines et sur son passé. Sa jeunesse et ses derniers jours échappent à l'histoire. Une tradition, qui date de la fin du moyen âge, voulait qu'il fût venu au monde la même année et le même jour que saint Augustin (354) ; il est né en Bretagne — et non pas en Irlande, — mais rien ne prouve qu'il fût de pure souche britannique[4]. S'il a peut-être certains traits physiques ou moraux de ses compatriotes (la corpulence, l'entêtement), il porte un

(1) Saint Augustin, *Confessions*, X, xxxi. Cf. *De remissione peccatorum*, II, v, et surtout *De praedestinatione sanctorum*, II, liii, (critiques de Pélage).

(2) Saint Ambroise, *De Isaac vel anima* (édit. Schenkl, *Corpus* de Vienne, XXXII, 1, p. 649).

(3) Saint Augustin, *Contra II epistulas Pelagianorum*, III, xiv. Parallèle entre le Juste pélagien et « le catholique moyen ».

(4) Usserius, *Britannicarum Eccl. antiquitates*, 1687, c. viii, p. 112 : J. F. Kenney, *The Sources for the early History of Ireland*, Columbia, 1929, t. I, § 26. L'hypothèse de H. Zimmer (*Pelagius in Irland*, Berlin, 1901, p. 19) sur l'origine irlandaise de Pélage, fondée sur une phrase injurieuse de saint Jérôme : « *progeniem Scotticae gentis de Britannorum vicinia* » (*Comment. in Jerem.*. iii, 1) est insoutenable ; la conjecture transactionnelle de J. B. Bury (*Hermathena*, XXX, 1904, p. 26-33) sur une famille issue « d'établissements irlandais fixés dans le sud-ouest de la Bretagne » ne s'impose pas davantage. Le nom Morgan (*Muir-chu*) n'est qu'une retraduction postérieure de « Pelagius » (= de la mer).

nom grec ; on peut supposer qu'il était le fils de quelque fonctionnaire ou médecin établi dans l'île. Ce n'est pas un converti ; il a dû naître dans une famille chrétienne où il reçut une éducation sévère. Il est vraisemblable qu'à l'exemple de tant d'autres provinciaux, il était venu en Italie pour préparer sa carrière dans l'administration, mais qu'il renonça vite à ses espérances dans le « monde » pour se consacrer à l'apostolat et à la pratique de la perfection. Il est arrivé à Rome, où il devait demeurer « très longuement »[1], beaucoup plus tôt que ne l'admettent la plupart des historiens, probablement dans les dernières années du pontificat de Damase (vers 380), puisqu'il put nouer avec saint Jérôme des relations qui devaient finir de manière fâcheuse[2]. Il y avait alors à côté du clergé qui, en dehors de l'initiation donnée aux néophytes, ne paraît pas s'être occupé particulièrement de l'instruction des fidèles, des laïques savants, des « docteurs » qui s'appliquaient à étudier l'Écriture sainte et faisaient, à l'exemple des professeurs de rhétorique ou de droit, de véritables « cours » destinés à un auditoire plus ou moins étendu[3]. Les commentaires ou dissertations attribués à l'auteur aujourd'hui connu sous le nom d'Ambrosiaster n'ont pas d'autre origine[4]. Pélage ambitionna le prestige moral que conféraient les fonctions de docteur : cependant, bien qu'il ait pratiqué les écrits de l'Ambrosiaster, on ne peut citer aucun maître dont il aurait été le disciple[5]. « Autodidacte » comme on le lui a reproché, il ne doit sa connaissance, d'ailleurs très sérieuse, des Lettres saintes, qu'à l'examen direct, nous serions tenté de dire, au libre examen des textes, étude à laquelle s'est ajoutée la pratique des œuvres de saint Cyprien, de Lactance et de saint Ambroise. Des conversations avec les prêtres grecs ou orientaux, de passage à Rome, ont pu le familiariser avec les données théologiques de l'école d'Antioche, avec la morale d'Eustathe et de saint Basile, sans qu'il soit nécessaire de supposer qu'il ait suivi les leçons de Diodore de Tarse, ni écouté les discours de saint Jean Chrysostome[6]. D'ailleurs, sa culture première est purement latine ; lorsqu'il rédigea son *Commentaire sur saint Paul* (entre 395 et 405), il semble bien qu'il ne connaissait pas encore le grec, ou du moins qu'il ne le savait que très imparfaitement[7]. La charge de « docteur » offrait les mêmes joies et les mêmes écueils que tout autre professorat. Pélage

(1) Saint Augustin, *Epist.*, CLXXVII, 2 ; *De gratia Christi*, II, XXI.
(2) Saint Jérôme, *Comment. in Jerem.*, IV, 1 : « dans la crainte de blesser une vieille amitié ».
(3) Cf. les conférences d'Elpidius contre le Manichéisme (Augustin, *Conf.*, V, XI, 21).
(4) G. Bardy, art. *Ambrosiaster* dans *Dict. de la Bible*, Suppl. t. I, col. 225). Nous possédons de cet auteur non identifié, que saint Augustin appelait Hilaire, un *Commentaire* sur saint Paul (*P. L.*, XVII) et de très intéressantes *Quaestiones N. et V. Testam. CXXVII*, édit. Souter, dans le *Corpus* de Vienne, t. L, 1908 ; cf. *Texts and Studies*, t. VII, 4.
(5) Saint Jérôme, *Epist.* L, 1 et 2 (si toutefois il s'agit bien de Pélage) ; *Dialog.* I, XXIX.
(6) Loofs, art. *Pelagius* (*Real Encykl.* de Hauck, t. XV, p. 750).
(7) Dom de Bruyne, à la suite des études de Souter sur le ms. de Reichenau (*Augiensis*), avait lancé l'hypothèse que Pélage était, et non pas saint Jérôme, le véritable auteur de notre « vulgate » des Épîtres de saint Paul (*Revue biblique*, 1915, p. 338-391). En réalité, Pélage s'est borné à suivre le texte traditionnel ancien, tout en tenant compte des améliorations apportées par Jérôme.

connut la satisfaction d'expliquer les Livres saints en présence d'esprits jeunes et enthousiastes ; il sentit rayonner son influence et chercha délibérément à en accroître l'efficacité pour exalter le progrès moral de ses auditeurs et pour diriger leur action vers le sentier étroit des vertus difficiles [1]. Mais il se heurta à la rivalité des docteurs concurrents qui cherchaient « à avoir plus d'élèves » [2] ; lui-même, dans la fougue de sa conviction impétueuse, ne ménageait pas les attaques directes. Malheur aux apologistes de la richesse, aux théoriciens de la foi sans les œuvres, aux « hypocrites » qui font surenchère d'ascétisme et qui gardent des trésors cachés ! Malheur aux spoliateurs et aux juges tortionnaires ou iniques qui s'enrichissent « de la substance des pauvres [3] » ! Il n'est pas impossible qu'il y ait eu entre lui et Jovinien de violentes invectives [4] ; déjà il n'hésite pas à critiquer certaines outrances de Jérôme, certains élans, selon lui, excessifs de la piété augustinienne. Engagé dans des disputes retentissantes, il aurait pu s'attirer de graves difficultés ; mais des patronages puissants s'exercent en sa faveur. La très noble et très chrétienne maison des Anicii lui accorde son appui moral et matériel. Des évêques de villes considérables, des personnes d'une piété éprouvée multiplient envers lui des témoignages d'estime [5].

Au physique, il donne une impression de puissance massive : une taille élevée, de larges épaules, le cou épais, le front menaçant. Orose le compare à Goliath ; mais en vieillissant il devient obèse ; sa démarche s'alourdit et « son visage est bouffi par la graisse » [6].

SON ŒUVRE

Il semble à première vue difficile de restituer le véritable aspect de son enseignement : on ne saurait le juger sur des phrases détachées dont la signification risque de se trouver faussée par la prévention de ses contradicteurs ; d'autre part, il a exercé une influence beaucoup plus par son enseignement vivant et sa prédication que par ses écrits, et il n'est pas sûr qu'il se soit toujours exprimé dans le même sens quand il parlait à ses disciples intimes ou quand il s'adressait aux gens du dehors [7]. Il évitait de laisser parvenir ses écrits entre les mains de n'importe quel lecteur : par modestie ou par prudence, il ne mentionne ni son propre nom, ni celui des destinataires [8]. Cependant, malgré les incertitudes qui résultent de toutes ces circonstances, nous pouvons nous faire une idée assez exacte des objectifs moraux qu'il poursuivait. Son œuvre n'a pas péri tout entière : nous possédons une

(1) PÉLAGE, *Epist. Rom.*, XV, 29 ; *II Cor.*, VI, 11. Lettre *Qualiter*, 2, et *de Castitate*.
(2) *Epist. Gal.*, V, 26.
(3) *Epist.*, *II Cor.*, XI, 13 ; *I Tim.*, IV, 2 ; *De divitiis*, VI ; *Vita christiana*, III.
(4) Saint JÉRÔME, *Epist.*, L (cf. *supra*, p. 82, n. 5).
(5) Saint AUGUSTIN, *Epist.*, CLXXXVI et CLXXXVIII ; saint JÉRÔME, *Epist.*, CXXXIII, 13 ; CXXXIX.
(6) OROSE, *Lib. apolog.*, II et XXXI.
(7) Saint JÉRÔME, *Epist.*, CXXXIII, 11 ; saint AUGUSTIN, *De gestis*, XXII.
(8) Saint AUGUSTIN, *De gestis*, XIX ; SOUTER, *Pelagius's Expositions*, I, p. 5.

analyse assez détaillée de son livre des *Témoignages* (collection méthodique de citations de l'Écriture) et de ses traités de *la Nature* et du *Libre Arbitre* [1]. Nous avons le texte intégral de son *Commentaire* sur les Épîtres de saint Paul et de la *Lettre à Démétriade*. A défaut de ses lettres à l'évêque Constance et à saint Paulin de Nole, où il précisait sa conception de la grâce, malgré la perte presque totale de la collection, qui serait pour nous si précieuse, des lettres à Livania et dont ne subsiste que le brillant essai de la *Vie Chrétienne*, nous possédons une série intéressante de lettres, d'exhortations et de traités qui, dispersés peut-être à dessein sous le patronage fallacieux du pape saint Sixte (*De divitiis*, *De operibus fidei*, *De castitate*), de saint Augustin (*Vita Christiana*), de Sulpice Sévère (lettre à Claudia ou traité *de la Virginité*), et surtout de saint Jérôme (lettre à Célantia, *De lege divina* et traité *de la Virginité*, déjà mentionné, et *de la Circoncision*, etc...) nous offrent un ensemble très cohérent et très complet de la morale pélagienne [2]. Même si l'on devait soutenir, en dépit de concordances frappantes de pensée et d'expression, que ces divers ouvrages n'ont pas tous été dictés par Pélage en personne et qu'ils sont peut-être l'œuvre de collaborateurs anonymes, il resterait hors de conteste qu'ils expriment une seule et même doctrine bien caractérisée. De cette doctrine quel pourrait être l'inspirateur si ce n'est Pélage lui-même ?

SON ENSEIGNEMENT MORAL

C'est une doctrine d'action morale fondée sur l'Écriture et soutenue par la promesse ou la menace des sanctions éternelles. Il s'agit de secouer la paresse ou la torpeur des âmes en leur inculquant la notion du caractère impérieux de la Loi divine et la certitude infaillible des rémunérations futures. « Au jour du jugement, il n'y aura pas de pitié pour les injustes et les pécheurs et ils seront brûlés par les feux éternels » [3]. Par contre, pour se maintenir, la vertu se trouve fortifiée par l'assurance des récompenses divines et par la foi dans la vie éternelle. Mais la vie éternelle ne peut se gagner que par l'observation totale des préceptes divins ; ne la possé-

(1) Analyse des *Témoignages* (ou *Eclogae*) par saint JÉRÔME, *Dialog.*, I, XXV-XXX ; du *de Natura* par saint AUGUSTIN, *De Nat. et Gratia* et du *Traité du Libre arbitre* dans *De gratia Christi*.

(2) On peut classer en trois groupes les écrits conservés de Pélage : 1° les œuvres incontestées : *Commentaire* sur saint Paul (*Expositiones* XIII *epistularum Pauli*), excellente édition A. SOUTER, Cambridge, 1922-1926 (*Texts and Studies*, t. IX) et *Lettre à Démétriade* (*P. L.*, XXX, 15-45) ; 2° les écrits dits « de Fastidius », édit. C. P. CASPARI, *Briefe, Abhandlungen und Predigten...*, Christiania, 1890, réimpression et traduction anglaise, HASLEHURST, Londres, 1927 [un ms. de Bâle O.IV.18, retrouvé par dom Morin, n'a pas encore été utilisé] et *Vita christiana* pseudo-augustinienne, dans *P. L.*, XL, 1031-1046 ; 3° le groupe « pseudo-hiéronymien », très étendu : *Lettre à Célantia* (saint JÉRÔME, *Epist.*, CXLVIII) ; traité de la Virginité et nombreux textes rassemblés dans *P. L.*, XXX ; *De induratione cordis Pharaonis*, encore inédit, découvert par dom G. MORIN (*Rév. bénéd.*, t. XXVI, 1909, p. 167-188). Voir G. DE PLINVAL, *Recherches sur l'œuvre littéraire de Pélage*, dans *Revue de Philologie*, t. LX, 1934, p. 10-42.

(3) Saint AUGUSTIN, *De nat.*, LXXXII ; *Testimonia* de Pélage (*apud* saint JÉRÔME, *Dial.*, I, XXVII).

dera que celui qui aura observé tous les commandements de la Loi : *Soyez saints, comme je suis saint, le Seigneur votre Dieu* (*Lév.* XIX, 2) — *Soyez parfaits, comme est parfait votre Père qui est dans les cieux* (MATTH. V, 48) [1].

Mais comment savoir exactement les volontés de Dieu ? — « Il faut d'abord s'instruire » par l'étude assidue, raisonnée, de la Loi révélée [2]. Il y a une faute égale à commettre une chose défendue et à ne pas accomplir un ordre qu'on nous donne [3] : « On ne nous demande pas seulement, en renonçant à une vie mauvaise, de cesser d'être au service du démon, mais il faut, en pratiquant une vie bonne, que l'on nous voie au service de Dieu » [4]. Nos actes témoignent de notre foi ; notre amour du prochain prouve notre amour de Dieu. « Le véritable sacrifice de salut est de s'appliquer aux commandements et de s'écarter de toute injustice [5] ». Ainsi, tous les préceptes, même ceux d'adoration, se résolvent en des commandements pratiques. Notre foi s'extériorise par des actes réels ; elle comporte des manifestations effectives de renoncement et doit aboutir à la pratique intégrale de « l'innocence » et de la « justice » [6]. L'abandon des richesses est considéré comme un devoir strict ; la chasteté est un idéal presque nécessaire, qui s'impose à toute âme généreuse [7].

Cette énumération théorique des devoirs ne donne pas l'idée de l'éloquence pressante avec laquelle Pélage essaie de convaincre et d'entraîner ses disciples :

> Il n'est rien qu'un chrétien doive chercher davantage, désirer davantage, vouloir davantage et de toutes ses forces, comme de maintenir le mal hors de son cœur, de conserver la justice, de garder la limpidité de son âme. Sois sans péché, si tu veux vivre avec Dieu ; sans arrière-pensée, si tu veux régner avec le Christ [8].

Il faut lire dans la *Vie chrétienne* ces pages tumultueuses et ardentes où, après avoir flétri toutes les formes de l'injustice et les abus odieux qui se commettent sous le couvert de la foi sans les œuvres, il décrit les actes de miséricorde qui seuls attestent l'authenticité du nom chrétien et qui permettent à l'homme juste, dans la sérénité d'une confiance sans reproche, d'élever sans crainte sa prière vers Dieu :

> Tu connais, Seigneur, combien sont saintes, combien innocentes et combien pures de toute fraude, de toute injustice et de tout vol, les mains que j'élève vers toi ; combien justes, sans tache et affranchies de tout mensonge, les lèvres par lesquelles j'implore ta miséricorde [9].

(1) CASPARI, *op. cit.*, p. 119.
(2) *De lege*, IV ; *Testim.* (saint JÉRÔME, *Dial.*, I, XXV).
(3) *Célantia*, V ; *Virginitatis laus*, III ; *Démetr.*, IX.
(4) *Vita christiana*, X.
(5) *De lege*, IV.
(6) *Vita christiana*, X ; *Célantia*, VII ; *Virginitatis laus*, V.
(7) *De divitiis*, XVI et XVIII (p. 54-57) ; *De castitate*, III et XVII ; *Epist. I Cor.*, I, 13, et XIII, 4 ; *I Cor.*, VII, p. 159-161.
(8) *Vita christiana*, X.
(9) *Vita christiana*, XI. On a généralement interprété cette prière avec une grande sévérité : saint JÉRÔME, *Dial.*, III, XV ; saint AUGUSTIN, *De gestis*, XVI ; cf. POURRAT, *La spiritualité chrétienne*, t. I, p. 276. Elle n'est cependant dans son principe qu'une paraphrase du psaume XXV (XXVI).

Mais dans la lettre à Célantia le ton est moins âpre et moins passionné ; l'appel au devoir, pour être aussi intense, prend une forme plus insinuante : « Grande est la force du véritable amour, et celui qui est l'objet parfait de cet amour réclame pour soi toute la volonté de celui qui l'aime ; il n'y a rien de plus exigeant que la Charité... » [1].

De là, chez Pélage, une appréciation qui paraît contradictoire à l'égard des commandements divins. Tantôt il dira que la loi est facile, toute simple, puisqu'elle se borne à sanctionner une loi naturelle de justice et de mutuelle affection : « Et voilà tout ce qu'il y a de trop élevé et de malaisé dans la loi divine ! Voilà pourquoi nous protestons contre les ordres du Seigneur et nous prétendons être accablés par la difficulté ou l'impossibilité de ses commandements [2] » ! Tantôt, reconnaissant cette difficulté des préceptes, il expliquera que l'héroïsme de certains renoncements se justifie par l'étendue inouïe des récompenses promises et il voit dans cette austérité même un motif plus fort pour décider les âmes supérieures à préférer au grand chemin qui mène à la mort la voie étroite du salut : « Nous n'aspirons pas à un bien ordinaire ; la vie que nous menons ne doit pas être ordinaire » [3].

Une fois au moins il a avoué combien cet effort pouvait sembler coûteux :

> Y a-t-il quelque chose d'aussi dur et d'aussi cruel que de combattre la nature ? Alors que tous les biens du monde ont été créés par Dieu à notre usage, il faut, comme s'ils n'étaient pas à nous, les repousser, ne pas les voir, et par vertu, renvoyer, pour ainsi dire de la main, le monde qui se présente à nous avec toutes ses richesses et ses beautés ; et, fermant tous les sens par lesquels parvient jusqu'à notre esprit la substance de la vie, rester glacés comme des cadavres... [4].

Et, promenant sa pensée sur toutes les forces de l'univers qui sont astreintes à notre service, sur les travaux par lesquels l'homme a changé l'aspect des choses terrestres, « vaincu les éléments » et bouleversé la nature, il comprend qu'on en arrive à dire : « Il est dur de rester dans les voies du Seigneur, où la peine consiste non pas à déployer, mais à restreindre notre pouvoir ». Pour vaincre ces pensées tentatrices qui nous inviteraient à exploiter les biens du monde où nous vivons, il faut nous pénétrer des compensations éternelles qui nous attendent. Pour aplanir devant nous le chemin du renoncement, pour nous faire franchir les murailles qui séparent, comme la frontière de deux pays différents, le monde céleste et le monde humain, il n'y a que l'idée de la générosité divine : *divina invitatrix munificentia* [5]. L'une des joies les plus intenses

(1) *Célantia*, IV.
(2) *Célantia*, XV. Cf. *Démétriade*, XVI.
(3) *Virginitatis laus*, II ; *Fragment de Vienne*, ms. 954, dans *Revue bénédictine*, t. XXXIV, 1922, p. 267-268 ; *De operibus*, XXIV.
(4) *Traité de la Circoncision*, XXI.
(5) *Ibid.*, XXII.

qui nous sont réservées sera alors d'occuper « les sièges de la justice » et de juger les tribus d'Israël... [1].

Car Pélage ne craint pas, pour une fin surnaturelle, de faire appel aux mobiles d'ambition et, en quelque sorte, il sanctifie l'orgueil quand cet orgueil se consacre à Dieu. S'il impose, en outre de renoncements douloureux, une vigilance constante allant jusqu'à proscrire les fautes légères et les fautes de pensée, il décrit par contre avec ravissement la paix et l'allégresse de l'âme sainte qui devient l'habitacle de Dieu. Aucune noblesse ne lui semble plus haute que le titre d'enfant de Dieu, et il veut qu'au spectacle édifiant des œuvres de miséricorde qu'exerce le chrétien sans reproche ou devant la vertu plus qu'humaine d'une vierge chrétienne, même les infidèles se sentent troublés d'admiration comme devant quelque chose de divin : « Quel est donc le Seigneur dont telle est la servante [2] ? »

Le véritable sacrifice de louanges que Dieu préfère à toutes les victimes, c'est donc le bon exemple donné par la vertu. Il faut qu'au contact de cet exemple, les autres, brûlant de l'imiter, transposent en eux la force sanctifiante qu'ils sentent dans ce modèle [3]. Par contre, rien n'est plus odieux que le chrétien qui fait scandale : « Aucun devoir ne s'impose davantage au chrétien que de faire en sorte de proclamer dans tous ses actes la gloire de Dieu et de ne rien commettre dont on puisse faire reproche à la doctrine du Christ » [4]. La piété de Pélage se résume donc essentiellement en devoirs d'exemple et de justice, et sa morale est une morale d'honneur.

L'ÉGLISE IMMACULÉE

Par la sévérité de ses exigences, il semblerait qu'une telle doctrine ne pût convenir qu'à des âmes exceptionnelles, et parfois Pélage a fait ressortir en effet la satisfaction qu'il y avait à faire partie du « petit nombre » [5] ; mais ce n'est là qu'un argument occasionnel. Par principe, il voulait étendre à l'Église tout entière, à tous les fidèles, les prescriptions de sa doctrine austère [6].

« Un chrétien est celui qui en toutes choses imite et suit le Christ » ; de cette extension à tous les fidèles de l'obligation d'observer les devoirs les plus stricts, sans quoi ils ne seraient que des « chrétiens de nom » [7],

(1) Lettre à Marcella, VIII. Cf. saint AUGUSTIN, *Epist.*, CLVII, 37.
(2) *Vita christiana*, IX ; *Virginitatis laus*, XII.
(3) *Vita christiana*, IX ; *Virginitatis laus*, XVI.
(4) *Epist. I Cor.* X, 31.
(5) *Démétriade*, X.
(6) *De lege*, VII : « Si le Christ n'était mort que pour quelques-uns, il serait juste qu'il n'y eût que quelques-uns à observer sa Loi. Mais si tous indistinctement, nous qui croyons, avons reçu au baptême le sacrement de sa Passion, si tous nous renonçons également au diable et au monde ; si le châtiment de l'enfer est promis à tous ceux qui vivent mal ; tous avec le même soin, nous devons éviter tout ce qui est défendu et accomplir ce qui est ordonné ».
(7) *Vita christiana*, I et VI ; *Fragm. de Vienne*, dans *Revue bénédictine*, t. XXXIV, 1922, p. 267

est née l'idée téméraire et grandiose qui a inspiré la réforme pélagienne. Alors que florissait la doctrine de la foi sans les œuvres, dans un temps encore imprégné du paganisme, Pélage a conçu le projet paradoxal d'amener tous les chrétiens à l'application intégrale de la perfection en pratiquant le mépris des richesses et éventuellement la chasteté absolue [1]. Voici comment il concevait l'accomplissement de son idéal. Il savait bien que tous n'arriveraient pas au but en même temps ; mais il suffisait qu'au prix d'un effort méritoire et graduel tous l'atteignissent avant la fin de leur vie : alors, pendant que les catéchumènes et les chrétiens ordinaires continueraient quelque temps à vivre dans le monde, à exercer des charges séculières, à repeupler la terre, les générations plus âgées, les esprits mieux informés, progressivement, s'approcheraient de la perfection et se débarrasseraient de leurs entraves mondaines. Il se représentait cette marche échelonnée de tous vers la sainteté à peu près comme le mouvement normal des promotions d'élèves qui, dans une école, s'avançant les uns derrière les autres, finissent par gagner les premiers rangs au fur et à mesure que leur instruction se développe [2].

L'IMPECCANTIA Ainsi, des moins parfaits aux plus parfaits, mais tous tendant au même but, l'Église pourrait dès ce monde réaliser sa mission d'être « sans tache et sans ride » [3]. Mais la sainteté générale est la somme des saintetés particulières : pouvons-nous être saints, c'est-à-dire sans péché ? — La réponse était facile ; il y a eu beaucoup de personnages dont l'Écriture atteste la sainteté : Abel, Enoch, Élisabeth et Zacharie [4]... Le Christ d'ailleurs ne nous a-t-il pas donné l'ordre « d'être parfaits, comme le Père qui est dans les cieux », et l'apôtre Paul nous invite à être « irrépréhensibles et simples comme des fils immaculés de Dieu » [5]. Si cela eût été impossible, ils ne l'auraient pas ordonné ; de quel droit vient-on dire que le péché est inévitable ? Certes Pélage est très loin de soutenir la thèse d'une impeccabilité parfaite, inviolable, qui serait soit le fruit d'une prédestination secrète, soit, comme l'entendait Jovinien, un caractère infusé au baptême ; mais cette sainteté, qu'il identifie d'ailleurs avec l'absence de péché (*absque peccato esse*), se manifeste d'une manière concrète par l'observance des préceptes et la pratique des vertus [6]. Or, Dieu serait injuste et tyrannique s'il nous avait donné des préceptes inexécutables ; et, s'il est constant que nous pouvons assez facilement pratiquer, celui-ci telle vertu, et celui-là telle autre, pourquoi ne pourrions-nous les grouper

(1) *Epist. Eph.*, v, 27 ; *II Cor.*, XIII, 11.
(2) *De divitiis*, XII, *ad f.*
(3) Saint AUGUSTIN, *De gestis*, XXVII-XXVIII.
(4) *De natura* (*apud* saint AUGUSTIN, *De natura et gratia*, XLII-XLIV) ; *Vita christiana*, VII ; *Démétr.*, V.
(5) *Démétr.*, XV-XVI ; CASPARI, p. 118-119.
(6) *Démétr.*, XXVII.

toutes ensemble, puisque, aussi bien, la seule vertu de justice ou d'innocence englobe toutes les autres[1] ?

Ce n'est pas à dire qu'un homme puisse être sans reproche depuis l'enfance jusqu'à la fin de sa vie ; ce n'est pas qu'il s'agisse d'une sainteté acquise une fois pour toutes : elle est le résultat d'un effort volontaire ; elle ne se maintient qu'au prix d'un accroissement continuel qui devra se poursuivre jusqu'au terme de notre course[2]. Mais elle peut s'acquérir ; plus tard, dans un de ses livres philosophiques, le *De Natura*, Pélage dira qu'il a voulu seulement rechercher si la sainteté était théoriquement possible ; mais, dans ses écrits d'exhortation, il admet en fait qu'elle est à la portée de tous et que tous par conséquent doivent y tendre. Comment y parvenir ? Par une application constante, par une vigilance psychologique incessante à éviter le mal et même l'introduction de la pensée du mal, par la constitution d'un faisceau presque indestructible de bonnes habitudes : « Si tu t'appliques toujours et avec soin à ne pas pécher, tu arriveras pour ainsi dire à ne plus le pouvoir[3]... »

Pélage savait bien que des défaillances étaient toujours à craindre, mais il se disait que l'âme, assurée de « pouvoir » bien faire et consciente de sa responsabilité, serait toujours plus soucieuse de son devoir, plus empressée à s'y conformer, que celle qui aurait l'idée préconçue de son irrémédiable faiblesse[4].

LA PHILOSOPHIE DE PÉLAGE Si résolu qu'il fût à rester sur le terrain de l'action morale, Pélage, ne fût-ce que pour justifier ses conseils, devait faire appel à certains principes. Sans doute, il s'appuie toujours sur les textes sacrés, mais dans le choix même qu'il fait de ses textes et dans l'interprétation qu'il en donne, il remonte à des postulats qu'il est facile de déterminer : ce sont essentiellement ceux de la liberté humaine et de l'équité divine.

Pélage n'aurait pu, en effet, en inculquant la nécessité de l'action pratique, tendre à l'extrême les ressorts de la volonté et aiguiser en nous un sentiment aussi vif de la responsabilité, s'il ne s'était formé une idée très haute de la liberté : *au commencement, Dieu a établi l'homme et il l'a laissé dans la main de son conseil,* disait la Bible (*Eccl.* xv, 14-17) ; Pélage traduira en termes philosophiques : « Tous sont gouvernés par leur volonté personnelle et chacun est laissé à son gré particulier »[5].

Cette liberté est complète et peut s'exercer en n'importe quel sens : *J'ai mis la vie et la mort devant ton visage,* avait dit l'Éternel, *la béné-*

(1) CASPARI, p. 115-116 ; *Démétr.*, III, *ad f.*
(2) Éclaircissements de Pélage au concile de Diospolis (saint AUGUSTIN, *De gestis*, XX). *Démétr.*, XXVII.
(3) *De natura* (*apud* saint AUGUSTIN, VIII) ; *Frag. de Vienne*, p. 269.
(4) CASPARI, p. 117 ; *Démétr.*, II.
(5) *Démétr.*, II ; *Testim.* (*apud* saint JÉRÔME, *Dial.*, I, XXVII).

diction et la malédiction ; choisis la vie (*Deutér.*, xxx, 19). Choix redoutable, et certains esprits préféreraient que l'homme fût assujetti à « l'immuable nécessité du bien » ; mais Pélage au contraire glorifie ce don qui est le propre de la raison humaine, et qui, au prix de risques qui en accroissent le mérite, nous vaut le privilège d'accomplir en pleine conscience l'exécution des volontés de Dieu. Honneur incomparable, bien inaliénable de notre nature, droit qui ne connaît d'autre limitation que « la rouille » résultant de mauvaises habitudes qui sont le fait de notre volonté coupable ou de notre négligence, la liberté doit et peut normalement s'employer à la réalisation des ordres que Dieu a daigné nous prescrire : « l'homme peut, s'il en a le vouloir, s'exempter de péché »[1].

Car, pour arriver au second des grands principes pélagiens, Dieu, « père et source de toute équité », ne nous a rien commandé d'impossible. Ce serait un tyran, si, méconnaissant la limite de nos forces, oublieux de la « fragilité » de l'homme dont il est le créateur, il nous avait assigné une tâche inexécutable ; mais il serait injuste aussi si, par une prédestination secrète et préférentielle, il avait *a priori* sauvé ou perdu tel ou tel, s'il avait « endurci » sans raison le cœur de Pharaon ou sanctifié sans motif Jacob plutôt qu'Esaü, s'il reportait sur des enfants innocents la faute de leurs parents, car, a dit Ézéchiel (xviii, 20), *le fils ne portera pas l'iniquité du père*, ou si, faussant le jeu de la liberté, il accordait à certains un secours qu'il refuse à d'autres. Dieu ne fait pas acception des personnes ; Dieu ne saurait être partial, *gratiosus*[2].

Tous, du moins entre baptisés, nous avons la même participation à la révélation des mystères et des enseignements divins, le droit aux mêmes sacrements et aux mêmes promesses, l'assujettissement aux mêmes obligations[3]. Il serait faux de penser que Pélage ait rejeté toute espèce de « grâce » : il s'en fait surtout une conception trop générale, la confondant avec les propriétés initiales de notre nature (raison et libre arbitre), ou trop extérieure, l'assimilant à la vertu éducative de la loi et de l'exemple du Christ ; mais ce qu'il refuse d'admettre, c'est que cette grâce puisse prendre un caractère personnel ou accidentel : elle est de même nature pour tous et elle est répartie à chacun en fonction de ses mérites actuels ou prévus[4].

Pélage ne tenait pas à mettre en lumière certaines conséquences implicites, mais logiques et nécessaires de ses postulats. Toutefois, bien qu'il le présentât encore sous forme indirecte dans son *Commentaire* sur saint Paul, il laissait entendre « qu'il serait injuste que l'âme née d'aujour-

(1) *Démétr.*, iii et viii ; *Testim.* (*apud* saint Jérôme, *Dial.*, I, xxxii) ; *Epist. Rom.*, viii, 4.
(2) Caspari, *op. cit.*, p. 116 ; *Démétr.*, xvi ; *Epist. Rom.*, ix, 17-20 ; *De induratione cordis Pharaonis*, texte inédit, analysé par dom Morin, dans *Revue bénédictine*, 1909, p. 167-188 ; *De castitate* viii.
(3) *De divitiis*, viii ; *De lege*, vii. Cf. *supra*, p. 87, n. 6.
(4) *De natura*, liii ; *De lege*, vi et vii.

d'hui et qui ne procède pas de la masse d'Adam portât le péché si ancien d'un autre, car aucune raison ne permettait d'admettre que Dieu qui pardonne à l'homme ses propres péchés lui imputât ceux d'autrui »[1]. Dans le *De Natura*, il sera plus catégorique et soutiendra que notre liberté native a subsisté intacte ; que loin d'avoir été affaiblis, nous sommes même moralement plus forts que ne l'était Adam, puisque nous satisfaisons à des devoirs plus nombreux[2]. Il ne conteste pas que la mort physique soit une conséquence de la faute d'Adam ; mais il n'est pas admissible que, à notre insu et du fait de notre naissance, nous portions en nous une faute qui ne vient pas de nous. Si l'apôtre a pu dire d'une manière générale que « tous » — car il y a eu l'exception des patriarches — « ont péché en Adam », ce n'est que par imitation, par l'effet d'un héritage moral et non d'une transmission naturelle[3].

Marius Mercator a raconté que cette doctrine avait été enseignée à Pélage par Rufin de Syrie, « qui était fort habile »[4] ; mais Pélage n'avait besoin de personne pour déduire des thèses qui étaient une conséquence de sa théorie sur l'autonomie parfaite du libre arbitre. De cette même théorie résultait l'élimination des objections courantes tirées du fait des assauts du démon ou des tentations de la chair : *Qui me délivrera de ce corps de mort ?* (*Rom.* VII, 25), s'était écrié symboliquement l'apôtre Paul. « Mais pourquoi me plaindre, moi qui suis maintenant baptisé dans le Christ ? Qu'ils se plaignent, ceux-là qui n'ont pas encore reçu ce grand bienfait[5] » !

Car Pélage, qui refuse en somme de prêter un caractère intérieur à la grâce, qui la considère comme un secours venant du dehors et laissé à notre portée, reconnaît cependant expressément sur un point l'efficacité d'une intervention surnaturelle : c'est dans « la rémission des péchés » par le baptême ou par la pénitence. Là où une faute a été sciemment commise, elle doit être expiée par la prière, effacée par les sacrements, *divinitus*[6]. Mais, hors ce cas, la formule ne se justifie pas : le baptême conféré aux enfants leur ouvre « le royaume des Cieux », mais ne les guérit pas d'un mal dont ils ne sont pas atteints : *sani sunt*[7]. Les patriarches anciens et les justes de bonne volonté éclairés par la loi naturelle ou la loi de Moïse ont pu, même avant le Christ, mériter la vie éternelle. Quelle est donc la supériorité du christianisme ? Pélage l'expliquera dans son *Traité du libre arbitre* : c'est de nous présenter d'une manière plus vivante l'exemple presque irremplaçable du Christ, de nous instruire

(1) *Epist. Rom.*, v, 18.
(2) *De natura*, XXIII.
(3) *Loc. cit.*, x. Cf. *Epist. Rom.*, v, 13.
(4) MARIUS MERCATOR, *Commonitorium subnotationum in scripta Juliani* (édit. SCHWARTZ, *Act. concil. Ephes.*, t. V ; MANSI, t. IV, col. 291-297).
(5) *De natura*, LXIV.
(6) *Ibid.*, XXXI.
(7) *Ibid.*, XXIII.

plus exactement sur nos devoirs, et de nous permettre, en les accomplissant « plus facilement », de gagner le royaume céleste [1].

Tel est, avec ses lacunes et ses parties vulnérables, mais dans sa remarquable cohésion, le système de Pélage. L'exposé schématique que nous venons d'en faire, le tour même des démonstrations de l'auteur dans ses textes didactiques donnerait l'impression d'une doctrine surtout rationnelle. Cependant, Pélage n'en demeure pas moins un esprit religieux ; sa pensée et son style sont nourris des phrases de l'Écriture sainte ; il veut pratiquer d'une façon intense les devoirs de la morale chrétienne, et, marchant comme a marché le Christ, faire de lui son modèle ; mais il n'éprouve pas le besoin d'un rédempteur et son adoration reconnaissante se dirige plutôt vers le Dieu créateur qui a comblé l'homme de tant de biens et qui lui a donné, « pour ainsi dire, la sainteté naturelle » [2].

SON ENTOURAGE

Autour de Pélage un groupe grossissant d'amis et de disciples accueille sa doctrine. Les critiques dont il est l'objet s'exerceront longtemps avant d'entamer son prestige. Aux yeux de ses fidèles, il est le maître irréprochable, pour lequel on professe une admiration sans bornes, le conseiller sûr dont on sollicite de très loin les directives [3]. Les uns, plus sensibles aux réalisations concrètes, attirés par cet ascétisme héroïque dont il sait trouver des formules à la fois séduisantes et impérieuses, heureux d'attester leur foi au milieu du relâchement général, abandonnent biens, famille et honneurs, ne voulant plus vivre que pour Dieu ; ainsi firent Timasius et Jacques, jeunes gens de grande naissance [4]. Les autres, plus compromettants sans doute, s'intéressent surtout à l'aspect intellectuel du système ; sous les développements oratoires, par lesquels Pélage recouvre sa pensée, ils remontent jusqu'aux axiomes fondamentaux, s'émerveillent de la simplicité logique du système, et en tirent des conclusions subversives : tels furent Célestius et Julien, fils de l'évêque Mémor [5].

D'autres, dès le début, s'attachèrent à Pélage, vivant près de lui, l'accompagnant dans ses voyages et se portant garants de son désintéressement et de son orthodoxie ; peut-être dès 414 avaient-ils reçu le nom de Pélagiens [6]. Parmi eux, il y avait Ctésiphon, qui fut son allié lors des incidents de Jérusalem en 415, « l'écuyer de Goliath », dont on disait qu'il fournissait à Pélage l'appui de son style et lui faisait parvenir les largesses d'une famille illustre (les Anicii ?) [7] ; Anianus, dont

(1) *De libero arbitrio* (*apud* saint AUGUSTIN, *De gratia Christi*, I, VIII).

(2) *De natura*, XXXIX et LII ; *Démétr.*, II et IV.

(3) CASPARI, *op. cit.*, p. 115 ; *Célant.*, I.

(4) Saint AUGUSTIN, *Epist.*, CLXXIX, 2.

(5) MERCATOR, *Commonitorium super nomine Caelestii et Iuliani* (MANSI, t. IV, col. 291-292).

(6) Saint JÉRÔME, *Epist.*, CXXXIII, 12. Le nom de « Pélagiens » figure pour la première fois dans le titre des *Dialogues* de saint JÉRÔME ; celui de « Pélagianistes » est beaucoup plus rare : saint AUGUSTIN, *Sermo* CLXXXIII, 12 ; POSSIDIUS, *Vita Augustini*, XVIII.

(7) Saint JÉRÔME, *Epist.*, CXXXIII, 13 ; OROSE, *Liber apolog.*, XXIV. Il ne peut être question de Célestius qui n'était pas à Jérusalem.

Jérôme a fait, on ne sait pourquoi, un « faux diacre de Céléda », l'une des plus sympathiques figures du pélagianisme, traducteur de talent qui fit connaître à l'Occident l'œuvre de saint Jean Chrysostome [1] ; beaucoup de jeunes gens de tous pays, parmi lesquels, outre ceux que nous avons cités, Léporius, qui venait de Trèves, et sans doute des Britanniques, Agricola, Fastidius ; peut-être encore Sixte, chef futur du clergé romain [2].

CÉLESTIUS

Mais, aux côtés de Pélage, la personnalité la plus énergique et la plus agissante est celle de Célestius [3]. Ancien étudiant en droit, dialecticien expert, orateur d'une fécondité intarissable, c'était, semble-t-il, un homme d'une rare intelligence, d'un caractère hardi et intrigant, quelqu'un de redoutable, *prodigiosus*, dira Vincent de Lérins [4]. Apparemment, Pélage n'avait d'abord pas songé à autre chose que fonder une école morale, puis, le succès aidant, il avait peut-être envisagé de créer un mouvement vaste et durable de piété effective, mais il n'avait pas eu l'idée de constituer un parti. Celui qui a le plus contribué à diffuser sa doctrine, à maintenir des liens suivis entre ses adeptes, à organiser la propagande à travers tout le monde méditerranéen, le chef qui restera sur la brèche pendant vingt ans, de 411 à 431, c'est Célestius [5].

Ayant le goût de la controverse, l'expérience de toutes les ressources oratoires et juridiques, il aime discuter, réfuter, contredire. Au lieu d'atténuer, comme le faisait Pélage, les conséquences extrêmes de certaines thèses litigieuses, il se plaît à en accentuer le caractère irritant. C'est lui qui met en première ligne la négation du péché originel, la vanité relative du baptême des enfants, l'incompatibilité de la grâce avec la liberté. Il ne craint pas le scandale, soulevant des disputes et parfois des émeutes ; à Carthage en 411, à Éphèse vers 413, à Constantinople vers 416, à Rome en 418. Il se fait expulser de partout, mais partout où il passe, un foyer pélagien s'allume et se développe avec une rapidité déconcertante [6]. Le succès considérable du pélagianisme en Afrique, en Sicile et à Rhodes est très probablement le fruit de son activité [7]. C'est à bon

(1) Plusieurs historiens du XVIIe siècle n'ont pas cru à l'existence d'Anianus : JANSÉNIUS voit en lui un pseudonyme de Pélage ; VOSSIUS le confond avec Julien. L'origine de ces incertitudes est dans un texte obscur de saint JÉRÔME, *Epist.*, CXLIII, 2. Les traductions d'Anianus se trouvent dans *P. G.*, L, 471 et LVIII, 974. Cf. BAUR, *L'entrée littéraire de saint Jean Chrysostome dans le monde latin*, dans *Revue d'Histoire ecclésiastique*, t. VIII, 1907, p. 252.

(2) CASSIEN, *De incarn. Chr.*, I, IV (sur Léporius) ; PROSPER, *Chron.*, a. 429 (sur Agricola) ; GENNADIUS, *De viris*, LVII (sur Fastidius) ; saint AUGUSTIN, *Epist.*, CXCI (sur Sixte). Cf. CASPARI, *Briefe, Abhandl.*, 2e partie, p. 345-346.

(3) MERCATOR, *Commonitorium super nomine Caelestii et Iuliani.*

(4) Saint AUGUSTIN, *Epist.*, CLVII, 22 ; saint VINCENT DE LÉRINS, *Commonitorium*, XXIV.

(5) Saint JÉRÔME, *Epist.*, CXXXIII, 5 : *magister et totius ductor exercitus.*

(6) Saint AUGUSTIN, *De gratia Christi*, II, III-IV (Carthage) ; PROSPER, *De ingratis*, LXVII-LXVIII (Éphèse). Le récit de MERCATOR (*loc. cit.*) montre que la première expulsion de Célestius hors de Constantinople, sous le patriarcat d'Atticus, a été antérieure à 418 ; cf. saint AUGUSTIN, *C. Iul.*, III, 4 ; PROSPER, *De Ingratis*, LXII-LXIII. Cf. TILLEMONT, *Mémoires*, t. XIII, art. 273.

(7) Saint AUGUSTIN, *Epist.*, CLVII, 22 ; saint JÉRÔME, *Comm. in Hier.*, IV, I.

droit que les contemporains de saint Augustin ont parlé de « l'hérésie célestienne ». On peut dire qu'il a été l'âme damnée de Pélage [1].

L'EXTENSION DU PÉLAGIANISME

Mais bien d'autres régions encore vont se trouver touchées par la propagande. L'Aquitaine, malgré tout le trouble produit par l'invasion des Goths, prend connaissance des idées nouvelles. Un poète anonyme de grand mérite cherche à démontrer, dans une large composition sur la *Providence*, toute pénétrée des pensées pélagiennes, combien la toute-puissance divine, lorsqu'elle domine les événements humains, lorsqu'elle dispense aux hommes des épreuves salutaires, ne cesse jamais de manifester une justice absolue. Il s'efforce de ranimer le courage des esprits abattus par le sentiment de leur inaliénable grandeur morale ; il veut restaurer en eux l'idée de la vigueur originelle et de l'innocence primitive. Cette œuvre, conçue au milieu des circonstances douloureuses de l'invasion et de la captivité, est un beau témoignage d'optimisme viril [2].

Plus tard, et à mesure que les disciples de Pélage se disperseront pour revenir dans leurs pays respectifs, le pélagianisme s'étendra en Illyrie, en Belgique, en Bretagne [3]. Car, en opposition avec la tendance insociable ou individualiste de certains ascétismes, le pélagianisme est une doctrine conquérante qui entreprend hardiment de pénétrer dans le siècle pour le réformer et le livrer à Dieu [4]. C'est à qui, dans sa propre famille, dans son entourage ou sa patrie, gagnera de nouveaux adeptes. A l'exemple de l'apôtre Paul, chacun s'efforcera de répandre plus loin, de « verser en d'autres vases » la doctrine salutaire du Christ, afin qu'il n'y ait pas un coin du monde où elle ne soit connue [5].

L'APOGÉE DE PÉLAGE

C'est vers 413-414 que Pélage, arrivé au faîte de sa réputation, exerce sa plus haute autorité morale. Après avoir quitté Rome devant l'invasion d'Alaric et s'être arrêté quelque temps en Afrique où Augustin n'a fait que l'entrevoir, il est venu se fixer « dans les régions transmarines », à Jérusalem [6]. Dans la ville sainte, où il est accueilli avec considération par l'évêque Jean,

(1) Saint Augustin, *De haeresibus*, lxxxviii. La question serait de savoir jusqu'à quel point on doit imputer à Pélage les idées de Célestius : saint Augustin, *De gratia Christi*, II, vi et xvii. — Klaesen (*Die innere Entwickelung des Pelagianismus*, p. 20) s'est efforcé de dégager la responsabilité de Pélage. Mais le synchronisme des démarches effectuées en 417 et la concordance des professions de foi qu'ils ont présentées semblent bien établir une collusion.

(2) *Carmen de Providentia divina*, dans *P. L.*, 618-639. L'attribution à Prosper admise par Valentin, *Saint Prosper d'Aquitaine*, 1900, p. 766-831, est extrêmement douteuse. Paulin de Pella fut également impressionné par la prédication pélagienne : *Eucharisticos*, 451-467 (édit. Brandès, dans le *Corpus* de Vienne, t. LVI).

(3) Survivances attestées en Illyrie par les lettres de saint Léon à l'évêque d'Aquilée (*P. L.*, LIV, 594-707) ; en Belgique, cas de Léporius (Gennadius, lx) ; en Bretagne (Prosper, *Contra Collator.*, xxi, et *Chron.*, a. 429).

(4) Caspari, *op. cit.*, p. 12.

(5) Péroraison du *De induratione*.

(6) Saint Augustin, *De gestis*, xlvi.

où il fréquente un milieu théologique plus libéral, il lui est plus facile d'exprimer ses idées et il se trouve en contact avec le flot toujours renouvelé des émigrés et des pèlerins [1]. D'ailleurs il s'attache plus que jamais à son action morale. Des veuves, des jeunes filles prêtes à entrer en religion, des femmes mariées sollicitent sa direction. Dans tout l'univers catholique, des disciples s'assimilent ses expressions, ses doctrines, sa manière de prier et reçoivent de lui comme d'un nouvel apôtre des consignes précises [2]. Sulpice Sévère et Paulin de Nole sont persuadés de sa sainteté [3]. Au moment où la jeune héritière des Anicii, Démétriade, petite-fille de Proba, décidera de se consacrer au Seigneur et recevra le voile des mains de l'évêque Aurélius de Carthage, c'est au laïque Pélage, en même temps qu'au prêtre Jérôme et à l'évêque Augustin, que l'on demandera de rédiger les instructions édifiantes qui doivent affermir la jeune fille dans sa vocation sainte [4]. En termes choisis, qui font de sa lettre un des chefs-d'œuvre de la prose chrétienne, Pélage célèbre l'action généreuse de cette vierge, hostie vivante consacrée au Christ ; il lui trace les règles judicieuses d'une vie de progrès et de ferveur et lui dépeint l'attrait des récompenses divines. Mais il fait précéder ses conseils d'une sorte de préparation philosophique qui est une affirmation de notre liberté, un éloge des forces de la nature qu'il s'agit de retrouver en nous, bref, une profession très nette d'humanisme que couronne, mais couronne seulement, l'esprit chrétien.

L'ESPRIT PÉLAGIEN

Tel est le rayonnement de l'influence de Pélage. Essayons de préciser les caractères que son exemple et son enseignement vont inculquer à l'ensemble de ses fidèles. C'est d'abord un respect scrupuleux de certaines obligations spéciales : ne jamais jurer, lire sans cesse l'Écriture, renoncer à ses richesses [5]. Par ses conséquences sociales, ce dernier devoir apparaît comme une des exigences capitales du pélagianisme [6]. L'étendue des sacrifices prescrits ne pouvait que fortifier l'ardeur des dévouements. Tous ces hommes — et ces femmes — s'imposent une discipline intérieure vigilante et ont le plus vif souci d'éviter jusqu'aux moindres fautes ; mais s'ils sont désireux de paraître sans reproche devant Dieu, ils ne sont pas moins inquiets de ne donner prise à aucun soupçon, à aucune critique [7] ; il ne leur est

(1) Orose, *Lib. apolog.*, xxxi.
(2) Saint Jérôme, *Epist.*, cxxxiii, 10 : « *Facienda et non facienda decernis* ».
(3) Gennadius, *De viris*, xix (Sulpice Sévère ; l'anecdote contestée par R. Glover, *Classical Review*, 1899, doit avoir cependant un fondement réel) ; saint Augustin, *Epist.*, clxxxvi, 1 (Paulin de Nole).
(4) Saint Jérôme, *Epist.*, cxxx ; saint Augustin, *Epist.*, cl ; Pélage, *Lettre à Démétriade*, ii et vi (*P. L.*, XXX). Il n'existe encore aucune édition critique de ce texte.
(5) Interdiction du serment, *De lege*, x ; richesses, *De divitiis* ; *De contemn. hereditate* (*P. L.*, XXX, 45-50).
(6) Lettre d'Hilaire à saint Augustin (*Epist.*, clvi).
(7) *Célantia*, xxiii ; *Fragment de Vienne*, dans *Revue bénédictine*, 1922, p. 272.

pas indifférent, bien au contraire, de susciter l'admiration du monde. Leur vie « irrépréhensible » est un reproche vivant et une leçon pour les autres, les tièdes, les « chrétiens de nom ». Eux seuls ont le véritable esprit de justice et de « christianité » ; c'est par eux que se réalise la mission de l'Église, d'être immaculée, sans tache et sans ride : « L'Église, c'est nous, si du moins nous vivons sans défaut et sans tache, comme il nous est prescrit, *Ecclesia ulique nos sumus* [1] ».

Ces hommes prient, « élèvent les mains vers Dieu », mais leur véritable action de grâces, c'est leur vie. S'ils demandent au Seigneur de « pardonner leurs offenses », ce n'est que par solidarité, par sympathie compatissante pour les pécheurs [2]. La conscience droite, assurés de leur force de caractère, ils attendent avec confiance le jugement de Dieu [3]. Il serait aisé de dénoncer la « superbe » de cette attitude, mais l'orgueil latent ou avoué du pélagianisme ne doit pas faire déprécier certains services qu'il a rendus : il a rappelé efficacement la notion du devoir ; il a réagi contre les doctrines déprimantes de fatalité que le manichéisme ou le matérialisme astrologique entretenaient dans beaucoup d'esprits ; il a inculqué le goût d'une religion active, entreprenante ; il a eu, mieux que d'autres formes ascétiques du IVe siècle, un idéal « missionnaire ».

§ 2. — La réaction catholique ; saint Jérôme et saint Augustin.

PÉLAGIANISME ET CATHOLICISME

Il y avait ainsi dans les dispositions foncières de la doctrine de Pélage bien des points qui s'annonçaient en contradiction avec l'esprit général du catholicisme. Cette culture de la perfection intérieure, obtenue par les seules forces de la volonté personnelle, se développait en marge de l'Église ; elle aurait pu à la rigueur s'affranchir de la participation à la vie liturgique et aux prières collectives. Les théories insuffisantes de la grâce heurtaient les sentiments intimes de la piété commune. Enfin, bien que les Pélagiens reconnussent expressément la valeur surnaturelle du baptême et de la pénitence, leur interprétation restreignait ou faussait la portée que l'on avait coutume d'attribuer à l'effet de ces sacrements [4]. Mais tout cela n'était ressenti que d'une manière confuse ; on manquait de données précises et le prestige de Pélage et de ses amis intimidait ses contradicteurs éventuels :

Ce ne sont pas des gens que l'on puisse aisément dédaigner, mais, vivant chastement et louables par leurs bonnes actions, croyant non pas en un faux Christ, comme les Manichéens et beaucoup d'hérétiques, ils l'adorent dans sa

(1) *De lege*, I. Cf. la réponse faite à cette question : « Quels sont les justes ? — *Tota Ecclesia* ». dans Saint AUGUSTIN, *Sermo* CLXXXI, 2.

(2) Saint AUGUSTIN, *De remissione*, III, XXIII ; *De gestis*, LV ; *De perfect. justitiae*, XV-XVI.

(3) PÉLAGE, *Célantia*, XXXII ; *Démétr.*, XXX. Cf. saint JÉRÔME, *Dial.*, II, 24, et OROSE, *Lib. apol.*, XII-XIII ; XVIII (en tenant compte de l'exagération).

(4) Saint AUGUSTIN, *Epist.*, CLXXVI, 3.

véritable nature, égal et coéternel au Père et véritablement fait homme, croyant en sa venue passée et espérant en sa venue future ; cependant ils ignorent la justice de Dieu et veulent en constituer une qui soit à eux [1].

Il n'est pas étonnant que les premières manifestations de la réaction catholique aient marqué beaucoup d'hésitation et d'incohérence.

PAULIN DE MILAN
CONDAMNATION DE CÉLESTIUS

Le premier conflit ouvert éclata à Carthage au cours de l'année 411 [2]. L'usage du baptême des enfants, cher à la tradition africaine depuis saint Cyprien, y avait fait l'objet des critiques de Célestius qui n'admettait pas, en tout cas, que ce fût pour effacer une faute acquise dès la naissance. Des disputes émurent le clergé régional, mais ce fut le diacre Paulin, ancien disciple de saint Ambroise et représentant de l'église de Milan, qui prit l'initiative de faire citer Célestius devant une assemblée officielle. Résumant la question, en dehors de toute subtilité théologique, l'évêque Aurélius précisa les deux points essentiels :

> Adam, établi au paradis, créé immortel, est devenu mortel après sa désobéissance... L'état des enfants que l'on doit baptiser aujourd'hui est-il identique à celui d'Adam avant la désobéissance ou bien, de la même source de péché de laquelle il naît (*de eadem origine peccati*), l'enfant ramène-t-il une faute de désobéissance ?

Célestius répondit, ce qui était vrai d'ailleurs, que la question de la propagation physique du péché était librement controversée entre les catholiques ; mais il ne s'agissait pas tant des conditions de la transmission que de l'existence même d'un péché, ou tout au moins d'une déchéance. Sur ce point Célestius refusa toute satisfaction et préféra renoncer à la situation qu'il pensait acquérir parmi le clergé de Carthage. Le concile l'excommunia et il partit « condamné, mais non pas corrigé » [3]. Pressé de questions pour savoir de qui il tenait sa doctrine, Célestius avait refusé de désigner d'autres répondants que « le prêtre Rufin », hôte de Pammachius [4]. Assurément, l'accusation visait plus haut que l'énigmatique Rufin et que Célestius, encore peu connu.

OROSE ET LA CONFÉRENCE DE JÉRUSALEM

En été 415, un jeune prêtre espagnol, intelligent et curieux, épris de théologie et d'histoire, Orose, arrive en Palestine [5]. Précédemment, il avait été à Hippone l'hôte de saint Augustin et le témoin des alarmes de celui-ci qui voyait grandir le péril pélagien et s'efforçait

(1) Saint AUGUSTIN, *Epist.*, CXL, 83.
(2) Saint AUGUSTIN, *De gratia Christi*, II, III-IV. Cf. MANSI, t. IV, col. 289 et suiv.
(3) Saint AUGUSTIN, *Epist.*, CLVII, 22.
(4) Ce « prêtre Rufin » de Syrie ne doit pas être confondu avec Rufin d'Aquilée, ami, puis adversaire de Jérôme. Cf. CAVALLERA, *Saint Jérôme*, t. II, p. 96.
(5) Saint AUGUSTIN, *Epist.*, CLXVI, 2 ; CLXIX, 13.

de le refouler en Afrique, en Sicile, partout où il le sentait apparaître ; à Bethléem, où il s'établit, il reçoit les confidences maussades de saint Jérôme, furieux de savoir Pélage vivant au milieu des honneurs, en bons termes avec l'évêque Jean [1]. Avec une précipitation juvénile, Orose croit saisir l'occasion d'un débat retentissant et provoque une telle agitation que, pour y mettre fin, l'évêque de Jérusalem décide de tenir un conseil. Orose y fut appelé, sans doute à titre d'informateur ; Pélage, traité avec égards, fut admis à siéger parmi les membres du conseil. Le débat fut houleux, entrecoupé d'incidents variés. Orose, qui s'exprimait en latin, se livrait à des mouvements oratoires dont son interprète grec détruisait tout l'effet [2] ; il indisposa son auditoire en citant avec emphase l'autorité d'Augustin, ou plus inopportunément encore, celle de Jérôme. L'évêque Jean essaya de faire le point : il rappela trois textes de saint Paul, textes « foudroyants », dira plus tard Augustin [3], qui établissaient infailliblement la nécessité de la grâce. On faisait reproche à Pélage d'avoir affirmé que l'homme peut être sans péché ; mais du moment que celui-ci ajoutait à présent que ce n'était point « sans l'aide de Dieu », que trouvait-on à critiquer [4] ? Chose beaucoup plus fâcheuse, personne ne voulait prendre la responsabilité de l'accusation [5]. La dérobade d'Orose rendait sa cause insoutenable ; et, après avoir encore beaucoup discuté dans le désordre, il fut convenu que l'affaire, étant exclusivement du ressort des Latins, serait portée au pape Innocent ; qu'en attendant, il fallait cesser de s'injurier, et une prière fraternelle scella cette réconciliation précaire (28 juillet 415) [6].

CONCILE DE DIOSPOLIS

Il fallait repartir sur de nouvelles bases : Jérôme, détesté par les Orientaux, ne pouvait se mettre en avant. On trouva deux évêques gaulois, d'une réputation assez compromise, aigris par l'exil, Héros, ancien évêque d'Arles, et Lazare, ancien évêque d'Aix, qui acceptèrent d'introduire une instance. L'affaire prenait cette fois une ampleur considérable ; elle devait se régler à Diospolis (Lydda) en présence de quatorze évêques que présidait Euloge, métropolite de Césarée (20 décembre 415) [7].

L'accusation reposait sur un certain nombre de thèses ou de maximes empruntées au livre des *Témoignages*, sur trois textes, plus oratoires que philosophiques, tirés de lettres attribuées à Pélage, enfin sur les

(1) Saint Jérôme, *Comment. in Hier.*, I, *praef.*, XVII, XLVI et *passim*.
(2) Orose, *Lib. apologeticus*, III-VII.
(3) Saint Augustin, *De gestis*, LV.
(4) Orose, *loc. cit.*, VI.
(5) Orose, *loc. cit.*, V.
(6) Orose, *loc. cit.*, VI. E. Caspar (*Geschichte des Papstums*, t. I, p. 329) a contesté l'exactitude du compte rendu d'Orose concernant le renvoi de l'affaire devant Innocent ; mais Orose n'aurait pu, trois mois après les événements, donner un récit gravement mensonger.
(7) Saint Augustin, *De gestis Pelagii* ; Mansi, t. IV, col. 311 et suiv. La liste des évêques est donnée par saint Augustin, *Contra Julianum*, I, XXXII.

propositions de Célestius qui avaient été censurées à Carthage et, d'une façon générale, sur toute la doctrine de Célestius telle qu'elle ressortait de l'un de ses livres. A cela s'ajoutaient diverses objections formulées par Augustin dans sa lettre à Hilaire de Syracuse.

Le débat fut rapidement mené autour des thèses accessoires relatives, par exemple, à la connaissance de la Loi, à la promesse du royaume des Cieux étendue aux justes de l'ancien Testament, à la sainteté présente de l'Église, et l'intérêt de la discussion se concentra sur les deux assertions capitales relatives à la liberté et à l'*impeccantia* :

Tous sont dirigés par leur volonté personnelle (*omnes voluntate propria regi*) ; — l'homme peut, s'il en a le vouloir, être sans péché et exécuter les commandements de Dieu (*posse hominem, si velit, esse sine peccato*) [1].

Pélage répondit très correctement que nous nous dirigeons en vertu de notre libre arbitre « auquel Dieu prête appui quand nous choisissons le bien, et qui nous laisse seuls en cause, quand il y a faute » ; — sur le second point, laissant dans l'ombre la question de « facilité », il expliqua comment la sainteté ainsi définie était acquise « par notre travail propre et par la grâce de Dieu », sans être pour cela définitive et qu'elle se trouvait seulement à la portée de quiconque « aura voulu peiner et batailler pour son salut » [2].

D'autre part, il était délicat de demander raison à Pélage des doctrines de Célestius, car en droit Pélage pouvait rejeter toute responsabilité pour des propos qui n'étaient pas les siens. Célestius, entraîné par la rigueur de sa dialectique, avait donné aux idées de son maître leur forme la plus absolue :

Si nous faisons tout par la grâce de Dieu, quand nous sommes vaincus par le péché, ce n'est pas nous qui sommes vaincus, mais la grâce de Dieu... C'est lui qui est en faute, parce qu'il n'a pas pu ou voulu nous garder. — Le libre arbitre n'existe pas s'il a besoin du secours de Dieu, puisque chacun a en son propre vouloir de faire ou ne pas faire quelque chose [3].

Pélage pouvait répondre qu'il n'avait jamais pensé ainsi et, de fait, il n'avait pas développé les conséquences négatrices de sa doctrine de liberté totale. Il n'en restait pas moins que parmi les sentences morales ou théologiques de Célestius plusieurs rendaient le même son que les maximes authentiques de Pélage :

La grâce et l'appui de Dieu ne nous sont pas donnés à chacun de nos actes (*ad singulos actus*), mais résident dans le libre arbitre, la Loi ou la doctrine.

(1) Saint AUGUSTIN, *De gestis*, V-VI et XVI-XX.
(2) *Ibid.*, VI-VIII ; LIV-LV.
(3) *Ibid.*, XXX et XLII. Comparer avec cette phrase citée par saint JÉRÔME, dans la lettre à Ctésiphon (*Epist.*, CXXXIII, 5) : « Si je ne fais rien sans l'aide de Dieu et que dans chacune de mes actions, tout ce que je fais lui appartient, ce n'est donc plus moi qui travaille..., et c'est en vain qu'Il m'a donné une liberté que je ne puis remplir à moins qu'Il ne soit toujours à mon aide ; la volonté est abolie quand elle a besoin d'un secours étranger... Ou je me sers d'un pouvoir qui m'a été donné une fois pour toutes (et cela sauve la liberté) ou si j'ai besoin d'un secours étranger, ma liberté est détruite ».

— Dieu nous donne sa grâce d'après nos mérites ; car s'il l'accorde à des pécheurs, il est injuste... — Chaque homme peut posséder toutes les vertus et toutes les grâces [1].

Pélage fit remarquer que les paroles d'autrui ne le concernaient pas. Mais, pour la satisfaction de l'assemblée, il accepta de s'associer aux anathèmes portés contre ceux qui tenaient ou « avaient tenu » les thèses réprouvées à Carthage ; pour le reste, il déclara d'une façon globale qu'il condamnait « au jugement de l'Église » tout ce qui était en contradiction avec la doctrine catholique [2]. Les Pères, prenant acte de ces déclarations, reconnurent donc que Pélage appartenait toujours à la communion de l'Église [3]. Justifié, celui-ci s'empressa d'adresser à ses amis un bulletin triomphal : sa doctrine que l'homme peut volontairement — « et facilement », ajoutait-il — vivre dans la justice, avait reçu l'approbation de quatorze évêques [4].

Cependant le succès n'était pas aussi brillant qu'il le disait. Pélage s'était prêté à beaucoup d'atténuations ; il avait dû sacrifier le principe qui voulait que l'appui de Dieu se mesurât toujours à nos mérites, et il avait admis une grâce s'étendant à chacun de nos actes [5]. Il lui avait fallu rompre toute compromission avec Célestius et, par un mensonge, imputable sans doute à l'obstination plutôt qu'à la duplicité, mais indigne de lui, il avait désavoué l'authenticité de la prière célèbre de la *Vie chrétienne* : « Tu connais, Seigneur... » [6].

Sur le moment, personne n'épilogua sur ces concessions humiliantes ; l'absence d'Héros et de Lazare, hommes de paille, qui ne se présentèrent même pas au concile, fortifia l'impression favorable à Pélage [7]. Ses admirateurs et ses ennemis avaient attendu avec fièvre le verdict de l'Église de Palestine ; de loin, on pouvait le considérer comme une victoire complète de Pélage [8].

POLÉMIQUE D'OROSE ET DE JÉROME

La question avait surtout été très mal posée. Pour expliquer la justification de Pélage par les évêques palestiniens, il ne suffit pas d'invoquer la tactique conciliante et glissante dont il fit preuve, ni l'intervention possible d'influences séculières, ni même l'esprit des églises orientales, plus large que celui des églises d'Occident en tout ce qui ne concernait

(1) Saint Augustin, *De gestis*, xxx et xxxii.
(2) *Ibid.*, xxiv et xliii.
(3) *Ibid.*, xliv.
(4) *Ibid.*, liv.
(5) *Ibid.*, xxx.
(6) Saint Augustin, *De gestis*, xvi-xviii. Cette dénégation, difficilement admise par saint Augustin (xvii-xix), a entraîné un doute qui a retardé jusqu'à nos jours l'identification complète de l'œuvre de Pélage. Cf. G. de Plinval, dans *Revue de Philologie*, t. LX, 1934, p. 10-42 et, en dernier lieu, J. Coméliau, dans *Revue d'Histoire ecclésiastique*, t. XXXI, 1935, p. 77-89.
(7) *Ibid.*, xxxix.
(8) *Ibid.*, lv.

pas l'orthodoxie trinitaire. Sa condamnation, si on eût accepté les motifs allégués contre lui, aurait sanctionné cette thèse inquiétante que le péché est un fait attaché à la condition humaine à tel point que même la grâce de Dieu n'en peut affranchir personne complètement [1]. Lorsque saint Jérôme, dans l'espoir de provoquer une explication décisive de Pélage, avait rédigé sa lettre à Ctésiphon (début 415), il avait essayé de discréditer son adversaire dans l'esprit des Orientaux en identifiant sa morale avec la théorie de l'*apathéia* d'Evagrius du Pont ; mais rien n'est plus contestable que cette assimilation d'une doctrine toute contemplative avec l'idéal de justice agissante et de progrès incessant, qui était celui des Pélagiens. Il dresse devant eux l'épouvantail des hérésies passées, celle de Jovinien, celle d'Origène : « Ta doctrine n'est qu'un méchant rameau de celle d'Origène ». Mais il n'y avait rien de solide dans ces rapprochements désobligeants que les préventions de son esprit lui faisaient tirer en foule de sa mémoire [2].

Le ton du *Livre apologétique* d'Orose est beaucoup plus pittoresque que celui de la lettre de Jérôme. Mais ce n'est qu'un pamphlet où l'auteur a saisi, sans charité aucune, les ridicules physiques de son adversaire, raille l'outrecuidance de ses prétentions et parodie non sans à-propos ses maximes préférées [3].

Il fallait, pour repousser les idées pélagiennes, une œuvre plus imposante. Jérôme crut qu'il était désigné pour la faire, et, dans l'intervalle qui sépare la conférence de juillet du concile de décembre, il publia un traité en trois *Dialogues*. Son livre suppose une certaine documentation et consiste en une critique détaillée des *Témoignages* de Pélage ; l'auteur ne prête à l'interlocuteur que des paroles vraisemblables, mais l'erreur qui gâtait la lettre à Ctésiphon se retrouve aggravée dans les *Dialogues*. Bien qu'il sache parfaitement que Pélage n'avait en vue qu'une sainteté relative, proportionnée à la mesure de l'homme, Jérôme lui reproche de vouloir poser le juste dans sa perfection absolue comme un être semblable à Dieu, *antithéos* [4]. Jérôme ne se rendait pas compte qu'en détruisant un fantôme de stoïcisme, toute sa réfutation, portant à faux, devenait inopérante. Comme toujours dans ses œuvres polémiques, l'ardeur de la lutte l'entraîne à des paradoxes, à des exagérations presque scandaleuses. L'autorité du nom de Jérôme était assurément d'un grand poids ; mais ses arguments étaient peu probants [5]. Lorsque Pélage et Théodore de Mopsueste passeront à la contre-attaque, ils trouveront dans les écrits de Jérôme les éléments d'une réfutation facile.

(1) Orose, *Lib. apolog.*, vi-vii ; saint Jérôme, *Dial.*, II, xiv-xvii.
(2) Saint Jérôme, *Epist.*, cxxxiii, 3.
(3) Orose, *Lib. apolog.*, xiii, xvi, xxxi.
(4) Saint Jérôme, *Dialog.*, I, xvi ; II, xvii.
(5) Saint Augustin, *Opus imperfectum in Iulianum*, IV, lxxxviii.

POLÉMIQUE D'AUGUSTIN Ce que ni la verve d'Orose ni la rudesse de Jérôme n'avaient pu faire, la critique serrée, positive et persévérante d'Augustin l'accomplira. « Bien avant que parût l'hérésie de Pélage, nos exposés en étaient déjà une réfutation », écrira-t-il plus tard [1]. Cependant, il n'était pas intervenu dans les premières contestations qui, à Carthage, avaient opposé Célestius à Paulin de Milan ; l'affaire du donatisme l'absorbait alors tout entier [2]. Mais bientôt la rumeur qui troublait la métropole africaine se développa avec un tel succès que le légat impérial Marcellinus et l'évêque Aurélius firent appel à la science théologique et à l'éloquence de l'évêque d'Hippone, afin de ne pas laisser « sans armes » les défenseurs de la foi ancienne contre les novateurs [3].

Augustin prêcha, plaida, pourrait-on dire, et nous avons encore, parmi d'autres, les deux sermons qu'il donna coup sur coup en juin 413 dans les basiliques de Carthage, s'efforçant de faire comprendre la nécessité du baptême des enfants, montrant quelle cruauté ce serait, par une méconnaissance de leur état réel, par une conception illusoire de leur innocence, de les écarter du sein maternel et guérisseur de l'Église [4]. Mais il fallait une œuvre écrite pour renfermer la documentation méthodique, complète, qu'exigeait la question. Ce furent, composés dès 412, les trois livres *sur la Rémission des péchés et le baptême des enfants*, suivis d'un commentaire des chapitres VII et VIII de l'Épître aux Romains : *sur l'Esprit et la Lettre.* Des ouvrages de polémique plus directe compléteront en 414-415 ces traités de théologie dogmatique ; la *Lettre à Hilaire* (*Epist.* CLVII), discussion des principes moraux et sociaux de parti pélagien ; le traité *de la Nature et de la Grâce*, critique d'un livre de Pélage et réfutation de sa philosophie naturaliste ; le traité *de la Justice parfaite* (*De perfectione justitiae hominis*) en 415, réfutation d'un écrit attribué à Célestius : ses « définitions », qui étaient plutôt des dilemmes aux conclusions brutales ; — puis, en 416, après le retour d'Orose et les événements de Palestine, c'est le *De gestis Pelagii*, sorte de rapport adressé à Aurélius où, d'après les actes authentiques du Concile de Diospolis, il procède à l'examen critique des réponses de Pélage ; — et cette première série de travaux antipélagiens se couronne, en 418, par les traités jumelés *de la Grâce du Christ et du péché originel* [5].

L'œuvre antipélagienne de saint Augustin s'impose donc d'abord par son étendue et sa continuité. Mais l'inconvénient habituel de ces sortes de polémique est de se perdre à la poursuite de l'adversaire dans une

(1) Saint AUGUSTIN, *Retractationes*, I, IX, 6 ; cf. *De praedestinatione sanctorum*, II, 53.
(2) Saint AUGUSTIN, *Retract.*, II, LIX.
(3) Saint AUGUSTIN, *De gestis*, XXIII-XXV.
(4) Saint AUGUSTIN, *Sermo* CCXCIII-CCXCIV.
(5) Toute l'œuvre anti-pélagienne de saint AUGUSTIN est rassemblée dans le t. X de l'édition des Bénédictins (*P. L.*, XLIV et XLV). Les traités de la période 412-420 ont été publiés par URBA et ZYCHA (*Corpus* de Vienne, t. XLII et LX).

multitude de discussions partielles et de revêtir un aspect purement négatif et contradictoire. La supériorité d'Augustin tient à ce que, ayant sa doctrine à lui, bien assurée, au lieu de s'attarder indéfiniment dans le détail des thèses qu'il discute, il remonte toujours jusqu'au principe d'où elles émanent et à l'esprit qui les inspire ; parfois, dans cette analyse pénétrante, il y voit plus loin et plus clair que l'auteur qu'il combat ; il a dénoncé dans la doctrine de Pélage des conséquences virtuelles que Pélage réprouvait sans doute et que Célestius et Julien d'Éclane ont acceptées délibérément [1].

Pas de personnalités ; ce sont des livres de doctrine. Aucune de ces attaques qui abondent dans les études de Jérôme. Augustin parle de Pélage avec les égards qui conviennent à sa réputation : « J'ai entendu prononcer son nom avec de grands éloges... » [2]. En particulier dans sa critique du *De Natura*, que lui ont fait parvenir deux disciples de Pélage déçus et inquiets, dans les démarches qu'il tente près de Juliana et de Proba, on voit qu'aucune hostilité préconçue ne le sépare d'un rival. Augustin n'a pas voulu s'arrêter aux motifs de susceptibilité qui auraient pu les aigrir l'un contre l'autre [3].

Pourtant la doctrine pélagienne le choquait au plus intime de sa foi et de sa piété. Ce n'est pas qu'il attachât une importance excessive à la question de l'*impeccantia* ; du moment qu'il était reconnu que l'absence de péché était un don de Dieu, ce n'était plus qu'une question de fait à résoudre — et effectivement la difficulté s'est évanouie du jour où l'*impeccantia* s'est nommée « état de grâce » [4]. Mais limiter l'action divine en nous, ou plutôt l'évincer de notre moi en confondant la grâce avec le don général de raison et de liberté accordé à notre race, lui conférer le caractère extérieur d'une discipline morale au lieu d'en faire la poussée agissante et constante, *ad singulos actus*, de notre vie surnaturelle, la réduire sous le contrôle final de notre volonté consciente et en fixer la répartition dans la mesure exacte de nos mérites, au lieu de lui reconnaître le caractère d'un don personnel, spécial, absolument gratuit, cela lui paraissait inacceptable pour une intelligence chrétienne [5].

Cette notion si vivante de la grâce n'est pas seulement la protestation instinctive d'une âme mystique ; elle se fonde sur une donnée théologique longuement méditée qu'il place au centre de la doctrine catholique : celle du péché originel et de la rédemption. L'intuition géniale d'Augustin a été de marquer la solidarité de tous ces problèmes : baptême des enfants, péché originel, caractère de la grâce sanctifiante. Il a saisi immédiate-

(1) Cf. *De natura et gratia*, II, X, LX, et *passim* ; *De gratia Christi*, II, XVII ; *Contra Jul.*, IV, XVII.
(2) Saint AUGUSTIN, *De gestis*, XLVI. Cf. *De remissione*, II, XXV ; III, I.
(3) *De natura et gratia*, I et LXXXII ; *De bono viduitatis*, XXII.
(4) *De gestis*, LV ; cf. *De perfectione justitiae*, XIV.
(5) *De remissione*, II, V-VI ; *De gestis*, XXXIII-XXXIV.

ment que les théories de Célestius contre le péché originel et sur la faute primitive étaient en connexion avec le concept pélagien d'une grâce extérieure [1]. Aussi s'agit-il pour lui de bien autre chose que d'une question quelconque d'exégèse. C'est le fondement même de la religion et le drame de l'espèce humaine qui se concentre dans l'opposition d'Adam et de Jésus. Il n'est plus question de voir en eux les exemplaires symboliques de notre vie : le péché de l'un est un mal inhérent à tous et seule la grâce indispensable du second peut sauver ceux qui étaient perdus [2].

Cette conception saisissante n'est pas le fruit du travail spéculatif d'Augustin ; on y reconnaît au premier coup d'œil la théologie de l'Épître aux Romains [3]. La pensée d'Augustin, dès sa conversion, s'est fixée sur les épîtres de saint Paul, et ce sont les axiomes de saint Paul qui constituent les assises inébranlables de sa doctrine :

Par un seul homme le péché est entré dans le monde et par le péché, la mort, et ainsi elle a passé en tous les hommes par celui en qui tous ont péché [4] (*Rom.*, V, 12). — Car je ne fais pas le bien que je veux et je fais le mal que je ne veux pas... Ce n'est pas moi qui le fais, mais le péché qui habite en moi (*Rom.*, VII, 19). — Il n'est ni de vouloir ni de courir, mais c'est Dieu qui fait miséricorde (*Rom.*, IX, 15). — C'est Dieu qui accomplit en nous le vouloir et le faire (*Phil.*, II, 15).

Ces formules, Augustin les prendra dans leur sens littéral et, de ces lignes très simples, méditées sans cesse et répétées inlassablement, il déduira, comme d'infaillibles corollaires, sa théorie de la déchéance humaine universelle, de la concupiscence, de la grâce sanctifiante et de la prédestination, autant de points qui sont en antithèse inconciliable avec le pélagianisme [5]. Le système d'Augustin est « centré » sur la grâce comme celui de Pélage l'était sur la liberté [6]. L'un et l'autre sont d'une cohésion logique aussi remarquable, et c'est leur contraste qui fait l'intérêt passionnant du problème pélagien. Dès son premier ouvrage, alors qu'il n'avait qu'une connaissance incomplète des écrits de Pélage, Augustin a compris l'importance du débat et toutes les conséquences qui en découlaient. Son traité *De la grâce du Christ et du péché originel*, en 418, après six ans de controverses, n'ajoutera rien d'essentiel à la doctrine du *De remissione*, en 412.

CONCILES DE CARTHAGE ET DE MILÈVE CONDAMNATION DU PÉLAGIANISME

Mais il n'était plus question de maintenir la lutte sur le terrain des controverses littéraires. La sentence de Palestine avait été accueillie en Afrique avec d'autant

(1) *De remissione*, I et II.

(2) *De gratia Christi*, II, XXVIII.

(3) Les 3 livres *De remissione peccatorum* peuvent être considérés comme un commentaire des chapitres V et VI de l'Épître aux Romains, auquel fait suite le *De spiritu et littera*, consacré aux chapitres VII et VIII.

(4) Le texte grec porte exactement : « *en ce que* [tous ont péché], *parce que*... (ἐφ' ᾧ) Cf. *Contra Jul.*, VI, LXXIII.

(5) *De remissione*, I, LV ; *De gratia Christi*, II, XXVIII.

(6) Cf. E. Gilson, *Introduction à l'étude de saint Augustin*, Paris, 1929, p. 198-210.

plus de stupeur que les Pélagiens faisaient entendre que la justification de leur chef entraînait l'absolution de Célestius et l'annulation de l'excommunication prononcée naguère par Aurélius [1]. Ainsi se serait manifestée une divergence inadmissible entre deux grandes églises de la chrétienté, et la justification de Célestius eût été un désaveu pour le siège de Carthage. Tandis que des éclaircissements étaient demandés à l'évêque de Jérusalem [2], soixante-sept évêques d'Afrique rassemblés à Carthage et cinquante-huit évêques de Numidie, réunis à Milève [3], adressèrent presque simultanément des lettres très pressantes au pape Innocent pour lui exposer la gravité du péril pélagien [4]. On insistait surtout sur ces deux conséquences : l'inutilité de la prière et la vanité du baptême des enfants. Les évêques de Carthage déclarèrent qu'ils renouvelaient d'une manière formelle l'anathème porté, cinq ans auparavant, contre Célestius et demandaient au pape de prononcer la condamnation solennelle des erreurs relatives au libre arbitre et à la destinée des enfants non baptisés. Une lettre officieuse d'Aurélius, Alypius, Augustin et deux autres évêques développait l'inquiétude qu'ils éprouvaient en présence de la diffusion des idées nouvelles [5]. Un livre récemment communiqué par Timasius, le *De natura*, leur révélait les tendances suspectes de la doctrine de Pélage ; aussi demandaient-ils que le pontife intervînt pour obtenir de ce dernier un désaveu qui mettrait fin à la propagande des ennemis de la grâce. L'église de Carthage n'hésitait pas à faire un appel pressant « à l'autorité du Siège apostolique », moins pour obtenir la condamnation personnelle du chef pélagien que pour ruiner l'influence morale de son parti (été de 416).

Innocent accueillit avec une joie visible la démarche déférente des évêques d'Afrique ; dans les trois réponses qu'il leur adressa, il leur donna entièrement raison au point de vue dogmatique en insistant sur « l'aide quotidienne » qui nous est nécessaire et que nous ne pouvons obtenir que par nos prières ; mais, tout en approuvant la sentence de Carthage et en déclarant Célestius et Pélage retranchés de la communion de l'Église, il ne semble pas croire à la gravité du danger qu'on lui signale [6]. Il ne tient pas à convoquer Pélage à Rome, ainsi qu'on le lui avait suggéré, et laisse entrevoir l'éventualité du pardon qui serait facilement accordé à son repentir (27 janvier 417) [7].

(1) Saint AUGUSTIN, *De gestis*, LVII-LIX.
(2) Saint AUGUSTIN, *Epist.*, CLXXIX.
(3) MANSI, t. IV, col. 322-325.
(4) Saint AUGUSTIN, *Epist.*, CLXXV-CLXXVI.
(5) Saint AUGUSTIN, *Epist.*, CLXXVII (surtout, 15).
(6) *Apud* saint AUGUSTIN, *Epist.*, CLXXXI, CLXXXII, CLXXXIII.
(7) Saint AUGUSTIN, *Epist.*, CLXXXIII, 2 et 4.

DÉFENSE ET RÉHABILITATION DE PÉLAGE

Pélage n'en était pas moins pour la première fois sous le coup d'une condamnation personnelle. Peut-être s'en serait-il relevé assez vite, si un incident déplorable ne l'avait soudain gravement compromis. Au cours d'un soulèvement populaire, la maison de Jérôme à Bethléem avait été saccagée, à demi incendiée ; un diacre massacré (fin 416). On voulut voir dans cet épisode tragique un coup de main des amis de Pélage, et l'indignation fut extrême à Carthage et à Rome [1]. Cependant, malgré cet incident fâcheux et tous les embarras d'une situation des plus troublées en Palestine, Pélage travailla à sa réhabilitation. Pour répondre enfin au défi de Jérôme qui s'impatientait de son obstination silencieuse et le comparait à ces chiens « qui ne peuvent aboyer » [2], il s'appliqua d'abord à composer un grand travail sur le Libre arbitre. Certaines pages récemment retrouvées prennent parfois le ton de la controverse et constituent une protestation contre le pessimisme des interprétations relatives aux versets de saint Paul sur l'impuissance de la volonté [3]. Mais, dans son ensemble, l'ouvrage, très prudemment rédigé et qui présente un accent beaucoup plus religieux que le *De natura*, exprime surtout un sentiment de gratitude pour le bienfait primitif et universel de la liberté, auquel s'ajoute pour nous « l'aide quotidienne » de Dieu [4]. Analysant les trois aspects de l'acte libre, l'auteur distinguait le pouvoir, le vouloir, la réalisation, et démontrait l'excellence du « pouvoir », don exclusif de Dieu et condition indispensable du vouloir et de l'exécution [5]. Il reconnaissait en termes émus les bienfaits que le baptême procure aux enfants, les arrachant « à un sort incertain » pour les faire renaître à la vie éternelle [6]. Mais il ne pouvait admettre que les conditions de la liberté fussent faussées à notre entrée même dans la vie :

> Tout le bien ou le mal dont on peut nous louer ou nous blâmer est le fait de nos actes et ne naît pas avec nous. Nous naissons aptes à l'un et à l'autre ; nous n'en sommes pas imbus. Nous sommes engendrés sans mérites autant que sans péchés, et, avant l'action de notre volonté personnelle, il n'y a dans l'homme que ce que Dieu y a établi [7].

C'est dans cet ouvrage seul et dans sa lettre à Démétriade qu'il voulait qu'on cherchât l'expression authentique de sa pensée. Dans la lettre justificative qu'il rédigea pour le pape Innocent, il définissait ainsi l'accord de la grâce et de la liberté :

(1) Saint AUGUSTIN, *De gestis*, LXVI. Cf. *apud* saint JÉRÔME, *Epist.*, CXXXV, CXXXVI, CXXXVII. Pélage aussi bien que Jérôme dut s'éloigner momentanément de Jérusalem. Cf. saint JÉRÔME, *Epist.*, CXXXVIII.

(2) Saint JÉRÔME, *Epist.*, CXXXIII, 11 ; *Comm. in Hierem.*, IV, 1.

(3) SOUTER, *Proceedings of the British Academy*, t. II, 1905-1906, p. 437-438 ; *Journal of the theolog. Studies*, t. XII, 1910-1911, p. 34-35.

(4) Saint AUGUSTIN, *De gratia Christi*, I, VIII, XXIX et XLV.

(5) *Ibid.*, I, V.

(6) *Ibid.*, II, XX, XXI, XXII.

(7) *Ibid.*, II, XIV.

Nous disons clairement que nous avons la liberté entière de pécher et de ne pas pécher : liberté qui, dans toute action bonne, est toujours soutenue par l'aide de Dieu. Cette liberté, nous disons qu'elle existe universellement chez tous, chrétiens, Juifs et païens, chez tous également donnée par la nature, mais chez les chrétiens seuls favorisée par la grâce [1].

Une profession de foi explicite était annexée à sa lettre ; Pélage y attaquait incidemment certaines thèses de Jérôme sur l'impossibilité des commandements de Dieu, mais il développait surtout sa théologie de la Trinité ; dans un article relatif à la condition humaine du Christ, il déclarait que celle-ci avait été en tous points pareille à la nôtre, « hors la seule tache du péché, qui n'est point de la nature » [2].

Le pape Innocent, mort le 12 mars 417, n'eut jamais connaissance de cette lettre, et il n'aurait sans doute pas agréé la justification de Pélage. Mais le changement de pontificat, l'avènement de Zosime, dont on connut vite le caractère impulsif et influençable, furent pour les Pélagiens une chance inespérée. Ceux-ci, nous le savons par les messages des évêques africains, étaient nombreux en Italie et comptaient dans l'élite du clergé des protecteurs d'une grande influence. Tous se dépensèrent pour obtenir le retrait des condamnations précédentes, et Célestius, reparaissant inopinément à Rome, réclama la révision de la sentence de Carthage, rendue en 411 et confirmée en 416, tandis que de son côté Pélage présentait en sa faveur des attestations du nouvel évêque de Jérusalem, Praylos [3].

A coup sûr, l'effervescence qui agitait l'Italie se fit sentir en Afrique. C'est pour conjurer le péril d'une opposition renaissante que saint Augustin faisait appel au respect de la chose jugée :

Deux conciles ont été communiqués au Siège apostolique ; les réponses sont revenues. La cause est finie ; puisse quelque jour finir l'erreur ! [4].

Lorsqu'Augustin prononçait ces paroles, qui sont au fond un cri

(1) Saint Augustin, *De gratia Christi*, I, xxxiii-xxxiv.

(2) Mansi, t. IV, col. 355 ; *P. L.*, XLVIII, 488-491 ; Hahn, *Bibliothek der Symbole*, 3e édit., p. 288-289, § 133.

(3) Mercator, *Commonit. super nom. Caelest.* ; saint Augustin, *De gratia Christi*, II, v-vii.

(4) Saint Augustin, *Sermo* cxxxi, 10. On a tiré de ce texte oratoire des conclusions excessives (P. Batiffol, *Le catholicisme de saint Augustin*, t. II, p. 403). Il s'agit surtout ici d'un argument spécial destiné aux Pélagiens qui avaient tendance à se réclamer de Rome (cf. appel de Célestius en 411 ; résolution de la conférence de Jérusalem, en 415 ; saint Augustin, *Epist.*, clxxvii, 15). Dans la lettre à Paulin (*Epist.*, clxxxvi, 2), où il reprend presque exactement les termes de la péroraison du *Sermo* cxxx, saint Augustin, qui appréhendait une décision précipitée de Zosime, ne dit plus : *Causa finita est*, mais seulement : « Le pape Innocent, de bienheureuse mémoire... nous a répondu comme il était normal de la part d'un évêque du Siège apostolique » (*quo fas erat atque oportebat*). — Il n'est pas question de mettre en doute le loyalisme romain d'Augustin ; mais il croyait surtout à l'inerrance de l'Église prise dans son ensemble (*Contra Cresconium*, III, lxxvii). Rome, comme toute autre métropole glorieuse, lui paraissait l'interprète de la tradition apostolique. Mais le *De gestis Pelagii* qu'il voulait placer sous un patronage autorisé (lix) est dédié à Aurélius ; dans sa lettre à Paulin, il invoque l'Église de Jérusalem (*Epist.*, clxxxvi, 31, 36) et dans sa lettre à Vitalis, uniquement l'autorité de saint Cyprien (*Epist.*, ccxvii, 2, 3, et *passim*). Par contre, s'adressant à Julien, évêque italien, il justifie la conduite et la doctrine de Rome (*Contra II Epist. Pelagian.*, II, v et vi). Cf. Caspar, *Geschichte des Papstums*, t. I, p. 332-338 et 606.

d'alarme (23 septembre 417), la campagne des Pélagiens était déjà victorieuse. Au cours d'une séance émouvante, le pape Zosime avait reconnu, en présence du clergé romain, la parfaite orthodoxie des déclarations de Pélage ; il s'était indigné qu'un homme de son mérite, après une longue carrière consacrée au service de Dieu, eût pu être ainsi calomnié [1].

Le cas de Célestius était plus complexe ; mais Zosime, prenant acte de ses réponses et de ses engagements, sommait ses accusateurs, en l'occurrence surtout Paulin de Milan, de comparaître dans les deux mois pour développer leurs griefs, faute de quoi la condamnation antérieure serait totalement annulée. Il ne comprenait pas que les Pères de Carthage se fussent prononcés avec tant de hâte et sur de vagues dénonciations, mais par égard pour eux, il leur laissait le soin de reprendre l'examen de l'affaire [2]. Le pontife avait été frappé par l'irrégularité de la procédure et la précipitation du jugement ; il était personnellement irrité contre Héros et Lazare. D'ailleurs, les déclarations qu'avaient fournies Pélage et Célestius étaient en somme satisfaisantes, et Zosime, qui avait recommandé à ce dernier de ne plus soulever de débats inopportuns, avait eu la pensée de ramener dans l'Église des hommes d'une haute valeur. Il croyait mettre fin à un scandale ; son indulgence couvrait les hommes et non pas les doctrines [3].

CONDAMNATION FINALE DES PÉLAGIENS GRAND CONCILE DE CARTHAGE

Ce fut sans doute en cet hiver 417-418 que saint Augustin connut les heures les plus angoissantes de sa carrière épiscopale. Ainsi ce siège de Pierre, vers lequel, depuis les luttes donatistes, les catholiques d'Afrique avaient pris l'habitude de regarder avec un loyalisme plus soumis, les désavouait sur un point aussi grave ; l'unité de foi entre les églises, image de l'unité du Christ, déjà effleurée par la sentence de Palestine, allait se trouver bien davantage compromise ; la rétractation volontaire que l'on demandait aux évêques de Carthage aurait pris l'allure d'une prévarication ; ce n'était pas possible ! Augustin et Aurélius mirent en œuvre tous les moyens humains pour empêcher ce malheur, et une *obtestatio* énergique fut adressée à Rome, cependant que vraisemblablement d'autres démarches étaient tentées près de la Cour impériale, à Ravenne [4].

(1) Lettre « *Postquam nobis* », 21 septembre 417 (MANSI, t. IV, col. 353 ; JAFFÉ-WATTENBACH, 330).
(2) Lettre « *Magnum pondus...* » (MANSI, t. IV, col. 350 ; JAFFÉ-WATTENBACH, 329).
(3) Saint AUGUSTIN, *De gratia Christi*, II, VII ; *Contra II Epist. Pelag.*, II, v.
(4) Saint AUGUSTIN, *Contra II Epist. Pelag.*, II, v. L'histoire de cette période a été compliquée à plaisir par GARNIER (*P. L.*, XLVIII, 319-375) et QUESNEL (*P. L.*, LVI, 961-1006), qui ont supposé un premier grand concile d'Afrique, tenu au printemps (ou en automne, QUESNEL, § XIV, 971), et, entre cet hypothétique concile « de 214 évêques » et celui « de 224 (ou 226) évêques » du 1er mai 418, au moins deux conciles intermédiaires en novembre 417 et février-mars 418, et encore un autre, le 17 juin 418, où l'on aurait adopté « les canons » (d'après une phrase probablement mal interprétée d'AUGUSTIN, *Epist.*, CCXV, 2). Cf. BALLERINI, 66 (*P. L.*, LVI, 1041-1042).

Mais déjà l'impatience de Célestius avait perdu sa cause ; par sa ténacité à maintenir ses idées, par les disputes qu'il provoquait, il n'avait pas tardé à susciter un revirement. Les Pélagiens essayèrent alors de sauver la situation en recourant à la violence ; des désordres éclatèrent et un ancien *vicarius*, Constance, fut l'objet de leurs sévices. En six mois Zosime était revenu de bien des illusions. L'église de Carthage se montrait plus que jamais résolue, et l'empereur commençait à s'émouvoir des troubles qui se produisaient « en notre ville très sainte et en beaucoup d'endroits » ; en danger d'être arrêté, Célestius trouva plus prudent de s'enfuir [1].

Presque simultanément des sanctions, émanant de trois sources différentes, accablent les Pélagiens : le 30 avril 418, un rescrit de l'empereur Honorius ordonne, sous les peines les plus graves, l'expulsion immédiate des chefs de l'hérésie [2] ; le 1er mai, un concile général de 214 évêques [3], concile plénier de toute l'Afrique groupant l'épiscopat de la Proconsulaire et celui de la Numidie, après avoir expressément maintenu la condamnation portée par Innocent contre Célestius et Pélage, promulgue en neuf articles les théories essentielles de la grâce. Sur ces entrefaites, Zosime, rompant avec les hésitations précédentes et prenant acte de la fuite de Célestius, maintient la condamnation de ce dernier et renouvelle l'excommunication de Pélage [4]. Un document très long, qui fut rédigé dans les mois qui suivirent, la *Tractoria* (été de 418), reprenant l'historique de tous ces événements, établissait l'erreur des doctrines pélagiennes. Dans ce texte, Zosime marquait sa reconnaissance pour le service rendu par ses frères d'Afrique [5]. Ce sont eux en effet qui, restant insensibles aux sollicitations, s'en étaient tenus indéfectiblement à la résolution première. De 411 à 416, de 416 à 418, rien chez eux n'a varié, et le dernier concile, scellant l'action disciplinaire par l'exposé dogmatique de ses neuf canons sur le péché originel, — sur le rôle et l'efficacité de

(1) Mercator, *Commonit. Caelest.* ; Prosper, *Chron.*, a. 418.

(2) Mansi, t. IV, col. 444 et suiv. ; *P. L.*, XLVIII, 379-386.

(3) Prosper, *Contra Collator.*, v (214 évêques) ; d'après Photius, *Bibl.*, liii (226 évêques) ; Mansi, t. IV, col. 377 (203 évêques).

(4) Mercator, *Commonit. Caelest.* (Mansi, t. IV, col. 293). Il est certain que le délai de deux mois fixé par Zosime, dans sa lettre de septembre 417 (Mansi, t. IV, col. 351 ; Jaffé-Wattenbach, 329), a fait l'objet de plusieurs prorogations. Paulin de Milan avait refusé de se rendre à l'assignation (8 novembre 417 : Mansi, t. IV, col. 381, *Avellana*, xlvii) et il faut tenir compte du retard ou de l'interruption des communications pendant l'hiver. L'*audientia plenior* où fut constatée la carence de Célestius dut avoir lieu au printemps 418, mais la date du 15 avril, hasardée par Garnier (*P. L.*, XLVIII, 355), n'a qu'une valeur indicative (cf. Tillemont, *Mémoires*, t. XIII, n. 73). Sur l'antériorité de la sentence de Zosime par rapport au rescrit impérial et au concile de Carthage, controverse entre Quesnel, *Dissert.*, xiii, § xxiv-xxv, 980-982, et Ballerini (*P. L.*, LVI, 1025-1027). La *Tractoria*, qui n'est parvenue à la connaissance de saint Augustin qu'en septembre 418, a dû être rédigée en juin ou juillet ; mais l'excommunication officielle prononcée par Zosime doit remonter à avril-mai et a été indépendante de la résolution de Carthage du 1er mai : d'ailleurs l'opinion de Zosime était fixée dès le 21 mars (lettre : *Quamvis patrum* dans Mansi, t. IV, col. 366 ; Jaffé-Wattenbach, 342). Cf. *infra*, p. 249-250.

(5) Saint Augustin, *De gratia Christi*, II, xxiv ; Prosper, *Contra Collator.*, v. Sur le nom de *Tractoria*, cf. Baluze, dans *P. L.*, XLVIII, 90.

la grâce, — sur la nécessité pour tous d'implorer le pardon divin, — avait à jamais exclu de l'orthodoxie les thèses essentielles du pélagianisme [1]. Dix ans plus tard, Prosper, essayant de juger les événements dans la perspective de l'histoire, mettait en évidence avec emphase le rôle victorieux de l'Afrique catholique :

> Afrique, c'est toi qui poursuis avec le plus de flamme la cause de notre foi et, unie au siège apostolique qui joint son énergie à la tienne, écrasant les entrailles de la guerre, tu renverses au loin sur ton chemin les ennemis vaincus ! Ce que tu décrètes est approuvé par Rome, et suivi par l'Empire [2].

Cependant il ne faudrait pas conclure de ces lignes enthousiastes que l'Église entière s'est ralliée sans murmure et sans crise à la sentence rendue.

§ 3. — L'hérésie pélagienne. Résistance de Célestius et de Julien d'Éclane.

L'OPPOSITION A LA TRACTORIA

L'opposition pélagienne à Rome fut réduite au silence. Le clergé tout entier avait souscrit à la condamnation prononcée par Zosime et l'archidiacre Sixte, qui naguère avait marqué une certaine faveur pour les personnes de Pélage et de Célestius, s'était élevé le premier pour flétrir leurs erreurs [3]. En Afrique, les définitions de l'imposant concile des 214 évêques ôtaient toute contestation [4]. Il semble donc que l'adhésion des diverses églises à la *Tractoria* de Zosime eût dû n'être qu'une formalité facilement remplie. Mais l'emprise exercée par le parti pélagien était trop profonde pour qu'il en fût ainsi ; d'ailleurs le caractère absolu attribué par Zosime ou par les Pères africains à certains articles de doctrine, la dénomination nouvelle de « péché originel », l'affirmation intensive du secours de la grâce pouvaient inquiéter la foi traditionnelle, encore imparfaitement fixée, que l'on professait en bien des milieux ecclésiastiques d'Occident. De tout cela résulta un flottement que l'audace de Célestius, la critique et l'humeur combative du jeune évêque d'Éclane, Julien, transformèrent en un mouvement officiel de résistance. L'hérésie latente et incertaine

(1) MANSI, t. IV, col. 326 ; HEFELÈ-LECLERCQ, *Histoire des conciles*, t. II, 1re p., p. 184 et 190-196. Par suite d'une confusion qui remonte à Baronius, ces canons ont été improprement dénommés « canons de Milève » (cf. AMANN, dans *Dict. de Théolog. cathol.*, t. X, col. 1752 et suiv.) et, d'autre part, QUESNEL (*P. L.*, LVI, 973) les a attribués à l'hypothétique concile de 417. On reconnaît dans ces textes très catégoriques le désir de combler les lacunes ou les imprécisions du concile de Diospolis (cf. QUESNEL, *P. L.*, LVI, 975). L'inspiration augustinienne est particulièrement évidente dans les considérants des cinq derniers canons. On peut se demander si, dans le 3e canon, qui rejette ce que nous appelons les limbes et rend l'enfant non baptisé « participant du diable », il n'y a pas l'écho d'une tradition tertullianiste. Il est très remarquable que ce canon, non reproduit par MANSI (t. IV, col. 326-327), n'a pas été admis dans les collections romaines (les *Capitulaires* « célestiniens », c. 7, n'en tiennent pas compte dans leur numération, *P. L.*, L, 208). Cependant Gélase (*Avellana*, XCIV, 20 ; *Corpus* de Vienne, t. XXXV) a repris la théorie africaine.

(2) PROSPER, *De Ingratis*, I, 72 78.

(3) Saint AUGUSTIN, *Epist.*, CXCI et CXCIV, 1.

(4) Saint AUGUSTIN, *De gratia Christi*, II, XXIV ; POSSIDIUS, *Vita Augustini*, XVIII. Noter toute-

qui couvait dans les principes de Pélage et de Célestius éclata au grand jour et se transforma en un schisme formel [1].

LES ÉVÊQUES PÉLAGIENS Dans la lutte nouvelle et très âpre qui s'engage, on ne distingue pas l'intervention de Pélage. Trop loin en Orient, vieilli et découragé, douloureusement surpris par les condamnations qui l'atteignent et dont il ne comprend pas le motif, persuadé de son orthodoxie et peut-être pénétré d'un sentiment ancien de fidélité pour le siège de Rome, il ne semble pas qu'il ait voulu se mettre en rébellion déclarée [2]. Chassé de Palestine, condamné de nouveau à Antioche [3], il dut trouver en quelque monastère d'Égypte l'abri de ses derniers jours [4]. En tout cas, même pour ses partisans, il n'est plus que l'ombre d'un grand nom [5]. Célestius, proscrit par l'empereur mais protégé par des amis dévoués, demeure insaisissable ; il osera cependant reparaître en Italie vers 423 et à Constantinople en 429 ; fugitif ou caché, mais indomptable, c'est lui qui conseille et prolonge la révolte [6]. Mais en première ligne, au lieu de « docteurs » laïques ou de moines sans mandat, se dresse un groupe assez compact d'évêques, que n'intimident encore ni les anathèmes de Zosime, ni les sanctions d'Honorius. Parmi eux, on connaît Turbantius, Orontius, Florus et Julien. On compte dix-huit évêques pour l'Italie, mais il y eut aussi des résistances épiscopales plus ou moins prononcées en Gaule, en Bretagne, en Illyrie ; le métropolite Augustin d'Aquilée et peut-être celui de Thessalonique, Rufus, ne paraissent pas avoir désavoué le mouvement avec une conviction très vive [7].

MANIFESTE D'AQUILÉE Parmi les « tracts » et les protestations nombreuses dont les opposants inondèrent l'Italie, le texte le plus intéressant est connu sous le nom de *Manifeste d'Aqui-*

fois que le rescrit de Ravenne (10 juin 419) adressé à Aurélius (*apud* saint AUGUSTIN, *Epist.*, CCI) devait être transmis aux fins de souscription à tous les évêques de Byzacène et Arzugitane (1er août 419).

(1) Dès 417, les Pélagiens de Campanie affirmaient leur résolution de ne pas céder et de se séparer plutôt de Pélage si celui-ci reconnaissait le péché originel. Cf. Saint AUGUSTIN, *Epist.*, CLXXXVI, 29.

(2) Au début de 418, il avait essayé de négocier un rapprochement avec Augustin par l'entremise de Mélanie la Jeune et de Valérius Pinien (*De gratia Christi*, I, II).

(3) MERCATOR, *Commonit. Caelest.* (MANSI, t. IV, col. 296 ; *P. L.*, XLVIII, 101). La date du synode, présidé par Théodote d'Antioche, est incertaine ; peut-être 422.

(4) Hypothèse qui s'appuie, d'une part, sur une plainte d'Eusèbe à Cyrille d'Alexandrie (*Avellana*, XLIX, 2 ; édit. GUNTHER, p. 114, *Corpus* de Vienne, t. XXXV), et, d'autre part, sur un billet énergique d'ISIDORE DE PÉLUSE, *Epist.*, I, CCCXIV (*P. G.* LXXVIII, 363).

(5) Saint AUGUSTIN, *C. Julian.*, I, XXXVI.

(6) Rescrit impérial du 10 juin 419 (*apud* saint AUGUSTIN, *Epist.*, CCI) ; et rescrit de Constance à Volusien (janvier 421) ; PROSPER, *Contra Collat.*, XXI, 2 ; MERCATOR, *Commonit. Caelest.*

(7) Évêques de Gaule, impliqués dans le pélagianisme : constitution de Valentinien III, 9 juillet 425 (*P. L.*, XLVIII, 409) ; en Bretagne, rôle d'Agricola et mission de saint Germain d'Auxerre (PROSPER, *Chron.*, a. 429). L'Illyrie restera un foyer de pélagianisme jusqu'au temps de saint Léon (*P. L.*, LIV, 594 et 707). Allusion possible à Augustin d'Aquilée et Rufus, dans la réponse des évêques cyrilliens du concile d'Éphèse au message de Théodose (MANSI, t. IV, col. 1434).

lée[1]. C'est une apologie autant qu'une profession de foi. Ses auteurs ne retiennent rien des thèses extrêmes qui avaient scandalisé dans le pélagianisme : comme Pélage à Diospolis et Célestius à Rome, ils reconnaissent que l'on ne peut être sans péché « sans la grâce ou l'aide de Dieu » ; que les enfants ont besoin du baptême et doivent être baptisés dans les mêmes termes que les adultes. Mais leur doctrine se présente sans ambages au sujet des limites de la grâce, qui doit laisser un champ total au libre arbitre, et surtout au sujet de la nature humaine dont ils proclament la bonté essentielle. Liant le fait de la création divine de l'être humain à l'appréciation de sa nature foncière, ils déclarent que cette nature est, naît et subsiste intacte, et ils rejettent toute hérédité morale. Cette affirmation positive est d'ailleurs soulignée par une réprobation très vive des thèses qu'ils imputent à leurs contradicteurs : pour eux, la croyance à ce qu'ils appellent un « péché de nature » comporterait une atteinte nécessaire à la sainteté du mariage. L'idée du péché originel leur paraît inséparable du traducianisme ; elle associe une participation diabolique à l'acte de la génération humaine ; elle est à ce titre une hérésie manichéenne.

Les auteurs de la lettre refusaient de s'associer à l'excommunication de gens que l'on avait condamnés par absence et, dans une conclusion arrogante, ils se disaient prêts à faire appel à un concile plénier. On voit dans quel sens allait évoluer maintenant le conflit pélagien. L'*impeccantia* n'est presque plus en cause, et, si l'on met toujours bien en lumière l'idée du libre arbitre et celle de la « bonté » de la création, l'intérêt de la lettre se concentre sur une conception, d'ailleurs aggravée et faussée, du péché originel. Le manichéisme sera désormais l'accusation que les Pélagiens jetteront à tout propos à la face de leurs adversaires.

LA POLÉMIQUE DE JULIEN

Aucune injure ne reviendra plus fréquemment sous la plume de Julien d'Éclane. Ce n'est pas qu'il ait été en cette période, comme peut-être il aurait voulu le faire croire, « l'unique défenseur de la vérité trahie[2] ». Il avait à ses côtés Turbantius et Florus, dont nous ignorons les actes et les écrits, Anianus, qui, liant les doctrines de Pélage à celles du christianisme hellénique, jeta dans la controverse le renfort de ses traductions, d'ailleurs très belles, de saint Jean Chrysostome[3] ; en Orient, Théodore de Mopsueste, polygraphe érudit plutôt que penseur original, écrivit un ouvrage qui visait à la fois Jérôme et Augustin[4].

(1) Document retrouvé par Sirmond et publié dans *P. L.*, XLVIII, 509-526. L'*explicit* énigmatique de ce texte : *libellus fidei SIC* n'a pu être expliqué.
(2) Saint Augustin, *Contra Julianum*, I, xxxvi.
(3) Voir sa *Préface* à Orontius, dans *P. G.*, LVIII, 974-977.
(4) Mercator, *Refutatio Symboli Th. Mops.*, dans *P. L.*, XLVIII, 213 et suiv. ; Photius, *Biblioth.*, clxxvii. Cf. Théodore de Mopsueste, édit. Swete, Cambridge, t. II, 1882, p. 332-337.

Mais c'est à Julien que revint la tâche principale de la polémique [1]. Il semble avoir commencé à jouer un rôle tumultueux à Rome, dans cet hiver 417-418 où se décida le sort de Célestius ; toutefois ce n'est qu'après la *Tractoria* qu'il assuma la première place parmi les protestataires. Il écrivit deux lettres au pape Zosime et une requête au comte Valérius, et Mercator nous a dit l'impression que produisit en Italie l'une de ces lettres [2]. Nous connaissons surtout la longue et confuse épître qu'il adressa au métropolite de Thessalonique, Rufus [3], pour se plaindre de ce qu'il appelle la prévarication du clergé romain et pour réclamer, en lieu et place d'adhésions individuelles « arrachées à l'ignorance des évêques », la convocation d'un concile général [4]. Sous une forme frappante, il avait eu l'idée de définir en cinq thèses les principes qu'il déclarait défendre, à savoir l'honneur du Créateur, l'honneur du mariage, l'honneur de la Loi ancienne, celui du libre arbitre et celui des Saints [5].

Ce sont des slogans mal enchaînés plutôt que des principes ; Julien se livre à d'incessantes répétitions et, bien qu'il soit très féru de logique, il s'abandonne en général aux caprices de son impétuosité brouillonne. Il a essayé cependant une fois de lier ses idées autour d'une idée centrale, dans le très long *Traité* en quatre livres (dédié à Turbantius) qu'il avait consacré à la réfutation du *De nuptiis* de saint Augustin et dont ses amis, le jugeant trop long, avaient pris sur eux de faire un résumé [6]. L'attaque, à laquelle prêtait d'ailleurs le traité augustinien, porte sur le péché originel. Toujours prolixe et véhément, Julien s'acharne contre l'idée d'une responsabilité héréditaire qui serait associée aux conditions physiologiques de la génération. L'opprobre du manichéisme plane sur toute cette polémique, à laquelle s'ajoute d'une façon assez imprévue un rappel de vieilles haines nationalistes : car, d'après Julien, c'est « la mauvaise foi carthaginoise » qui lutte contre la pureté de la foi romaine ; c'est le « disputateur punique » qui corrompt la tradition des Pères [7] :

O mon frère malheureux, Turbantius, très affectionné collègue de sacerdoce, c'est ici qu'il faut prier en unissant nos forces, pour que dans cette tempête Dieu ne tarde plus à soustraire l'Eglise catholique, épouse féconde, chaste et glorieuse de son Fils, à l'outrage des Manichéens, de ces brigands d'Afrique [8].

(1) Sur Julien, cf. A. Brueckner, *Julian von Aeclanum, sein Leben und sein Lehre*, dans *Texte und Untersuchungen*, t. XV, 3, Leipzig, 1897.

(2) Mercator, *Liber subnotationum Julian.*, dans *P. L.*, XLVIII, 140 et 146-147. L'authenticité de la première lettre réfutée par saint Augustin, dans *Contra II epistulas Pelagianorum*, et attribuée sans raison à Célestius par Garnier (*P. L.*, XLVIII, 506-508), est incertaine. Désavouée par Julien (*Opus imperf.*, I, x), elle peut cependant émaner de lui, mais a dû subir des retouches étrangères.

(3) Saint Augustin, *Contra II epist. Pelagianorum*, II, III et IV.

(4) *Ibid.*, II, v ; IV, xxxiv.

(5) *Ibid.*, IV, ii.

(6) Édit. A. Brueckner, *Die IV Bücher von J. von Ae. an Turbantius*, dans *Neue Studien zur Gesch. der Theol. und der Kirche*, VIII, Berlin, 1910).

(7) *Contra II epist. pelagianorum*, III, xxxii.

(8) *Ibid.*, III, xxxi.

Mais les événements se précipitaient ; il fallut bien vite renoncer à l'espoir d'un concile. L'autorité impériale imposait l'adhésion ou l'exil. Les évêques réfractaires furent dépossédés de leurs sièges, obligés de fuir en Orient et Julien se réfugia en Cilicie, près de Théodore de Mopsueste [1].

Dans cette retraite lointaine, Julien, infatigable, reprit sa plume. Un traité en huit livres, dédié à Florus, réfutation d'une autre réplique augustinienne (le *Contra Julianum*), réédition fastidieuse d'arguments déjà connus, fut le fruit de ses loisirs contraints [2]. Les contemporains de Julien se sont accordés à proclamer son génie et les historiens modernes ont apprécié son rôle et son talent avec une indulgence qui nous étonne. Ce fut un caractère vaniteux et un esprit superficiel qui n'a fait illusion que par le pédantisme de sa dialectique et la facilité brillante de son élocution. En prenant au sérieux une réflexion ironique d'Augustin, plusieurs lui ont fait honneur d'avoir été « l'architecte nécessaire » qui aurait parachevé la doctrine de Pélage [3], mais il est difficile de tirer un système cohérent de ses déclarations. Intellectuellement, la principale empreinte qu'il a laissée sur la philosophie et la morale pélagiennes a consisté à leur donner un tour naturaliste, qui n'était pas dans la note beaucoup plus religieuse et ascétique de Pélage et de Célestius [4]. Dans l'action pratique, il fait l'effet d'un agitateur plutôt que d'un chef ; il a harcelé l'Occident et l'Orient de ses revendications aigries, sans avoir le courage complet de ses idées, passant de la révolte à un repentir plus ou moins sincère ; à Constantinople, en 429-430, auprès de l'empereur Théodose et du patriarche Nestorius, en Italie en 439 près du vieux pape Sixte, il recommencera ses intrigues et tentera des démarches humiliantes ou violentes dans l'espoir, toujours infructueux, de récupérer son évêché d'Éclane [5].

L'ACTION ANTI-PÉLAGIENNE DE L'ÉGLISE D'AFRIQUE

La révolte des dix-huit évêques était d'autant plus grave que l'Église romaine, à la mort de Zosime (décembre 418), divisée par le schisme qui opposait Eulalius et Boniface, n'était pas en mesure d'y répondre avec autorité et énergie [6]. Même après que la légi-

(1) MERCATOR, *Refutat. Symboli Theod. Mopsuest.*, dans *P. L.*, XLVIII, 215-216.

(2) Bon résumé dans BRUECKNER, *Julian von Aeclanum* (*Texte und Untersuchungen*, t. XV), p. 49, n. 2. — Julien a d'autre part laissé une œuvre exégétique d'un certain intérêt et qui n'a été identifiée que récemment : commentaire sur Osée, Joël et Amos (pseudo-RUFIN, *P. L.*, XXI, 959-1104 ; G. MORIN, *Revue bénédictine*, t. XXX, 1913, p. 1-25) ; commentaire sur les psaumes (édit. G. J. ASCOLI, Turin, 1878) ; commentaire sur Job (édit. A. VACCARI, *Spicilegium Casinense*, t. I, p. 333-417). Cf. A. D'ALÈS, *Rech. de Sciences religieuses*, t. VI, 1916, p. 311-324.

(3) Saint AUGUSTIN, *Contra Julianum*, VI, XXXVI.

(4) F. KLASEN, *Die innere Entwickelung des Pelagianismus*, Fribourg-en-Br., 1882, p. 76-78 et 259-262 ; HARNACK, *Dogmengesch.*, t. III, p. 176.

(5) Lettres de Nestorius au pape Célestin (MANSI, t. IV, col. 1021-1023 ; *P. L.*, XLVIII, 175-179 ; PROSPER, *Chron.*, a. 439 ; [QUODVULTDEUS], *De promissionibus Dei*, IV, VI). Cf. H. VON SCHUBERT, *Der sogenannte Praedestinatus* (*Texte und Untersuchungen*, t. XXIV, 4), p. 118 et suiv.

(6) Saint AUGUSTIN, *Contra Julianum*, VI, XXXVIII.

timité de son élection eut été reconnue, Boniface, qui s'en tenait d'ailleurs à la sentence de ses prédécesseurs, ne se risqua pas en de nouvelles interventions et, comme si l'affaire pélagienne eût été désormais du ressort politique, il se borna à laisser agir le pouvoir temporel [1]. Des sanctions sévères furent ainsi prises ou renouvelées par Honorius, très probablement influencé par sa sœur Placidie [2]. Mais il fallait une autorité catholique pour stimuler le zèle des hommes d'État et pour assurer au gouvernement la direction morale et doctrinale qui lui était nécessaire. De 418 à 423, cette mission de vigilance fut encore remplie par l'épiscopat d'Afrique. En 418 nous voyons Alypius et Augustin se préoccuper d'affermir le ralliement de Sixte, approuver son orthodoxie et encourager son action [3] ; mais c'est auprès de la Cour de Ravenne que l'on déploie les plus grands efforts : mission de Vindémial en 418, d'Alypius en 419. Des démarches pressantes, accompagnées de dons généreux, sont menées avec succès auprès du ministre Valérius. Celui-ci était d'ailleurs très lié avec saint Augustin. On peut lui attribuer le refus opposé par l'Empire aux revendications des protestataires, les ordres formels de souscription qui furent envoyés dans les provinces et les mesures de coercition prises contre les évêques rebelles [5]. Les rescrits impériaux produisirent leur effet et Turbantius, avec plusieurs de ceux qui avaient d'abord repoussé l'encyclique de Zosime, la souscrivirent enfin [6].

SECONDE PHASE DE LA POLÉMIQUE AUGUSTINIENNE

Mais la répression gouvernementale n'était qu'un acte de force. Il fallait aussi opposer des raisons et des textes à l'argumentation toujours fertile des Pélagiens. Augustin n'a pas été en face de Julien le seul défenseur du dogme, car il y eut, en 418, une campagne de propagande catholique dans laquelle intervinrent, sinon Jérôme trop âgé maintenant, du moins Riparius, Mercator, Sixte lui-même et Constance [7]. Mais cette littérature polémique, souvent improvisée, est perdue pour nous ; il ne nous reste que l'œuvre, d'ailleurs considérable, de saint Augustin [8]. Par la nécessité de répondre aux critiques de Julien et par

(1) PROSPER, *Contra Collator.*, XXI, 1. Cf. saint JÉRÔME, *Epist.*, CLIV.
(2) Édit du 9 juin 419 *apud* saint AUGUSTIN, *Epist.*, CCI ; MANSI, t. IV, col. 446.
(3) Saint AUGUSTIN, *Epist.*, CXCI et CXCIV.
(4) Saint AUGUSTIN, *Contra II epistulas Pelag.*, I, I ; *Opus imperf.*, I, XLII ; III, XXXV.
(5) Saint AUGUSTIN, *De nuptiis et concupiscentia*, I, II ; II, I ; *Opus imperf.*, II, XIV.
(6) POSSIDIUS, *Vita August.*, XVIII. Soumission de Turbantius (saint AUGUSTIN, *Opus imperf* I, I). C'est seulement à Pâques 421 que Paulin de Pella fit son abjuration : cf. *Eucharisticos*, 475 (*Corpus* de Vienne, t. XVI, p. 308).
(7) Saint JÉRÔME, *Epist.*, CXXXVIII, CLII et CLIV, 3 ; saint AUGUSTIN, *Epist.*, CXCI (Sixte) et CXCIII (Mercator). Sur Constance, cf. « *Praedestinatus* », I, LXXXVIII.
(8) Ces œuvres sont : *De nuptiis et concupiscentia*, I (419) ; II (420) ; *Contra II Epist. Pelagianorum*, IV (420) ; *Contra Julianum*, VI (421) ; *De gratia et libero arbitrio* ; *De correptione et gratia* (vers 426-427) ; Lettre à Vitalis, *Epist.*, CCXVII ; *De praedestinatione sanctorum* ; *De dono perseverantiae* (428 ou 429) ; *Contra secundam Juliani responsionem opus imperfectum*, *VI L.* (428-430). Publiés dans MIGNE, *P. L.*, XLIV ; une édition annoncée dans le *Corpus* de Vienne (section VIII) et préparée par ZYCHA et E. KALINKA n'a pas encore été publiée. Cependant *Contra II Epist. Pelag.*, figure dans le t. LX, et la Lettre à Vitalis dans le t. LVII.

l'approfondissement incessant de ses propres doctrines, sa production polémique et théologique s'est développée surtout en deux directions : le problème du péché originel et celui de la grâce.

CONTROVERSE AVEC JULIEN
LE PÉCHÉ ORIGINEL

Dans ses deux grandes réfutations, dont la seconde est restée inachevée [1], Augustin, relevant avec une inlassable et minutieuse patience et discutant phrase à phrase les arguments de Julien, s'est cru obligé de faire une réponse aux objections les plus bizarres. Le résultat positif qui ressort de ces discussions subtiles et obscures est de mieux délimiter les conditions physiques et les consécutions du péché originel. La difficulté consistait à concilier le caractère sacramentel et la sainteté du mariage avec le fait réel et actuel d'une tare physique et morale, sans que l'existence et la transmission de cette tare physique impliquassent une conception manichéiste de la chair et de la génération, et sans que la succession héréditaire d'une pénalité pût contrevenir à la justice de Dieu [2]. En insistant sur le caractère indestructible et funeste de la concupiscence, Augustin ne produit pas au fond une théorie du péché originel sensiblement différente de celle qu'il avait exposée en 397 dans son traité à Simplicien [3] ; mais il donne une représentation beaucoup plus sombre de la nature déchue et de la corruption foncière qui subsisterait en dépit du baptême et de la rédemption. Augustin a reproché à Julien de s'être fait « le panégyriste de l'instinct » ; mais n'aurait-il pas lui-même été par contraste le détracteur trop absolu de la nature humaine [4] ?

THÉORIE DE LA GRACE
LA GRACE ET LA PRIÈRE

C'est dans les traités ou lettres qui appartiennent aux quatre dernières années de la vie d'Augustin que nous trouvons aussi l'expression la plus intransigeante de sa doctrine sur la grâce [5].

Il avait toujours proclamé l'intervention de la grâce en chacune de nos bonnes actions, mais c'est probablement dans les douze points de la *Lettre à Vitalis* que l'on trouverait l'exposé le plus précis de ses idées

(1) *Contra Julianum haeresis pelagianae defensorem*, VI ; *Contra secundam Juliani responsionem Opus imperfectum*, VI.

(2) *Contra Julianum*, V et VI, et *passim*.

(3) *Ibid.*, VI, XXXIX et LXX. Cf. T. SALGUEIRO, *La doctrine de saint Augustin sur la grâce, d'après le traité à Simplicien*, Strasbourg, 1925.

(4) *De nuptiis*, I, XL ; *Contra Julianum*, V, XLII. — La question de l'origine de l'âme et ses rapports avec la doctrine du péché originel — que les Pélagiens affirmaient inséparable du traducianisme — donna lieu à une controverse très vive dans le clergé de Milève (saint AUGUSTIN, *Ep.*, CCII). Les frères de Césarée et une fraction considérable du clergé de Milève étaient partisans d'un traducianisme brutal (*Ibid.*, 7) ; Optat se prononçait pour le créationisme (8 et 12), et Augustin, sans pouvoir se décider formellement, inclinait plutôt pour un traducianisme relatif (13-14) ou, si l'on préfère, un créationisme indirect.

(5) L'élément polémique n'est d'ailleurs pas absent de ces traités ; deux d'entre eux ont été suggérés par des conflits qui s'étaient élevés au monastère d'Hadrumète. Cf. *infra*, p. 118, n. 5.

sur la relation des mérites personnels avec la grâce divine, ou, plus exactement, sur l'indépendance souveraine, à l'égard de nos mérites, de la grâce miséricordieuse [1]. Sans craindre de heurter des conceptions trop rationnelles, « pélagiennes », dit-il, sur la corrélation de nos mérites et de nos récompenses, Augustin accepte humblement le jugement mystérieux et infaillible de Dieu : mais ce n'est pas le fatalisme. Il a le sentiment très vif de la communion des prières et des mérites ; nous avons raison de prier pour la conversion d'autrui, car nos prières peuvent influencer réellement la clémence divine [2]. Il y a donc une certaine contingence dans la théorie de la grâce. Augustin défend avec chaleur la sincérité des prières de l'Église, et ici l'impulsion spontanée de sa piété assouplit la rigidité de sa théologie.

DON DE PERSÉVÉRANCE LA PRÉDESTINATION

Dans deux traités relatifs à des incidents qui s'étaient produits au monastère d'Hadrumète ou dans les deux livres *De la prédestination des Saints*, adressés à Prosper, Augustin se détache des modalités particulières de la grâce pour envisager surtout le problème total de la destinée [3]. Faisant de plus en plus absorbante la part de l'action divine dans l'œuvre de notre salut, Augustin avait successivement attribué à la grâce — prévenante et sanctifiante — non seulement la cause de notre foi et de notre charité (dilection), non seulement une part prépondérante en chacune de nos initiatives bonnes, mais encore, sinon à proprement dire notre volonté, du moins l'actualisation de nos volontés et notre force de bien faire. Au lieu d'opposer la grâce à la liberté, il voit dans cette dernière un effet de la grâce : *Où souffle l'esprit du Seigneur, là est la liberté* (*II Cor.* IV, 17). Car la vraie liberté ne consiste pas dans le choix possible entre le bien et le mal, mais dans le choix volontaire et l'exécution réelle du bien. Augustin n'annihile pas la volonté ; mais il professe que celle-ci ne peut être efficacement bonne et libre que si elle est vivifiée par la grâce [4].

Cette doctrine qui infusait jusqu'au plus intime de notre activité l'action universelle de Dieu et en reconnaissait l'effet en tous nos actes s'harmonisait bien avec l'ensemble de la métaphysique augustinienne, et la théologie catholique, qui déjà s'y montrait favorable par les lettres d'Innocent, allait assez vite en assimiler les principes [5]. Mais en somme tous ces dons et ces mérites se trouvent résumés et ratifiés dans le don

(1) Saint AUGUSTIN, *Epist.*, CCXVII, 12-15 (souveraineté de la grâce), 16 (liste des 12 propositions).
(2) *Ibid.*, VI et VII.
(3) Saint AUGUSTIN, *De gratia et libero arbitrio* : *De correptione et gratia.*
(4) Saint AUGUSTIN, *De spiritu et littera* (écrit en 412), XXVIII et LVIII-LX. Lettre à Vitalis, *Epist.*, CCXVII, 8. Cf. E. GILSON, *Introduction à l'étude de saint Augustin*, p. 198-210.
(5) INNOCENT, *apud* saint AUGUSTIN, *Epist.*, CLXXXI, 5-6.

final de persévérance : « *Celui qui persévérera jusqu'à la fin sera sauvé* ». Le paradoxe d'Augustin fut de vouloir faire de cette dernière grâce, en dehors de toute coopération utile de notre volonté, un don exclusif de Dieu. Or, s'il en est ainsi, tout le profit de nos actes bons est vain ou très aléatoire. « A quoi bon s'efforcer ? disait-on ; nous n'avons pas reçu la persévérance... »[1] ; mais Augustin nous met devant le fait de la prédestination : « La prédestination des saints n'est autre chose que la connaissance anticipée (*praescientia*) et la disposition préalable (*praeparatio*) des bienfaits de Dieu pour délivrer infailliblement tous ceux qui sont délivrés »[2]. Il n'en est pas moins vrai que cette « disposition préalable » des bienfaits de Dieu, toujours décisive, ne vaut qu'à l'égard de ceux qui ont été choisis ; les autres restent « dans la masse de perdition ». Sans s'émouvoir des critiques, Augustin a toujours soutenu que la prédestination était un acte gratuit [3] dont Dieu, dans sa justice mystérieuse, n'avait à rendre compte à personne :

Dieu a fait les vases de colère pour leur perdition, afin de faire paraître sa colère et de montrer sa puissance par l'utilité qu'il tire même des méchants, et pour que l'on connaisse les trésors de sa gloire envers les objets de sa miséricorde [4].

L'OPPOSITION CONTRE L'AUGUSTINISME Ces conséquences implacables suscitèrent des manifestations de surprise, sinon de scandale. Dans le propre diocèse d'Augustin, l'effervescence des moines d'Hadrumète fut telle qu'elle engendra une sorte de mutinerie, et l'évêque voisin Evodius dut même intervenir [5]. En Gaule, l'émotion ne fut pas moins profonde.

Les moines de Marseille, groupés et instruits par Cassien, n'étaient pas seuls à émettre des réserves graves ; le nouvel évêque d'Arles, Hilaire, qui pourtant ne nourrissait aucune prévention personnelle contre saint Augustin, aurait souhaité des éclaircissements [6]. L'impression générale était que la « nouvelle » doctrine d'Augustin détruisait pratiquement tout effort de notre volonté [7] ; c'était, ajoutera-t-on bientôt, lorsque l'attention se sera concentrée sur certaines formules isolées et particulièrement absolues, la ruine complète du libre arbitre et le retour au

(1) Saint AUGUSTIN, *De correptione*, XI ; *De praedest. sanct.*, II, XXXVIII. Augustin voulait établir que la valeur *surnaturelle* de nos actes était d'ordre purement divin et qu'elle se situait sur un autre plan que le plan éthique ou sociologique. Il ne s'ensuit pas que les actions naturellement bonnes et les vertus sociales ou ascétiques soient, pour autant, déconseillées ni que la volonté de chacun ne puisse être influencée que par la grâce et non par les conseils ou les reproches d'autrui (*Retr.*, II, LXVII). Cf. lettre d'Hilaire, *Epist.*, CCXXVI, 5.

(2) *De praedest. sanct.*, II, XXXV.

(3) Lettre à Vitalis, *Epist.*, CCXVII, 15 ; *De corrept.*, XVIII.

(4) Ce texte de la lettre à Sixte (*Epist.*, CXCIV, 30) se trouve à l'origine de toutes les controverses ultérieures.

(5) Sur les incidents d'Hadrumète (Pâques 426 ou 427), lettre de Valentin à saint Augustin (*apud* saint AUGUSTIN, *Epist.*, CCXVI, 3), et lettres d'Augustin et d'Évodius (Cf. Dom G. MORIN, *Revue bénédictine*, 1896, p. 481-486 ; 1901, p. 241-256).

(6) PROSPER (*apud* saint AUGUSTIN, *Epist.*, CCXXV, 2 et 9 ; cf. lettre d'Hilaire, *Epist.*, CCXXVI, 5).

(7) PROSPER, *ibid.*, 3.

fatalisme manichéen, à la théorie des « deux masses » de nature contraire et prédestinées invinciblement, l'une au bien, l'autre au mal [1]. L'opposition qui se dessine ainsi contre Augustin est généralement respectueuse ; elle évite d'attaquer au terme d'une carrière glorieuse un des grands esprits qui illustrent l'Église. Mais, si les amis de Cassien admettaient loyalement le fait de la faute originelle et la nécessité du baptême, et l'existence d'un secours surnaturel indispensable, ils estimaient qu'il fallait sauvegarder l'intégrité du libre arbitre et, dans une certaine mesure qui n'excluait pas la grâce, la valeur propre de nos mérites [2]. Cette interprétation modérée, mitigée de la grâce, qui s'opposait à la conception totalitaire d'Augustin, a pu dans la suite être jugée défectueuse au point de vue absolu de la théologie, mais elle était, dans son inspiration première, dictée par le sentiment très compréhensible d'un minimum de liberté pratique, indispensable à la moralité de nos actes.

LA DERNIÈRE PHASE DU PÉLAGIANISME Malheureusement la clause d'exception formulée en faveur du libre arbitre par le monachisme gaulois coïncidait avec la plus récente attitude doctrinale des Pélagiens. Un grand nombre d'entre eux avaient fini par céder ; en 425, une Constitution, prise au nom de Valentinien III par l'impératrice Placidie, avait imposé aux évêques dissidents de Gaule de faire leurs rétractations entre les mains de Patrocle [3] ; l'action vigoureuse du pape Célestin avait rendu intenable en Occident la situation des réfractaires [4]. Si quelques-uns d'entre eux, avec Célestius, avaient pu reprendre pied en Italie en 423 (sans doute à la faveur des troubles politiques dus à l'usurpation de Jean), ils furent obligés une fois encore de chercher refuge en Orient [5]. Or, que disaient-ils maintenant ?

Chassés du monde entier, ne rencontrant accueil en nul séjour, errants, nous sommes revenus, confiants dans la renommée. Nous acceptons tout ce que vous croyez... Si vous croyez que l'homme a été créé immortel, nous le croyons aussi, et qu'il est tombé dans la Mort par le péché, entraînant toute sa descendance dans la faute et le trépas. Il n'est personne qui n'ait besoin du baptême sacré du Christ et les enfants même doivent être purifiés par les eaux de ce bain ; à condition que le privilège de notre volonté, cette lumière créée à l'origine, qui subsiste par soi dans les cœurs droits, soit demeurée intacte et qu'elle ait gardé toutes les forces que la nature humaine, dans sa généralité, a reçues en Adam de Dieu son créateur. Que nul ne se plaigne du manque des forces de sa volonté : sans aucune distinction, aussi bien que la Loi, la

(1) PROSPER, *Lettre à Rufin*, 3.
(2) Lettre d'Hilaire à saint Augustin (*apud* saint AUGUSTIN, *Epist.*, CCXXVI, 2-5)
(3) Cf. *supra*, p. 111, n. 7.
(4) Cf. PROSPER, *Contra Collator.*, XXI, 2. Cf. lettre de Célestin à Nestorius, 11 août 430 (MANSI, t. IV, col. 1026).
(5) La réaction anti-pélagienne en Orient (concile d'Antioche, concile de Cilicie, MERCATOR, *Refut. Symboli Theod. Mops.*) paraît s'être manifestée vers 422-425 et coïncide peut-être avec le séjour de Placidie à Constantinople. Bien que GARNIER ait soutenu le contraire (*Dissert.*, III, 20, dans *P. L.*, XLVIII, 414), il ne semble pas que les empereurs d'Orient aient pris des mesures législatives spéciales. L'édit de Théodose le Jeune, 30 mai 428 (*Cod. Theodos.*, XVI, v, 65), qui règle le statut des sectes dissidentes, ne fait pas mention des Pélagiens.

Grâce du Christ veut sauver tous les hommes, et le don de son appel est offert de telle sorte qu'il n'est personne qui ne puisse y répondre par sa liberté et son énergie personnelle. La source du salut pour ceux qui en sont dignes se trouve en leur vouloir [1].

ÉCHEC DES PÉLAGIENS EN ORIENT LE CONCILE D'ÉPHÈSE

Ainsi la défense du libre arbitre était, s'il faut en croire Prosper, la position de repli des Pélagiens et, en effet, par ailleurs, ils ne soulevaient plus de contestation doctrinale. Arrivés à Constantinople en 429, Florus et Julien sollicitaient seulement — avec force larmes — leur réintégration dans l'Église [2]. Inspirés par Célestius, ils eurent la maladresse de se compromettre avec Nestorius. Lorsque le concile général qu'ils appelaient de leurs vœux depuis treize ans se réunit à Éphèse, ils n'étaient plus qu'une minorité de protestataires discrédités. Les deux cents évêques qui se groupaient aux côtés de Cyrille confirmèrent d'une manière officielle au pape Célestin qu'ils ratifiaient tout ce que celui-ci avait décidé en ce qui concernait « la déposition des Pélagiens et Célestiens impies : Pélage, Célestius, Julien, Persidius, Florus, Marcellin, Orontius et leurs partisans » (Lettre synodale du 22 juillet 431) [3].

L'hérésie tombait enfin, comme l'avait désiré Célestin, « sous les coups unis de l'Occident et de l'Orient » [4]. Il n'est plus fait mention de Célestius après cette date ; Florus et Julien s'épuiseront sept ou huit ans plus tard en d'inutiles efforts [5]. Seule subsistera, difficile à démasquer, très longue à détruire, une opposition clandestine dont on saisit des manifestations éparses pendant tout le cours du ve siècle, jusque sous le pontificat de Gélase [6].

§ 4. — La consolidation du dogme catholique.

MORT D'AURÉLIUS ET DE SAINT AUGUSTIN

Ni Aurélius, mort le 20 juillet 430, ni Augustin, mort le 28 août de la même année, n'eurent connaissance des événements d'Éphèse. Le pontife de Carthage et le docteur d'Hippone avaient pendant près

(1) Prosper, *De Ingratis*, I, 149-169.
(2) Lettre de Nestorius à Célestin (Mansi, t. IV, col. 1021-1023 ; *P. L.*, XLVIII, 174 et 178).
(3) Mansi, t. IV, col. 1338 ; Schwartz, *Act. Conc. Ephes.*, t. I, iii, p. 9.
(4) Lettre de Célestin, Mansi, t. IV, col. 1026 (11 août 430) ; cf. lettre du 15 mars 432 (Mansi, t. V, col. 269).
(5) Cf. *supra*, p. 114, n. 5.
(6) « Praedestinatus », I, 88. Lettres de saint Léon aux évêques d'Aquilée (*Epist.*, i, ii et xviii). En dépit de la dissertation des Ballerini (*P. L.*, LIV, 582-592), il n'est pas sûr que les lettres i et ii remontent au temps de l'épiscopat d'Augustin d'Aquilée et soient séparées par un long intervalle de la lettre à Janvier (*Epist.*, xviii), écrite en 447 ; les trois lettres semblent se rapporter aux mêmes faits. Lettre de Gélase aux évêques du Picénum (*P. L.* LIX ; *Avellana*, xciv). Sur l'activité du « crypto-pélagianisme », excellent travail de H. von Schubert, *Der sogenn. Prädestinatus*, Leipzig, 1903 (*Texte und Untersuchungen*, t. XXIV, iv), p. 80 et suiv., 128-129. Survivances en Grande-Bretagne : seconde mission de saint Germain d'Auxerre et de Sévère de Trèves (*Vita S. Germani*, ii, 25). Cf. W. Levinson, dans *Neues Archiv der Gesell. f. ältere deutsche Geschicht K.*, t. XXIX, 1903, p. 127. Des traces sporadiques ont subsisté dans le pays de Galles pendant le vi[e] siècle : concile de Brévi, en 519 ou

de trente-cinq ans poursuivi la même tâche sans que, à notre connaissance, aucun désaccord ait jamais affaibli leur entente. Aurélius fut, dans une métropole illustre, un grand administrateur dont l'énergie se doublait de prudence, le ferme défenseur de l'unité catholique, des droits de son siège et des croyances anciennes. Ce successeur de saint Cyprien représentait une force vénérable et incarnait pour ainsi dire le magistère de l'Église. Mais Augustin, lui-même secondé par l'expérience avisée d'Alypius, mit au service de cette force, avec un dévouement sans défaillance, les incomparables ressources de son intelligence, le prestige de son talent et les trésors d'une science théologique qu'il s'efforçait de rendre de plus en plus sûre, de plus en plus profonde. En parfait accord, ils avaient coopéré contre le donatisme, lutté contre les Pélagiens. Ils connurent au terme de leur carrière la douleur commune de voir leur province atrocement ravagée et l'angoisse plus cruelle encore de pressentir l'effondrement imminent de tout ce que le catholicisme avait fondé en Afrique. La ruine d'édifices périssables ni même la mort des êtres mortels n'étaient pas pour étonner Augustin ; mais la pensée des profanations et des apostasies, l'appréhension de voir régner l'hérésie des Ariens lui étaient affreuses[1].

Irrémédiablement perdue par la faute de son gouverneur rebelle et maladroit, le comte Boniface, l'Afrique était depuis 427 le champ de bataille des Romains et des Vandales. Au printemps de 430, Hippone fut assiégée par les troupes du roi Genséric. Augustin, qui succomba le troisième mois du siège, ne connut pas comme ses compatriotes la joie trompeuse d'une délivrance temporaire, ni plus tard les horreurs de l'occupation barbare. Il n'approuvait pas les pasteurs qui voulaient s'enfuir ; car, disait-il, « celui qui ne fuit pas devant l'ennemi victorieux, alors qu'il le pourrait, afin de ne pas déserter le ministère du Christ, sans lequel les hommes ne peuvent ni devenir ni vivre chrétiens, celui-là tire un fruit plus grand de sa charité » [2]. Pour lui, il a rempli jusqu'à la limite suprême de ses forces le ministère du Christ.

LE DOGME CATHOLIQUE DEVANT LES PROBLÈMES DE LA GRACE

De l'empreinte marquée par les grands évêques africains sur le développement du dogme, du puissant effort doctrinal d'Augustin que fallait-il penser ? Les lettres d'Innocent, l'approbation officielle des canons de Carthage dans la *Tractoria* de Zosime, les initiatives et les interventions du pape Célestin contre les Pélagiens montrent d'une manière éclatante que Rome reconnaissait dans les définitions affirmées par l'Église d'Afrique l'expression de l'orthodoxie.

569 (MANSI, t. VIII, col. 581-582 ; HADDAN et STUBBS, *Councils...*, I, p. 117, n. *b*.). En Irlande, textes très incertains : F. LOOFS, *De antiqua Britonum Scotorumque ecclesia*, Leipzig, 1882, p. 10 ; on ne peut s'en rapporter sur ce point à ZIMMER, *Pelagius in Irland*, Berlin, 1901, p. 21-23.

(1) POSSIDIUS, *Vita Augustini*, XXVIII.

(2) *Ibid.*, XXX.

Cependant d'antiques principes de foi sur lesquels on avait vécu sans les approfondir étaient présentés dans une lumière nouvelle, et le déroulement de leurs conséquences soulevait des problèmes imprévus. Tout le monde était d'accord sur la réalité d'un secours surnaturel et nécessaire, et tous admettaient l'existence d'une responsabilité héritée d'Adam, entraînant la mort et la privation du salut éternel, mais effacée par le baptême. Les points qui restaient à préciser et sur lesquels s'exerça particulièrement la critique de ceux qu'on devait appeler les « semi-Pélagiens » sont les suivants :

1° *Libre arbitre.* — Le péché originel a-t-il laissé complètement intacte ou a-t-il complètement faussé notre volonté ? Ou l'a-t-il seulement diminuée et dans quelle mesure [1] ?

2° *Initiative.* — Dans la coopération du libre arbitre et de la grâce, quelle est la part du libre arbitre ? En particulier dans l'acte initial de la foi, dans l'accomplissement de toute œuvre bonne, s'il est admis que la réalisation ne peut se produire qu'avec l'aide de Dieu, la première intention ou la première ébauche, même impuissante, ne peut-elle du moins provenir de notre inspiration [2] ?

3° *Proportionnalité de la grâce.* — La grâce qui nous soutient et qui nous sauve nous est-elle accordée ou retirée à la discrétion absolue de Dieu ? Son accroissement ou son retrait correspondent-ils à nos propres efforts [3] ?

4° *Prédestination.* — Dieu a-t-il fixé d'une façon immuable le destin des élus et des réprouvés, en attribuant aux premiers, quelles que soient leurs œuvres, le bienfait inaliénable de la persévérance [4] ?

5° *Universalité du salut.* — Dieu « qui veut que tous les hommes soient sauvés » a-t-il fixé un nombre défini, et probablement restreint, de prédestinés, ou sa « vocation » s'adresse-t-elle vraiment à tous les hommes ? A-t-il limité dans sa prescience le nombre des élus [5] ?

Sur ces divers points, l'augustinisme apportait ou suggérait des réponses qui pouvaient paraître inquiétantes ou inacceptables. Il fallait, en dissipant certaines préventions, familiariser les esprits avec les conclusions acquises ; il fallait également, avant d'incorporer certaines formules dans l'ensemble des vérités traditionnelles, en contrôler ou en réduire la portée. Un double travail de défense et d'éclaircissement, d'une part, de mise au point, d'autre part, s'imposait. Cette tâche se prolongera pendant près d'un siècle, jusqu'au concile d'Orange. Deux hommes surtout y participèrent : Prosper d'Aquitaine et saint Léon.

(1) Saint AUGUSTIN, *De spiritu et littera*, LVIII ; *Epist.*, CCXVII, 8 (lettre à Vitalis).
(2) *Epist.*, CCXVII, 1 et 2 ; *De praedest. sanct.*, I. Cf. PROSPER, lettre à Rufin, c. 6, et CASSIEN, *Collat.*, XIII, XI.
(3) *De corrept.*, XVIII ; *De praedest.*, I, III ; II, XXXI, XL et LXVII.
(4) *Epist.*, CXCIV, 30 ; lettre d'Hilaire à Augustin (*Epist.*, CCXXVI, 5).
(5) Lettre de PROSPER à Rufin, 11.

PROSPER D'AQUITAINE

Ce jeune clerc de Gaule, intelligent et enthousiaste, avait voué son talent à la cause d'Augustin [1]. En 429, bien qu'il ne connût pas personnellement le grand évêque, il lui avait communiqué les critiques dont il avait recueilli l'écho près des moines de Marseille et, d'accord avec Hilaire, avait sollicité la réponse qui fut le livre *De la prédestination des Saints* [2]. En 430, alarmé des lacunes ou des réserves qu'il trouve inadmissibles dans la doctrine de certains contradicteurs, il compose contre les « sans-grâce » son poème des *Ingrats*, pour établir la connivence au moins intellectuelle avec les Pélagiens de ceux qui maintiennent la notion intégrale du libre arbitre et d'une proportionnalité de la grâce par rapport aux mérites [3].

Après la mort d'Augustin, il travaille sans relâche à justifier sa doctrine. Il explique ou corrige les textes, parfois tronqués ou falsifiés, qu'on lui propose, dégage le sens satisfaisant ou indiscutable de certaines formules [4]. Il avait pour la personne et la doctrine d'Augustin un culte trop fervent, une admiration trop complète pour rester objectif. Il s'est montré sévère et injuste pour tous ceux qui se sont permis de critiquer son maître, « le patron de la foi » et il s'adressa directement à Rome pour que le pape Célestin imposât silence aux malveillants [5]. Il réfuta avec colère les objections de Vincent et mena contre Cassien une polémique très dure. Mais cette partialité atteste une conviction sincère [6]. C'est d'ailleurs un excellent écrivain au talent souple, discret et persuasif. Sa lettre à Rufin est un exposé tout à fait remarquable de l'augustinisme [7]. Il est peu d'auteurs qui aient su s'exprimer avec tant d'aisance sur les problèmes les plus épineux et présenter des solutions en apparence aussi simples et intelligibles. Cependant les thèses et les interprétations de Prosper n'ont pas toujours été identiques. De plus en plus, il a atténué ce qu'il y avait de choquant dans les théories de la prédestination et du don de persévérance : « La grâce de Dieu n'a jamais quitté (ceux qui défaillent) avant qu'ils n'aient eux-mêmes quitté Dieu » [8].

LA DOCTRINE DE ROME

On doit attribuer cette évolution sensible de la pensée prospérienne à l'influence romaine. Lorsque les mesures de rigueur contre les Pélagiens eurent produit leur effet, on sentit le besoin de procéder à une œuvre de clarté et de conci-

(1) *Œuvres*, édit. Sirmond, dans *P. L.*, LI ; O. Bardenhever, *Gesch. der altkirchl. Literatur*, t. IV (2e édit., 1924), p. 533-540 ; Valentin, *Saint Prosper d'Aquitaine*, Toulouse, 1900.
(2) *Apud* saint Augustin, *Epist.*, ccxxv-ccxxvi.
(3) *P. L.*, LI, 91-148.
(4) *Réponses aux extraits proposés par des prêtres de Gênes* [ou d'Agen], dans *P. L.*, LI, 187-200 ; *Réponses aux chapitres des Gaulois*, *ibid.*, 155-173.
(5) Lettre de Célestin, *Epist.*, xxi, 1.
(6) *Réponses en faveur d'Augustin aux objections des « Vincentiens »*, dans *P. L.*, LI, 177-186 ; *Contre « le Conférencier »* [*Collatorem*], *ibid.*, 213-274.
(7) *P. L.*, LI, 77-90.
(8) *Réponses aux Gaulois*, II, 7. Bien que cette formule, qui sera plus tard ratifiée au concile

liation. On voulut poursuivre la définition du dogme de la grâce tout en écartant des théories qui risquaient de heurter certaines intelligences; on s'appliqua à faciliter l'accommodation de l'augustinisme dans le cadre traditionnel du dogme catholique. Cette tâche s'est effectuée surtout sous les pontificats de Sixte et de Léon, de 432 à 460. Plusieurs écrits nous en ont gardé l'intéressant témoignage : ce sont l'*Hypomnesticon*, les *Capitulaires* dits *célestiniens* et le traité *De la Vocation des nations*.

L'HYPOMNESTICON

Le grand traité en six livres de « l'*Hypomnesticon* — nous dirions aujourd'hui *memorandum* — contre les Pélagiens et les Célestiens »[1] est, si l'on met à part les écrits d'Augustin, l'ouvrage le plus important et le plus complet qui ait été élaboré contre l'hérésie. Avec une éloquence sobre et grave, avec une grande sûreté doctrinale, l'auteur aborde successivement les théories maîtresses du pélagianisme. Aucune polémique personnelle, aucune allusion aux définitions des conciles ni aux jugements prononcés ; toute la discussion est d'ordre théologique, fondée sur le raisonnement et sur l'autorité de l'Écriture. Mais l'auteur établit très fermement la position catholique sur la priorité nécessaire de la grâce, sur les insuffisances actuelles du libre arbitre gâté par le péché originel. Il maintient formellement d'ailleurs, mais dans son ordre, c'est-à-dire dans sa subordination, l'existence du libre arbitre[2]. Il s'inspire de l'argumentation augustinienne, mais il ne s'y asservit pas ; il n'a ni le pessimisme d'Augustin dans la question de la concupiscence, ni sa conception limitative de la vocation divine. Il ne cherche pas à éluder le problème de la prédestination ; Judas n'a pas été fait ce qu'il est devenu : « S'il avait été créé tel, il serait hors de faute... »

C'est pourquoi il faut tenir inébranlablement cette règle qui s'appuie sur l'évidence des témoignages divins : les pécheurs ont été seulement connus dans leurs péchés par prescience avant qu'ils fussent au monde, et non prédestinés, mais le châtiment leur était prédestiné en conséquence de la prescience[3].

L'auteur, venant après des devanciers illustres, ne cherche pas à faire preuve d'originalité :

Tout cela a déjà été dit et présenté par de plus grands auteurs de l'Église catholique ; mais c'est à nous maintenant de défendre les frontières de la foi. Loin de déplacer les bornes que les Saints, nos pères, ont posées, nous les respectons et nous les défendons[4].

de Trente (*Sess.*, VI, c. 11), rappelle une phrase des *Tract. in Joh.*, XXXII, 4, on ne peut dire qu'elle soit vraiment dans la ligne de la pensée augustinienne, beaucoup plus rigoureuse. Cf. *De natura et gratia*, V ; *De corrept.*, XVIII. Cette « secunda pars » des *Réponses aux Gaulois* (p. 169-174) constitue une véritable « rétractation », et il est difficile d'admettre qu'elle soit contemporaine de la première partie, écrite vers 431.

(1) T. X (*Appendice*) de l'édition des Bénédictins : *S. Augustini... opera* (*P. L.*, XLV). L'attribution à MERCATOR, fondée sur AUGUSTIN, *Epist.*, CXCIII, 1, est peu satisfaisante. Il est du reste impossible que l'on ait pu, dès 418, envisager ainsi dans sa totalité et avec un recul suffisant l'ensemble de la doctrine pélagienne.

(2) *Hypomnesticon*, III, III et X.

(3) *Ibid.*, VI, V.

(4) *Ibid.*, III, VIII.

LES CAPITULAIRES « CÉLESTINIENS » Le recueil des *Capitulaires*, improprement nommés *célestiniens* (« autorités des évêques du siège apostolique ») [1], constitue le dossier juridique d'un débat dont l'*Hypomnesticon* ne voulait étudier que l'aspect théologique. C'est la reproduction de passages dogmatiques empruntés aux lettres des papes Innocent et Zosime et occasionnellement aux « constitutions » du concile de Carthage. Au lieu de s'appuyer sur des arguments de discussion ou sur des textes scripturaires, l'auteur ne veut invoquer que l'autorité de l'Église, s'exprimant par la voix des évêques de Rome ou encore se manifestant par le caractère de ses prières et de ses rites sacramentels [2].

Les textes groupés établissent avec insistance la continuité et l'unité de la doctrine touchant le recours à l'aide indispensable de la grâce. C'est, formellement appuyée sur l'autorité du Siège apostolique, la réfutation de ceux qui trouvaient « excessive » la doctrine de la grâce et se contentaient d'anathématiser le nom des hérésiarques. Mais, si l'auteur exclut toute interprétation compatible avec les idées pélagiennes ou semi-pélagiennes sur le libre arbitre (« personne n'est bon de soi-même, si Celui-là seul qui est le Bien ne lui accorde de participer à lui »), s'il montre la concordance universelle des prières attestant que le don de la foi vient de Dieu, il ne croit pas nécessaire d'imposer d'autorité les solutions de ceux qui, en réfutant l'hérésie, se sont lancés dans des « sujets plus profonds et plus difficiles ». Il ne tranche pas la question de la prédestination ; il lui suffit d'avoir pleinement exalté le rôle de la grâce. En observant cette réserve, il se conformait aux recommandations souvent exprimées par les papes. La pensée de saint Augustin imprègne le bref commentaire qu'il ajoute aux textes qu'il transcrit, mais la sagesse romaine tempère ses conclusions et en circonscrit l'objet [3].

TRAITÉ DE LA VOCATION DE TOUTES LES NATIONS Le traité *De la Vocation de toutes les nations* [4] a dû être composé vers 450, environ une quinzaine d'années après les recueils que nous venons d'étudier. C'est une œuvre habile et modérée, où le sentiment très sincère et très élevé de la toute-puissance divine se concilie avec le désir d'en donner la représentation qui s'accorde le mieux avec

(1) *Praeteritorum Sedis apostolicae episcoporum auctoritates*, dans *P. L.*, LI, 205-212. Ces textes sont donnés comme une suite et un complément de la lettre du pape CÉLESTIN aux évêques gaulois (*Epist.*, XXI, dans *P. L.*, L, 528-537) et étaient connus ainsi dès le début du VIe siècle. L'attribution en est toujours controversée : H. VON SCHUBERT (*Der sogenannte Praedestinatus*, 1903, p. 122-125) les attribue à l'archidiacre — futur pape — Léon ; Dom CAPPUYNS, dans *Revue bénédictine*, 1929, p. 156-170, a défendu avec vigueur leur origine prospérienne.

(2) Le texte célèbre : *ut legem credendi lex statuat supplicandi*, 8, est inspiré de la lettre à Vitalis (AUGUSTIN, *Epist.*, CCXVII, 6-7).

(3) C. 10. Cf. lettre de CÉLESTIN, *Epist.*, XXI, 1 ; VINCENT DE LÉRINS, *Commonit.*, XXXII.

(4) *De vocatione omnium Gentium*, dans *P. L.*, LI, 647-722.

nos aspirations naturelles de justice. On y trouve une conception très large de l'équité divine et la vision consolante de l'universalité de la grâce. L'auteur développe le caractère primordial et essentiellement surnaturel de celle-ci ; mais, contrairement à la thèse des Pélagiens qui voulaient imposer une option entre le libre arbitre et la prédestination [1], il explique, avec beaucoup de soin et de précision, comment la grâce et la volonté se rejoignent intimement dans nos actions bonnes, la grâce devançant et préparant la volonté « réceptrice », mais ne la supprimant jamais, cette dernière restant libre, responsable dans ses défaillances, mais redevable au secours divin de ses progrès :

Ce secours sous les formes les plus variées, secrètes ou visibles, s'applique à tous ; si beaucoup le repoussent, c'est de leur faute ; si beaucoup le reçoivent, c'est le fait de la grâce et de leur volonté [2].

« Si beaucoup le repoussent... si beaucoup le reçoivent... » ; ce n'est plus l'antithèse cruelle entre « une masse » de perdition et « quelques » élus. L'auteur se fait une idée très ample de l'étendue de la grâce divine : à côté de la « grâce spéciale » de salut que Dieu a accordée au peuple d'Israël dans l'Ancien Testament et qu'il donne aux chrétiens, l'auteur évoque cette « grâce générale » qui ne fut pas refusée aux autres hommes et dont, pense-t-il, on peut admettre que bénéficient les enfants innocents, du moins ceux dont les parents sont déjà chrétiens [3]. D'ailleurs la distinction que l'on pouvait faire entre « vocation universelle » et « vocation particulière » est effacée maintenant : « Il n'est pas une partie du monde où manque l'Évangile du Christ » — et les guerres qui déchirent l'Empire et mettent en rapport les hommes de toutes contrées sont un instrument providentiel de l'unité chrétienne. « Rien ne peut empêcher la grâce divine d'accomplir ce qu'elle veut, puisque même les luttes conduisent à l'unité... et que l'Église tire son accroissement des événements dont elle a redouté le danger » [4]. Ainsi les controverses de la grâce ne portent plus seulement sur la destinée individuelle ; l'auteur les applique sur le plan de l'histoire universelle et il tranche par les affirmations les plus favorables, dans le sens le plus généreusement « catholique », le problème de la prédestination des peuples.

On a cherché à préciser l'origine de ces écrits, attribués tantôt à Prosper d'Aquitaine, tantôt à saint Léon [5]. Mais il est bien difficile de distinguer

(1) Cf. « Praedestinatus », dans *P. L.*, L, 625.
(2) *De vocatione*, II, xxvi.
(3) *Ibid.*, II, xxiii.
(4) *Ibid.*, II, xxxiii (717-718). — De même que saint Augustin (*Epist.*, ccxvii, 7) et l'auteur des *Capitulaires* s'étaient appuyés sur la réalité des prières de l'Église pour établir par une preuve de fait liturgique que la foi est un don de Dieu, l'auteur du *De Vocatione* emploie très heureusement le même argument pour corriger certains aspects restrictifs de la doctrine augustinienne, et il démontre, en invoquant « la prière de tous les prêtres et de tous les fidèles », que le don de Dieu ne se limite pas à ceux qui sont actuellement dans l'Église et peut s'étendre aux infidèles, aux persécuteurs, aux juifs, aux hérétiques (*De vocat.*, I, xii).
(5) Les arguments et rapprochements fournis par dom Cappuyns (*Revue bénédictine*, 1927, p. 198-

l'apport personnel de tel ou tel. Dans l'affaire d'Eutychès, n'a-t-on pas dit que les lettres officielles de saint Léon avaient été rédigées par Prosper [1] ? Elles n'en ont pas moins été écrites sous l'impulsion du pontife et revêtues de son autorité. Ne doit-on pas penser que des œuvres comme le *De Vocatione*, dont il s'est même inspiré dans ses propres sermons, ont répondu à ses intentions et sans doute mérité son approbation [2] ? D'ailleurs ce n'est pas l'opinion particulière de Prosper et de Léon qui doit compter ici ; c'est la pensée catholique qui, s'élevant au-dessus des luttes partisanes, refuse d'engager la doctrine en des discussions trop subtiles et s'efforce de concilier les résultats acquis [3].

LES RÉSULTATS DOGMATIQUES PRIMAUTÉ DE LA GRACE

Ainsi, après une crise dramatique et fertile en péripéties, la position de l'Église s'est déterminée avec une sûreté remarquable. En moins de trente ans, l'enrichissement doctrinal a été considérable. En présence du moralisme pélagien, attirant par sa haute idée du devoir et sa conception logique et simple d'un échange d'obligations et de récompenses, elle a pris plus délibérément conscience de son caractère surnaturel [4]. La religion ne pouvait se réduire à un contrat conclu à égalité entre deux personnes libres ; le christianisme devait être autre chose qu'une règle de comportement et un cadre d'actions justes et même vertueuses. Il fallait ramener au premier plan l'élément religieux, mystérieux, en un mot la grâce.

De ce rôle de la grâce, de cette communion de l'homme avec les réalités divines, les chrétiens avaient toujours eu conscience aux heures solennelles de l'existence, lors du baptême et de la participation aux mystères ou à l'occasion d'un danger physique ou moral. Il restait à comprendre que cette grâce ne se manifestait pas seulement en des circonstances exceptionnelles, mais qu'elle était une force permanente, inspiratrice de toute notre vie spirituelle. Il fallait établir aussi qu'elle était mieux qu'un appoint supplémentaire ajouté à notre volonté, à savoir un secours indispensable, comblant ou réparant continuellement des déficiences congénitales de notre être.

Il y avait à cet égard opposition des tendances entre la croyance populaire, qui exagérait la vertu sanctificatrice des sacrements, et la philosophie encore incertaine d'apologistes comme Lactance qui, dans la

220) ne nous paraissent pas décisifs, en faveur de Prosper. La démonstration de QUESNEL (*P. L.*, LV, 339-371 ; *Dissert.*, II) en faveur de saint Léon garde toujours sa valeur.

(1) GENNADIUS, *De viris*, LXXXV.

(2) On a également de l'auteur du *De Vocatione* une lettre à Démétriade (*P. L.*, LV, 162-180), qui est très belle. On y retrouve la même largeur d'esprit et la même charité ; l'auteur parle des Pélagiens avec calme et s'efforce de les juger équitablement.

(3) *De vocatione*, II, XXX.

(4) C'est le point de vue auquel revient constamment saint Augustin dans le *De natura et gratia* et le *De gratia Christi*.

révélation de l'Évangile, ne voyaient guère qu'un modèle de conduite et non l'apport d'une grâce rédemptrice. Entre la conception populaire et celle des « docteurs », l'Église a plutôt donné raison à la conception populaire. Elle s'est dégagée des insuffisances et des imprécisions d'une doctrine éclectique, trop pénétrée de principes stoïciens ou académiques, pour s'en rapporter intégralement aux textes de saint Paul et de saint Jean dont Augustin avait donné une exégèse décisive : *Par un seul homme, le péché est entré dans le monde...* (*Rom.*, v, 12). — *Sans moi vous ne pouvez rien faire.* (*Jn.*, xv, 5.)

C'est tout un corps de théologie qui s'est constitué autour de l'idée de la grâce ; la notion du péché originel est formellement intégrée dans le dogme et le mystère de la rédemption est mis en pleine lumière [1]. Dans l'élaboration de cette doctrine, saint Augustin a joué un rôle prépondérant. S'il a inséré les dogmes dans les cadres d'une philosophie qui lui demeure personnelle, et s'il a sans doute forcé certains aspects [2], il n'en reste pas moins qu'en face des théories plus indécises d'Ambroise et de ses contemporains [3], il a renoué la tradition austère de saint Cyprien et de Tertullien et s'est retrempé aux sources pauliniennes de la foi [4]. Dans le conflit pélagien, c'est l'Église d'Afrique avec Aurélius et Augustin qui a soutenu la part héroïque du combat, et les directives de Carthage — à l'exception d'une, peut-être [5] — se sont imposées à l'univers catholique. Mais cela n'aurait pas été possible, si elles ne s'étaient trouvées en accord avec des aspirations profondes et authentiques du christianisme, et « le Siège apostolique » ne les aurait pas aussi facilement acceptées. Rome, en les confirmant, y a ajouté le poids de son autorité et aussi, quand besoin en fut, le sceau de son influence modératrice.

(1) *De praedest. sanct.*, XXXI. Cf. E. Buonaiuti, *La genesi della dottrina agostiniana intorno al peccato originale*, Rome, 1916 ; J. Rivière, *Le dogme de la Rédemption*, chez saint Augustin, 3e édit., 1933 ; A. Gaudel, art. *Péché originel* dans *Dict. de Théologie catholique*, t. XII, p. 371-405.

(2) Il est curieux de constater que le pessimisme qui tient une place si grande dans « l'anthropologie » d'Augustin disparaît presque totalement de sa « cosmologie » et surtout de sa métaphysique. Peut-être faudrait-il compenser les pages du *De spiritu et littera* et du *De nuptiis et concupiscentia* par celles moins désespérantes du *De Trinitate*, XIII et XIV.

(3) Les textes de saint Ambroise (*De excessu fratris Satyri*, II, VI), de l'Ambrosiaster (*Comment. in Rom.*, V, XII) et même de saint Paulin de Nole (*Epist.*, XXX), cités par saint Augustin, *De natura et gratia*, LXXIV-LXXV et *De grat. Chr.*, II, XLVII ; *Contra II Epist. Pelag.*, IV, VII, et *Epist.*, CLXXXVI, 40, ne sont pas aussi décisifs que le pensait saint Augustin. En particulier, en ce qui concerne l'Ambrosiaster, la phrase du *Commentaire* sur l'épître aux Romains, v, 12 : *in Adam omnes peccasse quasi in massa* est immédiatement atténuée par la réflexion (v, 12) sur « la mort éternelle » en enfer, *a qua boni immunes sunt* (*P. L.*, XVII, 92). Dans les *Quaestiones V. et N. Testamenti* (édit. Souter, 1900, *Corpus* de Vienne, t. L), CXXVII, 20-21 (p. 408), l'auteur nie l'existence d'une culpabilité contractée à la naissance (*non ideo reos fieri homines quia nati sunt*) et croit, comme Lactance (*Instit. Div.*, VI, XV, 9), à l'existence d'un « état neutre » originel.

(4) Saint Cyprien, *Epist.*, LXIV, 5 ; Tertullien, *De anima*, XL-XLI ; *De testim. animae*, III. On ne peut donc dire avec J. Turmel (*Histoire des dogmes*, Paris, 1936, t. V, p. 28) que saint Augustin ait été « un révolutionnaire » qui a « saccagé le dépôt des croyances antiques ».

(5) Cf. *supra*, p. 110, n. 1 (damnation des enfants non baptisés).

CHAPITRE V

SAINT JEAN DE CONSTANTINOPLE[1]

§ 1. — L'épiscopat de saint Jean.

NECTAIRE ÉVÊQUE DE CONSTANTINOPLE

A la mort de Théodose, le siège épiscopal de Constantinople était occupé par Nectaire : on l'avait choisi naguère, en des circonstances difficiles, pour succéder à saint Grégoire de Nazianze, à cause de la correction de sa vie et de son amour de la paix. L'événement avait

(1) Bibliographie. — I. Sources. — **Nous disposons de sources très nombreuses pour l'histoire de saint Jean Chrysostome et de son temps.** Signalons d'abord les Histoires ecclésiastiques de Socrate, Sozomène, Théodoret et Philostorge. Socrate parle très longuement de Jean à qui il consacre une grande partie du livre VI (chap. II à XXIII) de son Histoire, et, au livre VII, les chapitres XXV et XLV ; mais ses informations, assez souvent fautives, ont besoin d'être contrôlées. Sozomène (*Hist. eccl.*, VIII, II-XXIV, XXVI et XXVIII), bien qu'il doive beaucoup à Socrate, a sur saint Jean ses renseignements particuliers et, dans l'ensemble, il se montre mieux informé que son prédécesseur sur les faits et gestes de l'évêque de Constantinople. Théodoret (*Hist. eccl.*, V, XXVII-XXXVI) s'intéresse assez peu à Jean, et il paraît éviter avec soin toutes les critiques contre la cour ou contre des évêques, méritants par ailleurs. Les cinq panégyriques de Jean qu'il avait composés sont perdus, à l'exception de quelques fragments cités par Photius (*Bibliotheca*, cod. 273, dans *P. G.*, CIV, 229-235) sans grand intérêt historique. Les fragments conservés de Philostorge fournissent quelques données sur les Goths à Constantinople.

La *Nova historia* de Zosime (vers 450-500) est à consulter ; elle exprime le point de vue païen d'une manière très partiale et sans aucune critique. Le *Codex Theodosianus* donne la série des lois prises sous l'épiscopat de Jean : plusieurs d'entre elles se rapportent directement à des faits de cet épiscopat.

En dehors des sources générales, nous avons une quantité énorme de renseignements sur Jean : d'abord ses œuvres personnelles et très spécialement ses lettres : la plupart datent de la période de l'exil et éclairent surtout la physionomie spirituelle et morale de l'évêque.

Nous n'avons plus les actes authentiques du concile du Chêne, mais Photius (*Bibliotheca*, cod. 59, dans *P. G.*, LIII, 105-113) nous en donne une longue analyse. Il faut regretter la perte du pamphlet composé par Théophile d'Alexandrie et traduit en latin par saint Jérôme : Facundus d'Hermiane (*Pro defensione trium capitulorum*, VI, V, dans *P. L.*, LXVII, 676-678) en cite des fragments.

Particulièrement important est le *Dialogus de vita Ioannis Chrysostomi*, qui semble avoir été composé en 408. C'est une réponse directe aux calomnies de Théophile. L'auteur, un ami de Jean, laisse dans l'ombre tous les aspects politiques de la lutte entreprise contre l'évêque de Constantinople et ne s'occupe guère que de son aspect religieux. Suivant Théodore de Trimithus (vers 680), l'auteur du *Dialogue* ne serait autre que Palladius, évêque d'Hélénopolis, qui devint par la suite évêque d'Aspona et qui écrivit l'*Histoire lausiaque*. On discute encore aujourd'hui sur cette identification. Une édition critique en a été dernièrement publiée par P. R. Coleman-Norton, *Palladii Dialogus de vita S. Ioannis Chrysostomi*, Cambridge, 1928.

Jusqu'à ces derniers temps, on attribuait beaucoup d'importance à la *Vita Porphyrii* de Marc le Diacre. Porphyre, évêque de Gaza, est mort vers 420, et son biographe se présente comme un de ses compagnons les plus fidèles, le diacre Marc. Des recherches récentes semblent nous inviter à un peu plus de défiance à l'égard de ce livre, qui a été au moins interpolé à une date postérieure. Cf. H. Grégoire et H. M. Kugener, *La vie de Porphyre, évêque de Gaza, est-elle authentique ?* dans *Revue de l'université de Bruxelles*, 1929, p. 429-441.

L'histoire de Jean a été plusieurs fois écrite dans les derniers siècles de l'antiquité, depuis Mar-

montré la rectitude de ce choix : depuis qu'il était évêque, Nectaire n'avait pas fait de grandes choses : il n'avait ni prononcé d'éloquents discours, ni écrit d'ouvrages de théologie, ni opéré dans son église des réformes importantes. Tel il avait été au début de sa carrière, tel il était resté sur la chaire qu'avait illustrée Grégoire, un honnête fonctionnaire, avant tout préoccupé de rester en paix avec tout le monde et de ne pas se créer d'affaires.

Tant que vécut Théodose, l'église de Constantinople ne se trouva pas mal d'avoir à sa tête cet évêque falot. L'énergie de l'empereur suffisait à maintenir l'ordre, aussi bien dans les choses religieuses que dans les affaires civiles et militaires. Les deux premières années du règne d'Arcadius n'amenèrent pas de changements dans la situation ecclésiastique. La rivalité entre Stilicon et Rufin, le meurtre de Rufin (26 novembre 395), son remplacement comme premier ministre du jeune empereur par l'eunuque Eutrope n'ébranlèrent pas la situation de l'évêque. Après avoir vécu en paix, Nectaire mourut en paix le 26 septembre 397 [1].

SA SUCCESSION

Sa succession fut âprement convoitée. Officiellement, l'évêque de Constantinople pouvait bien n'avoir encore ni le rang ni le titre de métropolitain ; il n'en était pas moins le chef de l'Église impériale, et le concile de 381 avait défini qu'il avait droit au premier rang après l'évêque de Rome, parce que Constantinople est la nouvelle Rome [2]. Les seize années de l'épiscopat de Nectaire, malgré leur peu d'éclat, avaient vu insensiblement se transformer cette primatie d'honneur en une primatie de droit [3]. On conçoit sans peine que les compétitions aient été vives lorsque fut proclamée la vacance du siège.

tyrius (fin du VIIe siècle) jusqu'à Nicéphore Callixte (XIVe siècle). Ces récits ont une valeur très inégale et, le plus souvent, il n'y a pas grand'chose à en tirer.

II. Travaux. — On trouvera une bibliographie complète jusqu'en 1907 dans Chr. Baur, *Saint Jean Chrysostome et ses œuvres dans l'histoire littéraire*, Louvain et Paris, 1907. Pour les ouvrages plus récents, on consultera les bibliographies de O. Bardenhewer, *Geschichte der altkirchlischen Literatur*, t. III, Fribourg, 1912, et de Rauschen-Altaner, *Patrologie*, Fribourg, 1931.

Parmi les ouvrages anciens, Lenain de Tillemont, *Mémoires pour servir à l'histoire ecclésiastique des six premiers siècles*, t. XI, Paris, 1705 ; J. Stilting, *De S. Ioanne Chrysostomo episcopo Constantinopolitano*, dans *Acta Sanctorum septembris*, t. IV, Paris, 1868, p. 401-701 ; B. de Montfaucon, *Vita sancti Ioannis Chrysostomi*, placée en tête de *Chrysostomi opera omnia*, Paris, 1718, et réimprimée dans *P. G.*, XLVII, 83-264 ; M. Hermant, *La vie de saint Jean Chrysostome*, Paris, 1664.

Parmi les ouvrages modernes, le plus utile est celui de Chr. Baur, *Der heilige Johannes Chrysostomus und seine Zeit*, 2 vol., Munich, 1929-1930. L'auteur est très sympathique à Jean et il ne le cache pas ; mais sa documentation est considérable, et son étude a le grand avantage de replacer l'évêque de Constantinople dans son milieu. Citons encore A. Puech, *Un réformateur de la société chrétienne au IVe siècle, Saint Jean Chrysostome et les mœurs de son temps*, Paris, 1891 ; J. Pargoire, *Les débuts du monachisme à Constantinople*, Paris, 1899 ; *Chrysostomica, Studi i ricerche interno a S. Giovanni Crisostomo*, a cura del comitato per il XV. centenario della sua morte, Rome, 1908 ; P. Batiffol, *Le siège apostolique*, Paris, 1924 ; J. Zellinger, *Studien zu Severian von Gabala*, Munster, 1926 ; O. Seeck, *Geschichte des Untergangs der antiken Welt*, t. V, Berlin, 1913.

(1) Socrate, *Hist. eccl.*, VI, II.
(2) Mansi, t. III, col. 560.
(3) P. Batiffol, *Le siège apostolique*, p. 282.

Parmi les candidats, celui qui se fit le plus remarquer fut assurément le prêtre Isidore d'Alexandrie, homme de confiance du patriarche Théophile. Sans doute Isidore avait alors plus de soixante-dix ans [1], mais il était encore vaillant, comme en témoignaient les récentes missions qu'il avait accomplies en Palestine [2], et son évêque l'appréciait fort. Depuis quelques années d'ailleurs, les patriarches d'Alexandrie s'intéressaient beaucoup à l'église de Constantinople, dans laquelle ils voyaient une rivale redoutable : Pierre avait voulu naguère y pousser Maxime le philosophe ; il était naturel que Théophile la désirât pour Isidore.

ÉLECTION DE JEAN

Bien vite, ces querelles d'influence furent percées à jour. Eutrope, qui exerçait une action de plus en plus accusée sur l'esprit du jeune empereur, écarta la candidature de l'Égyptien et fixa son choix sur le prêtre Jean d'Antioche. Bien qu'il ne fût jamais venu à Constantinople, Jean n'y était pas un inconnu : comment aurait-on pu oublier que son éloquence avait suffi naguère à calmer la sédition provoquée à Antioche par l'affaire des statues ? Comment n'aurait-on pas su que cette merveilleuse éloquence continuait à opérer des prodiges, sous les regards admiratifs du vieil évêque Flavien ? Avant la fin de 397, Jean reçut l'ordre de partir pour la capitale : il apprit en route qu'il venait d'être choisi pour en devenir l'évêque [3]. Lorsqu'il arriva, il fallut d'abord accomplir le rite de l'élection canonique, que devait présider le patriarche d'Alexandrie lui-même : ce fut une simple formalité. Après cela, Théophile procéda à la consécration de Jean et à son intronisation : selon Socrate, cette dernière cérémonie aurait eu lieu le 26 février 398 [4].

SAINT JEAN CHRYSOSTOME

Au moment où Jean devenait évêque de Constantinople, il était dans la plénitude de son talent et dans tout l'éclat de sa sainteté. Il n'avait pas son pareil dans tout l'Orient pour expliquer les livres saints et pour en faire valoir les enseignements. Sans faire appel à toutes les fantaisies de l'exégèse allégorique, si chère à l'école d'Alexandrie, en s'appuyant simplement sur le sens littéral des Écritures, il trouvait sans peine les leçons adaptées aux circonstances ou aux besoins de ses auditeurs. Il ne craignait pas de frapper fort, de condamner sans faiblesse les vices des chrétiens eux-mêmes, de stigmatiser toutes les faiblesses et tous les péchés des riches et des puissants de ce monde. Il ne convertissait pas toujours ; parfois

(1) Socrate, *Hist. eccl.*, VI, II ; Palladius, *Dialog.*, VI, 22.
(2) Cf. *supra*, p. 37.
(3) Sozomène, *Hist. eccl.*, VIII, II ; Palladius, *Dialog.*, V, 19.
(4) Socrate, *Hist. eccl.*, VI, II. D'après le Synaxaire de Constantinople (éd t. H. Delehaye, *Acta sanctorum Nov.*, *Propylaeum*, Bruxelles, 1902, p. 312-313), le sacre de Jean aurait eu lieu le 15 décembre 397. Il n'est pas impossible que l'intronisation ait été retardée de quelques semaines.

même il excitait les murmures : cela lui était indifférent ; son devoir à lui n'était-il pas d'élever la voix, sans jamais transiger avec la vérité ?

SES PREMIERS ACTES

A Antioche, Jean avait été couvert par l'autorité de son évêque qui avait en lui pleine confiance. A Constantinople, il se trouva, pour la première fois de sa vie, chargé de responsabilité : il était désormais le chef, et c'est lui qui devait commander. Il le fit tout de suite, et sans aucun ménagement. Les chrétiens de la ville impériale purent ainsi mesurer l'abîme qui sépare un saint d'un politique. « On le vit d'abord réformer sa maison épiscopale, en écarter tout ce qui sentait le luxe. Nectaire accueillait volontiers les notabilités de la cour et de la ville ; Jean ne reçut personne et mangea toujours seul. Le clergé s'était mis à l'aise avec la règle des mœurs, tout au moins avec les précautions qui la sauvegardent ; Jean exigea que les « sœurs spirituelles » fussent éloignées. Les clercs de tout ordre et les veuves canoniques (diaconesses) furent invités à vivre frugalement et à ne pas rechercher la table des riches. Aux moines, qui ne cessaient de courir la ville, il imposa la retraite dans leurs cellules et leurs monastères. Toujours attaché au soin des pauvres, il faisait profiter les établissements charitables des économies que ses réformes introduisaient dans l'administration de l'Église [1] ».

Il ne se contenta pas de réformer le clergé. Il voulut que les fidèles eux aussi prissent part au renouvellement moral qu'il ne cessait de prêcher. Il multiplia les offices, les processions qu'il présidait lui-même. Il exigea de tous plus de tenue et de recueillement au cours des cérémonies. Il surveilla de près les agissements de certaines dames de qualité, qui essayaient d'intervenir dans l'administration des biens d'Église ou dans la vie privée des clercs.

DISGRACE D'EUTROPE

Pendant quelques semaines ou quelques mois, les choses se passèrent sans encombre. Jean était soutenu par le ministre Eutrope qui l'avait fait venir d'Antioche ; l'impératrice Eudoxie lui était favorable ; le peuple était plein d'enthousiasme pour un évêque qui fustigeait le luxe insolent des riches et rappelait sans se lasser l'éminente dignité des petits et des pauvres. La disgrâce d'Eutrope fut un premier coup porté à son influence. Depuis la mort de Rufin, celui-ci exerçait, au nom de l'empereur, la réalité du pouvoir. Au bout de quelque temps, tout le monde se lassa de subir l'autorité du favori, surtout ceux dont il avait pris les biens pour édifier sa fortune personnelle ; l'impératrice elle-même prétendit vivre à sa guise. Une révolte des Goths fut l'occasion de sa chute : leur chef, Gaïnas, s'était

(1) L. Duchesne, *Histoire ancienne de l'Église*, t. III, p. 74.

installé à Constantinople et commandait les troupes de la capitale. Au printemps de 399, il s'entendit secrètement avec un autre chef des Goths, Trébigild, établi en Asie Mineure, le laissa saccager la Phrygie et les provinces voisines et menacer les détroits [1]. Pour prix de la paix, Gaïnas demanda la tête d'Eutrope : en vain le tout-puissant ministre, livré par l'empereur, se réfugia à Sainte-Sophie ; en vain Jean, qui l'avait critiqué au temps de sa fortune, s'efforça de le défendre au jour de l'épreuve [2]. On le laissa quitter l'église, on lui promit même la vie sauve, mais on le rattrapa peu après et on l'exécuta [3].

GAÏNAS A CONSTANTINOPLE

Le vainqueur d'Eutrope, Gaïnas, était arien comme la plupart de ses compatriotes. Or Jean multipliait ses efforts pour entraver la propagande des Ariens, encore nombreux et influents à Constantinople, malgré les lois de Théodose qui leur défendaient de posséder des églises à l'intérieur de la ville ; les hérétiques avaient même trouvé le moyen de tirer parti de cette interdiction, en organisant des processions jusqu'à leurs églises et en chantant des offices en plein air. L'évêque multiplia, de son côté, les processions catholiques : il en résulta des troubles, si bien que les cérémonies ariennes finirent par être proscrites. Gaïnas cependant eut toujours beaucoup de respect pour Jean, et, tant qu'il fut maître de la capitale, il subit son influence ; ce fut ainsi qu'il épargna, à sa demande, la vie de deux personnages à qui il en voulait et qui lui avaient été livrés, Aurélien et Saturnin [4], et qu'il renonça à lui prendre une de ses églises qu'il convoitait [5]. Mais le chef goth fut bientôt obligé d'abandonner Constantinople avec une partie de ses troupes, tandis que la populace massacrait le reste, et, avant la fin de 400, il fut tué en Thrace [6].

LES ENNEMIS DE JEAN DANS LE CLERGÉ

Les ennemis de Jean purent alors s'agiter tout à leur aise. Parmi eux, il était facile de distinguer plusieurs groupes. Il y avait d'abord les prêtres et les clercs que l'évêque avait gênés dans leur vie facile, les moines qu'il avait voulu enfermer dans leurs couvents. Ceux-ci avaient

(1) Sur les circonstances de cette révolte, voir Socrate, *Hist. eccl.*, VI, vi ; Sozomène, *Hist. eccl.*, VIII, iv ; Théodoret, *Hist. eccl.*, V, xxxii ; Philostorge, *Hist. eccl.*, XI, viii ; Zosime, *Hist.*, VI, vii.

(2) Jean prononça deux discours en faveur d'Eutrope ; l'un, tandis qu'Eutrope était à Sainte-Sophie et tenait embrassé l'autel qui lui garantissait le droit d'asile ; le second quelques jours plus tard, après qu'Eutrope eut quitté l'église. Ces discours sont reproduits dans *P. G.*, LII, 391-414.

(3) Zosime, *Hist.*, V, xviii ; Philostorge, *Hist. eccl.*, XI, vi.

(4) Théodoret, *Hist. eccl.*, V, xxxiii ; cf. Jean, *Homilia cum Saturninus et Aurelianus acti essent in exilium* (*P. G.*, LII, 413-420).

(5) Sozomène, *Hist. eccl.*, VIII, iv. Tous les Goths n'étaient pas ariens. Il y avait quelques catholiques parmi eux, et Jean s'y intéressait beaucoup. Il leur donna une église avec des prêtres de leur nation, qui officiaient en langue gothique. Il lui arriva d'assister à leurs offices et même d'y prêcher au moyen d'un interprète.

(6) Socrate, *Hist. eccl.*, VI vi ; Sozomène, *Hist. eccl.*, VIII, v.

pour chef un certain Isaac, syrien d'origine, peu instruit, ordonné prêtre sur le tard, mais en grande réputation de sainteté : on prétendait que sous le règne de Valens, il avait reçu de Dieu l'ordre d'aller à Constantinople et d'y prêcher la vraie foi ; on ajoutait qu'il avait même annoncé à l'empereur sa mort prochaine. Il était depuis lors resté aux portes de la capitale où il avait fondé le premier monastère orthodoxe que l'on ait vu à Constantinople [1]. Les réformes de Jean ne furent pas de son goût, et il se mit bientôt à déblatérer contre l'évêque, ce qui était fort grave.

CHEZ LES DÉVOTES Tout aussi mécontentes de leur évêque se montrèrent certaines dévotes dont l'indiscrète piété, les vêtements peu conformes à leur âge, les attitudes légères étaient l'objet de réprimandes publiques. Malheureusement plusieurs de celles-ci étaient de grandes dames qui avaient leurs entrées à la cour et que l'impératrice honorait de sa confiance : Marsa, veuve du général Promotus, qui avait recueilli dans sa maison la jeune Eudoxie après la mort de son père, Castricia, veuve du consul Saturnin, et une certaine Eugraphia, dont le palais allait devenir le théâtre de toutes les intrigues.

PARMI LES ÉVÊQUES Enfin les adversaires de Jean trouvaient le plus précieux des appuis dans un certain nombre d'évêques qui, en dépit des canons, résidaient peut-être davantage à Constantinople que dans leurs propres diocèses. Tels étaient Sévérien de Gabala et Antiochus de Ptolémaïs, orateurs diserts et élégants, qui avaient le talent de conquérir les cœurs et d'ouvrir les bourses toutes les fois qu'ils montaient en chaire pour prêcher. Bientôt se joignit à eux un troisième larron, le vieil évêque Acace de Bérée ; aussi susceptible que vertueux, celui-ci crut un jour avoir à se plaindre de l'hospitalité de Jean : « Je vais, dit-il, lui préparer un plat de ma façon ». Il tint parole.

L'AFFAIRE D'ÉPHÈSE De multiples incidents vinrent fournir aux agitateurs des prétextes, sinon des raisons, pour exercer leur zèle d'une manière efficace. Par la force des choses, bien plus encore que par l'autorité des conciles, toutes les questions ecclésiastiques un peu importantes de l'Orient aboutissaient à Constantinople depuis le concile de 381, et l'évêque de la ville impériale se réservait le droit d'intervenir partout où des désordres se manifestaient. Au début de 400, semble-t-il, plusieurs évêques d'Asie se trouvaient réunis dans la capitale et quelques autres avec eux, parmi lesquels l'évêque de Scythie, Théotime, l'évêque d'Andrinople, Ammonius, l'évêque d'Ancyre, Ara-

(1) E. Marin, *Les moines de Constantinople depuis la fondation de la ville jusqu'à la mort de Photius (330-898)*, Paris, 1897 ; J. Pargoire, *Les débuts du monachisme à Constantinople*, Paris, 1899.

bianos[1]. Un certain dimanche, comme tous ces personnages étaient assemblés autour de Jean, l'un d'eux, Eusèbe de Valentinopolis, présenta un libelle contre l'évêque d'Éphèse que l'on accusait de simonie. L'affaire était grave : on délégua pour l'instruire les trois évêques Synclétius de Trajanopolis en Thrace, Hesychius de Parium en Hellespont, Palladius d'Hélénopolis en Bithynie. L'enquête s'avérait difficile, lorsque Antonin d'Éphèse vint à mourir. Le clergé d'Éphèse s'adressa alors à Constantinople pour obtenir un nouvel évêque : Jean vint en effet, assista à la réunion des évêques d'Asie, présents au nombre de soixante-dix, et fit élire, à la satisfaction de tous, son diacre, Héraclide[2]. On reprit ensuite l'examen des ordinations simoniaques : six évêques furent convaincus d'avoir acheté leur charge, réduits à la communion laïque et remplacés par des hommes intègres. Lorsque Jean repartit, après avoir ainsi réglé toutes choses, il laissait derrière lui bien des ressentiments.

LES MOINES ALEXANDRINS

Sur ces entrefaites, on vit arriver à Constantinople, vers la fin de 401, une cinquantaine de moines de Nitrie, parmi lesquels étaient les quatre « grands frères » Dioscore d'Hermopolis, Ammonius, Eusèbe et Euthyme, que l'évêque d'Alexandrie, Théophile, avait expulsés d'Égypte sous prétexte d'origénisme[3]. Jean accueillit les exilés et, sans les admettre à sa communion, leur fit donner l'hospitalité, pendant qu'il pressait par lettres leur évêque de se réconcilier avec eux. Mais personne ne voulait de la paix : Théophile envoya à Constantinople quelques moines à sa dévotion pour accuser les grands frères devant l'empereur, et ceux-ci, de leur côté, saisirent les tribunaux de leurs plaintes, allant jusqu'à demander la mise en accusation de Théophile. Les deux procès tournent mal pour celui-ci : ses moines sont condamnés pour calomnie à la peine capitale, et c'est tout juste s'ils obtiennent, à prix d'argent, d'être expédiés aux mines de Proconnèse ; lui-même est invité à venir se justifier à Constantinople devant un tribunal présidé par Jean[4].

Cette seconde décision est assurément illégale : le droit existant veut que le diocèse d'Égypte soit *sui juris*, donc que l'évêque d'Alexandrie ne soit responsable que devant le concile d'Égypte[5]. Théophile le sait et il l'a rappelé à Jean[6] ; mais l'empereur en a décidé autrement ; c'est lui qui, dès ce moment, fait autorité dans l'Église ; et Théophile, si puissant qu'il soit, n'a pas le moyen de lui résister.

(1) PALLADIUS, *Dialog.*, XIII.
(2) SOCRATE, *Hist. eccl.*, VI, XI ; SOZOMÈNE, *Hist. eccl.*, VIII, VI.
(3) JÉROME, *Adversus Rufinum*, III, XVIII ; PALLADIUS, *Dialog.*, VII.
(4) PALLADIUS, *Dialog.*, VIII.
(5) P. BATIFFOL, *Le siège apostolique*, p. 300.
(6) PALLADIUS, *Dialog.*, VII.

SAINT ÉPIPHANE A CONSTANTINOPLE

Mais il ne se presse pas de partir, et il commence par dépêcher à Constantinople le vieil évêque de Chypre, Épiphane de Salamine (début de 403). Celui-ci, toujours prêt à se mettre en route dès qu'il s'agit de combattre l'origénisme, s'embarque aussitôt pour la capitale. En y arrivant, son premier geste est pour refuser l'hospitalité de l'évêque, ami des Origénistes et sans doute Origéniste lui-même ; puis il se met à tenir des réunions liturgiques, à recueillir des signatures, à provoquer des troubles. Bref, il devient si gênant qu'on est obligé de lui interdire l'accès de la basilique des apôtres, où il a annoncé un grand discours, et même de l'inviter à reprendre le chemin de son évêché. Il ne devait pas revoir Chypre : la mort le surprit en cours de route (12 mai 403) [1].

ARRIVÉE DE THÉOPHILE. SES MENÉES

C'est dans ces conjonctures que Théophile débarque à son tour, avec l'intention avouée de déposer Jean. Il n'est pas seul : il a amené avec lui vingt-neuf évêques égyptiens pour lui prêter main forte. Il a d'ailleurs à la capitale de solides auxiliaires : les marins de la flotte annonaire, tous Égyptiens, et aussi les moines, les dévotes, les clercs mondains, bref tous les ennemis de Jean. Il a encore, ce qui vaut peut-être mieux, assez d'or pour acheter les consciences, et il sait que tous les dignitaires du palais sont à vendre. Aussi ne garde-t-il aucun ménagement. Dès le premier instant, il dédaigne l'hospitalité de Jean, refuse de prendre part avec lui à la liturgie, et les instances les plus amicales de l'évêque ne parviennent pas à avoir raison de son entêtement. Trois semaines lui suffisent pour retourner la situation à son avantage. Le salon d'Eugraphia, vieille coquette qui supporte impatiemment son veuvage et a sur le cœur certaines homélies de Jean, devient le centre d'intrigues dont l'évêque d'Alexandrie noue habilement tous les fils [2]. L'impératrice elle-même se laisse persuader que Jean l'a visée, un jour qu'il prêchait sur Jézabel, et qu'elle n'a pas de pire ennemi que lui.

SCRUPULES DE JEAN

Tout autre que Jean, en face d'une pareille situation, s'indignerait et consentirait à faire flèche de tout bois pour se sauver. Mais Jean est trop vertueux pour employer les procédés de ses adversaires. Bien plus, il est trop attaché aux règles traditionnelles pour accepter de juger Théophile. Il n'a pas eu besoin que celui-ci lui rappelât les canons ; il déclare tout net qu'il n'a pas le droit d'intervenir dans les affaires d'Alexandrie [3].

(1) Sozomène, *Hist. eccl.*, VIII, xiv.
(2) Palladius, *Dialog.*, viii.
(3) Jean, *Epist. ad Innocent.*, i.

LE CONCILE DU CHÊNE Ces scrupules causent sa perte. Dès qu'il a tous ses hommes bien en mains, Théophile quitte Constantinople et s'installe près de Chalcédoine, à la villa du Chêne. Ses évêques égyptiens le suivent naturellement. Avec eux se retrouvent les trois Syriens, Acace de Bérée, Sévérien de Gabala et Antiochus de Ptolémaïs, l'évêque de Chalcédoine, Cyrinus, qui est d'origine égyptienne, Maruta, de Maipherqat en Mésopotamie, Macaire de Magnésie du Sipyle [1]. Avec cela, on peut tenir un concile et accueillir, s'il y a lieu, toutes les accusations [2]. Celles-ci ne manquent pas : un diacre de Constantinople présente un libelle qui n'énumère pas moins de vingt-neuf griefs contre Jean ; un évêque, Isaac, apporte un autre libelle, dont les charges sont moins nombreuses, mais plus graves : Jean est accusé d'avoir reçu naguère les moines origénistes chassés d'Alexandrie, traité sans égard les moines envoyés par Théophile, envahi les provinces d'autrui et ordonné des évêques dans celles-ci [3]. L'affaire d'Éphèse est évoquée spécialement dans un autre libelle déposé par Macaire : il en résulte que le nouvel évêque de cette ville, Héraclide, était indigne de l'épiscopat. Le concile de Théophile accepte toutes ces plaintes, cite, en grand nombre, les clercs de Constantinople [4], et, lorsque l'instruction est supposée complète, il adresse une sommation à Jean ainsi qu'à deux de ses prêtres, Sérapion et Tigrios [5].

Pendant ce temps, Jean est resté à Constantinople : il a auprès de lui quarante évêques de diverses provinces, dont sept métropolitains. Son concile est donc plus important que l'autre, tant par le nombre de ses membres que par la multiplicité des provinces d'où ils viennent. Mais il ne fait rien, et Jean ne veut pas qu'il fasse quelque chose. Toutefois, lorsque lui est remise la sommation de l'assemblée réunie au Chêne, il décide d'envoyer trois de ses membres, Lupicien d'Appiana, Démétrius de Pessinonte et Eulysius d'Apamée, ainsi que deux prêtres de Constantinople, de l'autre côté du détroit, avec mission de décliner la compé-

(1) Ce Macaire est un homme instruit. On possède de lui quelques fragments d'homélies, dont l'une traitait des vêtements de peau donnés par Dieu à Adam et à Ève, et surtout une très grande partie d'un ouvrage apologétique, l'*Apocriticus*, dans lequel il prenait à partie un philosophe païen, probablement Porphyre ou un excerpteur de ses livres *Contre les chrétiens*. Cf. G. Schalkausser, *Zu den Schriften des Makarios von Magnesia* (*Texte und Untersuchungen*, t. XXXI, 4), Leipzig, 1907 ; A. Harnack, *Kritik des Neuen Testaments von einem griechischen Philosophen des III. Jahrhunderts* (*Texte und Untersuchungen*, t. XXXVII, 4), Leipzig, 1911 ; G. Bardy, *Les objections d'un philosophe païen, d'après l'Apocriticus de Macaire de Magnésie*, dans *Bulletin d'ancienne littérature et d'archéologie chrétiennes*, t. III, 1913, p. 95-111.

(2) Les actes du concile du Chêne, y compris son rapport à l'empereur, sa notification au clergé de Constantinople et la réponse d'Arcadius existaient encore au temps de Photius qui a pu les lire et qui nous en a conservé l'analyse (*Bibliotheca*, cod. 59).

(3) Nous savons les noms d'au moins trois évêques qui se plaignent d'avoir été injustement déposés par Jean et d'avoir reçu des successeurs (Photius, *Biblioth.*, cod. 59). Ils s'appellent Gérontius, Faustinus et Eugnomon. Gérontius est l'évêque de Nicomédie, et il est remplacé par Pansophius ; Sozomène (*Hist. eccl.*, VIII, vi) nous apprend que les fidèles de Nicomédie ont d'ailleurs protesté et ont réclamé leur évêque, mais en vain.

(4) Sozomène, *Hist. eccl.*, VIII, xvii.

(5) Palladius, *Dialog.*, viii.

tence du concile de Théophile. La lettre dont ils sont porteurs déclare que l'évêque d'Alexandrie est toujours dans la situation d'accusé et qu'ils sont prêts, eux, à le juger, ayant été convoqués pour cela ; qu'ils sont plus nombreux et de provinces plus diverses que l'assemblée réunie autour de lui ; enfin, qu'ils ont sous les yeux une lettre de Théophile où il proteste contre ceux qui se mêlent des affaires des autres [1].

Jean écrit de son côté à Théophile. Il proteste qu'il est prêt à répondre de son innocence devant cent, devant mille évêques, et que sa cause est assez bonne pour n'avoir rien à redouter. Cependant il refuse d'être jugé par ses ennemis, Théophile, Acace, Sévérien et Antiochus [2]. Précaution inutile d'ailleurs. Les messagers de Constantinople sont à peine arrivés au Chêne que Jean reçoit la visite d'un notaire impérial, chargé de lui remettre un rescrit où il lui est enjoint de comparaître devant ses juges [3].

LA SENTENCE

Dès lors les événements se précipitent. Jean refuse de quitter Constantinople. Le concile du Chêne n'en poursuit pas moins la procédure ; mais, abandonnant tous les griefs de l'accusation si péniblement échafaudés, il ne retient que le refus opposé par Jean de comparaître, et il dépose incontinent l'évêque de Constantinople pour ce seul motif qu'il a fait défaut [4].

EXIL DE JEAN

La sentence une fois prononcée, il s'agit de la faire exécuter. Le concile envoie à l'empereur la relation de tout ce qui vient de se passer, lui demande de faire expulser l'évêque désormais privé de ses pouvoirs et ajoute que, parmi les chefs d'accusation, il y en a au moins un qui vise un crime de lèse-majesté et dépasse la compétence des évêques. Mais le peuple de Constantinople ne l'entend pas de la sorte. Une bonne partie du clergé a bien pu abandonner la cause de Jean, les fidèles gardent tout leur attachement au saint évêque qui n'a jamais craint de dire la vérité, même aux plus puissants ; ils s'agitent en sa faveur, ils menacent d'une émeute. Le troisième jour seulement, pour ne pas donner à ses ennemis un prétexte de plus en désobéissant à un ordre impérial, Jean s'éloigne volontairement, en réclamant d'autres juges : on le conduit à Prenctos, sur la côte de Bithynie [5].

(1) Jean, *Epist. ad Innocentium*, dans Palladius, *Dialog.*, ii.
(2) Socrate, *Hist. eccl.*, VI, xv ; Palladius, *Dialog.*, viii.
(3) Palladius, *Dialog.*, viii.
(4) Palladius, *Dialog.*, viii ; Socrate, *Hist. eccl.*, VI, xv ; Sozomène, *Hist. eccl.*, VIII, xvii.
(5) Sozomène, *Hist. eccl.*, VIII, xviii ; Socrate, *Hist. eccl.*, VI, xv.

§ 2. — Entre deux exils.

RETOUR DE JEAN

Jean ne reste pas longtemps à Prenctos. Le lendemain de son départ, Théophile et ses amis ont commis l'imprudence de se montrer à Constantinople, de prêcher contre Jean, de rétablir dans leurs charges les clercs renvoyés par lui. C'en est trop, et la fureur du populaire éclate. Bien plus, un accident mystérieux se produit dans la chambre d'Eudoxie et trouble son âme aussi superstitieuse qu'arrogante [1]. Sans attendre davantage, l'impératrice expédie à Jean un de ses eunuques pour protester de son attachement et lui ordonner de reprendre possession de sa cathédrale. Mais Jean hésite : il a été déposé par un concile : ne doit-il pas être rétabli par un plus grand concile [2] ? Il a été exilé par ordre de l'empereur : ne faut-il pas que l'empereur le rappelle ? De fait, s'il consent à repasser la mer, il refuse de rentrer à Constantinople : il s'arrête dans un faubourg de la capitale et s'y installe dans une propriété de l'impératrice [3].

Cependant, le peuple qui a appris son retour ne cesse pas de le réclamer à grands cris. Il s'ameute, s'excite, tant et si bien qu'il faut lui céder. Un beau matin, Jean fait triomphalement sa rentrée dans sa ville épiscopale : un notaire le précède, qui marque par sa présence la volonté impériale ; trente évêques le suivent, tandis qu'une foule innombrable pousse de bruyantes acclamations. On s'arrête à l'église des saints apôtres : l'évêque se contente d'y prononcer quelques paroles d'actions de grâce [4]. Les jours suivants sont loin d'épuiser l'enthousiasme des fidèles. A Sainte-Sophie, Jean multiplie les exhortations : « Mon église, déclare-t-il, m'est restée fidèle ; le pharaon d'à présent a voulu me l'enlever, comme celui d'autrefois avait enlevé Sara. Mais Sara, cette fois encore, est demeurée pure ; les adultères sont confondus » [5].

DÉPART DE THÉOPHILE

Le pharaon, c'est-à-dire Théophile d'Alexandrie, n'est pas fier en voyant le triomphe inattendu de son adversaire. Il est d'autant plus inquiet qu'il peut entendre le peuple demander qu'on le jette à l'eau [6] et que l'empereur, désormais retourné contre lui, projette la convocation d'un grand concile,

(1) Nous sommes très mal renseignés sur la nature de cet événement. THÉODORET (*Hist. eccl.*, V, XXXIV) parle d'un tremblement de terre.

(2) SOZOMÈNE, *Hist. eccl.*, VIII, XVIII.

(3) SOCRATE, *Hist. eccl.*, VI, XVI ; SOZOMÈNE, *Hist. eccl.*, VIII, XVIII.

(4) Nous avons deux recensions différentes de cette allocution, très courte d'ailleurs, dans *P. G.*, LII, 439-442. Mais le texte grec n'en existe plus et il est assez difficile de se prononcer définitivement sur l'authenticité des versions conservées.

(5) SOZOMÈNE (*Hist. eccl.*, VIII, XVIII) parle déjà de cette homélie, dont le texte a été conservé par Georges d'Alexandrie (*P. G.*, LII, 443-448). Son authenticité est discutée.

(6) PALLADIUS, *Dialog.*, IX. SOZOMÈNE (*Hist. eccl.*, VIII, XIX) parle de disputes sanglantes qui se seraient élevées à ce moment entre Égyptiens et Constantinopolitains.

destiné à tirer au clair ses manœuvres déloyales [1]. A la première occasion, il prend donc la mer, avec ses évêques et ses moines, y compris le fameux Isaac, et si peu glorieusement que les Alexandrins le sifflent quand il débarque.

NOUVELLES INTRIGUES

Les choses vont-elles enfin s'arranger ? Il serait trop simple de le croire. A Constantinople, Jean a pour lui la grande masse des fidèles qui l'aiment pour sa charité et son inlassable dévouement ; mais les hostilités et les rancunes qu'il a soulevées naguère dans les milieux influents ne se taisent que pour un instant : il suffira que l'évêque ait une parole fâcheuse pour se compromettre à tout jamais. Or Jean ignore les secrets de la prudence autant que l'art de la politique. Quelques mois à peine se sont passés depuis son retour que l'inauguration bruyante d'une statue de l'impératrice soulève de sa part des protestations [2]. Sans doute ce n'est pas à Eudoxie elle-même qu'il en veut, mais aux jeux, aux spectacles, aux fêtes dont la statue fournit le prétexte. Eudoxie n'y regarde pas de si près, s'enflamme contre le prédicateur et, comme un peu plus tard, dans un nouveau sermon, l'évêque parle d'Hérodiade, elle se croit visée sous ce nom [3].

ACCUSATIONS CANONIQUES

Les ennemis de Jean sentent que le vent a tourné en leur faveur. L'empereur a décidé qu'il ne se rendrait pas à l'église pour les fêtes de la Nativité du Sauveur ; il a fait savoir à Jean qu'il ne communiquerait pas avec lui tant qu'il ne se serait pas justifié [4]. Les évêques peuvent revenir à Constantinople : le gouvernement les soutient. Théophile, sans doute, reste prudemment à Alexandrie, mais au début de 404, on retrouve dans la capitale les trois Syriens, Acace de Bérée, Antiochus de Ptolémaïs et Sévérien de Gabala, trois Égyptiens envoyés par Théophile, Léonce d'Ancyre, Ammonius de Laodicée, Brison de Philippes, beaucoup d'autres encore. Les partisans de Jean seraient, d'après Palladius, au nombre de quarante-deux, ses adversaires sont un peu plus nombreux [5] ; ils sont surtout plus audacieux. Théophile leur a indiqué le sûr moyen d'arriver au succès ; il s'agit de faire valoir un canon, le quatrième, du concile d'Antioche, qui vise le cas où un évêque, déposé par un synode, continuerait d'exercer

(1) Jean, *Epist. ad Innocentium*, dans Palladius, *Dialog.*, ii.

(2) Le piédestal de cette statue existe encore au musée de Sainte-Irène, avec les inscriptions dédicatoires en grec et en latin (*C. I. L.*, III, 736). Cf. I. Gottwald, *La statue de l'impératrice Eudoxia à Constantinople*, dans *Échos d'Orient*, t. X, 1907, p. 274 et suiv. Socrate (*Hist. eccl.*, VI, xviii) parle des jeux et des fêtes, dont l'érection de la statue a été l'occasion.

(3) L'homélie sur saint Jean-Baptiste telle que nous la possédons (*P. G.*, LIX, 485) est inauthentique, mais elle a circulé de très bonne heure sous le nom de Jean. Socrate (*Hist. eccl.*, VI, xviii) et Sozomène (*Hist. eccl.*, VIII, xx) en citent déjà le début.

(4) Socrate, *Hist. eccl.*, VI, xviii ; Sozomène, *Hist. eccl.*, VIII, xx.

(5) Palladius, *Dialog.*, ix.

ses fonctions, et qui déclare qu'un tel évêque perd, de ce fait même, la faculté d'être réintégré par un autre synode ou même d'y présenter sa défense. C'est exactement la situation de Jean, que le concile du Chêne a déposé et qui n'a pas été absous par un nouveau concile avant de se réinstaller. Que l'on puisse présenter ce texte à l'empereur et tout est fini.

MENÉES OBSCURES CONTRE JEAN En réalité, les choses traînent en longueur. Arcadius commence par recevoir une délégation qui comprend dix évêques du parti de Jean et dix de ses adversaires, et qui lui présente le fameux canon d'Antioche. Mais il s'inquiète de l'origine de ce texte et l'on est bien forcé d'avouer qu'il est l'œuvre d'évêques ariens, qu'il a été dirigé d'abord contre saint Athanase et Marcel d'Ancyre. L'empereur renvoie alors les évêques [1].

On laisse passer ainsi des jours et des semaines : les amis de Jean subissent le double assaut des promesses et des menaces [2] ; lui, il continue à exercer son ministère, puisqu'il ne peut obtenir le jugement qu'il n'a cessé de réclamer. Aux approches de la fête de Pâques, qui cette année-là (404) tombe le 17 avril, Antiochus et ses amis vont à nouveau trouver l'empereur. Ils lui représentent qu'il ne peut, en conscience, prendre part à des cérémonies présidées par Jean, et que sans même donner un ordre d'exil, il lui suffit d'exiger que l'évêque abandonne ses églises. Ainsi fait Arcadius. Jean lui répond qu'il tient de Dieu son église pour le salut de son peuple et qu'il ne peut pas l'abandonner ; que si pourtant telle est la volonté du prince à qui la ville appartient, celui-ci peut le contraindre par la force. Aussitôt l'empereur se décide : il fait expulser l'évêque de son église et lui ordonne de ne pas quitter la maison épiscopale.

LES FÊTES PASCALES DE 404 Les grandes cérémonies pascales se passent au milieu de troubles. Pendant les longues et émouvantes liturgies de la vigile, au cours desquelles on baptise les catéchumènes, le clergé de Jean et ses fidèles sont chassés par force des églises où ils sont assemblés. En vain essaient-ils de se grouper dans les thermes de Constantin ; les soldats les y poursuivent et le sang coule jusque dans les piscines baptismales. Le jour venu, il faut sortir de la salle et célébrer les saints mystères en pleine campagne. Pendant ce temps, dans les églises profanées, les ennemis de l'évêque officient solennellement devant la cour impériale et devant les rares fidèles qui s'associent à elle [3].

(1) PALLADIUS, *Dialog.*, IX.
(2) PALLADIUS, *Dialog.*, IX.
(3) JEAN, *Epist. ad Innocent.*, dans PALLADIUS, *Dialog.*, III.

L'ORDRE D'EXIL Les troubles se prolongent pendant les jours qui suivent. Jean ne sort plus de son palais que surveillent étroitement ses fidèles, car on redoute un assassinat ou un enlèvement. L'empereur de son côté ne se décide pas à porter un ordre d'exil, car Eudoxie est encore sous le coup de ses craintes superstitieuses et redoute un malheur, si l'évêque quitte la capitale. Enfin, cinq jours après la Pentecôte, le 9 juin 404, Acace, Sévérien et quelques autres se présentent à Arcadius : « Empereur, lui disent-ils, Dieu ne t'a pas soumis à nous, mais tout t'est soumis et il t'est permis de faire ce que tu veux... Nous te disons devant tous : Que la déposition de Jean retombe sur notre tête [1] ». L'empereur se laisse aisément persuader et envoie l'ordre de départ à l'évêque.

DÉPART DE JEAN Celui-ci n'est que trop disposé à obéir. Bien qu'il sache que sa déposition par le concile du Chêne ait été illégale, il n'est pas pleinement rassuré sur les conditions dans lesquelles il a repris le pouvoir ; il redoute les troubles que provoque sa présence ; il aime l'ordre et la paix. Aussi fait-il ses adieux aux saintes diaconesses qui n'ont pas cessé de lui rester fidèles, Olympias, Pentadia, Procla et Silvina, aux évêques Cyriaque et Eulysius, à l'ange tutélaire de son église ; et, après une dernière prière à Sainte-Sophie, il se livre aux soldats qui sont venus l'enlever et qui le transportent à Nicée [2].

Malgré les précautions dont on l'a entouré, son départ ne passe pas inaperçu ; des bagarres éclatent autour de Sainte-Sophie ; et, sans que l'on sache comment, le feu se déclare dans l'église. En peu d'instants, la basilique est la proie des flammes. Bientôt l'incendie, propagé par un vent violent, gagne le palais du Sénat, voisin de Sainte-Sophie : là aussi périssent d'inestimables trésors de l'art antique, entre autres les Muses de l'Hélicon que Constantin avait fait naguère transporter de Grèce. Beaucoup de maisons particulières sont atteintes également. Il va sans dire que les adversaires de Jean trouvèrent le moyen de l'accuser de ce nouveau forfait qui, déclaraient-ils, était une dernière vengeance [3]. Ils ne purent d'ailleurs apporter aucune preuve, mais des poursuites n'en furent pas moins exercées contre les meilleurs amis de l'exilé, en particulier contre les évêques Cyriaque et Eulysius, qui furent jetés en prison.

ÉLECTION D'ARSACE Quelques jours plus tard, le 26 juin, on dut se préoccuper de donner un successeur à l'évêque déposé. Le choix fut difficile. On ne trouva pas d'autre candidat

(1) Palladius, *Dialog.*, x.

(2) D'après le récit de Palladius, il semble que tous les événements : audience des évêques par l'empereur, ordre d'Arcadius et départ de Jean, aient eu lieu le même jour, soit le 9 juin 404. Socrate (*Hist. eccl.*, VI, xviii) place au 20 juin le second exil de Jean. On a supposé que les évêques ont pu être reçus par l'empereur le 9 juin et que les jours suivants ont été employés pour des pourparlers et préparatifs divers, si bien que Jean n'a quitté Constantinople que le 20 juin. Cf. Tillemont, *Mémoires*, t. XI, p. 611.

(3) Socrate, *Hist. eccl.*, VI, xviii ; Sozomène, *Hist. eccl.*, VIII, xxii ; Palladius, *Dialog.*, x.

qu'un vieillard de plus de quatre-vingts ans, plus muet qu'un poisson et paresseux comme une grenouille [1], Arsace, le frère de l'ancien évêque Nectaire. Arsace était d'ailleurs doux et pieux : il se laissa faire et, pendant son épiscopat, les ennemis de Jean purent poursuivre ceux qui prétendaient rester fidèles à leur victime. Personne ne fut épargné : Palladius donne, sur cette persécution, de longs détails, qui mettent en relief l'admirable héroïsme des victimes et la rage haineuse des persécuteurs. Evêques, prêtres, clercs, diaconesses, soldats, fonctionnaires, on frappa sans pitié tous ceux que l'on put atteindre. De son lointain exil, Jean consolait de son mieux ceux qui souffraient à cause de lui : d'admirables lettres, adressées en particulier à Olympias, restent pour nous les émouvants témoignages de ses inquiétudes, mais encore plus des sentiments surnaturels qui n'avaient jamais cessé de l'animer.

LA PERSÉCUTION La persécution s'étendit bien au delà de Constantinople : parmi les premières victimes figurent naturellement les évêques que Jean avait fait nommer ou consacrés : Sérapion, son ancien archidiacre, dont il avait fait un archevêque d'Héraclée, fut réexpédié en Égypte [2] ; Héraclide d'Éphèse fut déposé et envoyé à Nicomédie : on le remplaça par un eunuque, Victor. Les six évêques simoniaques que Jean avait fait chasser de leurs sièges y furent rétablis avec honneur. Les églises d'Asie souffrirent d'une manière toute spéciale [3].

MORT DE FLAVIEN D'ANTIOCHE A Antioche, le vieil évêque Flavien mourut le 26 septembre 404. Il n'avait joué aucun rôle dans les événements que nous venons de rappeler. Son grand âge l'avait empêché d'intervenir en faveur de Jean, comme il aurait pu ou voulu le faire, mais on savait qu'il désapprouvait toutes les mesures prises contre celui qu'il avait tant aimé. Aussi sa mort fut-elle un soulagement pour les ennemis de Jean. Les trois évêques syriens, Acace, Sévérien et Antiochus, se hâtèrent de regagner la Syrie pour intervenir dans l'élection. Ils avaient pour candidat un certain Porphyre, prêtre d'Antioche. Les habitants de cette ville auraient préféré Constance qui avait été longtemps diacre de Flavien. On ne tint aucun compte de leur désir. On profita même d'un jour où toute la ville était allée à Daphné voir des jeux olympiques, pour bâcler l'élection de Porphyre et sa consécration. Lorsque, le soir venu, les Antiochiens rentrèrent chez eux, ils apprirent avec stupeur qu'ils avaient un évêque. Les trois consécrateurs se hâtèrent d'ailleurs de disparaître, et le préfet des soldats, Valentin, se chargea de réprimer durement toute tentative de rébellion. Peu de temps

(1) Ce sont les expressions de Palladius (*Dialog.*, XI).
(2) PALLADIUS, *Dialog.*, XX.
(3) JEAN, *Epist.*, CCXXI.

après, une loi impériale vint sanctionner ce qui venait d'être accompli : cette loi interdisait les églises à quiconque refuserait la communion des révérends évêques Arsace, Théophile et Porphyre [1].

ÉLECTION D'ATTICUS

Il semble que cet édit ait été promulgué après la mort d'Arsace [2]. Celle-ci, d'ailleurs, ne changea rien à la situation, car le successeur d'Arsace, Atticus, s'était distingué parmi les prêtres de Constantinople pour son hostilité déclarée contre saint Jean. Plus jeune qu'Arsace et moins encombré de scrupules, Atticus s'imposa à son peuple par la force et par la violence : les Johannites eurent, au début de son épiscopat, bien des mauvais jours à passer.

§ 3. — L'exil et la mort de saint Jean.

L'EXILÉ

Pendant ce temps, Jean subissait toutes les rigueurs d'un âpre exil. On l'avait d'abord conduit à Nicée (juin 404), puis transporté à Cucuse, en Arménie mineure, qui était le lieu fixé pour sa déportation. Triste pays ! une toute petite ville frontière, au pied des montagnes d'Isaurie où il n'y avait pas même un marché et où seule la garnison mettait un peu d'animation. Naguère, un des prédécesseurs de Jean, Paul de Constantinople, y avait été relégué et y avait péri tragiquement [3]. Jean n'y mourut pas, mais il y souffrit tout ce qu'on peut imaginer de plus pénible. Sa santé avait toujours laissé à désirer. La rigueur du climat, les privations de l'exil achevèrent de la délabrer complètement. La famine, les incursions des Isaures, qui parcouraient sans cesse la région en dévastant tout sur leur passage, rendaient la vie encore plus difficile : il fallut à un moment donné que l'évêque infortuné quittât Cucuse pour se réfugier à Arabissos où du moins la sécurité était plus grande. Enfin la solitude, la rareté des courriers, la difficulté d'accès pour les trop rares visiteurs étaient, pour le cœur tendre et fidèle de saint Jean, d'insupportables épreuves ; du moins trouva-t-il, pour adoucir sa peine, un accueil fraternel de la part des évêques de Cucuse et d'Arabissos.

Pourtant Jean ne s'abandonna pas. Avec un admirable courage, il suppléa, dans la mesure du possible, aux inconvénients de l'éloignement par une vaste correspondance avec ses amis de Constantinople et d'ail-

(1) *Cod. Theodos.*, XVI, 4, 6. La loi est du 18 novembre 404. Peu après, le 5 février 405, une nouvelle loi précisa que les évêques déposés devaient être tenus sous bonne garde loin de leur ville épiscopale et que tout recours à l'empereur leur était interdit.

(2) La date de la mort d'Arsace est incertaine. PALLADIUS (*Dialog.*, XI) assure que Arsace fut évêque pendant quatorze mois : il serait donc mort en juillet ou en août 405. SOCRATE (*Hist. eccl.*, VI, XX) place cette mort le 11 novembre 405, et il déclare qu'un temps assez long s'écoula ensuite avant l'élection d'Atticus. SOZOMÈNE (*Hist. eccl.*, VIII, XXVII) précise qu'Atticus fut élu dans le quatrième mois après la mort d'Arsace.

(3) SOCRATE, *Hist. eccl.*, II, XXVI. Cf. t. III, p. 122, n. 4.

leurs. Il fortifiait les exilés, consolait tous ceux qui avaient souffert à cause de lui, donnait des conseils pour la vie intérieure autant que pour l'action apostolique. Comme il se trouvait plus rapproché d'Antioche, il renouait des relations avec les prêtres ou les fidèles qu'il y connaissait, en particulier avec Constance. Il s'intéressait aux œuvres qu'il avait naguère entreprises, et tout spécialement aux missions parmi les infidèles, chez les Goths et en Phénicie : son activité en un tel domaine mérite d'être relevée, car elle dénote des préoccupations que bien peu d'évêques avaient en ce temps-là [1].

ROME EST INFORMÉE DES ÉVÉNEMENTS DE CONSTANTINOPLE

Il n'était pas possible que des événements aussi graves n'eussent pas leurs répercussions à Rome. Depuis longtemps, les évêques d'Alexandrie en connaissaient le chemin : Athanase exilé y avait trouvé le meilleur accueil ; Pierre y avait été reçu avec sympathie, lorsqu'il avait été chassé de son siège ; il parut naturel à Théophile d'avertir le pape Innocent des mesures qu'il avait prises contre son collègue de Constantinople : encore ne semble-t-il pas qu'il se soit hâté de le faire ; la lettre, dans laquelle il annonçait au pape que Jean avait été déposé, arriva à Rome trois jours seulement avant une lettre de Jean lui-même, écrite en avril 404.

Les messagers de l'évêque de Constantinople, Pansophius, évêque de Pisidie, Pappus, évêque de Syrie, Démétrius, évêque de Pessinonte en IIe Galatie, et Eugène, évêque de Phrygie, qu'accompagnaient deux diacres, Paul et Cyriaque, étaient chargés de plusieurs missives : à l'épître de Jean qui était destinée non seulement au pape, mais à Vénérius de Milan et à Chromace d'Aquilée, étaient jointes une lettre des quarante évêques qui avaient embrassé son parti et lui restaient fidèles, et une lettre du clergé de Constantinople. Celles-ci sont perdues, mais nous avons encore celle de Jean [2], qui est profondément émouvante : elle rappelle tous les faits qui se sont passés depuis la venue de Théophile à Constantinople et le concile du Chêne, jusqu'aux violences qui ont inauguré les Pâques rouges de 404 ; elle demande surtout l'appui de l'Occident contre des hommes qui ont violé tous les canons ecclésiastiques [3].

ATTITUDE DE SAINT INNOCENT

On conçoit sans peine l'embarras d'Innocent lorsqu'il eut entre les mains les lettres contradictoires de Théophile et de Jean. Il répondit aux deux

(1) Cf. Romuald HEISS, *Mönchtum, Seelsorge und Mission nach dem heiligen Johannes Chrysostomus*, dans *Lumen Cæcis*, Sainte-Odile, 1928, p. 1-23.

(2) PALLADIUS, *Dialog.*, II.

(3) La primauté du Saint-Siège ne semble pas mise en cause dans la lettre de Jean, qui ne demande pas un jugement du pape et qui s'adresse, en même temps qu'à Rome, à Milan et à Aquilée. Cf. P. BATIFFOL, *Le siège apostolique*, p. 313-315.

évêques qu'il leur accordait sa communion, mais que, la procédure suivie au concile du Chêne lui paraissant illégale, il en cassait les actes, et qu'un nouveau synode, composé d'Orientaux et d'Occidentaux, serait chargé de reprendre l'affaire depuis le commencement [1]. A peine le pape avait-il envoyé cette réponse qu'il vit arriver à Rome un nouveau messager de Théophile, chargé de lui remettre les actes mêmes du concile du Chêne : la lecture des documents officiels fut pour lui une révélation. Il découvrit que, sur les trente-six évêques qui avaient condamné Jean, vingt-neuf étaient égyptiens, que les griefs articulés n'étaient pas sérieux ou n'avaient pas été prouvés, bref que l'on se trouvait en face d'un véritable complot. Il put alors écrire à Théophile une nouvelle lettre, plus sévère, dans laquelle il lui mandait de se présenter au concile qui allait se réunir et qui procéderait conformément aux canons de Nicée [2].

Lorsque l'évêque d'Alexandrie put recevoir le message du pape, sa victoire était définitivement assurée et Jean était sur le chemin de Cucuse. De son côté, saint Innocent ne cessait pas d'obtenir de nouveaux renseignements qui achevaient de l'édifier sur le compte de Théophile : tout de suite après le 20 juin, les évêques restés fidèles à Jean lui écrivirent afin de lui faire connaître les derniers événements et le départ forcé de l'exilé [3]. Puis l'on vit arriver à Rome l'évêque de Synnada, Cyriaque, qui annonça l'élection d'Arsace et l'édit impérial destiné à la confirmer, l'évêque d'Apamée, Eulysius, chargé d'une lettre de quinze évêques du parti de Jean, l'évêque d'Hélénopolis, Palladius, qui put raconter les nouvelles mesures prises par l'empereur contre tous les Johannites fidèles, bien d'autres encore, prêtres ou diacres chassés de Constantinople, entre autres Cassien, à qui ses collègues avaient remis une nouvelle lettre [4].

DERNIÈRES TENTATIVES Une telle abondance de plaintes, appuyées sur des documents irréfutables, était plus que suffisante pour établir le droit. Ce fut en vain que Théophile, de plus en plus haineux, lança contre Jean un dernier pamphlet dans lequel il représenta son adversaire comme un impie, un brigand, un sacrilège, un Judas, un Satan, pour qui l'enfer n'aurait jamais assez de supplices, en vain que saint Jérôme eut le triste courage de traduire en latin toutes ces abominations et de les communiquer à ses amis de Rome. On était trop bien renseigné en Occident sur la valeur d'une pareille littérature pour y

(1) PALLADIUS, *Dialog.*, III.
(2) PALLADIUS, *Dialog.*, III.
(3) PALLADIUS, *Dialog.*, III. Au reçu de cette lettre, le pape écrivit à Jean pour le consoler ; il déclara en même temps qu'il maintenait sa communion à Jean et à tous les évêques qui avaient embrassé sa cause.
(4) PALLADIUS, *Dialog.*, III. Nous possédons encore la réponse adressée par le pape à cette dernière lettre (JAFFÉ-WATTENBACH, 294). Innocent s'y élève énergiquement contre la procédure suivie par Théophile et ses amis ; il rappelle que seuls doivent être observés les canons de Nicée et que les autres canons sont sans aucune valeur.

prêter attention. Innocent, à la demande de l'empereur Honorius, à qui l'on avait communiqué toutes les informations reçues, réunit un concile chargé de déterminer la procédure à suivre. Il fut décidé qu'on convoquerait sans plus tarder un synode d'évêques d'Orient et d'Occident et que ceux-ci siégeraient à Thessalonique, puis Honorius écrivit à son frère pour lui communiquer cette décision : trois évêques, Émile de Bénévent. Cythegius et Gaudence de Brescia, qu'accompagnèrent deux prêtres et un diacre de Rome et quelques évêques orientaux venus précédemment à Rome, furent chargés de porter sa missive [1]. On ne les laissa pas accomplir leur mission. A peine les voyageurs étaient-ils entrés dans les États d'Arcadius qu'ils furent arrêtés, conduits à Constantinople et emprisonnés dans un château de la côte de Thrace : les Occidentaux furent rembarqués pour l'Italie, après qu'on leur eût arraché la lettre d'Honorius ; quant aux Orientaux, ils furent incontinent exilés [2].

Aucun effort ne pouvait plus être tenté en faveur de Jean, pour qui tant de dévouements obstinés venaient d'être mis en œuvre. Entre les deux Empires d'Orient et d'Occident, les relations étaient plus mauvaises que jamais : Honorius était sûr de ne rien obtenir de son frère, contre lequel il préparait une expédition de concert avec les Goths d'Alaric. A Constantinople, l'évêque Atticus, qui avait succédé au vieil Arsace, pouvait à son gré manier les armes spirituelles et disposer de la force matérielle que le faible Arcadius mettait à son service. D'ailleurs, l'une après l'autre, toutes les voix favorables à Jean avaient été réduites au silence : la mort, l'exil, la fatigue, la crainte, parfois même l'argent avaient eu raison des dernières résistances. Seul, le pape Innocent ne se déclara pas vaincu. Il sépara de sa communion les ennemis de Jean et écrivit à l'exilé plusieurs lettres de consolation [3] : nous savons que ces lettres furent reçues avec reconnaissance ; Jean trouva pour remercier le pape des accents qui nous émeuvent encore.

LA MORT DE SAINT JEAN

Cependant, si éloigné qu'il fût de Constantinople, si horrible que fût son séjour de Cucuse ou d'Arabissos, il suffisait que Jean fût encore vivant pour que ses ennemis ne se sentissent pas en repos. On savait que l'exilé conservait

(1) La lettre d'Honorius à son frère est conservée par Palladius, *Dialog.*, III. Elle avait été précédée de deux autres lettres qui étaient restées sans résultat.

(2) Palladius, *Dialog.*, IV et XX. Naturellement, les événements que nous venons de raconter ont pris un certain temps. Le pape ne connut la déposition de Jean qu'au printemps de 404. L'échange de lettres entre Rome, Alexandrie et Constantinople dut prendre plusieurs mois, et la première démarche d'Innocent auprès de l'empereur Honorius pourrait avoir eu lieu en 405. Elle fut suivie des deux lettres à Arcadius qui ne répondit pas, du concile romain, de la troisième lettre à Arcadius : l'ambassade qui porta cette lettre dut quitter Rome au début de 406. Cf. Chr. Baur, *Johannes Chrysostomus und seine Zeit*, t. II, p. 336.

(3) Palladius, *Dialog.*, XX. Le pape ne pouvait rien faire de plus à ce moment. On prétendit plus tard qu'Innocent avait excommunié Arcadius et Eudoxie (qui était morte en 404). Les lettres relatives à cette excommunication sont des faux.

des amitiés fidèles et que beaucoup ne se taisaient que par force : tout cela ne pouvait-il pas créer une situation dangereuse ? Au printemps de 407, un ordre impérial vint enjoindre au préfet du prétoire de faire conduire l'évêque Jean à Pityonte, petit village situé sur les bords de la mer Noire, au pied du Caucase, dans une région qu'habitaient des peuples plus redoutable que les Isaures eux-mêmes : c'était décréter sa mort[1].

Le voyage fut atroce. Sans égard pour l'âge et les infirmités de Jean, les soldats qui le gardaient l'obligeaient à marcher par tous les temps, en de pénibles chemins de montagne. Si l'on traversait une ville où il aurait pu trouver quelque soulagement, on passait rapidement et l'on faisait halte dans les localités sans ressources. On marcha de la sorte pendant trois mois, au bout desquels on atteignit la ville de Comane dans le Pont. Jean était alors au comble de la faiblesse et de l'épuisement ; cependant on ne s'arrêta pas à Comane, mais dans une chapelle, située à quelques kilomètres et consacrée à un martyr local, Basiliscus[2]. Ce fut là que le grand évêque passa sa dernière nuit en ce monde. Au cours de son sommeil, il vit apparaître le saint qui lui dit : « Bon courage, mon frère Jean ; demain, nous serons réunis ». Il comprit sans peine le sens de cet avertissement. Au matin, il lui fallut pourtant se remettre en route, mais ses forces le trahirent bien vite, et les soldats le ramenèrent à la petite chapelle. Il demanda des vêtements blancs et reçut avec dévotion le sacrement de l'Eucharistie. Puis après avoir dit : « Gloire à Dieu en toutes choses », il rendit au Seigneur son âme vaillante (14 septembre 407)[3].

VICTOIRE DE L'ÉGLISE D'ALEXANDRIE

Désormais ses ennemis purent jouir de leur triomphe. Théophile d'Alexandrie était le grand vainqueur de cet inégal combat, où la ruse et la violence n'avaient eu d'autre adversaire que la sainteté. D'autres que Jean, peut-être plus habiles ou plus politiques, auraient tâché de tenir tête, mais la défaite humaine de Jean consacre son admirable vertu. La postérité, attentive surtout à l'éclat de son éloquence, lui a donné le nom de Chrysostome, sous lequel il est devenu célèbre. L'Église a fait de lui le patron des orateurs. Ceux qui ont triomphé de sa sainteté, Acace de Bérée, Antiochus de Ptolémaïs, Sévérien de Gabala et, plus que les autres, Théophile d'Alexandrie, n'ont laissé d'autre souvenir que celui d'intrigants et d'ambitieux. La seule excuse que l'on puisse faire valoir pour expliquer leur conduite, c'est qu'ils ont été les instruments d'une politique qui les dépassait, et qu'au delà des individus l'enjeu de la victoire était le triomphe de l'église d'Alexandrie.

(1) Palladius, *Dialog.*, xi ; Théodoret, *Hist. eccl.*, V, xxxiv.
(2) H. Delehaye, *Les légendes grecques des saints militaires*, Paris, 1909, p. 202-213.
(3) Palladius, *Dialog.*, xi ; Socrate, *Hist. eccl.*, VI, xxi.

CHAPITRE VI

ATTICUS DE CONSTANTINOPLE ET CYRILLE D'ALEXANDRIE [1]

Lorsque le saint évêque Jean de Constantinople eut rendu son âme à Dieu dans les lointaines solitudes du Pont, Atticus et Théophile durent se sentir pleinement rassurés. Aucun danger ne les menaçait plus. Dispersés, exilés, réduits à la misère, les fidèles partisans de Jean ne pouvaient rien contre eux. Peu à peu, les rancunes se calmaient dans les esprits. Grâce à leurs efforts, la paix désormais régnait dans toute l'Église d'Orient. Sans doute le pape Innocent avait résolu de refuser sa communion aux évêques orientaux qui avaient souscrit à la déposition de Jean. Mais Rome était loin : n'était-il pas facile de se passer d'elle en attendant la venue de jours meilleurs ?

(1) Bibliographie. — I. Sources. — En plus des grandes histoires ecclésiastiques de Socrate, Sozomène et Théodoret, que nous citons ici pour la dernière fois, la principale source pour les années qui s'écoulent entre la mort de saint Jean Chrysostome et le début de la controverse nestorienne est constituée par les lettres de Sysénius de Cyrène, de saint Isidore de Péluse et de saint Nil. Ces lettres sont de la première importance pour nous faire comprendre la situation du monde chrétien au début du ve siècle. De saint Isidore, nous n'avons pas moins de 2.012 lettres, dont le plus grand nombre traitent de questions ascétiques, dogmatiques et théologiques. La collection des lettres de saint Nil comprend 1.061 numéros, mais il y aurait lieu de revoir ce chiffre.

Il faut citer également les premières œuvres de saint Cyrille d'Alexandrie et de Théodoret de Cyr : ce sont des écrits théologiques, qui ont du moins l'avantage de nous faire comprendre l'état des questions au moment où vont s'engager les grandes controverses sur la personne du Christ.

La vie de Porphyre, évêque de Gaza, par Marc le Diacre (édit. Grégoire et Kugener, Paris, 1930), nous conduit en Palestine et nous rappelle certains épisodes de la lutte contre le paganisme. L'*Historia religiosa* de Théodoret (*P. G.*, LXXXII, 1283-1496) fait connaître un certain nombre de moines syriens : l'auteur a connu personnellement plusieurs de ces moines. Son ouvrage est écrit en vue de l'édification, mais il garde une vraie valeur historique.

II. Travaux. — Nous avons peu de choses à signaler. On trouvera, dans le cours du chapitre, l'indication des principaux ouvrages qui concernent saint Nil, saint Isidore et Synésius de Cyrène.

Atticus de Constantinople n'a pas laissé dans l'histoire un grand souvenir. L'article de M. Th. Disdier qui lui est consacré, dans le *Dictionnaire d'histoire et de géographie ecclésiastiques*, t. V, col. 161-166, est plutôt sévère pour sa mémoire.

Sur Théophile d'Alexandrie, voir G. Lazzati, *Teofilo d'Alessandria*, Milan, 1935 ; cet ouvrage ne renouvelle pas les problèmes soulevés par ce personnage ambitieux et intrigant, mais en donne un exposé commode.

Sur saint Cyrille, en dehors de Tillemont, *Mémoires*, t. XIV, p. 267-676, voir S. Kopallik, *Cyrillus von Alexandrien, Eine Biographie nach den Quellen bearbeitet*, Mayence, 1881 ; T. Liastsenko, *Saint Cyrille, archevêque d'Alexandrie ; sa vie et son œuvre* (en russe), Kiev, 1913 ; Chr. Papadopoulos, Ὁ ἅγιος Κύριλλος Ἀλεξανδρείας, Alexandrie, 1933. La théologie de saint Cyrille est étudiée spécialement par A. Rehrmann, *Die Christologie des hl. Cyrillus von Alexandrien*, Hildesheim, 1902 ; T. Weigl, *Die Heilslehre des hl. Kyrill von Alexandrien*, Mayence, 1905.

§ 1. — La fin de l'épiscopat de Théophile.

LES DÉBUTS DU RÈGNE DE THÉODOSE II

Le changement de règne qui survint alors ne troubla pas cette paix. L'empereur Arcadius mourut le 1er mai 408 sans avoir jamais réellement vécu. Il laissait quatre enfants, un garçon, qui portait le nom de Théodose, et trois filles, Pulchérie, Arcadie et Marine. Théodose avait été proclamé Auguste dès le 10 janvier 402 : il fut reconnu sans aucune discussion après la mort de son père, et, lorsque Pulchérie entra dans sa seizième année, elle fut associée à l'Empire avec le titre d'Augusta (4 juillet 414). Il va sans dire que la réalité du pouvoir fut exercée par d'autres que par ces enfants : le préfet du prétoire, Anthème, prit en mains la régence ; c'était un parfait honnête homme, un administrateur habile ; il sut gouverner avec sagesse et prudence, en se faisant aider à l'occasion des conseils de l'évêque Atticus et du sophiste Troïle. Un instant, on craignit que les Occidentaux ne voulussent profiter de la régence pour s'intéresser de trop près aux affaires de l'Orient. Ces craintes ne tardèrent pas à se calmer : Honorius trouva en Occident bien d'autres occupations ; il cessa très vite de regarder du côté de l'Orient. Tandis que l'Italie succombait sous les coups de l'invasion barbare, tandis que Rome était prise par les soldats d'Alaric, l'Empire de Constantinople connut quelques années de repos, qui furent aussi un temps de prospérité matérielle.

ATTICUS DE CONSTANTINOPLE

Atticus ne demandait qu'à gouverner tranquillement son église de Constantinople. Il n'avait pas le zèle ardent de Jean, et le souvenir des derniers événements était bien fait pour l'exciter à la prudence. Il laissa à peu près les hérétiques en repos, malgré des menaces qu'il faisait d'autant plus bruyantes qu'elles n'étaient pas suivies d'effet ; peut-être même, s'il faut croire Socrate, témoigna-t-il d'une particulière faveur à l'égard des Novatiens. Il s'efforça surtout de ramener les partisans de Jean, et Théophile d'Alexandrie lui-même lui conseilla, paraît-il, d'user de ménagements à leur égard [1] : il n'obtint pas sans doute tous les succès qu'il aurait souhaités ; beaucoup continuèrent à faire bande à part, à célébrer leurs offices dans la campagne, à bouder aux cérémonies officielles ; il eut cependant la joie de ramener un bon nombre de schismatiques.

A ALEXANDRIE

A Alexandrie, Théophile n'avait nul besoin de faire des concessions, puisqu'il tenait en mains tout son peuple et que l'Égypte entière obéissait joyeusement à son autorité. Satisfait de son triomphe sur Jean, il achevait de vieillir, sans plus se

(1) Synésius, *Epist.*, LXVI.

mêler aux controverses et sans se préoccuper des Origénistes qu'il aurait pu découvrir çà et là dans quelques-uns de ses monastères. Il ne daignait même pas faire attention aux critiques que ne lui ménageaient pas deux des hommes les plus remarquables de son temps : Nil et Isidore.

SAINT NIL

On a cru longtemps, sur la foi d'un récit dans lequel on voulait voir une autobiographie, que Nil, après avoir exercé à Constantinople de hautes fonctions administratives, avait quitté le monde et s'était retiré avec son fils dans les solitudes du Sinaï. Des brigands sarrazins auraient un jour enlevé le jeune homme, que Nil n'aurait retrouvé qu'après bien des recherches et des aventures. Finalement, Nil et Théodule, après avoir reçu l'ordination sacerdotale des mains de l'évêque d'Éluse, localité située sur les limites de l'Arabie Pétrée et de la Palestine, seraient retournés au Sinaï où ils auraient achevé leur vie dans la prière [1]. Il est aujourd'hui démontré que ce beau récit n'est qu'un roman [2]. En réalité, Nil est un asiatique qui a longtemps été le supérieur d'un monastère situé aux environs d'Ancyre en Galatie. La correspondance très considérable qu'il a entretenue avec les personnages les plus importants de son époque nous fait connaître, en même temps que ses idées sur la perfection chrétienne, la profondeur de son attachement à Jean et de son indignation contre Théophile [3].

SAINT ISIDORE DE PÉLUSE

Plus sévère encore pour l'évêque d'Alexandrie et plus audacieux, parce qu'il vivait en Égypte, se montre Isidore de Péluse. Isidore lui aussi gouverne un monastère, et sa correspondance, qui s'échelonne sur les années 393-433, est d'une étonnante richesse [4]. Avec une extraordinaire franchise, il multiplie les conseils et les réprimandes, et personne, si haut placé qu'il soit, n'échappe à ses reproches : « L'Égypte, écrit-il, toujours ennemie de Moïse, toujours attachée à Pharaon, a lâché contre le saint docteur ce

(1) Ce récit est contenu dans un écrit intitulé *Narrationes quibus caedes monachorum montis Sinaï et captivitas Theoduli eius filii describuntur* (*P. G.*, LXXIX, 589-694). Tous les manuscrits, sauf un, font de Nil l'auteur de cet écrit.

(2) K. Heussi, *Nilus der Aszet und der Ueberfall der Mönche am Sinaï*, dans *Neue Jahrbücher für das klassische Altertum*, t. XXXVII, 1916, p. 107-127 ; Id., *Untersuchungen zu Nilus dem Aszeten* (*Texte und Untersuchungen*, t. XLII, 2), Leipzig, 1917. On a essayé de maintenir l'historicité du récit traditionnel : cf. F. Degenhart, *Neue Beiträge zur Nilusforschung*, Munster, 1918. Mais cette tentative semble bien vaine. Cf. K. Heussi, *Das Nilus problem, Randglossen zu Fr. Degenharts Neuen Beiträgen zur Nilusforschung*, Leipzig, 1921.

(3) En dehors de sa correspondance, qui aurait besoin d'être encore étudiée de près, Nil est l'auteur de plusieurs ouvrages sur la vie et les vertus chrétiennes, sur la prière, sur l'excellence de la vie monastique, sur les exercices du moine, etc. Cf. O. Bardenhewer, *Geschichte der altkirchlichen Literatur*, t. IV, p. 161-178. Parmi les travaux anciens sur Nil, on peut toujours citer Tillemont, *Mémoires pour servir à l'histoire ecclésiastique*, t. XIV, Paris, 1709, p. 189-218.

(4) Tillemont, *Mémoires*, t. XV, Paris, 1711, p. 97-119 ; L. Bayer, *Isidors von Pelusium klassische Bildung*, Paderborn, 1915 ; O. Bardenhewer, *Geschichte der altkirchlichen Literatur*, t. IV, p. 100-107.

Théophile, homme passionné pour la pierre et pour l'or ; il s'est associé quatre complices, quatre apostats comme lui ; ensemble ils l'ont terrassé [1] ». Le clergé de Péluse est l'objet de ses véhémentes critiques : l'évêque en est alors un certain Eusèbe, qui a succédé à Ammonius ; Ammonius est représenté comme un prélat d'une sagesse divine qui avait les yeux de l'âme très purs et très perçants. En face de lui, Eusèbe est dépeint sous les couleurs les plus noires, et son clergé, paraît-il, ne vaut pas mieux que lui : plusieurs de ses prêtres ont acheté leur ordination à prix d'argent ; un diacre, Chérémon, a été déposé du lectorat pour trois crimes passibles des lois civiles ; Martinien, après avoir dissipé tous les biens de l'église dont il était économe, s'efforce d'obtenir un évêché par la corruption. On s'étonne un peu que l'évêque de Péluse ait supporté sans sourciller de pareils reproches [2]. De fait, Isidore ne semble pas avoir été inquiété, et, jusqu'au bout de sa longue existence, il put continuer à morigéner avec la plus entière liberté tous ceux qui s'écartaient de la règle austère des devoirs chrétiens.

SYNÉSIUS DE CYRÈNE Bien différent de cet impitoyable moraliste est l'évêque de Ptolémaïs, Synésius. Celui-ci est une des physionomies les plus caractéristiques de son temps, et on ne saurait mieux le comparer qu'à Ausone. Né à Cyrène dans la Pentapole vers 375, Synésius appartenait à une noble famille, qui faisait remonter ses origines à l'héraclide Eurysthène. Il fut élevé à Alexandrie, où il apprit la philosophie sous la conduite de la célèbre Hypatie, avec laquelle il ne cessa jamais d'entretenir une correspondance suivie. Un voyage qu'il fit à Athènes ne lui laissa que des désillusions sur la vieille capitale et sur ses écoles. A vingt-cinq ans, il fut chargé (vers 400) de conduire à Constantinople une députation de ses concitoyens, afin de demander à l'empereur des secours en faveur des villes de la Pentapole. Il dut séjourner longtemps dans la capitale avant d'obtenir satisfaction. Du moins eut-il la joie de voir enfin ses requêtes accueillies et de rendre ainsi à ses compatriotes le service qu'ils attendaient de lui.

Lorsqu'il fut rentré à Cyrène, il y mena pendant plusieurs années la vie d'un grand seigneur, philosophe et ami du repos. Il s'était marié et avait eu trois enfants, dont il dut surveiller l'éducation. Grand chasseur, il s'intéressait à ses chiens, à ses chevaux, à ses armes. Il écrivait des livres sur les sujets les plus variés et les plus inattendus : sur la chasse, sur la monarchie, sur les présents, sur les songes, sur la calvitie dont il faisait l'éloge ; il composait également des hymnes en mètres divers

(1) Isidore, *Epist.*, I, clii. Les quatre complices de Théophile sont les trois syriens Acace, Sévérien, Antiochus, et l'évêque de Chalcédoine, Cyrinus.

(2) Il est possible que cet Eusèbe ait été évêque de Péluse dès avant 395. En tout cas, après avoir pris part au concile d'Éphèse en 431, il vivait encore en 457.

et d'une inspiration vraiment religieuse, mais beaucoup plus platonicienne que chrétienne[1]. Lorsqu'il en avait le temps, il s'intéressait aux affaires publiques avec dévouement et courage : en 405 et en 406, les hordes barbares des Macètes vinrent mettre le siège devant Cyrène : Synésius, à la tête des bourgeois de la ville, réussit à les chasser.

L'ÉPISCOPAT DE SYNÉSIUS Sa science, sa fortune, son héroïsme même le mirent en relief. Vers 410, les fidèles de Ptolémaïs eurent besoin d'un évêque et leur choix tomba sur lui, quoiqu'il fût à peine chrétien. Il demanda le temps de réfléchir. Une lettre adressée à son frère Euoptius nous fait connaître ses objections[2]. Il y avait d'abord l'obligation de renoncer à une vie agréable et facile, à la chasse, aux livres, à la poésie : un évêque se doit tout à ses diocésains et des soucis continuels sont le lot qui l'attend. Il y avait aussi le devoir de la chasteté : Synésius était marié ; il prétendait bien continuer à vivre avec sa femme, et, par la grâce de Dieu, en avoir encore des enfants. Enfin, parmi les dogmes, celui de la résurrection, entendu tout au moins à la façon courante, lui paraissait inacceptable ; seule une explication dans le genre de celle d'Origène était de nature à le satisfaire ; comment parler d'Origène à Théophile ? Il semble d'ailleurs que l'évêque d'Alexandrie n'ait pas fait trop de difficultés à accepter ces conditions : il connaissait Synésius et avait en lui pleine confiance ; il ratifia l'élection ; et, au bout de quelques mois, Synésius reçut la consécration épiscopale.

L'événement prouva que le choix était bon. Nulle difficulté doctrinale ne vint troubler la Cyrénaïque. Mais les barbares et les mauvais fonctionnaires étaient des ennemis suffisamment actifs pour exercer la patience et le zèle de Synésius. « Le gouverneur Andronic affligeait la province par ses exactions et ses cruautés : Synésius n'hésita pas à l'excommunier ; il agissait en même temps à Constantinople pour qu'on le débarrassât de ce magistrat prévaricateur. Il réussit : Andronic tomba en disgrâce. On vit alors le bon Synésius, oubliant ses griefs et ses excommunications, prendre la défense de son adversaire malheureux[3] ». Quant aux barbares, Macètes et Ausuriens, les défaites qu'ils avaient subies en 405 et 406 ne les empêchèrent pas de reparaître. Une fois de plus, Synésius releva le courage de ses concitoyens et se mit à leur tête pour résister aux enne-

(1) La chronologie des ouvrages de Synésius a été particulièrement étudiée par F. X. Kraus, *Studien über Synesius von Kyrene*, dans *Theolog. Quartalschrift*, t. XLVII, 1865, p. 381-448, 537-600 ; t. XLVIII, 1866, p. 65-129. Cf. O. Seeck, *Studien zu Synesios*, dans *Philologus*, t. LII, 1893, p. 442-483 ; J. Mandoul, *De Synesio Ptolemensi episcopo et Pentapoleos defensore*, Paris, 1899 ; A. J. Kleffner, *Synesius von Kyrene, der Philosoph und Dichter, und sein angeblicher Vorbehalt bei seiner Wahl und Weihe zum Bischof von Ptolemaïs*, Paderborn, 1901. Les œuvres de Synésius figurent dans la *Patrologie grecque* de Migne, LVI, qui reproduit l'édition de Petau, Paris, 1612. Une édition critique a été entreprise par J. G. Krabinger : le tome I seul en a paru, Landshut, 1850.

(2) Synésius, *Epist.*, cv.

(3) L. Duchesne, *Histoire ancienne de l'Église*, t. III, p. 293.

mis : un admirable discours, prononcé en 412, montre combien sa foi chrétienne s'était développée et purifiée depuis qu'il avait accepté l'épiscopat. Il survécut à l'invasion, mais pour peu de temps. Aucune de ses lettres n'est postérieure à 413. Il dut mourir vers cette date.

L'INSCRIPTION DE SAINT JEAN DANS LES DIPTYQUES

Si intéressants qu'ils soient, les personnages dont nous venons de parler tiennent peu de place dans l'histoire générale. Au reste, au cours des années de calme qui s'écoulent jusqu'à l'élection de Nestorius sur le siège de Constantinople, le grand problème est celui de l'inscription du nom de Jean dans les diptyques : en soi, ce problème paraît sans intérêt ; il ne prend de l'importance que dans la mesure où il s'insère au milieu des controverses qui opposent l'une à l'autre Alexandrie et Constantinople.

A ANTIOCHE

A Antioche, Porphyre avait été élu par les ennemis de Jean : tant qu'il vécut, il ne put être question d'accommodement. Son successeur, Alexandre, était un homme pacifique, et ses premiers gestes furent bien caractéristiques. Il y avait encore à Antioche des tenants du schisme eustathien, de cette petite Église qui avait vécu sous l'autorité des évêques Paulin et Evagrius : bien que privés de pasteur depuis la mort de ce dernier, les schismatiques n'avaient pas voulu jusqu'alors faire la paix avec l'évêque légitime. Alexandre parvint à les réconcilier ; il accueillit à leur rang, dans le clergé, les clercs qui restaient ; et ce fut un beau jour que celui où tous les fidèles d'Antioche se trouvèrent enfin réunis à l'église d'Or pour entonner la liturgie [1]. Les évêques Helpidius de Laodicée et Pappus avaient été déposés et éloignés de leurs sièges pour leur fidélité à Jean : Alexandre les rétablit dans leur dignité, puis, pour donner toute sa signification à cette œuvre de paix, il inscrivit le nom de Jean dans les diptyques de son église, et gagna de la sorte la confiance de tous ceux qui avaient pris parti contre Porphyre. Cela fait, il put envoyer à Rome une ambassade dont faisait partie le prêtre Cassien et demander au pape Innocent des lettres de communion [2]. Cette légation fut reçue avec joie comme en témoigne la réponse d'Innocent :

> En remerciant Dieu, j'ai accepté la communion de votre église, fier de ce que les condisciples du siège apostolique aient les premiers montré aux autres la voie de la paix où, affermis par vous et nous, la bénignité du Christ Notre-Seigneur nous embrassera et fortifiera, de sorte que désormais aucune atteinte, même légère, d'une vile contention ne l'écarte [3].

(1) THÉODORET, *Hist. eccl.*, V, XXXV.
(2) Porphyre avait déjà écrit à Rome, mais il n'en avait pas reçu de réponse ; Cf. PALLADIUS, *Dialog.*, XVI. C'était le signe que le pape lui refusait sa communion.
(3) JAFFÉ-WATTENBACH, 305. Cette lettre d'Innocent est souscrite par vingt-quatre évêques d'Italie. A la lettre synodale était jointe une lettre personnelle du pape à l'évêque Alexandre : JAFFÉ-WATTENBACH, 306.

Une telle politique ne tarda pas à porter ses fruits. Sans doute, Alexandre ne parvint pas, malgré ses efforts, à amener Atticus de Constantinople à insérer le nom de Jean dans ses diptyques, mais il fit mieux peut-être, puisque l'adversaire acharné de Jean, Acace de Bérée, sollicita par son intermédiaire la faveur de la communion romaine [1]. Malheureusement, le bon évêque d'Antioche mourut trop vite, et son successeur, Théodote, effaça de nouveau le nom de Jean. Mais le peuple se souleva ; par crainte de l'émeute, Théodote ne tarda pas à céder ; la question, ainsi réglée, ne se posa plus dans le diocèse d'Orient.

A CONSTANTINOPLE Il est vrai que Constantinople et Alexandrie tenaient ferme dans leurs rancunes. Avec le temps cependant, les résistances fléchirent. Acace accepta le rôle, assez ingrat, d'intermédiaire : il écrivit à Atticus et à Cyrille qui avait remplacé Théophile sur le siège de saint Marc, pour tâcher de les convaincre. Atticus se laissa persuader sans trop de peine : il avait, dès le début de son épiscopat, fait quelques concessions ; la cour désirait la paix ; et surtout, la masse des fidèles restait attachée au souvenir de Jean ; il suffisait qu'on évoquât ce souvenir pour l'émouvoir. La crainte fut pour l'évêque une bonne conseillère : le nom de Jean fut rétabli dans la liste de ses prédécesseurs. Il crut d'ailleurs bon de s'excuser de cet acte auprès de Cyrille d'Alexandrie à qui il adressa une lettre fort embarrassée. Celui-ci lui répondit par des reproches, blâma sa faiblesse et l'invita à revenir sur sa décision. Atticus, cette fois, ne se laissa pas convaincre.

A ALEXANDRIE Somme toute, l'église d'Alexandrie finit par rester seule en dehors du grand mouvement de réparation. Auprès de Théophile, tous les efforts étaient restés infructueux. En juin 407, le concile d'Afrique avait décidé d'écrire au pape saint Innocent pour essayer de rétablir entre les églises de Rome et d'Alexandrie la paix dont le Seigneur fait un précepte. Cette démarche était restée sans résultat [2]. Plus tard les lettres véhémentes de saint Isidore de Péluse, les étonnements un peu naïfs de Synésius de Cyrène [3] n'avaient pas eu plus de succès. Sûr de lui-même et de l'excellence de sa cause, Théophile avait laissé dire. Il mourut le 15 octobre 412.

(1) Jaffé-Wattenbach, 307. Il faut noter la cordialité des relations nouées entre Alexandre et Innocent. De ce dernier, nous avons encore une réponse (J.-W., 310) à une consultation de l'évêque d'Antioche. Il s'agit spécialement ici des droits et prérogatives de l'église d'Antioche. Le pape déclare qu'il faut maintenir les décisions prises par le concile de Nicée et reconnaître par suite la primauté d'Antioche dans le diocèse d'Orient. Il ajoute que cette primauté appartient à Antioche non pas tant en considération de la grandeur de la ville que parce qu'elle a été le premier siège du premier apôtre ; par où Antioche serait l'égale de Rome, si son privilège n'avait pas été transitoire, tandis que celui de Rome est définitif. Cf. P. Batiffol, *Le siège apostolique*, p. 330-332.

(2) *Cod. canon. eccles. afric.*, can. 101.

(3) Synésius, *Epist.*, lxvi.

§ 2. — Saint Cyrille d'Alexandrie.

SAINT CYRILLE Pour lui succéder, on fit appel à un de ses neveux, Cyrille, dont l'élection fut cependant loin d'être unanime. Celui-ci était, comme Théophile, un homme d'une grande culture et d'une vie irréprochable. Peut-être avait-il mené pendant quelque temps la vie monastique, bien qu'il ne fût manifestement pas fait pour elle : une lettre d'Isidore de Péluse, écrite à ce moment-là, et qui semble bien lui être adressée, lui reproche d'avoir l'habit d'un solitaire et de s'embarrasser du soin des affaires du monde, de vivre dans le désert et de porter dans son âme le bruit et la confusion des villes. Mais de bonne heure il avait été rappelé par son oncle qui l'avait fait entrer dans le clergé et qui l'avait emmené avec lui au concile du Chêne.

Dès le début de son épiscopat, saint Cyrille se montra tel qu'il devait toujours rester, un homme d'une orthodoxie farouche, mais aussi un chef jaloux de son autorité. Socrate, qui ne l'aimait guère, va jusqu'à écrire qu'à partir de ce moment, les évêques d'Alexandrie, franchissant les bornes du pouvoir sacerdotal, se mirent à diriger toutes choses, même celles qui n'étaient pas de leur compétence.

L'AFFAIRE D'ORESTE Ce qu'il y a de sûr, c'est qu'à peine installé sur le trône patriarcal d'Alexandrie, saint Cyrille se trouva engagé dans une pénible querelle avec le préfet d'Égypte, Oreste. On ne sait au juste pour quel motif ces deux hommes s'étaient brouillés : peut-être la seule raison de leur désaccord était-elle l'autorité grandissante des évêques en face du pouvoir civil. En vain quelques personnes pacifiques essayèrent-elles de ménager une réconciliation : un beau jour l'émeute se déchaîna.

Les moines, qui depuis longtemps servaient en quelque sorte de gardes du corps aux évêques d'Alexandrie et leur prêtaient main forte dans toutes les occasions difficiles, sortirent de leurs couvents au nombre d'environ cinq cents et descendirent à la ville pour y guetter le passage du préfet. Lorsqu'ils le virent sur son char, ils s'approchèrent de lui et se mirent brusquement à l'insulter, en l'appelant païen et idolâtre. Oreste essaya de se défendre, en rappelant qu'il était chrétien et qu'il avait été baptisé à Constantinople par l'évêque Atticus. Ce fut peine perdue. Un des solitaires, Ammonius, plus excité que les autres, lui lança une brique à la figure et lui mit la tête en sang. Les gardes du préfet prirent peur et se débandèrent. Il fallut que la foule elle-même défendît le blessé et arrêtât Ammonius qui fut aussitôt conduit entre les mains des autorités. On le mit à la question, et si violemment qu'il en mourut. Cyrille lui fit faire alors de solennelles funérailles, prononça son panégyrique, ordonna qu'on lui rendît les honneurs réservés aux martyrs : c'était exagéré et l'évêque lui-même finit par s'en rendre compte [1].

CONTRE LES JUIFS Les Juifs eux aussi apprirent à leurs dépens à connaître le zèle de Cyrille : entre eux et les chrétiens d'Alexandrie, les relations n'avaient jamais été cordiales, et en maintes occasions des séditions s'étaient élevées. Au début de l'épiscopat de Cyrille, un incident banal, une audience de justice, au cours de laquelle un partisan de l'évêque, le maître d'école Hiérax, avait été pris à partie par les Juifs qui l'avaient traité, non sans raison d'ailleurs, d'agent provocateur, servit de prétexte à une nouvelle émeute. Menacés par l'évêque, les Juifs déclenchèrent une attaque contre les chrétiens qu'ils avaient fait sortir de chez eux la nuit en prétextant un incendie. Beaucoup de fidèles périrent de la sorte. Le jour venu, les chrétiens se ressaisirent. Stimulés par Cyrille, ils envahirent les synagogues, tuant tous les Juifs qu'ils rencontraient. Ce fut la fin de la colonie juive d'Alexandrie ; elle fut dispersée, et il ne semble pas qu'elle ait été jamais reconstituée [2].

CONTRE LES PAÏENS A peine est-il besoin d'ajouter que les païens ne furent pas mieux traités [3]. Le meurtre d'Hypatie, en mars 415, n'est guère qu'un épisode particulièrement douloureux d'une lutte fertile en incidents.

LES DIPTYQUES DE CONSTANTINOPLE On comprend facilement que, dans ces conditions, il n'ait pas été très commode d'aborder avec saint Cyrille l'irritante question du rétablissement du nom de Jean dans les diptyques. Acace et Atticus s'y employèrent de leur mieux, mais sans aucune grandeur d'âme. Acace de Bérée semble s'excuser d'avoir consenti lui-même à cette inscription ; il explique qu'il y a été contraint par les séditions d'Antioche ; il demande à l'évêque d'Alexandrie de lui envoyer un avis motivé et définitif [4]. Quant à Atticus, il invoque toutes sortes de faux-fuyants : la volonté du peuple, les désirs de la cour ; il assure que le nom de Jean a été placé sur une liste qui contient, à côté des évêques, beaucoup d'autres personnes, non seulement des clercs inférieurs, mais des laïques, hommes et femmes ; que l'arien Eudoxe a été enterré dans le même tombeau que les évêques orthodoxes de Constantinople [5]. Cyrille ne pouvait pas être dupe de pareils

(1) SOCRATE, *Hist. eccl.*, VII, XIV.
(2) SOCRATE, *Hist. eccl.*, VII, XIII.
(3) Cf. *supra*, p. 15 et suiv. Comme le remarque DUCHESNE (*Histoire ancienne de l'Église*, t. III, p. 301, n. 1), il ne faut pas oublier que les histoires ci-dessus nous sont racontées par Socrate seul. Elles représentent les bruits accrédités à Constantinople et peuvent ainsi présenter une certaine dose d'exagération.
(4) La lettre d'Acace est perdue, mais Cyrille la mentionne dans sa réponse à Atticus, *Epist.*, LXXVI. Nous ne savons pas si l'évêque d'Alexandrie a répondu directement à celui de Bérée.
(5) CYRILLE, *Epist.*, LXXV. Cette lettre est écrite par Atticus.

boniments. Il répondit à Atticus que, vérification faite, le nom de Jean figurait bel et bien dans la liste des évêques de la capitale et que cela il ne l'accepterait jamais, ni pour lui-même ni pour aucun de ses collègues d'Égypte ; que Jean avait été déposé de l'épiscopat par le concile du Chêne auquel il avait assisté ; qu'inscrire Jean dans les diptyques, c'était replacer Judas dans le collège apostolique [1].

Il semble pourtant que saint Cyrille ne persévéra pas jusqu'au bout dans son intransigeance. On peut du moins le supposer en constatant qu'en 419, des relations normales existent entre l'église d'Alexandrie et les grandes églises d'Occident. A cette date en effet, un concile de Carthage décide de faire demander à Alexandrie, et tout autant à Constantinople et à Antioche, le texte authentique des canons de Nicée. Une telle démarche serait difficilement explicable si saint Cyrille n'avait pas fini par donner satisfaction à Rome [2]. Il faut ajouter d'ailleurs que, jusqu'au bout, l'évêque d'Alexandrie parla de la sentence du Chêne comme d'un jugement définitif et irréformable. Il était de ces hommes qui ne savent pas facilement oublier.

§ 3. — Les dernières années d'Atticus.

L'inscription du nom de Jean dans les diptyques tient ainsi une grande place dans l'histoire ecclésiastique de ce temps. En dehors de là, nous ne trouvons plus guère à mentionner que les efforts d'Atticus pour accroître l'autorité du siège de Constantinople et la lutte qu'il soutint contre les hérétiques messaliens.

LE SIÈGE DE THESSALONIQUE Depuis le pontificat de saint Damase tout au moins, l'évêque de Thessalonique, métropolitain de sa province, était aussi le premier des évêques de l'Illyricum oriental et le représentant du pape dans les deux diocèses civils de Macédoine et de Dacie. Une des premières lettres du pape Innocent, adressée à Anysius de Thessalonique, avait confirmé ses droits et ses privilèges [3] dans les termes les plus exprès. Cependant l'empereur d'Orient et l'évêque de Constantinople ne pouvaient pas voir d'un œil très favorable l'action du pape s'exercer de la sorte sur des provinces

(1) Cyrille, *Epist.*, lxxvi.

(2) Il y eut davantage encore, si vraiment le pape Zosime a écrit à saint Cyrille au sujet des Pélagiens. Mais il est utile de remarquer que Zosime crut souvent pouvoir pratiquer une politique assez différente de celle de ses prédécesseurs.

(3) Jaffé-Wattenbach, 285. Une autre lettre de saint Innocent, datée du 17 juin 412 (Jaffé-Wattenbach, 300), précise quelles sont les provinces sur lesquelles s'étend la juridiction de l'évêque de Thessalonique et rappelle que celui-ci a la préséance sur tous les autres métropolitains : par ses mains passent toutes les affaires que ses collègues désirent traiter avec Rome ; et, s'il le trouve bon, il peut soit juger lui-même ces affaires, soit les transmettre à Rome. Cf. P. Batiffol, *Le siège apostolique*, p. 249 ; L. Duchesne, *L'Illyricum ecclésiastique*, dans *Églises séparées*, Paris, 1905, p. 229-279.

qui, politiquement, appartenaient à l'Orient. Une loi, édictée par Théodose II le 14 juillet 421 et adressée au préfet du prétoire de l'Illyricum, est ainsi conçue :

Nous ordonnons que l'on observe, dans toutes les provinces de l'Illyricum, la coutume ancienne et les vieux canons ecclésiastiques qui ont été suivis jusqu'à présent. Que s'il surgit quelque doute, il faut le soumettre à l'assemblée des évêques, sous le contrôle de l'évêque de Constantinople, ville qui possède les prérogatives de la vieille Rome [1].

Cette loi dut faire le plus grand plaisir à Atticus dont elle accroissait les pouvoirs. Mais le pape protesta auprès de l'empereur d'Occident, Honorius, et celui-ci écrivit à son neveu qui se hâta de remettre toutes choses en l'état. Ce fut un dur échec pour l'évêque de Constantinople.

PRIVILÈGES DE CONSTANTINOPLE Nous croyons savoir qu'Atticus obtint de l'empereur une autre loi, par laquelle les évêques de Cyzique, et sans doute encore ceux d'autres villes, ne pourraient être ordonnés sans le consentement de l'évêque de Constantinople [2]. Nous sommes du moins assurés qu'Atticus ordonna Silvain évêque de Philippopolis et qu'il le transféra ensuite à Troas [3], qu'il alla à Nicée, peu de temps avant sa mort, pour y ordonner un évêque [4]. Avec une inlassable persévérance, Atticus poursuivait la politique de ses prédécesseurs.

CONTRE LES HÉRÉTIQUES Contre les hérétiques, l'attitude d'Atticus fut généralement assez bienveillante. Socrate le loue fort de n'avoir pas persécuté les Novatiens : lorsqu'on lui reprochait sa tolérance à leur égard, il rappelait que, sous Valens, ils avaient subi les mêmes persécutions que les catholiques dont ils partageaient d'ailleurs la foi sur la Trinité [5]. Il montra plus de rigueur contre les Pélagiens : lorsque Célestius parut à Constantinople avec la prétention d'y trouver un appui, il refusa de l'accueillir, ce qui contribua à affermir le crédit qu'il avait obtenu auprès du pape en replaçant le nom de Jean dans les diptyques [6].

Mais ce fut surtout à l'égard des messaliens qu'Atticus déploya sa

(1) *Cod. Theodos.*, XVI, II, 45.
(2) SOCRATE, *Hist. eccl.*, VII, XXVI. D'après Socrate, Atticus aurait obtenu une loi d'après laquelle il ne devait se faire aucune ordination d'évêque sans l'avis de l'évêque de Constantinople. Sisinnius, successeur d'Atticus, se prévalut de cette loi pour donner un évêque aux fidèles de Cyzique. Ceux-ci prétendirent que la loi invoquée était un privilège personnel à Atticus, ce qui est du reste peu probable. On peut se demander si la loi ne visait que le siège de Cyzique ou si elle s'étendait à tout le diocèse civil d'Asie. Nous ne pouvons répondre à cette question.
(3) SOCRATE, *Hist. eccl.*, VII, XXXVI.
(4) SOCRATE, *Hist. eccl.*, VII, XXV.
(5) SOCRATE, *Hist. eccl.*, VII, XXV.
(6) A la mort d'Atticus, le pape se demanda avec inquiétude si son successeur observerait a même attitude à l'égard des Pélagiens. Ce lui fut d'abord un gros souci ; Cf. JAFFÉ-WATTENBACH, 374.

rigueur. Ces étranges sectaires qui prétendaient vivre sans rien faire et placer toute leur confiance dans la prière, ne cessaient pas de troubler l'Orient, malgré les condamnations dont ils avaient été l'objet aux conciles de Sidè en 390 et d'Antioche un peu plus tard. Atticus se préoccupa fort de leur propagande et dut écrire à leur sujet au métropolitain de la Pamphylie, Amphiloque de Sidè [1]. A Constantinople même, un moine nommé Alexandre, qui paraît avoir eu des attaches avec la secte, lui causa les plus graves ennuis. Celui-ci avait eu une existence assez agitée : il avait vécu en Syrie pendant plusieurs années, tantôt parcourant le pays mésopotamien pour l'évangéliser, tantôt groupant des moines autour de lui dans une résidence fixe. Vers les premières années du ve siècle, il était venu à Antioche, et il avait tellement troublé la ville par ses prédications et sa conduite qu'il avait fallu se débarrasser de lui. Finalement, il s'était établi à Constantinople, auprès de l'église Saint-Ménas, enseignant la pauvreté absolue, la fuite de tout travail manuel, la charité incessante et surtout la prière ininterrompue ou doxologie perpétuelle. Ce programme de vie charma un grand nombre de moines qui quittèrent leur couvent pour se mettre sous la direction du novateur. Il fallut qu'Atticus intervînt pour empêcher une propagande aussi dangereuse pour l'ordre et la tranquillité des esprits [2]. Encore mourut-il sans voir le résultat de ses efforts ; ce fut seulement après sa mort que l'on parvint à expulser de Constantinople Alexandre et les disciples qu'il avait formés.

MORT D'ATTICUS Atticus mourut le 8 octobre 425. Élu dans les circonstances les plus difficiles, il sut se montrer habile et conciliant, si bien que, lorsqu'il disparut, son église était en paix avec celle d'Alexandrie, tout en étant rentrée dans la communion de Rome. Il y eut de longues disputes au sujet de sa succession, que briguaient deux candidats en vue, l'un et l'autre prêtres de Constantinople, Proclus et Philippe. Ce dernier était originaire de Sidè en Pamphylie : c'était un érudit, un curieux d'antiquités ; il préparait une grande *Histoire*

(1) Photius, *Biblioth.*, codex 52.

(2) La vie de saint Alexandre l'acémète, publiée dans les *Acta sanctorum, Januarii*, t. I, 1643, p. 1018-1029, a été l'objet de nouveaux travaux. La meilleure édition est celle de E. de Stoop, dans la *Patrologia orientalis*, t. VI, fasc. 5. On verra également la vie de son disciple saint Marcel dans *P. G.*, CXVI, 705-74€. Cf. Tillemont, *Mémoires*, t. XII, p. 490-490. Après avoir été chassé de Constantinople, Alexandre venait de passer le Bosphore et se trouvait à l'église des saints Pierre et Paul de Rufinianes, à une heure à l'est de Chalcédoine, quand l'évêque de cette ville, Eulalius, le fit assommer par la populace. Le chef du monastère de Rufinianes, Hypatius, le recueillit et le soigna. Alexandre put, avec la protection de l'impératrice, fonder un monastère à Gonion, sur la côte asiatique du détroit. Il y mourut en paix vers 430. Son successeur, Jean, transféra le monastère à l'Irénaion, un peu plus près de Constantinople, et fut à son tour remplacé par Marcel, le plus illustre des acémètes.

La personnalité d'Alexandre reste sujette à discussion. Aujourd'hui encore, les historiens ne sont pas d'accord sur son compte. Les uns voient en lui une sorte de précurseur de saint François d'Assise ; les autres le regardent comme franchement hérétique. Cf. J. Pargoire, art. *Acémètes* dans *Dictionnaire d'archéologie chrétienne et de liturgie*, t. I, col. 307-321.

chrétienne dont il reste quelques fragments sans valeur. Quant à Proclus, c'était le secrétaire d'Atticus, dont il aurait composé les sermons [1].

ÉLECTION DE SISINNIUS Tandis que Philippe et Proclus poursuivaient leurs intrigues, le peuple fidèle acclamait Sisinnius, prêtre d'une église de faubourg, dans laquelle on avait coutume de fêter l'Ascension. Sisinnius s'était acquis dans le peuple une grande réputation de sainteté par son immense charité à l'égard des pauvres autant que par sa simplicité et son mépris des honneurs. Ce fut lui qui fut élu : il fut sacré le 28 février 426 [2], et son premier acte, semble-t-il, fut l'envoi d'une lettre à Béronicien, évêque de Perge en Pamphylie seconde, et à Amphiloque de Sidè au sujet de l'hérésie messalienne. Cette lettre, souscrite par tous les évêques réunis à Constantinople à l'occasion du sacre, décidait qu'on n'admettrait plus à la pénitence les messaliens relaps [3].

PROCLUS, ÉVÊQUE DE CYZIQUE Afin de témoigner de sa bonne volonté à Proclus, son rival malheureux, Sisinnius ne tarda pas à le consacrer métropolitain de Cyzique [4]. Il en avait le droit, assurait-il, en vertu d'une loi de Théodose qui réservait à l'évêque de Constantinople l'élection des évêques, tout au moins de celui de Cyzique. Mais les habitants de cette ville ne l'entendaient pas ainsi. Quand Proclus voulut prendre possession de son siège épiscopal, il le trouva occupé par un certain Dalmatius qui avait été élu et consacré sans aucun souci des droits, vrais ou prétendus, de l'église de Constantinople. Proclus, en homme sage, prit son parti de l'aventure ; il rentra dans la capitale impériale et se remit à prêcher. Sisinnius le laissa faire, ce qui marque, note Tillemont, une grande modération chez ces deux hommes [5].

MORT DE SISINNIUS Malheureusement l'épiscopat de Sisinnius fut de courte durée : l'évêque mourut le 24 décembre 427. Lorsqu'il fallut le remplacer, les ambitions qui s'étaient fait jour après la mort d'Atticus se manifestèrent à nouveau, et l'on vit une fois de plus Proclus et Philippe de Sidè briguer sa succession. L'empereur Théodose II écarta les deux candidats et décida de choisir le nouvel évêque en dehors du clergé de la capitale : on se tourna du côté d'Antioche : un prêtre, qui y dirigeait un monastère et qui y était alors en haute répu-

(1) SOCRATE, *Hist. eccl.*, VII, XLI. Cf. J. LEBON, *Discours d'Atticus de Constantinople sur la sainte Mère de Dieu*, dans *Le Muséon*, t. XLVI, 1933, p. 167-202.
(2) SOCRATE, *Hist. eccl.*, VII, XXVI.
(3) PHOTIUS, *Bibliotheca*, codex 52.
(4) SOCRATE, *Hist. eccl.*, VII, XXVIII.
(5) TILLEMONT, *Mémoires*, t. XII, p. 433.

tation de vertu et d'éloquence, retint l'attention de l'empereur et de ses conseillers ; il fut mandé à Constantinople et reçut la consécration épiscopale au début d'avril 428. Il s'appelait Nestorius [1].

(1) Nous ne sommes pas très bien renseignés sur les origines de Nestorius, car les documents qui nous parlent de lui sont écrits soit par des admirateurs, soit par des ennemis, donc tous suspects de partialité. Cf. M. Brière, *La légende syriaque de Nestorius*, dans *Revue de l'Orient chrétien*, t. XV, 1910, p. 1-25. Nestorius, d'origine persane, serait né près de Germanicie ; et après avoir fait ses premières études à Germanicie, il serait venu à Antioche, où il aurait été l'élève de Théodore de Mopsueste. Il devint moine au monastère d'Euprépios, à deux stades d'Antioche, et, comme il avait un style élégant, une langue déliée et une belle voix, il fut ordonné prêtre et chargé d'interpréter les Écritures.

CHAPITRE VII

LES DÉBUTS DU NESTORIANISME (428-433) [1]

§ 1. — Avant le concile d'Éphèse (428-431).

ZÈLE DE NESTORIUS

Les deux prédécesseurs de Nestorius sur le siège de Constantinople, Atticus et Sisinnius, s'étaient montrés avant tout des administrateurs modérés et prudents, désireux de ramener et de maintenir la paix dans un milieu facile à enflammer et

(1) BIBLIOGRAPHIE. — I. SOURCES. — Les sources dont nous disposons pour étudier les débuts du nestorianisme sont des plus abondantes et des plus variées. Sans doute, nous n'avons plus ici, pour nous guider, les histoires de Socrate, de Sozomène ou de Théodoret : les deux dernières s'arrêtent avec le récit de la crise. Socrate, contemporain des événements, poursuit au contraire son récit jusqu'en 439, mais il fournit assez peu de renseignements sur les faits les plus récents. Le récit d'Evagrius le Scholastique, qui écrit dans la deuxième moitié du VIe siècle, repose sur une étude attentive des documents. A défaut d'une histoire détaillée, nous possédons les œuvres mêmes des principaux acteurs de la controverse.

De saint Cyrille d'Alexandrie, il faut citer avant tout l'*Adversus Nestorii blasphemias contradictionum libri quinque* (*P. G.*, LXXVI, 9-248), rédigé au printemps de 430, contre certaines affirmations contenues dans les sermons de Nestorius, et les livres *De recta fide ad imperatorem* (*P. G.*, LXXVI, 1133-1200), *Ad reginas*, I (Arcadie et Marine, les plus jeunes sœurs de l'empereur) (*P. G.*, LXXVI, 679-802) et II (Pulchérie et Eudoxie) (*P. G.*, LXXVI, 803-884), rédigés au cours de l'année 430 : ces derniers ouvrages sont destinés à gagner la confiance de la cour.

La troisième lettre à Nestorius (*Epist.*, XVII) a une importance capitale, parce que c'est celle qui contient les anathématismes ; elle date de la fin de 430. Cyrille dut, on le sait, défendre à plusieurs reprises les anathématismes : *Explicatio duodecim capitum Ephesi pronuntiata* (*P. G.*, LXXVI, 293-312), ouvrage rédigé à Éphèse en août-septembre 431 à la demande des Pères du concile ; *Apologia pro duodecim capitibus adversus orientales episcopos* (*P. G.*, LXXVI, 315-386), et *Epistola ad Evoptium adversus impugnationem duodecim capitum a Theodoreto editam* (*P. G.*, LXXVI, 385-452), deux écrits composés au début de 431, pour répondre aux objections soulevées par André de Samosate et Théodoret de Cyr.

Nestorius avait beaucoup écrit, mais la plupart de ses ouvrages ont disparu et il n'en reste que des fragments de valeur diverse, sermons, lettres, etc. La meilleure édition de ces fragments est celle de F. LOOFS, *Nestoriana, Die Fragmente des Nestorius, gesammelt, untersucht und herausgegeben*, Halle, 1905. Le matériel rassemblé par Loofs peut d'ailleurs être complété par de nouveaux fragments qu'ont publiés Mercati, Lüdtke, Nau, Schwartz, Lebon, en divers recueils.

Spécialement important est *Le livre d'Héraclide*, conservé en syriaque et publié en 1910 par P. BEDJAN dans le texte syriaque, par F. NAU dans une traduction française : *Nestorius, Le livre d'Héraclide de Damas*, traduit en français, Paris, 1910. Cet ouvrage se présente comme rédigé par Nestorius vers le temps du concile de Chalcédoine, c'est-à-dire tout à la fin de sa carrière : c'est une apologie de l'ancien évêque de Constantinople, et on y trouve, à côté de longues explications doctrinales, des renseignements historiques, des documents, des précisions qui ne manquent pas d'intérêt. Le problème de l'authenticité de ce livre n'est cependant pas résolu, et bien des critiques refusent d'y voir, tout au moins dans son état actuel, une œuvre de Nestorius. L'historien peut, dans tous les cas, avec les précautions qui s'imposent lorsqu'on est en présence d'une apologie, utiliser les renseignements apportés par le livre d'Héraclide.

Sous le titre assez étrange de *Synodicon adversus tragœdiam Irenaei*, nous avons conservé, dans deux manuscrits, l'un de la Vaticane, l'autre du Mont-Cassin, un recueil de deux cent trente-cinq pièces relatives à toutes sortes de faits depuis l'année 431 jusqu'au milieu du VIe siècle. « Le *Synodicon* est une suite de documents rassemblés par Rusticus, un diacre de Vigile et son compagnon de voyage à Constantinople, excommunié par son maître en raison de son attachement aux Afri-

capable de se laisser entraîner aux pires excès. Nestorius ne sut pas ou

cains pour la défense des Trois Chapitres. Il semble que Rusticus, revenu d'exil vers les dernières années de Justinien, se soit retiré chez les Acémètes, ses amis de Constantinople. De là vient la mention de la bibliothèque des Acémètes que l'on rencontre à plus d'une reprise dans le *Synodicon*. Les sources que traduisait Rusticus sont faciles à retrouver. C'étaient : 1° un dossier de pièces conciliaires et autres rassemblé et annoté par l'ami de Nestorius, le comte Irénée, sous le titre de *Tragœdia* ; des annotations d'Irénée, Rusticus gardant seulement l'essentiel, ce qui servait à son dessein ; 2° une collection de lettres d'Isidore de Péluse ; 3° une série de lettres conservées — je crois que c'est un euphémisme — par les Dioscoriens ; 4° les deux lettres de Cyrille à Successus (R. Devresse) ». Cette collection est d'autant plus intéressante que nous ne possédons les actes du concile d'Éphèse que dans une recension cyrillienne.

Théodoret de Cyr est le théologien le plus en vue du parti oriental ; mais nous n'avons plus un certain nombre de ses ouvrages relatifs à la première période de la controverse, par exemple une *Impugnatio duodecim capitulorum* et cinq livres *Adversus Cyrillum et concilium Ephesinum*. Ses lettres offrent une source des plus riches pour l'histoire des controverses auxquelles il a été mêlé.

Ce que l'on est convenu d'appeler du nom d'actes du concile d'Éphèse consiste en un certain nombre de collections qui renferment des textes d'origine et de valeur très diverses. On y trouve surtout bien autre chose que les procès-verbaux des séances du concile, mais une série de pièces relatives tout autant aux préliminaires du concile qu'à ses suites immédiates jusqu'à l'union de 433. Dès le lendemain du concile, on s'occupa de réunir tous les documents capables d'en perpétuer le souvenir : ce travail fut accompli à peu près simultanément à Alexandrie, sous la surveillance et peut-être sur l'ordre de saint Cyrille, et dans les milieux favorables à Nestorius. De ces dernières compilations nous ne possédons plus aujourd'hui qu'un témoin, le *Synodicon*, dont nous avons déjà parlé.

Au contraire, nous connaissons assez bien les collections d'origine cyrillienne. Nous savons que l'ensemble des actes relatifs aux cinq premières sessions fut porté à Rome au pape Célestin, tout de suite après leur tenue. Au temps du sixième concile œcuménique, l'ensemble des Actes était conservé en deux volumes aux archives du patriarcat de Constantinople. Cet ensemble officiel a disparu, si bien que nos divers témoins représentent des efforts privés de compilation. La collection la plus complète est celle qui est connue sous le nom de *Vaticana* et qui est conservée dans le *Vaticanus* 830, de 1446. Une autre collection du même genre, la *Segueriana*, ne renferme aucune pièce nouvelle. Par contre, l'*Atheniensis*, conservée dans un manuscrit d'Athènes du XIIIe siècle, nous fait connaître vingt documents, que jusqu'ici nous ne possédions que dans une traduction latine, et quinze autres tout à fait inédits.

Ces trois collections seules nous donnent les textes grecs. Parmi les collections latines, celle qui paraît reproduire le plus exactement l'original grec semble bien la collection de Tours (*Turonensis*), qui doit remonter au début de la querelle des Trois Chapitres. La collection *Palatina* est à peu près de la même époque : elle pourrait être l'œuvre du moine Jean Maxence qui, au commencement du Ve siècle, se fit remarquer par son ardeur à poursuivre le nestorianisme. Cette collection débute par une série de travaux dus à Marius Mercator qui a traduit, dès les origines de la querelle, deux lettres, neuf sermons plus ou moins complets et de nombreux extraits des homélies de Nestorius. La collection de Vérone, sensiblement plus courte que la *Turonensis*, entend prouver que, soit dans l'affaire de Nestorius, soit dans la controverse avec Jean d'Antioche, saint Cyrille a été entièrement d'accord avec le siège apostolique. Aussi donne-t-elle plusieurs lettres du pape saint Célestin qui ne figurent pas ailleurs. Enfin, la collection du Mont-Cassin (*Casinensis*) comprend deux parties nettement distinctes : la première reproduit, en la corrigeant d'après les originaux grecs, la *Turonensis* ; la seconde renferme le *Synodicon* dont nous avons parlé.

Les éditions anciennes des Actes d'Éphèse sont faites un peu au petit bonheur : la *Vaticana*, publiée pour la première fois en 1608, y est reproduite, avec l'insertion plus ou moins heureuse des documents inconnus par elle, à leur place approximativement chronologique. Elles sont désormais remplacées par la monumentale édition de E. SCHWARTZ : *Acta conciliorum oecumenicorum*, t. I, *Concilium ephesinum* : vol. I, Acta graeca, 1-6. Collectio Vaticana, 7. Collectio Atheniensis ; vol. II, Collectio Veronensis ; vol. III, Collectio Turonensis (Casinensis pars prior) ; vol. IV, Collectio Casinensis, pars altera ; vol. V, Collectio Palatina ; Collectiones Sichariana et Winteriana, Berlin, 1921-1929. Remarquons pourtant que Schwartz publie telles quelles les diverses collections et qu'il ne se préoccupe pas de faciliter à l'historien la classification des documents. Cf. P. GALTIER, *Le centenaire d'Éphèse*, dans *Recherches de Science religieuse*, t. XXI, 1931, p. 169-186.

Il faut ajouter que des Actes coptes du concile d'Éphèse, sans grande valeur, ont été publiés par KRANTZ, *Koptische Akten zum ephesinischen Konzil vom Jahre 431*, Leipzig, 1904, des actes arméniens et géorgiens par RUECKER, *Ephesinische Konzilsakten in armenisch-georgischer Ueberlieferung*, dans les *Sitzungsberichte der bayer. Akad. der Wissensch.*, Munich, 1930. A RUECKER, nous devons encore *Ephesinische Konzilsakten in lateinischer Ueberlieferung*, Oxenbronn, 1931.

Parmi les écrivains nestoriens qui nous renseignent sur le concile d'Éphèse, le plus important paraît être Baradbesabba, évêque de Halwan en 605, à qui l'on doit une intéressante *Histoire des saints Pères persécutés à cause de la vérité*, dans *Patrologia Orientalis*, t. IX, fasc. 5, Paris, 1913.

ne voulut pas imiter leur prudence. Dès son sermon d'inauguration, il demanda à l'empereur de poursuivre avec vigueur les hérétiques [1].

LES HÉRÉTIQUES A CONSTANTINOPLE Ceux-ci n'avaient pas manqué de profiter de la tolérance des derniers évêques pour se maintenir, sinon pour se fortifier à Constantinople : les Ariens y occupaient toujours une église où ils se réunissaient pour leurs offices ; les Apollinaristes y discutaient sur l'unité du Christ ; les Novatiens, bien vus de la cour, y avaient un évêque et un clergé nombreux. Dans les provinces voisines, Macédoniens et quartodécimans comptaient des partisans. Pour comble de malheur, Julien d'Éclane et trois autres évêques italiens, déposés de leurs sièges pour cause de pélagianisme, venaient d'arriver dans la capitale et ne cessaient pas de réclamer justice auprès de l'empereur et de l'évêque lui-même.

LOI CONTRE LES HÉRÉTIQUES Les déclarations de Nestorius contre l'hérésie n'étaient pas des propos en l'air. Cinq jours seulement après son intronisation, les Ariens purent s'en apercevoir : la police vint pour fermer leur église de Constantinople ; mais, plutôt que de céder, ils incendièrent la chapelle ; le feu se communiqua aux maisons voisines, et, naturellement, l'évêque fut rendu responsable

On trouvera d'autres indications dans A. BAUMSTARFK, *Geschichte der syrischen Literatur mit Ausschluss der christlich-palästinensischen Texte*, Bonn, 1922.

II. TRAVAUX. — Il est impossible de citer toutes les études qu'a suscitées le concile d'Éphèse. La célébration de son XIVe centenaire en 1931 a été l'occasion d'une multitude de travaux de détail parus dans la plupart des revues qui s'occupent de sciences religieuses. Quelques-uns de ces travaux sont cités dans les notes du présent chapitre.

A E. SCHWARTZ, on doit quelques études importantes sur les sources : *Konzilstudien*. 1, *Cassian und Nestorius*, 2, *Ueber echte und unechte Schriften des Bischofs Proklos von Konstantinopel*, Strasbourg, 1914 ; *Cyrill und der Mönch Viktor* dans les *Sitzungsberichte* de l'Acad. de Vienne, t. CCVIII, 1928.

Le fascicule 2 du tome I du *Corpus notitiarum episcopatuum ecclesiæ orientalis græcæ*, publié par E. GERLAND et V. LAURENT, Kadi-Koey, 1936, donne d'utiles précisions sur les listes conciliaires, leur formation et leur contenu.

Parmi les travaux anciens, on peut toujours consulter les dissertations du P. GARNIER, dans la seconde partie de son édition de Marius Mercator, reproduite dans *P. L.*, XLVIII et surtout TILLEMONT, *Mémoires*, t. XIV. L'*Histoire des conciles* de HEFELÈ est un récit assez unilatéral qui a besoin d'être corrigé et complété d'après les données des récentes découvertes.

Parmi les travaux récents, on peut citer F. NAU, *Saint Cyrille et Nestorius*, dans *Revue de l'Orient chrétien*, t. XV, 1910, p. 365-391 ; t. XVI, 1911, p. 1-51 ; M. JUGIE, *Nestorius et la controverse nestorienne*, Paris, 1912 ; F. LOOFS, *Nestorius and his place in the history of christian doctrine*, Cambridge, 1914 ; E. AMANN, *Nestorius*, dans *Dictionnaire de théologie catholique*, t. XI, 1, Paris, 1931, col. 76-157 (article très documenté et très juste de ton) ; A. D'ALÈS, *Le dogme d'Éphèse*, Paris, 1931 (ouvrage de vulgarisation écrit par un théologien des plus avertis).

R. DEVREESSE, *Les Actes du concile d'Éphèse*, dans *Revue des Sciences philosophiques et théologiques*, t. XVIII, 1929, p. 223-242, 408-431 ; *Après le concile d'Éphèse*, dans *Échos d'Orient*, t. XXX, 1931, p. 271-292 ; A. DU MANOIR, *Le symbole de Nicée au concile d'Éphèse*, dans *Gregorianum*, t. XII, 1931, p. 104-137 ; *L'argumentation patristique dans la controverse nestorienne*, dans *Recherches de science religieuse*, t. XXV, 1935, p. 441-461, 531-559 ; M. QUERA, *Un esbos d'historia del concili d'Efès*, dans *Analecta sacra Tarraconensia*, t. VII, 1931, Barcelone, 1931, p. 1-53.

(1) SOCRATE, *Hist. eccl.*, VII, XXIX. Nestorius lui-même se fait gloire, dans une lettre adressée au pape Célestin, d'avoir beaucoup à souffrir et à travailler à cause des sectes ; F. LOOFS, *Nestoriana*, p. 171.

du sinistre [1]. Quelques semaines plus tard, le 30 mai 428, une loi impériale vint renouveler et préciser les prohibitions déjà portées naguère contre les hérétiques [2] : on y trouve nommés, un peu pêle-mêle, les Ariens, les Macédoniens, les Apollinaristes, les Novatiens, les Eunomiens, les Valentiniens, les Montanistes, les Marcionites, les Borboriens, les messaliens, les euchites, les Donatistes, les Audiens, les hydroparastates, les tascodrogites, les Photiniens, les Pauliniens, les Marcelliens, les Manichéens. Il n'est pas sûr que toutes ces erreurs aient encore eu des représentants en Orient, mais il semblait prudent de n'oublier personne [3].

APPLICATION DE CETTE LOI

La loi fut appliquée avec rigueur. Les quartodécimans avaient réussi à se survivre en Lydie et en Carie : lorsqu'on voulut instrumenter contre eux, ils ne se laissèrent pas faire ; il y eut, à Milet et à Sardes, des émeutes où plusieurs personnes perdirent la vie [4]. Dans l'Hellespont, les Macédoniens étaient toujours nombreux et influents : Antoine, évêque de Germe, fut chargé de les réduire à l'obéissance, mais il procéda avec tant de vigueur qu'on finit par l'assassiner. Ce meurtre fut durement châtié : toutes les églises macédoniennes qui subsistaient dans les faubourgs de Constantinople, à Cyzique et en plusieurs bourgs de l'Hellespont, furent confisquées [5]. Seuls les Novatiens purent se maintenir : ils avaient de trop hauts protecteurs pour n'être pas défendus.

LES PÉLAGIENS

Il est encore facile de lutter contre des hérétiques qui se montrent à découvert : que faire en présence d'hommes dont la perversité se cache sous des dehors innocents ? La présence des évêques pélagiens à Constantinople n'était pas sans causer à Nestorius les plus graves ennuis. Il en écrivit au pape Célestin, à qui il avait fait part de son élection et qui l'avait aussitôt reconnu avec joie [6]. Cette première lettre, datée de 429, ne reçut pas de réponse [7], si bien qu'au bout d'un certain temps, Nestorius se crut autorisé à écrire de nouveau pour exposer ses inquiétudes [8].

LE THÉOTOKOS

Nestorius avait encore d'autres soucis qu'il tenait à faire partager au pape. Ariens et Apollinaristes discutaient inlassablement sur la personne du Christ ; chose plus grave, ces

(1) Socrate, *Hist. eccl.*, VII, xxix.
(2) *Cod. Theodos.*, XVI, v, 65.
(3) On a remarqué cependant que la loi ne parle pas des Pélagiens. Mais il ne semble pas que Nestorius ait voulu les ménager, et la première lettre à Célestin peut être regardée comme l'expression d'un désir sincère de s'entendre avec Rome à leur sujet.
(4) Socrate, *Hist. eccl.*, VII, xxix.
(5) Socrate, *Hist. eccl.*, VII, xxxi.
(6) Jaffé-Wattenbach, 374. Cf. Vincent de Lérins, *Commonit.*, XI, 3. Cyrille d'Alexandrie avait également envoyé à Nestorius des lettres de communion.
(7) Nestorius, *Epist.* Fraternas, dans *Nestoriana*, p. 165-168.
(8) Nestorius, *Epist.* Saepe scripsi, dans *Nestoriana*, p. 170-172.

discussions n'étaient pas seulement le fait d'hérétiques avérés ; des orthodoxes, des moines, des membres du clergé y prenaient part, et tombaient, semblait-il, dans des erreurs grossières. On disait couramment que le Verbe, consubstantiel au Père, était né de la Vierge, qu'il avait grandi avec l'humanité qui lui servait de temple, qu'il avait été enseveli avec son corps. On employait, pour désigner la Vierge, le mot θεοτόκος, qui est inconnu des Écritures et qu'ignoraient également les Pères de Nicée [1]. En parlant ainsi, on confondait, dans l'incarnation, la divinité et l'humanité du Fils de Dieu ; on oubliait que les Pères de Nicée ont défini le Seigneur Jésus-Christ, Fils de Dieu, incarné du Saint-Esprit et de la Vierge Marie, donc deux natures, le Fils de Dieu consubstantiel au Père et l'homme né de Marie, que nous adorons ensemble [2].

UNE PERSONNE DANS LE CHRIST

Pour comprendre la position de Nestorius en face des ces difficiles problèmes, quelques explications sont peut-être nécessaires. Les fidèles de la grande Église ont toujours cru que Jésus-Christ est en même temps Dieu et homme : l'Évangile, qui leur fait connaître la vie humaine du Sauveur, le leur montre également comme un Dieu, et saint Jean exprime, en une courte formule, l'essentiel de la croyance lorsqu'il écrit : « Le Verbe s'est fait chair ». Cependant, lorsqu'on essaie d'aller au fond des choses, on se rend compte que l'on se trouve bien vite en face d'un profond mystère. Si Jésus-Christ vient au monde, s'il grandit, s'il a faim et soif, s'il est fatigué, s'il souffre, s'il meurt enfin, c'est assurément parce qu'il est un homme. Dieu, qui est immuable et parfait, ne saurait naître et mourir, manger et boire, pleurer et souffrir. La Vierge Marie par suite est la mère d'un homme. Mais cet homme est en même temps un Dieu ; et il faut bien qu'il le soit, puisqu'il nous a rachetés et nous a donné la vie éternelle : comment aurions-nous pu être sauvés si les souffrances et la mort de Jésus n'étaient pas celles d'un Dieu ? De ce point de vue, on peut dire que la Vierge Marie est bien la mère de Dieu, puisqu'elle a mis au monde un Fils qui est Dieu.

L'APOLLINARISME

Au IVe siècle, Apollinaire de Laodicée avait essayé de donner une explication du problème. En Jésus-Christ, disait-il, il y a un élément humain, le corps, et même, si l'on veut, le corps et l'âme [3], et un élément divin, le Verbe, qui tient en lui la fonction de l'intelligence, de l'esprit, du νοῦς. Il n'y a par suite en lui qu'une seule

(1) NESTORIUS, *Epist.* Fraternas.
(2) NESTORIUS, *Epist.* Saepe scripsi.
(3) Apollinaire a commencé par enseigner la première de ces théories et par affirmer que le Verbe tenait, en Jésus-Christ, la place de l'âme. Puis, pour tenir compte dans une certaine mesure des plus claires affirmations de l'Évangile, il s'est appuyé sur la division tripartite du composé humain et a concédé la présence en Jésus-Christ d'une âme humaine. Mais il déclare alors que le Christ n'avait pas d'intelligence propre.

nature concrète, la nature divine, douée, par suite de son union avec un corps animé, de fonctions humaines. « Unique est la nature incarnée du Verbe divin [1] ». On peut facilement saisir le point faible de cette doctrine. Elle maintient sans doute le caractère divin du Sauveur, mais au détriment de son caractère humain. Jésus n'est pas véritablement un homme, s'il ne possède pas tous les éléments constitutifs de l'humanité. L'Église, qui tient à sauvegarder l'humanité de Jésus, à la défendre même contre tout ce qui est susceptible de la compromettre, a donc condamné l'apollinarisme : dès 362, le tome aux Antiochiens, et, un peu plus tard, la lettre de saint Athanase à Épictète rappellent les principes. Le pape Damase, en 375, anathématise formellement l'enseignement d'Apollinaire. Les mêmes documents soulignent d'ailleurs qu'il faut éviter de tomber dans l'excès opposé et de parler de deux Christs, dont l'un serait le Fils de Dieu et l'autre le Fils de l'homme : il n'y a qu'un seul Christ, qu'un seul Fils.

L'ÉCOLE D'ALEXANDRIE Toutefois, le Christ unique peut être envisagé de deux manières différentes. On peut le considérer d'abord sous son aspect divin, et c'est ce que font les Alexandrins : « Dieu s'est fait homme, proclame saint Athanase, afin que les hommes deviennent des Dieux ». Admirable formule, et qui met dans un relief saisissant l'œuvre du Sauveur. Puisque Jésus est Dieu, toutes ses actions sont des actions divines ; toutes ses paroles sont des paroles divines. Evidemment, l'homme ne disparaît pas en lui, mais il ne compte pour ainsi dire pas : il n'accomplit rien par lui-même, et son union avec la divinité est si complète, si intime, si absolue, qu'il se cache en quelque sorte derrière elle. Ce n'est pas de l'apollinarisme, puisque l'humanité du Sauveur est entière, mais on peut dire, comme Apollinaire, qu'après l'union, il n'y a qu'une nature du Verbe incarné, à la condition de préciser le sens exact du mot nature.

L'ÉCOLE D'ANTIOCHE Tout à fait opposée est la position prise par les théologiens de l'école d'Antioche. Attentifs à l'exégèse littérale des textes évangéliques, ils déclarent que, parmi ces textes, les uns visent l'homme Jésus, tandis que les autres concernent le Verbe divin qui lui est uni. N'est-ce pas un blasphème d'écrire que le Verbe est né, qu'il a été petit enfant, qu'il a grandi, et ainsi de suite ? En réalité le Verbe en Jésus-Christ s'est uni à un homme, mais il n'a pas modifié ou transformé cet homme. Il est venu en lui, il a habité en lui ;

(1) Cette formule *μία φύσις τοῦ θεοῦ λόγου σεσαρκωμένη*, a été employée d'abord par Apollinaire. Mais, comme elle figurait dans des ouvrages qui ont circulé sous le nom de saint Athanase, on l'a attribuée au grand docteur lui-même. Saint Cyrille d'Alexandrie s'y est laissé tromper et s'est fait le défenseur de la formule, qui est, certes, susceptible d'un sens orthodoxe, moyennant certaines explications, mais qui, d'elle-même, est obscure et ambiguë.

il ne s'est pas mélangé à lui. La théorie est d'ailleurs susceptible de s'exprimer de plusieurs manières différentes. On peut dire que le Verbe est venu en Jésus comme dans les prophètes, qu'il s'est uni à lui par complaisance ou par amour : c'est la position prise par Théodore, évêque de Mopsueste entre 392 et 428, sinon déjà par son maître, Diodore de Tarse [1]. On peut dire également que le Verbe a résidé en Jésus de telle manière qu'après l'union il n'a plus existé qu'un seul centre d'attribution, nous dirions aujourd'hui, une seule personne. La première de ces formules présente l'inconvénient grave de diviser le Christ : si l'on assimile la venue du Verbe en Jésus à l'inspiration prophétique, n'est-on pas tenté de dire que le Christ n'est pas autre chose qu'un homme et qu'il a mérité par sa vertu d'être de plus en plus rempli par le Verbe divin ? Tel avait été, on le prétendait du moins au début du ve siècle, l'enseignement de Paul de Samosate. Et, même lorsqu'on ne va pas jusque-là, ne court-on pas le risque de distinguer trop complètement ce qui est de l'homme et ce qui est de Dieu dans le Sauveur, bref d'enseigner ces deux Christs ou ces deux Fils, dont Damase avait condamné la formule ?

DIFFICULTÉS DU VOCABULAIRE

Toutes ces choses ne peuvent être clairement expliquées que si l'on a à sa disposition un vocabulaire fixé et des termes univoques. Il en était à peu près ainsi en Occident où, depuis longtemps, la langue juridique avait des habitudes de précision : on disait alors qu'il y a dans le Christ une personne et deux natures. Mais l'Occident ne s'intéressait guère à ces difficiles problèmes, et, en Orient, on était loin de s'entendre sur le sens des mots. Le terme ὑπόστασις, que nous traduisons par personne, signifie originairement substance ou essence : les controverses trinitaires du IVe siècle avaient sans doute contribué à fixer sa portée de telle manière qu'il fût permis d'affirmer l'existence de trois hypostases en Dieu, sans pour cela tomber dans le trithéisme, mais on n'avait pas encore pris l'habitude de l'employer pour parler du Christ. Quant au terme φύσις, par où nous entendons une nature abstraite, l'humanité ou la divinité par exemple, tout le monde semblait à peu près d'accord pour y voir une nature concrète, mais on se demandait à juste titre si une telle nature est subsistante par elle-même ou si elle a besoin d'autre chose pour subsister. Aux yeux des Alexandrins, parler de deux natures dans le Christ, c'était affirmer l'existence de deux Christs ; aussi rejetaient-ils avec horreur une telle expression ; à leurs yeux, il ne pouvait y avoir en Jésus qu'une nature, puisqu'il n'y avait qu'un seul Christ. Les Antiochiens au contraire parlaient volontiers de deux natures, l'humaine et la divine, mais ils se croyaient hors d'affaire lorsqu'ils avaient ajouté que ces deux natures,

(1) Cf. J. TIXERONT, *Histoire des dogmes* t. III, p. 14 et suiv.

tout en subsistant sans mélange et sans confusion dans le Christ, étaient pourtant assez étroitement unies pour que le Seigneur fût un.

POSITION DE NESTORIUS Nestorius avait été élevé selon les principes de l'école d'Antioche [1]. On comprend dès lors qu'il se soit particulièrement défié des Apollinaristes et qu'il ait regardé d'un mauvais œil des expressions comme celle de Mère de Dieu : cette expression était cependant courante depuis longtemps [2], et l'on ne sait pas à quels mobiles obéissait le patriarche de Constantinople en dénonçant ses prétendus dangers.

ÉMOTION SOULEVÉE EN ÉGYPTE Ce qu'il y a de sûr, c'est que, très vite, l'attitude décidée de Nestorius contre le θεοτόκος souleva des inquiétudes bien au delà de Constantinople. On apprit en Égypte que l'évêque avait laissé prêcher un de ses collègues, Dorothée de Marcianopolis, lequel aurait déclaré anathème qui appelle la Vierge Marie θεοτόκος, et que non seulement il ne l'avait pas blâmé, mais qu'il l'avait admis à la communion [3]. On y apprit également que Nestorius ne perdait aucune occasion pour déclarer qu'il fallait également éviter de dire de Marie qu'elle était mère de Dieu et qu'elle était mère de l'homme, deux expressions susceptibles d'être mal interprétées, et qu'on devait se contenter de la proclamer mère du Christ. Les moines s'agitèrent, se mirent à discuter, et Cyrille d'Alexandrie crut devoir adresser à ses solitaires une longue lettre doctrinale dans laquelle il visait Nestorius, sans le nommer d'ailleurs, et rappelait que la négation ou seulement l'abandon du θεοτόκος équivalait à un reniement de la doctrine de Nicée [4]. Vers le même temps, il mit au courant de l'affaire le vénérable Acace de

(1) On admit plus tard que Nestorius avait été l'élève de Diodore et de Théodore et toutes sortes de légendes à ce sujet circulèrent dans les milieux monophysites. Il est remarquable cependant qu'au concile d'Éphèse on n'ait prononcé ni l'un ni l'autre de ces deux noms.

(2) Il est difficile de dire à quelle époque remonte le premier emploi du mot θεοτόκος. Ce qui est sûr, c'est qu'Alexandre d'Alexandrie s'en sert comme d'un terme usuel. Au cours du IVe siècle, l'usage de ce mot était devenu assez courant pour que saint Grégoire de Nazianze n'hésitât pas à déclarer anathèmes ceux qui ne reconnaissaient pas Marie pour Mère de Dieu (*Epist.*, CI, *ad Cledonium*). On conçoit que le mot ait paru suspect aux théologiens d'Antioche, car Marie, au sens strict, n'a donné naissance qu'à l'humanité du Christ, disons, si l'on veut, à l'*homo assumptus*. Mais les Alexandrins répondaient avec raison que, si Marie est la mère de quelqu'un qui est Dieu, elle mérite le titre de Mère de Dieu, et la multitude des fidèles était de cet avis. Le mot χριστοτόκος, mère du Christ, préféré par Nestorius, est assurément orthodoxe, mais il ne met pas en relief la nature divine du Sauveur et les prérogatives de sa mère.

(3) Tel est, d'après les pièces conservées dans le dossier d'Éphèse, l'incident qui déclencha la lutte. Socrate (*Hist. eccl.*, VII, XXXII), puis Évagrius (*Hist. eccl.*, I, II) et Liberatus (*Breviar.*, IV) disent que l'auteur du scandale fut un prêtre du nom d'Anastase, antiochien qui avait été amené par Nestorius à Constantinople : celui-ci aurait dit : Que personne n'appelle Marie θεοτόκος : Marie était de la race humaine, et il est impossible qu'un homme engendre un Dieu. Nestorius refusa de blâmer Anastase, prit la parole après lui, mais évita le θεοτόκος. Il y eut probablement d'assez nombreux incidents. Les têtes se montaient vite dans le monde de Constantinople.

(4) CYRILLE, *Epist.*, I ; MANSI, t. IV, col. 588.

Bérée, que son grand âge et son expérience des difficultés ecclésiastiques désignaient entre tous pour arbitrer le conflit menaçant.

A CONSTANTINOPLE

A Constantinople cependant, tout allait de mal en pis. L'enseignement de Nestorius soulevait des protestations de plus en plus vives dans tous les milieux. Un jour, on put lire, affiché à Sainte-Sophie, un placard où des formules de l'évêque étaient rapprochées de formules soi-disant écrites ou prononcées par Paul de Samosate [1]. Plus que tous les autres, les moines provoquaient par leur attitude des réactions violentes : une députation qu'ils envoyèrent à Nestorius fut très mal accueillie. Les protestataires furent jetés en prison et roués de coups. Ils n'eurent d'autre ressource que de s'adresser à l'empereur qui ne se montra pas d'humeur à les entendre [2]. La nouvelle de l'intérêt porté par Cyrille aux affaires de son église ne fut pas de nature à apaiser l'évêque : Nestorius se mit à prêcher contre lui, à le faire réfuter par un de ses prêtres nommé Photius. Ce fut en vain que Cyrille écrivit à Nestorius pour lui expliquer le but de sa lettre aux moines et le supplier de faire attention à ses paroles, voire de se rétracter, s'il avait commis des imprudences [3] : Nestorius ne répondit que par une lettre fort vague où il se plaignait de l'attitude peu fraternelle de Cyrille [4].

A ROME

Les affaires de Nestorius n'allaient pas mieux du côté de Rome où, l'on s'en souvient, il avait adressé deux lettres successives, demeurées sans réponse. Le pape Célestin n'était pas sans s'inquiéter de la présence des évêques pélagiens à Constantinople, bien que cette présence n'eût rien d'agréable pour Nestorius. Il connaissait d'ailleurs les sermons de l'évêque. Un certain Marius Mercator, africain d'origine, qui s'était déjà occupé des controverses pélagiennes et qui résidait alors à Constantinople, avait traduit en latin et sans doute expédié à Rome plusieurs fragments de ces sermons. Nestorius lui-même avait cru bien faire d'envoyer au pape le texte de ses homélies les plus discutées, et le diacre Léon avait chargé l'un des hommes les plus savants de ce temps, Jean Cassien, bon connaisseur des choses de l'Orient où il avait longtemps résidé, d'examiner tout cela [5]. Cet examen n'avait pas été favo-

(1) Ce placard était l'œuvre d'un avocat du nom d'Eusèbe, qui devait plus tard devenir évêque de Dorylée. On le trouvera dans Mansi, t. IV, col. 1008. L'assimilation de la doctrine de Paul et de celle de Nestorius est assurément mensongère. Socrate, qui était un esprit droit et qui avait lu les sermons de Nestorius, déclare (*Hist. eccl.*, VII, xxxi) que Nestorius ne disait pas, comme Paul, que le Christ était seulement un homme, mais que le mot θεοτόκος était pour lui un épouvantail. On parlait d'ailleurs beaucoup de Paul de Samosate depuis la fin du ive siècle, et la christologie antiochienne était volontiers rapprochée de la sienne, surtout dans les milieux apollinaristes.

(2) Mansi, t. IV, col. 1101-1108, *Basilii diaconi et reliquorum monachorum supplicatio.*

(3) Cyrille, *Epist.*, ii. Cette lettre doit dater de la fin de l'été 429.

(4) Cyrille, *Epist.*, iii,

(5) Cassien, *Libri VII de incarnatione Christi*, præfat. L'ouvrage de Cassien a été composé avant août 430. La traduction des sermons de Nestorius qui sert à Cassien et qui n'est pas de lui a dû lui être fournie par les archives de l'Église romaine.

rable à Nestorius. A tort ou à raison, Cassien avait cru retrouver son enseignement, ou quelque chose de semblable, dans les idées d'un moine originaire de Trèves qui avait tout récemment agité la Provence par ses doctrines, Léporius. Condamné par plusieurs évêques, entre autres par l'évêque de Marseille pour avoir soutenu que Jésus avait été de plus en plus étroitement uni avec la divinité à mesure qu'il avait acquis plus de mérites, Léporius avait dû se réfugier en Afrique où saint Aurélius et saint Augustin avaient été assez heureux pour lui faire signer sa rétractation [1]. L'ouvrage de Cassien, accablant pour Nestorius, devait peser d'un grand poids sur les décisions ultérieures.

CORRESPONDANCE ENTRE CYRILLE ET NESTORIUS

Celles-ci n'allaient pas tarder. Malgré les conseils du nouvel évêque d'Antioche, Jean, qui venait de succéder à Théodote et qui engageait Nestorius à la prudence, celui-ci continuait à se montrer agressif. Cyrille d'Alexandrie avait cru devoir insister auprès de son collègue de Constantinople pour qu'il modérât son ardeur et qu'il évitât désormais de troubler la tranquillité de ses fidèles par des déclarations contestables [2]. Nestorius répondit par une attaque directe des positions doctrinales de Cyrille, prétendant qu'elles favorisaient l'apollinarisme et n'avaient aucune attache traditionnelle [3].

ACTIVITÉ DE SAINT CYRILLE

C'était dire clairement à l'évêque d'Alexandrie que l'on n'avait pas besoin de ses conseils. Cyrille, voyant qu'il n'aboutirait à rien en écrivant directement à Nestorius, s'orienta autrement. Il s'adressa à la cour de Constantinople et envoya trois traités dédiés le premier à l'empereur Théodose II, le second à l'impératrice Eudocie et à Pulchérie, le troisième aux princesses Arcadie et Marine. Il s'adressa surtout au pape Célestin, dont il savait les préventions contre Nestorius : après avoir, sans doute aux environs de Pâques 430, délibéré avec les évêques d'Égypte qu'il avait réunis à Alexandrie, il envoya à Célestin une lettre fort habilement rédigée : il y rappelait que la longue coutume des églises veut que chaque évêque partage sa vigilance et ses soucis avec le Saint-Siège ; il décrivait sous les couleurs les plus noires la situation de l'église de Cons-

(1) MANSI, t. IV, col. 519. Quelques fragments en sont cités par Cassien, *De incarnatione*, I, v.

(2) CYRILLE, *Epist.*, IV. Cette lettre Καταφλυαροῦσι μέν date de février 430. Dans une autre (*Epist.*, x) adressée à ses apocrisiaires de Constantinople, Cyrille s'exprime plus hardiment. Comme Nestorius n'était pas sans s'intéresser aux plaintes formulées contre lui par quelques clercs alexandrins qu'il avait destitués, Cyrille déclare qu'il ne redoute rien : « Que ce pauvre homme, dit-il en parlant de Nestorius, ne se figure pas que je me laisserai juger par lui, quels que puissent être les accusateurs qu'il soudoiera contre moi. Les rôles seront renversés : je déclinerai sa compétence, et je saurai bien le forcer à se défendre lui-même ».

(3) NESTORIUS, *Epist.*, II *ad Cyril.* Cette lettre, d'après une note du ms. du Mont-Cassin, aurait été écrite en juin 430.

tantinople, ajoutait que tous les évêques d'Orient gémissaient des erreurs de Nestorius, surtout les évêques de Macédoine [1], et il concluait :

Que ferons-nous donc ? Nous ne nous séparerons pas publiquement de la communion (de Nestorius) avant de nous en être ouverts à ta piété. Daigne donc exprimer ce qui t'en semble et si nous devons, soit rester en communion avec lui, soit déclarer publiquement que personne ne doit avoir de communion avec qui pense et enseigne de telles erreurs [2].

DOSSIER TRANSMIS A ROME

Le diacre Posidonius fut chargé de porter cette lettre à Rome. Il y transmit en même temps tout un dossier qui comprenait des sermons de Nestorius, les lettres de Cyrille lui-même à Nestorius, un *syllabus*, dressé par Cyrille, des erreurs reprochées à Nestorius, enfin un recueil de témoignages patristiques relatifs à l'incarnation. Pour plus de sûreté, Cyrille avait fait traduire tous ces documents en latin à Alexandrie même [3].

LA RÉPONSE ROMAINE

Sans tarder, le pape réunit son concile [4] : dès le 11 août 430, il était en mesure de faire transmettre sa réponse à Alexandrie. Saint Célestin, après avoir félicité chaleureusement Cyrille de son dévouement à l'orthodoxie, déclare que doivent être dans la communion de l'Église romaine ceux que Nestorius a rejetés parce qu'ils lui résistaient, et que, par contre, ne peuvent avoir la communion romaine ceux qui s'obstinent à dévier de l'enseignement apostolique. Quel est cet enseignement, le pape ne le dit pas, et, chose curieuse, ne croit pas avoir besoin de le dire : c'est celui qui est reçu à Rome, qui est reçu à Alexandrie, qui est reçu dans l'Église universelle. Puisque Nestorius se trompe, il devra désavouer ses erreurs, et Cyrille s'appuyant sur l'autorité du Siège apostolique, agissant à la place du pape, lui fera savoir que si, dans les dix jours qui suivront la notification de la sentence portée contre lui il ne s'est pas rétracté, il sera rejeté du corps épiscopal et de la société chrétienne [5].

CONDAMNATION DE NESTORIUS

On pouvait difficilement rêver quelque chose de plus net, de plus définitif. Nestorius était condamné sans appel par l'autorité du siège apostolique lui-même, et la sentence du pape était immédiatement communiquée,

(1) Cette mention est à relever. Les évêques de Macédoine étaient, on le sait, soumis directement au pape. Celui-ci s'intéresse donc tout spécialement à eux.

(2) CYRILLE, *Epist.*, XI.

(3) Sans être absolument nécessaire, cette précaution n'était pas superflue. En répondant à Nestorius le 11 août 430, le pape explique son retard par la nécessité où il a été de faire traduire ses lettres, ce qui a pris beaucoup de temps.

(4) Nous ne possédons pas les *Gesta* du concile romain. Arnobe le jeune, qui semble avoir écrit à Rome aux environs de 450, cite un fragment de Célestin, où le pape déclare que l'opinion de Cyrille sur le θεοτόκος est aussi celle de saint Ambroise, de saint Damase, de saint Hilaire. *Conflictus*, II, XIII. Cf. G. MORIN, *Études, textes, découvertes*, t. I, Maredsous, 1913, p. 341.

(5) JAFFÉ-WATTENBACH, 372.

par des lettres identiques, à Jean d'Antioche, à Juvénal de Jérusalem, à Rufin de Thessalonique, à Flavien de Philippes [1]. Du même jour (11 août 430) datent deux dernières lettres romaines. L'une est adressée à Nestorius [2] : elle constate que celui-ci a enseigné beaucoup d'impiétés condamnées par l'Église universelle ; si, dix jours après sa réception, il ne s'est pas soumis, il n'appartiendra plus à la communion de l'Église catholique et l'évêque d'Alexandrie sera chargé d'exécuter cette décision. L'autre lettre est destinée au clergé et aux fidèles de Constantinople [3] : Célestin, après avoir rappelé la sainte mémoire des prédécesseurs de Nestorius, Jean, Atticus et Sisinnius, déplore les doctrines perverses de l'évêque ; puis il fulmine la sentence par laquelle il condamne Nestorius et que Cyrille doit faire exécuter.

LES ANATHÉMATISMES DE SAINT CYRILLE

Les lettres romaines furent, comme de juste, apportées à Alexandrie par le diacre Posidonius, puisque Cyrille était chargé de les transmettre et de faire exécuter la sentence qu'elles promulguaient contre Nestorius. Nous ne savons pas au juste à quelle date le messager arriva en Égypte. Ce qu'il y a de sûr, c'est que de longues semaines s'écoulèrent avant que l'évêque de Constantinople reçût communication officielle des documents pontificaux : ce fut seulement en novembre que Cyrille réunit son concile, afin de s'entendre avec les évêques d'Égypte sur la marche à suivre. Quatre de ces évêques, Théopompte, Daniel, Potamon et Comarius furent chargés d'aller à Constantinople et d'y présenter l'ultimatum romain à Nestorius. En même temps que les lettres pontificales, ils apportaient avec eux un document tout nouveau, dont Cyrille lui-même était l'auteur et qui traduisait, sous forme d'anathématismes, — ceux-ci au nombre de douze — la doctrine orthodoxe. Le pape avait déclaré que Nestorius devait souscrire une profession de foi : Cyrille n'avait pas cru pouvoir mieux faire, pour se conformer à cet ordre, que de rédiger personnellement un formulaire et de l'imposer à son collègue. En réalité, ce geste était malheureux. Non seulement Célestin n'avait pas chargé Cyrille de composer une nouvelle profession de foi, mais les douze anathématismes, conçus selon la plus pure terminologie alexandrine, étaient de nature à effaroucher les tenants de l'école d'Antioche, pour qui les mêmes mots étaient susceptibles d'une acception tout à fait différente. Sur le moment, Cyrille, fier de sa victoire, ne se rendit pas compte de ces inconvénients. Les faits ne tardèrent pas à montrer que les anathématismes étaient dangereux.

(1) JAFFÉ-WATTENBACH, 373. Dans ces lettres, il n'est pas question de la mission donnée à Cyrille ; mais le pape déclare avec fermeté que Nestorius a dix jours pour se rétracter, faute de quoi il sera déposé.
(2) JAFFÉ-WATTENBACH, 374.
(3) JAFFÉ-WATTENBACH, 375.

CONVOCATION DU CONCILE GÉNÉRAL Cependant Nestorius avait mis à profit le répit que lui laissaient les retards de saint Cyrille. Tout d'abord il avait agi auprès de la cour impériale. Si Pulchérie ne lui était pas favorable, il avait pour lui l'empereur Théodose, les grands personnages de la ville, le clergé. Or quelques Alexandrins, qui avaient eu à se plaindre de Cyrille, étaient arrivés à Constantinople pour demander justice à l'empereur. L'occasion était bonne. Nestorius la saisit, persuada Théodose qu'il fallait convoquer un concile général, et, en effet, le 19 novembre 430 partaient, à destination de tous les métropolitains de l'Empire d'Orient, des lettres par lesquelles l'empereur les invitait à prendre part, lors de la prochaine Pentecôte, à un grand concile qui se tiendrait à Éphèse. Sur l'objet propre du concile, Théodose ne donne d'ailleurs que peu de renseignements : il se contente de parler de confusion née de doutes qu'il faut tirer au clair selon les règles ecclésiastiques, de choses qui n'ont pas été faites comme il convenait et qu'il faut corriger [1]. La lettre destinée à Cyrille est un peu plus explicite : rédigée en des termes très durs, elle reproche à l'évêque d'Alexandrie d'avoir voulu semer la division jusque dans la famille impériale en écrivant séparément aux impératrices et aux princesses, et elle lui enjoint de comparaître au concile, sous peine d'encourir la disgrâce de l'empereur [2].

APPEL DE NESTORIUS AU PAPE Vers le même temps, Nestorius s'adressa une fois de plus au pape Célestin [3]. Il sait déjà que, grâce à Dieu, un concile est convoqué pour traiter d'autres affaires ecclésiastiques. Il ajoute qu'en ce qui le concerne, il ne voit aucune difficulté à employer l'expression θεοτόκος, pourvu qu'on ne la prenne pas au sens d'Arius et d'Apollinaire. Il reconnaît que l'expression ἀνθρωποτόκος présente également des inconvénients graves ; c'est pourquoi il préférerait que l'on s'en tînt au χριστοτόκος, qui a l'avantage de s'appliquer aux deux natures. Cette lettre était habile, trop habile peut-être. En tout cas, elle venait trop tard, puisque, pour Rome, il y avait déjà chose jugée.

(1) Mansi, t. IV, col. 1112-1116. Quelques évêques d'Occident reçurent aussi la lettre impériale. Nous savons qu'elle fut adressée à saint Augustin, dont on ignorait encore en Orient la mort survenue le 28 août 430, et dont on aurait vivement souhaité la présence au concile.

(2) Mansi, t. IV, col. 1109.

(3) F. Loofs, *Nestoriana*, p. 181-182. On peut se demander si, lorsqu'il écrivit cette nouvelle lettre à Rome, Nestorius avait déjà reçu, par Jean d'Antioche, l'information des dangers qui le menaçaient. Il semble bien que Jean ait connu avant Nestorius les lettres de saint Célestin datées du 11 août. Dès qu'il les eut entre les mains, il écrivit à Nestorius (Mansi, t. IV, col. 1061) pour lui recommander la prudence. Nestorius répondit à Jean par une lettre qui témoignait d'un parfait accord avec lui (Mansi, t. V, col. 753-754).

UNE SITUATION EMBROUILLÉE Sur ces entrefaites, arrivèrent enfin à Constantinople les quatre évêques envoyés par Cyrille et par le concile d'Égypte. Ils se présentèrent à Nestorius le 7 décembre, un dimanche, au moment même où se célébrait la liturgie : l'évêque leur fit savoir qu'il les recevrait le lendemain. Or, le lendemain, il refusa de les accueillir ; on peut croire que la lecture des lettres de saint Célestin, et plus encore celle de la lettre de Cyrille, accompagnée de ses douze anathématismes, le persuadèrent que telle était la solution la plus sage [1].

On aboutissait à un imbroglio. D'une part Nestorius avait été condamné par Rome dès le 10 août, mais il n'avait eu connaissance de cette condamnation décisive que le 7 décembre. De l'autre, Théodose avait, par ses lettres du 19 novembre, convoqué pour la Pentecôte de 431 un grand concile, et la missive qui invitait Cyrille avait dû se croiser en route avec les messagers alexandrins. On conçoit que, dans ces conditions, Nestorius, tout en cherchant des alliés [2], ait pu croire que l'effet des sentences de Rome était suspendu par l'annonce du futur concile.

LE PAPE ACCEPTE LE CONCILE D'ailleurs, le pape saint Célestin acceptait le concile. Dans une lettre écrite aux empereurs [3], il annonce qu'il se fait représenter à ce concile par trois délégués ; il demande en même temps à Leurs Majestés de ne rien permettre à la nouveauté qui trouble tout et de ne prêter aucun appui à ceux qui prétendent réduire la puissance de la majesté divine à ce que comprend la raison humaine. Toutefois, il regarde Nestorius comme justement condamné, et, s'il consent à ce que sa cause soit reprise par le futur synode, c'est à la condition que le patriarche se montre décidé à s'amender.

Cette position du pape apparaît clairement dans une autre lettre adressée par lui à Cyrille (7 mai 431) [4] : Dieu aime que l'on facilite au pécheur sa conversion. Aussi faut-il faire tout ce que l'on peut pour procurer son amendement. Si cependant il s'obstine, il se condamne lui-même et la sentence déjà portée contre lui produit tout son effet.

(1) Nestorius ne répondit pas aux anathématismes de saint Cyrille. On prétendit plus tard qu'il n'avait pas manqué de le faire, et l'on fit circuler sous son nom une série de douze contre-anathématismes que nous avons encore. Ce libelle est en réalité l'œuvre d'un disciple postérieur. Cf. E. SCHWARTZ, *Die sogenannten Gegenanathematismen des Nestorius,* dans les *Sitzungsberichte der bayerischen Akademie der Wissenschaften, Philol./hist. Kl.*, 1922, p. 1-29.

(2) Nestorius communiqua à Jean d'Antioche les anathématismes de Cyrille, sans garantir d'ailleurs leur authenticité. Jean n'eut pas plutôt ce texte sous les yeux qu'il y découvrit une inspiration apollinariste. Il se concerta avec son collègue Firmus, évêque de Césarée de Cappadoce (MANSI, t. V, col. 756-757), et probablement avec d'autres évêques. Il engagea Théodoret de Cyr et André de Samosate à publier sans tarder des réfutations de Cyrille. Ceux-ci se mirent immédiatement à la besogne. Leurs livres sont perdus, mais nous en connaissons quelque chose par les réponses que leur fit saint Cyrille (*P. G.*, LXXVII, 316 et 385). Cf. CYRILLE, *Epist.*, XLIV. Ainsi, dès leur publication, les anathématismes furent un sujet de trouble et d'inquiétude.

(3) JAFFÉ-WATTENBACH, 380. Cette lettre est du début de mai 431. En hiver, les négociations avaient été naturellement suspendues entre l'Orient et l'Occident.

(4) JAFFÉ-WATTENBACH, 377 ; *Collectio veronensis,* X.

INSTRUCTIONS AUX LÉGATS Les instructions données le 8 mai aux légats pontificaux, les deux évêques Arcadius et Projectus et le prêtre Philippe, précisent la pensée de Célestin à l'égard du concile : les légats doivent se conformer en tout aux vues de saint Cyrille ; ils assisteront donc aux séances de l'assemblée, sans la présider, mais en s'assurant qu'on y fait droit à l'autorité du siège apostolique. Au cas où ils arriveraient après la clôture, ils s'informeront avec soin de la marche des débats et de leur conclusion. Si tout s'y est passé conformément à la foi catholique et qu'ils apprennent que Cyrille est parti pour Constantinople, ils iront eux aussi pour remettre à l'empereur la lettre du pape. En cas contraire, et s'il y a désaccord, ils jugeront sur place de ce qu'ils ont à faire, en s'inspirant de l'avis de Cyrille [1].

PRÉPARATION DU CONCILE Evidemment, Nestorius et ses amis ne pouvaient guère accepter que le concile se bornât à prendre des mesures d'enregistrement. Pour eux, le problème doctrinal devait être repris dans son ensemble et les anathématismes de l'évêque d'Alexandrie seraient soumis à un examen sérieux. Quant à l'empereur, il n'avait pas, semble-t-il, de position définie. Il désirait avant tout que la paix religieuse fût rétablie et que l'ordre régnât dans la future assemblée. Pour assurer la liberté des délibérations, il envoya à Éphèse le comte Candidien, commandant de sa garde, avec mission d'écarter de la salle les laïques et les moines qui ne manqueraient pas d'y affluer et d'y jeter le trouble, puis, ce qui était plus difficile, avec charge de maintenir l'ordre des séances et d'empêcher les évêques de quitter le concile avant son achèvement [2].

§ 2. — Le concile d'Éphèse.

LES MEMBRES DU CONCILE. 1° LES ÉGYPTIENS Le concile était convoqué pour la Pentecôte 431, qui tombait le 7 juin. Théodose avait précisé que chaque province devait y être représentée par un petit nombre d'évêques, mais il n'avait rien fixé à ce sujet. Cyrille d'Alexandrie embarqua avec lui une cinquantaine d'évêques égyptiens [3] ; et il les fit accompagner d'un nombre considérable de clercs inférieurs, de parobolans et de moines : parmi ceux-ci, on

(1) JAFFÉ-WATTENBACH, 378 ; *Collectio veronensis*, VIII. Une autre lettre, destinée au concile (JAFFÉ-WATTENBACH, 379 ; *Collectio veronensis*, VII) explique que les envoyés du pape n'ont d'autre mission, en prenant part à l'assemblée, que d'assurer l'exécution des mesures déjà prises contre Nestorius. Les Pères n'ont donc eux-mêmes qu'à ratifier les condamnations précédentes.

(2) *Collectio Casinensis*, XXIII ; MANSI, t. IV, col. 1117-1120.

(3) Sur les membres du concile, et en particulier sur les évêques d'Égypte qui accompagnèrent Cyrille, cf. le *Corpus notitiarum episcopatuum ecclesiae orientalis graecae*, t. I. *Les listes conciliaires*, établies par E. GERLAND, revues et complétées par V. LAURENT, fascicule 2, Kadi-Kœy, 1936, p. 91 et suiv.

distinguait le célèbre Schenoudi d'Atripe, alors presque centenaire, qui avait consenti à quitter son couvent pour aider son archevêque dans la lutte à mort qui s'engageait contre l'hérésie [1]. Les Égyptiens firent un heureux voyage ; après une escale à Rhodes, ils arrivèrent à Éphèse quelques jours avant la date fixée.

2° NESTORIUS ET SES AMIS Nestorius était déjà là. Lui aussi avait pris soin de grouper autour de lui des partisans actifs et dévoués : un personnage considérable de la cour impériale, le comte Irénée, l'assistait de ses conseils, mais l'empereur avait bien tenu à spécifier qu'il était venu à titre privé et qu'il n'avait pas le droit de s'immiscer dans les délibérations conciliaires. La plupart de ses fidèles étaient d'ailleurs d'un tout autre rang social : on prétendit qu'il avait recruté sa garde du corps aux thermes de Zeuxippe, et cet endroit était assez mal fréquenté.

3° JUVÉNAL DE JÉRUSALEM ET LES PALESTINIENS Cinq jours après la Pentecôte, le 12 juin, on vit arriver Juvénal de Jérusalem, avec une quinzaine d'évêques palestiniens [2]. Juvénal était un ambitieux et un intrigant qui ne songeait qu'à pêcher en eau trouble et à accroître sa situation personnelle aux dépens de celle des autres. Non content des privilèges reconnus à son siège par le concile de Nicée, il prétendait encore se rendre complètement indépendant de la suprématie d'Antioche et créer un patriarcat à son profit : aussi était-il l'adversaire né des Antiochiens. Juvénal et ses compagnons constituèrent pour Cyrille un appréciable renfort.

4° MEMNON D'ÉPHÈSE ET LES ASIATES Plus encore que les Palestiniens, les évêques du diocèse d'Asie furent pour le parti de saint Cyrille d'un précieux secours. Le diocèse d'Asie était, si l'on excepte les provinces africaines, le pays le plus riche en évêchés : il y en avait près de trois cents. Jusqu'alors, les titulaires de ces sièges ne s'étaient pas groupés sous l'autorité d'un chef reconnu, et malgré son importance, malgré le grand souvenir de l'apôtre saint Jean, l'évêque d'Éphèse n'était qu'un métropolitain comme les autres. Toutefois, le concile de 381, en décidant que chaque diocèse devait s'occuper de ses affaires religieuses, avait fait naître chez lui des désirs de suprématie ; et ces désirs s'étaient fortifiés en face des prétentions de

(1) La biographie de Schenoudi nous atteste sa venue à Éphèse, mais elle est tellement fantaisiste que nous pourrions conserver des doutes, si Schenoudi lui-même, dans quelques-uns de ses sermons, n'avait parlé de sa présence au concile. On peut cependant se demander si ces sermons sont bien authentiques. Cf. J. Leipoldt, *Schenute von Atripe und die Entstehung des national-aegyptischen Christentums*, Leipzig, 1903, p. 42 et 90.

(2) Socrate, *Hist. eccl.*, VII, xxxiv.

Constantinople à intervenir dans les problèmes asiates. On avait mal vu à Éphèse l'action de saint Jean Chrysostome dans le pays ; l'immixtion de Nestorius pour régler la situation des Macédoniens et des quarto-décimans n'avait pas été mieux appréciée [1]. Pour faire pièce au patriarche de Constantinople qui était un voisin dangereux, l'évêque d'Éphèse, Memnon, fit alliance avec le patriarche d'Alexandrie et une centaine d'évêques asiates, sinon plus, le suivirent [2].

DISCUSSIONS PRÉLIMINAIRES

Bien que la date fixée pour l'ouverture du débat fût passée, on ne se pressa pas d'entrer en session : Jean d'Antioche et les évêques d'Orient n'étaient pas encore arrivés ; il en était de même des trois légats romains. Il était bon de paraître tout au moins les attendre. On occupa le temps en visites, en conversations préliminaires, en discussions privées : Cyrille et Nestorius groupèrent autour d'eux leurs partisans et les tinrent en haleine, mais ils ne cherchèrent pas à se rencontrer eux-mêmes pour tirer au clair leurs doctrines et s'entendre, s'il en était encore temps. Avant toute décision conciliaire, ils se regardaient déjà comme des adversaires irréconciliables, voire comme des hérétiques.

Ces jours d'attente furent déplorables à tous points de vue. Les chefs des partis ne furent pas les seuls à s'impatienter : il y eut dans les rues d'Éphèse des querelles entre les gens de Nestorius et ceux de Cyrille : les matelots et les parobolans d'Alexandrie ne valaient pas mieux que les désœuvrés de Constantinople. L'évêque d'Éphèse, Memnon, alla jusqu'à interdire à Nestorius et aux siens l'entrée des églises.

ARRIVÉE DES RETARDATAIRES

Peu à peu cependant, les retardataires arrivaient : d'abord trois évêques de Macédoine, guidés par Flavien de Philippes ; puis un diacre de Carthage, Bessula, qui était chargé de représenter l'Église d'Afrique, alors si terriblement éprouvée par les invasions vandales [3]. On recevait aussi des nouvelles des Orientaux : le voyage, qu'ils effectuaient par voie de terre, était long et difficile, et leur caravane avait eu quelques accidents ; en s'excusant de leur retard, ils priaient leurs collègues de les attendre encore.

(1) Cf. *supra*, p. 164.

(2) On compte trente à quarante évêques du diocèse d'Asie. Les autres appartenaient aux diocèses voisins. Parmi les Asiates, Jean d'Antioche dénoncera un certain nombre d'évêques ignorants des choses divines. Douze évêques de Pamphylie, d'après lui, étaient des hérétiques messaliens. D'autres étaient excommuniés ou déposés par divers synodes. Cf. MANSI, t. IV, col. 1381 et TILLEMONT, *Mémoires*, t. XIV, p. 380.

(3) Saint Augustin avait été convoqué personnellement au concile : la nouvelle de sa mort parvint très tardivement à Constantinople. L'évêque de Carthage, Capreolus, avait été lui aussi invité, car il convenait que l'Église d'Afrique fût représentée par son chef à une réunion aussi importante : il lui fut impossible de venir et même de réunir un synode africain qui aurait désigné des légats. Bessula était porteur d'une lettre de son évêque où Capreolus, après s'être excusé de ne pouvoir envoyer d'autres délégués, assurait le concile de sa fidélité aux doctrines traditionnelles et lui demandait de ne point revenir sur la cause des Pélagiens.

CONVOCATION DU CONCILE C'est là ce qu'il y aurait eu de plus sage. Le comte Candidien multiplia les instances en ce sens [1] ; soixante-huit évêques adressèrent à saint Cyrille et à Juvénal une requête pour demander qu'on ne fît rien sans les évêques du diocèse d'Orient et sans les quelques Occidentaux annoncés [2]. Ces ultimes démarches furent inutiles devant la résolution brusquement prise par Cyrille de hâter la conclusion de l'affaire : le 21 juin, l'évêque d'Alexandrie convoqua ses collègues pour le lendemain.

Cette attitude surprend un peu. Sans nul doute, les Orientaux devaient constituer pour Nestorius un renfort des plus précieux, et l'on pouvait craindre que leur présence ne mît Cyrille en mauvaise posture : les anathématismes qu'il avait préparés risquaient fort d'être examinés par le concile ; leur condamnation était vraisemblable, étant donné ce que l'on savait des dispositions des évêques. Il était naturel que le patriarche d'Alexandrie prît les devants et s'assurât les avantages de l'offensive. Mais ce qui est naturel n'est pas nécessairement conforme aux exigences du droit. On a discuté et l'on discute encore pour savoir si Cyrille pouvait, de sa propre autorité, réunir le concile [3].

LA SÉANCE DU 22 JUIN 431 Dans tous les cas, la session annoncée eut lieu : le lundi 22 juin 431, quelque cent soixante évêques se réunirent dans la grande église d'Éphèse, l'église Marie [4] autour de Cyrille [5]. En apprenant que le concile s'ouvrait, Candidien accourut ; il représenta aux évêques que la volonté de l'empereur était que l'on ne tînt pas de synodes partiels ; il les supplia de ne rien faire avant l'arrivée des Orientaux et en dehors de la présence des amis de Nestorius qui, bien que déjà à Éphèse, refusaient de prendre part aux travaux de l'assemblée. On ne voulut pas l'écouter ; on le chassa même de l'église avec vivacité ; il n'eut d'autre ressource que de faire afficher le

(1) Cf. Nestorius, *Le livre d'Héraclide*, I, ii.

(2) Nestorius, *Le livre d'Héraclide*, I, ii. Cette protestation des soixante-huit évêques semble avoir été remise à Cyrille au soir du 21 juin, alors que la convocation de l'assemblée pour le lendemain était déjà faite. Cf. Tillemont, *Mémoires*, t. XIV, p. 393.

(3) Cf. L. Duchesne, *Histoire ancienne de l'Église*, t. III, p. 349, n. 1 ; P. Galtier, *Le centenaire d'Éphèse, Rome et le concile*, dans *Recherches de science religieuse*, t. XXI, 1931, p. 275 ; A. d'Alès, *Le dogme d'Éphèse*, p. 139. Dans une lettre adressée par saint Cyrille à des correspondants de Constantinople, celui-ci explique que la vie était dure à Éphèse pour des vieillards : les évêques y arrivèrent fatigués ; plusieurs moururent en arrivant ; d'autres, à bout de ressources, avaient peine à vivre dans cette ville lointaine et demandaient qu'on ouvrît le concile sans plus tarder (Cyrille, *Epist.*, xxiii). Il paraît d'autre part qu'Alexandre d'Apamée et Alexandre d'Hiérapolis, qui avaient été chargés par Jean d'Antioche et son groupe de porter à Éphèse des excuses et des explications, avaient dit à Cyrille qu'on pouvait commencer le concile sans plus attendre. Ce dernier point est douteux.

(4) Les évêques présents à cette première session du 22 juin étaient au nombre de cent cinquante-trois, mais les textes présentent de légères divergences. Cf. E. Gerland et V. Laurent, *Les listes conciliaires*, p. 48 ; E. Schwartz, *De episcoporum catalogis concilii Ephesini primi*, dans les *Miscellanea Ehrle*, Rome, 1924, t. II, p. 56-62.

(5) Le premier nommé des évêques, dans les listes conciliaires, est Cyrille « qui tient aussi la place du très saint et sacré archiévêque de l'Église des Romains, Célestin ». L'attribution de la présidence à Cyrille ne paraît pas avoir soulevé de contestation.

texte de sa protestation. Quelques partisans de Nestorius essayèrent à leur tour de donner lecture de la lettre de protestation qui avait été envoyée la veille : ils n'eurent pas plus de succès.

NESTORIUS REFUSE DE COMPARAITRE

Nestorius, qui avait été invité à la séance en même temps que ses collègues, s'était abstenu de comparaître. Les évêques décidèrent de lui envoyer une nouvelle convocation et quelques-uns d'entre eux la portèrent à son domicile : ils ne réussirent pas à pénétrer jusqu'à lui et ne purent obtenir qu'un refus. Une seconde délégation eut moins de succès encore. Selon les règles en usage, trois citations étaient nécessaires pour que l'on pût procéder contre un accusé absent. Les trois citations canoniques ayant été faites, et aucun espoir de résipiscence ne subsistant, le concile poursuivit sa besogne sans désemparer. Sur la proposition de Juvénal de Jérusalem, on lit d'abord le symbole de Nicée, puis, sur celle d'Acace de Mélitène, la première lettre doctrinale de Cyrille à Nestorius, *καταφλυαροῦσι μέν*, avec la réponse de Nestorius. Après quoi cent vingt-cinq évêques déclarent que la lettre de Cyrille est en plein accord avec la foi de Nicée. Par contre, toute l'assemblée est unanime pour condamner Nestorius : « Celui qui n'anathématise pas Nestorius, qu'il soit anathème. La foi droite l'anathématise. Le saint synode l'anathématise. Celui qui communique avec Nestorius qu'il soit anathème ! »

LES LECTURES

Le prêtre Pierre d'Alexandrie, primicier des notaires, poursuit ses lectures : successivement le concile entend la lettre du pape Célestin à Nestorius sur la foi, la deuxième lettre doctrinale de Cyrille à Nestorius, celle qui contient les fameux anathématismes et dont l'insertion aux actes est décidée, puis le rapport des évêques chargés de remettre à Nestorius les lettres de Rome et d'Alexandrie apportées à Constantinople par le diacre Posidonius. Là-dessus, Acace de Mélitène et Théodote d'Ancyre sont priés de répéter les propos qu'ils ont entendu tenir par Nestorius à Éphèse même. Leurs témoignages sont des plus graves ; Nestorius a dit qu' « il ne reconnaissait pas un Dieu à la mamelle, un Dieu de deux ou trois mois ; un de ses partisans, présent à ses côtés, a ajouté qu'autre était le Fils qui a souffert, autre le Dieu Verbe[1] ».

On peut ensuite continuer les lectures : un dossier patristique contenant des extraits de Pierre d'Alexandrie, de saint Athanase, de saint Jules

(1) Plus tard, Nestorius se justifiera d'avoir employé ces expressions ; cf. *Le livre d'Héraclide*, I, II. De fait, elles sont susceptibles d'une interprétation orthodoxe : ce n'est pas Dieu qui a deux ou trois mois, c'est-à-dire la nature divine, mais l'homme, c'est-à-dire la nature humaine. Nestorius se place toujours du point de vue des natures pour parler du Christ. Saint Cyrille au contraire se place de celui de la personne unique du Fils de Dieu. Il est de même exact de dire que dans le Christ la divinité n'a pas souffert. Mais la Passion reste pourtant supportée par une personne qui est Dieu.

de Rome, de saint Félix de Rome, de Théophile d'Alexandrie, de saint Cyprien de Carthage, de saint Ambroise de Milan, de saint Grégoire de Nazianze, de saint Basile de Césarée, de saint Grégoire de Nysse [1]; un certain nombre d'extraits des sermons de Nestorius ; la lettre adressée au concile par Capreolus de Carthage, et d'où il ressortait que toute l'Afrique était unie dans la foi orthodoxe.

CONDAMNATION DE NESTORIUS Après avoir entendu ces témoignages, le concile condamne solennellement Nestorius comme hérétique et le dépose : « Notre-Seigneur Jésus-Christ qu'il a blasphémé, déclare par l'organe de ce saint concile Nestorius exclu de la dignité d'évêque et de tout le collège sacerdotal ». Cent quatre-vingt-dix-sept signatures sont aussitôt recueillies pour appuyer cette sentence [2], et Cyrille peut écrire joyeusement à son peuple d'Alexandrie :

Nous étions réunis environ deux cents évêques. Tout le peuple de la ville demeura en suspens du matin au soir, attendant le jugement du saint synode. Quand on apprit que le malheureux avait été déposé, tous d'une seule voix commencèrent à féliciter le saint synode et à glorifier Dieu pour la chute de l'ennemi de la foi. A notre sortie de l'église, on nous reconduisit avec des flambeaux jusqu'à nos demeures. C'était le soir : toute la ville illumina ; des femmes marchaient devant nous avec des cassolettes d'encens. A ceux qui blasphèment son nom, le Seigneur a montré sa toute-puissance [3].

Théoriquement, le concile d'Éphèse avait achevé la tâche pour laquelle il avait été convoqué et un seul jour lui avait suffi pour cela. Marie était proclamée Mère de Dieu : c'était cela surtout que constatait le peuple chrétien et d'où il tirait une joie sans mélange. Toutefois, il aurait fallu une certaine dose de naïveté aux évêques pour croire qu'ils étaient au bout de leurs difficultés : celles-ci ne faisaient que commencer.

LETTRE A NESTORIUS Le soir même du 22 juin, le lendemain au plus tard, Nestorius fut averti de sa déposition par une lettre sans aménité :

A Nestorius, nouveau Judas. Sache que, en raison de tes prédications impies et de ta désobéissance envers les canons, le 22 de ce mois de juin, en conformité avec les règles ecclésiastiques, tu as été déposé par le saint synode et que tu n'as plus maintenant aucun rang dans l'Église.

(1) Cf. Hubert du Manoir, *L'argumentation patristique dans la controverse nestorienne*, dans *Recherches de science religieuse*, t. XXV, 1935, p. 450 et suiv. Parmi les textes cités, ceux qui sont donnés comme provenant des papes Jules et Félix sont des faux d'origine apollinariste. Saint Cyrille, qui les cite dans l'*Apologeticus pro XII capitibus contra Orientales*, croyait aussi à leur authenticité. Le même florilège patristique sera lu de nouveau à la 6e session du concile, le 22 juillet, mais enrichi de deux noms, ceux d'Amphiloque d'Iconium et d'Atticus de Constantinople.

(2) E. Gerland et V. Laurent, *Les listes conciliaires*, p. 36 et 51. D'autres évêques joignirent leurs signatures à celles de leurs collègues présents au concile.

(3) Cyrille, *Epist.*, xxiv.

LETTRES A L'EMPEREUR

En même temps chacun se hâte d'informer l'empereur de ce qui venait de se passer : Cyrille envoie des lettres à l'église de Constantinople, aux très religieux et très théophiles Théodose et Valentinien, au clergé et au peuple de Constantinople, au clergé et au peuple d'Alexandrie [1]. Nestorius et dix de ses amis se plaignent à l'empereur des irrégularités manifestes de la procédure employée contre eux [2]. Candidien fait un rapport dans lequel il relève toutes sortes de défauts dans la tenue du concile.

ARRIVÉE DE JEAN D'ANTIOCHE

Les choses en sont là lorsque, le 24 juin, Jean d'Antioche et les évêques d'Orient font solennellement leur entrée à Éphèse. Ils ont appris en cours de route les derniers événements. A leur arrivée, on leur communique de nouveaux détails. Bien plus, des délégués de Cyrille viennent les informer officiellement de la déposition de Nestorius et leur ordonnent de n'avoir aucun rapport avec lui. Sans prendre le temps de réfléchir, ils s'assemblent aussitôt dans la maison où s'est installé le patriarche Jean ; quelques-uns des évêques qui n'avaient pas voulu assister à la réunion du 22 juin les rejoignent : leur concile compte ainsi quarante-trois participants [3].

RÉUNION DES ORIENTAUX

Le comte Candidien est présent : il lit une protestation contre la tenue du concile cyrillien, puis la lettre impériale qui convoquait les évêques [4] ; enfin il raconte en détail tous les faits des derniers jours. Lorsqu'il est sorti, les évêques dénoncent à leur tour les avanies qu'ils ont eu à subir depuis leur arrivée à Éphèse, l'attitude étrange de Memnon qui leur a fermé les églises et ne leur a pas permis de célébrer la Pentecôte avec leurs collègues, la pression exercée par Cyrille, le danger que font courir à la foi les douze

(1) Le concile a été manifestement dirigé par saint Cyrille. Nestorius s'en plaindra plus tard avec amertume : « Il constituait tout le tribunal, car tout ce qu'il disait, tous le disaient en même temps, et sans aucun doute sa personne leur tenait lieu de tribunal... Il a réuni ceux qui lui plaisaient, les éloignés et les proches, et il s'est constitué tribunal. Je fus ensuite convoqué par Cyrille qui a réuni le concile, par Cyrille qui en était le chef. Qui était juge ? Cyrille. Quel était l'accusateur ? Cyrille. Qui était évêque de Rome ? Cyrille. Cyrille était tout. Cyrille était évêque d'Alexandrie, et il tenait la place du saint et vénérable évêque de Rome, Célestin » (*Le livre d'Héraclide*, I). Saint Isidore de Péluse est d'ailleurs presque aussi sévère pour saint Cyrille : cf. E. Schwartz, *Acta concil. oecumen.*, t. I, iv, p. 9.

(2) F. Loofs, *Nestoriana*, p. 186-190. Le texte grec de la lettre ne porte que douze signatures, mais le texte latin conservé dans le *Synodicon* en compte dix-sept. Cf. E. Gerland et V. Laurent, *Les listes conciliaires*, p. 53-54.

(3) C'est le chiffre que donne le texte grec des Actes cyrilliens. Le *Synodicon* donne cinquante-trois signatures. On ne saurait dire quel est le chiffre exact, car il n'est pas impossible, comme le note Duchesne (*Histoire ancienne de l'Église*, t. III, p. 354, n. 1), que plusieurs signatures aient été ajoutées après coup. Cf. E. Gerland et V. Laurent, *op. cit.*, p. 53.

(4) Cette lettre était rédigée de telle sorte que la décision finale était, somme toute, réservée à l'empereur. Théodose y disait en effet : « Votre piété saura que, par décision de notre sérénité, aucune action litigieuse ou accusation contre une personne ne pourra être introduite, ni devant votre saint synode, ni devant le tribunal civil. Le cas échéant, toute la connaissance d'une telle affaire devra être réservée à notre ville impériale ».

anathématismes où sont renouvelées les erreurs d'Apollinaire, d'Arius et d'Eunome. Jean, qui préside, tire immédiatement la conséquence de ces récits : Plût à Dieu, dit-il, que nous n'eussions personne à retrancher du corps de l'Église. Mais, puisque la santé du corps exige une amputation, il importe de déposer Cyrille et Memnon comme auteurs de l'hérésie exprimée par les *kephalaia* et d'excommunier ceux qui se sont laissé séduire. Le concile approuve cette sentence qui est communiquée sans retard aux intéressés. En même temps, des lettres sont adressées à l'empereur, aux impératrices Pulchérie et Eudocie, au Sénat, au clergé et au peuple de Constantinople, pour les tenir au courant de la situation [1].

ATTITUDE DE L'EMPEREUR Il va sans dire que ces décisions, prises à la légère, ne servent qu'à compliquer un état de choses déjà terriblement embrouillé. L'empereur, qui a convoqué le concile, intervient à son tour, mais son éloignement ne lui permet pas d'agir aussi vite qu'il le faudrait. Expédiées dès le 23 juin, les sentences du concile cyrillien ont été connues à la cour six jours plus tard et, le 29 juin, Théodose a sans tarder rédigé sa réponse qu'il fait parvenir à Éphèse par le *magistrianus* Pallade. Cette réponse marque un profond désappointement : elle condamne tout ce qu'ont fait les évêques, parce que ceux-ci n'ont tenu aucun compte des instructions données par Candidien ; elle ordonne qu'une nouvelle délibération soit prise et qu'en attendant aucun évêque n'ait la présomption de quitter Éphèse ; elle annonce enfin l'arrivée d'un nouvel officier impérial [2].

ARRIVÉE DES LÉGATS ROMAINS C'est sur ces entrefaites que débarquent à Éphèse les trois légats du pape saint Célestin, Arcadius, Projectus et le prêtre Philippe. Leurs instructions, on s'en souvient, leur prescrivaient de se joindre à Cyrille. Aussi n'ont-ils pas besoin de longues réflexions pour régler leur conduite. Le 10 juillet, Cyrille peut réunir une nouvelle session de son concile dans la maison épiscopale de Memnon ; tous les évêques qui avaient assisté à la séance du 22 juin y prennent part [3]. Les trois légats demandent qu'on donne d'abord connaissance de la lettre de Célestin dont ils sont porteurs : Sirice, notaire de l'Église romaine, lit cette lettre en latin ; et Pierre, primicier des notaires d'Alexandrie, la lit en grec. Les évêques éclatent en acclamations unanimes. Après quelques observations [4], les légats demandent communication des actes du concile du 22 juin, et la séance est levée.

(1) L'ensemble des documents qui rapportent tous ces détails constitue un dossier de quatorze pièces que les diverses collections présentent dans un ordre identique. Cet ordre est brouillé dans l'édition de MANSI, t. IV, col. 1260-1277 et 1380-1392

(2) MANSI, t. IV, col. 1377-1380 ; cf. NESTORIUS, *Le livre d'Héraclide*, I.

(3) MANSI, t. IV, col. 1280-1292.

(4) Les légats ont soin de faire remarquer que, selon la lettre de Célestin, le concile a été réuni

SESSION DU 11 JUILLET

Le lendemain, 11 juillet, les légats approuvent ce qui a été fait avant leur arrivée et confirment la déposition de Nestorius.

Il n'est douteux pour personne, déclare le prêtre Philippe, il est mieux encore connu de tous les siècles que le saint et bienheureux Pierre, exarque et tête des apôtres, colonne de la foi, fondement de l'Église catholique, a reçu de Notre-Seigneur Jésus-Christ, Sauveur et rédempteur du genre humain, les clés du royaume et le pouvoir de lier et de délier les péchés. Et Pierre, jusqu'ici et toujours, est roi et juge dans ses successeurs [1]. Notre saint et bienheureux évêque, le pape Célestin, successeur et vicaire régulier de Pierre, nous a envoyés pour le représenter à ce saint concile que les très chrétiens empereurs ont ordonné... Valide est la sentence portée contre Nestorius... Que Nestorius sache donc qu'il est rejeté de la communion du sacerdoce de l'Église catholique [2].

4e ET 5e SESSIONS (16 ET 17 JUILLET)

Fort de l'appui que lui prêtent désormais les légats pontificaux, Cyrille n'hésite pas à poursuivre ses avantages. Jusqu'alors une seule déposition a été prononcée, celle de Nestorius, car les sentences portées par les Orientaux contre Cyrille et Memnon n'ont aucune valeur. Il semble utile aux Cyrilliens de procéder aussi contre Jean d'Antioche et ses partisans : telle est l'œuvre que l'on accomplit les 16 et 17 juillet (4e et 5e sessions). Les formes canoniques sont observées comme naguère pour Nestorius : on envoie à Jean trois citations successives ; sur son refus de comparaître, on l'excommunie, ainsi que trente-quatre de ses adhérents [3], en spécifiant qu'ils ne pourraient, de leur autorité sacerdotale, rien faire qui pût nuire ou servir à qui que ce fût. Entendons par là qu'ils ne pourraient ni nuire à Cyrille et à Memnon en les excommuniant, ni servir Nestorius en le rétablissant. Il faut remarquer d'ailleurs que les Orientaux ne sont pas déposés de l'épiscopat : peut-être les légats romains n'ont-ils pas été étrangers à cette modération [4].

LETTRES A THÉODOSE ET A SAINT CÉLESTIN

De tout cela relation est envoyée à l'empereur et au pape. La lettre adressée à Célestin rappelle les origines du schisme créé par les Orientaux, en assurant que les partisans de Jean ne sont qu'une trentaine, dont quelques-uns sont dépourvus de sièges épiscopaux, d'autres déposés depuis longtemps par leurs métropolitains, d'autres, des gens chassés de Thessalie; d'autres enfin partisans de Pélage et de Célestius [5]. Elle ajoute que le saint

pour exécuter les décisions prises à Rome. Philippe ajoute que les membres se sont joints à la tête, car, dit-il, Votre Sainteté n'ignore pas que la tête de toute la foi et la tête des apôtres, c'est le bienheureux apôtre Pierre.

(1) Cette déclaration de Philippe a été insérée telle quelle, mais sans guillemets, au chapitre II de la constitution *Pastor aeternus* par le concile du Vatican. Le fait est rappelé par Pie XI, dans l'Encyclique *Lux veritatis* du 25 décembre 1931.

(2) Mansi, t. IV, col. 1295.

(3) Cf. A. d'Alès, *Le dogme d'Éphèse*, p. 167-170 ; E. Gerland et V. Laurent, *op. cit.*, p. 41.

(4) L. Duchesne, *Histoire ancienne de l'Église*, t. III, p. 356.

(5) Ces affirmations sont inexactes. Cf. L. Duchesne, *Hist. anc. de l'Église*, t. III, p. 357, n. 2.

concile a entendu lecture des actes relatifs à la déposition des Pélagiens et Célestiens, Pélage, Célestius, Julien, Persidius, Florus, Marcellinus, Orontius et de leurs adhérents : il y a souscrit expressément et tient pour fermes et valides les décisions du Saint-Siège à leur sujet. Des anathématismes de saint Cyrille qui ont été condamnés par le concile oriental, il n'est pas fait une seule mention [1].

6e SESSION (22 JUILLET) Le 22 juillet, nouvelle séance du concile : on s'y occupe d'un symbole prétendument apporté de Constantinople à Philadelphie par deux prêtres de Nestorius et soumis à la signature des hérétiques quartodécimans ou novatiens qui voulaient revenir à l'orthodoxie [2]. Ce symbole, présenté aux évêques par Charisius, prêtre de Philadelphie, est condamné comme nestorien, et l'on édicte qu'il faudra désormais s'en tenir au symbole de Nicée :

Le saint concile a décidé qu'il n'est permis à personne de présenter ou d'écrire ou de composer une formule de foi autre que celle qui a été définie par les saints Pères réunis à Nicée avec l'Esprit-Saint. Ceux qui oseraient composer une autre formule de foi ou la proposer ou la présenter à ceux qui veulent se convertir à la connaissance de la vérité, soit de l'hellénisme, soit du judaïsme, soit de toute autre secte, ceux-là, s'ils sont évêques ou clercs, seront exclus, les évêques de l'épiscopat, les clercs du clergé ; s'ils sont laïques, ils seront frappés d'anathème [3].

7e SESSION (31 JUILLET) Le 31 juillet, a lieu une dernière session : les évêques de l'île de Chypre, qui étaient jusqu'alors sous la mouvance d'Antioche, avaient demandé à être soustraits à l'autorité du patriarche. Le moment était bien choisi pour une telle démarche : ils n'ont aucune peine à faire reconnaître leurs prétentions à l'autonomie [4].

§ 3. — Au lendemain du concile.

LETTRE IMPÉRIALE Ce fut sur ces entrefaites qu'arriva enfin à Éphèse, dans les premiers jours d'août, le fonctionnaire impérial dont la venue était annoncée depuis la fin de juin. La cour

(1) Les Actes ne nous ont pas conservé le souvenir d'une mesure quelconque prise contre les Pélagiens: cela ne veut pas dire que le concile n'ait rien décrété contre eux. Il reste assuré que l'on voulait plaire à Célestin en lui affirmant que les hérétiques d'Occident n'avaient pas été oubliés et que les évêques assemblés à Éphèse partageaient contre eux toutes les inquiétudes du pape.

(2) L'ordre des documents de la sixième session est assez troublé dans les collections, ainsi que le notait déjà Tillemont, *Mémoires*, t. XIV, p. 442. Cependant l'ordre de la séance se laisse reconstituer sans trop de peine. Cf. R. Devreesse, *Les Actes du concile d'Éphèse*, dans *Revue des Sciences philosophiques et théologiques*, t. XVIII, 1929, p. 410, n. 3. Le symbole lu par Charisius était encore anonyme lorsqu'il fut présenté à Éphèse. Plus tard, il fut attribué à Théodore de Mopsueste.

(3) Mansi, t. IV, col. 1361.

(4) Le texte latin, le seul conservé, porte la date du 31 août, qui est sûrement fausse. La vraie date doit être celle du 31 juillet. Déjà vers 415 la question de l'autonomie des églises chypriotes avait été soumise au pape Innocent par l'évêque d'Antioche, Alexandre. Elle avait été résolue en faveur d'Antioche. Cf. Tillemont, *Mémoires*, t. XIV, p. 444-447.

députait aux évêques un personnage de premier plan, Jean, comte des largesses sacrées ; en même temps, elle manifestait une remarquable ignorance des événements, puisque la lettre impériale apportée par Jean était adressée pêle-mêle aux évêques Célestin de Rome, Ruffus de Thessalonique qui n'était pas à Éphèse, Augustin d'Hippone qui était mort depuis près d'un an, et à plusieurs autres, en tout cinquante-trois, appartenant à l'un ou à l'autre parti [1]. Cette lettre ordonnait aux évêques de se séparer sans plus.

Nous approuvons la déposition de Nestorius, de Cyrille et de Memnon, suggérée par la piété. Quant aux autres mesures prises par vous, nous les réprouvons pour nous attacher à la pureté de la foi chrétienne qu'affirma unanimement le très saint concile tenu sous Constantin de divine mémoire. Donc, que chacun des membres de votre très sainte assemblée, mettant fin aux controverses et coupant court aux scandales, songe à rentrer chez lui dans la paix et la concorde.

ACCUEIL FAIT A LA LETTRE DE THÉODOSE

On ne pouvait être plus maladroit ou plus partial. Théodose ne faisait aucune distinction entre le grand concile qui, sous la présidence de saint Cyrille et des légats romains, avait confirmé la condamnation de Nestorius, et le synode des évêques orientaux qui avait prétendu déposer Cyrille et Memnon ; bien plus, c'est à ce synode qu'il semblait réserver sa confiance. Lorsque, dès son arrivée, Jean assembla les évêques des deux partis pour leur communiquer les ordres de l'empereur, ceux-ci commencèrent par s'invectiver, tant et si bien qu'il fallut faire sortir Nestorius et Cyrille ; puis, la lecture de la lettre impériale fut accueillie avec ferveur par les partisans de Nestorius, avec consternation par ceux de Cyrille. L'arrestation des trois évêques déposés, accomplie le soir même, ne calma pas les esprits.

Les lettres envoyées aussitôt après à Constantinople reflètent au mieux la situation. Jean raconte simplement les faits et ne cache pas sa stupeur. Les Orientaux font éclater leur joie à la pensée que le retour pur et simple à la foi de Nicée les débarrassera pour jamais des anathématismes de Cyrille et ils déclarent accepter sans réserve le *theotokos* [2]. Quant aux Cyrilliens, ils manifestent amèrement leur déception et regrettent que l'empereur, en condamnant les évêques d'Alexandrie et d'Éphèse, ait condamné par là-même tout l'Occident chrétien, y compris Rome, l'Afrique et tout l'Illyricum.

(1) Cf. E. Gerland et V. Laurent, *op. cit.*, p. 55-56.

(2) La lettre de Jean d'Antioche expose sa croyance et celle de ses amis en une formule qui sera reprise plus tard, lorsqu'il sera devenu possible de parler de réconciliation et qui, acceptée par les deux partis, deviendra le symbole d'union de 433. Cf. A. d'Alès, *Le dogme d'Éphèse*, p. 296-312. Cette même lettre ne parle pas de Nestorius. Il est à remarquer que, dès leur arrivée à Éphèse, les Orientaux se sont désintéressés de la personne de Nestorius et ont fait porter tout leur effort contre les anathématismes de Cyrille.

ACTIVITÉ DE SAINT CYRILLE :
1° AUPRÈS DE LA COUR

Somme toute, les mesures prises par l'empereur et exécutées par le comte Jean n'avaient ni calmé les esprits, ni résolu les difficultés. Dans ces conjonctures, l'habileté de Cyrille fut de comprendre que le nœud du problème n'était pas à Éphèse, mais à Constantinople, et que c'était dans la ville impériale qu'il fallait agir, si l'on voulait arriver à un résultat définitif. Il connaissait mieux que personne la toute-puissance des présents sur les fonctionnaires de la cour : sans compter, il fit distribuer à divers personnages, depuis le *praepositus sacri cubiculi* jusqu'à de simples cubiculaires ou à des domestiques, des cadeaux de toute sorte : autruches, tapis de dimensions variées, voiles de soie et de lin, coussins, tabourets, chaises d'ivoire, etc. L'or coula à flots par ses soins : plus d'un million de francs de notre monnaie fut ainsi réparti entre quinze privilégiés [1]. Il va sans dire que les effets d'une pareille munificence ne tardèrent pas à se faire sentir.

2° AUPRÈS DES ÉVÊQUES

D'autres procédés, plus louables, furent mis en œuvre. Cyrille n'ignorait pas que le clergé et le peuple de Constantinople n'étaient pas entièrement favorables à Nestorius, et que le patriarche comptait, jusque dans sa ville épiscopale, de nombreux adversaires. Il s'y trouvait en particulier quelques évêques, tout dévoués au parti cyrillien et qui, en apprenant les graves événements du mois de juillet, lui avaient témoigné leur sympathie : les Pères du concile leur répondirent sans tarder, pour leur demander de renseigner l'empereur avec exactitude et de prendre leur défense [2].

3° AUPRÈS DES MOINES

Les moines enfin étaient, à Constantinople comme en Égypte, une véritable puissance : il était de la plus haute importance de gagner leur concours. Parmi les plus influents se trouvait un certain abbé Dalmatus, qui, depuis quarante-huit ans, n'était pas sorti de son monastère où l'empereur venait parfois le visiter. Il n'aimait guère Nestorius et Cyrille n'ignorait rien de ses sentiments. Une lettre, expédiée d'Éphèse en cachette, lui fit connaître la véritable situation et l'aide qu'on attendait de lui. Dalmatus n'hésita pas ; il quitta son couvent et, suivi d'une foule innombrable de moines, acclamé par le peuple, il se dirigea vers le palais impérial. Lorsqu'il en sortit, la cause de Cyrille était gagnée auprès de Théodose.

(1) La liste des présents distribués par les soins de Cyrille nous est conservée, à la suite d'une lettre d'Épiphane, archidiacre et syncelle de l'évêque d'Alexandrie, dans un manuscrit du Mont-Cassin. Cf. P. BATIFFOL, *Les présents de saint Cyrille à la cour de Constantinople*, dans *Études de liturgie et d'archéologie chrétienne*, Paris, 1919, p. 154-179. La date exacte à laquelle furent faites les distributions dont il s'agit dans cette liste n'est pas très sûre. Il semble d'ailleurs que saint Cyrille ait eu plusieurs fois recours à ce procédé.

(2) MANSI, t. IV, col. 1452-1453.

ESSAI D'UN COMPROMIS

Celui-ci voulut pourtant essayer encore un compromis. Les chances d'entente entre le concile et les Orientaux lui paraissaient alors d'autant plus sérieuses que les circonstances et le temps avaient travaillé en faveur de la paix. Les Orientaux étaient prêts à accepter sans réserve le *theolokos*. Ils s'occupaient peu de la personne de Nestorius, et celui-ci déclarait à qui voulait l'entendre que le séjour à Éphèse lui était insupportable, qu'il renoncerait volontiers à son siège, qu'il serait heureux de retrouver son monastère [1]. Sans plus attendre, le préfet Antiochus lui avait écrit qu'on le ramènerait à Antioche ; il avait accepté cette offre, en sollicitant seulement la condamnation des anathématismes de Cyrille [2]. Ceux-ci restaient le principal obstacle à l'entente. Mais le concile ne les avait pas approuvés ; tout au moins n'en avait-il pas fait la formule de l'orthodoxie : il ne devait pas être impossible d'aboutir à un accord.

LES DÉLÉGUÉS DU CONCILE A CHALCÉDOINE

Pour y parvenir, l'empereur fit venir à Chalcédoine les délégués des deux partis. Les partisans de Cyrille envoyèrent deux des légats romains, Philippe et Arcadius, puis Juvénal de Jérusalem, Flavien de Philippes, Firmus de Césarée, Théodote d'Ancyre, Evoptius de Ptolémaïs en Libye, le frère et le successeur du célèbre Synésius, enfin Acace de Mélitène, le meilleur théologien du groupe, mais le plus acharné à la résistance. Du côté des Orientaux, les députés furent également choisis avec soin : Jean d'Antioche, Jean de Damas, Himérius de Nicomédie, Paul d'Émèse représentant le vieil Acace de Bérée, Macaire de Laodicée représentant Cyrus de Tyr, Apringius de Chalcis représentant Alexandre d'Apamée, Théodoret de Cyr représentant Alexandre de Hiérapolis, enfin Helladius de Ptolémaïs.

LES RÉUNIONS DE CHALCÉDOINE

Les Orientaux espéraient beaucoup de la réunion de Chalcédoine : ils ne tardèrent pas à constater que leur confiance était assez vaine. L'évêque du lieu, Eulalius, leur fit mauvais accueil ; les moines de Rufinianes, conduits par leur abbé Hypatius, leur manifestèrent une violente hostilité ; seul le peuple chrétien entendit volontiers leurs homélies [3]. D'autre part ils ne trouvèrent pas au dehors la bienveillance sur laquelle ils comptaient : des lettres à Rufus de Thessalonique, aux évêques de Milan, d'Aquilée, de Ravenne restèrent sans réponse ou arrivèrent trop tard [4]. Lorsque

(1) *Synodicon*, xv.

(2) *Synodicon*, xxiv-xxv ; *Neue Aktenstücke*, p. 13-14. Cf. *Livre d'Héraclide*, III, I.

(3) Il nous reste une partie d'une homélie de Théodoret et de Jean d'Antioche dans la collection d'Athènes ; cf. *Neue Aktenstücke*, p. 25-28 ; *Synodicon*, xxxvi-xxxvii.

(4) Dans la lettre à Rufus, les députés orientaux n'hésitent pas à déclarer que la doctrine de Cyrille est l'hérésie même d'Apollinaire, tandis que leur position à eux est celle des Pères de Nicée

l'empereur fut arrivé, le 11 septembre, il y eut en sa présence des discussions confuses et sans résultats : un dossier patristique préparé par les Orientaux ne trouva pas grand emploi [1], car il fut impossible de mettre en cause les anathématismes de Cyrille, et c'était justement le document capital de la controverse.

LE CONCILE DISSOUS PAR THÉODOSE Voyant que l'on n'arrivait à rien, Théodose résolut de brusquer les choses. Il autorisa les Orientaux à rentrer chez eux. Il écrivit en même temps aux évêques restés à Éphèse pour leur dire que le concile était dissous, que l'union paraissant impossible, il était inutile de les retenir plus longuement en dehors de leurs églises, que les raisons apportées de part et d'autre étaient insuffisantes, mais que plus tard seulement, lorsque le calme serait rétabli, il deviendrait peut-être loisible de reprendre l'examen du problème. Cyrille et Memnon restaient, ajoutait l'empereur, exceptés du congé accordé aux autres ; ils devaient attendre à Éphèse que leur situation fût réglée [2].

LA SITUATION DE CYRILLE ET DE MEMNON Cyrille n'avait rien attendu : de son propre chef, il avait déjà repris le bateau pour l'Égypte, et, lorsque le rescrit impérial arriva à Éphèse, il était trop tard. Théodose dut prendre son parti du fait accompli. Une nouvelle lettre, fort prudente dans ses expressions, autorisa Memnon à rester à Éphèse, Cyrille à regagner Alexandrie. On ne disait pas qu'ils étaient rétablis dans leurs fonctions épiscopales, ni que leur déposition était nulle. On comptait sur les événements pour régler leur situation. L'empereur ajoutait seulement que, tant qu'il vivrait, il ne condamnerait pas les Orientaux, car ils n'avaient pu être convaincus d'erreur [3].

ÉLECTION DE MAXIMIEN A CONSTANTINOPLE Ainsi s'acheva, sans gloire, le concile d'Éphèse. Son résultat le plus clair avait été la condamnation de Nestorius, qui restait déposé et exilé auprès d'Antioche [4]. La première chose à faire désormais était de lui donner un successeur sur le siège de Constantinople. Les candidats ne manquaient pas : une fois de plus on vit s'affronter Philippe et Proclus qui, déjà à deux reprises, avaient brigué la dignité patriarcale

et des grands évêques, qu'ils ont avec eux tout l'Orient, que quelques évêques d'Italie les soutiennent. Les Orientaux s'abusent visiblement en parlant ainsi.

(1) Nous connaissons mal le détail des cinq séances tenues en présence de l'empereur ; ce qu'il y a de sûr, c'est que les deux partis se refusèrent à toute concession.

(2) Mansi, t. V, col. 798-799.

(3) Mansi, t. V, col. 805.

(4) Il est important de rappeler ici que la question doctrinale avait été réglée par Rome dès avant la tenue du concile et que le pape Célestin ni ses légats n'auraient pu accepter qu'elle fût remise en question. Cf. P. Batiffol, *Le siège apostolique*, p. 393.

et qui, une fois de plus, furent écartés. Les électeurs leur préférèrent un vieux prêtre charitable, Maximien, qui était économe de l'église et qui avait l'avantage d'être bien connu à Rome où il avait longtemps résidé. Il fut sacré le 25 octobre 431, en présence des délégués cyrilliens d'Éphèse qui avaient été invités spécialement à venir à Constantinople [1].

§ 4. — Vers l'union.

LE PROBLÈME A RÉSOUDRE Des esprits superficiels auraient pu croire que l'élection de Maximien, grandement approuvée par Rome [2], la rentrée de Cyrille à Alexandrie, la reconnaissance de Memnon à Éphèse seraient suffisantes pour restaurer la paix. De fait, les questions de personnes se trouvaient ainsi réglées. Mais les problèmes doctrinaux n'étaient pas résolus. Ils l'étaient d'autant moins que, depuis le début de la controverse, un document nouveau était venu troubler les esprits et avait pris, aux yeux de tous, une importance capitale. Saint Cyrille d'Alexandrie avait cru bien faire en composant, contre Nestorius, douze anathématismes où il exprimait la doctrine catholique de l'Incarnation, du point de vue de la théologie alexandrine [3]. Il n'avait certes pas eu tort ; mais ses formules étaient de nature à troubler les Orientaux, et dès les premiers jours qui suivirent leur publication, elles avaient été l'objet des plus vives attaques. Après le concile, ce furent les anathématismes qui apparurent au premier plan : aussi longtemps que leur auteur n'en eut pas donné une exégèse satisfaisante, il ne put être question de paix entre lui et les Orientaux.

MODÉRATION DE CYRILLE Le grand mérite de saint Cyrille fut de le comprendre et de se prêter de tout cœur aux tractations susceptibles de rétablir l'unité dans l'Église d'Orient. Avec beaucoup de générosité, il sut faire les concessions indispensables et il se défendit avec vaillance contre le zèle intempestif de ses amis. Il trouva d'ailleurs pour l'aider bien des concours, en particulier celui du doyen de l'épiscopat, Acace de Bérée.

(1) SOCRATE, *Hist. eccl.*, VII, XXXVII.

(2) Nous possédons encore une lettre des évêques du très saint concile d'Éphèse à Célestin, le très saint pape de Rome, pour lui faire part de l'élection de Maximien (*Neue Aktenstücke*, p. 40-41), et des lettres datées du 15 mars 432, par lesquelles le pape répond aux évêques, à l'empereur Théodose, à Maximien lui-même, au clergé de Constantinople. Ces lettres, très favorables à Maximien, sont fort dures pour Nestorius.

(3) Il est très important de remarquer que les anathématismes de Cyrille n'expriment pas d'une manière abstraite une théologie de l'Incarnation. Ils ont été composés spécialement pour combattre Nestorius, et l'on peut, en face de chacun d'eux, mettre les propositions de Nestorius qu'il a en vue. Il ne faut pas l'oublier, si l'on veut porter un jugement exact sur cette pièce fameuse. Cf. la démonstration décisive de J. LEBON, *Autour de la définition de foi du concile d'Éphèse*, dans *Ephemerides theologicae lovanienses*, t. VIII, 1931, p. 393-412.

ACACE DE BÉRÉE Celui-ci avait eu une carrière mouvementée : on n'a pas oublié qu'il avait été l'agent de Théophile d'Alexandrie et l'un des plus hargneux persécuteurs de saint Jean Chrysostome, au commencement du ve siècle. L'expérience et l'âge avaient adouci son ardeur, si bien qu'il se trouvait par sa situation capable de jouer le rôle d'arbitre entre les différents partis en présence [1]. Spontanément, tout le monde le comprit et s'adressa à lui. Les Orientaux firent la première démarche : à leur retour de Chalcédoine, Jean d'Antioche et ses collègues s'arrêtèrent à Bérée et mirent le vieil évêque au courant des derniers événements [2]. Puis Cyrille se crut lui aussi obligé d'écrire à Acace pour lui raconter, à sa manière, ce qui s'était passé à Éphèse et pour justifier sa conduite [3]. Enfin l'empereur lui-même invita l'intrépide champion de la foi à rassembler ses dernières forces pour soutenir le bon combat, pour agir par ses prières et ses conseils, pour insister auprès de tous, surtout de Jean d'Antioche [4].

LÉGATION D'ARISTOLAÜS Pour hâter la réconciliation entre Cyrille et Jean, Théodose songea même à des procédés plus drastiques. Sur son ordre, le tribun Aristolaüs fut chargé d'aller à Antioche et à Alexandrie, pour demander aux deux évêques de venir à Nicomédie le plus vite possible et d'y arriver à un accord : jusqu'alors ils devaient s'abstenir de toute création, déposition et ordination d'évêques ; et, s'ils ne parvenaient pas à s'entendre, ils seraient punis avec sévérité. Mais, dès qu'Aristolaüs fut arrivé à Antioche, il s'aperçut qu'on ne pouvait décidément pas se passer du concours d'Acace. Les Orientaux, à peine informés des désirs de l'empereur, lui écrivirent pour l'assurer de leur orthodoxie, de leur attachement à la foi de Nicée et à la lettre d'Athanase à Épictète, mais aussi pour lui dire qu'ils refuseraient toute addition à l'enseignement commun [5].

LA RÉPONSE DE SAINT CYRILLE Ce fut Acace qui se chargea de faire transmettre à Cyrille, par l'intermédiaire d'Aristolaüs, cette lettre des Orientaux. La réponse de Cyrille fut naturellement adressée à Acace [6] : elle indiquait les conditions d'un

(1) Dès avant le concile, Acace avait recommandé la modération à Cyrille. Il n'avait pas pu venir personnellement à Éphèse, où il s'était fait représenter par Paul d'Émèse ; mais il avait été tenu au courant des événements.

(2) Cf. R. Devreesse, *Les actes du concile d'Éphèse*, dans *Revue des sciences philosophiques et théologiques*, t. XVIII, 1929, p. 420.

(3) *Neue Aktenstücke*, p. 57-58. Cf. Liberatus, *Breviarium*, viii.

(4) *Neue Aktenstücke*, p. 60 ; *Synodicon*, li. Le pape Sixte III, élu après la mort de Célestin (27 juillet 432), écrivit également à Acace pour lui demander de multiplier ses efforts en faveur de la paix. Cf. Mansi, t. V, col. 828.

(5) *Neue Aktenstücke*, p. 60-61 ; *Synodicon*, liii.

(6) *Neue Aktenstücke*, p. 61-65 ; *Synodicon*, lv-lvi.

arrangement possible. Il fallait avant tout que les Orientaux consentissent à souscrire à la déposition de Nestorius et à anathématiser son enseignement ; il n'y avait pas moyen de transiger là-dessus. Pour le reste, Cyrille ajoutait qu'il n'était pas hérétique et que les fameux anathématismes ne visaient que Nestorius et ses dogmes. Ne pourrait-on pas s'entendre de la sorte, et, la paix conclue, des lettres d'amitiés échangées, ne plus songer au passé ? Il y avait dans cette lettre un vif désir de réconciliation. Sans doute, on demandait aux Orientaux un réel sacrifice, l'acceptation de la déposition de Nestorius ; mais on leur manifestait un oubli sincère du passé, un véritable amour de la concorde : après tant de discussions, c'était ce que l'on pouvait espérer de mieux.

LETTRE D'ACACE AUX ORIENTAUX

Acace eut le mérite de le comprendre. Au reçu de la lettre de Cyrille, il la communiqua à Alexandre de Hiérapolis et à Théodoret de Cyr, en leur demandant leur avis et en leur conseillant d'accepter les propositions de l'évêque d'Alexandrie :

> Lisez la lettre du pieux évêque Cyrille et remarquez avec quelle exactitude il m'écrit sur la question de foi. Je vous prie de nous envoyer votre adhésion écrite à la réponse synodale que nous feront le cher et pieux évêque Jean, et Paul, et les autres seigneurs évêques qui se seront trouvés à Antioche. J'ai envoyé la réponse à la lettre même, avec une mienne note, au pieux évêque Théodoret, le priant de venir jusqu'à nous... Épargnez, je vous en prie, ma très profonde vieillesse et tendez-moi la main quand je mets tout mon cœur à écarter cette honte et la blessure intolérable de la discorde [1].

RÉPONSES DES ORIENTAUX

A cette lettre émouvante Alexandre de Hiérapolis répondit par un refus hautain et indigné, et plusieurs de ses collègues n'hésitèrent pas à lui donner raison : pour eux, malgré toutes ses dénégations, Cyrille était bel et bien un Apollinariste, et Nestorius, quoiqu'il eût été déposé, n'avait pas été convaincu d'hérésie [2]. Par contre, Théodoret de Cyr et André de Samosate accueillirent volontiers les ouvertures d'Acace : Théodoret trouvait que Cyrille s'était considérablement rapproché des positions traditionnelles et qu'il n'était pas impossible de s'entendre avec lui ; cependant, il refusait de condamner Nestorius [3]. André espérait de son côté que quelques souscriptions à la condamnation suffiraient à contenter Cyrille et il estimait que le bien de la paix rendait nécessaires des concessions réciproques.

(1) Mansi, t. V, col. 830. Cf. A. d'Alès, *Le dogme d'Éphèse*, p. 207, dont je cite la traduction.

(2) Au premier rang des opposants étaient Helladius de Tarse, Euthérius de Tyane, Himerius de Nicomédie. Ces trois évêques avaient été déposés par Maximien de Constantinople et les délégués du concile d'Éphèse restés dans la capitale.

(3) *Synodicon*, LX.

PAUL D'ÉMÈSE A ALEXANDRIE

Telles qu'elles étaient, les réponses reçues permettaient à Acace de continuer les pourparlers. Une lettre de Jean d'Antioche adressée à Cyrille, et qu'il était chargé de faire parvenir à destination, ne put que l'encourager dans sa résolution. En un langage vraiment fraternel, Jean rappelait à son collègue d'Alexandrie les événements qui avaient troublé la bonne harmonie et rompu l'union ; il se déclarait prêt à la paix ; il félicitait Cyrille de s'attacher, comme lui-même, à la lettre d'Athanase à Épictète [1]. Ce message pacifique fut porté à Alexandrie par Paul d'Émèse, spécialement chargé par Acace de s'entendre avec Cyrille [2].

NOUVELLES DIFFICULTÉS

Arrivé à destination, Paul commença par éprouver quelques déceptions. Cyrille était gravement malade ou venait de l'être. Par ailleurs, il ne rencontrait pas à Constantinople tous les appuis auxquels il croyait avoir droit. Maximien, plus administrateur sans doute que théologien, se demandait pourquoi il était si difficile de sacrifier les anathématismes [3]. Les fonctionnaires s'agitaient, la cour redevenait défiante et Théodose tenait à rétablir la paix au plus vite. Il semble qu'à ce moment Cyrille ait été de nouveau obligé de recourir aux grands moyens et de couvrir d'une pluie d'or les gens en place. Il faut ajouter surtout que, malgré sa bienveillance, la lettre de Jean n'était pas entièrement satisfaisante : l'évêque d'Alexandrie la déclara même inacceptable.

Les négociations ne furent pas suspendues pour autant, car un égal désir de paix animait les deux parties. Il fut entendu que Paul d'Émèse lirait en public un mémoire dans lequel il déclarerait accepter l'élection de Maximien à Constantinople, professer le *theotokos*, anathématiser les dogmes de Nestorius ; moyennant l'acceptation de ces conditions, Cyrille lui rendrait sa communion. Paul se soumit de bonne grâce et, par deux fois, le 25 décembre 432 et le 1er janvier 433, il fut invité à prendre la parole dans l'église d'Alexandrie [4].

VERS LA PAIX

Quant à Jean d'Antioche, Aristolaüs, qui n'était pas encore rentré à Constantinople, fut chargé de lui apporter une lettre à laquelle il était invité à souscrire : cette lettre mettait comme conditions à l'octroi de la communion de Cyrille l'acceptation de la condamnation de Nestorius et de l'anathème prononcé sur son enseignement. Des anathématismes de Cyrille, il n'était plus question pour l'instant.

(1) *Neue Aktenstücke*, p. 65-66 ; *Synodicon*, LXXX.
(2) *Neue Aktenstücke*, p. 67-68.
(3) LIBERATUS, *Breviar.*, VIII.
(4) MANSI, t. V, col. 293-301. Deux lettres de Cyrille, adressées l'une à ses apocrisiaires à Constantinople, les prêtres Théognoste et Charmosyne et le diacre Léonce, l'autre à l'évêque de Nicopolis, Dynatos, nous renseignent sur ces événements.

Aristolaüs prétendait d'ailleurs avoir les moyens de faire céder l'évêque d'Antioche si celui-ci faisait mine de résister ; il avertirait l'empereur qui n'hésiterait pas à sévir [1]. Il n'eut pas à recourir à de tels procédés : Jean souscrivit la lettre qui lui était apportée [2]. Acace qui avait été, le premier, l'ouvrier de la paix put encore jouir de l'heureux résultat des démarches auxquelles il avait présidé : une lettre de lui, récemment découverte, adresse des félicitations à l'évêque de Constantinople, rappelle les services rendus par Cyrille, Paul et Aristolaüs, condamne à son tour l'impie Nestorius et mentionne une encyclique adressée par lui à tous les évêques sur la paix et l'union [3]. Le vieil évêque dut mourir à peu de temps de là, couronné d'années : son souvenir resta en grande vénération dans son clergé et parmi ses fidèles [4].

L'ACTE D'UNION

Pour bien marquer son accord avec Cyrille, Jean lui adressa sa profession de foi : celle-ci est extraite, sauf une phrase, d'une lettre envoyée d'Éphèse par les évêques orientaux à l'empereur Théodose dans les premiers jours d'août 431 :

Nous confessons Notre-Seigneur Jésus-Christ, Fils unique de Dieu, Dieu parfait et homme parfait (composé) d'une âme raisonnable et d'un corps, engendré du Père avant les siècles selon la divinité, (engendré) en ces derniers jours, pour nous et pour notre salut, de la Vierge Marie selon l'humanité, à la fois consubstantiel au Père selon la divinité et consubstantiel à nous selon l'humanité. Car de deux natures l'union s'est faite ; aussi nous confessons un Christ, un Fils, un Seigneur. A raison de cette union sans confusion, nous confessons que la Sainte Vierge est Mère de Dieu, parce que le Dieu Verbe a pris chair et s'est fait homme, et, dès l'instant de sa conception, s'est uni le temple pris de la Vierge.

A cela, Jean ajoute :

Quant aux expressions évangéliques et apostoliques relatives au Seigneur, nous savons que les théologiens emploient les unes indistinctement, comme se rapportant à une seule personne et distinguent les autres comme se rapportant à deux natures : celles qui sont dignes de Dieu quand il s'agit de la divinité du Christ, les moins élevées quand il s'agit de son humanité [5].

LA LETTRE « LAETENTUR CAELI »

Cyrille ne pouvait pas ne pas accepter cette formule. Lorsque Paul d'Émèse apporta à Alexandrie les lettres par lesquelles Jean d'Antioche marquait son plein accord avec le patriarche, il y fut accueilli avec des transports de joie. Une lettre enthousiaste de Cyrille consacra

(1) *Synodicon*, LXXXV.
(2) A vrai dire, Jean crut devoir apporter quelques changements de forme au texte qui lui avait été soumis, afin de le rendre plus facilement acceptable aux évêques d'Orient. Sur ces changements, il s'explique en toute confiance dans une lettre à Cyrille (*Epist.*, XLVII).
(3) *Neue Aktenstücke*, p. 74-75.
(4) Un des chorévêques d'Acace, Balaï, composa en son honneur cinq hymnes syriaques. Dans la dernière de ces pièces, le vieil évêque est représenté à sa dernière heure, conversant avec Dieu sur sa longue vie qui arrive à son terme et sur l'éternité bienheureuse dans laquelle il entre.
(5) MANSI, t. V, col. 781-783 ; CYRILLE, *Epist.*, XXXVIII.

la paix : « Que les cieux se réjouissent et que la terre tressaille »[1] ! Le 12 avril 433, le peuple d'Alexandrie reçut officiellement communication de l'accord qui venait d'être scellé. Tant d'Alexandrie que d'Antioche partirent aussitôt des missives adressées aux empereurs, au pape Sixte III et à Maximien de Constantinople, pour faire part de l'heureux événement[2].

CARACTÈRES DE L'UNION Comme dans tous les compromis, chacun avait dû céder quelque chose. Les Orientaux acceptaient la condamnation et la déposition de Nestorius, anathématisaient ses blasphèmes, reconnaissaient l'ordination de Maximien et adhéraient à la communion des très religieux évêques de toute la terre, qui ont et gardent la foi orthodoxe et immaculée. Quant à Cyrille, il faisait le silence sur les anathématismes et souscrivait une formule d'origine orientale, rédigée, croit-on, par Théodoret. « Dans ce texte, il n'était pas question du Verbe, mais bien de Jésus-Christ qui naît du Père selon la divinité, puis de Marie selon l'humanité. Le *theotokos* n'est admis qu'avec l'explication réclamée par les Orientaux ; on retrouvait le mot *temple*, qui leur était cher ; les termes *une seule nature*, *union physique*, étaient remplacés par *une seule personne*, *union de deux natures*... Malgré tout, cependant, l'identité personnelle du Verbe avant l'Incarnation et de Jésus-Christ était reconnue et plusieurs fois affirmée ; on écartait συνάφεια pour parler d'ἕνωσις ; le principe de la communication des idiomes, et avec lui le *theotokos*, était reçu. Cyrille, s'il ne retrouvait plus sa terminologie préférée, retrouvait au fond sa doctrine, car il n'avait jamais été dans sa pensée de confondre en Jésus-Christ l'humanité avec la divinité[3] ».

CONCLUSION On peut évidemment se demander s'il était nécessaire de tant s'agiter et de tant discuter pour arriver à ce résultat. Mais l'histoire ne se fait pas avec des conjectures. Ce que Nestorius avait mis en cause par ses enseignements imprudents, par ses formules erronées, c'était la foi de l'Église catholique et c'était le dogme central du christianisme. L'émotion de saint Cyrille s'explique assez par là. Les événements postérieurs à l'édit d'union et à la paix de 433 se chargeront d'ailleurs de montrer la gravité de la secousse ressentie par l'Eglise : aujourd'hui encore, les traces n'en sont pas effacées.

(1) CYRILLE, *Epist.*, XXXIX.
(2) La lettre de saint Cyrille arriva à Rome le 31 juillet 433, le jour même où le pape Sixte célébrait l'anniversaire de son ordination. La réponse du pape, datée du 17 septembre (JAFFÉ-WATTENBACH, 391), ne manque pas de relever cette heureuse coïncidence. La lettre de Jean ne dut pas tarder à arriver également, car le pape lui répondit le même jour.
(3) J. TIXERONT, *Histoire des dogmes*, t. III, p. 51.

CHAPITRE VIII

DE L'ACTE D'UNION A LA MORT DE PROCLUS (433-446)[1]

§ 1. — Les conséquences de l'acte d'union.

AU LENDEMAIN DE L'ACTE D'UNION Il est facile de signer la paix. Il est plus difficile de la faire régner. Cyrille et Jean avaient pu, en toute loyauté, se mettre d'accord sur une formule de foi et déclarer que plus rien désormais ne viendrait troubler leur union. Ni l'un ni l'autre n'étaient au fond sans inquiétudes, car ils n'étaient pas seuls en cause. Les suivrait-on dans les voies de l'apaisement ? ou bien désavouerait-on leur œuvre ? Une lettre de saint Cyrille, écrite à Jean d'Antioche et à son synode peu de temps après la conclusion de la paix, témoigne de ses craintes:

(1) Bibliographie. — I. Sources. — Les sources sont celles qui ont été indiquées pour le chapitre précédent. Les collections d'actes du concile d'Éphèse contiennent en effet de nombreux documents relatifs aux années qui suivent le concile. Le *Synodicon* est spécialement important à consulter. Par ailleurs, il faut citer les ouvrages relatifs à la controverse des Trois Chapitres, parce que c'est tout de suite après l'édit d'union qu'on commence les attaques contre les ouvrages de Diodore et de Théodore. Liberatus de Carthage, dans son *Breviarium causae Nestorianorum et Eutychianorum* (*P. L.*, LXVIII, 969-1052), Facundus d'Hermiane, dans le traité intitulé *Pro defensione trium capitulorum* (*P. L.*, LXVII, 527-878), le futur pape Pélage, dans un livre connu sous le titre *In defensione trium capitulorum* (édit. R. Devreesse (Studi e testi, LVII), Cité du Vatican, 1932), ne se contentent pas de raconter la controverse d'un point de vue favorable à Théodore, Théodoret et Ibas ; ils citent de nombreux documents contemporains de la période étudiée dans ce chapitre.

Le texte grec de la lettre d'Ibas à Maris figure dans Mansi, t. VII, col. 241-249 ; on en a des traductions latines dans les œuvres citées de Facundus d'Hermiane et du diacre Pélage ; une version syriaque figure dans les actes syriaques du concile d'Éphèse de 449.

Le tome de Proclus aux Arméniens, publié dans *P. G.*, LXV, a été réédité dans les *Acta conciliorum oecumenicorum* de E. Schwartz, t. IV, 2, p. 187-195. Schwartz donne également la traduction latine du tome par Denis le Petit et deux traductions syriaques. Sur une traduction arménienne du tome, cf. A. Vardanian, *Ein Briefwechsel zwischen Proklos und Sahak*, dans *Wiener Zeitschrift für die Kunde des Morgenlandes*, t. XXVII, 1913, p. 415-441.

II. Travaux. — Aux travaux indiqués précédemment on peut ajouter : R. Devreesse, *Le début de la querelle des Trois Chapitres*, dans *Revue des Sciences religieuses*, t. XI, 1931, p. 543-565 ; E. Schwartz, *Ueber echte und unechte Schriften des Bischofs Proklos von Konstantinopel*, dans *Konzilstudien*, Strasbourg, 1914 ; F. X. Bauer, *Proklos von Konstantinopel, ein Beitrag zur Kirchen- und Dogmengeschichte des V. Jahrhunderts*, Munich, 1919.

Sur Théodoret de Cyr, on a des travaux de détail sur l'une ou l'autre de ses œuvres ; mais, si l'on a une fois cité l'ouvrage en russe, de N. Glubokovskij : *Le bienheureux Théodoret, évêque de Cyr, sa vie et son activité littéraire* ; *Recherches d'histoire ecclésiastique*, Moscou, 1890, on peut dire qu'il n'existe aucune étude d'ensemble qui soit vraiment digne du grand évêque de Cyr. Quelques articles récents de M. Richard nous permettent d'espérer que ce travailleur pourra enfin publier l'ouvrage indispensable. Voir aussi K. Guenther, *Theodoret von Cyrus und Kampf in der orientalischen Kirche vom Tode Cyrillus bis zur Einberufung des sogenannten Rauber-Konzils* (*Programme des k. hum. Gymnasiums Auschaffenburg für Schuljahr 1912-1913*).

Nous vous prions comme des frères, comme des docteurs, de recommander à vos clergés de ne tenir, surtout à l'église, qu'un langage correct, sûr, édifiant, de s'attacher principalement à la profession de la vraie foi, et en somme d'éviter les incursions sur un terrain scabreux. Cependant, il faut éliminer les occasions de trouble : ceci appartient à la sagesse de Votre Sainteté : nous avons écrit là-dessus ce que nous tenons pour juste. Si donc quelques clercs ou moines sont accusés d'entretenir, après leur ralliement à l'Église, des pensées qui rappellent encore l'impiété de Nestorius, qu'on les fasse comparaître d'abord dans les églises et devant vous qui les dirigez ; qu'on leur demande là un compte exact de leurs paroles. Car il est à prévoir que des accusateurs, ne réussissant pas à se faire entendre, porteront plainte indiscrètement devant les tribunaux civils. Il est beaucoup meilleur et plus juste de réserver aux tribunaux ecclésiastiques la connaissance et la décision des causes ecclésiastiques, au lieu de les porter à d'autres tribunaux, complètement incapables d'en connaître [1].

Cyrille parlait sagement en s'exprimant de la sorte. Il ne se doutait peut-être pas qu'il serait le premier à être obligé de modérer l'ardeur combative de ses troupes.

RÉSISTANCE DES CYRILLIENS L'acte d'union marquait de sa part une réelle concession par rapport aux formules des douze anathématismes. En Égypte, aucune opposition sérieuse n'était à redouter : le patriarche d'Alexandrie était le maître à peu près absolu de l'épiscopat et des moines. Mais Cyrille avait ailleurs des alliés, et ceux-ci ne tardèrent pas à murmurer contre les termes de l'acte d'union : affirmer l'union des deux natures dans le Christ, accepter le mot de temple pour désigner la nature humaine assumée par le Verbe, n'était-ce pas renoncer explicitement à la formule : *Une est la nature du Verbe incarné*, dont on avait commencé par faire la tessère de la foi catholique contre les Nestoriens ? n'était-ce pas affirmer ce diphysisme, cette doctrine des deux Fils, que l'on avait combattu chez le patriarche d'Antioche ? Telle était en particulier la pensée d'Acace de Mélitène, un des plus ardents accusateurs de Nestorius au concile d'Éphèse.

EXPLICATIONS DE SAINT CYRILLE La réponse de saint Cyrille témoigne de quelque embarras : l'évêque d'Alexandrie rappelle la série des négociations au terme desquelles il a consenti à signer la paix avec Jean ; puis il discute un certain nombre de formules extraites des écrits de Nestorius, afin de montrer combien sa position diffère de celle de l'hérétique ; il expose enfin son propre enseignement :

Nous ne pensons pas, comme l'ont imaginé certains des anciens hérétiques, que le Verbe de Dieu a pris une nature de sa propre substance, c'est-à-dire qu'il s'est formé un corps à l'aide de la divinité ; mais, en suivant partout les livres divins, nous affirmons qu'il l'a pris de la Vierge Sainte. Après cela, lorsque nous considérons dans notre entendement les choses dont est formé un

(1) Cyrille, *Epist.*, lxvii.

seul Fils et Seigneur Jésus-Christ, nous disons deux natures unies ; mais, après l'union, comme si la division des deux natures était enfin enlevée, nous croyons que la nature du Fils est une, mais qu'il s'est fait homme et s'est incarné. Si l'on dit que celui qui s'incarna et se fit homme était Dieu le Verbe, on écarte tout soupçon de changement, car il demeura ce qu'il était et l'union sans confusion sera aussi confessée par nous [1].

Acace de Mélitène n'était pas le seul à demander à Cyrille des éclaircissements sur ses formules : l'évêque d'Alexandrie devait encore en fournir au prêtre Eulogius, qui était alors son apocrisiaire à Constantinople [2], à Valerianus d'Iconium [3], à Successus de Diocésarée en Isaurie [4]. Un peu partout se manifestaient des inquiétudes qu'il fallait calmer.

AGITATION A ANTIOCHE

Chose plus étrange, l'agitation s'étendait jusqu'à Antioche. Les Syriens n'avaient pas pour leur patriarche la même obéissance aveugle que les Égyptiens pour le leur. L'apollinarisme, qui avait pris naissance à Laodicée, s'était naguère fortement implanté à Antioche : il y comptait toujours des partisans plus ou moins avoués, surtout dans les milieux monastiques. Il se dissimulait sans doute sous des apparences orthodoxes, mais il ne manquait pas d'hommes pieux pour reprocher à Jean ses accointances avec Nestorius, et dans le clergé antiochien lui-même l'évêque avait de fortes résistances à vaincre. Un de ses diacres, du nom de Maxime, ne refusait-il pas de participer à sa communion, sous prétexte qu'il favorisait les dogmes de Nestorius ? Cyrille fut obligé d'écrire à ce Maxime pour lui conseiller de modérer son ardeur et d'oublier le passé [5].

CHEZ LES ORIENTAUX

Tandis que Cyrille était obligé de contenir le zèle de ses amis qui l'accusaient de tiédeur, Jean, de son côté, se voyait contraint d'exciter à la soumission et à la paix ceux des Orientaux qui refusaient de souscrire à la condamnation de Nestorius. Aux yeux d'un grand nombre d'évêques orientaux, Nestorius n'avait pas été régulièrement déposé ; on l'avait condamné sans l'entendre et on s'était hâté de lui donner un successeur ; tandis que Cyrille et Memnon, déposés eux aussi par un concile — le leur, — étaient rentrés sans difficulté en possession de leurs sièges, seul le patriarche de Constantinople restait la victime d'une machination ourdie contre lui. La chose paraissait d'autant moins intelligible que Cyrille ayant renoncé

(1) CYRILLE, *Epist.*, XL. Cette lettre a été célèbre. Dans le *Livre d'Héraclide*, II, I, Nestorius l'étudie phrase par phrase : il assure que saint Cyrille y travestit ses idées ; plus encore, il accuse l'évêque d'Alexandrie de duplicité, parce qu'il déclarerait purement idéale l'union des natures et qu'il voudrait faire croire à son correspondant que tel est aussi l'avis des Orientaux.

(2) CYRILLE, *Epist.*, XLIV.

(3) CYRILLE, *Epist.* L.

(4) CYRILLE, *Epist.*, XLV et XLVI.

(5) CYRILLE *Epist.*, LVII et LVIII.

à défendre les anathématismes, la doctrine opposée, donc celle de Nestorius lui-même, était la vraie triomphatrice. Ces arguments spécieux semblaient irrésistibles à beaucoup de bons esprits. Théodoret de Cyr était du nombre, et il écrivait sa stupeur, sa tristesse, son inquiétude à l'évêque d'Antioche en termes fort précis [1].

D'autres allaient plus loin encore : les évêques de la Cilicie seconde, réunis en concile à Anazarbe, séparèrent saint Cyrille de leur communion, jusqu'à ce qu'il eût signé la condamnation de ses anathématismes ; Mélèce de Mopsueste, en recevant une lettre pacifique de Jean d'Antioche, refusa de la lire et la jeta au visage du messager qui l'apportait [2]. Des faits du même genre se reproduisirent un peu partout à travers l'Orient.

RECOURS D'HELLADIUS ET D'EUTHÉRIUS A ROME

On vit même deux évêques, Euthérius de Tyane et Helladius de Tarse, s'adresser directement à Rome pour essayer d'obtenir justice de la part du pape. C'était une habitude, chez les Orientaux, aussi bien chez ceux d'Alexandrie que chez ceux d'Antioche, de recourir au Siège apostolique lorsqu'ils se croyaient victimes des injustices de leurs compatriotes : en cas d'événements graves, ils savaient se souvenir de la primauté romaine. Cette fois, pourtant, les évêques de Tarse et de Tyane dépassaient les bornes de la confiance permise. Ayant appris la mort de saint Célestin et son remplacement par Sixte III, ils croyaient le nouveau pape favorable à Nestorius ou tout au moins à ses enseignements. Leur lettre exalte l'évêque de Rome comme un nouveau Moïse, par qui Dieu veut que le monde soit délivré du nouveau Pharaon et de l'erreur égyptienne, c'est-à-dire de Cyrille :

Nous demandons, prosternés aux pieds de ta Religiosité, que tu tendes une main salutaire et que tu calmes la tempête du monde, que tu fasses faire un examen de tous les faits (récents) afin d'apporter aux injustices la correction céleste, afin de rétablir les saints pasteurs qui ont été injustement éloignés de leurs brebis, de telle sorte que l'ordre et l'antique concorde soient rendus aux troupeaux [3].

Cette lettre candide, mais touchante, fut-elle reçue à Rome ? Nous l'ignorons. Il ne semble pas en tout cas que le pape y ait jamais répondu.

ADHÉSIONS NOUVELLES A L'ACTE D'UNION

Il est vrai que, à côté de ces réclamations ou de ces révoltes, Jean d'Antioche pouvait enregistrer un certain nombre d'adhé-

(1) *Synodicon*, CLXXXIII. Le *Synodicon* nous a conservé le texte de plusieurs lettres échangées à ce sujet par Théodoret et ses amis, soit entre eux, soit avec Jean d'Antioche (*Synodicon*, CLXXVIII, CLXXX-CXCIII).

(2) TILLEMONT, *Mémoires*, t. XIV, p. 558-559.

(3) *Synodicon*, CXVII. Cf. F. FICKER, *Eutherius von Tyana*, Leipzig, 1908, p. 48 et 115 ; P. BATIFFOL, *Le siège apostolique*, p. 400-402. Il faut remarquer qu'Eutherius et Helladius écrivent non seulement en leur nom personnel, mais aussi pour leurs collègues d'Euphratésienne, des deux Cilicies, de la Cappadoce seconde, de Bithynie, de Thessalie, de Mésie. Des clercs et des moines sont chargés de porter leur requête à Rome.

sions à l'édit d'union : André de Samosate fut un des premiers à renouer les rapports de communion avec Acace de Mélitène et avec Rabboula d'Édesse : ceux-ci étaient au nombre des Cyrilliens les plus fervents, le premier avec la fidélité d'un vieux partisan, le second avec toute la fougue d'un converti. L'attitude d'André ne fut pas sans mérite : elle lui valut de la part de l'intraitable Alexandre de Hiérapolis les plus violents reproches[1].

ÉLECTION DE PROCLUS A CONSTANTINOPLE En de telles conjonctures, la position de Jean d'Antioche, tout comme celle de Cyrille, était des plus difficiles. Pour comble de malheur, peut-on dire, le vieux et sage Maximien de Constantinople vint à mourir, le 12 avril 434, après un épiscopat de deux ans et demi. Les partisans que Nestorius avait conservés dans la capitale s'agitèrent[2]. La cour s'émut, et sans désemparer elle fit élire et installer Proclus de Cyzique, l'éternel candidat, qui se trouvait là à point nommé[3]. Cette nomination était plus ou moins régulière, et Proclus n'était peut-être pas l'homme de la situation. Mais il était nécessaire d'agir vite : on fit pour le mieux.

SOUMISSION DE THÉODORET En même temps l'empereur, alerté par Jean d'Antioche, ému par l'agitation de sa capitale, se décida à intervenir pour frapper ceux qui n'accepteraient pas l'acte d'union. On essaya d'abord de négocier. Théodoret de Cyr, qui n'avait pas encore pu se résigner à condamner Nestorius, fut entrepris le premier à cause de sa sainteté, de sa science, de son influence : tous les moyens furent mis en jeu pour le décider à faire sa paix avec Cyrille : les prières des moines les plus influents de la région, Siméon le Stylite, Jacques, Baradate ; les supplications de son peuple ; les démarches, plus ou moins menaçantes, des officiers impériaux ; les lettres de ses collègues. Théodoret hésita longtemps : une émouvante correspondance entre lui et Alexandre de Hiérapolis témoigne de ses inquiétudes et de son trouble. Il finit cependant par accepter de se rendre à Antioche pour y conférer avec Jean ; et lorsqu'il y fut arrivé, il entra en communion avec lui, signa l'acte d'union, écrivit à Cyrille pour lui manifester son accord ; bref il remplit toutes les conditions qu'on lui imposa. Par égard pour lui, on n'exigea pas qu'il condamnât Nestorius[4].

(1) TILLEMONT, *Mémoires* t. XIV, p. 562-564.
(2) *Synodicon*, CL.
(3) SOCRATE, *Hist. eccl.*, VII, XL.
(4) *Synodicon*, CXXII. Cf. TILLEMONT, *Mémoires*, t. XIV, p. 585-590.

LES DERNIÈRES RÉSISTANCES

La réunion de Théodoret eut les heureux résultats qu'on en avait escomptés. De nombreux évêques des deux Cilicies et d'Isaurie s'unirent eux aussi à l'Église. Il n'y eut bientôt plus qu'un petit nombre d'irréductibles contre lesquels il fallut procéder avec rigueur : une quinzaine d'évêques furent ainsi déposés et envoyés en exil. Parmi eux, on cite Zénobius de Zéphyra, Mélèce de Mopsueste, Dorothée de Marcianopolis, Euthérius de Tyane, Anastase de Ténédos. Le plus excité de tous les réluctants fut Alexandre de Hiérapolis : ce fut en vain que Jean et Théodoret multiplièrent les efforts pour l'amener à la soumission ; il demeura inflexible. On fut obligé d'agir contre lui et de l'envoyer en exil, aux mines d'Égypte ; il persévéra jusqu'à la mort dans son intransigeance [1].

NESTORIUS EXILÉ

Restait Nestorius. Depuis la fin de 431, il résidait à Antioche ou aux environs, ce qui n'était pas sans causer de légitimes préoccupations à l'épiscopat catholique et à Jean lui-même. Dès 432, le pape saint Célestin s'était ému de cette situation et avait demandé qu'on éloignât l'hérétique [2]. On n'avait pas cru à ce moment-là faire droit à cette requête, et Nestorius avait pu assister, en spectateur intéressé, à toutes les tractations qui avaient précédé et suivi l'acte d'union ; peut-être même avait-il eu l'occasion d'y intervenir. En tout cas, il ne s'était pas soumis aux décisions prises contre lui à Éphèse ; il n'avait pas songé à rétracter ses erreurs, ni même donné sa démission, comme il en avait eu un instant le projet, si bien qu'il pouvait continuer, à ses propres yeux et à ceux de ses amis, à faire figure d'évêque légitime de Constantinople. Plus encore, il collectionnait dès cette époque les documents qui lui étaient favorables et préparait, sous le titre de *Tragédie*, l'apologie de sa conduite. Jean finit par prendre ombrage de cette situation. Il demanda à l'empereur l'éloignement de Nestorius : un ordre de la cour au préfet du prétoire Isidore prescrivit de l'expédier à Pétra, et tous les biens qu'il possédait à Constantinople furent confisqués [3]. Puis, on trouva que Pétra n'était pas encore assez loin d'Antioche, et l'on envoya l'exilé à la grande Oasis, au fond du désert de Libye [4].

LOI IMPÉRIALE CONTRE LES NESTORIENS

Là ne se bornèrent pas les mesures de rigueur contre les Nestoriens. Une loi impériale fut portée contre eux, très sévère dans ses considérants comme dans les peines qu'elle édictait [5] :

(1) Tillemont, *Mémoires*, t. XIV, p. 596-603.

(2) Jaffé-Wattenbach, 385.

(3) Mansi, t. V, col. 255.

(4) Dans son désert, Nestorius fut si bien oublié qu'on ne sut bientôt plus s'il était mort ou vivant. Lorsqu'en 439, Socrate écrivit son *Histoire ecclésiastique*, il croyait savoir vaguement que Nestorius vivait toujours, mais il n'en était pas très assuré (*Hist. eccl.*, VII, xxxiv).

(5) Cette loi porte la date du 3 août 435, mais E. Schwartz estime que cette date est erronée et place la loi en 436 : cf. *Acta concil. oecumen.*, t. I, i, 3, p. 68 et I, iv, p. xi, n. 1.

Nestorius, ce chef d'un enseignement monstrueux, ayant été déjà condamné, il reste à frapper les partisans de son impiété et à les désigner d'un nom caractéristique, afin que nul ne puisse s'y tromper. Nous décidons en conséquence que les partisans de l'opinion impie de Nestorius seront désormais appelés simoniens. Car il est juste que ceux qui ont imité Simon (le magicien) dans sa lutte contre Dieu reçoivent une appellation manifestant cette ressemblance, de même que les Ariens, selon une loi de Constantin, ont été appelés Porphyriens, en souvenir des attaques de Porphyre contre le Christ. Que personne n'ose donc posséder, lire ou transcrire les livres impies du scélérat et sacrilège Nestorius, relatifs à la sainte religion et contraires aux dogmes du synode d'Éphèse. Ces livres seront recherchés avec soin par l'autorité publique et brûlés [1].

APPLICATION DE LA LOI Une ordonnance des préfets du prétoire prit aussitôt les dispositions nécessaires pour que ces mesures fussent appliquées dans toute leur rigueur [2]. Les meilleurs amis de Nestorius furent l'objet de condamnations spéciales : le comte Irénée et le prêtre Photius furent dépouillés de leurs dignités et de leurs biens et exilés à Pétra [3].

§ 2. — Les débuts de l'affaire des Trois Chapitres.

NOUVELLES OFFENSIVES DES CYRILLIENS Nestorius exilé et mis hors d'état d'agir, ses partisans déposés et chassés de leurs évêchés, les Orientaux obligés de souscrire à sa condamnation, le triomphe de saint Cyrille aurait pu sembler suffisant. Sans doute, les anathématismes étaient-ils oubliés et beaucoup de Cyrilliens intransigeants ne se gênaient-ils pas pour témoigner leurs regrets. Mais l'évêque d'Alexandrie lui-même avait fait preuve de sagesse en les laissant dans l'ombre. Toutefois les dernières interventions de l'autorité impériale paraissaient à beaucoup une revanche sur l'édit d'union de 433. Les exaltés voulurent pousser plus loin leurs avantages. Il en résulta, au cours des années qui suivirent, des troubles de nature à diviser l'Église d'Orient plus profondément qu'elle ne l'avait jamais été.

LE CAS DE THÉODORE ET DE DIODORE On sait que l'enseignement de Nestorius s'inspirait de celui des maîtres de l'école d'Antioche, et qu'il se contentait de reproduire, en les modifiant à peine, des formules qui avaient été déjà employées par Diodore de Tarse et par Théodore de Mopsueste [4]. Diodore et Théodore étaient morts dans la communion de l'Église et leurs ouvrages n'avaient même pas été mentionnés au cours de la controverse. La con-

(1) *Cod. Theodos.*, XVI, v, 66.
(2) MANSI, t. V, col. 416.
(3) *Synodicon*, CLXXXVIII-CLXXXIX.
(4) Cf. *supra*, p. 167.

damnation des livres de Nestorius porta un bon nombre d'esprits curieux à relire les écrits de ses devanciers. On trouva, ainsi qu'en pouvait s'y attendre, que ceux-ci avaient déjà soutenu les thèses essentielles de l'hérésiarque et même que, sur certains points, ils étaient allés plus loin que lui en insistant sur la distinction des natures dans le Christ.

EN ARMÉNIE Par un hasard assez étrange, ce fut surtout en Arménie que cette vieille littérature antiochienne eut des lecteurs attentifs. L'Église arménienne était alors en pleine renaissance intellectuelle : sous le patronage du catholicos Sahag et du docteur Mesrob, elle cherchait à se créer une littérature théologique ; et, plutôt que de composer des ouvrages originaux, on y traduisait les livres les plus célèbres des Pères grecs ou syriaques. Diodore et Théodore furent naturellement de ceux qui furent ainsi connus : il n'y avait aucune raison, aux yeux des Arméniens, pour s'en défier [1].

AMBASSADE A PROCLUS Sur les frontières mêmes de l'Arménie, veillaient deux Cyrilliens déterminés, Acace de Mélitène et Rabboula d'Édesse. Ils prirent sur eux d'écrire aux évêques arméniens pour leur conseiller de ne pas recevoir les écrits de Théodore, un hérétique, disaient-ils, et le vrai père du nestorianisme. Les Arméniens avaient à peine besoin de cet avertissement pour être troublés. Il y avait chez eux un certain nombre d'Apollinaristes qui étaient déjà entrés en campagne contre les livres des Antiochiens. Les lettres d'Acace et de Rabboula les confirmèrent dans leur inquiétude. Un synode se réunit, qui décida d'envoyer à Constantinople deux prêtres, chargés de demander à Proclus de quel côté se trouvait la vérité [2].

LE TOME DE PROCLUS Naturellement, Proclus accueillit avec faveur l'ambassade arménienne. Il examina avec soin les textes de Théodore qui lui étaient soumis et il finit par répondre en une lettre dogmatique de la plus haute importance. Cette lettre commence par réfuter les thèses des docteurs antiochiens dans la mesure où elles accentuent la distinction, dans le Christ, du fils de l'homme et du Fils de Dieu et où elles semblent incompatibles avec l'unité de la personne. Puis elle propose la doctrine orthodoxe, qui, tout en maintenant les deux natures, exige l'affirmation de l'unité personnelle. Selon Proclus, cette doctrine peut s'exprimer dans les propositions suivantes :

Nous confessons que le Dieu Verbe, un de la Trinité, s'est incarné : ***confi-***

(1) Cette histoire nous est connue en particulier par le récit de LIBERATUS, *Breviarium*, x.

(2) La lettre des Arméniens est perdue. Il n'en reste que le titre, dans la cinquième session du concile œcuménique de 553 (MANSI, t. IX, col. 240), mais le texte qui suit cette rubrique est d'une autre provenance. A la lettre des évêques d'Arménie étaient joints plusieurs fragments de Théodore, sur lesquels on demandait aussi l'avis de Proclus.

tentes Deum Verbum, unum de Trinitate, incarnatum... Je confesse une seule hypostase du Dieu Verbe incarné [1].

Tel quel, ce document était plutôt favorable à la théologie cyrillienne, et, par certaines de ses explications, il marquait un recul sur les concessions faites dans l'acte d'union de 433. Il restait pourtant fort en deçà des expressions des anathématismes, et Proclus pouvait, en toute confiance, le proposer à l'adhésion des évêques arméniens.

AUTOUR DE LA SIGNATURE DU TOME

Ce qu'il y a de curieux, c'est que l'évêque de Constantinople ne crut pas devoir se contenter d'envoyer son tome aux Arméniens en leur demandant de le signer. Il prétendit encore l'adresser aux évêques orientaux et même exiger leur souscription en même temps qu'une réprobation explicite des passages de Théodore annexés à ce document. Bien plus, une lettre impériale fut jointe à l'épître de Proclus : elle enjoignait à Jean d'Antioche et à ses collègues de ne plus troubler la paix [2].

ACTIVITÉ DE JEAN D'ANTIOCHE

On conçoit sans peine la stupeur des Orientaux devant ces nouvelles exigences. Ils n'avaient rien fait pour les mériter. Il n'y avait pourtant guère moyen de reculer. Jean écrivit donc à Proclus pour lui dire que ses collègues et lui-même rejetaient et anathématisaient tout ce que Nestorius avait pensé et dit de mal, ceux qui suivaient ses erreurs et ceux qui pensaient comme lui des dogmes étrangers à l'orthodoxie. Pour le reste, il entendait bien s'en tenir au symbole de Nicée et il se refusait à condamner Théodore, car autrement il se verrait obligé de condamner également Athanase, Basile, Grégoire, Théophile et bien d'autres qui avaient enseigné les mêmes doctrines [3]. Une lettre à l'empereur confirmait cette réponse et insistait sur la faute que l'on commettrait en jetant l'anathème sur des personnages morts dans la paix de l'Église [4]. En même temps, Jean s'adressa à saint Cyrille pour lui demander de faire cesser toute cette agitation [5]. L'évêque d'Alexandrie, on le pense bien, n'était pas favorable aux docteurs antiochiens ; il venait même, semble-t-il, d'écrire contre eux un ouvrage qui est aujourd'hui perdu [6]. Mais c'était aussi un sincère ami de la paix et un homme de parole ; il intervint auprès de Pro-

(1) La formule de Proclus était, on doit le remarquer en passant, plus souple que celle de saint Cyrille. Celui-ci en effet disait : une seule nature, *μία φύσις*, ce qui était plutôt équivoque, car le mot *φύσις* peut être entendu aussi bien au sens abstrait qu'au sens concret ; Proclus parle d'une hypostase, et nous savons que, pour les Grecs, ce terme a le sens de personne.

(2) *Synodicon*, CCXIX.

(3) *Synodicon*, CXCVI et CXCVII.

(4) *Synodicon*, CC.

(5) E. SCHWARTZ, *Konzilstudien*, p. 62-66.

(6) Cf. la lettre de saint Cyrille à Acace de Mélitène (MANSI, t. IX, col. 410). Des fragments de ce livre, en grec et en syriaque, nous sont seuls parvenus (*P. G.*, LXXVI, 1437-1452).

clus, en rappelant que, si le concile d'Éphèse avait condamné un symbole attribué à Théodore, il s'était bien gardé de citer aucun nom et en ajoutant qu'il ne fallait pas trop exiger des Orientaux [1].

INTERVENTION D'IBAS D'ÉDESSE

Parmi ces derniers, tous ne montraient pas autant de bonne volonté que Jean. Ibas qui venait de succéder à Rabboula sur le siège épiscopal d'Édesse et qui était un Antiochien déterminé, n'hésita pas à prendre la défense de Théodore de Mopsueste, avec assez de vivacité pour que Proclus en prît ombrage : Jean fut prié d'intervenir auprès de son fougueux collègue et de lui demander la signature du tome aux Arméniens [2]. On ne sait comment finit cet incident. Mais il ne fut pas unique dans la vie d'Ibas : celui-ci qui, avant d'être évêque, avait enseigné avec éclat pendant de longues années aux écoles d'Édesse et qui avait traduit en syriaque les œuvres de Diodore et de Théodore, ne perdait aucune occasion pour louer les anciens docteurs ; il le fit encore d'une manière toute spéciale dans une lettre adressée à un certain Maris qui était sujet du roi de Perse et qui habitait Séleucie [3].

RÉTABLISSEMENT DE LA PAIX

Les discussions soulevées autour du tome de Proclus aux Arméniens finirent cependant par se calmer, et, pour un temps, la paix sembla réellement restaurée en Orient. Les évêques de Constantinople, d'Alexandrie et d'Antioche voulaient tous trois, et d'une manière très sincère, le maintien de l'unité chrétienne. L'empereur Théodose ne le souhaitait pas moins. Les Orientaux, après avoir donné les satisfactions requises, pouvaient se croire à l'abri de toute poursuite. Les Cyrilliens exaltés étaient invités au silence. Il y eut, entre 438 et 446, quelques années calmes. Proclus en profita pour accroître son autorité personnelle et celle de son siège.

LES RESTES DE JEAN CHRYSOSTOME RAMENÉS A CONSTANTINOPLE

Il y avait encore à Constantinople quelques partisans attardés de l'évêque Jean : les années n'avaient pas pu leur faire oublier que le saint évêque était mort en exil, victime d'une injustice qui n'avait jamais été réparée. Proclus demanda que son corps, qui reposait toujours près de Comane, dans la chapelle où il avait été enterré, fût ramené à la capitale et déposé auprès de ceux des autres

(1) Mansi, t. IX, col. 409.

(2) Mansi, t. IX, col. 270.

(3) On discute encore sur l'identité exacte de Maris. D'après le texte de la lettre, il devait être un évêque et même un évêque des plus influents. A cette époque, le catholicos de Séleucie s'appelait Dadiso. Mais on peut supposer que Maris, qui signifie seigneur, est un nom commun : le traducteur grec de la lettre l'aura pris à tort pour un nom propre ; et dans cette hypothèse, c'est bien à Dadiso que se serait adressé Ibas. Cf. J. Labourt, *Le christianisme dans l'empire perse sous la dynastie sassanide*, Paris, 1904, p. 133, n. 6.

évêques à la basilique des apôtres. Ce fut le 27 janvier 438 qu'eut lieu la cérémonie : les précieuses reliques de Jean firent à Constantinople une triomphale entrée ; elles furent reçues par la famille impériale, et l'on vit l'empereur Théodose s'incliner pieusement devant le cercueil de l'homme qu'avaient exilé ses parents [1]. Cet acte de réparation servit beaucoup à la popularité de Proclus.

LES AFFAIRES DE L'ILLYRICUM

Le patriarche sut, d'autre part, mettre à profit tous les incidents pour asseoir son influence. D'après l'usage, les questions intéressant l'Illyricum devaient être portées à Rome, ou tout au moins soumises à l'évêque de Thessalonique, que le pape avait constitué son vicaire. En 437, semble-t-il, quelques évêques illyriens cherchèrent à contrevenir à cette règle et s'adressèrent directement à Constantinople. Il fallut que le pape Sixte III envoyât à Proclus une réclamation : réclamation très modérée d'ailleurs dans le style, mais très nette au fond : s'il arrivait que des évêques illyriens se présentassent à la capitale à l'insu de l'évêque de Thessalonique et sans une lettre du pape, Proclus était invité à les traiter comme des rebelles [2]. Il est probable d'ailleurs que celui-ci ne tint pas un très grand compte de cette lettre : les Illyriens continuèrent à venir à Constantinople [3].

LES AFFAIRES DE SMYRNE

A Smyrne aussi s'étaient produits des incidents où la juridiction de Constantinople était en jeu : l'évêque Iddua semble avoir été l'objet d'une accusation, qui a été portée devant le tribunal de Proclus, et celui-ci a innocenté l'accusé. Le pape, saisi de l'affaire, a donné raison au patriarche, et il tient à l'en informer [4]. D'après les règles posées au concile de 381, Proclus n'aurait pas dû intervenir en Asie ; mais bien des précédents autorisaient la conduite de l'évêque de Constantinople qui n'était pas homme à laisser échapper une occasion de faire valoir les droits de son église.

INTERVENTIONS DE PROCLUS EN ASIE

Le cas de Smyrne ne fut d'ailleurs pas le seul : Proclus eut à intervenir dans le choix de nombreux évêques d'Asie : à Césarée de Cappadoce, il installa Thalassius [5] ; à Éphèse, Basile ; à Ancyre, Eusèbe ; il rétablit dans son évêché Athanase de Perrhé en Euphratésienne ; plus tard il approuva l'élection du comte Irénée, l'ancien ami de Nestorius, comme évêque de Tyr [6]. Partout, on le voit ainsi exercer son action.

(1) SOCRATE, *Hist. eccl.*, VII, XLV ; THÉODORET, *Hist. eccl.*, V, XXXVI.
(2) JAFFÉ-WATTENBACH, 395.
(3) Cf. L. DUCHESNE, *L'Illyricum ecclésiastique*, dans *Églises séparées*, Paris, 1905, p. 229 et suiv. ; J. ZEILLER, *Les origines chrétiennes dans les provinces danubiennes de l'Empire romain*, Paris, 1918, p. 371 et suiv.
(4) JAFFÉ-WATTENBACH, 395.
(5) SOCRATE, *Hist. eccl.*, VII, XLVIII.
(6) THÉODORET, *Epist.*, XLVII. Cf. TILLEMONT, *Mémoires*, t. XIV, p. 711-713.

MORT DE JEAN ET DE SAINT CYRILLE

Le temps passait cependant : l'un après l'autre, les protagonistes de la controverse nestorienne disparurent. Jean d'Antioche mourut le premier, en 441 ou 442[1]. Il fut remplacé par son neveu Domnus, qui hérita de ses idées et apporta, pour les faire valoir, une intelligence résolue. Cyrille d'Alexandrie ne tarda pas à suivre Jean dans la tombe, le 27 juin 444. Beaucoup, parmi les Orientaux, ne regrettèrent pas sa disparition. « Une lettre, probablement apocryphe, qui circula en ces temps-là sous le nom de Théodoret, traduit assez bien, quoique d'une façon fort amère, le soulagement qu'ils ressentirent : Enfin, le voilà mort, ce méchant homme... Son départ réjouit les survivants, mais il aura affligé les morts ; il est à craindre qu'ils n'aient bientôt assez de lui et qu'ils nous le renvoient... Aussi faudra-t-il charger son tombeau d'une pierre bien lourde, pour que nous n'ayons plus à le revoir »[2].

JUGEMENT SUR SAINT CYRILLE

L'auteur de cette satire était manifestement injuste en s'exprimant ainsi : Cyrille avait été, pour Alexandrie et pour l'Église entière, un grand évêque. Il avait des défauts, comme tous les hommes, et l'on peut regretter qu'aux débuts de la controverse nestorienne il ait apporté tant de précipitation à agir contre l'évêque de Constantinople, qu'il ait cru devoir lui imposer la signature des anathématismes, qui semblaient faits exprès pour froisser tout l'épiscopat de l'Orient, peut-être même qu'au concile d'Éphèse il ait pris sur lui de réunir les évêques sans permettre à Jean d'Antioche et à ses collègues d'arriver à temps. Mais il avait aussi de grandes qualités, que l'épreuve et l'âge ne firent que développer : après l'acte d'union de 433 surtout, son action ne cessa pas de s'exercer dans le sens de la paix, et ce ne fut pas sa faute si toutes les discordes ne disparurent pas de l'Église.

DIOSCORE D'ALEXANDRIE

On put d'ailleurs mesurer la perte que l'on avait faite lorsqu'on vit à l'œuvre le successeur de Cyrille, Dioscore. Archidiacre d'Alexandrie, il avait accompagné son évêque au concile d'Éphèse ; mais il était loin d'avoir la même sagesse et la même sainteté. A peine monté sur le siège d'Alexandrie, il vexa de toutes manières les parents de Cyrille et ses amis. Le défunt avait légué aux siens des sommes considérables. Dioscore les leur fit restituer et ne craignit pas d'employer pour cela la manière forte. Il déposa du sacerdoce un neveu de saint Cyrille, Athanase, et lui extorqua quatorze

(1) THÉODORET, *Epist.*, LXXXIII.

(2) L. DUCHESNE, *Histoire ancienne de l'Église*, t. III, p. 390. La lettre est censée adressée à Jean d'Antioche, ce qui est un anachronisme grossier, puisque Jean est mort avant Cyrille. Elle a cependant été citée comme l'œuvre de Théodoret au cinquième concile œcuménique. Cf. MANSI, t. IX, col. 295.

cents livres d'or ; il fit également déposer le diacre Théodore et le diacre Ischyron, coupables seulement d'avoir joui de la confiance de son prédécesseur. Ces mesures de rigueur annonçaient bien d'autres crimes.

MORT DE PROCLUS Proclus de Constantinople mourut aussi, en juillet 446. Il fut remplacé, sans aucune difficulté, par un de ses prêtres, Flavien, homme calme et modéré, que rien dans son passé ne prédisposait à jouer un rôle dans les controverses théologiques et qui ne souhaitait que la paix et le bien de l'Église. Tout au plus pouvait-on dire qu'il était plus porté vers les formules des Orientaux que vers celles de Cyrille : n'étaient-ce pas d'ailleurs celles-là et non celles-ci qu'avait en quelque sorte consacrées l'édit d'union de 433 ?

THÉODORET DE CYR Les trois patriarches de Constantinople, d'Alexandrie et d'Antioche, morts et remplacés par des successeurs assez ternes, le grand rôle revenait désormais à l'évêque du lointain diocèse de Cyr, dans la Syrie Euphratésienne, Théodoret. Celui-ci était déjà une autorité. Né vers 393 à Antioche, il y avait fait d'excellentes études ; la vie ascétique l'avait conquis comme tant d'autres de ses compatriotes, et il était caché dans un monastère des environs de sa ville natale, lorsque, vers 423, il dut en sortir pour devenir évêque [1]. Le diocèse qu'il était appelé à gouverner était pauvre et montagneux, mais très peuplé, puisqu'il ne comptait pas moins de huit cents paroisses. Il n'avait rien fait pour conquérir l'épiscopat. Lorsqu'il en eut reçu l'honneur, il en exerça avec zèle tous les devoirs : il parle, dans une lettre à saint Léon, de dix mille Marcionites qu'il a ramenés à la vérité, sans compter les Ariens et les Eunomiens qu'il a également convertis [2]. Une autre lettre rappelle qu'il a pu faire enlever deux cents exemplaires du *Diatessaron* de Tatien des églises de son diocèse, pour les remplacer par des copies des Évangiles séparés [3]. Son ardeur ne connaissait pas de bornes : il défendait ses fidèles contre les exactions des fonctionnaires ; il visitait inlassablement ses paroisses villageoises ; il écrivait des lettres de consolation aux chrétiens de Perse que décimait la persécution. Parfois, il lui arrivait de faire une apparition à Antioche pour y prêcher avec une éloquence fort admirée de ses auditeurs, mais il n'y restait pas et se hâtait de regagner son diocèse. Grand ami des moines, dont il devait écrire l'histoire merveilleuse, il aimait les fréquenter, se recommander à leurs prières ; il aurait voulu pouvoir vivre avec eux et comme eux.

(1) THÉODORET, *Epist.*, CXIII et CXVI.
(2) THÉODORET, *Epist.*, CXIII.
(3) THÉODORET, *Haeret. fabul. compend.*, I, XX.

SON ROLE DOCTRINAL

Sa haute culture, dans les sciences profanes comme dans les sciences ecclésiastiques, le désignait naturellement pour jouer un grand rôle dans les controverses doctrinales. Dès les débuts de l'affaire nestorienne, il fut amené à intervenir et rédigea un ouvrage contre les anathématismes de saint Cyrille. Nous avons rencontré son nom à plusieurs reprises à propos du concile d'Éphèse et de ses suites. Bien que très attaché à son compatriote Nestorius, il avait l'âme trop fortement catholique pour refuser de signer l'acte de 433 ; et, lorsqu'il y eut souscrit, il ne cessa pas de le défendre. Certes, les tribulations ne lui furent pas épargnées : de droite comme de gauche, il fut attaqué, accusé de tiédeur ou d'hérésie. Son métropolitain, Alexandre de Hiérapolis, lui reprochait ses concessions ; les Cyrilliens le blâmaient de sa fidélité à l'hérésiarque. Il laissa dire cependant ; lorsqu'eurent disparu de la scène ceux qui avaient joué les premiers rôles à Éphèse, il se trouva naturellement désigné pour parler au nom de l'Église et pour défendre la vérité contre de nouveaux adversaires.

Ceux-ci allaient, en effet, se lever. La paix, qui avait paru s'établir à la suite de la signature du tome de Proclus, n'existait pas dans les cœurs. Les prédications d'Eutychès à Constantinople suffirent pour la briser.

CHAPITRE IX

LE « BRIGANDAGE » D'ÉPHÈSE ET LE CONCILE DE CHALCÉDOINE [1]

§ 1. — Les débuts du monophysisme.

L'AGITATION DES MOINES Dès le début de la controverse nestorienne, les moines de Constantinople avaient pris parti en faveur des idées et de la terminologie de saint Cyrille d'Alexandrie, et, à plusieurs reprises, ils avaient bruyamment manifesté leurs préfé-

(1) Bibliographie. — I. Sources. — Les sources générales sont à peu près les mêmes que celles qui ont été indiquées pour le précédent chapitre : *Gesta de nomine Acacii vel breviculum historiae Eutychianistarum*, édit. Thiele, *Epistolae romanorum pontificum*, Braunsberg, 1868 ; Liberatus, *Breviarium causae Nestorianorum et Eutychianorum* ; Facundus d'Hermiane, *Pro defensione trium capitulorum* ; Victor de Tonnena, *Chronicon* ; Evagrius, *Historia ecclesiastica* ; Théodore le Lecteur, *Fragmenta historiae ecclesiasticae*. Il faut y joindre les lettres de saint Léon le Grand avec les réponses de ses correspondants (*P. L.*, LV). Les lettres de saint Léon lui-même ont été publiées récemment avec une introduction et des notes par C. Silva-Tarouca, *S. Leonis Magni epistulae contra Eutychis haeresim* (*Textus et documenta*, t. XV et XX), Rome, 1934-1935. Le tome de Léon à Flavien a paru dans la même collection : *S. Leonis Magni tomus ad Flavianum episcopum Constantinopolitanum cum testimoniis Patrum et epistola ad Leonem I imperatorem*, Rome, 1932.

Du concile d'Éphèse de 449, il nous reste : 1° le procès-verbal original de la première session, celle du 8 août, inséré dans celui de la première session du concile de Chalcédoine ; 2° une version syriaque des procédures contre Ibas, Théodoret, Domnus et autres. Cette version syriaque a été signalée dès 1873 par G. Hoffmann qui en donna une traduction allemande dans un programme universitaire de Kiel.

Une nouvelle édition avec traduction allemande est due à J. Flemming, *Akten des ephesischen Synode vom Jahre 449, mit Georg Hoffmanns deutscher Uebersetzung und seinen Anmerkungen* (*Abhandlungen der kgl. Gesellschaft der Wissenschaften zu Göttingen, phil. hist. Kl.*, t. XV), Berlin, 1917.

Ces actes ne sont pas complets. D'autre part ils représentent le point de vue de Dioscore. Les actes du concile de Chalcédoine sont rédigés du point de vue opposé.

Sur le concile de Chalcédoine, nous sommes renseignés par les procès-verbaux de l'assemblée et par les documents annexes. Dans l'édition des *Acta conciliorum oecumenicorum*, préparée par E. Schwartz, le concile de Chalcédoine a commencé à paraître : *Concilium universale chalcedonense*, t. I, 1a pars : *Epistolarum collectiones, Actio prima* ; t. I, 2a pars, *Epistolarum collectiones, actio secunda*, Berlin, 1933 ; t. II, *Versiones particulares*, 1a pars, *Collectio novariensis de re Eutychis*, Berlin, 1932 ; t. IV, Berlin, 1932.

Il va sans dire que les sources orientales ne sauraient être négligées : les Nestoriens réhabilitent le concile de Chalcédoine, tandis que les monophysites le condamnent d'une manière impitoyable. *Le livre d'Héraclide* de Nestorius semble avoir été écrit entre la convocation du concile et son achèvement : il connaît encore le triomphe de Dioscore au brigandage d'Éphèse, la mort de Flavien, l'intervention de saint Léon et le revirement de la situation après la mort de Théodose. A Timothée Aelure, nous devons une réfutation de l'enseignement formulé à Chalcédoine : cf. K. Ter-Mekerttschian et E. Ter-Minassiantz, *Timothaeus Aelurus des Patriarchen von Alexandrien Widerlegung der auf der Synode zu Chalcedon festgesetzten Lehre*, Leipzig, 1908.

II. Travaux. — Les ouvrages anciens ne connaissent pas les sources orientales ; ils sont par suite incomplets. Cependant, on peut toujours consulter Tillemont, *Mémoires*, t. XV ; les dissertations de Quesnel et des Ballerini, qui ont été reproduites dans la *P. L.*, t. LV, avec les œuvres de saint Léon, restent importantes. On peut encore lire A. Thierry, *Nestorius et Eutychès*, Paris, 1878 ; A. Largent, *Le brigandage d'Éphèse et le concile de Chalcédoine*, dans *Revue des questions*

rences. C'était assurément leur droit. Mais il ne faut pas oublier que les moines, issus du peuple pour la plupart et n'ayant jamais reçu aucune formation théologique sérieuse, n'étaient pas spécialement qualifiés pour intervenir dans des problèmes aussi complexes que ceux qui étaient alors posés au sujet de l'Incarnation. Lorsqu'ils sortaient de leurs couvents, lorsqu'ils ameutaient la foule, lorsqu'ils menaçaient les évêques, ils prenaient facilement figure de perturbateurs, et l'étude des questions dogmatiques n'a jamais gagné à être poursuivie au milieu des troubles populaires. On le vit bien lorsque Eutychès entra en scène.

EUTYCHÈS

Eutychès avait embrassé de très bonne heure la vie monastique : il pouvait se glorifier en 448 de s'être voué à la solitude depuis soixante-dix ans. Ses vertus très réelles, son austérité, sa piété lui avaient valu, parmi les moines et dans le peuple de la capitale, un haut renom de sainteté. Il n'était pas seulement le supérieur d'un couvent qui ne comptait pas moins de trois cents religieux ; il était, surtout depuis la mort de Dalmace (vers 440), le chef moral de tous les moines de Constantinople, toujours prêts à obéir à ses moindres ordres. L'empereur Théodose lui-même avait pour lui un respect profond, et l'eunuque Chrysaphe, qui était son filleul, prenait auprès de lui des conseils sur la politique à tenir en matière religieuse. Lorsque Chrysaphe devint, en 441, le favori de l'empereur, l'autorité d'Eutychès apparut redoutable [1].

SON ENSEIGNEMENT

Par malheur Eutychès avait, au sujet des questions débattues en ce temps-là, des idées très personnelles. Ce n'est pas assez de dire qu'il défendait les idées que saint Cyrille d'Alexandrie avait naguère exposées dans les anathématismes. Il les dépassait, en affirmant que le Christ ne nous était pas consubstantiel.

historiques, t. XXVII, 1880, p. 83-150.

Plus importants sont G. Krueger, *Monophysitische Streitigkeiten im Zusammenhange mit der Reichspolitik*, Iena, 1884 ; F. Nau, *Histoire de Dioscore, patriarche d'Alexandrie, écrite par son disciple Théopiste*, dans *Journal asiatique*, Xe série, t. I, 1903 ; F. Haase, *Patriarch Dioskur I von Alexandria, nach monophysitischen Quellem*, Breslau, 1908 ; P. Batiffol, *Le siège apostolique*, Paris, 1924 ; Th. Harapin, *Primatus pontificis romani in concilio chalcedonensi et ecclesiae dissidentes* (*Collectanea philos. theolog., cura professor. collegii internat. S. Antonii in Urbe edita*, I), Quaracchi, Collège S. Bonaventure, 1923.

(1) L'entrée en scène de Chrysaphe provoqua une sorte de révolution au palais impérial. La sœur de Théodose, Pulchérie, qui jusqu'alors avait exercé une très grande influence sur lui, fut contrainte de quitter le palais. Autour d'elle se groupèrent naturellement tous les adversaires du nouveau favori. Celui-ci fit tout ce qu'il put afin de réduire Pulchérie à l'impuissance totale ; ses efforts n'aboutirent pas à grand'chose, et dans sa retraite l'impératrice disgraciée demeura une puissance avec laquelle il fallut compter.

On doit ajouter que la femme de Théodose, Eudocie, s'était brouillée avec son mari et s'était installée à Jérusalem où elle s'intéressait, plus qu'il n'aurait convenu, aux problèmes religieux. Eudocie était la fille du rhéteur athénien Léonce. Elle était encore païenne lorsqu'elle fut présentée à l'empereur. Baptisée par Atticus, elle échangea alors son nom d'Athénaïs pour celui d'Eudocie : le mariage eut lieu le 7 juin 421 ; et elle fut proclamée Auguste après la naissance de sa fille Eudoxie. Eudocie et Pulchérie ne s'aimaient pas : leur inimitié eut des répercussions sur l'histoire religieuse : la première était favorable aux Cyrilliens ; la seconde soutenait les partisans de l'acte d'union.

Qu'entendait-il au juste par cette formule ? Il est difficile de le dire avec exactitude. « Dans son *Eranistes*, écrit vers 347, Théodoret... fait expliquer par l'interlocuteur monophysite la façon dont il entend l'unité de nature en Jésus-Christ, et cette explication est la suivante : Je dis que la divinité est demeurée (ce qu'elle était) et qu'elle a absorbé l'humanité, à peu près comme l'eau de la mer dissout et absorbe une goutte de miel qui y serait tombée ; non pas, ajoute l'hérétique, que l'humanité ait été anéantie dans son union avec la divinité, mais parce qu'elle a été changée en elle. Il se peut qu'Eutychès ait conçu les choses de cette façon. Mais on comprend que la négation de la consubstantialité de la chair de Jésus-Christ avec la nôtre ait ouvert le champ à toutes les hypothèses et que Théodoret ait pu accuser Eutychès de nier l'Incarnation *ex virgine*, tandis que saint Léon le soupçonne de docétisme. Si l'humanité de Jésus-Christ en effet n'était pas de la même nature que la nôtre, était-elle bien une humanité, et d'où venait-elle [1] ? »

DIFFUSION DES IDÉES D'EUTYCHÈS

Ces idées ne se répandaient pas seulement à Constantinople. Eutychès était en relations avec tous les amis de saint Cyrille : naguère il avait reçu du grand évêque, qui le tenait en haute estime, une copie particulière des Actes du concile d'Éphèse ; après la mort de saint Cyrille, il avait groupé autour de lui les défenseurs les plus ardents des anathématismes et les adversaires de l'édit d'union. « Par Uranius, évêque d'Himeria en Osrhoène, il entretenait l'opposition contre Ibas d'Édesse ; le moine Maxime, qui avait fait tant de zèle à Antioche contre Diodore et Théodore, était de ses amis et passait même pour l'avoir endoctriné. D'autres agents, parmi lesquels se signalait un solitaire appelé Barsumas, instrumentaient contre Domnus, Théodoret et autres, dénonçant à Constantinople leurs moindres démarches et leur suscitant, sur les lieux, d'incessantes querelles » [2]. A laisser faire Eutychès, ne risquait-on pas de mettre la foi en péril ?

PREMIÈRES ATTAQUES CONTRE EUTYCHÈS

Les Orientaux se le demandèrent et ils eurent le courage de mener l'attaque contre le puissant moine. Domnus d'Antioche, paraît-il, l'accusa, dans une lettre à l'empereur Théodose, de renouveler l'hérésie d'Apollinaire [3]. Théodoret alla plus loin encore : en 447, il publia, sous le titre d'*Eranistes* (le mendiant), un dialogue en trois livres, dans lequel il s'efforce de prouver que Dieu est immuable, que les deux natures coexistent sans confusion dans le Christ, que Dieu est impassible ; partout

(1) J. Tixeront, *Histoire des dogmes dans l'antiquité chrétienne*, t. III, p. 84-85.
(2) L. Duchesne, *Histoire ancienne de l'Église*, t. III, p. 398 et suiv.
(3) Facundus d'Hermiane, *Pro defensione trium capitulorum*, XII, 5.

l'argumentation théologique est fortement appuyée par des citations des saints Pères. Personne n'est nommé dans cet ouvrage ; mais les lecteurs ne purent pas s'y tromper : les hérétiques, visés par l'évêque de Cyr, étaient manifestement Eutychès et ses amis.

DÉFENSE D'EUTYCHÈS PAR THÉODOSE

Ces premières attaques n'eurent aucun succès. L'empereur et son favori prirent énergiquement la défense d'Eutychès. Un édit impérial du 16 février 448 renouvela les mesures prises naguère contre les écrits de Porphyre et de Nestorius [1], en les étendant à tous les livres qui ne seraient pas conformes à la foi exposée par les conciles de Nicée et d'Éphèse et par l'évêque Cyrille de pieuse mémoire. Les partisans de Nestorius devaient être déposés de leurs charges et dignités s'ils appartenaient au clergé, excommuniés s'ils étaient laïques. Très spécialement, Théodose ordonnait à Irénée, « promu, on ne sait comment, évêque de Tyr », d'abandonner ce poste [2]. Ces mesures étaient des plus graves : d'une part l'empereur renvoyait, de sa propre autorité, un évêque qui avait été légitimement élu et consacré ; d'autre part, il indiquait comme norme de la foi les livres de saint Cyrille, et plus particulièrement la lettre des anathématismes que l'acte d'union de 433 avait laissée dans l'ombre ; il se constituait ainsi l'arbitre de la foi. Constance n'avait pas fait pire.

L'OFFENSIVE DES EUTYCHIENS

Il est à peine besoin d'ajouter que l'exemple de l'empereur ne tarda pas à être suivi. Des clercs d'Édesse vinrent à Antioche pour accuser leur évêque, Ibas, et, devant les atermoiements de Domnus, ils portèrent leurs attaques jusqu'à Constantinople et à Alexandrie [3]. D'autres dénonciateurs s'en prirent à Domnus lui-même et à Théodoret [4]. Dioscore d'Alexandrie était tout prêt à accueillir les rapports défavorables aux Orientaux : il écrivit à Domnus une lettre plutôt sèche pour se plaindre de l'appui qu'il ne cessait pas de donner aux adversaires de l'orthodoxie et du retard qu'il mettait à la désignation d'un nouvel évêque de Tyr. La correspondance des deux patriarches continua pendant quelque temps sur un ton aigre-doux, tandis que se poursuivait la campagne de calomnies contre Domnus [5]. Finalement, on installa sur le siège de Tyr un certain Photius [6],

(1) *Cod. Justin.*, I, I, 3.
(2) Sur l'ordination d'Irénée à Tyr, cf. *supra*, p. 192.
(3) Nous connaissons tous ces événements grâce à la traduction syriaque des Actes du brigandage d'Éphèse, contenue dans le ms. *Add. syr.* 14530 du British Museum. Cf. P. Martin, *Le pseudo-synode connu dans l'histoire sous le nom de brigandage d'Éphèse, étudié d'après ses actes retrouvés en syriaque*, Paris, 1873 ; S. G. F. Perry, *The second synod of Ephesus, together with certain tracts relating to it, from syriac mss. preserved in the British Museum and now first edited. English version*, Dartford, 1881.
(4) Théodoret, *Epist.*, LXXXIII.
(5) Les actes syriaques du brigandage d'Éphèse contiennent une partie de cette correspondance.
(6) Nous savons, par une lettre de Domnus, que Photius fut installé à Tyr le 9 septembre 448.

et deux décrets impériaux furent lancés contre Théodoret, le premier pour lui ordonner de réintégrer immédiatement son évêché et de n'en plus sortir, le second pour lui défendre de paraître au concile dont il commençait à être question, même s'il y était personnellement convoqué [1].

LETTRE D'EUTYCHÈS AU PAPE

Ainsi les choses tournaient de plus en plus mal pour les Orientaux : Eutychès eut même la prétention de poursuivre ses succès : au début de 448, il écrivit au pape saint Léon, pour lui dénoncer les entreprises des Nestoriens [2]. Avec beaucoup de prudence, le pape répondit en louant le zèle de son correspondant, mais en ajoutant qu'il était trop mal renseigné sur les faits pour intervenir d'une manière utile.

DÉNONCIATION D'EUTYCHÈS PAR EUSÈBE DE DORYLÉE

Les choses en étaient là, lorsqu'un coup de théâtre se produisit. Le 8 novembre 448, Flavien avait réuni autour de lui quelques évêques qui se trouvaient présents à Constantinople pour s'occuper d'une affaire relative au métropolitain de Sardes [3] : au beau milieu de l'assemblée, Eusèbe de Dorylée se leva et remit à ses collègues un long mémoire dans lequel il accusait expressément Eutychès d'hérésie et le déférait au concile. Le pacifique Flavien se récria : il connaissait le digne archimandrite ; une accusation aussi grave l'étonnait beaucoup ; et d'ailleurs elle ne pourrait être retenue que si Eutychès était véritablement convaincu d'erreur. Il avait affaire à forte partie : Eusèbe était ce même personnage qui, du temps où il n'était que simple laïque, avait le premier dénoncé l'enseignement de Nestorius. Il était devenu évêque depuis ce jour-là, mais il n'avait rien perdu de son entêtement. Il devait s'y connaître d'ailleurs en matière d'orthodoxie. Il insista donc, et fit tant et si bien qu'on décida d'envoyer une députation à Eutychès pour lui demander de venir s'expliquer devant les évêques.

FLAVIEN EXPOSE LA FOI CATHOLIQUE

En attendant que le vieux moine voulût bien comparaître, le synode se réunit de nouveau, le 12 novembre, pour entendre la lecture de la seconde lettre de saint Cyrille à Nestorius et de l'approbation donnée à cette lettre par le concile d'Éphèse, puis de la lettre de saint Cyrille à Jean d'Antioche, *Laetentur caeli*. Après quoi, Flavien proclama, comme l'expression de la foi commune, qu'après l'Incarnation le Christ est de

(1) Cf. THÉODORET, *Epist.*, LXXIX-LXXXII.
(2) La réponse de saint Léon est datée du 1er juin 448 (JAFFÉ-WATTENBACH, 418). Cf. P. BATIFFOL, *Le siège apostolique*, p. 499-500.
(3) MANSI, t. VI, col. 652.

deux natures en une seule hypostase et en une seule personne, un seul Christ, un seul Fils et un seul Seigneur [1].

EUTYCHÈS DEVANT LE SYNODE Il ne fut pas facile de faire sortir Eutychès de son couvent. Plusieurs délégations échouèrent devant sa mauvaise volonté. Tantôt il fit valoir le vœu de réclusion qui lui interdisait de quitter sa demeure ; tantôt il s'excusa sur sa vieillesse, sur ses infirmités, sur sa mauvaise santé ; tantôt il objecta la pureté de sa foi, conforme, disait-il, à celle des conciles de Nicée et d'Éphèse. Il scrutait plus volontiers les Écritures que les livres des saints Pères, et, après l'incarnation du Verbe, c'est-à-dire après la naissance du Christ, il ne vénérait plus qu'une nature, celle de Dieu incarné et fait homme. Quant à dire que Jésus-Christ se compose de deux personnes unies dans une seule hypostase, il se refusait à le croire. Bref, on dut longuement parlementer, avant de décider Eutychès à comparaître devant le concile. Flavien se serait volontiers montré conciliant et aurait laissé tomber une affaire si complexe, mais Eusèbe n'entendait pas lâcher sa proie. Finalement le 22 novembre, Eutychès sortit de son couvent et se présenta aux évêques, escorté d'une multitude de moines et de fonctionnaires. Sur l'ordre de l'empereur, le patrice Florent, un des plus hauts dignitaires de la cour, assista au concile et y prit une part active. La séance fut longue et émouvante. Toutes les subtilités de la dialectique y furent mises en œuvre pour convaincre le vieil archimandrite. Celui-ci, intraitable, fit cette déclaration :

> Je ne dis pas que le corps de l'homme est devenu le corps de Dieu, mais je parle du corps humain de Dieu et je dis que le Seigneur s'est fait chair de la Vierge... Je reconnais qu'avant l'union de la divinité et de l'humanité, il avait les deux natures, mais après l'union je ne reconnais plus qu'une seule nature [2].

En vain le patrice Florent essaya-t-il de le convaincre et voulut-il l'amener à confesser les deux natures. Il fallut procéder contre lui. Par acclamations, le concile le déclara hérétique, le déposa du sacerdoce ainsi que de la dignité d'archimandrite et interdit à tout le monde d'entrer en rapports avec lui.

(1) MANSI, t. VI, col. 679. Les évêques présents, invités à déclarer leur foi, approuvèrent la formule de Flavien. Cependant Basile de Séleucie et Séleucus d'Amasée préférèrent dire que le Christ est en deux natures ; et Flavien adopta, dans une lettre à Théodose, cette expression, sans rejeter l'autre pour autant.

(2) MANSI, t. VI, col. 744. Cette formule est assurément contestable. Avant l'union, il n'y avait pas d'autre nature que la nature divine du Verbe, lequel seul existait alors. La nature humaine du Christ n'a été créée qu'au moment même où elle s'est unie à la nature divine, lors de l'Incarnation. Saint Léon devait le remarquer, mais les évêques réunis à Constantinople ne s'en aperçurent pas d'abord.

LA CONDAMNATION D'EUTYCHÈS On ne peut nier la sévérité de pareilles mesures prises contre un vieillard dont l'ignorance paraît avoir atténué la culpabilité. Eutychès était certainement dans l'erreur, lorsqu'il disait que le Christ ne nous est pas consubstantiel : l'enseignement catholique n'a jamais hésité à affirmer que l'humanité du Sauveur était une humanité véritable, réelle, complète ; que son corps et son âme étaient un vrai corps humain, une vraie âme humaine. Mais il n'avait pas tort, lorsqu'il s'appuyait sur l'autorité de saint Cyrille pour affirmer l'unité de nature du Verbe incarné : malgré les concessions qu'il avait faites en souscrivant l'acte d'union, le grand évêque d'Alexandrie n'avait jamais renoncé à sa formule préférée [1] et son autorité était trop grande dans tout l'Orient pour qu'on pût facilement la négliger. Les juges d'Eutychès ne paraissent pas s'en être rendu compte : l'avenir devait trop vite montrer les dangers de leur attitude.

APPEL D'EUTYCHÈS A ROME Eutychès n'accepta d'ailleurs pas la condamnation portée contre lui. La séance du concile était à peine levée qu'il avertit le patrice Florent de l'appel qu'il interjetait devant les conciles de Rome, d'Alexandrie, de Jérusalem et de Thessalonique [2] ; presque aussitôt après, il écrivit au pape saint Léon, à saint Pierre Chrysologue, évêque de Ravenne, et à plusieurs autres personnages influents pour demander justice. La lettre à saint Léon parvint à Rome accompagnée d'une lettre de l'empereur lui-même [3]. Les réponses venues de l'Occident et datées de février 449 sont assez vagues : Pierre, sans dissimuler la tristesse où le plongent les discordes ecclésiastiques, déclare s'en rapporter à ce qu'a écrit le bienheureux pape de la ville de Rome, parce que le bienheureux Pierre, qui vit et préside sur son propre siège, assure à ceux qui la cherchent la vérité de la foi [4] ; quant à saint Léon, il blâme, dans sa réponse à l'empereur, le silence de Flavien qui ne l'a pas encore averti et ajoute qu'il n'a rien trouvé de décisif dans les documents transmis par Eutychès [5].

LE JUGEMENT DE SAINT LÉON Les documents détaillés, que réclamait saint Léon, ne tardèrent pas d'ailleurs à parvenir à Rome : lorsque le pape les eut sous les yeux, il fut édifié

(1) Il suffit, pour se rendre compte de la fidélité de saint Cyrille à la formule *Une seule nature du Dieu Verbe incarné*, de lire ses lettres à Acace de Mélitène et à Succensus. On peut discuter cette formule et dire qu'elle n'est peut-être pas la meilleure possible. Mais c'est la formule de saint Cyrille : cela voulait dire beaucoup de choses en Orient.

(2) On peut remarquer qu'Eutychès ne fait pas appel auprès de l'évêque d'Antioche. Le sens de cette omission est trop clair. Cf. Mansi, t. VI, col. 817.

(3) La lettre d'Eutychès, qui figure parmi les lettres de saint Léon (*Epist.*, xxi), était accompagnée de l'acte d'accusation déposé par Eusèbe de Dorylée, du *Libellus* par lequel Eutychès y avait répondu, d'une profession de foi, et enfin du texte de la lettre attribuée au pape Jules où étaient exprimées les idées d'Eutychès. Ce dernier texte est un faux apollinariste.

(4) Pierre Chrysologue, *Inter Leonis epist.*, xxv.

(5) Jaffé-Wattenbach, 421.

sur la véritable pensée d'Eutychès et porta, à son tour, un jugement qui confirmait en tous points la sentence rendue à Constantinople.

REVIREMENT EN FAVEUR D'EUTYCHÈS

Ces échanges de lettres avaient pris du temps, et bien des événements s'étaient produits qui avaient transformé la situation. A la première nouvelle de la condamnation d'Eutychès, les Orientaux avaient repris courage. Ibas, convoqué devant un tribunal où siégeaient Eutathe de Béryte, Photius de Tyr et Uranius d'Himéria, avait pu se défendre victorieusement contre ses accusateurs, et il était rentré à Édesse pour les fêtes de Pâques 449. Puis, le vent n'avait pas tardé à souffler en sens contraire. Stylé par l'eunuque Chrysaphe, Théodose n'avait pas accepté la déposition d'Eutychès. Dioscore d'Alexandrie avait fait de même, et maintenu sa communion à l'archimandrite, en le déclarant réintégré dans ses fonctions. A Édesse, une nouvelle enquête, dirigée par le gouverneur d'Osrhoène, Chéréas, avait été ouverte contre Ibas ; et comme seuls ses adversaires avaient été admis à se faire entendre, Ibas avait fini par être éloigné de la ville et jeté en prison.

CONVOCATION D'UN CONCILE GÉNÉRAL

Bref, en quelques semaines, l'état des esprits s'était à ce point modifié en faveur d'Eutychès que Théodose n'avait pas hésité à lancer des lettres de convocation pour un nouveau concile général, chargé de reprendre par le commencement l'examen de l'affaire [1]. Le concile était convoqué pour le 1er août à Éphèse ; et l'on précisait que Théodoret de Cyr avait défense d'y assister à moins d'être personnellement invité par les évêques. D'autres lettres impériales apportèrent de nouvelles indications : l'une d'elles spécifiait que l'archimandrite Barsumas devrait représenter les ascètes orientaux devant l'assemblée : c'était un des ennemis les plus acharnés de Théodoret, ce qui rendait le choix significatif. L'empereur désigna, pour le représenter au concile, le comte du consistoire sacré, Elpidius, et Eulogius, tribun et notaire prétorien ; il déclara enfin que le concile serait présidé par Dioscore d'Alexandrie, assisté de Juvénal de Jérusalem et de Thalassius de Césarée.

ENQUÊTE SUR LE SYNODE DE CONSTANTINOPLE

En attendant l'ouverture des travaux conciliaires, on travailla à Constantinople et ailleurs pour préparer les esprits. C'est ainsi qu'une enquête fut ouverte pour examiner en détail la procédure suivie l'année précédente contre Eutychès. Le moine prétendait que les actes de cette procédure avaient été falsifiés, que le texte de la sentence

(1) Le concile fut convoqué le 30 mars ; cf. MANSI, t. VI, col. 588.

portée contre lui avait été rédigé d'avance, que lui-même avait été victime d'une cabale. Il y eut expertises et contre-expertises de documents, interrogatoires, dépositions de témoins, confrontations multiples. Bref on ne put prouver une altération réelle des actes, mais il fut établi qu'ils auraient pu être rédigés avec plus de soin [1]. Flavien, qui se trouvait maintenant dans la position d'un accusé, fut invité à présenter une profession de foi : il dut s'exécuter.

SAINT LÉON DÉSIGNE DES LÉGATS Cependant, les lettres d'indiction du concile étaient parvenues à Rome dès le 13 mai. Saint Léon trouvait que le cas d'Eutychès ne valait pas un tel déploiement de forces épiscopales. Mais il ne lui était guère possible de le dire en propres termes à l'empereur qui tenait à son assemblée. Il s'excusa personnellement de ne pouvoir venir à Éphèse : il n'était pas d'usage que le pape prît part à un concile en dehors de Rome, et la situation troublée de l'Italie ne lui permettait pas de quitter sa ville épiscopale. Par contre, il envoya trois légats qui devaient le représenter : Jules, évêque de Pouzzoles, le prêtre René et le diacre Hilaire. De plus, il tint à exprimer sa confiance à l'évêque de Cos, Julien, qu'il associait étroitement à sa politique [2].

LE TOME DE SAINT LÉON A FLAVIEN Les légats pontificaux quittèrent Rome avec plusieurs lettres de saint Léon, destinées à l'empereur Théodose, à l'impératrice Pulchérie, aux archimandrites de Constantinople, à l'évêque Flavien, au concile tout entier [3]. De ces lettres, la plus importante, à laquelle toutes les autres renvoient pour le détail, est une de celles qui ont Flavien pour destinataire : elle est connue sous le nom de *tome* de saint Léon et elle contient un exposé complet de la position doctrinale prise par le pape. Saint Léon enseigne qu'il n'y a en Jésus-Christ qu'une seule et unique personne, mais que dans cette personne, il y a deux natures, la divine et l'humaine, sans confusion ni mélange. Chacune des natures a ses facultés propres, son opération propre qu'elle n'accomplit pas indépendamment de l'autre et en dehors de l'union qui est permanente, mais dont elle est cependant le principe immédiat. Enfin, l'unité de la personne entraîne la communication des idiomes, c'est-à-dire qu'il est permis d'attribuer à l'homme

(1) On verra le détail de cette expertise dans Hefelè-Leclercq, *Histoire des conciles*, t. II, 1re partie, p. 545-554, p. 559, n. 1 ; Tillemont, *Mémoires*, t. XV, p. 533 et suiv.

(2) Deux lettres de saint Léon (*Epist.*, xxxiv et xxxv) sont adressées à Julien. Julien jouera par la suite un rôle des plus importants avec beaucoup de tact et de savoir-faire.

(3) Jaffé-Wattenbach, 423-432. La plupart de ces lettres sont datées du 13 juin 449 ; deux ont été écrites le 20 juin ; une autre est du 23 juillet : cette dernière n'a évidemment pas été confiée aux légats.

ce qui, en propres termes, ne serait exact que de Dieu, et inversement d'attribuer au Fils de Dieu ce qui est d'abord vrai de l'homme [1].

Tel quel, le tome reprenait les doctrines contenues dans l'acte d'union de 433, c'est-à-dire qu'il faisait abstraction du point de vue spécial à la théologie alexandrine telle qu'elle s'exprimait dans les anathématismes de saint Cyrille ; et, comme saint Léon n'avait pas à se préoccuper des susceptiblités ou des répugnances de qui que ce fût, il affirmait sans ambages les deux natures. Il y avait là de quoi satisfaire pleinement Domnus, Théodoret et leurs amis ; mais il était facile de prévoir que les tenants de la terminologie chère à saint Cyrille ne goûteraient que médiocrement les formules décisives du pape.

§ 2. — Le « brigandage » d'Éphèse.

ARRIVÉE DES MEMBRES DU CONCILE D'ÉPHÈSE

Peu à peu cependant les évêques et autres personnages convoqués par l'empereur arrivaient à Éphèse pour le concile projeté. Eutychès fut un des premiers au rendez-vous. Barsumas ne tarda pas à l'y rejoindre. L'un et l'autre s'étaient fait accompagner de solides moines. Avec Dioscore étaient venus des parabolans d'Alexandrie. Tout cela constituait une force imposante. Les légats de Rome, après un voyage attristé par la mort de l'un d'eux, le prêtre René, débarquèrent à leur tour et entrèrent tout de suite en relations avec Flavien pour qui ils avaient des lettres du pape.

RÉUNION DU CONCILE

Dioscore, désigné par Théodose pour présider le concile, convoqua ses collègues le 8 août au matin. Comme en 431, l'assemblée se réunit dans l'église Marie. Quelque cent trente évêques y prirent part [2], soigneusement choisis parmi les amis d'Eutychès : Dioscore avait amené avec lui une vingtaine d'Égyptiens ; avec Juvénal de Jérusalem étaient venus une quinzaine de Palestiniens. Les Syriens, au nombre d'une quinzaine également, se rangeaient autour de Domnus, mais ils étaient privés de leurs meilleurs théologiens, Théodoret retenu par ordre dans son lointain diocèse, et Ibas emprisonné.

(1) Saint LÉON, *Epist.*, XXVIII. « *Salva igitur proprietate utriusque naturae et substantiae et in unam coeunte personam, suscepta est a maiestate humilitas, a virtute infirmitas, ab aeternitate mortalitas... Tenet enim sine defectu proprietatem suam utraque natura et sicut formam servi Dei forma non adimit, ita formam Dei servi forma non minuit... Agit enim utraque forma cum alterius communione, quodproprium est, Verbo scilicet operante quod Verbi est et carne obsequente quod carnis est.* » Cf. J. TIXERONT, *Histoire des dogmes*, t. III, p. 86 : « Le souffle théologique est beaucoup plus faible que dans les œuvres de saint Cyrille et la spéculation proprement dite n'occupe aucune place. Saint Léon ne veut ni discuter ni démontrer : il prononce et il juge. Il reproduit simplement la doctrine de Tertullien et de saint Augustin, celle des Orientaux dans ce qu'elle a de correct ; mais il l'expose avec une netteté et une vigueur remarquables. »

(2) Le concile comptait cent vingt-sept évêques présents et les représentants de huit évêques absents. Il y a quelques divergences entre les listes syriaques et les listes grecques.

Les prélats qui avaient siégé à Constantinople comme juges d'Eutychès étaient autorisés à assister à la révision de son procès, mais sans droit de vote. La même exclusive frappait quelques autres évêques ; si bien que quarante-deux, parmi les membres du concile, n'y prenaient part que comme spectateurs [1].

LA PROCÉDURE CONCILIAIRE Dès le début de la première séance, il fut manifeste que l'on allait voir la représentation d'une pièce dont tous les détails avaient été réglés d'avance par l'empereur et par ses confidents et que les véritables chefs de l'assemblée seraient les deux fonctionnaires Elpidius et Eulogius, chargés d'en assurer l'ordre matériel. On commença par donner lecture des lettres impériales qui convoquaient les évêques. Puis, Jules de Pouzzoles, qui, en qualité de légat romain, siégeait à côté de Dioscore [2], demanda qu'on lût également les lettres de saint Léon. L'évêque d'Alexandrie prit en effet ces lettres, mais au lieu de les faire lire, il ordonna au secrétaire de donner connaissance d'autres lettres, celles qui concernaient l'archimandrite Barsumas. Jules aurait dû protester : il garda le silence ; et, sans plus, on passa, suivant le désir de l'empereur, à l'examen des questions concernant la foi

PROFESSION DE FOI D'EUTYCHÈS Au fond, le seul problème soulevé était celui de l'orthodoxie d'Eutychès. Celui-ci, introduit devant les évêques, leur remit une profession de foi dont il fut aussitôt donné lecture : le moine déclarait n'avoir d'autre croyance que celle des Pères ; il anathématisait toutes les hérésies, en particulier celle qui prétend que la chair de Notre-Seigneur est descendue du ciel ; il protestait enfin contre sa condamnation et réclamait justice. En vain Flavien essaya-t-il de faire entendre Eusèbe de Dorylée, qui avait été l'accusateur d'Eutychès et pouvait avoir des remarques à présenter : le comte Elpidius s'y opposa ; il s'opposa de même à la lecture des lettres du pape, redemandée par les légats. Il fallut tout de suite passer à l'examen des actes du synode de Constantinople. A plusieurs reprises, la lecture en fut interrompue par les cris des évêques, surtout lorsqu'il fut question de la sommation faite par Eusèbe à Eutychès de professer les deux natures : « Chassez Eusèbe, disait-on ! Brûlez-le. Eusèbe brûlé vif ! Qu'on le coupe en morceaux ! Il a divisé le Sauveur ! qu'on le divise lui-même ! » Dioscore, profitant d'un moment de calme, s'exclama : « Pouvez-vous souffrir ce propos : deux natures après l'Incarnation ? — Non, non, répliqua le concile. Anathème à qui le soutient. — J'ai besoin

(1) MANSI, t. VI, col. 605.
(2) Le second légat romain, le diacre Hilaire, était placé à son rang après les évêques ; il ne lui était donc pas possible de se concerter avec Jules. Aucun des deux légats ne parlait grec, et c'était pour eux une infériorité des plus sensibles.

de vos mains comme de vos voix, poursuivit Dioscore : si quelqu'un ne peut crier, qu'il lève la main ! » Les mains se levèrent, et on n'entendit plus que ce cri au milieu du tumulte : « Si quelqu'un dit deux natures, qu'il soit anathème ! — Quelle profession de foi approuvez-vous donc, reprit Dioscore, celle d'Eutychès, ou celle d'Eusèbe ? — Ne l'appelez pas Eusèbe, mais Asèbe ».

LE VOTE DES ÉVÊQUES

Quelques protestations se firent entendre. Elles furent rapidement étouffées par Dioscore ; et l'on passa au vote : cent quatorze évêques déclarèrent qu'Eutychès était orthodoxe et qu'il devait être rétabli dans ses dignités ; Juvénal et Domnus furent les premiers à accorder leurs voix à l'hérétique ; Dioscore vota le dernier. Ainsi fut accomplie la réhabilitation d'Eutychès [1].

DIOSCORE DEMANDE LA DÉPOSITION DE FLAVIEN

Après cela, on s'occupa des évêques qui l'avaient condamné. Dioscore fit lire de longs extraits des actes du premier concile d'Éphèse [2] ; puis il ajouta : « Vous avez entendu que le premier concile d'Éphèse menace ceux qui ont une doctrine différente de celle de Nicée ou bien qui changent quelque chose à cette doctrine ou enfin qui introduisent de nouvelles questions. Chacun doit donc déclarer par écrit s'il faut punir ceux qui, dans leurs recherches théologiques, ont dépassé le symbole de Nicée ». Tout le monde approuva des paroles qui paraissaient sages ; les légats romains eux-mêmes donnèrent leur assentiment, sans se douter de l'usage qu'on allait faire de leur vote. Lorsqu'il fut ainsi assuré d'une approbation unanime, Dioscore poursuivit : « Comme le premier concile d'Éphèse menace tous ceux qui ont changé quelque chose à la foi de Nicée, il en résulte que Flavien de Constantinople et Eusèbe de Dorylée doivent être dépouillés de leurs dignités ecclésiastiques. Je propose donc leur déposition et chacun de ceux qui sont ici doit émettre son avis sur ce point ».

SCÈNES D'ÉMEUTE

Cette conclusion inattendue jeta le trouble dans l'assemblée. « J'en appelle », protesta Flavien. « *Contradicitur* », s'écria le diacre romain Hilaire. Quelques évêques, s'approchant de Dioscore, le supplièrent de réfléchir à l'énormité qu'il allait commettre. L'évêque d'Alexandrie feignit de se croire menacé. Il demanda le secours des comtes ; et ceux-ci, ouvrant les portes de l'église, y firent entrer les troupes de police : soldats, parabolans, matelots égyptiens, moines et autres trublions les suivirent. En vain Flavien essaya-

(1) MANSI, t. VI, col. 839.
(2) MANSI, t. VI, col. 867. Tous ces événements se sont passés le même jour, ainsi qu'on le voit par la lettre d'appel adressée par Flavien au pape saint Léon.

t-il de s'accrocher à l'autel ; il en fut violemment arraché ; renversé, piétiné par Dioscore et par les moines de Barsumas, tiré dehors par les soldats, il fut conduit en prison : il devait mourir trois jours après, à Hypèpe, sur le chemin de l'exil auquel l'empereur l'avait condamné [1]. Eusèbe fut plus heureux : il parvint à s'échapper et à gagner Rome.

LES DERNIERS VOTES

Il restait cependant à voter. Dans la basilique maintenant refermée et dont nul ne pouvait sortir, chaque évêque fut invité à formuler son opinion. Beaucoup n'hésitèrent pas une seconde ; quelques-uns, comme Uranius d'Himeria et Théopompe de Cabasa, se firent remarquer par leur violence. D'autres témoignèrent de quelques scrupules : la vue des soldats, les menaces de Dioscore, les cris de la foule eurent vite raison des dernières résistances. L'évêque d'Antioche lui-même, Domnus, consentit à signer. Cent trente-cinq évêques souscrivirent de la sorte à la condamnation de leurs collègues [2].

DÉPOSITIONS D'IBAS, D'IRÉNÉE, DE THÉODORET, DE DOMNUS

Dioscore triomphait : il put, à la suite de cette journée, envoyer à l'empereur un rapport pour l'informer de tout ce qui s'était passé au concile. Puis on laissa aux esprits le temps de se calmer, et ce fut seulement le 22 août que les évêques reprirent leurs travaux. Il s'agissait, cette fois, de régler les comptes des ennemis personnels de Dioscore et de les condamner à leur tour. Domnus s'abstint d'assister à la séance ; il en fut de même des légats qui n'étaient peut-être déjà plus à Éphèse à ce moment. Les choses furent menées rondement. Le cas d'Ibas d'Édesse fut examiné le premier : on donna lecture des procès qui lui avaient été déjà intentés, des mesures prises contre lui par le concile de Tyr ; il fut déposé une fois de plus, et son neveu, Daniel de Harran, fut l'objet d'une mesure semblable [3]. On passa ensuite à Irénée de Tyr : son cas fut également facile à régler ; l'empereur lui avait ordonné de quitter son évêché et un remplaçant lui avait été donné ; le concile se contenta de régulariser sa situation en prononçant contre lui la déposi-

(1) Sur la mort de Flavien, les témoignages sont en désaccord. Au concile de Chalcédoine, on affirma qu'il avait été tué ; on ne se gêna même pas pour désigner Dioscore comme le meurtrier, et pour ajouter que ses diacres Pierre et Harpocration, ainsi que le moine Barsumas, avaient accablé de coups le pauvre évêque (Mansi, t. VI, col. 691 et 1017 ; t. VII, col. 68). En 453, le pape Léon aurait écrit (Jaffé-Wattenbach, 496) que Dioscore *in sanguine innocentis et catholici sacerdotis pollutas... manus intinxit.* Toutefois l'authenticité de cette lettre est peu probable et il n'y a pas lieu de tenir compte de ce témoignage qui semble tardif. Cf. C. Silva-Tarouca, *S. Leonis Magni epistolae contra Eutychis haeresim,* t. II, p. XXXIV-XXXVIII. Flavien ne dit rien de semblable dans sa lettre d'appel et l'existence même de cette lettre donne à penser que si le vénérable évêque de Constantinople a été maltraité au concile, ses blessures n'ont pas eu de conséquences immédiates, puisqu'il a encore été capable de rédiger un appel au pape.

(2) Au concile de Chalcédoine, on assura que Dioscore avait exigé des évêques un blanc-seing, de sorte que ceux-ci auraient été obligés de signer sans savoir même ce à quoi ils s'engageaient.

(3) On renvoya au futur évêque d'Édesse l'affaire d'un de ses suffragants, Sophronius, évêque de Tella, qui était accusé de sorcellerie.

tion canonique. Théodoret fut l'objet d'une mesure semblable : il n'était pas au concile dont l'entrée lui était interdite ; mais on n'avait pas besoin de l'entendre pour le condamner. On lut quelques passages de ses écrits, dans lesquels on trouva des traces de nestorianisme : Dioscore déclara le premier que les ouvrages de l'évêque de Cyr devaient être brûlés et lui-même exclu de l'épiscopat. Ces sentences furent notifiées à l'évêque d'Antioche qui eut le triste courage de les approuver [1]. Cette attitude ne le sauva pas. Lorsqu'on eut achevé la procédure contre Théodoret, on passa sans désemparer à l'examen de son cas : la lecture des documents qui le concernaient fut maintes fois interrompue par des clameurs : « Domnus est le maître d'Ibas ! Anathème au blasphémateur ! Anathème à Domnus ! » Par contre, Dioscore fut l'objet d'enthousiastes manifestations : « Celui qui calomnie Dioscore blasphème Dieu ! Dieu a parlé par Dioscore ! L'Esprit Saint a parlé par Dioscore ! Ceux qui se taisent sont des hérétiques [2] ! ». Les cris redoublèrent lorsque l'évêque d'Alexandrie proposa la lecture et l'approbation des anathématismes de saint Cyrille. Ceux-ci furent acclamés, et le concile se termina par cette opération.

§ 3. — D'Éphèse à Chalcédoine.

APPELS A ROME

Le concile d'Éphèse a reçu de l'histoire un triste nom : on l'a appelé un brigandage, et il faut avouer que la lecture de ses actes ne permet guère de le traiter autrement. Dioscore et Eutychès étaient sans doute victorieux, mais ils avaient trop chèrement acheté leur victoire, pour que celle-ci pût être durable, et le prix auquel ils l'avaient payée, l'honneur et l'indépendance de l'épiscopat oriental, était de ceux qui salissent à jamais des hommes. L'assemblée était à peine séparée que, de toutes parts, les protestations affluèrent à Rome. Avec mille maux, le diacre Hilaire parvint à tromper la surveillance de Dioscore et à regagner l'Italie : ce fut par lui d'abord que saint Léon apprit en détail les scandales du concile d'Éphèse [3]. Puis deux clercs

Latrocinium

(1) La défection de Domnus est bien assurée : seul, parmi les victimes du brigandage d'Éphèse, il ne fut pas réhabilité par le concile de Chalcédoine, qui se contenta de lui allouer une aumône pour prix de son silence. Cf. Tillemont, *Mémoires*, t. XV, p. 581-583.

(2) Les accusations portées contre Domnus étaient le plus souvent puériles : on lui reprochait par exemple d'avoir recherché l'amitié de Flavien et de lui avoir recommandé Théodoret, d'avoir voulu changer la forme du baptême, d'avoir enlevé l'église d'Émèse à Pierre, canoniquement élu, pour la donner à un homme perdu de mœurs mais favorable aux idées nestoriennes, d'avoir fait des ordinations épiscopales sans observer les cérémonies prescrites, d'avoir chassé Alexandre de l'évêché d'Antaradus, etc. Au fond, on lui en voulait surtout de ne pas être dioscorien.

(3) Ce ne fut pas sans peine qu'Hilaire parvint à échapper à Dioscore et à ses partisans. Devenu pape, il fit construire aux flancs du baptistère de Latran deux chapelles, dont l'une, sous le vocable de Saint-Jean l'Évangéliste, existe encore. On lit, sur le linteau de la porte, l'inscription : « *Liberatori suo beato Ioanni evangelistae Hilarius episcopus famulus Christi* ». On a supposé que cette chapelle fut construite en témoignage de reconnaissance.

Hilaire apporta à Rome l'appel de Flavien, dont le texte a été retrouvé en 1882 par Dom Amelli dans un manuscrit de la bibliothèque capitulaire de Novare. Ce texte, publié d'abord par Amelli, *S. Leone Magno e l'Oriente*, 1882, a été reproduit par Mommsen, dans *Neues Archiv*, t. XI, 1886, p. 362-364.

d'Eusèbe de Dorylée arrivèrent à leur tour, bientôt suivis par Eusèbe lui-même. Enfin des prêtres de Théodoret apportèrent au pape une troisième lettre d'appel [1].

PROTESTATIONS DE SAINT LÉON Saint Léon s'empressa de protester. Chaque année l'anniversaire de son élection (29 septembre) ramenait à Rome un certain nombre d'évêques : ceux-ci étaient précisément réunis autour de lui au moment où arrivèrent les premiers messages de l'Orient ; il put ainsi les associer à sa protestation qui prit, de ce chef, une solennité plus grande. Des lettres furent adressées, dès le début d'octobre 449, à l'empereur Théodose [2], à l'impératrice Pulchérie, au clergé et au peuple de Constantinople, à Faustus, Martin, Pierre et Emmanuel, prêtres et archimandrites de Constantinople ; puis, l'empereur n'ayant pas daigné répondre, une nouvelle lettre plus pressante lui fut envoyée le jour de Noël. Saint Léon, en vertu de son autorité apostolique, cassait les décisions prises par les évêques et sollicitait la réunion d'un nouveau concile en Italie, pour y examiner l'appel de Flavien et prendre les mesures nécessaires de réparation.

INTERVENTION DE VALENTINIEN III Au début de 450, un renfort inattendu arriva au pape : l'empereur d'Occident, Valentinien III, vint s'établir à Rome avec sa mère Placidie et sa femme Eudoxie. Saint Léon intéressa à la cause catholique ces puissants personnages et obtint d'eux qu'ils écrivissent aussi à la cour de Constantinople. Les lettres de Valentinien et de Placidie nous sont parvenues [3] : elles insistent l'une et l'autre sur l'autorité du Siège apostolique, qui possède la primauté de l'épiscopat et sur la nécessité de convoquer le plus tôt possible un concile en Italie.

NOUVEAUX ÉVÊQUES EN ORIENT Tout cela ne servit à rien. A ses correspondants romains, Théodose répondit que le concile d'Éphèse avait jugé régulièrement et en toute impartialité, que les évêques rejetés étaient des indignes et qu'après la déposition de Flavien en particulier, la paix se trouvait rétablie entre toutes les églises [4]. Pour bien montrer sa volonté de ne pas revenir sur le fait accompli, l'empereur d'Orient fit aussitôt pourvoir aux vacances épiscopales : à Constantinople, on nomma un certain Anatole, qui n'était autre que l'apo-

(1) *Inter epistolas Leonis, Epist.*, LII. Sur tout cela, cf. P. Batiffol, *Le siège apostolique*, p. 513-519.

(2) Jaffé-Wattenbach, 437 et 438. La lettre 438 est une nouvelle rédaction de la lettre 437.

(3) *Inter epistolas Leonis, Epist.*, IV et LVI. Nous avons également des lettres d'Eudoxie à Théodose (*ibid., Epist.*, LVII) et de Placidie à Pulchérie (*ibid., Epist.*, LVIII). Toutes ces lettres s'expriment d'une manière analogue.

(4) Nous possédons les lettres de Théodose à Valentinien, à Placidie et à Eudoxie (*Inter epistolas S. Leonis*, LXII, LXIII, LXIV). La lettre adressée au pape ne nous est pas parvenue

crisiaire de Dioscore d'Alexandrie ; à Antioche, Domnus fut remplacé par Maxime, le même personnage, semble-t-il, qui s'était fait remarquer naguère par sa formidable opposition à Jean [1]. Ibas et Eusèbe de Dorylée furent également pourvus de successeurs. A Cyr seulement, on n'eut pas le temps de procéder au remplacement de Théodoret qui avait été invité à se retirer dans un monastère.

ATTITUDE DE SAINT LÉON

Ces choix ne pouvaient être agréables au pape. Anatole et ses consécrateurs [2] tinrent cependant à lui écrire, selon l'usage, pour entrer en rapports de communion avec lui. Au lieu de leur répondre directement, saint Léon fit savoir à l'empereur, le 16 juillet, qu'il était prêt à reconnaître le nouveau patriarche, mais que celui-ci devait avant toutes choses accepter la lettre de Cyrille à Nestorius, les actes du concile de 431 et la lettre que lui-même avait écrite à Flavien. Saint Léon ajoutait que, pour hâter les négociations, il envoyait à Constantinople les évêques Abundius et Asterius et les prêtres Basile et Sénator. Les choses tournèrent autrement qu'on ne pouvait les prévoir : le 28 juillet 450, Théodose II mourut d'un accident de cheval.

LA SUCCESSION DE THÉODOSE II

L'empereur n'avait pas d'enfants ; il était de plus brouillé avec sa femme Eudocie qui, depuis quelques années, vivait à Jérusalem où elle travaillait surtout à semer la discorde et la jalousie. Avec un remarquable esprit de décision, sa sœur Pulchérie, qu'il avait écartée du palais, s'empara du pouvoir et commença par faire exécuter l'eunuque Chrysaphe, le mauvais génie du défunt et son tout puissant conseiller [3]. Puis, comme elle ne se sentait pas assez forte pour gouverner seule, elle épousa, tout en réservant sa virginité, un vieux sénateur du nom de Marcien, qu'elle fit proclamer empereur, le 24 août, par le sénat et par la milice.

LETTRES DE MARCIEN AU PAPE

Il apparut aussitôt que les nouveaux souverains ne suivraient pas les errements de Théodose II en matière de politique ecclésiastique. Marcien écrivit à saint Léon une lettre pleine de respect pour lui annoncer son avènement. Une autre lettre de l'empereur, datée du 22 novembre, fit savoir au pape que son gouvernement était tout disposé à réunir le concile demandé, pourvu que ce fût en Orient. Vers le même temps, on apprit à

(1) Domnus avait été naguère moine dans le couvent de saint Euthyme aux environs de Jérusalem. Il regagna son monastère et y vécut désormais dans une obscure retraite.

(2) Parmi eux, Théodore le Lecteur signale Dioscore lui-même : cela est bien difficile à admettre. En tout cas, l'élection d'un alexandrin sur le siège de Constantinople était une extraordinaire revanche de Dioscore. La lettre d'Anatole figure *inter epistolas S. Leonis, Epist.*, LV.

(3) THÉODORE LE LECTEUR, *Hist. eccl.*, I, I.

Rome qu'Anatole avait fait revenir à Constantinople les restes de son prédécesseur Flavien, pour les déposer dans la basilique des apôtres, mieux encore qu'il avait satisfait à toutes les conditions posées par Léon et que les évêques déposés à Éphèse avaient été rappelés de leur exil.

REVIREMENT DES ESPRITS

On devine sans peine la joie de saint Léon en recevant de telles nouvelles. Les semaines qui suivirent lui en apportèrent de meilleures encore : à Antioche, l'évêque Maxime s'employait avec zèle à faire signer par les évêques de son ressort le tome à Flavien ; à Constantinople, Eutychès était contraint d'abandonner son monastère pour se retirer dans la banlieue ; un peu partout, les membres du brigandage d'Éphèse annonçaient leur soumission. En présence de ces résultats, obtenus sans pression apparente, saint Léon jugea que le concile projeté était inutile et qu'Anatole, secondé par les nouveaux légats, l'évêque Lucentius et le prêtre Basile, pourrait régler les questions de personnes qui se posaient encore [1].

CONVOCATION D'UN NOUVEAU CONCILE

Cependant, l'empereur tenait à son concile : il lui semblait nécessaire de terminer une fois pour toutes la discussion des problèmes relatifs à l'Incarnation. Si, à Rome, on pouvait juger tranchées en dernier ressort les questions doctrinales, il n'en allait pas de même à Constantinople. On avait une expérience plus complète de leurs obscurités et l'on s'y rendait mieux compte de la redoutable puissance des évêques d'Alexandrie. On y méconnaissait surtout l'autorité suprême du Siège apostolique. Bref, avant même d'avoir reçu les dernières lettres du pape, Marcien avait, le 17 mai 451, lancé les lettres d'indiction d'un concile général qui devait s'ouvrir à Nicée le 1er septembre. Saint Léon fit contre mauvaise fortune bon cœur : le 26 juin, il écrivit de nouveau à Marcien pour lui dire qu'il acceptait le concile projeté, pourvu que fût réservée la question de foi, et pour désigner ses légats : les évêques Paschasinus et Lucentius, les prêtres Boniface et Basile, et l'évêque de Cos, Julien [2].

(1) Tous ces faits nous sont connus par de nombreuses lettres de saint Léon : à Anatole, du 13 avril 451 (JAFFÉ-WATTENBACH, 460) ; à Marcien, du 9 juin (*Ibid.*, 463), à l'impératrice Pulchérie, du même jour (*Ibid.*, 464), à Anatole, du même jour encore (*Ibid.*, 465).

(2) JAFFÉ-WATTENBACH, 470. Saint Léon écrivit en même temps une lettre au futur concile (JAFFÉ-WATTENBACH, 473), pour spécifier que Paschaninus doit présider en son nom les sessions synodales et que les problèmes touchant la foi doivent rester en dehors de toutes les discussions. Julien de Cos était seulement adjoint aux légats venus d'Italie. Ce choix était particulièrement heureux, car Julien avait longtemps vécu à Rome et il connaissait la situation de l'Occident tout comme celle de l'Orient.

§ 4. — Le concile de Chalcédoine.

ARRIVÉE DES ÉVÊQUES

Au jour fixé, on vit se réunir à Nicée plus de cinq cents évêques, tous Orientaux à l'exception des légats et de deux Africains [1]. Dioscore d'Alexandrie avait amené avec lui dix-sept Égyptiens. Naturellement, les moines de Constantinople et de Syrie se trouvaient là, prêts à recommencer les manifestations bruyantes qui leur avaient si bien réussi à Éphèse. L'empereur, retenu par des opérations militaires contre les Barbares, n'était pas encore arrivé, et, comme il avait manifesté la volonté d'être présent à l'ouverture du concile, on fut obligé d'attendre plusieurs jours qu'il fût délivré de tous autres soucis. Dioscore profita, semble-t-il, de ce délai pour grouper autour de lui ses fidèles et pour prononcer l'excommunication du pape saint Léon. Il ne fut d'ailleurs pas suivi, sinon par un petit nombre d'Égyptiens ; les autres évêques, rendus prudents par l'expérience du passé, refusèrent de s'associer à lui [2]. D'autres mesures préparatoires furent plus opportunes : on régla la situation de Maxime d'Antioche qui fut reconnu comme le successeur légitime de Domnus supposé démissionnaire ; on s'occupa également d'Eusèbe de Dorylée et de Théodoret ; on décida enfin que Paschasinus de Lilibée présiderait le concile, ainsi que l'avait demandé le pape.

TRANSFERT DU CONCILE A CHALCÉDOINE

Sur ces entrefaites, Marcien demanda que le concile, au lieu de s'assembler à Nicée, tînt ses séances à Chalcédoine. Cette ville avait l'avantage de se trouver dans le voisinage immédiat de Constantinople. Elle avait par contre l'inconvénient d'être exposée aux mauvais coups des moines qui y étaient nombreux et bruyants. Ceux-ci furent expulsés, et, rassurés de ce côté, les évêques se laissèrent persuader : ils quittèrent Nicée.

PREMIÈRE RÉUNION

Le concile s'ouvrit le 8 octobre 451 dans la basilique de Sainte-Euphémie [3]. Les évêques, au nombre de cinq cents et plus, s'installèrent dans la nef, sur des sièges placés à droite et à gauche. Dix-huit fonctionnaires, en tête desquels le

(1) En réalité, les légats n'étaient pas venus jusqu'à Nicée. Ils étaient restés à Constantinople pour y attendre Marcien, sans qui ils ne voulaient pas paraître au concile.

(2) Nous sommes mal renseignés sur cette affaire. Il est hors de doute que Dioscore a voulu excommunier saint Léon ; la lettre adressée par le concile à l'empereur le dit formellement : « *Et adversus ipsam apostolicam sedem latravit et excommunicationis litteras adversus sanctissimum et beatissimum papam Leonem facere conatus est* (Mansi, t. VI, col. 1097) ». Mais la date en est imprécise. Duchesne (*Histoire ancienne de l'Église*, t. III, p. 428, n. 1) place ici cet événement parce qu'il se produisit certainement à Nicée.

(3) L'historien Évagrius donne une longue description de cette église (*Hist. eccl.*, II, iii).

magister militum Anatole, le préfet du prétoire d'Orient Palladius, le préfet de Constantinople Tatien, prirent place devant la balustrade qui fermait l'abside. A leur gauche siégeaient les légats romains, puis Anatole de Constantinople, Maxime d'Antioche, les évêques de Césarée de Cappadoce et d'Éphèse avec leurs ressortissants de Thrace, d'Asie Mineure et de Syrie. En face, c'est-à-dire à la droite du bureau, Dioscore d'Alexandrie, Juvénal de Jérusalem et le représentant de l'évêque de Thessalonique, Anastase. Eux aussi avaient avec eux leurs suffragants, les évêques d'Égypte, de Palestine et d'Illyrie [1].

QUESTIONS DE PROCÉDURE Dès le début de la séance, le légat Paschasinus exigea que Dioscore fût exclu de l'assemblée et menaça de se retirer avec ses collègues si l'on ne faisait pas droit à sa demande. Les fonctionnaires firent remarquer qu'un jugement en règle semblait nécessaire, et, après quelques discussions, on se mit d'accord sur ce point. Dioscore prit alors place au milieu de l'église, comme accusé. L'accusateur se leva aussitôt : il n'était autre que l'inévitable Eusèbe de Dorylée. Il présenta le libelle qu'il avait préparé contre Dioscore. Naturellement, le nom de Théodoret fut prononcé au cours de cette lecture. Les légats demandèrent à leur tour que l'on fît entrer l'évêque de Cyr, puisque le pape l'avait rétabli sur son siège. Son arrivée déchaîna le tumulte : « Hors d'ici l'ennemi de Dieu, le maître de Nestorius. — Ce sont les assassins de Flavien qu'il faut expulser. A la porte les Manichéens ! A la porte les hérétiques ! — Il a anathématisé Cyrille : veut-on donc maintenant chasser Cyrille ? — Hors d'ici, Dioscore l'assassin ! » Au milieu du bruit, les fonctionnaires parvinrent enfin à se faire entendre : ils demandaient que Théodoret, au lieu de se placer à son rang d'évêque, s'assît à côté d'Eusèbe, dans la nef ; grâce à cela, le calme revint.

LECTURE DES ACTES D'ÉPHÈSE La première chose à faire était de lire les actes du brigandage d'Éphèse, ainsi que ceux du synode de Constantinople de 448, qui y étaient inclus. Cette lecture dura longtemps, interrompue à tout instant par les cris passionnés des évêques. Dès le début, Dioscore fit remarquer que l'empereur Théodose II lui avait donné mandat de tenir le concile à Éphèse et, en même temps qu'à lui, à Juvénal de Jérusalem et à Thalassius de Césarée, que d'ailleurs les évêques avaient été unanimes dans le jugement prononcé alors. Sur quoi, des réclamations s'élevèrent : « Personne n'a consenti ! Nous avons été contraints ! Nous avons été brutalisés !

(1) La place occupée par les fonctionnaires impériaux suffit à marquer le rôle qu'ils sont appelés à jouer dans les débats de l'assemblée. En fait, ce sont eux qui sont les véritables présidents du concile, sauf cette réserve qu'ils ne prennent pas part aux votes. Comme le note BATIFFOL (*Le siège apostolique*, p. 539), il est heureux qu'il en soit ainsi : jamais les légats n'auraient réussi à dominer les passions qui animaient les évêques.

Dans la crainte de l'exil, nous avons signé un blanc-seing ! » Il fallut faire taire les plus forcenés. Plus tard, les Orientaux recommencèrent à interrompre, demandant pourquoi Dioscore n'avait donné que le cinquième rang à Flavien de Constantinople, et le légat Paschasinus appuya leur réclamation.

L'ORTHODOXIE DE FLAVIEN EST RECONNUE

Après de multiples incidents, on en vint à lire, dans les actes du concile de Constantinople, la lettre de saint Cyrille à Jean d'Antioche : cette lecture fit momentanément l'union de tous les assistants : « Honneur à Cyrille, criait-on. Nous croyons comme lui ». Et les Orientaux d'ajouter : « Flavien lui-même a cru ainsi, et c'est pour cela qu'il a été condamné. C'est ainsi que croit Léon ; c'est ainsi que croit Anatole ! » Sur quoi tous reprirent en chœur : « C'est ainsi que croit l'impératrice, c'est ainsi que nous croyons tous ! » Les fonctionnaires impériaux insistèrent : il leur importait de savoir ce que valait cette apparente unanimité. Chaque évêque fut alors prié de donner son avis sur l'orthodoxie de Flavien et sur son accord avec saint Cyrille. Paschasinus opina le premier : il répondit affirmativement et fut aussitôt suivi d'Anatole, de Lucentius, de Maxime d'Antioche, de Thalassius de Césarée et de beaucoup d'autres. Juvénal, voyant que le vent avait irrémédiablement tourné, se leva pour déclarer qu'il était aussi de cet avis, et, quittant son siège, il passa de l'autre côté de l'assemblée, suivi par tous les évêques de Palestine. Beaucoup d'autres prélats l'imitèrent, parmi lesquels quatre Égyptiens. Dioscore resta imperturbable : « Flavien, dit-il, a été justement condamné pour avoir parlé de deux natures après l'union. Je puis prouver par Athanase, par Grégoire et par Cyrille que l'on ne doit plus parler après l'union que d'une seule nature incarnée du Verbe. Je serai condamné avec les Pères, mais je défendrai leur doctrine ».

FIN DE LA PREMIÈRE SÉANCE

On put alors reprendre la lecture des actes du brigandage. Cette besogne ne fut achevée qu'après la tombée de la nuit, à la lueur des cierges. Les sentiments de l'assemblée ne cessèrent pas de se manifester en faveur de Flavien et de Léon. Il fut bientôt évident que les évêques n'avaient pas été, à Éphèse, libres de déclarer leur véritable pensée et qu'ils avaient été menés par la crainte de Dioscore et des siens. Les commissaires impériaux émirent l'avis qu'il conviendrait de déposer Dioscore d'Alexandrie, Juvénal de Jérusalem, Thalassius de Césarée, Eusèbe d'Ancyre, Eustathe de Béryte et Basile de Séleucie, bref les chefs du triste concile de 449. On remit à plus tard l'examen de cette proposition, et l'assemblée, fatiguée par une interminable séance, se sépara en poussant des acclamations : « Longues années au Sénat ! Dieu saint,

Dieu fort, Dieu immortel, ayez pitié de nous ! Longues années aux empereurs ! Le Christ a déposé Dioscore l'assassin »[1] !

DEUXIÈME SESSION

Le 10 octobre, les évêques se réunirent de nouveau[2]. Dioscore, Juvénal et les autres prélats dont la déposition avait été demandée par les fonctionnaires impériaux n'assistaient pas à cette séance, pas plus que les évêques égyptiens. Les magistrats demandèrent, au nom de l'empereur, que l'on s'occupât sans plus tarder des questions relatives à la foi et que l'on se mît d'accord sur un nouveau formulaire. Les légats n'en avaient guère envie ; leurs instructions leur prescrivaient de ne pas laisser s'ouvrir un débat doctrinal. Les autres membres du concile partageaient cet avis qui était sage. On rappela que le concile d'Éphèse de 431 avait interdit l'emploi ou la promulgation d'une formule différente de celle de Nicée. Puis, devant l'insistance des fonctionnaires, on réclama un délai et l'on convint de lire le symbole de Nicée, puis le symbole dit de Constantinople qui fait alors sa première apparition sous ce titre. On lut ensuite les lettres de saint Cyrille à Nestorius et à Jean d'Antioche et, finalement, le tome de Léon à Flavien[3]. Sur le tome, quelques évêques de Palestine et d'Illyrie demandèrent des explications à propos de certains passages qui leur paraissaient peu clairs ou peu orthodoxes : on les rassura en leur citant des textes de saint Cyrille qui exprimaient une doctrine tout à fait semblable à celle de saint Léon[4]. L'un d'eux, Atticus de Nicopolis, réclama même la lecture de la lettre des anathématismes, mais on feignit de ne pas l'entendre et on décida qu'Anatole réunirait chez lui les évêques pour examiner avec eux les questions de doctrine et se mettre d'accord sur un projet de formulaire qui serait présenté au concile entier cinq jours plus tard[5].

(1) C'est la première fois, à notre connaissance, que le *Trisagion* est employé. Il deviendra par la suite d'usage fréquent.

(2) Le manuscrit dont se servait l'historien Évagrius et celui qu'utilisèrent les Pères du Ve concile œcuménique transposaient la seconde et la troisième session du concile. Cela tient peut-être à ce que, la déposition de Dioscore ayant été prévue dès la première session, on a voulu en finir avec ce sujet et rapprocher tout ce qui s'y rapportait. Cf. TILLEMONT, *Mémoires*, t. XV, p. 916-917.

(3) Saint Léon avait ajouté à sa lettre à Flavien un recueil de citations patristiques, parmi lesquelles il avait mis en bonne place trois passages empruntés aux *Scholies sur l'Incarnation* de saint Cyrille d'Alexandrie. C'était un moyen de conquérir l'assentiment des partisans très nombreux des formules cyrilliennes.

(4) A vrai dire, saint Léon ne goûtait personnellement pas beaucoup la terminologie de saint Cyrille ; il réprouvait en particulier la formule : Une seule nature incarnée du Dieu Verbe. Cf. *Epist.*, LXXXVIII : « ... *sciasque penitus detestandos qui secundum Eutychis impietatem atque dementiam in Domino nostro unigenito Filio Dei, suscipiente in se reparationem salutis humanae, dicere ausi sunt duas non esse naturas, hoc est perfectae divinitatis et perfectae humanitatis et putant quod possint nostram diligentiam fallere, cum aiunt se unam Verbi naturam credere incarnatam* ».

(5) Avant que la séance fût levée, quelques évêques, probablement illyriens, intercédèrent à grands cris en faveur des chefs du brigandage d'Éphèse. Ces cris déchaînèrent le tumulte et les commissaires impériaux se hâtèrent de terminer la session.

TROISIÈME SESSION : DÉPOSITION DU DIOSCORE

En fait, la troisième session se tint dès le 13 octobre, non plus dans la basilique de Sainte-Euphémie, mais dans le *martyrium* qui y attenait. Seuls les évêques y prirent part, et, en l'absence des commissaires, le légat Paschasinus assuma la présidence. On s'occupa ce jour-là de Dioscore d'Alexandrie. Eusèbe de Dorylée commença par lire un nouveau mémoire dans lequel étaient reprises toutes les accusations déjà formulées contre cet évêque à propos de son attitude lors du brigandage d'Éphèse ; on entendit ensuite quatre clercs d'Alexandrie qui avaient à se plaindre de leur chef, de son attitude envers la famille de saint Cyrille, de sa cupidité et des mauvais traitements qu'il avait fait subir à plusieurs membres de son clergé. Dioscore était absent ; à plusieurs reprises, des membres du concile allèrent jusqu'à sa maison, pour le prier de comparaître et de se défendre : il refusa de venir, invoquant les prétextes les plus futiles. Il fallut procéder par contumace ; Paschasinus prononça la sentence : considérant les actes commis par Dioscore contre l'ordre des canons et la constitution de l'Église ; considérant qu'il a reçu à sa communion, dès avant le concile d'Éphèse, Eutychès, au mépris de la condamnation régulièrement portée contre lui par son propre évêque Flavien ; considérant qu'il n'a pas laissé lire à Éphèse la lettre adressée à Flavien par le bienheureux pape Léon et qu'il a été par là cause du scandale et du dommage de toutes les églises de l'univers ; considérant qu'il a ajouté à toutes ses audaces celle d'excommunier le très saint archevêque de la grande Rome, Léon, celui-ci, parlant par la bouche de son légat et du concile tout entier, le déclare déposé de sa dignité d'évêque. L'un après l'autre, les évêques présents furent appelés à donner leur avis : leur vote fut unanime pour approuver la déposition de Dioscore.

PROMULGATION DE LA SENTENCE

La sentence fut communiquée au condamné. Le concile en fit part également à l'empereur, à l'impératrice, aux clercs d'Alexandrie chargés d'administrer l'Église jusqu'à l'installation d'un nouvel évêque. Dioscore seul était frappé ; les autres accusés furent laissés hors de cause.

QUATRIÈME SESSION

Le 17 octobre, il fallut bien revenir aux questions relatives à la foi. En présence des commissaires qui avaient repris la direction des débats, Paschasinus déclara : « Le concile a pour règle de foi celle qui a été fixée par le concile de Nicée et que les cent cinquante évêques du concile réuni à Constantinople par le grand Théodose ont confirmée ; il reçoit l'exposition qu'en a faite Cyrille à Éphèse et celle qu'en donne le vénérable Léon, archevêque de toutes les églises, dans sa lettre qui condamne les hérésies de Nestorius et d'Eutychès :

c'est cette foi que reconnaît le concile et à laquelle il s'attache, sans rien y retrancher et sans rien y ajouter ». Là-dessus, les commissaires demandèrent aux évêques de confirmer individuellement la déclaration qui venait d'être faite ; on procéda au vote et tous furent d'accord pour affirmer que la foi de Léon était bien la même que celle de Cyrille, celle de Nicée et de Constantinople. Au cours du vote, des voix s'élevèrent même pour assurer que les cinq évêques accusés, Juvénal, Thalassius, Eusèbe, Eustathe et Basile, croyaient de même et qu'ils devaient être admis à siéger au concile. Les commissaires n'avaient pas d'instructions à ce sujet : ils crurent devoir en référer à l'empereur. Celui-ci décida de s'en remettre à la sagesse des évêques qui, d'une seule voix, manifestèrent leur volonté de pardon. Les accusés reprirent donc leur place, au milieu d'une joie sans mélange.

L'ATTITUDE DES ÉGYPTIENS

Cette joie était prématurée. On le vit bien lorsque, quelques instants après, arrivèrent treize évêques égyptiens que l'on n'avait pas revus depuis la première séance et qui revenaient maintenant présenter une formule de foi. Cette formule affirmait leur attachement à la croyance traditionnelle qu'avaient gardée leurs anciens évêques depuis saint Marc jusqu'à saint Cyrille ; elle anathématisait toutes les hérésies, spécialement celles d'Arius, d'Eunome, des Manichéens, des Nestoriens et de ceux qui croyaient que la chair du Christ était descendue du ciel différente de la nôtre et n'avait pas été prise du sein de la Vierge Marie ; mais elle était muette sur Eutychès. Naturellement, on demanda aux Égyptiens de condamner ce dernier. Ils y consentirent avec peine. Par contre, ils refusèrent de se prononcer sur le tome de Léon, sous prétexte que, d'après le sixième canon de Nicée, ils devaient se mettre d'accord avec l'archevêque d'Alexandrie et qu'ils étaient par suite obligés d'attendre son jugement. Toutes les insistances des évêques ne réussirent pas à les faire céder. On décida finalement que les Égyptiens pourraient attendre l'élection du futur patriarche pour donner leur signature, mais que jusque-là ils resteraient à Constantinople [1].

L'ATTITUDE DES MOINES

Aux évêques d'Égypte succédèrent, à la barre du concile, plusieurs moines de Constantinople, esprits étroits et fortes têtes, qui s'étaient plaints à l'empereur des tracasseries dont ils étaient l'objet de la part de leur évêque et que Marcien avait renvoyés devant l'assemblée de Chalcédoine. Dix-huit

(1) A certains moments, la discussion prit une allure dramatique. Les Égyptiens se roulaient aux pieds des évêques pour implorer leur indulgence : « On nous tuera, disaient-ils, si nous souscrivons le tome de Léon. Mieux vaut périr ici de votre main que d'être tués dans notre patrie... Ayez pitié de nos cheveux blancs ».

d'entre eux se prétendaient archimandrites ou supérieurs de monastères : une enquête, sérieusement menée, démontra que trois seulement avaient droit à ce titre, les autres étant des solitaires, des sacristains, des gardiens de tombeaux. La découverte de leur imposture ne leur fit rien perdre de leur arrogance : ils n'hésitèrent pas à se porter accusateurs et à réclamer la réintégration de Dioscore, se déclarant prêts à faire schisme si on la leur refusait. Avec eux étaient venus des Syriens, et spécialement le fameux Barsauma : sa présence souleva des clameurs indignées : « Hors d'ici l'assassin Barsauma ! A l'amphithéâtre ! Qu'on le livre aux bêtes ! qu'on l'exile ! Anathème à Barsauma ! » Les commissaires eurent toutes les peines du monde à rétablir le calme. D'ailleurs, il fut impossible de rien obtenir des moines. On dut, après bien des tentatives, les renvoyer sans conclure : il fut convenu que l'évêque de Constantinople s'occuperait d'eux après le concile [1].

DISCUSSIONS DOCTRINALES Avec tout cela, les questions doctrinales n'avançaient pas. On en reprit l'examen le 22 octobre. Au cours des réunions privées que l'on avait tenues chez Anatole, on était arrivé à mettre sur pied une formule de foi : lecture de cette formule fut donnée aux évêques assemblés ce jour-là. Le plus grand nombre des Pères en approuva les termes, mais les Orientaux protestèrent et plus encore les légats du pape qui voulaient voir canonisés les termes mêmes de la lettre à Flavien : « Si l'on n'accepte pas, déclara Paschasinus, la lettre de l'apostolique et bienheureux pape Léon, ordonnez que des rescrits nous soient délivrés pour que nous retournions en Italie et que le concile se célèbre là-bas » [2].

TENTATIVES DE CONCILIATION La situation était grave. Les Pères, nous l'avons vu, avaient déjà consenti à souscrire le tome de Léon ; mais ils l'avaient fait sans enthousiasme et il semblait imprudent de leur demander davantage. La plupart d'entre eux tenaient à sauvegarder les droits de la terminologie cyrillienne et se défiaient de l'affirmation des deux natures subsistant après l'union, où ils voyaient un retour offensif du nestorianisme. Une proposition conciliante des commissaires tendant à la désignation de quelques évêque

(1) « Après la quatrième session, les actes originaux du concile de Chalcédoine, tels que no es avons dans la Vulgate grecque, présentent un autre récit de cette affaire, censément traité dans une séance du 20 octobre. A la fin, il est statué que les moines auront un mois de délai, d 15 octobre au 15 novembre. Cette pièce, qui manque aux anciennes versions latines et qu'Évagrius n'a pas connue, me paraît être un doublet de la IVe session, en ce qui regarde l'épisode des moines » (L. Duchesne, *Histoire ancienne de l'Église*, t. III, p. 440, n. 1).

(2) Le texte du formulaire proposé ne nous est pas conservé. Il devait être assez équivoque et dire en particulier que le Christ était de deux natures, *ex duabus naturis*, expression que Dioscore lui-même aurait pu accepter. Il est d'ailleurs remarquable qu'Anatole eut l'occasion de dire que Dioscore avait été condamné non pour sa doctrine, mais pour ses actes ; et un très grand nombre d'évêques étaient de cet avis.

qui seraient chargés d'élaborer une nouvelle formule fut accueillie par des mouvements divers : « Le formulaire nous plaît ! criait la majorité. A la porte les Nestoriens ! Qui ne signe pas le formulaire est hérétique ! Sainte Marie est *theotokos* ! Le Christ est Dieu ! — Que faites-vous donc de la lettre du très saint Léon ? — Le formulaire confirme la lettre. Léon parle comme Cyrille. Célestin parle comme Cyrille ! Sixte parle comme Cyrille ! »

NOMINATION D'UNE COMMISSION

Il n'y avait pas moyen d'en sortir. L'empereur consulté prit le parti des commissaires et des légats : il donna à choisir aux évêques entre la recherche d'une nouvelle formule et la translation du concile en Occident. Finalement, les magistrats posèrent le dilemme : « Etes-vous pour Léon ou pour Dioscore [1] ? — Nous croyons comme Léon, déclarèrent les évêques ». La commission de rédaction fut aussitôt formée : elle comprenait, avec les trois légats et six Orientaux, plusieurs des personnalités qui avaient pris part au concile de Dioscore et d'autres évêques du même parti.

LA FORMULE DE CHALCÉDOINE

Ses délibérations furent secrètes. Lorsque ses membres revinrent au milieu de leurs collègues, ils donnèrent lecture de la nouvelle formule:

Suivant les saints Pères, nous enseignons tous unanimement un seul et même Fils, Notre-Seigneur Jésus-Christ, complet quant à la divinité et complet quant à l'humanité, vraiment Dieu et vraiment homme (composé) d'une âme raisonnable et d'un corps, consubstantiel au Père selon la divinité et consubstantiel à nous selon l'humanité, semblable à nous en tout hormis le péché ; engendré du Père avant les siècles selon la divinité, et, selon l'humanité, né pour nous et pour notre salut dans les derniers temps de la Vierge Marie, Mère de Dieu : un seul et même Christ, Fils, Seigneur, Monogène, en deux natures, sans mélange, sans transformation, sans division, sans séparation : car l'union n'a pas supprimé la différence des natures : chacune d'elles a conservé sa manière d'être propre et s'est rencontrée avec l'autre dans une unique personne et hypostase. De même, Jésus-Christ n'a pas été partagé ou divisé en deux personnes, mais il n'y a qu'un seul et même Fils, Fils unique, Dieu Verbe, le Seigneur Jésus-Christ, selon que les prophètes jadis nous l'ont annoncé, que le Seigneur Jésus-Christ l'a enseigné lui-même, et que le symbole des Pères nous l'a transmis [2].

ACCEPTATION DE LA FORMULE

Cette formule était un compromis, et, comme telle, elle ne pouvait satisfaire personne entièrement ; pourtant, dans l'ensemble, elle marquait plutôt la victoire de saint Léon et de ses légats : les mots *en deux natures* et non pas *de deux natures* [3], y étaient employés pour définir l'unique

(1) En réalité, le problème était plus complexe : ce n'était pas entre Dioscore et Léon qu'on avait à choisir, mais entre Léon et Cyrille, entre le tome à Flavien et les anathématismes. Il était difficile de concilier ces deux documents.

(2) MANSI, t. VII, col. 116 ; HAHN, *Bibliotek der Symbole*, 3e édit., § 146.

(3) Le texte grec, tel que nous le lisons actuellement, porte sans doute les termes : *de deux na-*

personne du Christ, et les Cyrilliens ne reconnaissaient plus dans cette terminologie étrangère à leurs préoccupations les expressions de leur maître. Mais il était urgent d'en finir. Tous souscrivirent la nouvelle formule, les uns avec joie, les autres par lassitude.

SÉANCE SOLENNELLE DU CONCILE Trois jours plus tard, le 25 octobre, eut lieu la promulgation solennelle de la foi, telle qu'on venait de l'exprimer. Ce fut une belle séance. L'empereur y parut, en grand apparat, et il commença par haranguer les Pères en latin, puis, selon l'usage, on traduisit en grec son discours. La profession de foi, souscrite par trois cent cinquante-cinq évêques, tant en leur nom propre qu'en celui de leurs collègues absents, fut ensuite publiée. Les acclamations éclatèrent de toutes parts :

« Tous nous croyons ainsi ; il n'y a qu'une foi et qu'une volonté. Nous sommes tous d'accord. Nous avons tous signé à l'unanimité. Tous nous sommes orthodoxes ! C'est la foi des Pères, la foi des Apôtres, la foi des orthodoxes ; c'est cette foi qui a sauvé le monde. Gloire à Marcien, nouveau Constantin, nouveau Paul, nouveau David ! Vous êtes la paix du monde !... Tu as affermi la foi orthodoxe ! Longues années à l'impératrice ! Vous êtes les flambeaux de la foi orthodoxe ! Par vous, la paix règne partout. Marcien est le nouveau Constantin, Pulchérie la nouvelle Hélène. »

Quand l'enthousiasme fut calmé, l'empereur reprit la parole pour rendre grâces au Christ de ce qui venait de se passer et pour interdire à tous de soulever à nouveau des difficultés sur la foi. La session s'acheva dans les manifestations de la joie et de l'unanimité.

LE CAS DE THÉODORET Le concile aurait pu, semble-t-il, se terminer là-dessus. Mais il y avait encore un certain nombre de cas particuliers à trancher et il était d'usage que les réunions conciliaires s'occupassent des problèmes relatifs à la discipline de l'Église. Les sessions suivantes furent occupées par ces questions de détail. Domnus d'Antioche n'avait pas protesté contre sa déposition en 449 et son successeur, Maxime, avait été reconnu par le pape : il ne fut question de Domnus que pour lui accorder une pension et pour en déterminer le taux. Les cas de Théodoret et d'Ibas étaient plus complexes. Sans doute Théodoret avait été réhabilité par saint Léon, mais sa présence au concile avait soulevé de violentes objections. On exigea de lui qu'il excommuniât solennellement Nestorius, ce que jusqu'alors il s'était toujours refusé à faire. Après quelques hésitations, Théodoret finit par déclarer : « Anathème à Nestorius et à quiconque n'appelle pas la Vierge Marie mère de Dieu et

tures ; mais l'ancienne traduction latine donne la leçon *in duabus naturis*, et cette leçon est certainement authentique, car elle a en sa faveur les témoignages les plus autorisés, ceux d'Euthymius, de Sévère d'Antioche, de Léonce de Byzance, etc. D'ailleurs, si les légats n'avaient pas accepté la première formule proposée, c'était précisément parce qu'elle contenait les mots : *de deux natures*. Ils n'auraient pas admis la présence de cette même expression dans le symbole nouveau.

divise en deux le Fils unique. » Les commissaires impériaux se déclarèrent satisfaits et les évêques admirent eux aussi l'orthodoxie de leur collègue [1].

L'AFFAIRE D'IBAS

L'affaire d'Ibas fut examinée les jours suivants (27 et 28 octobre), avec toute l'attention qu'exigeait la multiplicité des actes relatifs à l'évêque d'Édesse. Il fallut lire les procès-verbaux du concile de Tyr qui avait déclaré Ibas innocent, puis ceux du synode de Béryte qui, antérieurement, l'avait condamné. Plusieurs évêques auraient voulu qu'on donnât aussi communication des actes du brigandage d'Éphèse ; les légats s'y opposèrent : le concile maudit ne devait plus compter ; il était aboli. On dut toutefois entendre encore la lecture de la trop célèbre lettre à Maris où saint Cyrille était accusé d'apollinarisme, après quoi les légats prononcèrent qu'Ibas devait être réintégré dans la dignité épiscopale. Le concile approuva cette sentence, après qu'Ibas eut déclaré son orthodoxie [2].

LE PATRIARCAT DE JÉRUSALEM

Les deux derniers problèmes que le concile eut à envisager se rapportaient à des questions de préséance entre églises, mais on sait la place qu'ont toujours tenue dans l'histoire les rivalités de cet ordre. Le concile de Nicée avait reconnu des honneurs spéciaux, dont on ne sait pas exactement la nature, à l'évêque d'Aelia (Jérusalem) tout en maintenant saufs les droits métropolitains de l'évêque de Césarée [3]. Juvénal qui, dès son élévation sur le siège de Jérusalem, s'était mis à ordonner des évêques jusqu'en Phénicie et en Arabie, avait produit au concile d'Éphèse de 431 des documents apocryphes en faveur des droits de son église : à ce moment-là, et plus tard encore, saint Cyrille se mit en travers [4], si bien que ses revendications n'eurent pas de suite ; mais, à Chalcédoine, il renouvela sa réclamation et un compromis intervint entre Maxime d'Antioche et lui, compromis qui fut ratifié par le concile dans sa séance du 26 octobre : l'église d'Antioche conserva dans son ressort les deux Phénicies et l'Arabie ; celle de Jérusalem obtint les trois Palestines, avec, pour métropoles respectives, Césarée, Scythopolis et Pétra. C'était, somme toute, un nouveau patriarcat que l'on créait aux dépens de celui d'Antioche.

(1) *Actio* VIII. Les évêques Sophronius de Constantina dans l'Osrhoène, Jean de Germanicie en Syrie et Amphiloque de Sidè en Pamphilie, furent également invités à anathématiser Nestorius. Ils y consentirent.

(2) *Actiones*, IX et X. Les sessions suivantes, tenues les 29, 30 et 31 octobre, n'offrent pas d'intérêt général.

(3) Cf. t. III, p. 453. Il semble que l'évêque de Jérusalem ait eu la préséance sur son métropolitain dans les assemblées épiscopales tenues hors de Jérusalem. Il est par contre certain que, dans les synodes provinciaux, l'évêque de Jérusalem passait après celui de Césarée : on le vit encore en 415 au concile de Diospolis.

(4) Cf. Saint LÉON, *Epist.*, CXIX (JAFFÉ-WATTENBACH, 495).

LE PATRIARCAT DE CONSTANTINOPLE

Bien plus récent que le siège de Jérusalem était celui de Constantinople, mais ses prétentions étaient encore plus exorbitantes. En 381, le concile réuni dans cette ville avait décidé que l'évêque de Constantinople aurait la primauté d'honneur après l'évêque de Rome, parce que Constantinople est la nouvelle Rome [1]. Les évêques de la capitale orientale en avaient conclu qu'ils avaient le pouvoir d'intervenir dans toutes les affaires des églises qui ne relevaient pas directement d'Antioche ou d'Alexandrie, et ils ne s'étaient pas privés de le faire. Restait à obtenir la légitimation de ces empiétements. Le concile de Chalcédoine, sollicité de régler la question, s'en occupa dans une session tenue le 31 octobre et à laquelle ne prirent part ni les commissaires impériaux ni les légats romains. Il fut donc décidé que les litiges avec les métropolitains devaient être portés soit devant l'exarque du diocèse, c'est-à-dire l'évêque du chef-lieu du diocèse civil, soit devant l'évêque de Constantinople (canons 9 et 17). A ce dernier fut reconnu le droit de consacrer les métropolitains des trois diocèses de Pont, d'Asie et de Thrace ; enfin on mit en relief les raisons de la primauté ainsi définie :

Au siège de la vieille Rome, parce que cette ville est souveraine, les Pères ont à bon droit attribué la primauté : dans le même dessein, les cent cinquante-trois théophiles évêques ont accordé la même primauté au très saint siège de la nouvelle Rome, estimant avec raison que la ville qui est honorée (de la présence) de l'empereur et du sénat et qui a les mêmes privilèges que la vieille Rome impériale, est grande aussi comme elle dans les choses ecclésiastiques, étant la seconde après elle.

DISCUSSIONS SOULEVÉES PAR LE CANON 28

A vrai dire, ce canon 28 ne décidait rien d'absolument nouveau ; il se bornait à confirmer ce qu'avait établi le canon 3 du concile de 381 et à proclamer les liens qui existaient entre la situation politique de Constantinople et le rôle dévolu à son évêque. Cela était assurément grave, mais au point de vue doctrinal beaucoup plutôt que pour la pratique des choses [2]. Cependant, dès le 1er novembre, le légat Paschasinus protesta d'une manière énergique contre le canon qui avait été promulgué la veille. L'archidiacre de Constantinople, Aétius, crut se disculper en disant que l'église de Constantinople avait eu des questions à faire régler en concile, que l'on avait prié les légats de prendre part à ce règlement, mais qu'ils s'y étaient refusés, que d'ailleurs tout s'était passé de la manière la plus correcte [3]. Malgré tout, le second légat Lucentius insista : « Il paraît qu'on

(1) Cf. t. III, p. 441.

(2) Le concile de Chalcédoine ne songe pas à nier la primauté du pape. Mais il estime que cette primauté du siège apostolique a été fondée sur le rôle politique de Rome capitale : c'est là qu'est l'erreur. Les papes ont toujours fait reposer le principe de leur primauté sur la venue de saint Pierre à Rome et sur leur qualité de successeurs de Pierre.

(3) Il est remarquable que l'opposition des légats ne porte que sur le 28e canon. Les autres ne les intéressent pas, bien que l'ensemble des canons ait été voté hors de leur présence.

a mis de côté les ordonnances des trois cent dix-huit Pères (de Nicée), pour suivre celles des cent cinquante qui ne se trouvent pas dans les canons synodaux [1]. Si les évêques de Constantinople ont, à partir de cette époque, exercé ces privilèges, pourquoi les demandent-ils maintenant ? Mais il est certain qu'ils ne les ont pas possédés de par les canons ». Puis, le légat Boniface communiqua les instructions données par saint Léon : « Vous ne permettrez aucune atteinte à la décision des Pères (de Nicée) ; vous protégerez et défendrez de toute manière mon autorité. Si quelques-uns, se fondant sur l'éclat de leur ville, veulent s'arroger des droits, vous vous y opposerez énergiquement ». Incités alors à produire les textes sur lesquels ils s'appuyaient, les légats donnèrent lecture du 6e canon de Nicée où il n'est nullement question de Constantinople, pour la bonne raison que cette ville n'existait pas encore en 325, ni de la classification des grands sièges, ni même de Rome, si ce n'est accessoirement. Il est vrai que dans l'exemplaire romain, le canon débutait par cette phrase, étrangère au texte original : l'Église romaine a toujours eu la primauté [2]. On eut le bon esprit de ne pas discuter sur cette glose. D'ailleurs la primauté de Rome était ce jour-là hors de cause et personne ne songea à la contester de quelque manière que ce fût.

RÉSERVES DES LÉGATS

Finalement, les légats ayant mis en doute la liberté des votes, les évêques présents protestèrent : s'ils avaient signé le 28e canon, c'était sans y avoir été contraints, de leur plein gré. Plusieurs ajoutèrent que ce canon était en tout conforme à la discipline observée. Il était évident qu'ils tenaient à leur décision et qu'il était inutile d'insister. Aussi les commissaires tirèrent-ils la conclusion du débat en affirmant les droits de la vieille Rome et ceux de la nouvelle. Les légats se réservèrent : « Le Siège apostolique, dit Lucentius, ne doit pas être humilié, nous présents. Donc, tout ce qui, hier, en notre absence, a été fait au préjudice des règles canoniques, nous demandons à votre Sublimité de l'annuler ; sinon, que notre protestation soit jointe aux actes. Nous saurons ce que nous avons à référer à l'évêque apostolique qui est le premier de toute l'Église, pour qu'il puisse juger de l'injure faite à son siège et de la violation faite des canons [3]. »

LETTRE DU CONCILE A SAINT LÉON

Cette protestation fut reçue sans commentaire. La séance fut aussitôt levée par les représentants de l'empereur. Elle fut la dernière du concile

(1) Le concile de 381 n'était pas reconnu par Rome comme œcuménique, et ses canons ne figuraient pas dans les collections occidentales.

(2) Sur les documents de cette glose, cf. MAASSEN, *Quellen zur Geschichte des Kirchenrechts*, t. I, p. 19-25. Cette recension pourrait être italienne.

(3) MANSI, t. VII, col. 454. La déclaration de Lucentius constitue un véritable appel (*contradictio*) au pape.

de Chalcédoine. Avant de se séparer, les évêques tinrent à adresser une lettre d'hommages à saint Léon. Cette lettre rappelle d'abord l'œuvre dogmatique du concile :

Tu es venu jusqu'à nous, écrivent les Orientaux ; tu as été pour nous l'interprète de la voix du bienheureux Pierre et à tous tu as procuré la bénédiction de sa foi. Nous avons pu manifester la vérité aux enfants de l'Église, dans la communauté d'un même esprit, d'une même joie, participant comme à un banquet royal aux spirituelles délices que le Christ nous avait préparées par tes lettres. Nous étions là environ cinq cent vingt évêques, que tu conduisais comme la tête conduit les membres.

Puis les évêques abordent la question délicate du 28e canon :

Nous t'apprenons aussi que nous avons décrété quelques autres mesures dans l'intérêt de la paix et du bon ordre dans les affaires ecclésiastiques et pour la confirmation des statuts de l'Église, sachant que Ta Sainteté les confirmera et approuvera. Nous avons en particulier confirmé la coutume ancienne, en vertu de laquelle l'évêque de Constantinople ordonnait les métropolitains des diocèses d'Asie, du Pont et de la Thrace, moins pour accorder un privilège au siège de Constantinople que pour assurer la tranquillité des villes métropolitaines... Nous avons confirmé le canon du concile des cent cinquante Pères, lequel assure au siège de Constantinople le second rang après ton siège saint et apostolique... Nous étions d'avis qu'il convenait à un concile œcuménique de confirmer, d'après les désirs de l'empereur, à la ville impériale ces privilèges, convaincus que, lorsque tu l'apprendrais, tu le regarderais comme ton ouvrage, car tout le bien que font les fils est un honneur pour les pères. Nous t'en prions donc, honore nos décrets de ton approbation ; et, de même que nous avons adhéré à ton décret (sur la foi), que Ta Grandeur fasse ce qu'il convient à l'égard de ses fils.

L'ŒUVRE DU CONCILE DE CHALCÉDOINE

Cette lettre, on le voit, est un chef-d'œuvre de diplomatie. Elle met en parallèle les concessions que les évêques ont cru devoir faire au pape touchant la formule de foi et celles qu'ils sollicitent maintenant de lui au sujet du vingt-huitième canon ; si bien qu'elle ressemble un peu à un véritable marché. Il était difficile au pape d'accepter de telles offres. Du moins les évêques ont-ils conscience du caractère de l'œuvre qu'ils viennent d'accomplir à Chalcédoine : ils ont essayé de trouver un compromis en tout. S'ils ont sacrifié Dioscore, ils n'ont pas condamné ses partisans les plus décidés ; s'ils ont accepté la terminologie du tome à Flavien, ils ont prétendu rester d'accord avec saint Cyrille ; s'ils ont enfin proclamé la primauté du pape, ils ont lourdement appuyé sur les prérogatives de l'évêque de Constantinople. Il était réservé à l'avenir de montrer à quel point leur œuvre était fragile.

CHAPITRE X

LA PAPAUTÉ DE SAINT INNOCENT A SAINT LÉON LE GRAND [1]

§ 1. — Les premières années du Ve siècle.

L'AUTORITÉ DU SIÈGE ROMAIN Triste siècle pour l'Empire romain d'Occident et pour la ville de Rome, que le ve siècle ! C'est le temps des invasions barbares, de la prise de Rome par Alaric et ses bandes en 410, de la décrépitude d'un monde qui n'a plus la force de se relever et ne trouve même pas le courage de mourir en beauté. Il n'y a pas lieu de refaire ici cette histoire [2]. Cependant, dans les circonstances les plus tragiques, la papauté ne se contente pas de survivre, presque seule, parmi tant d'institutions qui s'effondrent : elle affermit

(1) Bibliographie. — I. Sources. — Les documents les plus importants à consulter ici sont naturellement les lettres et autres écrits des papes. On les trouvera rassemblés dans la *Patrologie* de Migne. Notons seulement que les œuvres de saint Léon y sont reproduites d'après l'édition des Ballerini, avec des dissertations et des notes importantes. Le *Liber Pontificalis* ne fournit sur les premiers papes du ve siècle que des notices sans grande valeur. Pour les affaires africaines, les lettres de saint Augustin et le *codex canonum ecclesiae africanae* sont à consulter.

II. Travaux. — Il est à peine besoin de rappeler les ouvrages de P. Batiffol, *Le siège apostolique de saint Damase à saint Léon le Grand*, Paris, 1920, et *Le catholicisme de saint Augustin*, Paris, 1924 ; et de E. Caspar, *Geschichte des Papsttums*, t. I, Tubingue, 1930.

Sur les collections anciennes de décrétales : E. von Dobschuetz, *Das Decretum gelasianum*, dans *Texte und Untersuchungen*, t. XXXVIII, Leipzig, 1912 ; L. Duchesne, *La plus ancienne collection romaine des décrétales*, dans *Atti del II Congresso internazionale di archeologia*, Rome, 1902 ; Silva-Tarouca, *Beiträge zur Ueberlieferungsgeschichte der Papstbriefe der IV., V., und VI. Jahrhunderten : II. Die ältesten Dekretalensammlungen*, dans *Zeitschrift für katholische Theologie*, t. XLIII, 1919, p. 657 et suiv.

Pour les affaires de l'Illyricum, voir J. Zeiller, *Les origines chrétiennes dans les provinces danubiennes de l'empire romain*, Paris, 1918 ; L. Duchesne, *L'Illyricum ecclésiastique*, dans *Églises séparées*, Paris, 1909 ; Streichhan, *Anfänge des Vikariats von Thessalonich*, dans *Zeitschrift der Savigny-Stiftung*, t. XLIII, *kanonische Abteilung*, XII, 1922 ; Vœlker, *Studien zur päpstlichen Vikariatspolitik im V. Jahrhundert*, dans *Zeitschrift für Kirchengeschichte*, t. XLVI, 1927, p. 355 et suiv.

Pour le vicariat d'Arles : L. Duchesne, *Fastes épiscopaux de l'ancienne Gaule*, t. I, Paris, 1907, p. 93 et suiv. ; Schmitz, *Der Vikariat von Arles*, dans *Historisches Jahrbuch*, t. XII, 1891, p. 1 et suiv., 245 et suiv. ; E. Babut, *Le concile de Turin*, Paris, 1904 ; J. R. Palanque, Les *dissensions des Églises des Gaules à la fin du IVe siècle et la date du concile de Turin*, dans *Revue d'histoire de l'Église de France*, t. XXI, 1935, p. 481-501.

Sur saint Léon le Grand, P. Batiffol, article *Léon Ier (saint)*, dans *Dictionnaire de théologie catholique*, t. IX, c. 218-301 ; G. Krueger, dans Schanz, *Geschichte der römischen Literatur*, t. IV, 2, 1921, p. 600 et suiv. ; H. Lietzmann, dans Pauly-Wissowa, *Realencyclopädie*, 2e édit., t. XII, 2, 1925, p. 1962 et suiv. ; Kiessling, *Das Verhältnis zwischen Sacerdotium und Imperium nach den Auschauungen der Päpste von Leo dem Grossem bis Gelasius I*, 1921.

(2) Pour l'histoire de cette période, on peut voir entre autres : F. Lot, C. Pfister, F. Ganshof, *Les destinées de l'Empire en Occident*, Paris, 1934, p. 4 et suiv., où l'on trouvera une bibliographie détaillée ; L. Halphen, *Les Barbares : Des grandes invasions aux conquêtes turques du XIe siècle*, Paris, 1926 ; F. Lot, *La fin du monde antique et les debuts du moyen âge*, Paris, 1927 ; Ernst Stein, *Geschichte des spätrömischen Reiches*, t. I, Vienne, 1928.

son autorité et proclame, avec une insistance de plus en plus nette, les droits qu'elle tient du Christ lui-même.

A la mort de Théodose (395), saint Sirice occupait depuis plus de dix ans le siège pontifical. On sait avec quel éclat et quelle énergie il remplissait les devoirs de sa charge. Si sa lettre à Himère de Tarragone (385) n'est pas, comme on l'a cru longtemps, la première décrétale, elle n'en garde pas moins une importance considérable par la vigueur avec laquelle elle proclame l'autorité du trône apostolique :

L'apôtre Pierre en personne se survit dans l'évêque de Rome : si le pape porte le poids de tous ceux qui ont besoin de son appui, il ne doute pas que le bienheureux apôtre Pierre ne porte avec lui et en lui ce poids formidable et qu'il ne protège celui qui est l'héritier de son administration, c'est-à-dire investi de devoirs et de droits que l'évêque du Siège apostolique en tant que tel n'a pas en commun avec les autres évêques [1].

LE SIÈGE DE MILAN Au moment où saint Sirice tient ce fier langage, saint Ambroise est évêque de Milan, et son siège resplendit d'une double splendeur, celle qu'il lui donne lui-même par sa sainteté, par sa science, par toutes ses qualités personnelles, et celle que tient la ville de Milan de la présence habituelle de la cour. Par la force des choses, toutes les grandes questions ecclésiastiques, aussi bien celles de l'Orient que celles de l'Occident, sont soumises à Ambroise, et celui-ci assemble des conciles, formule des opinions, prend des décisions [2]. Sirice ne proteste pas : il admet en particulier que les sept provinces de l'Italie du Nord (Ligurie, Émilie, Flaminie, Vénétie, Alpes Cottiennes, Rhétie Ire, Rhétie IIe) soient directement soumises à l'autorité de l'évêque de Milan ; mais il attend sans impatience que les circonstances ramènent à ses justes limites cette autorité. De fait, les successeurs immédiats d'Ambroise, le vieux Simplicien (397-400) et Vénérius, ancien diacre du grand évêque (400-409 ?), héritent de sa situation exceptionnelle, mais le syrien Maréolus, qui vient ensuite, ne la possède déjà plus. Depuis 404, l'empereur Honorius a transporté sa résidence à Ravenne, et c'est désormais à Ravenne que se traitent les grandes affaires ecclésiastiques, en attendant qu'Aquilée devienne à son tour un centre d'influence [3].

SAINT ANASTASE Saint Sirice mourut le 26 novembre 399. Saint Anastase, qui lui succéda, est connu surtout par le rôle qu'il joua dans les controverses origénistes et par la sévérité dont il fit preuve à l'égard de Rufin. Son pontificat ne dura que deux ou trois ans : saint Jérôme qui l'admirait beaucoup alla jusqu'à écrire que, s'il mourut

(1) P. Batiffol, *Le siège apostolique*, p. 187. Cf. t. III, p. 482-484.
(2) Cf. t. III, p. 472 et suiv.
(3) Ravenne appartient au ressort métropolitain du pape qui en consacre l'évêque ; elle ne deviendra métropole qu'entre 425 et 431.

si vite, ce fut par une attention de la Providence qui ne voulut pas qu'un tel évêque fût témoin de la prise de Rome [1].

SAINT INNOCENT Ier

Ce fut donc son successeur, saint Innocent, qui présida aux destinées de l'Église, pendant les années qui précédèrent la chute de la vieille capitale [2] : s'il ne vit pas le pillage de la ville par les troupes d'Alaric, le sac des églises dont les objets précieux furent emportés par les Barbares, la fuite d'un grand nombre des meilleurs citoyens, les sévices infligés à beaucoup d'autres, par exemple à la vénérable Marcelle et à sa jeune compagne Principia, il dut réconforter les chrétiens hésitants et empêcher les païens de triompher bruyamment de la catastrophe [3]. Ces malheurs furent impuissants à troubler la sérénité du pontife, qui continua à s'occuper des questions ecclésiastiques.

AFFAIRES D'ITALIE, DE GAULE, D'ESPAGNE

De ces questions, les unes sont relatives à la discipline : d'Italie, d'Espagne, de Gaule, arrivent à Innocent des lettres d'évêques qui l'interrogent sur toutes sortes de problèmes. Il s'agit du célibat ecclésiastique, du canon des livres saints, de la liturgie et des sacrements, de la réconciliation des grands pécheurs à l'article de la mort, des magistrats chrétiens qui ont prononcé des peines capitales, des contestations soulevées entre clercs, de bien d'autres choses encore. Le pape répond à tout. Il écrit à Décentius de Gubbio [4], à Félix de Monsa en Ombrie [5], à trois évêques inconnus d'Apulie [6], aux évêques espagnols qui ont pris part au concile de Tolède [1], à Victrice de Rouen [7], à Exupérius de Toulouse [8] et à d'autres. Ces lettres témoignent d'un sens très vif de l'autorité du Siège apostolique ; et bien qu'adressées le plus souvent à un seul requérant, elles portent des lois qui sont applicables à l'Église universelle. On lit par exemple dans une lettre à Décentius de Gubbio :

(1) Jérôme, *Epist.*, cxxvii, 10. Saint Anastase écrivit plusieurs lettres relatives à l'origénisme. L'une d'elles est adressée à Vénérius de Milan ; elle a été éditée et étudiée par le P. van den Gheyn, dans la *Revue d'histoire et de littérature religieuses*, t. IV, 1901, p. 5 et suiv.

(2) Au moment de la prise de Rome (24 août 410), saint Innocent ne se trouvait pas dans la capitale. Il était à Ravenne avec des envoyés du Sénat, comme membre d'une commission qui était chargée de régler la conduite à tenir à l'égard des réclamations d'Alaric. Orose (*Histor.*, VII, xxxix) prétend que, comme le juste Lot fut éloigné de Sodome, ainsi Innocent se trouva par un dessein de la Providence écarté de Rome pour ne pas assister à la ruine du peuple pécheur.

(3) Zosime (*Hist.*, V, 41) raconte que les païens avaient voulu rouvrir les temples et offrir des sacrifices pendant le siège de Rome. Il prétend même que le préfet Pompéianus alla trouver le pape Innocent pour le mettre au courant de ce désir, et que celui-ci aurait promis de fermer les yeux, pourvu que tout se passât en secret. Cela est bien invraisemblable.

(4) Jaffé-Wattenbach, 311.

(5) Jaffé-Wattenbach, 314.

(6) Jaffé-Wattenbach, 316.

(7) Jaffé-Wattenbach, 292. Date incertaine, mais antérieure à l'invasion de 409.

(8) Jaffé-Wattenbach, 286 (lettre du 15 février 404).

(9) Jaffé-Wattenbach, 293 (lettre du 20 février 405).

Si les évêques conservaient dans leur intégrité les institutions de l'Église telles qu'elles nous viennent des bienheureux apôtres, on ne verrait pas des diversités de pratique comme on en voit dès lors que chacun suit non la tradition, mais son bon plaisir, et donne à penser, au grand scandale des peuples, ou que les traditions se perdent ou que, soit les apôtres, soit les hommes apostoliques observaient des usages contradictoires. Qui ignore que ce qui a été enseigné par le prince des apôtres, Pierre, à l'Église romaine et y est encore aujourd'hui observé, doit être observé par tous... Il est constant d'ailleurs que dans l'Italie tout entière, les Gaules, les Espagnes, l'Afrique, la Sicile et les îles, nul n'a institué d'églises, sinon ceux que le vénérable apôtre Pierre ou ses successeurs ont faits évêques. Voit-on qu'un autre apôtre y ait prêché ? Il faut donc que ces églises observent les usages de l'Église romaine qui est leur origine et leur tête [1].

AFFAIRES D'ILLYRICUM Les problèmes relatifs à l'Illyricum retiennent d'une manière spéciale l'attention de saint Innocent. En 379, Gratien avait détaché de ses États, pour les soumettre à Théodose, les deux diocèses de Macédoine et de Dacie [2]. C'était là une mesure purement administrative, mais qui était susceptible d'avoir des répercussions graves dans le domaine ecclésiastique. Jusqu'alors, tout l'Illyricum avait été, du point de vue religieux comme du point de vue civil, dans la mouvance de Rome. N'était-il pas à craindre que l'Illyricum oriental, désormais séparé de l'Empire d'Occident, ne s'orientât vers Constantinople et n'échappât ainsi à l'autorité directe du Saint-Siège ? Dès le début, la papauté s'était préoccupée à ce sujet. En 381, saint Damase avait écrit à Acholius de Thessalonique et à cinq de ses collègues pour protester contre l'ordination de Maxime à Constantinople [3]. Un peu plus tard, saint Sirice avait accordé à Anysius, le successeur d'Acholius, le privilège, reconnu aux évêques de Thessalonique, de confirmer les nominations épiscopales dans l'Illyricum, et cela sous peine de nullité [4].

Saint Innocent, dès les débuts de son pontificat, reconnaît une fois de plus ces droits de l'évêque de Thessalonique [5]. Une nouvelle lettre adressée, le 17 juin 412, à Rufus qui a remplacé Anysius est plus explicite encore [6]. Elle rappelle que chacune des provinces de l'Illyricum oriental [7] conserve son métropolitain, mais que l'évêque de Thessalonique a la préséance sur eux tous ; bien plus, c'est par son intermédiaire que doivent passer toutes les affaires à traiter avec Rome et il peut, s'il lui

(1) Jaffé-Wattenbach, 311. On ne saurait prendre à la lettre l'idée exprimée ici par saint Innocent, que toutes les églises d'Occident ont été fondées par des envoyés de l'Église romaine. Mais cette idée traduit d'une manière très forte la primauté du Siège pontifical. Sur la lettre à Décentius, cf. Malchiodi, *La lettera di S. Innocenco I a Decenzio vercovo di Gubbio*, Rome, 1921.
(2) Cf. t. III, p. 471.
(3) Jaffé-Wattenbach, 237. Cf. t. III, p. 283.
(4) Jaffé-Wattenbach, 259. Cf. t. III, p. 481.
(5) Jaffé-Wattenbach, 285.
(6) Jaffé-Wattenbach, 300.
(7) Les provinces dont il s'agit sont énumérées par le pape : Achaïe, Thessalie, Vieille Épire, Épire Nouvelle, Crète, Dacie méditerranéenne, Dacie ripuaire, Mésie, Dardanie Prévalitane.

plaît, les retenir pour les juger lui-même à titre de représentant du pape.

Comment fonctionne pratiquement ce régime ? C'est ce que nous apprend la lettre du 13 décembre 414 [1] adressée à Rufus de Thessalonique et à vingt-deux évêques illyriens. Ceux-ci ont posé au pape une série de questions d'ordre disciplinaire, les unes générales, d'autres toutes personnelles. Saint Innocent répond aux unes et aux autres avec précision. Il parle comme le chef de ces églises lointaines ; il sait qu'il a sur elles une juridiction directe et il ne permet pas qu'on l'oublie [2].

AFFAIRES D'ORIENT

Les regards de saint Innocent vont encore plus loin que l'Illyricum, vers les églises orientales, et particulièrement vers celle de Constantinople. Saint Jean Chrysostome, après son élection, a soin d'en faire part au pape — c'était encore Sirice — qui lui envoie des lettres de communion, pour lui et pour l'évêque d'Antioche, Flavien [3]. Lors des graves événements qui aboutissent à la déposition et à l'exil de Jean [4], saint Innocent est informé sans tarder par Alexandrie et par Constantinople [5] : Théophile lui écrit que Jean a été déposé [6] ; Jean lui-même, quarante évêques de son parti, le clergé de Constantinople lui adressent des lettres détaillées [7].

Il était impossible au pape de ne pas répondre : il le fait avec une grande prudence, déclarant à Théophile et à Jean qu'il les maintient tous deux dans sa communion et demandant la tenue d'un nouveau concile chargé de reprendre l'examen de l'affaire [8]. Là-dessus Théophile expédie à saint Innocent les actes authentiques du concile du Chêne ; les amis de Jean lui annoncent l'exil du patriarche. Puis, les uns après les autres, arrivent des évêques dévoués à la cause de Jean : Cyriaque de Synnada, Éleusius d'Apamée, Palladius d'Hélénopolis. Instruit de la sorte, Innocent agit dans la mesure de ses possibilités ; il réclame à nouveau la réunion d'un

(1) JAFFÉ-WATTENBACH, 303.

(2) Il est question en particulier dans cette lettre des ordinations conférées par l'hérétique Bonose de Naïssus. Déjà une lettre précédente, écrite en 409 (JAFFÉ-WATTENBACH, 299), aurait eu à régler des cas de ce genre. Cf. J. ZEILLER, *Les origines chrétiennes dans les provinces danubiennes de l'empire romain*, p. 347-349. Une autre lettre (JAFFÉ-WATTENBACH, 304) à Rufus de Thessalonique concerne le cas de vieux évêques, Bubalio et Taurianus, qui, après leur condamnation par l'épiscopat illyrien, avaient fait appel à Rome.

(3) PALLADIUS, *Dialog.*, IV ; SOZOMÈNE, *Hist. eccl.*, VIII, III.

(4) Cf. *supra*, p. 145.

(5) Il semble cependant que le pape n'ait pas été prévenu immédiatement de la tenue du concile du Chêne : on sait que pratiquement saint Jean a été rappelé à Constantinople quelques jours à peine après en être sorti. Le concile pouvait ainsi être tenu pour inexistant.

(6) PALLADIUS, *Dialog.*, I.

(7) PALLADIUS, *Dialog.*, I. Nous ne possédons plus que la lettre de Jean. On s'est beaucoup demandé si, en s'adressant à Rome, l'évêque de Constantinople rendait hommage à la primauté pontificale. Il est peu probable que la question se soit posée pour lui dans ces termes. Cf. M. JUGIE, *Saint Jean Chrysostome et la primauté de saint Pierre*, dans *Échos d'Orient*, t. XI, 1908, p. 5-15 ; N. MARINI, *Il primato di S. Pietro e di suoi successori in San Giovanni Crisostomo*, Rome, 1919 ; E. CASPAR, *Geschichte des Papsttums*, t. I, p. 313 et suiv. Il est notable que la lettre de Jean n'est pas adressée seulement au pape, mais encore à Vénérius de Milan et à Chromace d'Aquilée.

(8) PALLADIUS, *Dialog.*, III. Sur la succession des faits, cf. *supra*, p. 145-146.

concile, où se retrouveront des évêques de l'Orient et de l'Occident, et, en attendant, il refuse sa communion au nouveau patriarche de Constantinople ainsi qu'à ses partisans. Jusqu'au bout, il reste fidèle à cette attitude, car, lorsque Jean a fini par mourir dans son lointain exil, il réclame, comme une condition essentielle de sa communion, le rétablissement de son nom dans les diptyques [1].

En toute cette affaire, le pape témoigne de beaucoup de sagesse. Il ne commande pas à l'Orient comme il le fait à l'Occident, et l'on se rend compte de la différence des formules qu'il emploie : tandis qu'il parle en chef immédiat aux évêques occidentaux, il cherche plutôt à convaincre les Orientaux ; il leur rappelle les canons ; il leur montre l'indignité de leur conduite. Il ne dépose pas Atticus ; il n'excommunie pas l'empereur Arcadius : ces gestes ne serviraient à rien. Mais il rompt les liens de communion entre l'Orient et l'Occident et il attend avec patience, car il sait bien que, pratiquement, l'Orient a besoin de Rome et finira par faire les concessions indispensables. La conduite de saint Innocent ressemble à celle qu'avait tenue saint Jules au siècle précédent. Tous deux espèrent d'un concile le règlement définitif des affaires qui leur ont été soumises, et la cause de Jean est analogue à celle d'Athanase. L'un et l'autre ont pleine conscience d'être les chefs de toute l'Église [2], mais ils usent à l'égard de l'Orient d'une condescendance pleine de patiente bonté. Ainsi se maintient la tradition de l'Église romaine.

AFFAIRES D'AFRIQUE A la fin de son pontificat, l'attention de saint Innocent doit s'arrêter sur les affaires d'Afrique. On sait que l'Église d'Afrique possède dès ses origines une très forte organisation : elle reconnaît à l'évêque de Carthage tous les droits d'un chef, et d'autre part ses conciles provinciaux ou généraux qui se tiennent d'une façon régulière suffisent à régler la plupart des problèmes disciplinaires ou autres qui se posent à elle. Autant elle tient à la communion de l'Église romaine, avec laquelle elle a de continuelles relations, autant elle revendique jalousement son autonomie lorsque ses droits, vrais ou apparents, semblent lésés. C'est ainsi que dans les questions soulevées par la controverse donatiste, elle n'accepte pas telles quelles les décisions prises à Rome : le concile d'Hippone, en 393, décide de maintenir à leur rang les évêques donatistes qui n'ont pas rebaptisé ou qui ramènent avec eux toutes leurs ouailles et d'appeler aux ordres, le cas échéant, les convertis qui ont été baptisés dès leur enfance dans l'Église donatiste. En 397, ces

(1) Le nouvel évêque d'Antioche, Alexandre, sera le premier, en 413, à reprendre les relations avec Rome, après avoir satisfait aux conditions posées par le pape. La réponse de saint Innocent à Alexandre (JAFFÉ-WATTENBACH, 305) témoigne de beaucoup de joie. Les relations ainsi renouées se maintiennent cordiales les années suivantes. Cf. JAFFÉ-WATTENBACH, 310.

(2) Cf. t. III, p. 119 et suiv.

résolutions sont communiquées à saint Sirice et à Simplicien de Milan [1]. Ceux-ci refusent d'accepter les mesures prises en Afrique. Qu'importe ? Les Africains insistent ; et lorsque Anastase, en 401, a confirmé le refus de Sirice [2], le concile de Carthage reste sur les positions précédemment adoptées : il ne veut voir dans la lettre d'Anastase et de son concile qu'une exhortation où se manifeste la sollicitude d'une charité paternelle et fraternelle [3].

Quelques années se passent, pendant lesquelles Rome n'a pas à intervenir en Afrique. Les problèmes donatistes sont réglés d'une manière définitive par les évêques africains [4]. Mais, dès que le pélagianisme menace l'orthodoxie et que le concile de Diospolis, insuffisamment informé, a fortifié ses positions, les Africains sont les premiers à demander l'appui du Siège apostolique : ils veulent bien régler seuls les problèmes de discipline ; ils tiennent à se sentir en plein accord avec Rome quand la foi est en jeu. En 416, les conciles de Carthage et de Milev, qui représentent l'un la Proconsulaire, l'autre la Numidie, s'adressent au pape et lui demandent de confirmer la foi [5]. « Que notre ruisseau, si mince soit-il, écrit encore saint Augustin, coule de la même source que le tien qui est si abondant, cela nous voulons que tu le dises et que, dans tes réponses, tu nous consoles par la communauté d'une même grâce » [6].

Saint Innocent répond avec force aux sollicitations des conciles africains : « Quand une question de foi est soulevée, dit-il, j'estime que tous les évêques, nos frères et collègues, ne doivent référer qu'à Pierre, l'auteur de leur nom et de leur dignité d'évêques, comme votre dilection vient de le faire : ainsi seulement on peut obtenir une réponse utile à toutes les églises » [7]. Après avoir rappelé ces principes, le pape condamne Pélage et Célestius qu'il retranche de la communion ecclésiastique. L'arrivée des rescrits romains comble de joie le cœur d'Augustin, qui déclare le 23 septembre 417, dans un sermon prêché à Carthage : « *De hac causa duo concilia missa sunt ad sedem apostolicam ; inde etiam rescripta venerunt. Causa finita est : utinam aliquando finiatur error* [8] ».

(1) *Codex canonum ecclesiae africanae*, XLVII.
(2) JAFFÉ-WATTENBACH, 283.
(3) *Codex canonum ecclesiae africanae*, LXVIII.
(4) Cf. *supra*, p. 97.
(5) *Inter* S. AUGUSTINI, *Epist.*, CLXXV et CLXXVI.
(6) Saint AUGUSTIN, *Epist.*, CLXXVII, 8.
(7) *Inter* S. AUGUSTINI, *Epist.*, CLXXXII (JAFFÉ-WATTENBACH, 322).
(8) AUGUSTIN, *Sermo*, CXXXI, 10. La tradition a simplifié la formule. On prête à saint Augustin le mot : *Roma locuta est, causa finita est.* C'est d'ailleurs bien le sens de la phrase authentique, mais celle-ci a une portée plus restreinte que l'adage. *Cf. supra*, p. 107, n. 4.

§ 2. — Saint Zosime et ses successeurs (417-440).

ÉLECTION DE ZOSIME Lorsque saint Augustin prononçait ces paroles confiantes, saint Innocent n'occupait plus le Siège apostolique : il était mort le 12 mars 417 et Zosime avait été élu le 18 pour lui succéder. Ce fut un malheur. Pendant son court passage sur le trône de saint Pierre, le nouveau pape se révéla comme un brouillon infatué de son autorité : on le vit lors de ses interventions malheureuses en Afrique et en Gaule.

LE VICARIAT D'ARLES En Gaule, Zosime eut la faiblesse de se laisser suborner par un homme intrigant et ambitieux, Patrocle d'Arles [1]. Il y avait à peine quatre jours qu'il était devenu pape qu'il adressait à tous les évêques de Gaule et des sept provinces une lettre où il déclarait qu'aucun ecclésiastique, de quelque rang qu'il fût et de quelque partie de la Gaule qu'il vînt, qui se présenterait à Rome, ne serait reçu s'il ne portait pas une lettre de communion du métropolitain d'Arles. L'excommunication était prononcée contre quiconque ne se soumettrait pas à cette décision. La même lettre du 22 mars 417 prescrivait que l'ordination des évêques non seulement de la Viennoise, mais des deux Narbonnaises, appartiendrait, sous peine de nullité pour le consacré, d'excommunication pour le consécrateur, à l'évêque d'Arles [2]. Ces décisions qui visaient à instituer en Gaule, au profit de Patrocle, une sorte de délégation apostolique analogue à celle qui existait en Orient au profit de l'évêque de Thessalonique, s'appuyaient sur l'antiquité du siège d'Arles, fondé soi-disant par saint Trophime, disciple de saint Pierre [3], mais plus encore sur l'autorité du pape. La lettre de Zosime qui commence par les mots : *Placuit apostolicae sedi*, ne contient que des ordres : *Statuimus... Iussimus... Censemus.* Zosime avait raison de revendiquer les droits de son siège : on aimerait que l'application pratique de ces droits eût été faite à meilleur escient.

(1) Patrocle occupait à Arles le siège de l'évêque légitime Heros. Celui-ci avait été expulsé par Constance, pour avoir essayé de sauver la vie à Constantin III. Il faut remarquer cependant qu'en ce temps-là on semble avoir admis qu'un évêque exilé par les autorités civiles était tenu pour légitimement déposé, sans qu'il fût besoin d'une sentence ecclésiastique. Dans ces conditions, Patrocle n'avait pas à se reprocher son intrusion sur le siège d'Arles.

Sur l'importance du siège arlésien au début du ve siècle, cf. t. III, p. 463-464 ; il faut se rappeler que cette ville a été de 409 à 411 la résidence de l'usurpateur Constantin. Reconquise par le patrice Constance au nom de l'empereur Honorius, elle devint la base de ce que l'Empire conservait encore de ses anciennes provinces de Gaule. Ici, comme à Milan, à Aquilée, à Ravenne, l'autorité ecclésiastique grandit avec l'importance politique de la cité.

(2) JAFFÉ-WATTENBACH, 328.

(3) Cf. L. SALTET, *Le commencement de la légende de saint Saturnin*, dans *Bulletin de littérature ecclésiastique*, 1922, p. 44-46 ; G. MORIN, *Un écrit de saint Césaire d'Arles*, dans *Mélanges de Cabrières*, Paris, 1899, t. I, p. 122-123.

PROTESTATIONS DES ÉVÊQUES GAULOIS

Les évêques de Gaule essayèrent vainement de protester contre toute diminution de leurs droits traditionnels. Hilaire de Narbonne, qui avait rappelé au pape le caractère métropolitain de son siège, fut menacé d'excommunication et dut s'incliner [1] ; Proculus de Marseille et Simplicius de Vienne esquissèrent une résistance ; ils furent cités devant le tribunal du pape, et après leur refus de comparaître, Proculus fut déposé [2] : la mort de Zosime, arrivée le 26 décembre 418, empêcha cette sentence d'avoir son effet.

EN AFRIQUE : LES AFFAIRES PÉLAGIENNES

En Afrique, l'attitude du pape faillit avoir les plus graves conséquences. Tout de suite après l'avènement de Zosime, les Pélagiens condamnés dans cette province s'étaient empressés de lui écrire des lettres fort touchantes, remplies de protestations d'orthodoxie et de déférence pour les jugements pontificaux ; le pape, sans plus se soucier des solennelles approbations données par son prédécesseur à l'attitude des évêques africains, décida que la cause entière devait être reprise devant son tribunal [3].

Les évêques d'Afrique s'émurent à cette nouvelle : un concile, assemblé à Carthage au cours de l'hiver 417-418 [4], déclara qu'il fallait s'en tenir à l'autorité de la chose jugée. Réflexion faite, Zosime répondit à ses correspondants que somme toute rien n'était encore fait et qu'il n'avait pas réhabilité Célestius. Ce qui nous intéresse surtout dans cette lettre, datée du 21 mars 418, c'est le long préambule dans lequel est une fois de plus affirmée l'autorité du Siège apostolique : autorité si haute que personne n'oserait contester un jugement prononcé par elle. Cette autorité est reconnue par la tradition de l'Église et sanctionnée par les canons. La discipline ecclésiastique actuellement en vigueur témoigne par ses lois le respect qu'elle doit au nom de Pierre dont elle descend elle aussi. Si, en effet, l'antiquité ecclésiastique a unanimement reconnu à l'apôtre Pierre une telle puissance, c'est en vertu de la promesse du Christ notre Dieu, donnant mission à Pierre de délier ce qui serait lié et de lier ce qui ne le serait pas,

(1) Jaffé-Wattenbach, 333. Lettre du 26 septembre 417.

(2) Jaffé-Wattenbach, 334. Lettre du 29 septembre 417. Cf. Jaffé-Wattenbach, 340 et 341 : ce sont des lettres, en date du 5 mars 418 adressées par Zosime l'une à Patrocle, l'autre au clergé, à la curie et au peuple de Marseille, pour notifier la déposition de Proculus et la nomination de Patrocle comme administrateur apostolique.

(3) Jaffé-Wattenbach, 330. La date de cette lettre est le 21 septembre 417. Une autre lettre de date incertaine (*Ibid.*, 329) l'avait précédée. On se rend compte de l'habileté des Pélagiens en lisant les éloges de Zosime à leur endroit : « Plût à Dieu, écrit-il, que quelques-uns d'entre vous, frères très chers, eût pu assister à la lecture de cette lettre (de Célestius) ! Quelle fut la joie des saints personnages qui étaient là ! Quelle fut leur surprise ! Certains se tenaient à peine de pleurer à la pensée que des hommes d'une foi si intègre avaient pu être calomniés ! »

(4) La lettre du 21 septembre arriva à Carthage le 2 novembre. Le concile se réunit évidemment après cette date, mais on ne peut pas préciser davantage. La chronologie des événements est très embrouillée. On ne retient ici que ce qui a rapport à l'activité du Siège apostolique.

étant entendu qu'une égale mesure de puissance passerait aux évêques qui, par la volonté de Dieu, mériteraient d'hériter de son siège [1]. Cette noble déclaration n'a rien que de traditionnel.

LA « TRACTORIA » DE ZOSIME Il est d'ailleurs à croire que le pape Zosime éprouvait quelque impatience devant la ténacité des évêques africains et qu'il ne fut pas fâché le jour où il crut pouvoir leur faire sentir le poids de son autorité apostolique. Cela ne se produisit pas dans l'affaire des Pélagiens pour laquelle Aurelius de Carthage avait sollicité et obtenu du gouvernement de Ravenne la condamnation solennelle de Pélage, de Célestius et de leurs partisans [2] : faisant contre mauvaise fortune bon cœur, il rédigea un long document, la *Tractoria*, dans lequel il prononçait lui aussi la condamnation des Pélagiens et de leurs doctrines [3]. Mais les occasions ne lui manquèrent pas de prendre sa revanche : l'affaire d'Apiarius vint à point lui fournir un prétexte d'intervention [4].

L'AFFAIRE D'APIARIUS Apiarius était un prêtre de Sicca Veneria qui se faisait remarquer par sa mauvaise conduite. Il finit par causer tant d'ennuis à son évêque, Urbain, que celui-ci l'excommunia. Au lieu d'accepter cette sentence ou, tout au moins, d'observer les règles posées par les canons de l'Église d'Afrique en faisant appel au concile provincial [5], Apiarius s'adressa à Rome. Rien ne pouvait être plus désagréable aux évêques d'Afrique, ni plus agréable à Zosime : le pape accueillit la plainte du prêtre déposé et il le renvoya dans sa patrie « avec un appareil extraordinaire de légats, Faustin, évêque de Potentia en Picenum et deux prêtres de Rome, Philippe et Asellus. Il se fût agi de présider

(1) Jaffé-Wattenbach, 342. Voir le commentaire de cette lettre et spécialement du préambule dans P. Batiffol, *Le catholicisme de saint Augustin*, p. 423-428 ; E. Caspar, *Geschichte des Papttums*, t. I, p. 354-355. La lettre pontificale arriva à Carthage le 29 avril 418. Le 1er mai, se réunit dans cette ville un grand concile qui comptait deux cent quatorze évêques, venus de toutes les parties de l'Afrique. Le concile formule en neuf canons la doctrine catholique sur le péché originel et la nécessité de la grâce.

(2) Cf. *supra*, p. 109.

(3) La *Tractoria* de Zosime n'est pas conservée et nous n'en connaissons pas la date exacte. Il serait intéressant de savoir par quels arguments le pape justifiait son changement d'attitude à l'égard des Pélagiens.

(4) Vers le même temps se produisit une affaire assez analogue sur laquelle nous avons peu de renseignements. Un concile de Byzacène avait condamné un évêque, pour des malversations financières, semble-t-il, et il avait fait appel, pour l'aider à juger la cause, à des experts laïques, à des receveurs d'impôts. L'évêque mécontent s'était adressé à Rome, au lieu d'en appeler au concile plénier d'Afrique. Zosime adressa, le 16 novembre 418 (Jaffé-Wattenbach, 346), une lettre des plus sévères aux évêques de Byzacène. « Je m'étonne, leur dit-il, de voir que vous n'avez aucun respect pour l'éminente dignité de notre titre et que vous ne rendez pas à l'épiscopat l'honneur que vous devriez lui garder. »

(5) Telle était la règle : il était interdit à des prêtres, à des diacres et à des clercs moindres d'appeler outre mer d'une sentence prononcée contre eux par l'évêque. *Cod. canonum ecclesiae africanae*, 125. Cf. le canon 105, qui date du concile de 407. Le problème des appels à Rome avait de tout temps préoccupé l'Église d'Afrique. On se souvient de l'indignation de saint Cyprien contre les Novatiens qui osent s'adresser à la chaire de Pierre.

un concile œcuménique que l'on n'eût pas fait un plus grand déploiement de forces »[1]. Les légats arrivèrent à Carthage, munis d'instructions précises : ils devaient exiger que les évêques africains n'allassent pas trop souvent à la cour, qu'ils pussent appeler à Rome, tandis que les prêtres et diacres excommuniés par leurs évêques feraient appel aux évêques voisins, enfin qu'Urbain de Sicca fût excommunié et même envoyé à Rome s'il ne corrigeait pas les torts qu'il avait eus envers Apiarius. Le pape appuyait ses réclamations relatives aux appels sur les canons de Nicée, dont il joignait le texte aux instructions des légats.

Aurelius de Carthage et ses collègues firent, on le pense bien, un accueil très réservé à ces demandes. Ils se montrèrent prêts à admettre que les voyages des évêques à la cour ne fussent pas trop fréquents et même qu'Urbain de Sicca se montrât bienveillant pour Apiarius, s'il était démontré que sa sévérité avait été injustifiée. Mais sur la question des appels, ils restèrent intransigeants : Zosime avait invoqué les canons de Nicée ; or les canons de Nicée ne réglaient pas la question, mais bien ceux de Sardique qui n'étaient pas reçus en Afrique, tandis qu'ils l'étaient à Rome où ils figuraient à la suite de ceux du grand concile de 325[2]. Les Africains eurent beau jeu de montrer leurs exemplaires du concile de Nicée, de protester de leur respect pour les décisions des trois cent dix-huit Pères et de déclarer que, s'ils consentaient par pure bienveillance à appliquer provisoirement les textes apportés par les légats, il était indispensable de consulter les exemplaires authentiques du concile de 325, tels qu'on les conservait en Orient.

MORT DE ZOSIME

Les choses en étaient là lorsqu'on apprit la mort de Zosime (26 décembre 418). Il ne fut guère regretté. L'Afrique et la Gaule n'étaient pas seules à se plaindre de son humeur ombrageuse et de ses procédés drastiques. A Rome même, au cours de son bref pontificat, il avait réussi à soulever contre lui une partie du clergé. Des plaintes avaient même été envoyées à la cour de Ravenne et il avait répondu en notifiant aux députés une sentence d'excommunication, dont il se réservait d'étendre les effets à tous ses adversaires[3].

(1) L. Duchesne, *Histoire ancienne de l'Église* t. III, p. 243. Philippe fut un des légats de Célestin au concile d'Éphèse en 431.

(2) En dehors de l'Afrique qui avait dès ce moment une collection complète de canons conciliaires, l'Occident était assez mal pourvu de documents canoniques. En 396, saint Ambroise attribue au concile de Nicée un canon dont on ne connaît même pas l'origine (*Epist.*, LXIII, 64). En 397, il se réfère à un canon qu'il dit être de Nicée et qui est en réalité le premier canon de Sardique (*Epist.*, LXIX, 5). Bien que Gratus de Carthage eût assisté au concile de Sardique (cf. *Concil. Sardicense*, can. 8), les Africains, au début du Ve siècle, parlaient de ce concile comme d'une assemblée d'Ariens ; Augustin, *Epist.*, XLIV, 6 ; *Contra Cresconium*, IV, LII.

(3) Jaffé-Wattenbach, 345 (Lettre datée du 3 octobre 418). Cf. E. Caspar, *Geschichte des Papsttums*, t. I, p. 360.

L'ÉLECTION DU NOUVEAU PAPE Des troubles assez graves suivirent la mort du pape. Tandis qu'on enterrait le défunt à Saint-Laurent, son archidiacre, Eulalius, prenait ses mesures pour lui succéder. « La cérémonie funèbre n'était pas terminée qu'il revenait au Latran, escorté de ses collègues en diaconat et de quelques prêtres ; ses partisans occupaient déjà l'église ; ils s'y barricadèrent et acclamèrent le candidat de leur choix. Les autres prêtres, au nombre d'environ soixante-dix, avec la partie de la population qui ne voulait pas d'Eulalius, attendirent au lendemain et s'assemblèrent dans l'église de Théodora. Leurs suffrages se portèrent sur le prêtre Boniface, homme instruit et sage, à qui le pape Innocent avait confié plus d'une fois d'importantes missions à Constantinople. Il était fort âgé et se fit prier pour accepter. Le dimanche venu (29 décembre), chacun des deux partis procéda à l'ordination de son candidat : Eulalius fut consacré au Latran, Boniface à l'église de Marcel. Boniface, après la cérémonie, fut conduit à Saint-Pierre »[1].

INTERVENTION DE LA COUR DE RAVENNE Le préfet de Rome, Symmaque, qui venait d'entrer en fonctions, était un neveu de celui qui avait été naguère en conflit avec saint Ambroise, et, comme son oncle, il était resté païen. Il envoya à la cour de Ravenne la relation des événements, tout en concluant en faveur d'Eulalius[2]. Conformément à ces conclusions, il reçut l'ordre d'éloigner Boniface ; mais celui-ci ne se tint pas pour battu ; il avait à la cour de puissantes protections et il sut les employer. Galla Placidia en particulier se déclara en sa faveur. Bref, le gouvernement reprit l'examen de l'affaire ; il convoqua, pour la juger, un certain nombre d'évêques qui ne purent ou ne voulurent rien conclure, et finalement décida de réunir à Spolète, le 13 juin 419, un grand concile où seraient invités les évêques de Gaule et d'Afrique. En attendant, Eulalius et Boniface devaient être l'un et l'autre écartés de Rome.

DÉSORDRES A ROME Tous ces atermoiements ne faisaient pas l'affaire des Romains. Les fêtes pascales approchaient : il convenait qu'elles fussent présidées par un évêque[3]. Le gouvernement choisit pour cela l'évêque de Spolète, Achillée. En apprenant cette désignation, Eulalius reparut à Rome le 18 mars et regroupa ses partisans, si bien que, lorsqu'Achillée arriva à son tour (20 mars), il trouva la place prise. Les derniers jours du carême furent occupés par des discussions, des querelles et même des émeutes. Débordé, Symmaque ne savait quel

(1) L. DUCHESNE, *Histoire ancienne de l'Église*, t. III, p. 247.
(2) *Collectio Avellana*, XIV.
(3) Le dimanche de Pâques tombait cette année-là le 30 mars.

parti prendre et réclamait à Ravenne des instructions qui finirent par arriver : le préfet avait l'ordre d'expulser Eulalius. Mais celui-ci, prévenu le soir du vendredi saint (28 mars), refusa de partir ; il s'empara de la basilique du Latran et se prépara à y conférer le baptême aux catéchumènes. C'en était trop ; Symmaque agit avec vigueur, reprit l'église à l'envahisseur et la remit à Achillée qui put officier sans nouveaux troubles.

RECONNAISSANCE DE BONIFACE

L'attitude révolutionnaire d'Eulalius avait simplifié la situation, car elle avait révélé son caractère ambitieux et violent : il était évident qu'un tel pontife, surtout après Zosime, n'était pas l'homme qu'il fallait pour apporter la paix. Il fut donc écarté et Boniface fut reconnu par le gouvernement comme le pape légitime. On prévint les évêques que le concile projeté n'aurait pas lieu : Rome fit bon accueil à Boniface [1].

LE PROBLÈME DE LA SUCCESSION PONTIFICALE

Celui-ci cependant était vieux et n'avait pas une très forte santé. Une grave maladie, qu'il fit un an à peine après son ordination, fournit aux anciens amis d'Eulalius une occasion de relever la tête. Inquiet à juste titre de leurs manifestations, Boniface, dès qu'il fut entré en convalescence, adressa une requête à l'empereur Honorius : il lui demandait, au nom de tous les prêtres et de tous les clercs, d'assurer le maintien de la paix en cas de vacance du Siège apostolique [2]. Cette démarche était grave, puisqu'elle semblait remettre l'élection du pape au bon plaisir de l'empereur. Honorius eut la sagesse de l'éluder : il répondit que, si la succession du pape venait à s'ouvrir et qu'une double élection se produisît, les élus seraient écartés l'un et l'autre. Le gouvernement ne reconnaîtrait qu'une élection moralement unanime [3].

LES AFFAIRES AFRICAINES L'AFFAIRE D'APIARIUS

En Afrique, la situation restait grave. car l'affaire d'Apiarius n'était pas encore terminée et les légats romains étaient toujours à Carthage dans l'attente du concile plénier qui devait décider en dernier ressort. Celui-ci se réunit en mai 419 : après que les envoyés du Saint-Siège eurent donné lecture de leurs instructions, on décida de vérifier, sur les exemplaires conservés à Constantinople, à Antioche et

(1) Nous possédons encore dans la *Collectio Avellana*, XIV-XXXVI, toutes les pièces officielles de cette histoire. Galla Placidia ne manqua pas d'intervenir jusqu'au bout en faveur de Boniface. Nous avons trois lettres d'elle, les numéros XXV, XXVII et XXVIII du dossier, adressées à saint Aurelius de Carthage, à saint Augustin d'Hippone, à saint Paulin de Nole, qui témoignent de son attachement à la cause de saint Boniface. Ces lettres portent par erreur le nom d'Honorius, mais leur auteur est certainement Galla Placidia.

(2) JAFFÉ-WATTENBACH, 353. Cette lettre est datée du 1er juillet 420. D'après SEECK (*Regesten*, p. 346), elle serait de 422.

(3) *Collectio Avellana*, XXXVII. La lettre du pape et le rescrit impérial ont trouvé place dans le décret de Gratien, *Dist.*, XCVII, c. 1, 2, cf. *Dist.*, LXXIX, c. 8.

à Alexandrie, le texte exact des canons de Nicée ; puis, selon l'usage, on relut solennellement la collection des précédents conciles africains [1]. On décida enfin qu'Apiarius, après avoir demandé et obtenu le pardon de ses fautes, serait relevé de son excommunication ; toutefois, comme il n'était pas possible de le maintenir dans le clergé de Sicca, on lui donnerait des lettres grâce auxquelles il pourrait être admis ailleurs. Cela fait, on écrivit au pape une lettre un peu sèche qui trahit la mauvaise humeur de ses auteurs : « Nous croyons, y disent les évêques, avec la miséricorde de Dieu, que, Votre Sainteté présidant à l'Église romaine, nous n'aurons plus à souffrir une telle arrogance et que l'on observera désormais à notre égard des procédés que nous ne devrions pas être obligés de réclamer [2] ».

ANTOINE DE FUSSALA

L'affaire d'Apiarius était à peine réglée qu'un nouvel incident vint une fois de plus compliquer les relations du Siège romain avec les églises d'Afrique. Fussala était un gros bourg du diocèse d'Hippone qui n'avait jamais eu d'évêque et qui, jusqu'alors, en avait eu d'autant moins besoin que ses habitants étaient tous donatistes. La grâce de Dieu aidant, ces brebis égarées revinrent à l'unique bercail [3] et saint Augustin résolut de leur donner un pasteur capable de les diriger dans les bonnes voies. Il choisit pour occuper ce poste un de ses prêtres qui savait le punique et il pria le primat de Numidie de venir l'ordonner. Celui-ci accepta de faire ce long voyage ; mais, lorsqu'il fut arrivé à Fussala, le candidat désigné ne voulut plus se laisser consacrer. Très ennuyé de ce contretemps, Augustin proposa alors aux gens de Fussala de recevoir pour évêque un de ses clercs, Antoine, qu'il avait élevé dès son enfance et qui l'avait justement accompagné. Antoine fut accepté, ordonné aussitôt, et il prit la direction de son église.

APPEL D'ANTOINE A ROME

Mais au bout de quelques mois, les fidèles de Fussala ne pouvaient déjà plus supporter leur pasteur : celui-ci s'occupait plus de leurs finances que de leurs âmes, et il profitait de toutes les occasions pour s'enrichir à leurs dépens. Un concile fut assemblé à Hippone. On décida que, vu les faits établis, il n'y avait pas lieu de déposer Antoine de l'épiscopat, mais que sa présence était indésirable à Fussala et qu'il serait condamné à restituer ce qu'il avait pris injustement. Antoine accepta d'abord cette sentence ; puis il se ravisa, se pourvut en appel et saisit de sa plainte le primat de Numidie.

(1) Cette collection des canons africains fut publiée dans les actes du concile. Elle constitue le premier code de ce genre qu'eût possédé une Église occidentale.

(2) *Codex canonum ecclesiae africanae*, 134.

(3) La conversion des gens de Fussala n'avait pas été une petite affaire. Saint Augustin dut y envoyer plusieurs prêtres, dont quelques-uns furent tués, dont d'autres subirent d'indignes traitements. Enfin, à force de peines, on parvint à gagner les schismatiques. Cf. AUGUSTIN, *Epist.*, CCIX. Voir sur cet épisode F. MARTROYE, *Saint Augustin et la compétence de la juridiction ecclésiastique*, dans *Mémoires de la Société des antiquaires de France*, t. LXX, 1911.

On ne sait pourquoi l'affaire fut portée à Rome : il est assez vraisemblable que cette idée vint d'Antoine et que le primat de Numidie se contenta de l'approuver ; en tout cas, il donna au condamné d'Hippone une lettre de recommandation pour le pape ; et celui-ci, sans entendre les accusateurs, renvoya Antoine, absous et réintégré sur son siège. C'était assurément une erreur. Saint Augustin fut très ému de la décision romaine ; il adressa à saint Célestin, qui venait de succéder à saint Boniface, une lettre émouvante, dans laquelle il s'accuse d'avoir été à l'origine de cette lamentable histoire et où il déclare ne pas y trouver d'autre solution que sa propre démission de l'épiscopat, si la sentence romaine est suivie d'effet et si Antoine rentre à Fussala [1]. On ignore comment se termina l'affaire : il est probable que la décision d'Hippone fut confirmée à Rome [2].

AFFAIRES DE GAULE

En Gaule, les choses allèrent plus simplement. Saint Boniface n'avait aucune raison pour maintenir à Patrocle d'Arles l'affectueuse confiance que lui avait témoignée Zosime, et pas davantage pour confirmer les privilèges accordés au siège arlésien. Le siège de Lodève étant venu à vaquer, Patrocle y avait ordonné un évêque de son choix ; mais les gens de Lodève, mécontents, avaient protesté à Rome. Ce fut pour Boniface l'occasion d'intervenir. Il écrivit aussitôt au métropolitain, Hilaire de Narbonne, pour lui dire qu'il est impossible d'ordonner un évêque sans tenir compte des droits du métropolitain et qu'une ordination faite, en dépit de toutes les règles traditionnelles, par quelqu'un qui n'est pas de la province ne saurait être regardée comme valable [3]. Cette lettre est extrêmement habile : elle ne nomme pas Patrocle ; elle ne mentionne pas les privilèges d'Arles ; elle déclare seulement que chaque province doit avoir son métropolitain.

AFFAIRES ILLYRIENNES

Dans l'Illyricum, on l'a vu, les choses étaient réglées d'une autre manière, et, depuis le pontificat de Damase tout au moins, l'évêque de Thessalonique était, dans cette région, le vicaire du pape, chargé officiellement de servir d'intermédiaire entre Rome et tous les évêques de la région. Rufus conserva avec Boniface les relations qu'il avait nouées avec Innocent [4] : l'élection de Périgène à Corinthe lui donna l'occasion de s'adresser à Rome et les réponses du pape témoignent de la régularité des rapports. Elles montrent aussi la pleine conscience qu'a Boniface de son autorité :

Le bienheureux apôtre Pierre à qui, par la voix du Seigneur, fut confiée la forteresse de l'épiscopat, éprouve une immense satisfaction chaque fois qu'il

(1) Saint AUGUSTIN, *Epist.*, CCIX.
(2) TILLEMONT, *Mémoires*, t. XIII, p. 841 ; P. BATIFFOL, *Le catholicisme de saint Augustin*, p. 464.
(3) JAFFÉ-WATTENBACH, 362. Lettre du 9 février 422.
(4) Zosime n'avait pas eu l'occasion d'intervenir dans l'Illyricum. On ne peut pas le regretter,

voit que l'honneur que le Seigneur lui a octroyé a pour gardiens des fils de la paix. Quelle joie plus grande en effet pourrait-il avoir que de constater que les droits de la puissance qu'il a reçue sont respectés ? Toute consultation adressée (à Rome) sur quelque affaire que ce soit, par les uns ou par les autres, requiert un fondement inébranlable, et c'est ce fondement que trouve toute consultation adressée au Siège établi sur la dignité de la pierre spirituelle [1].

RESCRIT DE THÉODOSE II Il était utile que saint Boniface revendiquât ainsi les droits du Siège apostolique, car ces droits allaient être contestés par l'empereur d'Orient, Théodose II. Le 14 juillet 421 en effet, celui-ci publia un rescrit adressé au préfet du prétoire d'Illyricum, par lequel il déclarait que, conformément aux vieux canons, les provinces illyriennes ne devaient être gouvernées que par leurs propres évêques, réserve faite des droits de Constantinople qui jouit des pérogatives de la vieille Rome [2]. Le pape intervint énergiquement. Il s'adressa à l'empereur Honorius et celui-ci obtint de Théodose le retrait de la malencontreuse mesure [3]. Après quoi il écrivit à Rufus de Thessalonique pour confirmer son mandat [4]. D'autres lettres aux évêques de Thessalie [5], aux évêques des diverses provinces de l'Illyricum [6] expriment la volonté de Rome de ne rien céder de ses droits. Ce langage énergique fut compris en haut lieu. Le vicariat de Thessalonique fut maintenu.

SAINT CÉLESTIN Ier Peu de temps avait suffi à l'énergique pontife pour rétablir partout la situation du Siège romain. Malheureusement saint Boniface mourut le 4 septembre 422. Il fut remplacé par le diacre Célestin, qui continua son œuvre. En Gaule, l'activité de saint Célestin se manifesta surtout par la lettre du 25 juillet 428 aux évêques de Viennoise et de Narbonnaise, lettre dans laquelle il résout divers cas particuliers, au nom de l'autorité spéciale de son siège [7]. Dans l'Illyricum, une lettre de 424, adressée à neuf évêques illyriens, atteste que les pouvoirs de l'évêque de Thessalonique restent intacts [8]. Il n'y a rien là que de normal, et nulle affaire importante ne vient troubler l'ordre.

(1) Jaffé-Wattenbach, 350.
(2) *Cod. Theodos.*, XVI, ii, 45.
(3) Coustant, *Epistolae romanorum pontificum*, p. 1029 et suiv. L'authenticité de la lettre d'Honorius à Théodose et de la réponse de Théodose avait été contestée par Mommsen. Elle est défendue par L. Duchesne, *Églises séparées*, p. 253-255, 275-279.
(4) Jaffé-Wattenbach, 363 (Lettre du 11 mars 422).
(5) Jaffé-Wattenbach, 364.
(6) Jaffé-Wattenbach, 365. Sur tous ces événements, cf. P. Batiffol, *Le siège apostolique*, p. 254-265. Il faut signaler que dans ces lettres saint Boniface s'appuie — ce qui est nouveau — sur le concile de Nicée pour fonder la primauté du siège romain.
(7) Jaffé-Wattenbach, 369 (lettre du 26 juillet 428). Célestin rappelle entre autres choses que chaque province doit avoir son métropolitain et qu'aucun métropolitain n'a le droit d'entreprendre sur des provinces qui ne sont pas la sienne. Il n'est plus question des privilèges concédés à Patrocle. Celui-ci avait été assassiné en 426, par le *magister militum* Félix (Prosper, *Chronicon*, a. 426).
(8) Jaffé-Wattenbach, 366.

EN AFRIQUE : L'AFFAIRE D'APIARIUS

En Afrique au contraire, l'affaire d'Apiarius rebondit. Chassé de Sicca Veneria, Apiarius a trouvé un refuge à Tabraca ; mais il s'y est conduit encore plus mal qu'à Sicca, si bien qu'il a fallu l'excommunier à nouveau. Il connaît le chemin de Rome ; il n'hésite pas à le reprendre, puisqu'il a déjà obtenu gain de cause auprès du pape, et malheureusement le pape consent à l'entendre. Bien plus, il le renvoie en Afrique avec ce même légat Faustin de Potentia, dont le concile de 419 avait eu si fort à se plaindre [1]. L'évêque de Carthage recommence, en concile plénier, l'examen de la cause : les plaintes des habitants de Tabraca sont produites, accablantes pour le prévenu, ce qui n'empêche pas Faustin de le prendre de haut, de parler des prérogatives de l'Église romaine, d'exiger la réintégration d'Apiarius. Au bout de trois jours de discussion, se produit un coup de théâtre : Apiarius s'effondre et avoue ses forfaits, si énormes que le légat est obligé de l'abandonner. La cause est désormais jugée. Il ne reste plus aux évêques qu'à envoyer à Célestin les actes de leur concile. Cet envoi est accompagné d'une lettre [2], « où le pape est exhorté à ne plus admettre avec tant de facilité les plaignants venus d'Afrique, d'autant plus que les décrets de Nicée prescrivent aux évêques de respecter les sentences de leurs collègues et veulent que les procès ecclésiastiques soient terminés sur les lieux. Aucun concile authentique n'autorise le pape à envoyer des légats comme il l'a fait ; les canons allégués à cette fin ne sont pas des canons de Nicée, les enquêtes l'ont bien prouvé [3]. Dans l'Église du Christ, il faut agir avec simplicité et humilité, sans recourir aux procédés arrogants du siècle [4]. »

Les controverses africaines se trouvèrent ainsi terminées. Peu d'années après, l'Afrique romaine tombait entre les mains des Vandales et ceux-ci, qui étaient ariens, inauguraient contre les catholiques une longue persécution [5]. D'ailleurs les graves événements qui se produisirent en Orient à dater de 428 suffirent à retenir le meilleur de l'attention de Célestin et celle de son successeur Sixte III.

(1) Faustin avait été précédé à Carthage par le prêtre Léon qui y apporta une lettre du pape Célestin (JAFFÉ-WATTENBACH, 367). Celui-ci y exprimait toute la joie que lui avait causée l'arrivée d'Apiarius à Rome : c'était une confiance exagérée.

(2) *Codex canonum ecclesiae africanae*, 138. Cette lettre est le seul document qui nous renseigne sur la fin de l'histoire d'Apiarius. Les événements semblent avoir eu lieu en 426.

(3) Ainsi qu'on l'avait promis, on avait envoyé de Carthage des lettres en Orient ; c'est-à-dire tout au moins à Alexandrie et à Constantinople, pour faire effectuer les recherches nécessaires à propos des canons de Nicée. Ces recherches avaient abouti à des conclusions qui confirmaient les vues des évêques africains ; cf. *Codex canon. eccl. afric.*, 135 et 136.

(4) L. DUCHESNE, *Histoire ancienne de l'Église*, t. III, p. 255-256. Cf. P. BATIFFOL, *Le catholicisme de saint Augustin*, p. 464-472. Il est remarquable que cette lettre, si sévère pour le siège romain, ne porte pas en tête les noms d'Augustin et d'Alypius. Elle est souscrite par Aurelius de Carthage et par quatorze évêques à peu près inconnus. Il est probable qu'Augustin et Alypius n'ont pas assisté au concile de cette année-là.

(5) Cf. *supra*, p. 89.

LA CONTROVERSE NESTORIENNE Il n'est pas nécessaire de revenir longuement ici sur l'attitude de saint Célestin dans la controverse nestorienne. Dès l'élection de Nestorius, les évêques qui avaient pris part à son ordination avaient écrit au pape pour la lui annoncer [1]. Nestorius lui-même s'était hâté de demander à Rome des instructions sur la conduite à tenir à l'égard des évêques pélagiens réfugiés à Constantinople [2]. Mais Célestin n'avait pas tardé à apprendre les théories étranges que soutenait le patriarche [3]. Le concile, réuni à Rome au début d'août 430, chargea Cyrille d'Alexandrie d'instrumenter contre Nestorius au nom du pape et de le déposer s'il n'obtenait pas sa soumission [4].

SAINT SIXTE III Ce fut dans ces conditions que se réunit le concile d'Éphèse. Son œuvre fut approuvée par le pape et les lettres, adressées par saint Célestin le 15 mars 432 aux évêques, à l'empereur Théodose, à Maximien de Constantinople, au clergé de cette ville, montrent bien ses sentiments à l'égard de Nestorius et du concile [5]. Ces lettres sont parmi les dernières qu'ait écrites Célestin : le 27 juillet 432, le pape entrait dans son éternité et il était remplacé par un prêtre romain, Sixte, qui avait naguère paru témoigner quelque sympathie aux Pélagiens de la capitale, mais qui avait aussi compté au nombre des correspondants de saint Augustin. Ce fut lui qui présida à la réconciliation de Cyrille d'Alexandrie et de Jean d'Antioche [6].

Entre Rome et toutes les églises d'Orient, la paix fut complète, du jour où fut signé l'édit d'union. A peine fut-elle troublée par un nuage en 437, à la suite d'un concile tenu à Constantinople et qui avait voulu toucher aux droits du Saint-Siège dans l'Illyricum, à ceux de l'évêque d'Antioche en Orient. Sixte se hâta d'informer les évêques illyriens qu'ils devaient continuer à soumettre tous leurs différends à l'évêque de Thessalonique, comme au vicaire du Siège apostolique [7], et d'écrire à Proclus de Constantinople pour lui rappeler qu'il ne devait pas accueillir ceux de ces évêques qui se présenteraient à lui sans une lettre du pape [8]. Quant au cas de l'évêque de

(1) JAFFÉ-WATTENBACH, 374.

(2) NESTORIUS, *Epist.* Fraternas dans F. LOOFS, *Nestoriana*, p. 165-158 ; ID., *Epist.* Saepe, *ibid.*, p. 170-172.

(3) Les sept livres de Cassien *De incarnatione Christi contra Nestorium* datent du premier semestre de 430. Ils ont été demandés à l'auteur par le diacre romain Léon, et il est moralement certain que celui-ci a agi au nom du pape. Cf. E. SCHWARTZ, *Cassian und Nestorius*, p. 2, et *supra*, p. 171.

(4) Le 11 août, Célestin écrivit à Cyrille d'Alexandrie, à Jean d'Antioche, à Juvénal de Jérusalem, à Rufus de Thessalonique, à Flavien de Philippes en Macédoine, à Nestorius, au clergé de Constantinople (JAFFÉ-WATTENBACH, 372-375). Le nombre de ces lettres montre assez l'importance qu'on attachait à Rome aux doctrines nestoriennes. Cf. *supra*, p. 196.

(5) JAFFÉ-WATTENBACH, 385-388. Ces lettres sont datées du 15 mars 432 (Cf. *supra*, p. 191, n. 2).

(6) Voir les lettres adressées par Sixte III, le 19 septembre 433, à saint Cyrille et à Jean (JAFFÉ-WATTENBACH, 391-392). Ces lettres mettent en vive lumière l'autorité du Siège apostolique.

(7) JAFFÉ-WATTENBACH, 396 (lettre du 18 décembre 437). Cf. J. ZEILLER, *Les origines chrétiennes dans les provinces danubiennes de l'empire romain*, p. 371-372.

(8) JAFFÉ-WATTENBACH, 395.

Smyrne, Iddua, qui a fait appel à Rome d'une sentence rendue contre lui à Constantinople, le pape décide que cette sentence restera valable ; mais on voit qu'il n'a pas refusé d'accueillir l'appel du condamné.

Sixte III mourut le 19 août 440. Son pontificat a été un temps de trêve en Orient et d'entente entre Rome et l'Orient. Sans avoir été marqué par aucun événement important, il a ajouté un nouveau chaînon à la tradition romaine que saint Léon va désormais poursuivre avec tant d'éclat.

§ 3. — Saint Léon le Grand (440-461).

SAINT LÉON LE GRAND

Saint Léon a mérité le nom de Grand. Son pontificat est en effet l'un des plus glorieux comme il a été l'un des plus longs dans l'antiquité chrétienne. Selon le *Liber Pontificalis*, il était originaire de Toscane, mais il a dû entrer fort jeune dans les rangs du clergé romain et, en 430, il y exerçait déjà une influence considérable : ce fut lui qui sollicita de Cassien la rédaction de son ouvrage sur l'Incarnation ; un peu plus tard, en 431, saint Cyrille d'Alexandrie lui écrivit personnellement [1]. Sa situation ne fit que grandir : en 440, il fut envoyé dans les Gaules à la suggestion de la cour de Ravenne pour mettre fin au conflit qui opposait le patrice Aétius et le préfet du prétoire Albinus [2]. Il était en Gaule lors de la mort de Sixte III : l'Église romaine ne crut pas pouvoir choisir un meilleur pontife que le diacre qui s'était révélé aussi sûr théologien que fin diplomate. Léon fut élu et, dès son retour, il reçut la consécration épiscopale (29 septembre 440).

LA PAPAUTÉ SELON SAINT LÉON

L'homme qui montait ainsi sur le trône de saint Pierre avait de sa mission la plus haute idée. La papauté, à ses yeux, est le centre même de l'Église :

> La solidité de la foi qui a été louée (par le Christ) dans le prince des Apôtres est perpétuelle, et de même que demeure ce que Pierre a cru du Christ, ainsi demeure ce que le Christ a institué dans la personne de Pierre... Le bienheureux Pierre persévère dans la solidité de pierre qu'il a reçue et il n'abandonne pas le gouvernail de l'Église qui lui fut mis en mains... Présentement, il remplit sa mission avec plus de plénitude et de puissance ; tout ce qui est des offices et des soins qui lui incombent, il l'exécute en celui et avec celui par qui il a été glorifié. Si quelque chose est faite ou décidée par nous droitement, si quelque chose est obtenue de la miséricorde de Dieu par nos supplications quotidiennes, on le doit aux œuvres et aux mérites de celui dont vit la puissance et excelle l'autorité sur son siège [3].

Chaque évêque a sans doute le devoir de commander à son troupeau

(1) Saint Léon, *Epist.*, cxix, 4.
(3) Prosper, *Chronicon*, a. 441.
(3) Saint Léon, *Sermo*, iii, 2 et 3. Cf. P. Batiffol, *Le Siège apostolique*, p. 418-432 ; E. Caspar, *Geschichte des Papsttums*, t. I, p. 423 et suiv.

avec une spéciale sollicitude. Mais le pape a mission de veiller sur tout le troupeau du Sauveur, et, lorsque du monde entier on accourt vers lui pour solliciter ses conseils ou recevoir ses ordres, on attend de lui qu'il exerce ses fonctions avec cet amour de l'Église universelle dont le Christ a fait un devoir à l'apôtre [1]. Cette doctrine n'est certes pas nouvelle ; mais saint Léon trouve pour l'exprimer des phrases d'une merveilleuse plénitude. Ce parfait romain a le sens du gouvernement ; il a aussi celui des formules équilibrées et harmonieuses. Et ce qui vaut mieux que tout, il agit comme il parle, comme il pense, en chef.

A ROME : LES MANICHÉENS Son autorité s'exerce d'abord en Italie. A Rome, il n'a guère à s'occuper que des Manichéens. Ceux-ci sont encore nombreux dans la capitale où ils forment une secte secrète, d'autant plus dangereuse qu'elle est plus difficile à atteindre. Saint Léon doit multiplier les avertissements et n'hésite pas à entamer une procédure en règle : tous ceux qui sont convaincus sont condamnés à l'exil perpétuel par les magistrats [2].

EN ITALIE Dans le reste de la péninsule, qu'il s'agisse du ressort métropolitain de Rome ou des provinces plus éloignées, l'action de saint Léon est aussi continue que pressante : les moindres incidents l'intéressent ; il s'occupe des conditions à exiger des candidats à l'épiscopat [3], de l'administration des biens ecclésiastiques [4], de la date des baptêmes [5] ; il apporte une solution aux problèmes soulevés par l'invasion hunnique [6] et à bien d'autres encore. Tempérant l'autorité par la charité et par le respect dû à la dignité épiscopale de ses correspondants, il répond à toutes les questions. Impossible sous un tel chef d'ignorer la conduite à tenir ; impossible aussi de ne pas se soumettre à ses décisions.

DANS LES PROVINCES Dans ce qui reste de l'Empire d'Occident, si l'on peut employer cette expression, ou plus exactement dans les provinces qui en ont fait autrefois partie, saint Léon fait preuve de la même activité généreuse au service de l'Église. Son pontificat correspond à une des périodes les plus troublées, les plus tristes

(1) Saint Léon, *Sermo*, v, 2.

(2) Les documents capitaux ont deux lettres, l'une du 30 janvier 444 (Jaffé-Wattenbach, 405) à tous les évêques d'Italie, l'autre du 21 juillet 447 (*Ibid.*, 412). Mais saint Léon revient très souvent dans ses sermons sur les Manichéens dont il ne cesse pas de dénoncer les immoralités, la propagande secrète, le culte éhonté ; cf. *Sermo*, ix, 4 ; xvi, 4-5. Un rescrit de Valentinien III en date du 19 juin 445 sanctionna l'action entreprise par saint Léon.

(3) Jaffé-Wattenbach, 402 (lettre aux évêques de Campanie, Picenum, Toscane, du 10 octobre 443).

(4) Jaffé-Wattenbach, 415 (lettre aux évêques de Sicile, du 21 octobre 447).

(5) Jaffé-Wattenbach, 414 (lettre aux évêques de Sicile, du 21 octobre 447). Cf. *ibid.*, 459 (lettre aux évêques de Campanie, Samnium et Picenum, du 6 mars 459).

(6) Jaffé-Wattenbach, 536 (lettre à Nicétas d'Aquilée du 21 mars 458).

de l'histoire politique. Il y a encore quelque part, à Ravenne ou à Rome, des fantoches qui prennent ou qui reçoivent le titre impérial, mais les Barbares sont partout les maîtres et leurs bandes ravagent les pays qu'elles traversent en attendant qu'elles s'y installent et s'y organisent [1]. Seule ou presque seule des institutions anciennes, l'Église conserve sa vitalité ; mais son œuvre est rendue de plus en plus difficile par les conditions dans lesquelles elle doit désormais s'exercer [2].

EN GAULE : SAINT HILAIRE D'ARLES

En Gaule, les Burgondes sont, depuis 413, installés sur la rive gauche du Rhin ; les Goths, revenus d'Espagne, possèdent toute l'Aquitaine maritime, de la Loire aux Pyrénées, avec Toulouse pour capitale. Arles, où réside le préfet des Gaules, est le centre de tout ce qui demeure encore soumis, au moins nominalement, à l'autorité romaine. Comme toutes les capitales politiques, cette ville tend à jouer le rôle de capitale religieuse, et la mort de Patrocle n'a pas suffi à entraver l'activité de ses évêques. A saint Honorat, le vénéré fondateur de Lérins (426-429), a succédé saint Hilaire (429-449), et celui-ci est un homme entreprenant qui ne recule devant aucune fatigue, lorsque le bien de l'Église lui paraît en jeu. Les droits mêmes de ses collègues lui semblent négligeables en pareil cas. Il préside à Orange (441) et à Vaison (442) des conciles où assistent les évêques de Vienne et de Lyon, ainsi que plusieurs évêques des deux Narbonnaises et des Alpes-Maritimes [3]. Bien plus, toujours en route, à l'image de saint Martin, il parcourt la Gaule pour y redresser des torts vrais ou imaginaires. A Besançon, il fait déposer par un concile l'évêque Chélidonius pour des irrégularités supposées ; ailleurs il remplace un évêque malade et qu'il avait cru mort par un homme de son choix, et il se trouve bien embarrassé lorsque le malade guérit contre toute espérance. Naturellement ces procédés ne sont pas du goût de tout le monde. Les plaintes affluent à Rome contre le saint évêque d'Arles, et, lorsque celui-ci s'y présente en personne, il trouve saint Léon assez mal disposé à son égard. De fait, Chélidonius est rétabli à Besançon et saint Hilaire se voit interdire désormais toute tentative d'établir une primatie quelconque en faveur de son siège. Une lettre du pape aux évêques de Viennoise [4], après avoir rappelé les droits souverains de l'Église romaine et

(1) Cf. F. Lot, Chr. Pfister, F. L. Ganshof, *Les destinées de l'empire en Occident de 395 à 888*, p. 52-100.

(2) L'autorité de saint Léon eut à plusieurs reprises l'occasion de se manifester en face des Barbares. Lorsque, en 452, Attila envahit l'Italie à la tête de ses hordes, le pape fit partie de la délégation qui alla le trouver près de Mantoue, pour lui soumettre des propositions de paix. On sait qu'Attila ne poursuivit pas sa marche en avant et consentit à évacuer l'Italie moyennant le paiement d'un tribut annuel. La légende s'est emparée de la légation de saint Léon auprès de lui et l'a complètement transformée. Lorsqu'en 455 les Vandales s'emparèrent de Rome, saint Léon intervint encore auprès d'eux ; il obtint de Genséric que ses troupes s'abstiendraient de tuer et d'incendier.

(3) Cf. L. Duchesne, *Fastes épiscopaux de l'ancienne Gaule*, t. I, p. 367-369.

(4) Jaffé-Wattenbach, 470.

les droits tout autant respectables des métropolitains, fait défense à Hilaire de réunir des conciles en dehors de sa province ou même d'admettre aux conciles provinciaux des évêques étrangers, retire à sa juridiction les suffragants qui dépendent de la Viennoise, lui interdit de prendre part à aucune élection épiscopale, et déclare en finissant qu'il devra s'estimer bien heureux de n'être pas plus gravement châtié de ses usurpations.

RAVENNIUS D'ARLES Saint Hilaire était un véritable saint : il accepta les décisions prises par saint Léon et confirmées par une constitution de Valentien III du 8 juillet 445 [1] : il ne sortit plus de son évêché. Lorsqu'il mourut en 449, il fut remplacé par Ravennius, dont l'élection fut accueillie à Rome avec une grande joie [2]. Mais lorsque, dès 450, dix-neuf évêques de Viennoise, de Narbonnaise seconde, des Alpes-Maritimes sollicitèrent du pape la restauration de la primatie d'Arles [3], leur demande ne fut pas agréée. Elle portait trop évidemment atteinte aux droits métropolitains de Vienne : saint Léon décida que toutes choses resteraient en l'état [4]. Il pouvait cependant être commode au pape d'avoir en Gaule un mandataire : aussi, au moment même où il rejette les prétentions d'Arles à la primatie, il charge Ravennius de communiquer à tous ses collègues gaulois le tome à Flavien et d'obtenir leur signature pour ce document [5]. Ravennius exécuta sa mission : il put renvoyer à Rome la lettre à Flavien souscrite par quarante-quatre évêques de la Viennoise, des deux Narbonnaises et des Alpes-Maritimes [6].

EN ESPAGNE L'Espagne tout entière est sous la domination des Goths ariens. Raison de plus, pensent ses évêques, pour se tourner vers le Siège romain, lorsque surgissent des problèmes compliqués. C'est ainsi que Turribius, évêque d'Astorga en Galice, est amené à informer saint Léon d'un renouveau de l'hérésie priscillianiste et à lui demander son secours. La réponse du pape [7] est datée du 21 juillet 447 : quinze articles résument et condamnent les erreurs en question, tandis qu'un seizième interdit la lecture et la propagation des écrits de Dictinius, jadis évêque d'Astorga. Mais la solution des difficultés pratiques échappe au pontife : il est trop loin, il est trop incomplètement

(1) *Inter* S. LEONIS *epistulas*, XI. On verra sur tous ces incidents les interprétations plus ou moins tendancieuses de E. BABUT, *Le concile de Turin*, p. 175 et suiv., et les remarques de L. DUCHESNE, *Le concile de Turin*, dans *Revue historique*, t. LXXXVII, 1905, p. 292 et suiv.
(2) JAFFÉ-WATTENBACH, 434 et 435 (lettres du 22 août 449).
(3) *Inter* S. LEONIS *epistulas*, LXV.
(4) JAFFÉ-WATTENBACH, 450 (lettre du 5 mai 450).
(5) JAFFÉ-WATTENBACH, 451.
(6) *Inter* S. LEONIS *epistulas*, XCIX. La réponse des évêques gaulois se fit attendre jusqu'à la fin de 451. Nous ignorons d'ailleurs les causes de ce retard, bien que les signataires expliquent qu'ayant dû se réunir en concile, ils n'ont pu le faire aussi vite qu'ils l'auraient voulu. Dans sa réponse, datée du 27 janvier 452 (JAFFÉ-WATTENBACH, 480), saint Léon ne cacha pas qu'il aurait désiré une réponse plus prompte, afin de pouvoir la confier à ses légats au concile de Chalcédoine.
(7) JAFFÉ-WATTENBACH, 412.

renseigné. Il faudrait qu'un concile général réunît les évêques des provinces de Tarragone, de Carthagène, de Lusitanie et de Galice ou, à son défaut, qu'un concile galicien pût s'assembler. Sur place seulement, on est capable de prendre les décisions qui s'imposent d'une manière opportune. En fait, le concile désiré ne put se tenir. On dut se contenter de dresser un formulaire de la foi catholique, que signèrent les évêques de Tarraconaise, de Lusitanie, de Bétique et de Carthaginoise [1].

EN AFRIQUE En Afrique, la situation n'est pas meilleure. Sans doute un traité de 442 a reconnu à Genséric et aux Vandales la possession de la Proconsulaire, de la Byzacène, et d'une partie de la Numidie, tandis que les Romains conservent le reste de la Numidie et les Mauritanies. Mais, dès 455, ce traité est devenu caduc et toute l'Afrique tombe entre les mains des Vandales. Cependant, entre 442 et 455, saint Léon correspond avec les provinces restées romaines, et ses lettres témoignent de l'autorité absolue du Siège romain. Naguère, on l'a vu, les évêques africains parlaient fièrement à Rome ; ils revendiquaient leur autonomie ou tout au moins le respect dû à leur nombre, à leur organisation, à leurs conciles généraux ou provinciaux, à leur remarquable collection de canons. Tout cela n'est plus qu'un souvenir. Carthage est entre les mains des Vandales et de 457, date de la mort de Deogratias, à 481, où Eugène peut être élu sur le siège de saint Cyprien, elle n'a plus d'évêque catholique. Au milieu des ruines, seul le Siège de saint Pierre reste debout ; il est naturel que ce soit vers lui que se tournent les évêques africains aussi longtemps qu'ils le peuvent et que le pape de son côté réponde à leurs questions avec une précision que les circonstances antérieures ne lui avaient pas toujours permise : « Rome, lit-on dans une lettre adressée le 10 août 446 aux évêques de la Maurétanie Césarienne [2], donne des solutions aux cas qu'on lui a soumis ; ces solutions sont des sentences et Rome pour l'avenir édicte des sanctions [3] ».

DANS L'ILLYRICUM Dans l'Illyricum, où le droit est clairement fixé, saint Léon n'a rien à changer à ce qu'ont réglé ses prédécesseurs. Il a là-bas un vicaire sur qui il croit pouvoir compter, l'évêque de Thessalonique. Il se contente de lui renouveler sa délégation [4]

(1) IDACE (*Chronic.*, p. 882) ajoute que les évêques galiciens qui signèrent la formule n'étaient pas tous de bonne foi. Ainsi le priscillianisme faisait des ravages jusque dans l'épiscopat, et l'hérésie occulte s'ajoutait à tous les autres maux de l'Église.

(2) JAFFÉ-WATTENBACH, 410. Il s'agit entre autres d'évêques qui ont été ordonnés sans passer par tous les degrés de la hiérarchie ou qui avaient été mariés deux fois ; d'un évêque novatien qui s'était converti avec tout son troupeau, de deux évêques dont l'épiscopat a été troublé par des séditions, enfin d'un évêque qui en a appelé à Rome après avoir été excommunié par ses collègues d'Afrique.

(3) P. BATIFFOL, *Le siège apostolique*, p. 480.

(4) JAFFÉ-WATTENBACH, 404 (lettre du 12 janvier 444, à Anastase de Thessalonique). Cf. JAFFÉ-

et de préciser l'étendue de ses pouvoirs, tout en lui recommandant d'en user avec modération et humilité [1]. Il arrive toutefois que l'évêque de Thessalonique ait la main un peu dure, et saint Léon est obligé de rappeler à Anastase, qui occupe alors le siège, la charité qu'il doit garder à l'égard de ses collègues : ne l'a-t-on pas vu un jour obliger un de ses frères, Atticus de Nicopolis, vieux et malade, à se mettre en route au milieu de l'hiver, au prix de fatigues et de privations telles que plusieurs de ses compagnons sont morts en route [2] ? Une telle attitude est évidemment inacceptable, et tous les droits du monde ne prescrivent pas le devoir de douceur et de bonté. On sent pourtant, à divers indices, que l'autorité romaine, si bienveillante qu'elle se montre, pèse un peu lourd à certains évêques de l'Illyricum et que ceux-ci regardent de plus en plus vers Constantinople. L'Orient exerce sur eux une attraction qui finira par devenir irrésistible.

EN ORIENT

C'est de l'Orient que viennent d'ailleurs à saint Léon les plus graves difficultés, des difficultés telles qu'il ne parviendra pas, semble-t-il, à les vaincre et qu'il mourra sans avoir résolu les problèmes soulevés par les prétentions du patriarcat de Constantinople [3].

ALEXANDRIE ET ANTIOCHE

Les premières relations de saint Léon avec les patriarches orientaux sont courtoises et ne trahissent aucune gêne. Lors de son élection au siège d'Alexandrie, Dioscore écrit au pape pour lui en donner la nouvelle, et celui-ci répond en exprimant à Dioscore l'estime qu'il fait de ses mérites et l'affection qu'il a pour lui ; il profite de l'occasion pour lui rappeler quelques usages romains qu'il serait heureux de voir suivre à Alexandrie [4]. Domnus, qui est évêque d'Antioche depuis 441, n'a pas à écrire à Rome : nous ne voyons pas non plus qu'il l'ait fait ; pour n'être pas suivies, les relations n'en existent pas moins entre les deux églises occupées jadis par l'apôtre Pierre. C'est évidemment du côté de Constantinople que l'on pourrait craindre des conflits. Mais ici encore, rien, au début, ne trouble la paix.

CONSTANTINOPLE

La première lettre qui soit adressée à Constantinople par saint Léon, tout au moins à notre connaissance, a pour destinataire le moine Eutychès [5]. Celui-ci a averti le pape que l'hérésie nestorienne est en passe de refleurir grâce aux menées de quelques-uns, et saint Léon, tout en le félicitant de son zèle, l'assure que le

Wattenbach, 403 (lettre de la même date, aux métropolitains de l'Illyricum). On verra aussi la lettre 411 du début de 446 à Anastase. Elle confirme les précédentes.

(1) Jaffé-Wattenbach, 403, 411.

(2) Jaffé-Wattenbach, 411.

(3) Cf. *supra*, p. 238.

(4) Jaffé-Wattenbach, 406 (lettre du 21 juillet 444, du 21 juin 445, selon Seeck, *Regesten*, p. 374).

(5) Jaffé-Wattenbach, 418 (lettre du 1er juin 448). Cf. *supra*, p. 215.

Siège apostolique avisera lorsqu'il sera mieux informé [1]. Quelque temps après, Eutychès est officiellement dénoncé et condamné. Il envoie une nouvelle lettre au pape et la fait accompagner d'une recommandation de l'empereur [2]. Surpris du silence prolongé de Flavien, le pape lui adresse des remontrances : n'est-ce pas lui qui doit veiller sur l'intégrité de la foi et ne devait-il pas faire parvenir à Rome les actes du concile qui a déposé l'archimandrite [3] ?

ATTITUDE DE SAINT LÉON A L'ÉGARD DU CONCILE D'EPHESE

Dès lors, les événements se précipitent. Théodose convoque le concile général. Le pape envoie à Flavien une lettre dans laquelle il exprime la doctrine catholique ; il accepte de se faire représenter au futur concile. Mais le concile espéré se transforme en « brigandage ». Tout est à reprendre dès le début. Flavien de Constantinople, Eusèbe de Dorylée, Théodoret déchu en appellent des sentences d'Eusèbe au tribunal du pape. Chacun s'exprime d'une manière différente, selon son tempérament, son caractère, sa formation théologique [4], mais au fond les trois victimes de Dioscore expriment une même foi et une même confiance, et l'on ne peut s'empêcher de souligner l'unanimité avec laquelle les Orientaux, si habitués à se passer de Rome lorsqu'ils n'ont pas besoin d'elle, se hâtent d'y recourir dès que la mauvaise fortune vient les atteindre [5].

LE CONCILE DE CHALCÉDOINE

Le concile de Chalcédoine marque, du point de vue dogmatique, le triomphe de la papauté : le tome de Léon à Flavien y est acclamé par tous les évêques. Il n'en va pas de même du point de vue disciplinaire, et le 28e canon fait couler des flots d'encre ; bien plus, il creuse entre l'Orient et l'Occident un fossé qui désormais ne sera plus comblé. A vrai dire, ce canon n'innove pas, car il se borne à consacrer et à préciser le troisième canon du concile de Constantinople en 381 [6]. Mais, dès les premiers instants, il soulève de la part des légats romains les réserves les plus expresses.

(1) On voit par là que les évêques d'Orient n'ont pas encore écrit à Rome. Eutychès prend les devants, mais le pape lui laisse entendre que cela ne le regarde pas et qu'il doit attendre des renseignements officiels.

(2) *Inter* S. Leonis *epistulas*, xxi. Cf. Jaffé-Wattenbach (lettre du 18 février 449 à l'empereur Théodose II),

(3) Jaffé-Wattenbach, 420 (lettre du 18 février 449).

(4) Cf. surtout Théodoret, *Epist.*, cxiii. Cette lettre est à compléter par celles que l'évêque de Cyr a adressées au légat René (*Epist.*, cxvi) et à l'archidiacre de Rome (*Epist.*, cxvii).

(5) Qu'on se rappelle par exemple la lettre d'Euthérius de Tyane et d'Helladius de Tarse à saint Célestin en 433. Cf. *supra*, p. 200.

(6) Cf. *supra*, p. 238.

RÉSISTANCE DE SAINT LÉON AU 28e CANON

C'est en vain que, dans leur synodale, les évêques s'efforcent de justifier leur initiative, de souligner le respect qu'ils portent au pape, de le prier humblement de confirmer le canon litigieux [1]. Saint Léon reste inflexible, bien que Julien de Cos lui conseille une transaction. Pour appuyer sa résistance, il fait valoir que le canon de Chalcédoine viole les droits établis d'Alexandrie et d'Antioche ; il essaie ainsi de s'appuyer sur les patriarches orientaux pour défendre la dignité de son siège en même temps que la leur ; et cet argument ne serait pas sans valeur, si les évêques d'Alexandrie et d'Antioche voulaient lui prêter main forte ; seulement ceux-ci ne bougent pas, et ils acceptent comme une coutume établie la primauté de Constantinople en Orient [2].

APRÈS LE CONCILE DE CHALCÉDOINE

Les dernières années de saint Léon révèlent trop nettement le caractère difficile des relations que la papauté peut désormais entretenir avec l'Orient. L'unité chrétienne n'est pas rompue, mais elle tient à bien peu de choses. A Alexandrie, les monophysites sont les plus nombreux : l'appui que saint Léon accorde à Protérius n'empêche pas le malheureux évêque d'être assassiné, dès que Marcien n'est plus là pour le défendre, et Timothée Salofaciol, son successeur, n'a qu'une autorité nominale [3]. A Antioche, Maxime est en rapport avec saint Léon, mais son successeur Basile ne daigne pas écrire au pape pour l'informer de sa consécration, et il faut que ce soit ce dernier qui prenne les devants [4]. Avec Constantinople seulement les relations sont organisées, grâce surtout à la présence en cette ville de Julien de Cos qui renseigne le pape ; mais elles sont loin d'être cordiales, surtout après la mort de Marcien, et saint Léon a beau multiplier les démarches auprès du nouvel empereur Léon [5], auprès d'Anatole [6] : il n'en reçoit que des réponses évasives, lorsqu'on daigne lui répondre.

(1) *Inter* S. Leonis *epistulas, Epist.*, xcviii. L'empereur Marcien appuie la demande des évêques dans une lettre du 18 décembre 451 (*ibid.*, *Epist.*, c). Anatole de Constantinople fait de même (*ibid.*, *Epist.*, ci).

(2) A la demande de l'empereur Marcien, saint Léon accepte de se réconcilier avec Anatole de Constantinople, à la condition que celui-ci s'incline devant les canons (Jaffé-Wattenbach, 504). Anatole écrit en effet une lettre de soumission assez générale pour ne rien compromettre, et, le 25 mai 454, le pape lui répond en lui accordant sa communion (Jaffé-Wattenbach, 509). L'équivoque a plané sur cette réconciliation, qui ne résout aucun problème et laisse subsister le canon tant discuté.

(3) Voir les lettres de saint Léon à Protérius (Jaffé-Wattenbach, 505), aux évêques égyptiens réfugiés à Constantinople (533), à Timothée Salofaciol (548), aux évêques qui l'ont consacré (549), au clergé d'Alexandrie (550).

(4) Jaffé-Wattenbach, 526 (lettre du 1er septembre 457).

(5) Jaffé-Wattenbach, 521, 524, 532.

(6) Jaffé-Wattenbach, 522, 534, 540.

ROME ET L'ORIENT A LA MORT DE SAINT LÉON

Ainsi la victoire doctrinale que saint Léon a remportée à Chalcédoine lorsqu'il a fait adopter la lettre à Flavien par les Pères du concile ne sert pas à grand'chose ; plus exactement, elle n'a pas de répercussions dans la pratique. On a parfois regretté que saint Léon n'eût pas suivi le conseil qui lui avait été donné par Julien de Cos en reconnaissant le vingt-huitième canon de Chalcédoine [1]. Il est vrai que la primauté de Constantinople existait dans les faits, au moins depuis 381, et que l'opposition de saint Léon n'a même pas servi à en ralentir le développement. Il est encore vrai que la primauté de Constantinople sur l'Orient n'évinçait pas l'évêque de Rome de cette région, puisque le concile de Chalcédoine sollicitait de Rome même la reconnaissance de ses canons et témoignait ainsi de sa foi à la primauté universelle de la vieille métropole. Mais les faits sont parfois plus puissants que les volontés humaines, et les concessions que saint Léon aurait pu consentir seraient probablement restées sans influence sur le mouvement centrifuge qui entraînait invinciblement l'Empire d'Orient. A la fin de son règne, saint Léon est obligé de s'adresser à l'empereur Léon pour remettre en quelque sorte entre ses mains les destinées du concile de Chalcédoine menacées par les monophysites. Voilà qui est grave. Certes le pape rappelle que les définitions de foi, promulguées par un concile œcuménique, ratifiées par l'autorité suprême du Siège romain, sont irréformables, mais ce sont des évêques qui paraissent l'oublier et c'est l'empereur qui est chargé de les remettre dans la bonne voie. Moins de vingt-cinq ans après la mort de saint Léon, l'empereur Zénon promulguera l'*Hénotique* et ses évêques dociles donneront leur signature. Un pape, heureusement, sera encore là pour enseigner la perpétuité de la foi.

(1) P. Batiffol, *Le siège apostolique*, p. 617.

DEUXIÈME PARTIE

DU CONCILE DE CHALCÉDOINE A L'AVÈNEMENT DE JUSTIN Ier (451-518)

CHAPITRE PREMIER

LES LUTTES CHRISTOLOGIQUES APRÈS LE CONCILE DE CHALCÉDOINE[1]

§ 1. — Du concile de Chalcédoine à la mort de l'empereur Léon.

Lorsque le concile de Chalcédoine fut achevé, lorsque les évêques qui y avaient pris part furent rentrés dans leurs diocèses, on put apprécier

(1) Bibliographie. — I. Sources. — Nous disposons de sources très abondantes pour l'histoire des controverses christologiques après Chalcédoine, mais leur utilisation est parfois difficile à cause de la différence des points de vue d'où se placent les historiens de ce temps, presque toujours guidés par des préoccupations apologétiques.

Au premier rang, viennent naturellement les documents officiels, surtout les lettres des papes, Léon, Simplicius, Félix III, et de leurs correspondants ; celles des empereurs, Marcien, Léon Ier, Basiliscus, Zénon ; celles des évêques, en particulier celles d'Acace de Constantinople. Beaucoup de ces lettres sont réunies dans les collections des conciles, à la suite des Actes de Chalcédoine.

Le récit le plus rapproché des événements compris entre le concile de Chalcédoine et la mort de Zénon est celui du rhéteur Zacharie de Gaza (première moitié du VIe siècle) : Zacharie expose le point de vue monophysite, bien qu'il ait fini par se rallier à l'orthodoxie et soit devenu évêque de Mytilène. Il avait écrit en grec une *Histoire ecclésiastique*, qu'Évagrius a largement mise à contribution. Le texte original est perdu, mais il reste une traduction syriaque, plus ou moins complète, dans une compilation qui porte le titre d'*Historia miscellanea* et qui va jusqu'à l'année 569. Cette compilation, divisée en douze livres, ne dépend de Zacharie que pour les livres III-VI. Publiée en syriaque par Land, au tome III des *Anecdota syriaca*, Leyde, 1870, l'Histoire de Zacharie a été plusieurs fois rééditée et traduite : K. Ahrens und G. Krueger, *Die sogenannte Kirchengeschichte des Zacharias Rhetor, in deutscher Uebersetzung*, Leipzig, 1899 ; F. J. Hamilton and E. W. Brooks, *The syriac Chronicle known as that of Zacharias of Mytilene, translation in to english*, Londres, 1899 ; E. W. Brooks, *Historia ecclesiastica Zachariae Rhetori vulgo adscripta*, dans *Corpus scriptorum ecclesiasticorum*, *Scriptores Syri*, t. V-VI, Louvain, 1919-1924. Zacharie avait entendu rédiger non une histoire proprement dite, mais un mémoire à consulter pour l'usage d'un fonctionnaire nommé Eupraxius. Il ne s'inquiète guère de ce qui se passe en dehors d'Alexandrie et de la Palestine.

A Zacharie le Rhéteur, nous devons aussi plusieurs biographies d'hommes célèbres dans le camp monophysite, Pierre l'Ibère, Théodore d'Antinoe, Isaïe, Sévère d'Antioche. Nous avons encore les *Vies* d'Isaïe et de Sévère : le texte syriaque de celle d'Isaïe est au tome III des *Anecdota syriaca* de Land, p. 346 ; la traduction allemande dans Ahrens et Krueger, *op. cit.*, p. 263 ; la vie de Sévère a été publiée et traduite par A. Kugener, *Vie de Sévère par Zacharie le Scholastique*, dans *Patrologia orientalis*, t. II, 1, Paris, 1903.

L'historien Évagrius le Scholastique, mort à Antioche vers 600, est l'auteur d'une *Histoire ecclésiastique* en six livres, qui couvre la période comprise entre 431 et 594 ; Évagrius s'appuie sur des documents sérieux et il apporte de nombreux renseignements sur le nestorianisme et le monophysisme, mais il n'est pas toujours impartial. La *P. G.*, LXXXVI, 2405-2906, reproduit l'édition de Valois avec sa traduction, ses notes et ses *Observationes criticae*. Une édition meilleure a été publiée par J. Bidez et L. Parmentier, Londres, 1899.

En latin, il faut citer les *Gesta de nomine Acacii*, rédigés par saint Gélase avant son élévation au pontificat, vers 486. C'est un assez court résumé des événements d'Orient, écrit afin d'expliquer les causes de la déposition d'Acace.

A Liberatus, diacre de Carthage, nous devons un *Breviarium*, écrit vers 564 (*P. L.*, LXVIII, 969) : cet ouvrage, très important, est une apologie des Trois Chapitres : il reprend, depuis le concile d'Éphèse, l'histoire des événements qui permettent d'en comprendre la condamnation. Liberatus est très partial, mais il sait beaucoup de choses et apporte bon nombre de renseignements

à sa véritable valeur l'œuvre qui venait d'être accomplie, et bien vite il apparut que cette œuvre était loin d'être parfaite.

L'ŒUVRE THÉOLOGIQUE DU CONCILE DE CHALCÉDOINE

Sur le désir formel de l'empereur, les Pères avaient promulgué une nouvelle définition de foi, dont ils ne sentaient aucunement le besoin et dont le langage s'opposait à leurs manières habituelles de parler. Certes, en affirmant l'unité de la personne du Christ dans les deux natures subsistantes, ils avaient à jamais écarté l'hérésie d'Eutychès. Mais, au fond, l'archimandrite de Constantinople, vieilli dans son couvent et entêté dans ses élucubrations confuses et embrouillées, ne les intéressait guère, parce qu'il n'était pas véritablement dangereux. Par contre, ils tenaient avant tout à rester fidèles à l'esprit de saint Cyrille d'Alexandrie, le triomphateur de 431, le vainqueur de Nestorius, le défenseur de la maternité divine de Marie. Celui-ci était, à juste titre, regardé comme la grande autorité théologique de l'Orient : nul ne pouvait

nouveaux.

Parmi les sources orientales, on peut signaler l'*Histoire des patriarches d'Alexandrie*, édit. H. Evetts, *The history of the patriarchs of the coptic church of Alexandria*, dans *Patrologia orientalis*, t. I, Paris, 1903 ; la *Chronique de Seert*, *Histoire nestorienne*, éditée par M. Addaï Scher, dans *Patrologia orientalis*, t. VII, Paris, 1912 ; les *Plérophories* de Jean de Maïouma, qui conservent quelques fragments d'une histoire ecclésiastique rédigée par Timothée Aelure au cours de son exil, et traduites par F. Nau, dans la *Revue de l'Orient chrétien*, t. III, 1898, p. 237 et suiv.

Il a existé d'autres histoires des événements religieux de cette période, qui sont aujourd'hui perdues en dehors de quelques fragments : Théodore le Lecteur a écrit une *Histoire ecclésiastique* qui allait de 450 à 527 : fragments dans *P. G.*, LXXXVI. Cf. Miller, *Fragments inédits de Théodore le Lecteur*, dans *Mélanges de philologie et d'épigraphie*, 1re partie, Paris, 1876 ; Jean d'Éphèse (mort vers 586), dont il reste d'importants fragments en syriaque : *Die Kirchengeschichte des Johannes von Ephesus aus dem syrischen übersetzt von* J. M. Schönfelder, Munich, 1882. Jean d'Égée ou Jean Diacrinomenos a été cité par Photius, *Bibliotheca*, cod. 41 et 55 ; cf. Miller, *op. cit.*, p. 45-47.

II. Travaux. — L'histoire politique est, surtout après le concile de Chalcédoine, de plus en plus étroitement mêlée à l'histoire religieuse. Un bon résumé, mais très bref, est fourni par A. Vasiliev, *Histoire de l'empire byzantin*, Paris, 1932, t. I, p. 133-139. Meilleures sont les études de Ch. Diehl et G. Marçais, *Le monde oriental de 395 à 1081* ; J. B. Bury, *A history of the later roman empire*, Londres, 1925 Sur les rapports de l'Empire et de la papauté, cf. E. Caspar, *Geschichte des Papsttums*, t. II, Berlin, 1933.

Pour l'étude des questions proprement religieuses, la plupart des ouvrages anciens sont presque inutilisables parce qu'ils ignorent les sources orientales, qui ont à peu près renouvelé notre connaissance du monophysisme et du nestorianisme. On fera bien cependant de ne pas négliger Tillemont, *Mémoires*, t. XV et XVI, qui utilise de son mieux les documents connus de son temps. Il existe peu de travaux d'ensemble sur la période 450-491. Nous ne voyons guère à citer que G. Krueger, *Die monophysitischen Streitigkeiten im Zusammenhange mit der Reichspolitik*, Iena, 1884 ; J. Lebon, *Le monophysisme sévérien, Étude historique, littéraire et théologique sur la résistance monophysite au concile de Chalcédoine*, Louvain, 1909.

Sur l'*Hénotique* de Zénon et le schisme d'Acace, on verra E. Revillout, *Le premier schisme de Constantinople, Acace et Pierre Monge*, dans *Revue des questions historiques*, 1877, p. 83-134 qui a une trop grande confiance dans les sources coptes qu'il étudie sans critique. On peut ajouter que Dom Leclercq, dans les notes à sa traduction de l'*Histoire des conciles* d'Hefelè, s'inspire de Revillout et ne se doute pas de ses erreurs ; S. Salaville, *L'affaire de l'Hénotique ou le premier schisme byzantin au Ve siècle*, dans *Échos d'Orient*, t. XIX, 1920.

Les moines ont été l'objet de recherches nombreuses. On citera seulement : P. van Cauwenbergh, *Étude sur les moines d'Égypte depuis le concile de Chalcédoine jusqu'à l'invasion arabe*, Paris et Louvain, 1914 ; F. R. Génier, *Vie de saint Euthyme le Grand (377-473) : les moines et l'Église en Palestine au Ve siècle*, Paris, 1909 ; J. Pargoire, art. *Acémètes*, dans *Dictionnaire d'archéologie chrétienne et de liturgie*, t. I, col. 307-321.

songer à l'abandonner[1]. Or il était permis de se demander si la formule acceptée par le concile sauvegardait, autant qu'il était nécessaire, la terminologie employée par saint Cyrille. Celui-ci avait toujours enseigné qu'il n'y avait qu'une seule nature incarnée du Dieu Verbe : expression qui n'était pas acceptée par le pape saint Léon[2]. A tout le moins, il avait déclaré que le Christ était de deux natures : la définition conciliaire portait que le Christ était en deux natures. Il y avait là des nuances appréciables. Certes, saint Léon avait senti le besoin de faire appel à l'autorité de saint Cyrille et il l'avait cité dans le florilège patristique qu'il avait présenté au concile de Chalcédoine. Mais il préférait de toute évidence les expressions édulcorées de l'acte d'union de 433 à celles, plus fortes et plus précises, des anathématismes qui représentaient la véritable pensée de saint Cyrille et de ses admirateurs. Or, ceux-ci n'avaient été acceptés que par le brigandage d'Éphèse, en 449, et les Pères de Chalcédoine, en acclamant conjointement saint Cyrille et saint Léon, avaient, en apparence du moins, ouvert imprudemment les portes à l'équivoque.

QUESTIONS DE PERSONNES

Il y avait plus encore. Plus tard, lorsque les passions furent calmées, une étude plus attentive des formules devait montrer que, malgré des expressions différentes, saint Cyrille et saint Léon étaient en parfait accord et qu'un catholique pouvait en même temps recevoir le tome de Léon à Flavien et les anathématismes de Cyrille contre Nestorius. Mais les formules sont employées par des hommes qui en sont en quelque sorte les représentants. A Chalcédoine, Dioscore était le porte-drapeau des anathématismes, et c'est lui qu'on avait condamné : la doctrine de Cyrille tout entière n'était-elle pas atteinte par cette condamnation[3] ? On a vu l'émoi profond

(1) Il est permis de citer ici une page remarquable de L. DUCHESNE, *Églises séparées*, p. 38-40, qui met bien en relief l'intérêt religieux de la théologie cyrillienne : « Cyrille pouvait avoir employé des expressions trop dures, trop peu calculées : au fond, sa passion pour l'unité du Christ tenait aux fibres les plus intimes de la mystique orientale. Pour un disciple de Théodore de Mopsueste, comme pour un disciple de Pélage, la question des rapports entre l'homme et Dieu est surtout une question de mérite et de démérite. Au grand livre des rétributions, chacun a son compte en deux colonnes, doit et avoir. En accumulant les mérites, en diminuant les fautes, on avance sa situation. L'opération terminée, Dieu fait la balance et nous classe d'après l'excès de l'actif sur le passif. C'est du moralisme pur : ce n'est pas de la religion. Que fait l'incarnation dans ce système ? Que fait la croix ? Jésus Christ est un modèle, pas autre chose. Ce n'est pas le vrai Sauveur, le vrai Rédempteur, celui qui, par sa présence divine, purifie tout, élève tout, consacre tout, fait de nous des êtres divins, autant que les limites de notre nature ne s'opposent pas à cette communication de la divinité. Tout autre est le souffle qui anime la théologie de saint Cyrille. Jésus-Christ est vraiment Dieu en nous. Le chrétien le touche directement, par l'union physique, encore que mystérieuse, sous les voiles sacramentels de l'Eucharistie. Par ce corps et ce sang il arrive au contact avec Dieu, car ils ont en Jésus-Christ une union, également physique, avec la divinité... Au pauvre laboureur du Delta, à l'ouvrier obscur du port de Pharos, Cyrille permet de toucher Dieu en ce monde... et de s'assurer, par ce contact d'où sort une parenté mystique, de sûres garanties pour l'au-delà ; et non pas seulement la garantie de l'immortalité, mais la garantie de l'apothéose. »

(2) Cf. *supra*, p. 231, n. 4.

(3) Il est vrai que la condamnation de Dioscore n'a jamais été fondée sur une accusation d'hérésie. Les envoyés d'Alexandrie à Chalcédoine se contentent de lui reprocher ses violences et ses

qu'avait provoqué chez les évêques d'Égypte la déposition de leur chef, l'évêque d'Alexandrie [1] : il était à prévoir que cette émotion se répercuterait, amplement multipliée, chez les fidèles de la vallée du Nil, et plus encore chez les moines, défenseurs nés de leur patriarche. D'autre part, les Pères de Chalcédoine avaient solennellement réhabilité Théodoret et Ibas : il y avait là un acte de justice ; mais, à tort ou à raison, Théodoret et Ibas étaient universellement regardés comme des Nestoriens. En les accueillant, le concile ne détruisait-il pas toute l'œuvre accomplie en 431 ? ne recevait-il pas avec eux la doctrine même de Nestorius qui, précisément alors, achevait de mourir dans son lointain exil [2] ? Ce qui était particulièrement grave, c'est que l'autorité même du pape saint Léon se trouvait engagée et que les expressions du tome à Flavien paraissaient à beaucoup avoir des sonorités nestoriennes [3].

LE CANON 28

Moralement obligés d'accepter les formules approuvées par les légats malgré les difficultés qu'elles présentaient aux yeux de la plupart d'entre eux, les Pères de Chalcédoine avaient cru pouvoir impunément prendre une sorte de revanche en proclamant les droits du siège de Constantinople ; et tout en affirmant la primauté romaine, ils avaient tenu à renouveler, en le précisant, le canon de 381. Sur ce point particulier, ils avaient commis une grave erreur, et ce fut justement de là que vinrent, pour les chrétientés orientales et leurs chefs, les premières difficultés.

vengeances personnelles. Plus tard les monophysites ne manquèrent pas de rappeler que le concile de Chalcédoine n'avait rien trouvé à redire à l'orthodoxie de Dioscore. Il reste pourtant que, d'une manière indirecte, en atteignant Dioscore, on avait frappé saint Cyrille lui-même.

(1) Cf. *supra*, p. 233.

(2) Pendant de longues années, Nestorius avait vécu tranquille dans sa lointaine oasis. Un jour, celle-ci fut visitée et pillée par les Nobades, peuple barbare établi sur le haut Nil au sud de la première cataracte. Les Nobades mirent tout à feu et à sang et emmenèrent avec eux de nombreux captifs, parmi lesquels se trouvait l'évêque exilé. Mais bientôt ils durent se débarrasser de leurs prisonniers. Nestorius se réfugia à Panopolis (Achmin). Mais il ne put y rester : les autorités avaient l'œil sur lui, et le vieux moine Schenoudi, qui vivait près de là, se serait à leur défaut chargé de rendre la vie impossible à l'ancien patriarche de Constantinople. Celui-ci fut donc envoyé à Éléphantine, à l'extrême frontière de l'Égypte. Il est vrai qu'il n'eut même pas le temps d'y parvenir. Un contre-ordre le rappela à Panopolis, d'où il fut expédié sans aucun ménagement nous ne savons trop où.

Finalement, Nestorius, vieilli, malade, fut ramené à Panopolis où son ami d'autrefois, Dorothée de Marcianopolis, vint le rejoindre. Il semble, d'après un récit de Timothée Aelure, que l'empereur Marcien ait voulu rappeler d'exil les deux évêques et qu'il leur ait envoyé un tribun chargé de leur faire connaître ses mesures de clémence, mais, lorsque le tribun arriva, Nestorius était mourant.

(3) Il est remarquable que déjà Nestorius identifie sa propre doctrine à celle de saint Léon : « Comme ils avaient des préjugés contre moi et qu'ils ne croyaient pas ce que je disais, comme si je cachais la vérité et si j'en empêchais l'exacte expression, Dieu suscita un héraut qui était pur de ce préjugé — Léon — qui proclama la vérité sans crainte. Comme la prévention créée par le nom de concile en imposait à beaucoup, même à la personne des Romains, et les empêchait de croire ce que je disais et qui était resté sans examen, Dieu permit que le contraire arrivât, qu'il retirât de ce monde l'évêque de Rome (Célestin), lui qui avait eu le principal rôle contre moi au concile d'Éphèse et qu'il fît approuver et confirmer par Léon ce qui avait été dit par l'évêque de Constantinople » (*Le livre d'Héraclide*, p. 327). En réalité, la doctrine exposée par saint Léon et promulguée par le concile de Chalcédoine est très différente de celle de Nestorius, bien que Nestorius se soit toujours défendu, et avec raison, d'enseigner deux Fils ou deux personnes en

PROTESTATIONS DE SAINT LÉON

En effet, saint Léon protesta avec la plus vive énergie contre le 28e canon : dans des lettres à l'empereur, à l'impératrice, à l'évêque Anatole, il exprima la douleur que lui causaient les usurpations de Constantinople ; il ne pouvait admettre, disait-il, que l'évêque de la ville impériale revendiquât le droit de consacrer les métropolitains de Pont, d'Asie et de Thrace, qu'il oubliât les canons de Nicée et la prééminence reconnue aux sièges apostoliques d'Antioche et d'Alexandrie. Qu'importait d'ailleurs le nombre des évêques présents à Chalcédoine ? Et n'était-il pas évident que toute décision prise en violation des décrets de Nicée était nulle de plein droit [1] ?

LES RAPPORTS ENTRE ROME ET CONSTANTINOPLE

Pour mieux montrer son mécontentement, saint Léon s'abstint de répondre à la lettre qu'il avait reçue du concile. Son silence produisit en Orient le plus fâcheux effet. On commença à chuchoter partout que le pape désapprouvait l'œuvre des Pères de Chalcédoine, non seulement les canons disciplinaires, mais encore et surtout la définition doctrinale. Les monophysites se firent les colporteurs intéressés de ces bruits, tant et si bien que Marcien s'en émut. Une lettre impériale, datée du 15 février 453, vint porter ses doléances à Rome [2] ; et, le 21 mars, saint Léon expédia enfin la réponse tant attendue [3] : le pape y déclare qu'il renouvelle l'approbation des actes synodaux, déjà donnée par ses légats, en ce qui concerne la cause de la foi, car c'était pour cette cause seulement que le concile avait été convoqué, mais il ajoute qu'il ne veut rien connaître de tout ce qui avait été fait contre les inviolables canons de Nicée. Par la suite, il s'abstint de tout rapport avec l'évêque de Constantinople, auprès de qui il avait placé comme son représentant personnel l'évêque de Cos, Julien. De nouveau, le bon et pacifique Marcien s'interposa : Anatole adressa à saint Léon une lettre d'excuses et de regrets [4], dont son destinataire parut se montrer satisfait [5]. En réalité, si les rapports réguliers de communion furent alors rétablis d'une manière normale entre Rome et Constantinople, les problèmes soulevés par le 28e canon de Chalcédoine demeurèrent sans solution. On se contenta d'une sorte de trêve.

Jésus-Christ. Mais tout de suite, on déclara à travers l'Orient que saint Léon était nestorien, que la définition de Chalcédoine était nestorienne, si bien qu'en luttant contre le tome à Flavien et contre la formule de Chalcédoine on affirmait lutter contre Nestorius.

(1) Les lettres de saint Léon à Marcien, à Pulchérie et à Anatole (Jaffé-Wattenbach, 481, 484, 485) sont datées du 22 mai 452. Ce même jour, saint Léon écrit à Julien de Cos (*ibid.*, 484) pour lui reprocher d'avoir appuyé la requête d'Anatole en faveur du 28e canon. On voit toute l'importance que le pape attache à cette affaire.

(2) *Inter epistulas S. Leonis, Epist.*, cx.

(3) Jaffé-Wattenbach, 490.

(4) *Inter epistulas S. Leonis, Epist.*, cxxxii (avril 454).

(5) Jaffé-Wattenbach, 509 (29 mai 454).

AGITATIONS MONOPHYSITES

Si l'on se trouva pratiquement d'accord à Constantinople et à Rome pour garder le silence sur les questions de préséance, c'est que l'Orient tout entier s'agitait à la suite du concile et qu'il était urgent de parer aux graves événements qui s'y produisaient. Immédiatement après la séparation des évêques, l'empereur Marcien avait confirmé les décisions prises à Chalcédoine, rendant obligatoire pour tous l'obéissance à ces décisions et interdisant aux clercs aussi bien qu'aux laïques de les discuter [1]; d'autres édits, pris un peu plus tard, avaient encore précisé ses volontés et marqué de la façon la plus nette son intention de faire respecter toutes les mesures de foi et de discipline arrêtées par les Pères [2]. Mais on n'obéissait guère aux décrets impériaux.

EN PALESTINE

En Palestine, ce furent les moines qui donnèrent le signal de la résistance. L'un d'eux, Théodose, qui, au cours des années précédentes, avait déjà eu maille à partir avec son évêque et qui, à Chalcédoine même, avait trouvé le moyen de provoquer du tumulte [3], reparut dans le pays, aussitôt le concile achevé, et y répandit les nouvelles les plus inquiétantes : les évêques n'avaient-ils pas, en déposant Dioscore, trahi l'enseignement de saint Cyrille et, en réhabilitant Théodoret, approuvé l'hérésie de Nestorius ? L'évêque de Jérusalem, Juvénal, était parmi les traîtres de la cause cyrillienne : pouvait-on encore le recevoir ? Les discours enflammés de Théodose allumèrent sans peine l'incendie dans un milieu prompt à s'émouvoir : l'impératrice Eudocie, veuve de Théodose II, qui, depuis un certain temps déjà, s'était retirée en Palestine où elle s'était faite la protectrice des couvents et des moines [4], prit la tête du mouvement contre le concile de Marcien et de Pulchérie ; la plupart des ascètes suivirent un exemple qui venait de si haut, si bien qu'Euthyme et ses disciples furent à peu près les seuls à rester fidèles à l'orthodoxie [5]. Il fut entendu qu'on ne recevrait pas Juvé-

(1) La première loi de Marcien fut affichée à Constantinople le 7 février 452.

(2) Le 13 mars 452, un nouvel édit fut adressé aux préfets d'Orient, d'Illyrie et de Constantinople : il renouvelait purement et simplement le premier. Un édit du 6 juillet révoqua l'édit de Théodose contre Flavien et pour Eutychès. Un quatrième édit du 28 juillet fut promulgué contre les sectateurs d'Eutychès et spécialement contre ceux de son monastère. Tout cela montre assez la ferme volonté de l'empereur.

(3) Évagrius, *Hist. eccl.*, II, v. Théodose ne savait, semble-t-il, que semer le trouble partout où il passait : à Alexandrie, il avait un jour blâmé la conduite de Dioscore, et celui-ci, après l'avoir fait fouetter, avait ordonné qu'on le promenât par la ville sur un chameau galeux.

(4) Cf. *supra*, p. 212, n. 1.

(5) La vie de saint Euthyme a été écrite par un de ses disciples, Cyrille de Scythopolis, et c'est une des pièces hagiographiques les plus importantes du VIe siècle. Cf. R. Génier, *Vie de saint Euthyme le Grand (377-473) : les moines et l'Église en Palestine au Ve siècle*, Paris, 1909 ; S. Vailhé, *Saint Euthyme le Grand, moine de Palestine*, dans *Revue de l'Orient chrétien*, t. XII-XIV, 1907-1909.

Notons que Théodose recruta des partisans jusque parmi les moines les plus irréprochables, le futur saint Gérasime, l'abbé Romain de Thécoa, Géronce l'ancien aumônier et confident de Mélanie la Jeune, qui continuait à diriger les couvents fondés par elle.

nal lorsqu'il reviendrait de Chalcédoine, qu'on élirait à sa place un autre évêque, que, dans toute la Palestine, on remplacerait les évêques qui avaient souscrit la déposition de Dioscore et la définition de foi.

FUITE DE JUVÉNAL DE JÉRUSALEM

Ce programme fut exécuté à la lettre. A son retour, Juvénal fut invité à se soumettre ou à se démettre et, sur son refus, les moines de toutes les laures voisines de Jérusalem attaquèrent la ville, s'en emparèrent, mirent le feu aux maisons, excitèrent des séditions, massacrèrent des personnes vénérables par leur piété, ouvrirent de force les prisons. On essaya même de tuer l'évêque : si l'on n'y parvint pas, on égorgea du moins un de ses collègues, Sévérien de Scythopolis. Bref, Juvénal fut obligé de s'enfuir à Constantinople, tandis qu'on le remplaçait sur son siège par l'homme qui avait été l'âme de la rébellion, Théodose.

INSTALLATION D'ÉVÊQUES MONOPHYSITES

Puis, comme il ne paraissait pas prudent de laisser en Palestine des évêques orthodoxes, on installa un peu partout des hommes dévoués à Théodose, des partisans de Cyrille et de Dioscore : une des célébrités du monde monacal de ce temps, Pierre d'Ibérie, fut nommé évêque de Maïouma [1] ; Théodote fut élevé sur le siège de Joppé. Naturellement, tout cela ne se passa pas sans violence : la Palestine entière ne tarda pas à être mise à feu et à sang par les moines, à qui se joignirent sans vergogne des brigands de profession [2].

RÉTABLISSEMENT DE JUVÉNAL

L'empereur, mis au courant, envoya des troupes, et le comte Dorothée qui les commandait reçut l'ordre de réinstaller Juvénal à Jérusalem, mais il fallut livrer bataille contre les moines qui, plus combattifs que jamais,

(1) Pierre d'Ibérie appartenait à la famille de Bacour, le premier roi chrétien d'Ibérie (Rufin, *Hist. eccl.*, X, x). Son père, le roi Bosmari, l'avait envoyé comme otage à la cour de Théodose II en 422. Il avait alors douze ans. Il édifia la cour par sa piété ; puis au bout de quelques années, il partit pour Jérusalem (430) avec un compagnon qui partageait ses idées, Jean l'Eunuque. Il y fut accueilli par Mélanie la Jeune qui l'avait vu à la cour, et l'abbé Géronce lui donna l'habit monastique. Lorsque l'impératrice Eudocie vint s'établir à Jérusalem, il quitta le monastère qu'il y avait fondé, pour échapper à ses importunités, et il se fixa aux environs de Gaza (438). Il fut, malgré lui, ordonné prêtre en 447.

Sur les sources de la biographie de Pierre l'Ibérien, cf. O. Bardenhewer, *Geschichte der altkirchlichen Literatur*, t. IV, Fribourg, 1924, p. 315-317 ; A. Baumstark, *Geschichte der syrischen Literatur*, Bonn, 1922, p. 183. On lira avec intérêt les travaux de R. Raabe, *Petrus der Iberer, ein Charakterbild zur Kirchen-und Sittengeschichte des 5. Jahrhunderts*, Leipzig, 1895 ; J. B. Chabot, *Pierre l'Ibérien, évêque monophysite de Mayouma (Gaza) à la fin du Ve siècle*, dans *Revue de l'Orient latin*, t. III, 1895, p. 367-397.

(2) On peut remarquer cependant que les moines palestiniens refusèrent de se compromettre avec Eutychès. Celui-ci avait été conduit en exil pendant que le concile de Chalcédoine était encore en session, et il avait dû passer par Jérusalem ; mais il n'avait pas été reçu dans un monastère et les moines l'avaient même condamné sans hésitation. C'est le prêtre Hésychius qui lui avait donné l'hospitalité.

s'étaient concentrés près de Naplouse ; beaucoup d'entre eux furent tués. On put cependant reprendre possession de la capitale sans une nouvelle effusion de sang [1]. Il fut plus difficile de pacifier les esprits : Théodose avait pu s'enfuir au Sinaï [2]. Pierre d'Ibérie lui aussi s'était mis à l'abri des poursuites ; mais Eudocie restait à Jérusalem et continuait à entretenir l'agitation. Le pape saint Léon, l'empereur Marcien, l'impératrice Pulchérie multiplièrent les appels au calme. Peu à peu enfin on cessa de se battre [3].

RÉVOLTES MONASTIQUES Ce ne fut pas seulement en Palestine que les moines manifestèrent leur opposition au concile de Chalcédoine : un peu partout, ils firent parler d'eux, et les lettres de saint Léon, postérieures à 451, sont remplies par l'écho des plaintes qui parvenaient jusqu'à Rome à leur sujet. En Cappadoce, un certain Georges multipliait les attaques contre la foi et l'évêque de Césarée, Thalassius, le laissait faire [4] ; en Syrie, au contraire, les évêques élevaient la voix contre les ascètes récalcitrants, mais trop souvent, ils prêchaient dans le désert [5] ; à Constantinople, Carosius, Dorothée et leurs ressortissants refusaient d'accepter le concile, bien qu'ils eussent été changés de monastères. Tout cela, pour le moment, n'allait pas très loin, parce que l'empereur faisait bonne garde et parce que les conditions locales ne permettaient pas aux opposants d'entreprendre une action d'ensemble, mais on sentait gronder sourdement les résistances.

SOULÈVEMENT DE L'ÉGYPTE La première, l'Égypte osa se soulever tout entière. Traditionnellement, si l'on peut dire, ce pays détestait ses maîtres du dehors. L'évêque d'Alexandrie au contraire, parce qu'il était choisi par ses compatriotes, parce qu'il était du pays, et parce qu'il représentait la plus haute autorité spirituelle qui fût, apparaissait comme le chef naturel de tous ceux que nous appellerions aujourd'hui les nationalistes. Or c'était cet évêque, ce

(1) ZACHARIE, *Hist. eccl.*, III, v-vi.

(2) Théodose ne tarda pas à être rattrapé par la police impériale. On le confia à la garde des moines de Constantinople et il mourut dans le faubourg de Sycae, le 30 décembre 457. Ses restes furent transportés dans l'île de Chypre. Cf. ZACHARIE, *Hist. eccl.*, III, ix.

(3) Marcien et Pulchérie écrivirent aux moines du Sinaï et à ceux de Jérusalem ; cf. MANSI, t. VII, col. 483-484 ; CYRILLE DE SCYTHOPOLIS, *Vita S. Euthymii*, LXXII-LXXXVI ; ZACHARIE LE RHÉTEUR, *Hist. eccl.*, III, III-IX. Pulchérie écrivit encore à l'abbesse Bassa et aux archimandrites et moines de Jérusalem ; Marcien s'adressa au synode de Palestine (MANSI, t. VII, col. 505, 509, 513). Du pape saint Léon nous avons des lettres aux moines (JAFFÉ-WATTENBACH, 500), à Juvénal (*ibid.*, 514), à l'impératrice Eudocie (*ibid.*, 499). Cette dernière lettre est un petit chef-d'œuvre de diplomatie : le pape exhorte sa correspondante à travailler de tout son pouvoir pour ramener les moines à la foi orthodoxe et leur faire faire pénitence des blasphèmes et des cruautés dont ils se sont rendus coupables. Quant à elle-même, il la suppose complètement innocente. En fait, Eudocie ne cessa pas d'intriguer jusqu'en 455. A ce moment les désastres qui s'abattirent sur sa famille l'amenèrent à réfléchir et elle renonça à troubler désormais la paix de l'Église.

(4) JAFFÉ-WATTENBACH, 494.

(5) JAFFÉ-WATTENBACH, 495-496.

chef incontesté, Dioscore, que le concile de Chalcédoine, présidé par des fonctionnaires impériaux, avait déposé et envoyé en exil ; les évêques égyptiens, encore présents au concile, n'avaient pas consenti à se soumettre : leurs diocésains les imitèrent.

ÉLECTION DE PROTERIUS

On vit bien pis encore lorsqu'on voulut donner un successeur à Dioscore. Ce fut en vain que les autorités, afin d'être agréables aux moines et à la multitude, firent choix, pour remplacer l'évêque déposé, de son homme de confiance, l'archiprêtre Proterius [1] : l'émeute gronda dans les rues d'Alexandrie [2]. L'armée dut intervenir ; elle fut mise en déroute. Les soldats se réfugièrent au Sérapéum ; ils y subirent un siège en règle et finalement y furent brûlés vifs. Les représailles furent terribles : bains et théâtres fermés, distributions de blé supprimées, privilèges enlevés. Des renforts, expédiés de Constantinople, occupèrent militairement toute la ville : il fallut bien se résigner, en apparence tout au moins.

TIMOTHÉE ÆLURE ET PIERRE MONGE

Pendant quelques années, le calme régna en Égypte. Ce fut à peine si la mort de Dioscore, survenue le 4 septembre 454 [3], souleva à Alexandrie quelque effervescence. Les fonctionnaires faisaient bonne garde ; les soldats aussi. Nul ne bougea. Mais, dans l'ombre, les Dioscoriens s'organisaient : ils avaient pour chefs deux hommes entreprenants, peu scrupuleux quant au choix des moyens à adopter, mais patients et rusés ; l'un d'eux portait le nom de Pierre, l'autre celui de Timothée ; mais on avait pris l'habitude de leur donner des surnoms : Timothée, qui était prêtre, s'appelait le chat, Aelure ; Pierre, qui n'était que diacre, l'enroué, Monge [4]. Tous deux avaient assisté en 449 au concile d'Éphèse avec leur patriarche, et ils lui étaient demeurés étrangement fidèles. Du point de

(1) LIBERATUS. *Breviarium*, XIV ; ZACHARIE, *Hist. eccl.*, III, II. On eut recours, pour l'élection et la consécration de Proterius, aux quatre évêques égyptiens qui avaient abandonné le parti de Dioscore dès le début du concile de Chalcédoine (cf. *supra*, p. 230). L'élection du nouvel évêque fut acceptée par les personnes qualifiées pour y assister. Protérius, selon l'usage, fit immédiatement part de son élection à saint Léon, mais il semble que le pape n'ait pas été satisfait de la profession de foi qu'il y donnait, car il lui demanda des explications complémentaires (JAFFÉ-WATTENBACH, 489, du 11 mars 453). Ces explications furent jugées suffisantes ; mais saint Léon, en répondant à l'évêque, ne put s'empêcher de l'exhorter à bien faire connaître à ses fidèles la vraie doctrine des Pères, tout à fait semblable à celle du tome à Flavien et du concile de Chalcédoine. Cf. JAFFÉ-WATTENBACH, 503, du 9 janvier 454 ; *ibid.*, 505-507, du 10 mars 454.

(2) Le récit de cette émeute est donné par ÉVAGRIUS, *Hist. eccl.*, II, V, qui rapporte le témoignage de l'historien Priscus de Paniou : celui-ci se trouvait alors à Alexandrie.

(3) Dioscore avait été exilé à Gangres, dans la Paphlagonie : c'est là qu'il mourut, au bout de trois ans. La nouvelle de sa mort excita chez l'empereur l'espoir de ramener les dissidents : un silentiaire, du nom de Jean, fut expédié en Égypte pour opérer la réconciliation : il y emporta en particulier une lettre de Marcien destinée aux moines (MANSI, t. VII, col. 482). Mais sa mission n'eut aucun succès.

(4) ZACHARIE LE RHÉTEUR explique que le surnom d'Aelure avait été donné à Timothée à cause de sa maigreur et de sa taille élancée. La même explication se retrouve sous la plume de Jacques d'Édesse, écrivant à Jean le Stylite, dans une notice syriaque imprimée par WRIGHT, *Catalogue*, II, 605. Il n'y a donc pas lieu de faire de Timothée un Hérule.

vue doctrinal, ils n'étaient pas plus eutychianistes que Proterius lui-même ; mais, comme tous leurs compatriotes, ils tenaient à la terminologie de saint Cyrille et traitaient le pape de nestorien [1]. C'en était assez pour leur valoir de grandes sympathies [2].

CONSÉCRATION DE TIMOTHÉE ÆLURE

La mort de l'empereur Marcien (26 janvier 457) leur permit de réaliser leurs projets. Dès que la nouvelle en fut connue en Égypte, les Alexandrins se soulevèrent. Ils se portèrent en masse sur la principale église de la ville, le *Caesareum*, en chassèrent le clergé de Proterius et se mirent en devoir de procéder aussitôt à la consécration épiscopale de Timothée Aelure. D'après les règles en usage, trois évêques étaient requis pour cette cérémonie. On en avait un sous la main, Eusèbe de Péluse, qui était un Dioscorien de la première heure et qui se trouvait justement à Alexandrie. Le hasard en fournit un second dans la personne de Pierre l'Ibère, évêque de Maïouma, qui avait dû quitter la Palestine après la défaite des Théodosiens et qui s'était retiré en Égypte [3]. Ce furent ces deux personnages qui conférèrent l'épiscopat à Timothée, au milieu de l'enthousiasme du peuple et des moines (16 mars 457).

MASSACRE DE PROTERIUS

Par une fâcheuse coïncidence, Denis, qui commandait les troupes de la province, n'était pas à Alexandrie lorsque ces graves événements se produisirent. A son retour, il voulut employer la manière forte pour dompter les rebelles : il fit arrêter le nouveau patriarche et l'envoya à Taposiris. Cette mesure déchaîna l'émeute, si bien qu'il fallut rappeler Timothée. Bientôt la multitude surexcitée demanda davantage. Le jeudi saint 28 mars, elle envahit le baptistère de l'église de Quirinus où officiait l'évêque Proterius et elle le massacra. Les assassins s'acharnèrent sur son corps : ils le pendirent au Tétrapyle, le traînèrent par les rues ; après lui avoir fait subir mille outrages, ils le brûlèrent et jetèrent ses cendres au vent [4].

(1) Protérius avait, assure-t-on, fait de grands efforts pour ramener à son parti Timothée et Pierre. De guerre lasse, il avait fini par les déposer et fait part de cette mesure à Anatole de Constantinople et à saint Léon de Rome. Cf. une lettre d'Acace au pape Simplicius, dans Thiel, p. 193.

(2) Sur les événements qui suivent, cf. Évagrius, *Hist. eccl.*, II, viii. Évagrius se réfère, dans son récit, à la biographie de Pierre l'Ibère ; il cite de plus de longs fragments d'un mémoire adressé à l'empereur par les évêques d'Égypte.

(3) Exilé à Alexandrie, Pierre avait dû à un moment donné chercher un asile à Oxyrhynque, mais il était revenu à Alexandrie et s'y trouvait lors de la mort de Marcien. Zacharie prétend que Timothée aurait été consacré par Pierre assisté de deux évêques égyptiens dont il ne donne pas les noms. Le témoignage d'Évagrius, qui ne parle que de Pierre et d'Eusèbe, a toutes chances d'être exact.

(4) Évagrius, *Hist. eccl.*, II, viii.

INSTALLATION D'ÉVÊQUES MONOPHYSITES EN ÉGYPTE

Tout cela n'était pas fait pour attirer à Aelure la bienveillance des pouvoirs civils. Mais le nouvel empereur avait à faire l'apprentissage du gouvernement avant de songer à intervenir dans les questions ecclésiastiques. A la mort de Marcien, le patrice Aspar, qui était le premier personnage de l'Orient, avait appelé à l'Empire Léon le Thrace (7 février 457) et l'avait fait couronner par le patriarche Anatole. Aspar était arien. Léon ne connaissait pas la complexité des problèmes religieux. On put de la sorte gagner du temps. Aelure en profita pour asseoir son autorité : il réunit un concile qui anathématisa saint Léon de Rome, Anatole de Constantinople et Basile d'Antioche ; il rejeta dédaigneusement les avances que lui avaient faites quelques fidèles de Proterius, amis de la paix [1] ; il installa à travers l'Égypte des évêques dévoués à sa cause et expulsa de leurs sièges les pasteurs légitimes : comme au temps des Ariens, une sorte de terreur plana sur tout le pays.

INTERVENTION DE CONSTANTINOPLE

Les victimes de Timothée ne manquèrent pas de se plaindre : des lettres furent adressées au pape [2], d'autres au patriarche de Constantinople et à l'empereur [3]. De son côté, Timothée envoya à la capitale quelques-uns de ses évêques porteurs d'un mémoire où les faits étaient exposés d'une manière favorable à sa cause [4]. Anatole, on l'a vu, ne tenait pas spécialement aux définitions de foi promulguées à Chalcédoine, mais il était porté à s'inquiéter de tout ce qui pouvait compromettre sa suprématie sur l'Église d'Orient : il prit donc fait et cause pour les Chalcédoniens et obtint que le nouveau gouvernement continuât la politique de l'ancien [5]. Quant à l'empereur Léon, il s'inquiétait peu de théologie : il fit châtier ceux des assassins de Proterius qui purent être retrouvés, puisqu'ils étaient des criminels de droit commun, mais il laissa Timothée exercer à Alexandrie ses fonctions épiscopales.

CONSULTATION DES ÉVÊQUES

L'empereur alla plus loin. Pour obtenir la paix, il songea à convoquer un nouveau concile chargé de reviser les sentences de Chalcédoine [6]. Les instances

(1) ZACHARIE, *Hist. eccl.*, IV, III, IV. Les clercs de Protérius auraient demandé à entrer en communion avec Timothée, en promettant d'obtenir de saint Léon la correction de son tome. Leurs avances échouèrent devant l'intransigeance des amis du nouveau patriarche. Cf. G. KRUEGER, *Monophysitische Streitigkeiten*, p. 92.

(2) Le 1er juin 457, saint Léon n'était pas encore exactement renseigné sur la situation d'Alexandrie ; il n'avait que des nouvelles vagues (JAFFÉ-WATTENBACH, 457 ; *Epist.*, CXLIV).

(3) Quatorze évêques protériens, accompagnés de quelques clercs alexandrins, firent le voyage de Constantinople pour y porter leur requête. ÉVAGRIUS (*Hist eccl.*, II, VIII) a conservé des extraits de cette requête.

(4) Nous ne possédons plus que le début de la lettre de Timothée. Évagrius, qui l'a connue (*Hist. eccl.* II, VIII), rapporte qu'on y attribuait le meurtre de Protérius à un soldat.

(5) Voir là-dessus les lettres CXLIV-CXLVIII et CLI de saint Léon.

(6) Saint LÉON, *Epist.*, CLVI.

d'Anatole lui firent abandonner ce malencontreux projet [1] : il se contenta de consulter l'épiscopat, province par province. Deux questions furent envoyées à tous les métropolitains : fallait-il maintenir le concile de Chalcédoine ? fallait-il reconnaître Timothée comme évêque d'Alexandrie ? A ce questionnaire étaient jointes les requêtes des deux parties (octobre 457) [2]. Les conciles provinciaux se réunirent aussitôt, et leurs réponses furent unanimes à condamner l'intrusion de Timothée. Quant à la définition de Chalcédoine, seul Amphiloque de Sidè la désapprouva, sous prétexte qu'elle contenait une innovation contraire à la foi de Nicée [3] ; encore ne tarda-t-il pas à joindre son adhésion à celle de ses collègues.

CONSULTATION DES MOINES

On avait également sollicité l'avis des solitaires les plus célèbres, Siméon le Stylite, Jacques de Cyr et Varadate. Tous les trois répondirent dans le même sens que les évêques [4].

ACTIVITÉ DE SAINT LÉON

Après cela, il semblait qu'il n'y eût plus qu'à déposer Timothée Aelure et à le remplacer sur le siège d'Alexandrie. On continua cependant à atermoyer, en dépit des réclamations de saint Léon qui multipliait vainement les démarches auprès d'Anatole, du clergé de Constantinople, de l'empereur lui-même, des évêques égyptiens envoyés à la cour par les partisans de Proterius. Au mois d'août 458, n'aboutissant à rien, il envoya même des légats, les évêques Domitien et Géminien, avec une nouvelle lettre, dans laquelle il expliquait qu'il ne s'agissait pas de disputer avec des personnages déjà condamnés, mais de rétablir en Égypte la paix et l'orthodoxie et d'installer à Alexandrie un évêque catholique. Toutefois cette lettre, où était repris tout le litige, ne contenait pas l'expression controversée

(1) Anatole s'était montré ouvertement hostile à Timothée dans une lettre à l'empereur au sujet de la consultation (MANSI, t. VII, col. 537). Il craignait sans doute qu'un nouveau concile n'enlevât à son siège les privilèges que lui avait reconnus l'assemblée de Chalcédoine.

(2) Le texte de la lettre impériale est conservé par ÉVAGRIUS, *Hist. eccl.*, II, IX. Pour la date de la publication de cette lettre, cf. KRUEGER, *Monophysitische Streitigkeiten*, p. 97, n. 1. Les documents de cette affaire furent réunis dans un recueil appelé *Encyclia*, que Cassiodore fit traduire par les soins du moine Épiphane (*Divin. Inst.*, XI). De cette version, un exemplaire nous est parvenu dans le ms. *Parisin.*, 12098. Cet exemplaire est d'ailleurs incomplet, car il y manque les réponses de vingt-deux provinces. D'après la liste des adresses, on voit que les métropolitains de Prévalitane, de Mésie supérieure et de Dacie ripuaire n'avaient pas été consultés : ces provinces étaient probablement désorganisées par les invasions barbares.

(3) La lettre rédigée par Amphiloque figurait dans l'histoire de Zacharie, où Évagrius avait pu la lire (*Hist. eccl.*, II, X). Le texte syriaque de l'*Historia miscellanea* n'en donne qu'un abrégé. MICHEL LE SYRIEN (*Chronic.*, édit. CHABOT, t. II, p. 145) en cite quelques extraits en syriaque. A Chalcédoine, Amphiloque de Sidè avait été accusé de partager les idées d'Eutychès : il dut se justifier à la fin de la VIIIe session. Il est intéressant de noter que la lettre des évêques de Pamphilie Ire fait quelques réserves sur la terminologie du formulaire de Chalcédoine : elle demande que l'on distingue nettement les formules de foi, comme celle de Nicée, des exposés techniques qui ne sont pas obligatoires.

(4) La réponse de Varadate figure dans l'*Encyclia*. Lui et Siméon avaient écrit chacun deux lettres, l'une à l'empereur, l'autre au patriarche d'Antioche, Basile. ÉVAGRIUS (*Hist. eccl.*, II, X) cite une grande partie de la lettre de Siméon à Basile. Cf. PHOTIUS, *Biblioth.*, cod. 229.

sur le Christ en deux natures et ne condamnait la formule cyrillienne *una natura Verbi incarnati* qu'avec des réserves et dans un sens nettement précisé. Elle était de plus accompagnée d'un nouveau dossier patristique où les textes de saint Cyrille tenaient une place plus grande qu'auparavant. Cette lettre pouvait être interprétée comme une invitation aux sentiments pacifiques de Timothée [1].

ENTÊTEMENT DE TIMOTHÉE L'empereur Léon le comprit de la sorte : lorsqu'il eut en mains la lettre du pape, il la fit expédier à l'évêque d'Alexandrie par le silentiaire Diomède. Peut-être, si Timothée s'était laissé fléchir, beaucoup de maux eussent-ils été épargnés à l'Église. Mais c'était un homme de tête. Il repoussa toutes les avances et se contenta de répondre en énumérant ses griefs contre la lettre du pape et contre la doctrine chalcédonienne [2].

EXIL DE TIMOTHÉE AELURE Toutes les bonnes volontés qui, à la cour impériale, avaient jusqu'alors plaidé la cause de Timothée, en particulier celle du patrice Aspar, se sentirent déconcertées devant une pareille résistance. D'autre part, lorsque la lettre de saint Léon fut reçue à Constantinople, Anatole venait de mourir (3 juillet 458). Il avait été immédiatement remplacé par un de ses prêtres, Gennadius, qui avait naguère écrit contre saint Cyrille et qui était fermement décidé à maintenir les formules chalcédoniennes. On tenta, sans grand espoir, un dernier effort : le comte Rusticus fut chargé de poser à Timothée des questions précises sur sa foi et sur son sentiment à l'égard de la lettre dogmatique de saint Léon. Comme on pouvait s'y attendre, Aelure répondit en rejetant les hérésies phantasiastes [3] et apollinaristes et en condamnant le tome de Léon [4]. Il fallut procéder contre lui. Le duc d'Égypte, Stilas, fut chargé de l'exécution. A ce qu'il semble, les choses n'allèrent pas sans peine : Zacharie parle d'une émeute au cours de laquelle il y aurait eu dix mille morts. Force resta cependant à la loi : Timothée fut arrêté ; par la Palestine et par Constantinople [5], on le conduisit au lieu

(1) *Epist.* CLXV du 17 août 458 (JAFFÉ-WATTENBACH, 542).

(2) ZACHARIE, *Hist. eccl.*, IV, VI ; MICHEL LE SYRIEN, *Chronicon*, édit. CHABOT, p. 126. Un fragment grec de cette supplique figure dans *P. G.*, LXXXVI, 273.

(3) Les phantasiastes étaient des monophysites extrêmes, qui refusaient de dire que le corps du Seigneur est consubstantiel au nôtre ; et les tenants de la doctrine de saint Cyrille, ceux qui sont proprement appelés monophysites, ne les condamnaient pas moins énergiquement que les Chalcédoniens. En Égypte, cet eutychianisme strict était représenté par Jean le Rhéteur, disciple du sophiste Palladius : Jean fut excommunié par Timothée. Cf. J. LEBON, *Le monophysisme sévérien*, p. 19-20.

(4) Nous connaissons la réponse de Timothée à Rusticus par une traduction syriaque du ms. Add. 12156. Cf. J. LEBON, *Le monophysisme sévérien*, p. 22, 95-96.

(5) ZACHARIE, *Hist. eccl.*, IV, IX. Cf. MICHEL LE SYRIEN, *Chronicon*, édit. CHABOT, p. 126 et 130. Le pape saint Léon semble avoir beaucoup redouté le passage de Timothée à Constantinople : il craignait qu'après avoir obtenu de lui une signature de complaisance, on ne finît par le renvoyer en Égypte ; Cf. *Epist.* CLXIX et CLXX du 17 juin 460 (JAFFÉ-WATTENBACH, 546-547). Cette éventualité ne se produisit heureusement pas.

de son exil, Gangres en Paphlagonie. Comme il ne cessait pas d'écrire contre le concile, il fallut l'envoyer au delà du Pont-Euxin, à Cherson, en Crimée. Il y demeura de longues années jusqu'à 475 [1], attendant l'heure de la revanche.

TIMOTHÉE SALOFACIOL, PATRIARCHE D'ALEXANDRIE

Pour remplacer Timothée Aelure sur le siège d'Alexandrie, on élut un autre Timothée, qui portait le surnom de Salofaciol (Turban blanc) [2]. C'était un homme doux, modéré, charitable. Tout le monde l'aimait, même les monophysites qui d'ailleurs repoussaient sa communion avec horreur. Il chercha vainement à les gagner à sa cause, allant jusqu'à rétablir dans les diptyques le nom de Dioscore, ce qui lui valut les reproches du pape [3], sans convertir les Dioscoriens. Pourtant, sous son épiscopat, l'Égypte parut retrouver la paix.

§ 2. — L'Église d'Orient sous Basiliscus et Zénon.

L'EMPEREUR ZÉNON

Les choses changèrent lorsqu'en janvier 474 l'empereur Léon vint à mourir. Dès 471, le patrice Aspar avait été massacré avec sa famille et l'influence qu'il exerçait était passée à un aventurier isaurien du nom de Zénon. Celui-ci avait reçu, avec le titre de patrice et le commandement de la garde, la main d'Ariadné, fille de l'empereur, et il en avait eu un fils, qu'il avait appelé Léon, comme son grand-père. A la mort de Léon, cet enfant, alors âgé de quatre ou cinq ans et proclamé auguste quelques mois auparavant, se trouva héritier de l'Empire. Comme il était trop jeune pour exercer le pouvoir, on le contraignit à poser la couronne impériale sur la tête de son père, puis on le fit disparaître en novembre 474, et Zénon régna seul. En dépit de son titre d'empereur romain, Zénon était resté un véritable barbare. Il le montra vite assez pour qu'on songeât à se débarrasser de lui : le 9 janvier 475, une révolution de palais le renvoya dans son pays natal. Il fut remplacé par le beau-frère de l'empereur Léon Ier, Basiliscus [4].

L'ENCYCLIQUE DE BASILISCUS

Ces événements politiques eurent sur les choses religieuses les plus graves répercussions. Depuis le concile de Chalcédoine, et surtout depuis la mort

(1) Timothée, au cours de son exil, écrivit également contre les eutychianistes, en particulier contre Isaïe d'Hermopolis et Théophile d'Alexandrie, qui vivaient alors à Constantinople. Son principal ouvrage, *Contre ceux qui disent deux natures*, composé à Cherson, réfute le tome de Léon et la définition de Chalcédoine. Cf. J. LEBON, *op. cit.*, p. 93-111.

(2) ÉVAGRIUS, *Hist. eccl.*, II, XI. L'historien ajoute que d'autres surnommaient ce Timothée *Basilique*, ce qui signifie qu'il était le patriarche de l'empereur. L'avènement de Salofaciol fut annoncé au pape saint Léon qui répondit aux lettres officielles (*Epist.*, CLXXI-CLXXII ; JAFFÉ-WATTENBACH, 548-550).

(3) JAFFÉ-WATTENBACH, 580 ; cf. ZACHARIE, *Hist. eccl.*, IV, X.

(4) Cf. A. A. VASILIEV, *Histoire de l'Empire byzantin*, t. I, p. 133 et suiv.

de Marcien, l'empereur s'était tenu à peu près en dehors des questions théologiques. Sans doute Aspar, le tout-puissant patrice, avait-il manifesté quelque sympathie pour Timothée Aelure et pour les monophysites : ceux-ci ne s'étaient maintenus en Égypte que par l'appui des sympathies populaires et l'exil d'Aelure leur avait porté un coup redoutable. D'ailleurs, les patriarches de Constantinople, Anatole, puis Gennadius avaient fait bonne garde sur les décrets de Chalcédoine. Il eût été difficile à l'empereur de toucher au concile. Basiliscus n'eut pas les mêmes scrupules que ses prédécesseurs. A peine monté sur le trône, il reçut une députation des moines d'Alexandrie qui venaient lui demander le rappel d'Aelure [1] : il les accueillit avec bienveillance. D'autres influences peut-être s'exercèrent encore sur lui, en particulier celle de sa femme Zénonide. Le patriarche exilé fut rappelé de sa lointaine résidence et une *Encyclique* fut promulguée incontinent, qui canonisait la doctrine de saint Cyrille et condamnait le concile de Chalcédoine [2]. Tous les évêques de l'Empire étaient invités à signer cette pièce : le refus de signature, et, en général, une manifestation quelconque en faveur du concile de Chalcédoine entraînerait la déposition pour les clercs, l'exil et la confiscation pour les moines.

RETOUR DE TIMOTHÉE AELURE

Timothée lui-même fut accueilli avec honneur par Basiliscus et par la population de Constantinople, toujours avide de spectacles nouveaux. Les marins d'Alexandrie, nombreux à l'ordinaire dans le port de la capitale, se chargèrent du reste d'exciter l'enthousiasme en faveur de leur évêque. Les personnages officiels de l'Église se montrèrent plus réservés. Acace qui, après la mort de Gennadius (471) [3], était monté sur le siège de Constantinople, lui témoigna une froideur marquée et ne protesta pas quand les moines refusèrent à Timothée l'entrée des églises. Bien plus, il refusa

(1) ÉVAGRIUS, *Hist. eccl.*, III, III ; ZACHARIE LE RHÉTEUR donne deux listes de ces envoyés il nomme d'abord Paul le Sophiste, Jacques et Théopompe ; puis, il leur adjoint Ammon, surnommé le buffle, et Théorion, qui était, comme Jacques, un thaumaturge.

(2) Le texte de l'*Encyclique* est donné par ÉVAGRIUS, *Hist. eccl.*, III, IV. ZACHARIE n'en a repris qu'une partie avec des variantes. C'est un document très habile, qui fait le plus grand honneur à son rédacteur, Paul le Sophiste. L'empereur, après les préambules traditionnels, ordonne qu'on ne reçoive pas d'autre règle de foi que le symbole de Nicée, capable à lui seul de ruiner toutes les hérésies. Il laisse néanmoins subsister tout ce qui a été fait au concile de Constantinople (381) et dans les deux conciles d'Éphèse. Puis il exige qu'on anathématise le concile de Chalcédoine et le tome de Léon, comme des scandales qui ruinent la paix, l'ordre et l'unité de l'Église. Il veut qu'on anathématise aussi l'hérésie de ceux qui ne confessent pas que le Fils de Dieu s'est fait chair et s'est fait homme en naissant du Saint-Esprit et de la Sainte Vierge, Mère de Dieu, mais qui disent que son corps est venu du ciel ou n'a été qu'une apparence.

(3) Acace était depuis longtemps prêtre de Constantinople lorsqu'il fut élevé à l'épiscopat. Il y dirigeait l'orphelinat avec beaucoup de zèle, si bien que son nom avait déjà été prononcé à la mort d'Anatole pour lui succéder. C'était au reste un esprit assez inconsistant. Sous l'épiscopat de Gennadius, il s'était mis à la tête d'un petit groupe monophysite qui comptait dans ses rangs le poète Timoclès. Selon Zacharie, il aurait promis, en devenant patriarche, de rejeter le tome de Léon, le synode et l'innovation chalcédonienne. Plus tard, il aurait encore appuyé la requête des moines alexandrins en faveur de Timothée Aelure. Il est d'ailleurs certain que, pour conserver au siège de Constantinople toute son autorité, il se déclara chalcédonien et le resta aussi longtemps que son intérêt parut le lui conseiller.

de signer l'*Encyclique*, ce qui était une sorte de déclaration de guerre à l'empereur.

SYNODE D'ÉPHÈSE

L'évêque d'Alexandrie ne s'attarda pas à Constantinople où l'opposition à ses idées et à ses doctrines se manifestait de si méchante manière et il se hâta de s'embarquer pour l'Égypte. En route, il relâcha à Éphèse, où l'on tint en sa présence, sinon même sous sa présidence, un grand concile des évêques d'Asie. Ceux-ci rendirent le siège d'Éphèse à l'évêque Paul qui en avait été chassé peu auparavant [1], rétablirent en faveur du métropolitain d'Éphèse le droit de consacrer les métropolitains de la province d'Asie, droit que les Pères de Chalcédoine avaient attribué au patriarche de Constantinople, puis ils adressèrent à l'empereur une supplique pour lui demander de confirmer le texte de l'*Encyclique* et de châtier les évêques rebelles [2].

AELURE A ALEXANDRIE

Après quoi, Timothée put reprendre le chemin d'Alexandrie : « Le débarquement s'effectua le soir, à la lueur des torches, au milieu d'une grande manifestation populaire. Salofaciol, préalablement invité à déguerpir, s'était retiré à Canope, dans le monastère des Pachômiens, où il vivait, comme les moines, du métier de vannier. Timothée Aelure n'eut aucune peine à se réinstaller. Cette fois, il se montra plus conciliant, plus facile à accorder sa communion, pourvu, bien entendu, que l'on condamnât le tome de Léon et le concile de Chalcédoine. On critiqua sa modération ; outre les Eutychiens auxquels il continuait son antipathie, certains intransigeants de son bord se tenaient à l'écart, le trouvaient trop indulgent pour les Protériens convertis. Mais Timothée laissait dire. Il allait jusqu'à s'occuper des besoins matériels de son prédécesseur. Il lui assigna un denier par jour, aumône peu fastueuse, mais suffisante pour un moine. Les restes de Dioscore furent rapportés à Alexandrie en une châsse d'argent et déposés dans la sépulture des évêques » [3].

LE MONOPHYSISME EN SYRIE

L'accueil fait à Aelure à Éphèse et à Alexandrie aurait pu suffire à révéler à des yeux non prévenus la force croissante des monophysites. Bien d'autres indices pouvaient d'ailleurs confirmer cette impression. A Constan-

(1) Paul avait succédé, sur le siège d'Éphèse, à l'évêque Jean, surnommé le traître par les monophysites. Selon l'usage ancien, il avait été consacré par les évêques de sa province, ce qui lui avait valu d'être expulsé à la demande d'Acace qui voyait là une usurpation. Cf. ÉVAGRIUS, *Hist. eccl.*, III, v-vi.

(2) ÉVAGRIUS (*Hist. eccl.*, III, v) cite quelques fragments de la pétition des évêques. Le concile d'Éphèse dut se tenir dans les premiers mois de 476. Michel le Syrien (*Chronicon*, édit. CHABOT, p. 146) prétend qu'il comprenait deux cents évêques et que ceux-ci anathématisèrent Acace comme nestorien. Il y a là un embellissement légendaire des faits.

(3) L. DUCHESNE, *Histoire ancienne de l'Église*, t. III, p. 490-491.

tinople même, si la masse du peuple et des moines avait fait grise mine au patriarche égyptien, beaucoup étaient venus demander sa bénédiction et l'avaient reçu comme un confesseur de la foi. Bien plus, à Antioche et dans toutes les provinces de son ressort, l'hérésie ne cessait pas de progresser. Elle avait toujours eu en Syrie des partisans fanatiques, surtout dans le monde des ascètes et des moines ; et les évêques qui avaient naguère défendu Nestorius, qui avaient, en 431, anathématisé Cyrille d'Alexandrie et Memnon d'Éphèse, ne représentaient pas, dès ce temps-là, l'opinion unanime de leurs peuples. On vit bien mieux dans les années suivantes, lorsque disparurent les derniers témoins des premières luttes [1].

A ANTIOCHE

Nous connaissons fort mal, d'ailleurs, l'histoire de l'église d'Antioche et des églises de Syrie pendant les années qui suivent le concile de Chalcédoine. Maxime, qui avait remplacé Domnus, fut lui-même déposé en 455 ou 456. Après lui, Basile, Acace et Martyrius inscrivirent leurs noms dans la liste des évêques.

PIERRE LE FOULON

Ce dernier occupait le siège d'Antioche, lorsque arriva dans cette ville, sous la protection de Zénon, alors maître des milices d'Orient, un moine de Chalcédoine en rupture de monastère, Pierre, surnommé le Foulon. Celui-ci était monophysite [2] : à Antioche, il intrigua si bien contre Martyrius qu'il parvint à le faire partir à la suite d'une émeute. La chaire épiscopale se trouvait vide : il l'occupa aussitôt [3], quitte à disparaître momentanément lorsque Martyrius revint de Constantinople où il était allé se plaindre et où il avait obtenu gain de cause. Pendant quelques années l'anarchie la plus complète régna dans la malheureuse église d'Antioche. Martyrius, las d'avoir constamment à lutter, abandonna définitivement la partie très peu de temps après son retour, et Pierre le Foulon reparut, plus ambitieux que jamais : un ordre d'exil le chassa presque aussitôt et Julien lui succéda [4]. Après la publication de l'*Encyclique*, il crut son heure venue et tenta de se rétablir : ce troisième épiscopat fut, lui aussi, de courte durée. Exilé de nouveau, Pierre fut remplacé par un de ses amis, Jean Codonat [5],

(1) Théodoret de Cyr, le plus illustre des Orientaux, mourut assez peu d'années, semble-t-il, après le concile de Chalcédoine. Selon GENNADIUS DE MARSEILLE, *De viris inlustribus*, LXXXIX, sa mort serait arrivée sous le règne de Léon, c'est-à-dire en 457 au plus tôt, mais il n'est pas sûr que ce témoignage ait une grande valeur.

(2) THÉODORE LE LECTEUR, *Hist. eccl.*, I, XX-XXII ; *Gesta de nomine Acacii*, XII.

(3) Suivant Jean d'Égée, l'ordination de Pierre le Foulon aurait été célébrée à Séleucie de Syrie par des évêques qui auraient cédé aux violences exercées sur eux par Zénon.

(4) L. DUCHESNE (*Histoire ancienne de l'Église*, t. III, p. 495, n. 1) admet que c'est à l'affaire de Pierre le Foulon que se rattache une loi du 1er juin 471 (*Cod. Iust.*, I, III, 29), interdisant aux moines de quitter leurs monastères, pour aller faire du tapage à Antioche et dans les autres villes de l'Orient.

(5) Jean avait été sacré évêque pour Apamée, mais n'avait pas pu se faire recevoir par ses diocésains et vivait retiré à Antioche. Il fut excommunié en 478 par un synode romain réuni par le pape Simplicius. Cf. N. VALOIS, *Observationes in Hist. eccles. Evagrii*, 2 (*P. G.*, LXXXVI, 2888).

que le gouvernement écarta sans tarder pour faire introniser un certain Étienne : dès 481, Étienne fut martyrisé par les monophysites, qui, dit-on, le firent périr en le transperçant avec des roseaux aigus [1]. En fin de compte, il fallut envoyer aux Antiochiens un évêque choisi et consacré à Constantinople même, Calendion [2].

LES ÉVÊQUES D'ORIENT SIGNENT L'ENCYCLIQUE

Dans toute la Syrie des faits du même genre ne cessaient pas de se reproduire : les moines mésopotamiens étaient gagnés au monophysisme, et beaucoup d'entre eux ne redoutaient pas les formes extrêmes de l'hérésie, l'eutychianisme ou le docétisme. A tout instant, on les voyait intervenir dans les cités pour y imposer de force leurs idées. Il en allait de même en Palestine où Anastase de Jérusalem, le successeur de Juvénal, signa l'*Encyclique* [3]. Il ne fit d'ailleurs en cela que se conformer à un exemple suivi partout : on parle de cinq cents, de sept cents évêques qui souscrivirent la condamnation du concile de Chalcédoine.

ATTITUDE D'ACACE A CONSTANTINOPLE

Pendant ce temps, Acace presque seul tenait tête à Basiliscus et invitait la population chrétienne de Constantinople à rester fidèle au tome de Léon et au concile. Tous les moyens lui étaient bons pour réchauffer l'enthousiasme de ses diocésains, même les plus extraordinaires : un jour, il ordonnait une immense procession de pénitence qui se déroulait à travers les rues de la capitale ; un autre jour, il faisait voiler de noir l'autel et la chaire de Sainte-Sophie, et, vêtu lui-même de noir, il haranguait le peuple au milieu de cet appareil lugubre ; un autre jour encore, il parvenait à faire descendre de sa colonne, sous prétexte que la foi était en grand péril, un stylite fameux du nom de Daniel que naguère Gennadius n'avait pu ordonner prêtre autrement qu'en se hissant lui-même jusqu'à l'étroite plate-forme pour y accomplir les rites traditionnels, et la foule suivait au palais impérial l'illustre ascète qui implorait en faveur de la foi de Chalcédoine [4].

Cette mise en scène, il faut bien l'avouer, était aussi politique que religieuse par le but qu'elle visait. Acace n'était pas sans se rendre compte que le pouvoir de Basiliscus était singulièrement fragile. Le nouvel empereur donnait à ses sujets mille raisons de mécontentement ; et dans les montagnes de son Isaurie natale, où il s'était retiré, Zénon renouvelait ses forces ; bien plus, il entrait en pourparlers avec les généraux chargés

(1) Évagrius, *Hist. eccl.*, III, x.
(2) Évagrius, *Hist. eccl.*, III, x.
(3) Zacharie, *Hist. eccl.*, V, iii, v ; Évagrius, *Hist. eccl.*, III, v.
(4) La vie de saint Daniel le Stylite a été étudiée et éditée par H. Delehaye, *Les saints stylites*, Bruxelles et Paris, 1923, p. xxxv-lviii et 1-94.

de s'emparer de sa personne et qui étaient, comme lui, des Isaures. En s'opposant à l'*Encyclique*, Acace flattait le souverain d'hier et de demain.

RESTAURATION DE ZÉNON

De fait, la menace qui planait sur le trône de Basiliscus ne tarda pas à se préciser, et l'on apprit, sans trop d'étonnement, que Zénon marchait sur Constantinople. Basiliscus, à cette nouvelle, se hâta de rétracter l'*Encyclique*, de publier un nouvel édit, l'*Antiencyclique*, qui remettait toutes choses en l'état et qui rendait tous ses droits au patriarche de Constantinople [1]. Ce fut peine perdue : en septembre 476, Zénon rentra dans sa capitale [2]. Basiliscus et sa famille, envoyés en Cappadoce, y moururent de faim.

LES PREMIERS ACTES DE ZÉNON

Les monophysites vécurent alors de mauvais jours. Zénon s'était appuyé sur les Chalcédoniens pour préparer sa restauration : il dut commencer par leur donner des gages [3]. Une loi abolit toutes les mesures prises par Basiliscus. Pierre le Foulon et Paul d'Éphèse furent une fois de plus chassés de leurs évêchés. Timothée Aelure lui-même fut condamné à l'exil et un questeur vint à Alexandrie pour le lui signifier. Mais le patriarche était vieux, malade. On le laissa mourir en paix (31 juillet 477) [4]. Du moins s'efforça-t-on de prendre des mesures pour rendre impossible l'élection d'un nouvel évêque monophysite sur le siège de saint Marc. Ce fut peine perdue. L'évêque d'Antinoë, Théodore, se trouvait à Alexandrie au moment où mourut Timothée : il se hâta d'imposer les mains à Pierre Monge, qui, une fois consacré, disparut, afin d'éviter des ennuis. Le vieux Salofaciol fut rappelé : il sortit sans enthousiasme de son monastère de Canope pour reprendre l'exercice des fonctions épiscopales. Sa bonté et sa modération ne purent avoir raison de l'entêtement des Alexandrins ; il fut subi, beaucoup plus qu'accepté, par l'Égypte chrétienne [5].

REVIREMENT DES ÉVÊQUES

Devant l'attitude de Zénon, tous les évêques qui avaient souscrit l'*Encyclique* se

(1) Le texte de l'*Antiencyclique* est reproduit par ÉVAGRIUS, *Hist. eccl.*, III, VII.

(2) Le règne de Basiliscus avait duré vingt mois. Cf. VICTOR DE TONNENA, *Chronic.*, a. 476 ; PROCOPE, *De bello vandal.*, I, VII. La notification officielle du retour de Zénon, à laquelle le pape Simplicius répondit le 9 octobre 477 (JAFFÉ-WATTENBACH, 576), dut être faite seulement quelques mois après le retour de l'empereur dans sa capitale.

(3) Un grand nombre d'évêques vinrent à Constantinople en 477 pour faire leur soumission. Le pape Simplicius paraît s'être inquiété de cette affluence d'évêques dans la capitale. Dans une lettre à Acace (JAFFÉ-WATTENBACH, 577), il déclare que ces évêques doivent retourner promptement dans leurs églises qui ont grand besoin d'eux et ne pas penser à un nouveau concile.

(4) ÉVAGRIUS, *Hist. eccl.*, III, XI. Les adversaires de Timothée racontèrent qu'il s'était empoisonné (cf. LIBERATUS, *Breviar.*, XVI). La chose est tout à fait invraisemblable.

(5) ÉVAGRIUS, *Hist. eccl.*, III, XI. Acace s'empressa d'informer le pape Simplicius de la restauration de Salofaciol (THIEL, p. 194) ; cf. *Gesta de nomine Acacii* (p. 516). Il le fit avec un optimisme qui contrastait étrangement avec les difficultés réelles de la situation.

hâtèrent de se rétracter et d'implorer leur pardon [1]. Une telle unanimité de l'épiscopat oriental pour signer tout ce qu'on voulait n'avait évidemment rien de digne. De plus, elle pouvait donner à réfléchir à des hommes doués de quelque sens politique. N'était-il pas évident que si l'on acceptait le tome de Léon et le concile de Chalcédoine, c'était pour plaire aux autorités, alors que, au fond du cœur, on était beaucoup plus attaché aux formules cyrilliennes ? Tous les événements qui, depuis 451, s'étaient passés en Orient ne démontraient-ils pas que le monophysisme attirait à lui les meilleurs esprits, les hommes les plus pieux, voire les théologiens les plus savants ?

RÉFLEXIONS D'ACACE

Acace de Constantinople, qui penchait vers le monophysisme et qui ne s'était rallié à l'orthodoxie que par nécessité, fut le premier à penser qu'il ne serait sans doute pas impossible d'acheter la tranquillité religieuse en Orient au prix de quelques concessions et que les choses iraient mieux si l'on n'était pas obligé, à chaque élection épiscopale, de prendre des mesures de rigueur contre les opposants. Sans doute, les concessions à faire ne seraient-elles pas agréables au pape de Rome. Mais Rome était loin ; elle était bien déchue de son antique splendeur depuis que les Barbares en avaient fait la conquête, et son évêque, en dépit de la primauté qui lui avait toujours été reconnue, n'était guère capable d'intervenir d'une manière utile dans les affaires orientales, qu'au surplus il connaissait mal et dont il ne pénétrait pas la complexité. On abandonnerait donc le concile de Chalcédoine et l'on canoniserait les anathématismes cyrilliens, moyennant quoi tout irait pour le mieux et le patriarche de Constantinople qui avait eu l'idée de ce compromis verrait grandir son autorité sur ses collègues.

LES PROJETS DE ZÉNON

Acace n'eut aucun mal à faire adopter ce beau projet par l'empereur Zénon, qui se déchargeait volontiers sur lui de toutes les affaires religieuses. Une occasion de le réaliser se présenta à la mort du vieux patriarche d'Alexandrie, le pieux et modeste Timothée Salofaciol (juin 482) [2]. Celui-ci, sentant venir l'orage, s'était efforcé d'assurer après lui l'élection, sur le siège de saint Marc, d'un évêque chalcédonien ; il avait député à Constantinople, vers la fin de 381 ou au début de 382, un de ses prêtres, Jean Talaïa [3], pour demander à l'empereur d'assurer sa succession au mieux des intérêts de

(1) ÉVAGRIUS (*Hist. eccl.*, III, IX) a conservé des fragments de la supplique adressée à Acace par les évêques d'Asie, pour s'excuser de leur faiblesse sous prétexte qu'ils avaient été contraints à souscrire la condamnation de Chalcédoine.

(2) Sur les événements d'Alexandrie, cf. ÉVAGRIUS, *Hist. eccl.*, III, XII-XVI ; ZACHARIE, *Hist. eccl.*, V, VI-XII ; VI, I-III.

(3) D'après LIBERATUS (*Breviar.*, XVIII), Talaïa était accompagné à Constantinople de Gennadius, évêque d'Hermopolis parva.

l'orthodoxie. La mission de Jean avait d'ailleurs à peu près échoué : l'empereur lui avait fait promettre par serment de ne pas revendiquer ni accepter pour lui-même le siège d'Alexandrie [1] où il voulait faire monter, sans procéder à une nouvelle élection, Pierre Monge, l'évêque monophysite, auquel il proposerait la signature d'une formule capable par son imprécision de satisfaire tout le monde.

PIERRE MONGE ÉVÊQUE D'ALEXANDRIE

Ces projets faillirent être bouleversés par les circonstances. Dès que Salofaciol eut rendu le dernier soupir, ses partisans s'assemblèrent et consacrèrent Jean Talaïa, en dépit de son serment. Il n'y eut là qu'une alerte. La masse des fidèles d'Alexandrie était favorable à Pierre Monge ; Talaïa ne fut pas reconnu à Constantinople ; un nouveau préfet fut envoyé en Égypte avec l'ordre de maintenir le calme et de s'entendre avec le prélat monophysite. Abandonné de tous côtés, Jean Talaïa s'enfuit à Rome et laissa la place vide [2].

L'HÉNOTIQUE DE ZÉNON

A ce moment, Zénon put sortir le formulaire qu'il avait préparé et auquel il avait donné le nom d'*Hénotique*, ou édit d'union. Cet édit, adressé aux évêques, clercs, moines et fidèles d'Alexandrie, d'Égypte, de Libye et de Pentapole, et en réalité destiné à tout l'Empire [3], est ainsi conçu :

Nous voulons vous faire connaître que ni nous-mêmes ni les églises de l'univers, nous ne professons d'autre symbole ou formule de foi en dehors de celui des trois cent dix-huit Pères qui a été confirmé par les cent cinquante Pères. Si quelqu'un a une autre foi, nous le déclarons excommunié. C'est par ce seul symbole, croyons-nous, que notre Empire sera sauvé. Tous les peuples qui reçoivent le baptême du salut n'ont d'autre symbole que celui-là. C'est encore ce même symbole qu'ont suivi les saints Pères réunis à Éphèse qui ont condamné l'impie Nestorius et ses partisans. Quant à nous, condamnant en même temps Nestorius et Eutychès, parce qu'ils contredisent les sentiments des Pères, nous recevons également les douze chapitres promulgués par Cyrille de sainte mémoire, naguère archevêque de la sainte église d'Alexandrie. Nous confessons le Fils unique de Dieu, Dieu lui-même, qui s'est fait véritablement homme, Notre-Seigneur Jésus-Christ consubstantiel au Père selon la divinité, consubstantiel à nous selon l'humanité, descendu et incarné de l'Esprit Saint et de la Vierge Marie Mère de Dieu, un seul et non deux. Nous disons que sont d'un seul les merveilles et les souffrances qu'il a endurées volontairement dans la chair. Ceux qui divisent ou qui confondent ou qui introduisent une apparence, nous ne les recevons pas : car l'incarnation sans péché de la Mère de Dieu n'a pas

(1) Liberatus, *Breviar.*, xviii ; Zacharie (*Hist. eccl.*, V, vi) prétendait que Talaïa, au cours de son voyage, aurait lié des relations avec le patrice Illus alors suspect à l'empereur. Là ne serait pas, en tout cas, la raison pour laquelle Talaïa aurait été écarté de l'épiscopat.

(2) Évagrius, *Hist. eccl.*, III, xii-xiii. Évagrius rapporte, d'après Zacharie, le bruit que Jean Talaïa aurait acheté l'épiscopat à prix d'argent.

(3) Le texte grec de l'*Hénotique* est conservé par Évagrius, *Hist. eccl.*, III, xiv. Cet édit est également conservé en latin par Liberatus, *Breviar.*, xvii, en syriaque par Zacharie, et en copte. Les versions comportent des variantes qui ont un certain intérêt. Cf. M. A. Kugener, *La compilation historique de pseudo-Zacharie le Rhéteur*, dans *Revue de l'Orient chrétien*, t. V, 1900, p. 475, qui a attiré l'attention sur un texte grec fourni par un manuscrit du Vatican.

ajouté un autre Fils. La Trinité est restée la Trinité, même quand un de la Trinité, le Dieu Verbe, s'est incarné. Sachan donc que ni les saintes églises orthodoxes de Dieu dans l'univers, ni les très théophiles évêques qui sont à leur tête, ni tout notre Empire ne reçoivent d'autre symbole ou profession de foi que celui qui a été dit, nous nous réunissons tous dans son affirmation... Quiconque pense ou a pensé autrement, maintenant ou en quelque circonstance, à Chalcédoine ou en un autre concile, nous l'anathématisons ; nous anathématisons surtout Nestorius et Eutychès et leurs partisans. Unissez-vous donc à l'Église, notre mère spirituelle, pour jouir en elle d'une seule et même communion divine, selon la foi des trois cent dix-hui Pères qui est la seule et unique définition de foi [1].

CARACTÈRE DE L'HÉNOTIQUE

A la lire sans passion, dans le recul des temps, cette formule paraît à peu près orthodoxe ; elle semble même étrangement terne. Elle condamne à la fois Nestorius et Eutychès ; elle s'attache au symbole de Nicée. Si elle mentionne les douze anathématismes de saint Cyrille pour les recevoir, le concile de Chalcédoine pour le rejeter, c'est en passant et sans aucune insistance. D'une ou de deux natures, il n'est pas question.

SON INSUFFISANCE

Cette modération ne pouvait plaire à personne. Condamner le concile de Chalcédoine, fût-ce d'un seul mot, laisser tomber sans le mentionner le tome de saint Léon, c'était là une double trahison à laquelle les orthodoxes étaient incapables de consentir. Depuis trente ans ils avaient lutté pour l'un et pour l'autre : y renoncer eût été à leurs yeux une lâcheté. D'autre part, les monophysites trouvaient trop raisonnables les expressions de l'*Hénotique* : les persécutions qu'ils avaient subies, les contradictions qu'ils avaient rencontrées les avaient habitués à des formules violentes, passionnées, très différentes des termes édulcorés de la formule impériale.

RÉSISTANCES DES ALEXANDRINS

Ce fut de leur côté que vinrent les premières difficultés. Tandis qu'à Alexandrie Pierre Monge acceptait l'*Hénotique* et s'efforçait de rallier à son autorité les partisans de Proterius et de Salofaciol [2], bon nombre de ses diocésains se mirent à protester contre sa tiédeur : non seulement les phantasiastes que le document impérial condamnait expressément [3], mais les anciens fidèles d'Aelure et de Dioscore, les disciples de saint

(1) Évagrius, *Hist. eccl.*, III, xiv.
(2) Évagrius, *Hist. eccl.*, III, xiii.
(3) La situation ecclésiastique à Alexandrie, à la suite de la promulgation de l'*Hénotique*, est extrêmement difficile à saisir et les indications fournies par Évagrius (*Hist. eccl.*, III, xvi-xvii et xxi-xxii) ne semblent pas concorder avec celles que donne Zacharie le Rhéteur. J. Lebon (*Le monophysisme sévérien*, p. 33, n. 4) essaie, dans une longue note, de concilier toutes nos sources d'information ; mais il est amené à multiplier les groupes rivau. de manière à présenter toute la gamme des opinions possibles. Il est peut-être sage de ne pas presser les textes de trop près, d'autant plus que le point de vue des historiens catholiques est tout à fait différent de celui des historiens monophysites

Cyrille. Ce fut en vain que Monge essaya de leur donner des gages de son loyalisme cyrillien, effaçant des diptyques les noms de Salofaciol et de Proterius, exhumant d'anciens discours dans lesquels il avait clairement enseigné l'unité de nature : il parvint d'autant moins à les convaincre qu'il était obligé de tenir un langage plus prudent à cause des fonctionnaires qui le surveillaient et d'écrire à Acace des lettres pleines de respectueuses protestations [1].

LES MOINES D'ÉGYPTE Comme on peut le penser, les moines se distinguaient entre tous par leur attitude intransigeante. Ils s'agitèrent tant et si bien que Pierre Monge dut sévir contre eux et que l'empereur se crut obligé d'envoyer de Constantinople un fonctionnaire, Cosmas, pour examiner de près la situation [2]. Cosmas, dès son arrivée, fut reçu par une imposante manifestation : trente mille moines s'assemblèrent dans une église de la banlieue, sous la conduite de l'évêque Théodore d'Antinoë, et tentèrent de pénétrer à Alexandrie. On n'en laissa entrer que deux cents : Pierre Monge leur exposa ses idées sur le Christ, sur le concile, sur le tome de Léon ; ils voulurent bien le trouver orthodoxe et le faire savoir à leurs mandants. L'effervescence se calma pour cette fois, mais l'alerte avait été chaude. D'ailleurs, les moines continuèrent à bouder le patriarche ; sous la conduite d'un certain Néphalius, beaucoup d'entre eux se mirent même en état de révolte ouverte [3].

A ANTIOCHE A Antioche, la situation n'était guère meilleure. Le patriarche Calendion, qui y avait été expédié par Acace [4], était chalcédonien : il refusa de signer l'*Hénotique*, et, bientôt après, il se trouva compromis dans une conspiration politique tramée pour renverser l'empereur Zénon [5]. Il fut exilé dans la grande Oasis (484), et, pour la

(1) Sur la correspondance d'Acace et de Pierre Monge, cf. ÉVAGRIUS, *Hist. eccl.*, III, XVII. L'évêque d'Alexandrie assurait son collègue de Constantinople qu'il recevait le concile de Chalcédoine. Mais, ce faisant, il répondait aux inquiétudes d'Acace qui avait reçu sur l'attitude de Pierre à l'égard du concile des informations contradictoires. Cf. ÉVAGRIUS, *Hist. eccl.*, III, XVI. On peut toujours se demander dans quelle mesure Pierre Monge et Acace étaient sincères. Sur la correspondance apocryphe des deux patriarches, cf. AMELINEAU, *Monuments pour servir à l'histoire de l'Égypte chrétienne aux IVe et Ve siècles*, Paris, 1888 (dans *Mémoires publiés par les membres de la mission archéologique française au Caire*, t. IV), p. 196 ; V. GRUMEL, *Les regestes du patriarcat de Constantinople*, t. I, fasc. 1, n. 156-159, 161, 164, 167. Ces lettres apocryphes sont très curieuses : elles montrent Acace docilement soumis à Monge et faisant pénitence pour avoir reçu le concile de Chalcédoine : rien n'est plus invraisemblable.

(2) ÉVAGRIUS, *Hist. eccl.*, III, XXII ; LIBERATUS, *Breviar.*, XVIII.

(3) ÉVAGRIUS, *Hist. eccl.*, III, XXII. La position doctrinale de Néphalius est très difficile à préciser. Certains ont voulu voir en lui un monophysite, converti plus tard au concile de Chalcédoine, D'autres le regardent plutôt comme un catholique rallié à l'*Hénotique*. Son adhésion à l'édit de Zénon l'aurait fait prendre pour un monophysite. Cf. J. LEBON, *Le monophysisme sévérien*, p. 43, n. 3.

(4) Cf. *supra*, p. 288. Calendion s'efforça, pendant son court épiscopat, de rallier tous les orthodoxes autour de lui. Il fit ramener à Antioche les cendres de saint Eustathe, mort en exil peu après 330 et, par là, cesser le schisme qui divisait l'église d'Antioche depuis le milieu du IVe siècle.

(5) Le patrice Illus s'était fait envoyer en Orient avec des pouvoirs extraordinaires : il y conspira

quatrième fois, Pierre le Foulon fut invité à remonter sur le siège d'Antioche : on le fit naturellement souscrire à la formule impériale et il obéit sans difficulté [1] ; il ordonna même de chanter à la messe le symbole de Nicée, afin de protester contre le concile de Chalcédoine ; et dans le Trisagion : « Dieu saint, Saint et fort, Saint et immortel », il imagina d'introduire les mots : « Crucifié pour nous », qui étaient une profession de monophysisme [2] et devinrent le cri de ralliement de tous les antichalcédoniens.

EN PALESTINE

En Palestine, Anastase de Jérusalem avait adhéré à l'*Encyclique* de Zénon et ne s'était pas rétracté [3], tout en communiquant avec les évêques qui venaient à lui. Il mourut en 478 et son successeur Martyrius garda la même ligne de conduite, anathématisant à la fois Nestorius et le concile de Chalcédoine. Lors de la publication de l'*Hénotique*, il n'eut pas de peine à l'accepter [4]. Mais lui aussi fut trouvé tiède par ses moines qui esquissèrent une sérieuse résistance à son endroit. L'un des plus respectés, Marcien de Bethléem, sauva la situation en faisant accepter à ses frères le ralliement autour de l'évêque de Jérusalem : encore, s'il faut en croire Cyrille de Scythopolis, les moines confièrent-ils au hasard le soin de résoudre la question, et ce fut le sort qui décida de la soumission [5]. Les dissidents, car il en reste toujours, se groupèrent autour de Géronce, l'ancien aumônier de sainte Mélanie et de Romanus, supérieur du couvent de Thecoa [6].

RÉPERCUSSION A ROME DES ÉVÉNEMENTS D'ORIENT

Tandis que ces événements se passaient en Orient, le pape Simplicius n'en recevait que des nouvelles plus ou moins précises, et le plus souvent avec un grand retard. La mort de Timothée

contre l'empereur Zénon et se crut bientôt assez fort pour le faire remplacer par un général du nom de Léonce, qui fut proclamé par la propre belle-mère de Zénon, l'impératrice Vérine, regardée comme la dépositaire de la tradition ; cf. THÉOPHANE, *Chronic.*, a. 5974. De gré ou de force, les évêques syriens durent reconnaître l'usurpateur. Lorsque Zénon l'eut vaincu définitivement, il put se servir du prétexte de rébellion pour faire déposer les évêques qui lui déplaisaient parce que trop fidèles au concile de Chalcédoine. THÉOPHANE, *Chronic.*, a. 5982.

(1) Pierre le Foulon, après sa réinstallation, réunit un synode de ses suffragants et envoya des lettres de communion à Pierre Monge d'Alexandrie (ZACHARIE LE RHÉTEUR, *Hist. eccl.*, V, x).

(2) L'addition de Pierre au *Trisagion* est susceptible d'un sens orthodoxe. On peut dire, en toute vérité, que Dieu a souffert, a été crucifié, est mort pour nous. Mais, dans les circonstances où elle était introduite, elle avait assurément une intention monophysite. Calendion essaya un compromis : il voulut insérer, entre le texte primitif et l'addition hérétique, les mots : Christ notre Dieu. Cette correction n'obtint aucun succès.

(3) Cf. *supra*, p. 288. ÉVAGRIUS, *Hist. eccl.*, III, XVI ; ZACHARIE, *Hist. eccl.*, V, II, V.

(4) ZACHARIE LE RHÉTEUR (*Hist. eccl.*, V, VI) rapporte un discours de Martyrius, où l'orateur célèbre les trois conciles de Nicée, Constantinople et Éphèse et rejette tout ce qui a pu être décidé en sens contraire à Rimini, à Sardique, à Chalcédoine.

(5) CYRILLE DE SCYTHOPOLIS, *Vita S. Euthym.*, CXXIII, CXXIV (*Acta sanctorum januarii*, t. II, p. 626) ; COTELIER, *Ecclesiae greacae monumenta*, t. II, p. 205.

(6) C'est aussi en Palestine qu'avaient trouvé refuge trois monophysites fameux, compromis par leur intransigeance, et opposés à l'*Hénotique*, Pierre l'Ibère, ancien évêque de Maiouma, Théodore d'Antinoé et le moine Isaïe. Pierre et Isaïe moururent en 488. Zacharie le Rhéteur écri-

Aelure et le rétablissement de Timothée Salofaciol sur le siège d'Alexandrie l'avaient comblé de joie ; puis, il avait appris avec inquiétude la tolérance avec laquelle on supportait les agissements de Pierre Monge [1]. Plus tard, en 482, son angoisse avait grandi lorsqu'il avait eu connaissance de la mort de Salofaciol, de la consécration de Jean Talaïa, des intrigues nouées pour assurer à Pierre Monge le siège d'Alexandrie [2]. Il mourut, le 10 mars 483, après une assez longue maladie, sans avoir rien su de la promulgation de l'*Hénotique.* Ce fut son successeur, Félix III, qui apprit cette nouvelle et qui reçut en même temps la plainte déposée par Jean Talaïa contre Acace de Constantinople.

LÉGATION ROMAINE A CONSTANTINOPLE

Félix était un homme de la plus haute énergie. Sans hésiter, il envoya immédiatement à Constantinople une mission composée de deux évêques, Vital et Misène, et d'un défenseur romain, Félix. Ces personnages étaient chargés de nombreuses lettres pour Acace et pour Zénon. A l'empereur et au patriarche, le pape demandait de rester fidèles au concile de Chalcédoine, d'éviter avec le plus grand soin l'hérésie eutychienne, de ne pas se compromettre avec les monophysites [3]. Une lettre spéciale était consacrée à la plainte de Jean Talaïa : le pape n'hésitait pas à citer Acace devant son tribunal pour se justifier de toutes les accusations portées contre lui [4]. En outre, les légats pontificaux étaient invités à se mettre en rapport, dès leur arrivée à Constantinople, avec les moines acémètes tout dévoués au concile de Chalcédoine et qui, à plusieurs reprises, avaient écrit à Rome pour signaler les agissements d'Acace [5].

DÉFECTION DES LÉGATS

Cette mission était des plus délicates : et il n'était pas facile de procéder contre le tout puissant patriarche. Lorsque les légats arrivèrent dans la capitale, on commença par les mettre au secret, puis on employa les belles paroles, les promesses, les cadeaux même ; tant et si bien que les Romains finirent par accepter de prendre part à la liturgie solennelle où officiait Acace ; et celui-ci profita de leur présence pour prononcer à haute voix, dans la lecture des diptyques, le nom de Pierre Monge, ce qui ne s'était pas fait

vit la vie de ces personnages. Nous n'avons conservé, et seulement en syriaque, que celle d'Isaïe. Sur cet Isaïe, cf. l'étude du P. VAILHÉ, dans *Échos d'Orient*, t. IX, 1906, p. 464 et suiv.

(1) Nous avons plusieurs lettres du pape Simplicius à Acace et à l'empereur Zénon pour demander l'exil de Pierre Monge (JAFFÉ-WATTENBACH, 579-582, 584). Cf. TILLEMONT, *Mémoires*, t. XVI, p. 311-313.

(2) ÉVAGRIUS, *Hist. eccl.*, III, xv. Simplicius se hâta d'écrire de nouvelles lettres à Acace et à Zénon pour empêcher la reconnaissance officielle de Pierre Monge (JAFFÉ-WATTENBACH, 586-589). Tous ces efforts demeurèrent inutiles.

(3) JAFFÉ-WATTENBACH, 591-595. Cf. TILLEMONT, *Mémoires*, t. XVI, p. 341 et suiv. ; ÉVAGRIUS, *Hist. eccl.*, III, xx.

(4) JAFFÉ-WATTENBACH, 593.

(5) ÉVAGRIUS, *Hist. eccl.*, III, xix.

jusqu'alors. Aux yeux de tous, l'assistance des légats aux offices d'Acace ne pouvait être regardée que comme une trahison ; elle signifiait l'acceptation de l'*Hénotique*, l'abandon de Chalcédoine, la reconnaissance de Pierre Monge. Les acémètes, dont la pensée était toujours en éveil [1], se hâtèrent d'annoncer à saint Félix la défaillance de ses légats. Lorsque ceux-ci revinrent à Rome, ils trouvèrent le pape mieux informé qu'ils ne l'auraient voulu : celui-ci réunit autour de lui, le 28 juillet 484, un concile de soixante-dix-sept évêques, qui prononcèrent l'excommunication des légats et la déposition du patriarche de Constantinople [2].

DÉPOSITION D'ACACE

La lettre synodale qui signifiait à Acace sa déposition était rédigée dans les termes les plus sévères : « Tu t'es rendu coupable de multiples transgressions », déclarait-elle d'abord, et elle énumérait ces transgressions : la reconnaissance de Pierre Monge comme évêque d'Alexandrie, en dépit de l'hérésie qu'il professait ouvertement et de l'illégalité de sa consécration faite par un seul évêque, hérétique lui-même, l'élévation de Jean Codonat au siège de Tyr, l'ordination du prêtre Himerius, déposé du diaconat, le refus de comparaître devant le pape, les sévices fait aux légats. Après quoi, elle déclarait :

> De par la présente sentence que nous t'envoyons par Tutus, défenseur ecclésiastique, va avec ceux que tu recherches si volontiers (Monge et les siens). Tu es privé du sacerdoce, retranché de la communion ecclésiastique et du nombre des fidèles ; tu n'as plus droit ni au nom de prêtre ni aux fonctions sacerdotales. Telle est la condamnation que t'inflige le jugement du Saint-Esprit et l'autorité apostolique dont nous sommes dépositaire, sans que jamais tu puisses être délié de l'anathème [3].

Outre cette lettre, une note plus brève contenait ces simples mots :

> Acace, qui, malgré deux avertissements, n'a pas cessé de mépriser les règles salutaires, qui a osé m'emprisonner dans la personne des miens, Dieu, par une sentence prononcée du ciel, l'a évincé du sacerdoce. Tout évêque, clerc, moine ou laïque, qui, après cette notification, communiquera avec lui, qu'il soit anathème, de par le Saint-Esprit.

Restait à faire connaître à Acace la sentence du pape et du concile de Rome. Le défenseur Tutus, chargé de cette mission difficile, parvint à échapper à la surveillance des policiers qui gardaient le détroit d'Abydos, et dès qu'il fut à Constantinople, il se mit en relations avec les moines acémètes dont le dévouement était à toute épreuve et qui se chargèrent de transmettre au patriarche le message romain : au cours d'une solennelle liturgie, ils parvinrent à épingler à son pallium l'acte de déposition. Plusieurs d'entre eux payèrent cette audace de leur vie.

(1) ÉVAGRIUS, *Hist. eccl.*, III, XX.
(2) Nous n'avons pas conservé les actes du concile romain ; mais ÉVAGRIUS (*Hist. eccl.*, III, XX-XXI) nous apprend ce qui s'y est passé, et nous avons encore les lettres du pape qui en annoncent les décisions (JAFFÉ-WATTENBACH, 599-604). Cf. LIBERATUS, *Breviar.*, XVIII.
(3) JAFFÉ-WATTENBACH, 599.

ÉNERGIE DE FÉLIX III

L'excommunication d'Acace était un acte de la plus haute gravité. En la prononçant, Félix III ne pouvait avoir aucune illusion : ce n'était pas seulement le patriarche de Constantinople qu'il séparait de sa communion, c'était toute l'Église d'Orient, attachée à son chef et plus encore dominée par la crainte de l'empereur. On a parfois reproché au pape d'avoir agi avec tant de rigueur. Ces reproches ne sont pas fondés. La patience de Simplicius ayant échoué, le temps était venu de procéder par la sévérité. Sans doute l'*Hénotique*, accepté par tout l'épiscopat oriental, n'était pas formellement hérétique, mais ses sous-entendus, ses silences, ses prétéritions en faisaient un document dangereux, et le pape pouvait d'autant moins s'y rallier qu'il s'opposait en termes exprès, — c'était même une des seules choses qu'il disait, — au concile de Chalcédoine. D'ailleurs l'*Hénotique* lui-même n'était qu'une sorte de masque, derrière lequel on apercevait les physionomies grimaçantes de Pierre le Foulon, de Pierre Monge, d'Acace lui-même, de tous les évêques ambitieux et intrigants qui, sur les principaux sièges de l'Orient, s'efforçaient de conserver la faveur des monophysites avérés, au plus grand préjudice de l'orthodoxie. Comment le pape aurait-il pu accepter davantage la communion de tous ces gens-là ? Gardien de l'orthodoxie, chef de l'Église universelle, Félix comprit que l'heure des actes décisifs avait sonné. « Il n'hésita pas devant son devoir. Dieu lui donna raison »[1].

(1) L. Duchesne, *Histoire ancienne de l'Église*, t. III, p. 682.

CHAPITRE II

SOUS LE RÉGIME DE L'HÉNOTIQUE : LA POLITIQUE RELIGIEUSE D'ANASTASE [1]

§ 1. — L'Église jusqu'à la mort du pape Anastase II.

L'ÉGLISE D'ORIENT EN 490

Après l'excommunication d'Acace par le pape Félix III, la situation religieuse de l'Orient est plus obscure et plus embrouillée que jamais. Officiellement, *l'Hénotique* est accepté par tous les évêques ; il constitue la formule à

1) Bibliographie. — I. Sources. — Les sources relatives à la politique religieuse d'Anastase sont très nombreuses. A l'*Histoire ecclésiastique* d'Évagrius, à celle de Théodore le Lecteur, à la *Chronographie* de Jean Malalas, aux *Chroniques* de Victor de Tonnena, de Marcellin, de Jean de Nikiou, qui ont déjà été citées, il faut joindre la *Vie de saint Sabas* par Cyrille de Scythopolis (édit. Cotelier, dans *Monumenta ecclesiae graecae*, t. III, p. 220-376), celle de saint Daniel le Stylite (édit. Delehaye, dans *Les Saints stylites*, Bruxelles, 1923, p. 1-147) ; celle de saint Théodose, dans les *Acta sanctorum Ianuarii*, t. I, p. 680-701 ; Procope de Gaza, *Panégyrique de l'empereur Anastase* (*P. G.*, LXXXVII, 2794-2826) ; Priscien, *De laude Anastasii*, édit. Baehrens, *Poetae latini minores*, Leipzig, 1883, p. 264-274 ; Pierre le Patrice, *Fragments*, dans Constantin Porphyrogénète, *De cerimoniis*, I, 92 (*P. G.*, CXII, 769-788).

Parmi les documents officiels, viennent en premier lieu les lettres des papes Gélase, Anastase, Symmaque et Hormisdas. Bon nombre de ces lettres sont conservées dans la *Collectio Avellana*, recueil composé de 244 lettres de papes, d'empereurs et de personnages divers qui ont vécu entre 367 et 553 : ce recueil, ainsi nommé parce que le manuscrit qui le renferme a longtemps appartenu au monastère de Sainte-Croix in Fonte Avellana, a dû être constitué à Rome au cours de la seconde moitié du VIe siècle. Cf. O. Guenther, *Avellana Studien*, dans les *Sitzungsberichte der Wiener Akademie der Wissenchaften, Philos. histor. Klasse*, t. CXXXIV, 1895. La meilleure édition est celle de O. Guenther dans le *Corpus* de Vienne, t. XXXV, Vienne, 1895-1898. Les lettres qui ne figurent pas dans la *Collectio Avellana* — et quelques-unes de celles qui en font partie — sont à chercher dans A. Thiele, *Epistolae romanorum pontificum genuinae et quae ad eos scriptae sunt a S. Hilario usque ad Pelagium II*, t. I, *A S. Hilario usque ad S. Hormisdam, ann. 461-523*, Brunswick, 1868.

A saint Gélase, on doit de plus quelques traités importants pour l'histoire de ce temps : *Gesta de nomine Acacii vel breviculus historiae Eutychianistarum* (*P. L.*, LIX, 928-934) ; *De damnatione nominum Petri et Acacii* (*P. L.*, LIX, 85-90) ; *De duabus naturis in Christo adversus Eutychen et Nestorium* (manque dans *P. L.*) ; *Tomus de anathematis vinculo* (*P. L.*, LIX, 102-110).

La correspondance de saint Hormisdas est particulièrement bien représentée dans la *Collectio Avellana* (*Epist.*, CV-CCXLIII) : les autres sources au contraire n'en ont à peu près rien conservé.

Les sources orientales sont spécialement nombreuses et importantes. Sévère d'Antioche écrivait en grec, mais seuls quelques fragments de ses œuvres ont survécu dans la langue originale. Par contre, un très grand nombre de ses écrits nous sont parvenus dans des traductions syriaques. Il faut, avant tout, mentionner sa correspondance : de très bonne heure, on a fait un recueil de ces lettres qui comprenait environ 4.000 pièces et était divisé en vingt-trois livres. Un extrait de cet immense recueil comprenait encore environ 700 lettres. C'est de cet extrait que le 6e livre a été traduit en syriaque en 669 par le prêtre Anastase de Nisibe. Ce sixième livre a été édité par E. W. Brooks, *The sixth book of the select letters of Severus, patriarch of Antioch, in the syriac version of Athanasius of Nisibis*, Londres, 1902-1904. D'autres lettres, recueillies et traduites également par E. W. Brooks, ont paru sous le titre de *A collection of letters of Severus of Antioch*, dans la *Patrologia orientalis*, t. XII, II, Paris, 1916 et t. XIV, I, Paris, 1919. Les écrits dogmatiques de Sévère et ses sermons ont évidemment beaucoup moins d'importance pour l'historien. Il nous

laquelle tous doivent souscrire ; grâce à ses silences calculés, à sa rédaction habile, il peut être accepté par tous les hommes dont la paix est le seul souci. Mais il rencontre aussi, à droite et à gauche, des adversaires passionnés. L'opposition se manifeste surtout dans le camp des monophysites ; elle trouve son centre et son point d'appui en Égypte ; elle a en Syrie de fervents soutiens. Il est dès lors permis de se demander ce qui arrivera lorsque disparaîtront les auteurs et les champions de cette formule.

FRAVITA DE CONSTANTINOPLE

Précisément, aux environs de 490, les partisans les plus chauds de l'*Hénotique* quittent ce monde : Pierre le Foulon d'Antioche meurt en 488 [1], Acace de Constantinople en 489, Pierre Monge d'Alexandrie en 490, enfin, en 491, l'empereur Zénon. Dès la mort d'Acace, un revirement se fait sentir dans les esprits. Le nouveau patriarche, Fravita, fait également part de son élection à Pierre Monge et au pape Félix III : à Pierre il déclare qu'il entre en rapports de communion avec lui et qu'il condamne Nestorius et Eutychès, mais il ne souffle mot du tome de Léon ni du concile de Chalcé-

suffit de savoir que l'édition s'en poursuit dans la *Patrologia orientalis* et dans le *Corpus scriptorum ecclesiasticorum orientalium.*

Nous possédons en plus trois anciennes biographies de Sévère, deux en syriaque (les originaux grecs sont perdus) qui sont l'œuvre l'une de Zacharie le Rhéteur, l'autre de Jean de Beith-Aphthonia, éditées et traduites par M. A. KUGENER dans la *Patrologia orientalis*, t. II, fasc. 1 et 3, Paris, 1903 et 1905 ; la troisième biographie de Sévère, en éthiopien, a été éditée et traduite par E. J. GOODSPEED et W. E. CRUM, dans la *Patrologia orientalis*, t. IV, fasc. 6, Paris, 1908.

Philoxène de Mabbough, qui a lutté aux côtés de Sévère, est moins connu. Sa vie nous est racontée en deux textes syriaques assez courts et d'origine incertaine. L'un d'eux a été édité par A. VASCHALDE, *Three letters of Philoxenus, bishop of Mabbogh (485-519)*, Rome, 1902 ; l'autre par F. NAU, dans la *Revue de l'Orient chrétien*, t. VIII, 1903, p. 630-633. On verra sur ce personnage la très importante introduction donnée par E. A. WALLIS BUDGE, *The disourses of Philoxenus, bishop of Mabbōgh*, Londres, 1914. Le texte, traduit et commenté, de trois lettres, très importantes pour l'historien, au lecteur Maron d'Anazarbe, à Siméon abbé de Teleda, à tous les moines orthodoxes d'Orient, a été publié par J. LEBON : *Textes inédits de Philoxène de Mabbough*, dans le *Museum*, t. XLIII, 1930, p. 17-84 et 150-210.

Un bon nombre de textes intéressants sur les débuts du monophysisme est réuni dans *Documenta ad origines monophysitarum illustranda*, publiés par J.-B. CHABOT, dans le *Corpus scriptorum christianorum orientalium, Scriptores syri, Textus*, t. XXXVII, Paris, 1908.

II. TRAVAUX. — Le règne d'Anastase a été soigneusement étudié dans toutes les histoires de l'Empire byzantin. Il n'est pas nécessaire de rappeler ici des titres qui ont déjà figuré dans la *Bibliographie générale*. Parmi les monographies, il faut signaler celles de ROSE, *Anastasius I*, Halle, 1882, et *Die byzantinische Kirchenpolitik unter Kaiser Anastasius I*, Wohlan, 1888.

Tout à fait capital est l'ouvrage de J. LEBON, *Le monophysisme sévérien, Étude historique, littéraire et théologique sur la résistance monophysite au concile de Chalcédoine*, Louvain, 1919. On verra également : G. KRUEGER, *Monophysitische Streitigkeiten im Zusammenhange mit der Reichspolitik*, Iena, 1884 ; M. PEISKER, *Severus von Antiochien. Ein kritischer Quellenbeitrag zur Geschichte der Monophysismus*, Halle, 1903 ; R. RAABE, *Petrus der Iberer*, Leipzig, 1895.

KL. KOIKYLIDES, Βιος καὶ πολιτεία τοῦ ὁσίου πατρὸς ἡμῶν Σάββα, Jérusalem, 1905; H. USENER, *Der hl. Theodosios, Schriften des Theodoros und Kyrillos*, Leipzig, 1890 ; K. KRUMBACHER, *Studien zu den Legenden des hl. Theodosios*, dans les *Sitzungsberichte der philos. philol. und hist. Klasse der kgl. bayerisch. Akad. der Wissenschaften*, Munich, 1892, p. 220-379.

Les actes des patriarches de Constantinople Euphème, Macédonius, Timothée, sont commodément résumés dans V. GRUMEL, *Les regestes des actes du patriarcat de Constantinople*, fasc. 1, Kadi-Köy, 1932, p. 74-83.

(1) La date de la mort de Pierre le Foulon n'est pas exactement connue. Il semble que l'événement se produisit avant la mort de Pierre Monge.

doine [1] ; la lettre adressée à Félix est perdue : on peut croire qu'elle était tout aussi imprécise. Fravita est un politique désireux de tout concilier : en réalité, il ne satisfait personne : Pierre ne le trouve pas assez ardent, et Félix exige qu'il condamne expressément Acace et Pierre Monge [2].

EUPHÈME DE CONSTANTINOPLE

Fravita ne fait d'ailleurs que passer sur le siège de Constantinople : il meurt au bout de quatre mois et est remplacé par le prêtre Euphème, originaire d'Apamée en Syrie, qui a dirigé jusqu'alors un hôpital aux environs de la ville. Euphème est un Chalcédonien convaincu ; il est l'ami des moines qui n'ont pas craint de dénoncer au pape Félix la faiblesse de ses légats et de signifier à Acace sa déposition. Ses premières démarches sont significatives. Il écrit à saint Félix pour lui notifier son élection ; il refuse la communion de Pierre Monge et efface son nom des diptyques ; il songe même à assembler un concile pour le déposer, lorsque l'évêque d'Alexandrie vient à mourir et est remplacé par Athanase [3]. Cependant ses efforts pour conquérir la confiance du pape demeurent infructueux : Félix exige la suppression du nom d'Acace dans les diptyques, et Euphème est impuissant à accorder cette concession, de sorte que les rapports normaux demeurent interrompus entre Rome et Constantinople : « Euphème continue à défendre, en dehors de la communion du pape, les principes au nom desquels celui-ci a rompu avec son prédécesseur » [4].

MORT DE ZÉNON

Les choses en sont là lorsque, en avril 491, l'empereur Zénon meurt à son tour. En dépit de certaines apparences, Zénon s'était peu intéressé à la politique religieuse dont il laissait la haute direction à son patriarche. S'il avait publié l'*Hénotique* pour le bien de la paix, il ne s'était pas préoccupé outre mesure des répercussions de ce document : il aimait trop la vie facile, les plaisirs, pour prêter attention aux problèmes doctrinaux ; il ne se souciait de la morale que pour en violer les règles élémentaires, et ce n'était pas à lui qu'il fallait demander le respect des principes.

L'EMPEREUR ANASTASE

Tout autre est son successeur Anastase. D'origine slave [5], il a fait dans l'administration une carrière sans éclat bien qu'assez mouvementée, et il est parvenu à

(1) La lettre de Fravita à Pierre Monge et la réponse de celui-ci sont conservées par ZACHARIE LE RHÉTEUR, *Hist. eccl.*, VI, v, 6.

(2) Félix répondit à Fravita dès qu'il eut reçu sa lettre ; il écrivit en même temps à l'empereur Zénon, à Thalassius, archimandrite à Constantinople, à l'évêque Vétranion (JAFFÉ-WATTENBACH, 612-615). Ces lettres n'arrivèrent à Constantinople qu'après la mort de Fravita.

(3) ÉVAGRIUS, *Hist. eccl.*, III, XXIII. Athanase est un monophysite convaincu, comme Pierre. Il accepte l'*Hénotique*, mais, en même temps, il condamne explicitement le concile de Chalcédoine : cf. ZACHARIE, *Hist. eccl.*, VI, v, 6.

(4) L. DUCHESNE, *L'Église au VIe siècle*, p. 4.

(5) Anastase était né en 431 à Épidamne d'une famille ordinaire. Plus tard, lorsqu'il fut devenu

la charge de silentiaire [1]. Il est connu pour sa piété ardente, sa charité pour les pauvres, la sévérité de son ascétisme. Partisan des thèses monophysites, il va jusqu'à enseigner sa foi en pleine église et sa réputation de vertu est assez grande pour qu'à la mort de Pierre le Foulon on songe à faire de lui un patriarche d'Antioche [2]. Rien de tout cela ne l'a préparé au pouvoir suprême : aussi est-ce pour tout le monde une surprise lorsque, à la mort de Zénon, l'impératrice Ariadné, fille de l'empereur Léon, à qui Zénon avait déjà dû la couronne, présente cet homme de soixante ans aux acclamations du peuple et aux suffrages du sénat. A vrai dire, il n'y a pas d'autre candidat acceptable : le frère de Zénon, Longin, qui espérait lui succéder avec l'appui de la garde isaurienne, est un paillard de la pire espèce. Anastase est donc élu, puis sacré par le patriarche Euphème qui a pris auparavant la précaution d'exiger de lui une profession de foi par laquelle il s'engage à ne rien tenter contre le concile de Chalcédoine [3].

LE GOUVERNEMENT D'ANASTASE

Une fois empereur, Anastase déploie la plus grande énergie. Il réprime d'abord avec rigueur la révolte des Isauriens qui se sont soulevés à l'instigation de Longin. Celui-ci est exilé en Égypte où il est ordonné prêtre [4] ; ses troupes sont chassées de Constantinople où elles tenaient garnison et contraintes de rentrer en Asie où la lutte s'achève en 497 par la décisive victoire des troupes impériales. Cela fait, Anastase s'attelle à l'œuvre urgente de la réorganisation administrative : il accomplit d'importantes réformes fiscales, opère une refonte de la justice en étendant les attributions judiciaires du préfet du prétoire, améliore la police des grandes villes ; il s'occupe heureusement de la garde et de la fortification des frontières et met Constantinople à l'abri des invasions ; il étend ses regards jusqu'aux extrémités du monde occidental, envoie à Clovis les insignes de

empereur, ses panégyristes voulurent le faire descendre du grand Pompée : un de ses ancêtres avait peut-être été affranchi par Pompée.

(1) Cette charge n'était pas sans importance : les silentiaires avaient le titre de clarissimes, et, à leur retraite, ils recevaient le rang sénatorial.

(2) Anastase, au dire de l'auteur du *De sectis* (Léonce de Byzance ?), faisait partie du groupe des diacrinomènes. Ce mot signifie hésitants, et il paraît avoir désigné ceux qui hésitaient à accepter la communion du patriarche de Constantinople à cause de ses tendances chalcédoniennes. Ses ennemis l'ont accusé, à tort, de manichéisme ; mais il est vrai que sa mère était manichéenne et qu'un de ses oncles, Cléarque, était arien. Lui se contentait d'être l'adversaire du concile : cf. Théophane, *Chronicon*, édit. de Boor, p. 134, 19. Au cours de sa carrière, Anastase aurait été exilé en Égypte par Zénon : retiré dans l'île de Saint-Isaï près de Memphis, il y fut accueilli par le solitaire jacobite Jérémie ; cf. Jean de Nikiou, *Chronicon*, trad. Zotenberg, dans *Notices et extraits des manuscrits de la Bibliothèque nationale*, t. XXIV, p. 488-489.

(3) Pierre le Patrice, cité par Constantin Porphyrogénète, *De cerimoniis* (*P. G.*, CXII, 769-781). C'était la première fois qu'on demandait du nouvel empereur une profession de foi écrite. La chose devint dès lors d'un usage régulier. Après son couronnement, Anastase épousa l'impératrice Ariadné à qui il devait le pouvoir.

(4) Théophane, *Chronicon*, a. 491. On a ici un exemple remarquable d'un abus qui ne se renouvellera que trop souvent, en Orient aussi bien qu'en Occident. Les personnages gênants, en particulier les prétendants ou les souverains dépossédés, étaient contraints à entrer dans les ordres. Constantin III, Avitus, Glycérius, entre autres, furent ainsi ordonnés évêques.

consul et fait alliance avec les Burgondes qu'il pousse à attaquer les Ostrogoths ; dans tous les domaines, il fait figure de grand empereur[1].

POLITIQUE RELIGIEUSE D'ANASTASE Sa politique religieuse fut moins heureuse et contribua à accroître encore le désarroi dans les églises d'Orient.

Ses préférences ne pouvaient être douteuses : elles allaient aux monophysites, et ce n'est pas à tort que les auteurs favorables à ce parti ont revendiqué comme un des leurs cet empereur qu'ils appellent l'ami de Dieu, l'empereur chrétien, vivant dans la crainte de Dieu[2]. Toutefois, pour remplir ses fonctions impériales, il s'efforça d'écarter des églises les causes de trouble[3]. La tâche était ardue ; personne ne chercha à la lui faciliter.

EN ÉGYPTE En Égypte, les positions étaient prises de longue date. Il n'y avait rien à faire sinon à les accepter telles quelles. Athanase d'Alexandrie mourut en 496 ; son successeur, Jean II Hémula, suivit la même voie que lui : il prononça contre le concile de Chalcédoine et le tome de Léon[4] un anathème qui fut renouvelé par ses successeurs : Jean III de Nikiou (505-515) ; Dioscore II (515-518), Timothée IV (518-535). Les uns et les autres eurent à lutter contre les phantasiastes, les aphthartodocètes et bien d'autres nuances du monophysisme extrême.

EN SYRIE En Syrie et en Palestine, les choses étaient plus compliquées. Palladius, qui remplaça Pierre le Foulon sur le siège d'Antioche, était monophysite : s'il accepta l'*Hénolique* et travailla à le faire accepter par ses suffragants, ce fut avec l'intention de l'opposer au concile de Chalcédoine. Il fut aidé dans sa tâche par l'évêque de Mabbough (Hiérapolis), Philoxène, un des personnages les plus représentatifs du monophysisme. Dès sa jeunesse, Philoxène (ou Xenaias) s'était fait remarquer aux écoles d'Édesse par son opposition violente aux idées professées par Ibas. Sous l'épiscopat de Calendion, il avait été expulsé d'Antioche à cause de ses prédications turbulentes, mais il était revenu au temps de Pierre le Foulon qui l'avait pris sous sa protection, et élevé à la dignité épiscopale en lui donnant le siège important de Mabbough. C'était un pur Syrien ; il ignorait le grec, chose assez rare pour être notée, et qui témoigne à sa manière du développement des particularismes nationaux. Lorsque Palla-

(1) Cf. L. Bréhier, art. *Anastase*, dans *Dictionnaire d'histoire et de géographie ecclésiastiques*, t. II, p. 1447-1457.

(2) Jean de Nikiou, *Chronicon* (*op. cit.*, p. 488, 490) ; Eutychius, *Annales* (*P. G.*, CXI, 1062) ; *Synaxaire copte-arabe*, cité par Gelzer, dans *Byzantinische Zeitschrift*, t. I, p. 39. Le conseiller le plus influent d'Anastase, Marin d'Apamée, était également monophysite.

(3) Évagrius, *Hist. eccl.*, III, xxi.

(4) Zacharie le Rhéteur, *Hist. eccl.*, VI, vi.

dius fut devenu évêque d'Antioche, Philoxène se fit l'apôtre infatigable du monophysisme, multipliant les ouvrages de controverse [1], voyageant à travers l'Orient, allant même jusqu'à Constantinople pour y combattre les ennemis de l'*Hénotique*, quels qu'ils fussent.

EN PALESTINE

A Jérusalem, Sallustius était dans les mêmes sentiments que Palladius. Le couvent où Pierre d'Ibérie avait naguère vécu demeurait un foyer d'agitations monophysites. Cependant, ni la Syrie, ni la Palestine ne semblent avoir été profondément troublées pendant la première moitié du règne d'Anastase. L'*Hénotique*, diversement interprété, suffisait à tous les besoins.

DÉPOSITION D'EUPHÈME DE CONSTANTINOPLE

Ce fut à Constantinople que les hostilités s'engagèrent. L'empereur avait peu de sympathie pour la personne et les idées du patriarche Euphème. Celui-ci commit un certain nombre d'imprudences : en 492, il réunit en concile les évêques qui se trouvaient alors à Constantinople et, avec eux, il confirma les décrets de Chalcédoine [2] ; la même année, il écrivit au pape saint Gélase, qui venait de remplacer Félix, pour lui exprimer son attachement à la foi de Chalcédoine et lui dire pour quelles raisons il ne lui était pas possible de supprimer des diptyques le nom d'Acace ; puis, comme il ne recevait pas de réponse, il lui adressa une nouvelle lettre encore plus pressante, dans laquelle il insistait sur la nécessité de rétablir la communion entre son siège et celui de Rome ; enfin, malgré de multiples instances, il refusa de rendre à Anastase la profession de foi que celui-ci avait dû signer avant son sacre. Tout cela ne servit qu'à accroître les rancunes de l'empereur qui chercha, dit-on, à faire assassiner le patriarche. Deux tentatives successives avortèrent. On trouva un meilleur prétexte pour perdre Euphème, lorsque celui-ci eut exprimé ses plaintes et ses regrets de la longue campagne poursuivie contre les Isaures : on l'accusa alors de pactiser avec l'ennemi ; un concile fut aussitôt réuni contre lui et le déposa. Le peuple, qui lui était fort attaché tant à cause de sa charité et de sa piété que pour son caractère indépendant, manifesta vainement son mécontentement. Euphème fut exilé et interné aux Euchaïtes, ville de l'Hélénopont célèbre par les reliques de saint Théodose (été de 496) [3].

(1) Cf. J. Lebon, *op. cit.*, p. 111-118.

(2) Victor de Tonnena, *Chronicon*, a. 492 ; Théophane, *Chronicon*, a. 5984. Cf. Tillemont *Mémoires*, t. XVI, p. 638 et suiv.

(3) Sur cette affaire, nous avons un récit assez circonstancié dans Théodore le Lecteur, *Hist. eccl.*, II, ix-xv ; cf. Marcellin, *Chronicon*, a. 495 · Théophane, *Chronicon*, a. 5987, 5988.

SON REMPLACEMENT PAR MACÉDONIUS

Pour le remplacer, on fit choix d'un prêtre parfaitement recommandable, Macédonius, neveu de l'ancien patriarche Gennadius et gardien du matériel sacré (skevophylaque). Comme de juste, Macédonius dut, lors de son avènement, souscrire l'*Hénotique*, au grand scandale des moines acémètes et de beaucoup d'autres qui tenaient au concile de Chalcédoine et se séparèrent de sa communion [1]. Il fallut négocier : un concile fut même réuni, qui confirma par écrit les décrets de Chalcédoine, tout en évitant de se prononcer sur l'*Hénotique*. Anastase laissa faire et Macédonius se réjouit de cette solution, car au fond il était partisan du concile et seules de graves raisons de politique avaient pu, un moment, l'obliger à dissimuler ses préférences [2].

EXIGENCES DE SAINT GÉLASE

Rien, à ce moment, n'aurait empêché, semble-t-il, la fin du schisme qui séparait les églises de Rome et de Constantinople, si la question d'Acace n'avait été entre elles un obstacle insurmontable. Gélase, qui depuis le début de 492 occupait le Siège apostolique, n'était pas homme à faire des concessions sur ce point. Il était, paraît-il, africain d'origine : « On s'en douterait rien qu'à le lire. Il a de Tertullien et le goût de la controverse et les talents du controversiste, le raisonnement vigoureux, impitoyable, la verve, la vigueur, et aussi l'âpreté. Intraitable par devoir, il l'était aussi par nature » [3]. Il était d'ailleurs fort au courant des affaires orientales, dont il s'était beaucoup occupé avant son élévation au pontificat. Une fois élu pape, il s'adressa à l'empereur pour lui faire part de l'événement, mais il n'en reçut pas de réponse. En revanche, il n'envoya pas au patriarche Euphème les traditionnelles lettres de communion et, lorsque celui-ci lui eut écrit à deux reprises, il n'obtint qu'une lettre fort dure où Gélase renouvelait les exigences de son prédécesseur sur la suppression du nom d'Acace dans les diptyques [4].

LE PAPE ET L'EMPEREUR

Aussi longtemps que dura le pontificat de Gélase, la situation demeura tendue. Anastase eut l'occasion d'envoyer à Rome et en Italie des chargés de

(1) Outre celui des acémètes, les monastères qui se séparèrent de Macédonius furent ceux de Dives, de Bassien et de Matrone ; cf. *Acta sanctorum, Novembris*, t. III, p. 786. Théophane (*Chronicon*, a. 5991), qui nous renseigne ici, doit avoir tiré son récit de Théodore le Lecteur. La date qu'il donne correspond à 499 : elle paraît être erronée et l'événement a dû se passer auparavant.

(2) Évagrius (*Hist. eccl.*, III, xxxii) raconte qu'Anastase aurait encore réclamé à Macédonius la profession de foi qu'il avait dû souscrire lors de son couronnement ; le patriarche la lui aurait refusée. De là une inimitié persistante de l'empereur contre l'évêque.

(3) L. Duchesne, *L'Église au VIe siècle*, p. 12-13. Gélase écrit en parlant de lui-même : « On verra bien devant le souverain juge, *utrum ego, sicut putatis, acerbus, asper et nimis durus difficilisque sim vobis* » (*Epist. ad Euphem.*, édit. Thiel, p. 320).

(4) Cf. Tillemont, *Mémoires*, t. XVI, p. 641, 642.

mission : ceux-ci reçurent l'ordre de ne pas voir le pape et d'éviter toutes relations avec lui. Théodoric, qui venait de s'emparer de Ravenne et avait ainsi acquis la maîtrise sur l'Italie entière, députa de son côté à Constantinople le sénateur romain Fauste : Gélase lui interdit de communiquer avec le patriarche Euphème et ceux de sa communion [1]. Au plus accepta-t-il d'adresser à l'empereur une nouvelle lettre, fort respectueuse, mais dans laquelle il rappelle que, si les évêques ont le devoir de se soumettre aux princes dans les choses civiles, c'est aux princes à suivre les évêques dans les choses de la religion et qu'un tel respect est dû particulièrement au premier évêque et à l'Église romaine [2].

INTERVENTIONS DU PAPE

Le pape ne perdait d'ailleurs aucune occasion de rappeler les principes selon lesquels il réglait sa conduite. Les évêques de Dardanie (Haute-Macédoine), pays de culture latine, avaient effacé le nom d'Acace de leurs diptyques : Gélase leur écrivit à plusieurs reprises pour les encourager et les féliciter, pour les mettre en garde aussi contre les entraînements auxquels ils pourraient succomber [3] ; Laurent de Lycnide, dans la Nouvelle-Épire, lui avait fait savoir que dans plusieurs villes de la province on avait anathématisé la mémoire d'Acace : il lui envoya une exposition résumée de la foi, afin de lui faire connaître exactement la doctrine romaine ; André de Thessalonique avait, semble-t-il, hésité à condamner nettement Acace : une lettre adressée aux évêques de Dardanie, de Dacie et de toute l'Illyrie rappela opportunément la conduite à suivre. Un évêque africain, Succonius, exilé et résidant à Constantinople, avait accepté la communion d'Euphème : Gélase lui reprocha avec vivacité son attitude [4].

LES TRAITÉS DE SAINT GÉLASE

Les lettres du pape n'avaient forcément qu'une portée restreinte : Gélase écrivit plusieurs traités, dans lesquels il développe à l'aise les arguments doctrinaux qu'il peut faire valoir contre Acace, et particulièrement l'argument de tradition. Le *De damnatione nominum Petri et Acacii*, le *De anathematis vinculo*, le *De duabus naturis*, datent de son pontificat. A ce dernier ouvrage est annexé un long florilège patristique.

ATTITUDE DES ÉVÊQUES GAULOIS

Tout le monde cependant, même en Occident, même à Rome, ne partageait pas les opinions absolues de Gélase. Saint Avit de Vienne par

(1) Jaffé-Wattenbach, 622. En fait, Fauste eut l'occasion de traiter les problèmes relatifs au maintien du nom d'Acace dans les diptyques. Les Grecs acceptèrent de faire quelques concessions en d'autres matières, mais s'excusèrent sur l'affaire des diptyques. Gélase demeura intransigeant.
(2) Jaffé-Wattenbach, 632.
(3) Jaffé-Wattenbach, 623, 624, 638, 664, 715, 716.
(4) Jaffé-Wattenbach, 628.

exemple ne se gênait pas pour écrire que les règles posées par le pape étaient trop rigides : ne s'agissait-il pas après tout d'un homme déjà mort et qui d'ailleurs n'avait été de son vivant ni convaincu, ni même accusé d'hérésie ? Et fallait-il pour cela se séparer de la moitié de l'Église [1]? Une lettre du pape à Rusticus de Lyon nous montre aussi que les évêques de Gaule comprenaient mal la position qu'il avait adoptée.

LE PAPE ANASTASE II

Gélase mourut le 21 novembre 496. Son successeur, Anastase II, suivit une politique plus conciliante. Il envoya à Constantinople deux évêques, Cresconius et Germain, chargés de faire part de son avènement à l'empereur Anastase et de lui remettre une lettre empreinte des sentiments les plus pacifiques. Sans doute le nouveau pape persistait-il à demander le retrait du nom d'Acace, mais il laissait entendre que la rupture entre les deux Églises n'était pas si profonde qu'il le semblait et que des concessions n'étaient pas impossibles [2]. A Constantinople même, l'attitude des légats confirma l'impression de détente qu'avait pu produire la lettre du pape : ceux-ci n'hésitèrent pas à entrer en relations avec les apocrisiaires d'Alexandrie, le prêtre Dioscore et le lecteur Chérémon, qui leur remirent un mémoire justificatif avec une profession de foi rédigée, somme toute, selon les principes de l'*Hénotique* [3]. Selon les vraisemblances, ils eurent également des rapports avec le patriarche Macédonius, bien qu'ils n'eussent pas emporté de lettres pour lui [4].

ÉLECTION DE SYMMAQUE

L'attitude pacifique d'Anastase II ne fut pas du goût de tout le monde, et, à Rome même, elle rencontra des adversaires : nombre de clercs et de prêtres

(1) Cf. Tillemont, *Mémoires*, t. XVI, p. 642. Saint Avit paraît avoir été très mal renseigné sur les problèmes qui divisaient alors l'Église. Il avait plus de bonne volonté que de science, car il attribuait à Eutychès les erreurs de Nestorius, prenait parti en faveur de la formule des monophysites « crucifié pour nous », et critiquait la conduite du patriarche orthodoxe Macédonius à qui on n'avait pas pu la faire accepter. Cf. L. Duchesne, *L'Église au VIe siècle*, p. 503-504.

(2) Jaffé-Wattenbach, 748. Les légats avaient quitté Rome en même temps que le patrice Festus, qui était envoyé à Constantinople par Théodoric. Festus eut l'occasion de s'entremettre dans leurs négociations. Il avait, dit-on, promis à l'empereur d'amener le pape à signer l'*Hénotique*. Théodore le Lecteur (*Hist. eccl.*, I, xvii) raconte d'autre part que Macédonius aurait voulu envoyer des lettres au pape par son intermédiaire, mais que l'empereur l'en empêcha.

(3) Ces Égyptiens restèrent longtemps en charge à Constantinople, et Macédonius ne voulut pas les admettre à sa communion (cf. Théophane, *Chronicon*, a. 6002). On croira difficilement qu'ils parlaient au nom de leur patriarche. Leurs relations avec les légats pontificaux n'en sont pas moins extraordinaires et témoignent d'un sentiment de l'unité chrétienne qui ne s'était pas manifesté depuis bien longtemps.

(4) Vers le même temps, l'évêque de Thessalonique, André, avait envoyé à Rome son diacre, Photius, pour lui faire part, semble-t-il, des manifestations hostiles à Acace qui s'étaient produites dans son église. Nous connaissons mal d'ailleurs l'objet précis de la légation de Photius. Le pape communiqua avec lui, sans avoir pris conseil de son clergé, bien qu'il eût reçu l'*Hénotique*, tout au moins d'après les bruits courants, et il lui expliqua le tome de Léon de manière à enlever ses derniers scrupules. Ce serait à la suite de l'accueil fait à Photius que certains exaltés se seraient séparés du pape. Cf. *Liber Pontificalis*, édit. L. Duchesne, t. I, p. 258.

romains se séparèrent de sa communion, et l'on ne sait pas ce qui serait arrivé si le pape n'était pas mort prématurément (19 novembre 498). L'élection de son successeur donna lieu à des incidents tumultueux [1]. Le nouveau pape, Symmaque, reprit la politique de Gélase et encore une fois le vent souffla en tempête entre l'Orient et l'Occident.

§ 2. — La fin du règne d'Anastase.

LA SITUATION DE L'ORIENT EN 498

Somme toute, en dehors de l'Égypte qui faisait décidément bande à part et de Constantinople où le patriarche, pris entre l'empereur qui voulait lui imposer sa foi et le pape qui ne cessait pas de réclamer contre la mémoire d'Acace, avait eu la vie dure, l'Église orientale connut à peu près la paix pendant la première moitié du règne d'Anastase. Officiellement, l'*Hénotique* de Zénon demeurait l'expression de la foi à laquelle devaient souscrire tous les évêques. En fait, le concile de Chalcédoine retrouvait un peu partout, sauf en Égypte, des partisans de plus en plus influents et nombreux. C'est ainsi que Flavien, après avoir été longtemps apocrisiaire du patriarche d'Antioche à Constantinople, avait lui-même succédé en 498 à Palladius comme évêque d'Antioche et n'avait pas tardé à y manifester des sentiments chalcédoniens [2]. Il en allait de même en Palestine. Après la mort de Sallustius (493), Élie était devenu patriarche de Jérusalem : c'était un ancien solitaire de Nitrie, qui avait dû quitter l'Égypte pour échapper aux persécutions de Timothée Aelure et qui avait ensuite vécu longtemps dans la laure dirigée par saint Euthyme le Grand. Sur le trône patriarcal, il apportait, avec les mœurs d'un ascète, la foi d'un confesseur [3] : sa souscription à l'*Hénotique* n'avait été qu'une formalité ; en réalité il était Chalcédonien convaincu. La chaîne formée par les trois patriarches, Macédonius de Constantinople, Flavien d'Antioche, Élie de Jérusalem, paraissait solide. Les partisans de la paix, au moins en Orient, pouvaient se réjouir. Jamais pourtant la paix n'avait été si lointaine. Vers 506, l'empereur Anastase sortit de la réserve que les circonstances lui avaient jusqu'alors imposée et prit parti en faveur des monophysites.

REPRISE DES LUTTES RELIGIEUSES

A ce moment en effet, il avait les mains libres du côté des ennemis de l'Empire. A la révolte des Isaures, à l'invasion des Huns, avait succédé une guerre longue et difficile avec les Perses, terminée seulement en avril 505 par une trêve de sept ans. Quand cette campagne fut achevée, la

(1) Cf. *infra*, p. 341.
(2) J. Lebon, *Le monophysisme sévérien*, p. 41.
(3) Tillemont, *Mémoires*, t. XVI, p. 644-647.

lutte religieuse commença. L'empereur y fut aidé par deux auxiliaires des plus précieux, Philoxène et Sévère.

SÉVÈRE D'ANTIOCHE

On connaît déjà Philoxène. Quant à Sévère, originaire de Sozopolis en Pisidie, il avait étudié les lettres et la rhétorique à Alexandrie, puis le droit à Béryte avant de devenir chrétien. Baptisé à Tripoli vers 488, il connut, au cours d'un voyage à Jérusalem, les disciples de Pierre d'Ibérie et se fit moine dans leur couvent, à Maïouma près de Gaza : on pense bien qu'il put y apprendre, avec la haine du concile de Chalcédoine, la pure doctrine monophysite. Après avoir pratiqué quelque temps l'ascétisme le plus rigoureux dans le désert d'Éleuthéropolis, il s'installa parmi les moines de Romanus, puis il revint à la laure de Maïouma et il fonda un nouveau monastère qui ne tarda pas à prospérer. C'est alors qu'il reçut la prêtrise des mains d'Épiphane, évêque de Magydos en Pamphilie, qui avait été privé de son siège pour ses opinions monophysites. Remarquablement instruit dans les disciplines profanes, Sévère ne l'était pas moins dans les sciences théologiques : son érudition, sa connaissance de l'Écriture et de la tradition patristique en font l'un des hommes les plus savants de son temps. Avec un zèle digne d'une meilleure cause, il mit cette science au service de l'erreur [1].

(1) Rien n'est plus difficile, on a déjà pu s'en rendre compte par ce qui précède et on le verra davantage encore dans la suite, que de définir le monophysisme. Étymologiquement, c'est la doctrine qui enseigne l'unité de nature dans le Christ. Mais ce mot de nature doit être défini. On peut l'entendre au sens concret : c'est ce que fait saint Cyrille d'Alexandrie ; c'est ce que font aussi Dioscore, Timothée Aelure, Sévère, et beaucoup d'autres. Dire qu'il n'y a dans le Christ qu'une seule nature revient à dire qu'il n'y a qu'un principe d'opération ; il ne s'agit pas de confondre l'humain et le divin, et moins encore de nier l'élément humain, corps et âme, qui existe en lui, mais de mettre en relief l'unité de l'agisseur qui est Dieu. Les Latins, au contraire, donnent au mot nature un sens abstrait ; ils signifient par là précisément l'humanité et la divinité en tant que telles, indépendamment de la personne concrète qui en est en quelque sorte le support. Ils disent donc qu'il y a deux natures dans le Christ, puisque le Christ est Dieu et homme tout ensemble ; et pour dire qu'il n'y a qu'un seul agisseur responsable, ils enseignent qu'il y a une personne. Telle est la terminologie adoptée par saint Léon et canonisée par le concile de Chalcédoine. Lorsque les disciples de saint Cyrille entendent parler de deux natures, ils comprennent deux agisseurs, deux personnes, ou tout au moins deux centres distincts d'attribution, et ils déclarent que c'est précisément là l'erreur nestorienne. Aussi d'une voix unanime, ils affirment que le tome de Léon et le concile de Chalcédoine sont infectés de nestorianisme. Ils se trompent assurément, mais leur erreur s'explique par la différence des vocabulaires.

On pressent la conclusion à laquelle il faut arriver. Ce qui sépare irrémédiablement l'Orient et l'Occident, ce sont les formules employées. Sous les mêmes mots, saint Cyrille et saint Léon ne désignent pas les mêmes choses, et il n'y a personne pour l'expliquer clairement. Sévère d'Antioche, au fond — et c'est le mérite de M. Lebon de l'avoir montré d'une manière qui semble définitive — ne pense pas autrement que saint Cyrille dont il se proclame le disciple et aux œuvres de qui il ne cesse pas de se référer. Il est donc foncièrement orthodoxe. Son erreur consiste à condamner saint Léon et le concile de Chalcédoine. Il en va de même de tous les Sévériens, que l'on peut qualifier de monophysites modérés.

Peut-être faut-il appliquer des remarques analogues aux disciples de Julien d'Halicarnasse et aux aphthartodocètes qui enseignaient l'incorruptibilité du corps du Christ. A première vue, ceux-ci vont beaucoup plus loin que les Sévériens ; ils rejoignent presque les phantasiastes pour qui le corps du Christ n'était qu'une apparence. Cependant, d'après R. DRAGUET (*Julien d'Halicarnasse et sa controverse avec Sévère d'Antioche sur l'incorruptibilité du corps du Christ*, Louvain, 1924), Julien et ses disciples auraient eu également un enseignement orthodoxe, dissimulé sous des termes amphibologiques. C'est pour n'avoir pas entendu les mots corruption et corruptibilité de la même manière que Julien que Sévère aurait combattu contre lui avec tant d'acharnement. La question

ZÈLE DE PHILOXÈNE DE MABBOUGH

Philoxène entra le premier en lice contre Flavien d'Antioche qu'il accusait de nestorianisme [1]. Vers 506-507, il ameuta tous les monophysites syriens et entreprit une campagne acharnée non seulement contre Nestorius, mais contre tous les docteurs antiochiens, Diodore de Tarse, Théodore de Mopsueste, Théodoret de Cyr, Ibas d'Édesse et les autres. Flavien se défendit tout d'abord en anathématisant Nestorius et sa doctrine ; mais Philoxène ne se déclara pas satisfait : ce qu'il voulait, c'était un anathème explicite contre les doctrines diphysites [2]. Il poursuivit donc la lutte, appuyé par Eleusinus, évêque de Sasima en Cappadoce seconde, par Nicias de Laodicée de Syrie, et par quelques autres [3]. Il fit même parvenir à l'empereur un exposé de la foi véritable, en lui démontrant qu'il était indispensable d'obtenir la condamnation de toutes les erreurs opposées. Anastase n'eut aucun mal à se laisser convaincre, et il fit aussitôt venir Philoxène à Constantinople.

L'évêque de Mabbough fut mal accueilli dans la capitale [4]. Macédonius refusa de le recevoir ; les fidèles se montèrent contre lui et il fallut lui faire quitter secrètement la ville où il était entré en triomphateur.

SÉVÈRE A CONSTANTINOPLE

A peine d'ailleurs était-il parti qu'il fut remplacé par Sévère. Celui-ci venait d'entreprendre une campagne violente contre Néphalius et les moines palestiniens favorables au concile de Chalcédoine [5]. A la tête de deux cents ascètes de son parti, il arriva à Constantinople pour intéresser Anastase à sa cause. L'affaire qui l'avait amené fut vite réglée. Il n'en resta pas moins trois années entières (508-511), discourant, disputant, écrivant,

reste pourtant discutée. Cf. M. Jugie, *Julien d'Halicarnasse et Sévère d'Antioche. La doctrine du péché originel chez les Pères grecs* (extrait des *Échos d'Orient*), Paris, 1925.

Si nous parlons d'erreur et d'hérétiques à propos de Sévère et des Sévériens, c'est parce qu'ils ont repoussé le tome de Léon et le concile de Chalcédoine qui sont des documents de foi.

(1) Les causes de l'hostilité que manifeste Philoxène à l'égard de Flavien sont mal déterminées. Les moines de Palestine qui racontent ces événements dans la lettre à Alcison, citée par Évagrius (*Hist. eccl.*, III, xxxi), n'en peuvent indiquer clairement les motifs. Selon les vraisemblances, Philoxène n'obéit pas à des considérations d'intérêt ; mais il regarde Flavien comme un ennemi dangereux de la vérité. D'ailleurs, il ne peut pas oublier qu'il a été personnellement suspect à Calendion et qu'il doit l'être aussi à Flavien.

(2) Philoxène s'explique longuement sur la tactique qu'il a employée contre Flavien dans une lettre adressée au lecteur Maron d'Anazarbe. Cf. J. Lebon, *Textes inédits de Philoxène de Mabbough*, dans *Museum*, t. XLIII, 1930, p. 20 et suiv.

(3) Évagrius, *Hist. eccl.*, III, xxxi ; Liberatus, *Breviarium*, xix.

(4) Plusieurs incidents qui se rapportent à la même époque (vers 507-508) montrent à quel point la situation était tendue à Constantinople. Un jour, l'empereur Anastase fit venir un peintre de la Syrie perse et le chargea d'exécuter quelques fresques en deux églises. A tort ou à raison, le peuple trouva à ces fresques une allure manichéenne : il se souleva aussitôt. Un autre jour, un assassin soudoyé par les ennemis de Macédonius tenta de le tuer : le coup manqua, mais les fidèles qui étaient très attachés à leur patriarche en éprouvèrent un vif ressentiment. L'empereur feignit de s'effrayer de la situation : il ordonna que le préfet de la ville se trouverait désormais dans toutes les processions ou cérémonies auxquelles lui-même devait assister.

(5) Nous avons déjà rencontré ce personnage assez énigmatique (cf. *supra*, p. 293). Au temps où nous sommes, Néphalius avait partie liée avec les partisans du concile.

travaillant par tous les moyens en son pouvoir aux progrès de la cause monophysite[1]. Sa propagande ne demeura pas infructueuse. Autour de lui et de ses moines, les adversaires de Macédonius se rallièrent très vite ; et les moyens les plus vils furent mis en œuvre pour perdre définitivement le patriarche dans l'esprit de l'empereur. On fit par exemple circuler sous son nom une profession de foi dans laquelle le concile d'Éphèse était passé sous silence aussi bien que le concile de Chalcédoine[2] ; on lui réclama, au nom de l'empereur, les actes originaux du concile de Chalcédoine, avec l'espérance qu'il les refuserait : ce qu'il fit en effet et ce qui aggrava son cas[3]. Pendant ce temps, le peuple fidèle se soulevait en faveur de son évêque : le chant du *Trisagion*, avec son addition monophysite, par les moines de Sévère, déchaîna un jour une véritable émeute, tellement qu'Anastase prit peur et fit tout préparer en vue d'assurer sa sûreté, s'il était jamais obligé de s'enfuir[4].

DÉPOSITION DE MACÉDONIUS

Une telle situation était intolérable. « En dépit des prières et des larmes de l'impératrice, la perte de Macédonius fut résolue. On travailla son clergé ; on ferma la ville aux moines qui du dehors venaient le soutenir, aux acémètes surtout ; on s'assura les troupes par des largesses, des adjurations et des serments ; on intenta à cet homme vénérable des procès calomnieux et absurdes ; enfin un concile réuni à cet effet prononça la déposition (6 août 511). Le lendemain, Sainte-Sophie fut envahie par le parti vainqueur ; on y célébra la liturgie, en passant, bien entendu, sous silence le nom du patriarche déposé. Quand ce fut fini, l'empereur envoya son maître des offices, Celer, qui passait pour lui vouloir du bien, signifier au malheureux un ordre d'exil. Il le trouva dans un coin de l'église, solitaire, la tête appuyée sur ses genoux : « Le maître du monde, lui dit-il, a décrété votre

(1) Les Chalcédoniens avaient recueilli jusqu'à deux cent cinquante passages de saint Cyrille en faveur de leur opinion : Sévère les réfuta en publiant le *Philalèthe* ; dans un discours adressé aux patrices Appion et Paul, il réfuta l'accusation de manichéisme qu'on avait lancée contre lui ; dans des lettres à différentes personnes, il attaqua les hérésies d'Eutychès, d'Apollinaire et de Nestorius. Cf. Zacharie, *Vita Severi*, édit. Kugener, p. 104 ; Jean, *Vita Severi*, édit. Kugener, p. 234 ; J. Lebon, *Le monophysisme sévérien*, p. 123 et suiv.

(2) Évagrius, *Hist. eccl.*, III, xxxi. Les moines de Palestine, dans une lettre adressée vers 541 à Alcison de Nicopolis, admettent que Macédonius est bien l'auteur de ce document. Une telle attitude de sa part est trop étrange pour être vraisemblable. Jamais les dyophysites n'ont renié le concile de 431 qu'ils interprétaient en leur faveur. On pourait penser, il est vrai, qu'il s'agit du concile de 449 ; mais celui-ci avait toujours été regardé comme un brigandage par les orthodoxes et il n'était pas suffisant à leurs yeux de le passer sous silence. On peut croire que l'écrit attribué à Macédonius est un faux composé dans l'entourage de l'empereur.

(3) Marcellin, *Chronicon*, a. 511 ; Théodore le Lecteur, *Hist. eccl.*, texte publié dans la *Revue archéologique*, t. XXVI, 1873, p. 398 ; Théophane, *Chronicon*, a. 6034. Macédonius, après avoir refusé le manuscrit à Anastase, l'aurait fait sceller pour plus de sûreté dans l'autel de Sainte-Sophie, mais l'économe de cette église, un certain Calopode, l'aurait volé et apporté à l'empereur.

(4) Une autre sédition fut soulevée plus tard pour le même motif, cf. *infra*, p. 317. Celle-ci n'en est pas moins réelle, car elle est attestée par une lettre de Sévère à Soterichus, écrite avant que Sévère ait été élevé à l'épiscopat. Nous savons d'ailleurs (Jean, *Vita Severi*, édit. Kugener, p. 236) que Sévère excita l'empereur à interroger Macédonius au sujet de la formule : *Unus de Trinitate passus est* et que le patriarche rejeta cette expression avec horreur.

bannissement. — Où, demanda le patriarche ? — Au même lieu que votre prédécesseur ». La nuit suivante, Macédonius franchit le Bosphore et prit le chemin des Euchaïtes [1] ».

TIMOTHÉE PATRIARCHE DE CONSTANTINOPLE

Pour le remplacer, on fit choix d'un certain Timothée qui exerçait les fonctions d'économe à Sainte-Sophie : le nouvel élu ne pouvait être bien vu des orthodoxes qui allèrent jusqu'à l'accuser de mœurs infâmes [2]. Il ne parvint que difficilement à gagner les sympathies des monophysites qui auraient voulu introniser Sévère sur le siège patriarcal [3] : ce fut en vain qu'il envoya ses lettres de communion au patriarche d'Alexandrie, Jean III Nikiotes [4] ; celui-ci réclama un anathème explicite contre le synode et le tome, en dépit de l'avis expressément formulé par ses apocrisiaires, Dioscore et Chaeremon [5]. Il fallut que l'empereur intervînt pour modérer les exigences de Jean et pour appuyer son patriarche de Constantinople.

L'ACTION DE PHILOXÈNE A ANTIOCHE

Pendant ce temps, Philoxène de Mabbough, revenu en Syrie, y poursuivait ses entreprises contre Flavien d'Antioche. Il fit tant et si bien qu'il obligea le malheureux évêque à signer un écrit dans lequel Diodore, Théodore, Ibas et les autres docteurs antiochiens étaient expressément condamnés [6]. Fort de cette première victoire, il exigea davantage et prétendit obtenir de Flavien la condamnation expresse du concile de Chalcédoine et de quiconque reconnaissait dans le Christ deux natures après l'union [7] : un document tout préparé, connu sous le nom de *Type* ou de *Plérophorie* (formule de pleine garantie), lui fut expédié de Constantinople. L'évêque d'Antioche parvint cette fois à s'esquiver : il donna

(1) L. Duchesne, *L'Église au VIe siècle*, p. 24-25. Nous sommes renseignés sur ces événements par une lettre écrite de Constantinople par un prêtre d'Amid, Siméon, à un archimandrite de son pays ; cette lettre, contemporaine des faits, a été insérée par Zacharie le Rhéteur dans l'*Historia ecclesiastica*. Voir aussi Évagrius, *Hist. eccl.*, III, xxxii. Cependant, une certaine obscurité règne encore sur les détails. C'est ainsi que, suivant Théodore le Lecteur (cf. Théophane, *Chronicon*, a. 6004), Macédonius aurait été exilé avant que sa déposition eût été canoniquement accomplie. Il est peu probable que les choses se soient ainsi passées et l'on a dû garder tout au moins les apparences de la légalité.

(2) Ces accusations ne sont pas prouvées. On peut croire que les monophysites ont tenu à choisir un personnage capable de jouer le rôle.

(3) Zacharie, *Vita Severi*, édit. Kugener, p. 110.

(4) D'après une lettre de Sévère à Eleusinus de Sasima, lettre écrite en 518, les synodiques de Timothée ne contenaient pas l'anathème contre le tome de Léon et les dyophysites. La politique officielle d'Anastase ne comportait encore rien de plus que l'adhésion à l'*Hénotique*.

(5) Nous avons déjà vu ces mêmes personnages entrer en rapports avec les légats du pape Anastase II. Ils étaient sensiblement plus modérés que leur patriarche. Cf. J. Lebon, *Le monophysisme sévérien*, p. 51, n. 3.

(6) J. Lebon, *op. cit.*, p. 47.

(7) Évagrius, *Hist. eccl.*, III, xxxi. On verra également une lettre adressée de Constantinople par Sévère à l'évêque Constantin de Séleucie d'Isaurie, dans L. W. Brooks, *The sixth book of the select letters of Severus, patriarch of Antioch*, t. II, p. 3 et suiv.

une nouvelle profession de foi où il déclarait recevoir le concile de Chalcédoine en tant que cette assemblée avait prononcé la condamnation des hérétiques, Nestorius et Eutychès, mais non pas en tant qu'elle avait formulé une définition doctrinale [1].

CONCILE DE SIDON (OCTOBRE 512)

Cela ne suffit pas encore pour rétablir le calme en Syrie. Flavien crut qu'il obtiendrait de meilleurs résultats par le moyen d'un concile et, en octobre 512, semble-t-il, il assembla à Sidon environ quatre-vingts évêques [2]. L'empereur y était représenté par un tribun du nom d'Eutrope ; Sévère était également venu avec ses moines ; Philoxène de Mabbough, contraint et forcé, fit son apparition : il avait eu de la peine à rassembler autour de lui un groupe de partisans, parmi lesquels Nicias de Tripoli,Pierre de Bérée, Maxime de Béryte, en tout dix évêques monophysites. Les moines orientaux, excités par Philoxène, présentèrent au concile une supplique, accompagnée de soixante-dix-sept chapitres contre le tome de Léon et le concile de Chalcédoine [3]. Les catholiques opposèrent à leurs adversaires une résistance inattendue. Bien plus, ils mirent sous leurs yeux des lettres adressées par les patriarches monophysites d'Alexandrie, Pierre Monge, Athanase II et Jean II Hemula, à des évêques qui se contentaient de souscrire l'*Hénotique* et ne condamnaient pas expressément le tome et le concile [4]. Ces documents jetèrent le désarroi parmi les hérétiques, et le tribun se hâta de dissoudre l'assemblée [5]. Cependant, pour donner une marque de bonne volonté, les deux patriarches, Flavien d'Antioche et Élie de Jérusalem, écrivirent à l'empereur Anastase pour confirmer leur adhésion pure et simple à l'*Hénotique* [6].

DÉPOSITION DE FLAVIEN D'ANTIOCHE

Le concile de Sidon fut d'ailleurs la dernière victoire de Flavien d'Antioche. Tandis que Sévère, enfin rentré dans son monastère

(1) ÉVAGRIUS, *Hist. eccl.*, III, XXXI. L'*encyclique* de Basiliscus contenait déjà une formule semblable ; cf. ÉVAGRIUS, *Hist. eccl.*, III, I.

(2) Nous sommes renseignés sur ce concile de Sidon par l'*Histoire* de Zacharie le Rhéteur, VII, x, 11, la chronique de Marcellin, la chronique du pseudo-Denis de Tellmahré, la vie de saint Sabas par Cyrille de Scythopolis. Il faut ajouter à ces documents une lettre de Philoxène à Siméon de Teleda et une lettre de Sévère au prêtre Ammonius d'Alexandrie. Il est bien évident que le synode ne fut pas réuni sur l'initiative de Philoxène et pas davantage présidé par Soterichus ou par lui. Philoxène dit expressément qu'il fut appelé au concile par Flavien et qu'il en fut de même pour Nicias et Pierre. La date du concile est encore discutée. Marcellin indique l'année 512 ; Théophane l'année 510-511 ; l'*Histoire* de Zacharie l'an 560 d'Antioche (511-512). L'année 512 est celle qu'adopte J. LEBON, *Le monophysisme sévérien*, p. 51.

(3) Le début de ce document est conservé par ZACHARIE LE RHÉTEUR, *Hist. eccl.*, VII, XI.

(4) SÉVÈRE, *Epist.*, IV, II.

(5) Il n'est pas du tout nécessaire de faire intervenir l'empereur pour expliquer la fin, en apparence prématurée, du concile. Cf. F. DIEKAMP, *Die origenistische Streitigkeiten*, p. 21.

(6) La lettre d'Élie est citée dans la *Vita Sabae* de Cyrille de Scythopolis ; elle ne renferme rien de plus qu'une adhésion pure et simple à l'*Hénotique*. D'après la Chronique de Marcellin, les orthodoxes de Constantinople prirent un malin plaisir à ridiculiser les résultats piteux pour les monophysites du concile de Sidon.

de Palestine, continuait à écrire des livres de controverse et publiait en particulier contre Jean le Grammairien de Césarée une apologie pour le *Philalèthe*, Philoxène recommença ses manœuvres. Il ameuta contre le pauvre évêque des troupes de moines, qu'il recruta jusqu'en Syrie seconde [1] ; il sépara de lui, par des manœuvres habiles, les évêques d'Isaurie qui jusqu'alors étaient restés en communion avec lui [2] ; il alla jusqu'à expédier à Constantinople des moines chargés de réclamer à l'empereur la déposition de Flavien [3]. Finalement, il parvint à avoir gain de cause. Ce fut en vain que Flavien, lassé, découragé, commit la faiblesse de condamner le concile sans aucune réserve. Anastase n'en prononça pas moins sa déposition, qu'il fit confirmer par un concile réuni à Laodicée, et il l'exila à Petra [4].

SÉVÈRE PATRIARCHE D'ANTIOCHE

Sévère fut choisi pour le remplacer : le 6 novembre 512, il fut consacré patriarche d'Antioche par les métropolitains de Tarse et de Mabbough, assistés d'une dizaine d'évêques des provinces d'Antioche et de Mabbough [5]. Le nouvel élu déclara solennellement qu'il professait la foi de Nicée, de Constantinople et d'Éphèse, et qu'il acceptait l'*Hénotique* ; par contre, il anathématisait Nestorius, Eutychès, le concile de Chalcédoine, le tome de Léon, et en général tous les dyophysites [6].

OPPOSITIONS A SÉVÈRE

Il s'agissait maintenant pour Sévère de se faire accepter du peuple fidèle, des moines, des évêques de sa province et de l'Orient tout entier. Les choses n'allèrent pas toutes seules. Sans doute, dès le début de 513, on put tenir à Antioche un concile provincial qui accepta les positions prises par le patriarche et condamna le tome et le concile [7] ; puis, un peu plus tard [8], un grand concile

(1) Évagrius, *Hist. eccl.*, III, xxxii.

(2) Évagrius, *Hist. eccl.*, III, xxxi.

(3) Zacharie le Rhéteur, *Hist. eccl.*, VII, xii. Dans toutes les luttes contre Flavien, Philoxène ne cesse pas de chercher à gagner le concours des moines. On a de lui une lettre aux moines qui est une espèce de circulaire adressée aux couvents orientaux pour exciter les moines contre le patriarche d'Antioche.

(4) Cf. Sévère, *Epist.*, V, iii ; V, vi.

(5) Zacharie, *Vita Severi*, p. 110 ; Jean, *Vita Severi*, p. 321.

(6) Nous possédons encore, en syriaque, le texte d'une allocution adressée par Sévère après son élévation à l'épiscopat, aux moines du diocèse d'Orient. Ce texte est reproduit dans la *Patrologia orientalis*, t. II, p. 322, à la suite de la vie de Sévère par Jean. Un fragment du morceau fut lu au concile du Latran de 649.

(7) Le synode d'Antioche paraît signalé dans une lettre de Sévère à Musonius et à Alexandre d'Anazarbe (Brooks, *op. cit.*, t. I, p. 97) et dans une lettre de Philoxène à Siméon de Teleda. Cf. J. Lebon, *Le monophysisme sévérien*, p. 57.

(8) La date du concile de Tyr est difficile à fixer avec certitude. Suivant F. Diekamp, *Die origenistischen Streitigkeiten*, p. 16 et suiv., suivi par J. Lebon, *op. cit.*, p. 62, ce concile serait à placer en l'année 826 des Grecs, c'est-à-dire entre le 1er octobre 514 et le 30 septembre 515. On invoque surtout, pour expliquer cette date, la nécessité d'un certain laps de temps entre la consécration de Sévère et la tenue du concile ; bien des faits doivent en effet trouver place après l'élection de Sévère et avant la réunion de Tyr. L. Duchesne (*L'Église au VIe siècle*, p. 31, n. 1) préfère main-

réunit à Tyr, autour de Sévère et de Philoxène, les évêques des provinces d'Antioche, d'Apamée, de l'Euphratésienne, de l'Osrhoène, de la Mésopotamie, de l'Arabie, de la Phénicie libanaise et, après avoir renouvelé les condamnations précédentes, il donna de l'*Hénotique* une interprétation nettement antichalcédonienne, qui devait rendre impossible désormais la signature de ce document à tous les hommes du juste milieu. Sévère n'en resta pas moins discuté et combattu. Les monophysites extrêmes lui reprochèrent sa modération : plusieurs évêques d'Isaurie en particulier refusèrent de le reconnaître. De leur côté, les hénoticiens modérés ne lui accordèrent pas leur communion, ainsi les métropolitains de Tyr, de Damas et de Bostra, Épiphane, Pierre et Julien. Deux évêques de la Syrie seconde, Cosmas d'Épiphanie et Sévérien d'Aréthuse, allèrent jusqu'à le déposer et à lui faire parvenir la sentence qu'ils avaient prononcée contre lui [1]. Un synode réuni à Alexandrie envoya à l'empereur Anastase une lettre rédigée par Jean le grammairien pour montrer l'accord foncier entre les anathématismes de saint Cyrille et la doctrine de saint Léon et pour protester contre les troubles dont Philoxène et Sévère étaient la cause [2]. Pour venir à bout des opposants, il fallut avoir recours à la force. Plusieurs des évêques qui avaient résisté à Sévère furent déposés ; d'autres se retirèrent volontairement, selon l'euphémisme reçu ; ailleurs on transigea, et ce fut ainsi que Sévérien d'Aréthuse et Cosmas d'Épiphanie, bien qu'ils eussent été les plus entreprenants, se maintinrent sur leurs sièges envers et contre tous.

DÉPOSITION D'ÉLIE DE JÉRUSALEM

Une offensive plus violente que les autres fut dirigée contre le patriarche de Jérusalem, Élie, coupable d'avoir refusé la communion de Sévère, et à qui l'on avait plus encore à reprocher son invincible attachement au concile de Chalcédoine [3]. Olympius de Césarée, gouverneur de la Palestine, fut envoyé à Jérusalem avec des troupes : il se heurta à la résistance des moines ; mais il avait à sa disposition d'autres moyens que la force, car il était porteur d'une lettre écrite naguère par Élie et où le concile de Chalcédoine n'était pas admis sans réserve. Il divulgua ce document, dont la publication refroidit quelque peu le zèle des défenseurs

tenir la date de 513 : il fait valoir que Sévère devait avoir hâte de fixer la situation de l'épiscopat syrien à son égard et qu'au début de 515 l'empereur Anastase, occupé par ses négociations avec le pape, n'aurait pas autorisé la réunion d'un grand concile antichalcédonien.

(1) Évagrius, *Hist. eccl.*, III, xxxiv.

(2) Philoxène, *Epist. ad Maron.* Cf. J. Lebon *Le monophysisme sévérien*, p. 61.

(3) Élie de Jérusalem était entré en communion avec les successeurs d'Euphème et de Macédonius de Constantinople parce que ces deux évêques, bien que déposés injustement du point de vue ecclésiastique (cf. Évagrius, *Hist. eccl.*, III, xxxiii), avaient été de la part de l'empereur l'objet d'une sentence d'exil. Selon les usages alors reçus, le siège d'un évêque exilé était regardé comme vacant. Le même argument vaut pour le siège d'Antioche, puisque Flavien avait été également envoyé en exil. Si Élie refuse de reconnaître Sévère, c'est parce qu'il le regarde comme un hérétique.

du patriarche. Bref, en 516, on parvint à exiler Élie à Aïla, au fond du golfe d'Idumée : il y mourut en 518[1].

JEAN DE JÉRUSALEM

Pour remplacer l'évêque déchu, on fit choix d'un de ses diacres, Jean, fils de l'évêque de Sébaste, Marcien, et frère de l'évêque d'Ascalon, Antoine, qui exerçait alors les fonctions de staurophylaque (gardien de la vraie Croix) ; et naturellement on exigea de lui comme condition préalable à sa consécration qu'il anathématiserait le tome et le concile[2]. Jean promit tout ce qu'on voulut. Mais les moines chalcédoniens intervinrent : saint Sabas et saint Théodose surtout, qui jouissaient d'un grand renom de sainteté, représentèrent au nouvel élu l'énormité de son crime, tant et si bien qu'il se laissa emprisonner plutôt que de prononcer les anathèmes demandés. On crut cependant que la captivité aurait raison de sa résistance ; les fonctionnaires impériaux laissèrent répandre le bruit qu'il était prêt à céder. Une grande cérémonie fut prévue à l'église Saint-Étienne, la plus vaste de la ville. Le neveu de l'empereur, Hypatius, alors en pèlerinage aux lieux saints, avait annoncé sa présence. Au jour dit, dix mille moines se présentèrent, avec une foule immense de fidèles. Jean monta à l'ambon, mais il n'était pas seul. A côté de lui se tenaient les deux saints du monachisme, Sabas et Théodose. Aussitôt le peuple se mit à crier : « Anathématisez les hérétiques. Confirmez le concile ». Ces acclamations se prolongèrent durant plusieurs heures. Quand Jean put parler, ce fut pour jeter l'anathème sur Nestorius, Eutychès, Sévère d'Antioche et Soterichus de Césarée de Cappadoce et pour proclamer en même temps les quatre saints conciles œcuméniques. Le duc reconnut qu'on l'avait trompé ; il jugea prudent de se retirer. Quant au neveu de l'empereur, il déclara qu'il était venu en Palestine pour y faire un pèlerinage et non pour s'intéresser aux controverses ; et il combla de présents Sabas et ses moines. Ainsi Jean et le chalcédonisme sortirent victorieux de la grande épreuve.

LES ÉVÉNEMENTS DE CONSTANTINOPLE

Pendant que ces événements se passaient en Syrie et en Palestine, les choses étaient loin de s'arranger à Constantinople. Macédonius y gardait des partisans nombreux et ardents qui faisaient grise mine à son successeur. L'opposition ne se recrutait pas seulement dans le peuple et parmi les moines ; elle avait des représentants jusque dans la plus haute société. Magna, la belle-sœur de l'empereur Anastase, Pompée, son neveu, et la femme de celui-ci, Anastasie, Juliana Anicia Olybria, femme d'Aréobinde, un des plus illustres généraux de l'empire, fille de l'empereur Olybrius et de Placidia la Jeune, qui réunissait en sa personne

(1) F. Diekamp, *Die origenistischen Streitigkeiten*, p. 24 et suiv.
(2) Cyrille de Scythopolis, *Vita S. Sabae*, édit. Cotelier, p. 310.

les traditions familiales des Anicii et des Théodose, tenaient ferme pour le concile de Chalcédoine et refusaient la communion hérétique de Timothée. Il n'était pas jusqu'à l'impératrice Ariadné qui n'essayât de faire pression sur Anastase pour l'amener à résipiscence.

ÉMEUTES DE NOVEMBRE 512

Peine perdue. Avec l'entêtement d'un vieillard, l'empereur s'obstinait, tant et si bien que des troubles graves finirent par se produire. Ils furent provoqués une fois de plus par le *Trisagion* monophysite qui éclatait dans les offices comme une provocation. Le 4 novembre 512, le mécontentement populaire commença à gronder lors d'une cérémonie à Sainte-Sophie ; les manifestations se renouvelèrent le lendemain à Saint-Théodore. Au lieu de se montrer sensible à de tels avertissements, Anastase crut devoir insister. Le 6 novembre, une grande procession était ordonnée ; mais, dès que commença à retentir le *Trisagion* monophysite, les moines chalcédoniens arrivèrent en force. On les acclama, et bien vite on se trouva en pleine émeute. Les statues d'Anastase renversées ; les maisons des monophysites les plus en vue, en particulier celle de Marius d'Apamée, brûlées ; l'incendie se propageant dans tout un quartier de la ville ; un moine et une religieuse monophysites assommés : c'était la révolution. Les séditieux s'assemblèrent au forum de Constantin qu'ils eurent vite fait de fortifier, et lorsque les sénateurs Céler et Patricius se présentèrent pour parlementer, ils furent reçus par une grêle de pierres [1].

VICTOIRE D'ANASTASE

L'émeute finit pourtant par se calmer. Au bout de trois jours, l'empereur Anastase fit savoir qu'il se rendait à l'Hippodrome. Il y parut en effet, seul, en vêtements de deuil, sans couronne, en face des révoltés qui hurlaient le *Trisagion* catholique. Le spectacle de ce vieillard en apparence impuissant les émut et calma leur ardeur. Anastase leur fit savoir qu'il était prêt à partir, à la condition d'être remplacé, car tous ne pouvaient prétendre en même temps à exercer le pouvoir. Il promit d'ailleurs tout ce qu'on voulut lui demander en fait de réformes. Bref, il sut si bien ménager l'esprit du peuple que toute la colère fut en un instant abattue : Anastase fut prié de reprendre la couronne ; on lui promit de ne plus exciter de troubles, et chacun s'en retourna chez soi, bien content, sans avoir rien obtenu.

RÉVOLTE DE VITALIEN

L'émeute provoquée par le *Trisagion* n'était qu'un incident. Beaucoup plus graves furent les troubles qu'excita la révolte de Vitalien (513) [2]. Celui-ci était un des

(1) ÉVAGRIUS (*Hist. eccl.*, III, XLIV), qui raconte cette émeute, la confond avec celle qui eut lieu sous l'épiscopat de Macédonius. Cf. MARCELLIN, *Chronicon*, a. 512 ; THÉOPHANE, *Chronicon*, a. 6005.

(2) Sur la révolte de Vitalien, voir surtout JEAN D'ANTIOCHE, dans *Fragm. historicorum grae-*

plus brillants officiers de la région du Danube. Il prit prétexte des controverses religieuses pour soulever tous les mécontents contre Anastase, et en se posant comme le défenseur du concile de Chalcédoine, il parvint à grouper soixante mille hommes qu'il amena jusque dans les faubourgs de Constantinople. Une première fois, l'empereur sut l'éloigner par de fallacieuses promesses ; ces promesses n'ayant pas été tenues, Vitalien, après avoir vaincu à deux reprises les armées régulières commandées l'une par Cyrille, l'autre par Hypatius, reparut devant Constantinople. Il lui fallut, cette fois, plus que de vagues engagements pour l'apaiser. Il fut nommé *magister militum* et reçut le commandement de toutes les troupes de la Thrace [1]. On convint d'autre part qu'un grand concile serait réuni à Héraclée, sous la présidence du pape de Rome, et que toutes les questions en litige y recevraient leur solution.

ANASTASE ÉCRIT AU PAPE

Heureux d'être débarrassé à si bon compte, Anastase convoqua le concile [2] et écrivit au pape [3]. Symmaque venait précisément de mourir (19 juillet 514). Son successeur, Hormisdas, semblait devoir se montrer plus conciliant, tout en continuant à exiger la reconnaissance du concile et la suppression du nom d'Acace dans les diptyques. De fait, après avoir reçu les lettres de l'empereur, il crut devoir lui envoyer des légats : Ennodius, évêque de Pavie, et Fortunat, évêque de Catane (août 515) [4].

NOUVELLES NÉGOCIATIONS AVEC ROME

Il était déjà trop tard lorsque ceux-ci arrivèrent à Constantinople. Vitalien, qui, sur ces entrefaites, s'était remis en campagne et s'était une fois de plus montré devant Constantinople avec son armée et sa flotte, venait d'éprouver un terrible désastre d'où il lui était impossible de se relever [5]. Comme il avait cessé d'être dangereux, l'empereur

corum, édit. MULLER-DIDOT, t. V, p. 3 ; MARCELLIN, *Chronicon*, a. 513 ; ÉVAGRIUS, *Hist. eccl.*, III, XLIII.

(1) Hypatius, qui avait été fait prisonnier, fut délivré, moyennant une forte rançon. Ce fut à la suite de ces événements que, par reconnaissance, il alla faire le pèlerinage des Lieux saints dont nous avons parlé. Cf. *supra*, p. 316.

(2) Une lettre de Sévère d'Antioche au maître des offices (édit. BROOKS, t. I, p. 181 et suiv.) annonce que l'empereur l'a invité à se rendre à Héraclée.

(3) Anastase écrivit deux lettres au pape Hormisdas pour l'inviter au concile, le 28 décembre 514 et le 12 janvier 515. Ces deux lettres figurent dans la *Collectio avellana*, n^os^ CIX et CVII. Le concile devait se réunir le 1er juillet 515.

(4) Nous sommes renseignés sur cette légation par des documents contenus dans la *Collectio avellana*, n^os^ CV-CXVI et CXXV.

(5) L'insurrection de Vitalien eut naturellement son contre-coup sur la situation religieuse des provinces danubiennes dans lesquelles elle avait pris naissance. Dès 512, les évêques de la Dardanie, des deux Dacies et d'autres régions encore de l'Illyricum, qui ne sont pas autrement précisées, avaient écrit au pape Symmaque une lettre très touchante où ils lui demandaient de les aider et de les accepter dans sa communion sans les obliger à rompre formellement avec les Acaciens. Symmaque avait répondu — il ne pouvait pas faire autrement — en exigeant la condamnation d'Acace comme la condition préalable de sa communion (THIEL, *Epist. Pontif. roman.*, p. 709 et 717 ; JAFFÉ-WATTENBACH, 763). La révolte de Vitalien vint rendre du cœur aux ortho-

n'avait plus aucune raison de tenir les promesses qu'il lui avait faites l'année précédente. Personne d'ailleurs ne tenait essentiellement au concile dont on n'avait jamais parlé qu'avec quelque défiance. Pourtant les négociations ne furent pas interrompues avec Rome. Anastase alla jusqu'à écrire au sénat une lettre assez curieuse, dans laquelle il s'explique à sa manière sur la foi. Il déclare en effet qu'on a eu le plus grand tort de le prendre pour un ennemi du concile de Chalcédoine, qu'il n'a jamais publié contre ce concile ni loi ni édit, que même il a multiplié les efforts pour calmer le zèle monophysite des Alexandrins [1]. Tout cela était vrai en un certain sens ; toutefois les actes n'avaient pas répondu aux théories développées à l'usage du pape.

LEUR ÉCHEC

Ce fut pourtant à la suite de cette lettre qu'Hormisdas envoya à Constantinople deux nouveaux légats, Ennodius de Pavie et Peregrinus de Misène. Cette nouvelle légation eut encore moins de succès que la première : si raisonnables qu'elles fussent, les demandes du pape n'avaient aucune chance d'être agréées du vieil empereur. Les Italiens, en rentrant à Rome, n'y rapportèrent qu'une lettre assez orgueilleuse : « On peut nous injurier et nous compter pour rien, déclarait Anastase, mais quant à nous donner des ordres, non ! » [2]

LA SITUATION : A ANTIOCHE ET A ALEXANDRIE

Il était en effet trop évident que nul n'aurait pu se risquer à donner des ordres à un homme qui ne voulait même pas entendre les conseils et qui restait sourd à la voix des faits. L'empereur aurait dû pourtant se rendre compte que la politique antichalcédonienne avait échoué. Officiellement les quatre patriarches

doxes de l'Illyricum et des régions voisines : la nouvelle de leur attitude décidée contre le monophysisme parvint jusqu'en Palestine où les moines hostiles à Sévère décidèrent d'entrer en relations avec eux : ils écrivirent à Alcison, évêque de Nicopolis en Épire, une longue lettre où ils racontent en détail tout ce qu'ils ont eu à souffrir de la part de Philoxène et de ses amis (cf. ÉVAGRIUS, *Hist. eccl.*, III, XXXI). Alcison avait rétabli les liens de communion avec le pape ; il en était de même de Laurent de Lychnidos (Ochrida) en Nouvelle Épire et de plusieurs autres. En 515, d'après la Chronique de Théophane (a. 6008), quarante évêque de l'Illyrie et de la Grèce se réunirent même en concile pour se séparer de l'évêque de Thessalonique, Dorothée, qui s'était mis en rapports de communion avec Timothée de Constantinople et avait ainsi donné des gages au monophysisme. Ce concile envoya en même temps un message au pape Hormisdas, pour l'assurer qu'il était en communion avec le Siège romain.

Lorsque les affaires de Vitalien se furent tout à fait gâtées, Anastase s'intéressa à la conduite des évêques illyriens. Il fit venir à Constantinople Alcison de Nicopolis, Laurent de Lychnidos, et, avec eux, trois évêques de la Dacie intérieure, Domnion de Sardique, Gaïanus de Naïssus, Évangelus de Pantalia (MARCELLIN, *Chronicon*, a. 516). Tous furent d'abord retenus prisonniers dans la capitale et Gaïanus y mourut de même qu'Alcison. L'armée d'Illyrie réclama les autres : on dut les renvoyer dans leur pays. Alcison ne tarda pas à être remplacé par un successeur du nom de Jean qui, avec tous ses suffragants, s'unit au pape (*Collectio avellana*, nos CXVII, CXXIV, CXXVII, CXXXIV, CXXXV). Cf. J. ZEILLER, *Les origines chrétiennes dans les provinces danubiennes de l'empire romain*, p. 378-382.

(1) Cf. SÉVÈRE, *Epist.*, IV, II.

(2) *Collectio avellana*, no CXXXVIII.

avaient reçu l'*Hénotique*, mais il n'y en avait que deux, ceux d'Alexandrie et d'Antioche, qui lui donnaient une interprétation monophysite ; en Égypte seulement, l'hérésie avait poussé de profondes racines dans le clergé et dans le peuple ; encore aurait-il fallu prendre garde que le séparatisme religieux n'y était qu'une forme larvée du nationalisme politique et qu'il était imprudent de le favoriser. A Antioche, la situation était plus complexe. Si beaucoup d'évêques s'étaient franchement déclarés en faveur de Sévère et du monophysisme, d'autres, en grand nombre, restaient chalcédoniens et, parmi les moines, les plus illustres étaient favorables au tome et au concile : de temps à autre, Sévère, qui ne reculait pas devant les procédés drastiques, en faisait une hécatombe [1], mais cela n'était pas pour avancer beaucoup ses affaires.

A JÉRUSALEM ET A CONSTANTINOPLE

Quant aux patriarches de Jérusalem et de Constantinople, ils restaient intraitables, et, l'eussent-ils voulu, ils n'auraient pas pu prendre le parti du monophysisme, car leurs peuples et leurs moines les en auraient empêchés. L'un après l'autre, Euphème et Macédonius de Constantinople avaient été exilés, sous des prétextes divers, mais en réalité à cause de leur tiédeur à l'endroit de l'*Hénotique*. Timothée, si malléable qu'il fût, avait dû finalement adopter une attitude réservée et pleine de prudence qui ne disait rien de bon à Sévère d'Antioche et à ses partisans. Lui aussi, Élie de Jérusalem avait été condamné à l'exil ; son successeur Jean, nous l'avons vu, avait dû se soumettre aux volontés des Chalcédoniens de ses monastères.

MORT D'ANASTASE

Les choses en étaient là lorsqu'on apprit, en avril 518, la mort de Timothée. Jean fut élu pour lui succéder : à la cérémonie d'installation, des cris furent poussés, contre Sévère et les monophysites [2]. Quelques semaines plus tard, le 9 juillet de cette même année, l'empereur Anastase disparut à son tour, subitement emporté dans la mort au cours d'un terrible orage qui avait éclaté sur Constantinople. Ses deux victimes, Élie de Jérusalem et Flavien d'Antioche, le suivirent de quelques jours dans la tombe, le 19 juillet [3].

(1) Il arriva un jour qu'une grande multitude de moines de la Syrie seconde se rendirent au sanctuaire de saint Syméon le Stylite, sans doute pour manifester contre Sévère. Celui-ci fit apposter sur leur passage des gens à sa dévotion, pour attaquer la troupe des pèlerins. Trois cent cinquante d'entre eux furent massacrés. Les survivants adressèrent au pape Hormisdas une lettre véhémente de protestations (*Collectio avellana*, n^os^ CXXXIX et CXL).

(2) Lorsque Sévère apprit l'installation de Jean, il écrivit aussitôt à Éleusinus de Sasima pour se concerter avec lui sur les dispositions à prendre en vue de gagner le nouveau patriarche : « On croit, dit-il de Jean, qu'il incline vers la vérité (monophysite) et il inspire aux orthodoxes d'heureuses espérances, mais il est très porté à tenir une voie moyenne trompeuse et à agir comme son prédécesseur l'a fait dans ses lettres synodiques ». Sévère ajoute que Soterichus de Césarée va se rendre à Constantinople et qu'il verra sur place à tirer le meilleur parti des circonstances (*Epist.*, VI, I). Cf. THÉOPHANE, *Chronicon*, a. 6010.

(3) CYRILLE DE SCYTHOPOLIS, *Vita S. Sabae*.

CHAPITRE III

LES ÉGLISES DE PERSE ET D'ARMÉNIE AU Ve SIÈCLE

Tandis que les grands problèmes théologiques soulevés par Nestorius et par Eutychès provoquaient entre les églises de l'Empire romain d'interminables discussions qui mettaient en grand péril l'unité chrétienne elle-même, que devenaient les chrétientés que nous avons vues naguère se former en dehors de l'Empire, et tout spécialement les plus importantes d'entre elles, celles de Perse et d'Arménie ?

§ 1. — L'Église de Perse [1].

L'ÉGLISE DE PERSE A LA FIN DU IVe SIÈCLE

Pendant plus de quarante ans, de 340 à 383, l'Église de Perse avait été décimée par une

(1) BIBLIOGRAPHIE. — I. SOURCES. — Bien que nous ne possédions pas, sur l'histoire des églises persanes, un aperçu d'ensemble comparable aux grandes compositions de Bar-Hébraeus, les documents ne nous font pourtant pas défaut. On peut citer en première ligne la chronique patriarcale que Mari Ibn Sulayman a insérée dans son ouvrage *La Tour.* Amr ibn Mattaï et Sliba ibn Yuhanna ont repris la Chronique de Mari, le plus souvent en l'abrégeant, mais parfois en y introduisant de nouveaux détails. Documents édités et traduits par H. GISMONDI, *Maris, Amri et Slibae de patriarchis nestorianorum commentaria,* Rome, 1896-1899. Vient ensuite la *Chronique de Seert,* histoire nestorienne composée peu après 1036, mais malheureusement incomplète. Elle a été publiée et traduite par Mgr ADDAI SCHER, dans *Patrologia orientalis,* t. IV, fasc. 3 ; t. V, fasc. 2 ; t. VII, fasc. 2 ; t. XIII, fasc. 4, Paris, 1908-1919. Enfin, l'on trouve de précieux renseignements dans la seconde partie du recueil canonique nestorien, qui donne les actes des conciles tenus en Perse entre 420 et 790. Cette partie du recueil a été publiée et traduite par J. B. CHABOT, *Synodicon orientale,* dans *Notices et extraits des manuscrits de la Bibliothèque nationale et d'autres bibliothèques,* t. XXXVII, Paris, 1902.

A ces trois ouvrages, on peut ajouter la *Chronique d'Arbèle,* écrite, semble-t-il, un peu après le milieu du VIe siècle. Elle a été éditée par E. SACHAU, *Die Chronik von Arbela, Ein Beitrag zur Kenntnis des ältesten Christentums im Orient,* dans les *Abhandlungen der kgl. preuss. Akademie der Wissenschaften, Phil. hist. Klasse,* 1915, VI, et traduite en latin par le P. ZORELL, *Chronica ecclesiae Arbelensi,* dans *Orientalia christiana,* t. VIII, fasc. 4, Rome, 1927. Cf. P. PEETERS, *Le passionnaire d'Adiabène,* dans *Analecta Bollandiana,* t. XLIII, 1925, p. 261-304 ; F. ORTIZ DE URBINA, *Intorno al valore storico della cronica di Arbela,* dans *Orientalia christiana periodica,* t. II, Rome, 1936, p. 5-33. La *Chronique d'Édesse* a été éditée par HALLIER dans les *Texte und Untersuchungen,* t. IX, fasc. 1, Leipzig, 1894, et par J. GUIDI, dans le *Corpus scriptorum ecclesiasticorum orientalium,* Paris, 1903.

Les passions des martyrs persans ont été publiées par S. E. ASSEMANI, *Acta ss. martyrum orientalium et occidentalium,* Rome, pars I, 1748, et par P. BEDJAN, *Acta sanctorum et martyrum,* Paris et Leipzig, 1891 et suiv. Plusieurs textes ont été traduits anciennement en grec ; ils ont été publiés par H. DELEHAYE, *Les versions grecques des actes des martyrs persans sous Sapor II,* dans *Patrologia orientalis,* t. II, fasc. 4, Paris, 1905. Cf. *Bibliotheca hagiographia orientalis,* Bruxelles, 1910.

II. TRAVAUX. — Il faut signaler en première ligne la *Bibliotheca orientalis clementino-vaticana* de J. S. ASSEMANI, t. III et IV, Rome, 1725-1728, qui renferme avec de multiples documents des

cruelle persécution [1]. En 383, la mort d'Ardashir amena sur le trône un prince pacifique, Sapor III. Dès le début de son règne, celui-ci entra en relations avec l'empereur Théodose Ier et « cultiva son amitié en lui envoyant des ambassadeurs et en lui faisant des présents de perles, de soie et d'animaux pour traîner son char de triomphe » [2]. Son successeur, Bahram IV Kermanshah, resserra encore les liens qui unissaient la Perse et l'Empire : il conclut un traité de paix dont Stilicon fut un des principaux négociateurs.

L'Église bénéficia de cette détente et en profita pour se réorganiser. Le siège de Séleucie, qui était resté vacant pendant quarante ans, de 348 à 388, après le martyre de trois pasteurs successifs, reçut, semble-t-il, un nouveau titulaire en la personne de Tomarsa [3] ; après lui, Qayyuma fut élu pour lui succéder. Nous connaissons d'ailleurs peu de choses sur l'épiscopat de ces deux personnages : Tomarsa s'efforça surtout de reconstruire les églises détruites ; de Qayoma, qui était déjà fort âgé lorsqu'il fut nommé, nous ne savons guère que sa démission en faveur du futur réorganisateur de la chrétienté persane, le catholicos Isaac.

AVÈNEMENT DE YAZDEGERD

Lorsqu'en 399, Yazdegerd monta sur le trône, l'empereur Arcadius envoya pour le féliciter une ambassade dont le chef était l'évêque de Maïpherqat, Maruta. Nul choix ne pouvait être plus heureux. Maruta était mésopotamien par son origine et par le siège qu'il occupait, mais il était en même temps très au courant de tous les problèmes qui se posaient dans les grandes chrétientés de l'Empire et il avait séjourné à plusieurs reprises à Antioche, en Asie Mineure, à Constantinople. C'était de plus un très savant homme et un médecin réputé : par des cures heureuses, il sut prendre une influence considérable sur l'esprit de Yazdegerd. Il profita des circonstances pour plaider éloquemment la cause des chrétiens : on attribue à son activité la réunion d'un concile au cours duquel Qayoma put faire accepter sa démission et son remplacement par Isaac [4].

LE CATHOLICOS ISAAC

Celui-ci paraît avoir éprouvé des difficultés assez considérables au début de son épiscopat, dans les efforts qu'il tenta pour assurer la vie normale des églises de Perse. En

dissertations de première importance, puis J. LABOURT, *Le christianisme dans l'empire perse sous la dynastie sassanide (224-632)*, Paris, 1904 ; R. DUVAL, *La littérature syriaque*, Paris, 1899 ; A. BAUMSTARK, *Geschichte der syrischen Literatur mit Ausschluss der christlich-pälastinensischen Texte*, Bonn, 1922 ; J.-B. CHABOT, *La littérature syriaque*, Paris, 1935 ; E. TISSERANT, *Nestorienne (L'Église)*, dans *Dictionnaire de théologie catholique*, t. XI, I, Paris, 1931, col. 157 et suiv. ; A. SCHER, *L'École de Nisibe, son origine, ses règlements et ses hommes célèbres* (en arabe), Beyrout, 1905 ; J.-B. CHABOT, *L'école de Nisibe, son histoire, ses statuts*, dans *Journal Asiatique*, IXe série, t. VIII, 1896, p. 43 et suiv. ; *Narsaï le docteur et les origines de l'école de Nisibe*, dans *Journal asiatique*, Xe série, t. VI, 1905, p. 158 et suiv.

(1) Cf. t. III, p. 492-493.

(2) TILLEMONT, *Histoire des empereurs*, t. V, p. 239.

(3) *Chronique de Séert* (*Patrologia Orientalis*, V, 305).

(4) BAR-HEBRAEUS, *Chronicon ecclesiasticum*, t. III, p. 47.

tout cas, il crut bon, afin de donner à son œuvre une base plus solide, de faire appel à la collaboration des évêques d'Occident. Au cours de l'hiver 409-410, Maruta reparut à la cour de Perse, envoyé par les évêques les plus directement intéressés aux affaires religieuses de ce pays, Porphyre d'Antioche, Acace de Bérée, Peqida d'Édesse, Eusèbe de Tella, Acace d'Amid [1]. Ces prélats avaient remis à Maruta des instructions l'invitant à faire réaliser autant que possible l'unité de foi et de discipline entre les Églises d'Orient et d'Occident.

CONCILE DE SÉLEUCIE (410)

La nouvelle ambassade de Marouta connut un plein succès. Les lettres qu'il apportait furent communiquées au roi et celui-ci fit aussitôt décider la réunion d'un grand concile qui grouperait à Séleucie les évêques de toutes les provinces. Le concile s'ouvrit le 1er février 410. Quarante évêques persans y prirent part sous la présidence d'Isaac. Après avoir entendu la lecture du symbole et des canons de Nicée, ils décidèrent d'y souscrire. Puis ils réglèrent entre eux certaines questions plus importantes. « Ils décidèrent qu'il n'y aurait qu'un évêque par ville, que les nouveaux évêques devraient être institués par trois autres et confirmés par le métropolitain, même si les évêchés étaient très éloignés les uns des autres ; qu'on solenniserait partout en même temps les grandes fêtes et le jeûne solennel du carême, qu'on n'offrirait plus le saint sacrifice que sur un seul autel [2]. » Dans quelques églises, plusieurs concurrents se disputaient le siège épiscopal, chacun d'eux groupant autour de soi une partie de la communauté : le concile décida que tous ces rivaux pourraient continuer à exercer leur ministère, mais qu'ils n'auraient pas le droit d'ordonner des clercs et que la nomination de leur successeur serait réservée au catholicos. Enfin, on régla que le titulaire du siège de Séleucie et Ctésiphon serait le grand métropolitain et le chef de tous les évêques ; son suffragant, l'évêque de Kashkar, le remplacerait pendant la vacance du siège. Au-dessous de lui seraient cinq métropolitains, établis dans les capitales des provinces : Beit-Lapat pour le Huzistan ; Nisibe pour la province frontière ; Prat de Maisan pour la Mésène, Arbel pour l'Adiabène, Karka de Beit Selokh pour le Beit Garmaï. Une trentaine d'évêques, dont la juridiction était soigneusement délimitée, étaient soumis à ces métropolitains. Enfin quelques chrétientés isolées ou lointaines, en Médie, en Raziacène, dans la Perse propre et dans les îles du golfe Persique n'étaient pas comprises dans les circonscriptions provinciales et gardaient leur autonomie.

(1) *Synodicon orientale*, édit. CHABOT, p. 253.
(2) J. LABOURT, *Le christianisme dans l'empire perse*, p. 96.

APPROBATION DU CONCILE PAR LE ROI

L'œuvre accomplie par le concile était des plus importantes. Chose plus remarquable encore, cette œuvre fut sanctionnée par le roi qui, nouveau Constantin, devint le protecteur de l'Église. Il fut décidé en effet que les nominations des évêques et autres dignitaires seraient approuvées par le roi et que celui-ci châtierait les délinquants ; en retour, les évêques ordonnèrent des prières pour lui.

YAHBALLAHA DEVIENT CATHOLICOS

Pendant quelques années, l'accord ainsi scellé se maintint sans un nuage, et il sembla que l'Église de Perse allait pouvoir se développer en toute liberté. A Isaac, mort encore en 410, avait succédé le moine Ahaï, disciple de Mar-Abda, qui jouissait d'un grand crédit auprès du roi ; Yahballaha le remplaça en 414 : il fut élu sur l'ordre de Yazdegerd lui-même, et, en 418, il fut envoyé en ambassade à Constantinople pour la paix et la réconciliation des deux Empires. L'année suivante (fin de 419), Acace d'Amid vint à son tour à Séleucie de la part de Théodose, et sa présence en Perse fut l'occasion d'un nouveau concile où se trouvèrent présents onze évêques ou métropolitains. Ce concile examina attentivement la situation de l'Église persane, dans laquelle bien des rivalités personnelles entravaient encore l'œuvre de paix et les progrès de l'évangélisation, et il décida d'accepter, outre les canons de Nicée, ceux d'Ancyre, de Néocésarée, de Gangres et de Laodicée [1].

ÉLECTION DE MA'NA

Yahballaha mourut au commencement de 420 : dès ce moment, on pouvait prévoir que la paix religieuse ne durerait pas, car Yazdegerd, sans doute sous la pression des mages qui ne pouvaient pas voir sans inquiétude et sans jalousie la propagande chrétienne s'exercer au grand jour et même profiter de la bienveillance du roi, avait recommencé à persécuter l'Église. Le catholicos avait à peine rendu le dernier soupir que des mesures de rigueur prises contre un certain nombre d'individus vinrent ouvrir l'ère des répressions [2]. Ce fut dans des circonstances déjà troublées qu'il fallut procéder à l'élection d'un nouvel évêque de Séleucie : Ma'na, ancien élève de l'école d'Édesse, fut choisi, et le roi reconnut encore sa nomination, grâce surtout, dit-on, à l'entremise du chef de la milice à qui l'on avait remis

(1) *Synodicon orientale*, p. 280 et suiv.

(2) La persécution de Yazdegerd fut sporadique. En certains cas, elle put être provoquée par le zèle intempestif de quelques chrétiens. C'est ainsi qu'on signale à Hormidsdardasir, dans le Huzistan, la destruction d'un pyrée par un prêtre du nom de Hasu. L'évêque 'Abda, impliqué dans l'affaire, refusa de reconstruire le pyrée détruit : il fut condamné et exécuté. Vers le même temps eut lieu encore le martyre du moine Narsaï, dont l'église avait été subrepticement transformée en pyrée, et qui en avait naturellement enlevé tous les ustensiles destinés au culte du feu aussitôt qu'il avait appris le sacrilège. Cf. P. Bedjan, *Acta martyrum et sanctorum*, Leipzig, 1895, t. IV, p. 170-181.

une grosse somme d'argent. Ma'na ne tarda pas d'ailleurs à être exilé en Perside.

PERSÉCUTION DE BAHRAM V

Sur ces entrefaites, Yazdegerd mourut à son tour. Son fils, Bahram V, continua la persécution avec une violence accrue. Il fit périr en nombre des évêques et des prêtres ; il s'attaqua surtout aux fonctionnaires et aux nobles qui s'étaient convertis, tels Hormisdas et Suène, Jacques l'Intercis, Jacques le notaire, etc. Beaucoup échappèrent à la mort par l'apostasie ; d'autres purent franchir la frontière de l'ouest [1].

LA LIBERTÉ DU CULTE RECONNUE EN PERSE

Les Perses réclamèrent les fugitifs aux Romains [2] et se plaignirent en même temps des tracasseries qu'ils faisaient subir aux mages de Cappadoce ; des discussions s'élevèrent au sujet des incursions barbares dans les régions du Caucase. Bref, la guerre éclata très vite entre les deux Empires et se prolongea pendant plus d'une année. Elle fut somme toute favorable aux Romains [3], puisque, lors de la conclusion de la paix, en 422, Bahram dut s'engager à laisser à ses sujets la liberté de conscience, obtenant d'ailleurs en échange que l'exercice du culte mazdéen serait toléré sur le territoire grec.

LE CATHOLICOS DADISO

Pendant ce temps, un certain Farabokt avait succédé à Ma'na comme catholicos, mais il n'avait pas tardé à être destitué à son tour pour être remplacé par Dadiso (422) [4]. Cette élection ne fut pas approuvée par tous les évêques persans, si bien qu'au bout de quelques mois, Dadiso, dégoûté des intrigues et des luttes qu'il avait à soutenir, quitta sa ville épiscopale et se retira au monastère de Deir-Qabout, en pays arabe. Cette sorte de désertion ne pouvait être agréée des évêques qui, à cette époque surtout, auraient eu besoin d'un chef ardent et vigoureux. Plusieurs d'entre eux s'assemblèrent, en 424, à Markabta de Tayyayé ; après avoir rétabli Dadiso, ils décidèrent que désormais les affaires religieuses de la Perse ne seraient plus portées devant les Pères occidentaux, que le catholicos ne pouvait pas être

(1) Cf. Théodoret, *Hist. eccl.*, V, xxxviii, qui raconte en détail les divers supplices infligés aux chrétiens. Sur la persécution de Bahram, cf. J. Labourt, *Le christianisme dans l'empire perse*, p. 109-118.

(2) Un de ces fugitifs, Abraham, parvint jusqu'en Auvergne. Sidoine Apollinaire, qui l'avait connu, rappelle son souvenir (*Epist.*, VII, xvii).

(3) Au cours des opérations, Acace d'Amid put racheter, au prix des vases sacrés de son église, sept mille prisonniers que les armées grecques traînaient à leur suite ; il les renvoya en Perse après les avoir nourris quelque temps et leur avoir fourni des vivres pour la route (Socrate, *Hist. eccl.*, VII, xxi).

(4) Les noms de Ma'na et de Farabokt ne figurent pas dans les diptyques de l'Église persane. Ces deux personnages semblent avoir été des ambitieux qui auraient employé des moyens peu avouables pour parvenir à l'épiscopat.

jugé et chassé par ses enfants, car il ne relevait que du tribunal de Dieu [1]. Ainsi se trouvaient tranchés les derniers liens, bien faibles à la vérité, qui unissaient encore les églises de Perse à celles de l'Empire romain. Plusieurs motifs expliquent cette décision : le désir pour les évêques persans de témoigner leur loyalisme à l'égard du gouvernement national et de rendre impossibles les investigations de l'empereur de Constantinople dans les affaires de la Perse, peut-être plus encore la nécessité de fortifier l'autorité du catholicos que risquaient de compromettre de trop fréquents appels à Antioche. En toute hypothèse, la mesure prise était des plus graves, puisqu'elle tendait à isoler de plus en plus l'Église persane du reste de la chrétienté : l'avenir devait en développer toutes les conséquences.

INSUFFISANCE DES DOCUMENTS Nous sommes malheureusement très mal renseignés sur les événements qui suivirent le synode de 424. Le *Synodicon orientale* ne fournit plus aucune information avant 486, et la *Chronique de Séert* nous manque entre 422 et 484, par suite d'une lacune du manuscrit. Pourtant il s'agit d'une période particulièrement importante, puisque c'est au cours de ces soixante années que se fixe le sort de l'Église de Perse, à la suite de son orientation définitive vers le nestorianisme.

L'ÉCOLE D'ÉDESSE C'est dans les milieux influencés par la célèbre école d'Édesse que se joua la partie décisive. Cette école avait été, croit-on, fondée par saint Ephrem, lorsque Nisibe eut été conquise par les Perses et que les docteurs qui y enseignaient durent venir chercher asile en terre romaine (363). Elle attirait à elle les Syriens orientaux, soucieux d'érudition théologique et exégétique, et les chrétiens de Perse les plus intelligents ou les plus nobles venaient y poursuivre leurs études. Parmi ceux qui, après 430, y reçurent l'enseignement d'Ibas, on signale Acace de Beit Aramayé, Ma'na de Beit Ardashir, Jean de Beit-Garmaï, Narsès le lépreux, et surtout celui qui devait se rendre le plus illustre, Barsauma de Nisibe [2]. On suivait à Édesse les traditions de l'école d'Antioche : Diodore de Tarse et surtout Théodore de Mopsueste, que l'on avait surnommé l'Interprète et dont les principales œuvres avaient été dès lors traduites en syriaque, étaient les docteurs auxquels on s'attachait de préférence à tous les autres.

IBAS D'ÉDESSE Sans doute, jusqu'en 435, l'évêque d'Édesse lui-même se montra mal disposé pour les partisans de l'Interprète.

(1) Sur ce concile auquel prirent part trente-six évêques, cf. *Synodicon orientale*, p. 285 et suiv. J. Labourt, *Le christianisme dans l'empire perse*, p. 285, n. 1, émet des doutes sur l'authenticité des actes de ce concile.

(2) Siméon de Beit-Arsam, *Epistola de Barsauma*, dans Assemani, *Bibliotheca orientalis*, t. I,

C'était alors le fameux Rabboula [1], et il était appuyé par quelques étudiants de l'école, tels que Philoxène (ou Xenaias), le futur évêque de Mabbough, Papa de Beit-Lapat, Barhadbeshabba de Qardu. Mais en 435, Ibas succéda à Rabboula sur le siège épiscopal d'Édesse ; deux ans plus tard, en 437, Narsès fut mis à la tête de l'école. Ces deux hommes étaient des dyophysites convaincus : ils fixèrent pour plusieurs années la doctrine officielle du didascalée. La situation devint momentanément difficile, lorsque Dioscore d'Alexandrie réussit à imposer son influence en Orient ; le gouverneur d'Osrhoène, Chéréas, fut chargé de faire une enquête à Édesse (449). Ibas fut éloigné et jeté en prison ; un peu plus tard, les évêques du brigandage d'Éphèse réclamèrent à grands cris l'expulsion de Barsauma, qui se distinguait par son ardeur nestorienne entre tous ses condisciples. Mais ce ne fut qu'une alerte. Ibas ne tarda pas à être réhabilité et à reprendre la conduite de son église.

L'ÉCOLE TRANSPORTÉE A NISIBE

En 457 seulement, à la mort d'Ibas, une violente réaction monophysite vint tout bouleverser [2] : Siméon de Beit-Arsam raconte que les Perses furent alors expulsés d'Édesse avec le reste des lecteurs qui étaient de leur parti ; beaucoup d'entre eux devinrent évêques dans leur pays : Barsauma à Nisibe, Acace à Beit-Aramaye, Ma'na à Beit-Adrashir, Jean à Karka de Beit-Sari, etc. Narsès lui-même s'établit à Nisibe : l'école de Nisibe devait se substituer entièrement à celle d'Édesse, lorsqu'en 489 l'empereur Zénon décida la fermeture de cette dernière [3].

BARSAUMA DE NISIBE

Barsauma, qui était, dès 457, évêque de Nisibe, exerça une influence d'autant plus grande qu'il se faisait davantage remarquer par sa science et qu'il était parvenu à se concilier les faveurs du roi Péroz qui, après le règne éphémère de Hormidz, avait succédé à Yazdegerd II. Nous sommes d'ailleurs assez incomplètement renseignés sur le détail de son long épiscopat. Les docu-

p. 351. Cette lettre est une de nos principales sources pour l'histoire de la période en question, mais elle est rédigée par un monophysite fougueux et par suite excessivement partiale.

(1) Cf. *supra*, p. 206.

(2) L. Duchesne (*L'Église au VIe siècle*, p. 568, n. 1) place cette réaction monophysite dès 449. La date traditionnelle de 457 paraît cependant devoir être conservée. On verra les raisons de ce maintien exposées par E. Tisserant, art. *Narsaï*, dans *Dictionnaire de théologie catholique*, t. XI, I, p. 27.

(3) Cf. J.-B. Chabot, *Narsaï le docteur et les origines de l'école de Nisibe*, dans *Journal asiatique*, x^e série, t. VI, 1905. Narsaï exerça une très grande influence par la durée de son enseignement autant que par les œuvres qu'il laissa après lui. Notre principale source d'informations est l'Histoire de Barhadbesabba Arbaia, 2e partie, publiée par F. Nau, dans la *Patrologia orientalis*, t. IX, fasc. 5, Paris, 1913, p. 588-615. Né, semble-t-il, en 399, Narsaï devint en 437 le chef de l'école d'Édesse et le resta pendant vingt ans. Il enseigna ensuite à Nisibe pendant quarante ans, avec une interruption de cinq ans, pendant lesquels il gouverna le monastère de Kefar-Mari. Il mourut en 502, âgé de 103 ans. De ses ouvrages, il nous reste surtout des homélies et des compositions métriques ou *mimre*, éditées par A. Mingana. *Narsaï doctoris syri homiliae et carmina primo edita*. Mossoul, 1905.

ments nous assurent qu'il s'attira les reproches du catholicos de Séleucie, Babowaï [1], pour les scandales de sa vie privée ; ils parlent également d'une correspondance que Babowaï aurait entretenue avec l'empereur Zénon, et qui parvint, on ne sait comment, à la connaissance de Péroz. Celui-ci accusa le catholicos de trahison et il le condamna à être suspendu, jusqu'à ce que mort s'ensuive, par l'annulaire auquel le malheureux évêque portait le sceau dont il avait scellé les lettres incriminées [2].

LE NESTORIANISME EN PERSE Après la mort de Babowaï, Barsauma aurait conseillé à Péroz de favoriser de toutes ses forces la propagande nestorienne dans l'Empire perse, afin d'opposer plus de résistance aux Byzantins que Zénon contraignait à signer l'*Hénotique* : « Si nous ne proclamons pas en Orient, aurait-il dit, un dogme différent de l'empereur romain, jamais tes sujets chrétiens ne te seront sincèrement attachés. Donne-moi donc des troupes et je rendrai nestoriens tous les chrétiens de ton empire. De la sorte, ils haïront les Romains, et les Romains les détesteront. » Péroz se serait en effet laissé persuader, et, à la tête d'une troupe de soldats, Barsauma aurait parcouru diverses régions de la Perse pour imposer le nestorianisme à leurs habitants : il ne se serait décidé à reculer qu'en arrivant aux frontières de l'Arménie, par suite de la résistance invincible qu'il y aurait rencontrée [3].

LE SYNODE DE BEIT-LAPAT Nous ne sommes pas obligés d'admettre ces récits, qui sont empruntés à des sources monophysites, en particulier à la *Chronique* de Michel le Syrien. En réalité, Barsauma n'a pas eu besoin d'inculquer à ses compatriotes la doctrine nestorienne par des moyens violents : ceux-ci étaient déjà nestoriens dès les débuts de la propagande hérétique. Mais il est vrai que la recrudescence du monophysisme dans l'Empire grec inquiéta les chrétiens de Perse et fut le prétexte d'une condamnation solennelle de cette erreur, lors d'un synode tenu à Beit-Lapat sous la présidence de Barsauma, avant même la mort de Babowaï [4]. Ce synode n'avait d'ailleurs pas hésité à prendre position contre le catholicos lui-même et à proclamer sa déchéance ; Babowaï avait encore eu le temps de riposter en condamnant l'évêque de

(1) Yazdegerd II mourut le 30 juillet 457, après avoir fait un certain nombre de martyrs. Le catholicos Dadiso dut mourir à la même époque, après un épiscopat dont nous ne savons à peu près rien. Il fut remplacé par Babowaï, qui était un converti, et qui, comme tel, pouvait être particulièrement exposé à des représailles.

(2) La mort de Babowaï arriva en 484. Nous avons sur cet événement plusieurs importants témoignages, spécialement ceux de MICHEL LE SYRIEN, *Chronicon*, édit. CHABOT, p. 239 et 425, et de la *Chronique de Seert*, dans *Patrologia orientalis*, t. VII, 2, p. 107. Cf. E. TISSERANT, art. *Nestorienne* (*Église*), dans *Dictionnaire de théologie catholique*, t. XI, I, col. 174-176.

(3) MICHEL LE SYRIEN, *Chronicon*, p. 427.

(4) Le synode de Beit Lapat fut annule comme schismatique et ses actes ne figurent pas dans le *Synodicon orientale*. Il n'en a pas moins jou· d'une grande autorité, et la plupart de ses décisions furent reprises au concile de Séleucie, en 486.

Nisibe, lorsqu'il fut martyrisé. Il n'est donc pas exact qu'on ait dû attendre sa mort pour intensifier la prédication des doctrines nestoriennes.

CONCILE DE BEIT-ADRAI (485) Pour remplacer Babowaï, un de ses parents, ancien élève lui aussi de l'école d'Édesse, Acace, fut élu, et l'un de ses premiers soins fut de se rapprocher de Barsauma. En 485, un concile s'assembla à Beit-Adraï et reçut la soumission de l'évêque de Nisibe [1] ; il décida en même temps qu'un concile général se tiendrait l'année suivante et réglerait toutes les questions pendantes de dogme et de discipline.

CONCILE DE SÉLEUCIE (486) Le concile prévu se réunit en effet en 486, à Séleucie, mais, par suite de l'abstention de Barsauma et des évêques de la province de Beit-Arbayé, il ne compta que douze évêques présidés par le catholicos Acace. Il s'occupa avant tout de définir la foi de l'Église persane :

Notre foi doit être, en ce qui concerne l'Incarnation du Christ, dans la confession des deux natures de la divinité et de l'humanité. Nul de nous ne doit introduire le mélange, la commixtion ou la confusion entre les diversités de ces deux natures ; mais la divinité demeurant et persistant dans ses propriétés, et l'humanité dans les siennes, nous réunissons en une seule majesté et une seule adoration les divergences des natures, à cause de l'union parfaite et indissoluble de l'humanité avec la divinité. Et si quelqu'un pense ou enseigne aux autres que la passion ou le changement est inhérent à la divinité de Notre-Seigneur, et s'il ne conserve pas relativement à l'unité de personne de Notre-Seigneur la confession d'un Dieu parfait et d'un homme parfait, qu'il soit anathème [2].

LES CANONS CONCILIAIRES Plusieurs canons ont trait à la discipline, en particulier pour interdire aux moines de pénétrer dans les villes et les bourgs où se trouvaient déjà installés des membres du clergé, et pour les obliger à rester dans leurs couvents ou dans leurs déserts, sous l'autorité des évêques. Spécialement importantes furent les mesures prises au sujet du célibat ecclésiastique. Le célibat n'est permis qu'aux religieux cloîtrés ; mais aucun évêque ne fera faire ce vœu dans son clergé ou parmi les prêtres de son village et les réguliers soumis à son autorité. Bien plus, les diacres reçoivent la permission de se marier, s'ils ne le sont pas encore, et l'on décide qu'à l'avenir on n'ordonnera que des diacres légitimement mariés et ayant des enfants. Enfin l'on permet aux prêtres, tout comme aux autres fidèles, de contracter un second mariage [3].

(1) Cf. J. Labourt, *Le christianisme dans l'empire perse*, p. 144. Barsauma, invité naturellement au concile général, multiplia les atermoiements. Nous avons de lui plusieurs lettres à Acace qui expliquent les raisons, vraies ou prétendues, de son abstention (*Synodicon orientale*, p. 532 et suiv.).
(2) *Synodicon orientale*, p. 302.
(3) *Synodicon orientale*, p. 303.

MORT DE BARSAUMA

Toutes ces décisions étaient de la première importance, car elles fixaient la doctrine des églises persanes et réglaient des points essentiels en matière disciplinaire. Elles marquaient aussi le triomphe des idées de Barsauma. Celui-ci pourtant ne se jugea pas satisfait, car il continua, après le concile, à accabler le catholicos d'anathèmes. Il finit par mourir entre 492 et 495 ; Acace le suivit de près dans la tombe, après un règne de onze ans, troublé par bien des discordes intestines, mais cependant marqué par les progrès ininterrompus du christianisme jusque parmi les populations des hauts plateaux de l'Iran et chez les Kurdes.

L'AGITATION MONOPHYSITE

Au cours des dernières années du ve siècle, on vit sans doute les monophysites s'agiter pour essayer de reprendre en Perse quelque influence. Siméon, évêque de Beit-Arsam [1], village insignifiant des environs de Séleucie, était l'âme de ce mouvement, et il fit tant et si bien qu'il réussit à obtenir une intervention de l'empereur Anastase en faveur de ses coreligionnaires. En 497, deux évêques, Papa de Beit-Lapat et Yazdad de Rewardashir, se prononcèrent encore en faveur du monophysisme. Contre eux, trente-neuf évêques affirmèrent leurs croyances nestoriennes : ce chiffre montre assez dans quel sens était orientée l'Église de Perse. Le roi Qawad sanctionna d'ailleurs de son autorité la doctrine commune, il fit arrêter tous les évêques et supérieurs des couvents monophysites. Ainsi furent supprimées les dernières résistances [2].

§ 2. — L'Église d'Arménie [3].

PARTAGE DE L'ARMÉNIE

La fin du ive et le début du ve siècle marquent, dans l'histoire de l'Église arménienne, un moment décisif. Vers 384 en effet, Théodose le Grand et Sapor III, pour

(1) Cf. Rubens DUVAL, *La littérature syriaque*, p. 148-152 ; A. BAUMSTARK, *Geschichte der syrischen Literatur*, p. 145. D'après son historien, Jean d'Éphèse, Siméon était persan. Il exerça d'abord son ministère à Hira, où il convertit des nobles et bâtit des églises ; puis il se rendit à la cour, et là aussi il multiplia la propagande en faveur du monophysisme, tant et si bien qu'il gagna même des mages à sa doctrine. Alarmés des succès de Siméon, les évêques nestoriens finirent par persuader au roi qu'il était un traître, et celui-ci ordonna alors de traquer partout les monophysites. Ce qu'apprenant, l'empereur Anastase envoya des ambassadeurs pour protester, et ceux-ci obtinrent en effet une lettre du roi de Perse qui interdisait toute dispute entre chrétiens. Longtemps encore, dans le courant du vie siècle, Siméon continuera à faire parler de lui.

(2) Rappelons encore une circonstance qui favorisa beaucoup la propagande du nestorianisme : ce fut en 489 en effet que l'empereur Zénon ordonna la fermeture de l'école d'Édesse et que ses maîtres s'installèrent à Nisibe.

(3) BIBLIOGRAPHIE. — I. SOURCES. — Les sources de l'histoire religieuse de l'Arménie au ve siècle sont des plus riches. Nous signalerons surtout la biographie de saint Machtots (Mesrop) de KORIUN, dont on a deux recensions complètes, l'une plus longue, appelée ordinairement le grand Koriun, et l'autre plus courte, le petit Koriun. La recension longue est plus ancienne ; elle a été écrite par Koriun, disciple de Machtots, à la demande du catholicos Joseph. Vient ensuite l'*Histoire de l'Arménie* de LAZARE DE PHARBE, qui raconte les événements survenus entre 385 et 486, en donnant d'ailleurs des développements de plus en plus considérables à mesure qu'il arrive aux faits dont

mettre un terme aux luttes sans cesse renaissantes entre leurs deux Empires, décidèrent de fixer d'un commun accord leurs limites du côté de l'Arménie : le roi des rois obtint à peu près les quatre cinquièmes du territoire arménien ; l'Empire romain conserva Erzeroum et quelques cantons dans la partie occidentale du pays.

LE RENOUVEAU RELIGIEUX

Au rétablissement de la paix correspondit un véritable renouveau dans l'ordre religieux. Les patriarches de la famille d'Aghbianos, gênés par les guerres continuelles, discutés d'ailleurs par une partie de la population qui restait fidèle à la famille de Grégoire l'Illuminateur, avaient fait preuve de beaucoup de faiblesse et de laisser-aller dans le gouvernement de l'Église [1]. Après la mort d'Aspourak (vers 402) [2], Chosroès jugea bon de faire élever à la dignité suprême le fils de Narsès, Sahag le Grand, qui joua un rôle éminent en Arménie.

SAHAG LE GRAND

Nous n'avons pas à insister sur son activité politique. Par tradition, Sahag soutint jusqu'au bout les droits des Arsacides à régner sur l'Arménie. Vramchapouh occupa le trône sous la suzeraineté des Perses, de 391 à 414. Après sa mort, il fut remplacé par son fils Chapouh (417-420), et celui-ci à son tour eut pour successeur Artaches (422-428). Mais ce dernier ne tarda pas à soulever contre lui les nobles arméniens que scandalisait sa conduite : déposé en 428, il ne fut pas remplacé sur le trône et le roi de Perse, Bahram, se

il a été témoin. Élisée, qui a vécu après Lazare, lui fait de nombreux emprunts et utilise des sources de valeur très inégale. Il faut enfin citer Moïse de Chorène, dont le troisième livre de l'*Histoire d'Arménie* va jusqu'en 428 mais se poursuit, dans une sorte d'appendice, jusqu'en 440. Un quatrième livre, rédigé, semble-t il, au IXe siècle, poursuit le récit des faits jusqu'au règne de Zénon (474-491). La traduction française de ces divers récits est donnée plus ou moins complète dans le recueil de Langlois, *Collection des historiens anciens et modernes de l'Arménie*, Paris, 1867 et suiv.

II. Travaux. — Sur l'œuvre de Machtots et de Sahag, l'invention de l'alphabet et la traduction de la Bible, cf. P. Peeters, *Pour l'histoire des origines de l'alphabet arménien*, dans *Revue des Études arméniennes*, t. IX, 1929, p. 203-237 ; F. Macler, *Le texte arménien de l'Évangile*, Paris, 1920 ; S. Lyonnet, *Aux origines de l'Église arménienne*, dans *Recherches de science religieuse*, t. XXV, 1935, p. 170-187.

Sur la littérature arménienne : O. Bardenhewer, *Geschichte der altkirchlichen Literatur*, t. V, Fribourg-in-Brisgau, 1932, p. 177-219 ; A. Baumstark, *Das christliche Schrifttum der Armenier und Georgier*, Leipzig, 1911 ; J. Karst, *La littérature arménienne*, Paris, 1937. De nombreux travaux de détail sur la plupart des problèmes relatifs à la littérature et à l'histoire d'Arménie ont été publiés par F. C. Conybeare. On verra la bibliographie de cet érudit dressée avec soin par L. Mariès, dans *Revue des Études arméniennes*, t. VI, 1926, p. 185-333.

Pour l'histoire des événements : F. Tournebize, *Histoire politique et religieuse de l'Arménie*, t. I, Paris, 1910 ; S. Weber, *Die katholische Kirche in Armenien ; ihre Begründung und Entwicklung vor der Trennung ; ein Beitrag zur christlichen Kirchen- und Kulturgeschichte*, Fribourg-in-Brisgau, 1903 ; E. Ter-Minassiantz, *Die armenische Kirche in ihren Beziehungen zu den syrischen Kirchen bis zum Ende des 13. Jahrhunderts* (*Texte und Untersuchungen*, t. XXVI, IV), Leipzig, 1904 ; S. Vailhé, *Formation de l'Église arménienne*, dans *Échos d'Orient*, t. XVI, 1913, p. 109-122, 193-211 ; Kevork Aslan, *Études historiques sur le peuple arménien*, édit. Macler, Paris, 1928.

(1) Cf. t. III, p. 491-492.

(2) Cf. J. Muyldermans, *Aspourakès*, dans *Dictionnaire d'histoire et de géographie ecclésiastiques*, t. IV, col. 1076-1077.

contenta de préposer aux Arméniens un marzban ou gouverneur. Sahag, qui avait pris fait et cause pour le souverain détrôné, fut de son côté destitué du pontificat et obligé de céder la place d'abord à un certain Sourmag, puis à un catholicos d'origine syrienne, Perkicho.

L'ALPHABET ARMÉNIEN : MACHTOTS

La vraie gloire de Sahag fut de donner à l'Église arménienne le sens de son autonomie en aidant à la création d'une littérature nationale. Jusqu'alors en effet, l'arménien qui était la langue du peuple n'était pas écrit, faute de caractères capables d'en représenter exactement tous les sons. On utilisait le grec et le syriaque, tantôt l'une tantôt l'autre de ces langues, pour les relations avec les églises voisines et même pour la lecture des livres saints ou pour l'étude des ouvrages théologiques. Dans les premières années du ve siècle, un savant moine, nommé Mesrop ou Machtots [1], s'adonna à la recherche d'un alphabet qui pût servir à écrire correctement la langue populaire. A cet effet, il se rendit d'abord en Mésopotamie, pour y rencontrer un évêque syrien, du nom de Daniel, qui avait déjà essayé de traduire par écrit les sons du dialecte arménien, mais sans y parvenir complètement ; puis il alla à Édesse chez un rhéteur païen nommé Platon qui, après avoir tenté plusieurs épreuves infructueuses, vint à lui parler d'un autre homme très savant, nommé Épiphane, qui devait résider à Samos [2]. Lorsque Mesrop arriva en cet endroit, Épiphane était mort, mais il avait laissé après lui un disciple, fort habile dans l'art de la calligraphie grecque, Rufin ; et ce fut avec l'aide de Rufin que Mesrop parvint à composer un alphabet arménien de trente-six lettres, disposées d'après l'ordre de l'alphabet grec. Lazare de Pharbe, auquel nous devons le récit de cette tentative, ajoute :

Après avoir fixé l'alphabet avec l'assistance du Seigneur, Machtots et ses disciples prirent la résolution de fonder des écoles et d'instruire la jeunesse ; car chacun désirait ardemment s'appliquer à l'étude de la langue arménienne, se consolant pour ainsi dire d'avoir été délivré des entraves syriennes et des ténèbres et d'être arrivé à la lumière. Cependant, ils se trouvaient pris au dépourvu par l'absence de livres et ils s'arrêtèrent dans leur travail, puisqu'on n'avait pas encore en arménien les Livres saints de l'Église. En effet, le bienheureux Machtots, ainsi que ses vénérables prêtres, craignaient d'entreprendre une œuvre de tant d'importance et de valeur, c'est-à-dire la traduction des textes grecs en langue arménienne, car ils n'avaient pas une entière connaissance de la langue grecque [3].

(1) Lazare de Pharbe donne à ce personnage le nom de Machtots. Les autres historiens arméniens l'appellent Mesrop. Il s'agit certainement d'un seul individu, et le nom de Machtots a des chances d'être préférable ; cf. P. Peeters, *Pour l'histoire des origines de l'alphabet arménien*, dans *Revue des études arméniennes*, t. IX, 1929, p. 205.

(2) Le texte porte Samos, et c'est aussi le nom qui figure dans Moïse et dans les deux Koriun. Les historiens corrigent ordinairement en Samosate. Cette correction s'impose d'autant moins que le récit est assez légendaire.

(3) Lazare, *Histoire d'Arménie* x, trad. Langlois, t. II, p. 266.

TRADUCTION ARMÉNIENNE DE LA BIBLE

En dépit de toutes les difficultés, on se mit à l'œuvre avec vaillance, et le catholicos Sahag favorisa de tout son pouvoir l'entreprise courageuse de Machtots. On s'est longtemps demandé, on se demande encore, si la version arménienne de la Bible a été faite d'après le texte grec, ou si elle a pour point de départ une traduction syriaque. Selon les vraisemblances, c'est le texte grec que traduisirent Machtots et ses collaborateurs, sans s'interdire d'ailleurs le recours au texte syriaque qui leur était peut-être d'une lecture plus facile, tout comme c'est la liturgie grecque, spécialement celle de Césarée, qui servit de modèle à la liturgie arménienne [1]. La traduction de la Bible fut d'ailleurs une œuvre de longue haleine : il semble que, commencée peu après 412, elle fut poursuivie après 431, par une revision faite d'après des manuscrits rapportés de Constantinople.

AUTRES TRADUCTIONS

En même temps que la Bible, Machtots, Sahag et leurs collaborateurs entreprirent de faire connaître à leurs compatriotes les œuvres les plus importantes des grands docteurs de l'Église grecque. Ils traduisirent ainsi plusieurs ouvrages de saint Athanase, d'Évagrius le Pontique, de saint Basile le Grand, de saint Grégoire de Nazianze, d'Eusèbe de Césarée, de saint Cyrille de Jérusalem, de saint Épiphane, de saint Jean Chrysostome. Ils voulurent également mettre à leur portée les livres des théologiens syriaques, Aphraate le Sage et saint Ephrem. Enfin, ils firent passer en arménien des livres profanes d'Aristote, de Porphyre, de Philon d'Alexandrie.

LA LITTÉRATURE ARMÉNIENNE

Encouragés par leurs succès de traducteurs, les chrétiens d'Arménie n'hésitèrent pas à chercher à se constituer une littérature originale. Si le catholicos Sahag ne paraît pas avoir beaucoup écrit en dehors de lettres et d'homélies, et si Machtots lui-même ne s'est vu attribuer que des lettres et des discours, Eznik de Kolb († après 449) est l'auteur d'un ouvrage en quatre livres *Contre les Sectes*, qui est un des chefs-d'œuvre de la littérature théologique de l'Arménie [2].

PROPAGANDE NESTORIENNE : LE TOME DE PROCLUS

Nous sommes mal renseignés sur le détail des événements qui s'accomplissaient, tandis que les traducteurs donnaient à l'Arménie sa littérature originale. Même après sa déposition en 428,

(1) S. Lyonnet, *Aux origines de l'Église arménienne : la traduction de la Bible et le témoignage des historiens arméniens*, dans *Recherches de science religieuse*, t. XXV, 1935, p. 170-187. Cf. L. Mariès, *Le texte arménien de l'Évangile*, dans *Recherches de science religieuse*, t. X, 1920, p. 28-54.

(2) L. Mariès, *Le De Deo d'Eznik de Kolb, connu sous le nom de « Contre les Sectes »*, dans *Revue des Études arméniennes*, t. IV, 1924, p. 113-205 ; t. V, 1925, p. 11-130.

Sahag garda une influence assez grande pour qu'on lui demandât de reprendre le pouvoir, dès que son successeur eut donné la preuve de son insuffisance. Malgré son refus, il ne se désintéressa jamais de la vie de son église. Les événements intérieurs n'avaient pas permis aux évêques arméniens de prendre part au concile d'Éphèse en 431 ; mais très vite ceux-ci avaient eu connaissance des décisions prises et ils y avaient applaudi. Peu de temps après cependant, les Nestoriens organisèrent en Arménie une propagande très forte en faveur des écrits de Théodore et de Diodore. Réunis en concile à Achtichat en 435, les évêques arméniens s'adressèrent alors à Proclus de Constantinople pour se plaindre des attaques dirigées contre Rabboula d'Édesse et Acace de Mélitène et pour lui demander des directives [1]. A cette lettre, Proclus répondit par le tome aux Arméniens dont nous avons déjà parlé [2] et qui est adressé à Sahag et à Machtots [3] : les deux destinataires répondirent aussitôt au patriarche dans une lettre enthousiaste, qui s'achève par une profession de foi au fils de Marie, Mère de Dieu, et à la condamnation de l'erreur des deux fils [4].

CONCILE DE CHAHAPIVAN (444)

Après la mort de Sahag, d'autres problèmes se posèrent devant les chefs des communautés arméniennes. Sous le pontificat de Joseph, un concile réunit en 444 à Chahapivan, dans le district de Bagrevand, une vingtaine d'évêques, qui s'occupèrent surtout de prendre des mesures contre les hérétiques messaliens, mais qui réglèrent aussi d'autres questions de discipline et interdirent la sorcellerie.

LA RÉVOLTE (454)

La plupart des évêques qui avaient pris part au synode de Chahapivan se retrouvèrent en 450 à celui d'Artachat. La situation, brusquement, était devenue grave. Jusqu'alors, les Perses avaient respecté en Arménie la liberté religieuse et n'avaient pas cherché à y imposer leurs croyances. Mais, cette année-là, le roi Yazdegerd II adressa aux chefs religieux de la nation une invitation pressante à embrasser le culte d'Ormuzd. Les représentants de la noblesse, appelés à Ctésiphon, avaient cru pouvoir céder aux ordres du roi et, après

(1) Nous ne possédons de la lettre des Arméniens qu'une traduction syriaque ; édit. Bedjan, *Nestorius, Le livre d'Héraclide de Damas*, Leipzig, 1910, p. 594-596. Une traduction française en est donnée par R. Devreesse, *Le début de la querelle des Trois Chapitres*, dans *Revue des sciences religieuses*, t. XI, 1931, p. 550-551.

(2) Cf. *supra*, p. 204.

(3) Les noms des destinataires ne sont conservés que dans la traduction arménienne. Cf. A. Vardanian, *Ein Briefwechsel zwischen Proklos und Sahak*, dans *Wiener Zeitschrift für die Kunde der Morgenlandes*, t. XXVII, 1913, p. 415-441.

(4) L'authenticité de cette lettre a été contestée par Vailhé, dans les *Échos d'Orient*, t. XVI, 1913, p. 206, mais sans raison décisive. Il est extrêmement intéressant de voir les Arméniens se tourner vers Constantinople pour y chercher des directives en matière religieuse, plutôt que vers Édesse. Il y a peut-être à cela des raisons politiques, comme le désir de manifester une certaine indépendance à l'égard de la Perse. Il y a aussi des raisons religieuses : les Arméniens ne veulent pas s'isoler de l'ensemble de la chrétienté.

avoir adoré le soleil, ils étaient revenus dans leur pays, ramenant avec eux sept cents mages chargés de présider au changement de religion. Les évêques, informés de cette faiblesse, élevèrent sans hésiter les plus vives protestations. Bien plus, ils appelèrent le peuple à la révolte, et l'Arménie entière se souleva. Ceux-là même qui avaient failli à la cour du roi se relevèrent et prirent la tête de l'insurrection. On demanda le secours de l'empereur de Constantinople et l'on se prépara à la guerre. Mais l'empereur ne bougea pas. Réduits à leurs seules forces, les Arméniens firent des prodiges de valeur : ils finirent par être écrasés à Avaraïr, près de Makou. Les représailles furent sévères. Plusieurs nobles arméniens furent condamnés à une dure captivité. Le catholicos Joseph, Sahag, évêque de Reschdouni, et quelques prêtres, dont l'un, nommé Léon, jouissait d'une popularité toute spéciale, furent exécutés près de Nischapour, dans le Khorassan (25 juillet 454) [1].

LE RÈGNE DE PÉROZ

La paix religieuse fut cependant rétablie sous le règne de Péroz, successeur de Yazdegerd (457-484) qui rendit la liberté aux nobles encore emprisonnés pour leur foi et ne reprit pas la persécution ouverte. Cependant, comme les emplois et les honneurs n'étaient accordés qu'aux apostats, comme, sans être imposé, le mazdéisme était l'objet de toutes les faveurs gouvernementales, les chrétiens d'Arménie eurent encore de mauvais jours à passer sous son règne. Ils finirent par reprendre les armes, tant pour défendre leur foi que pour proclamer leur fidélité aux traditions nationales. La famille des Mamigouni, qui avait déjà donné son chef à l'insurrection de 450, organisa un nouveau soulèvement.

NOUVEAU SOULÈVEMENT DE L'ARMÉNIE

« La vingt-cinquième année du roi Péroz (481-482), une révolte des Ibères fournit aux patriotes arméniens une occasion favorable. L'aîné des Mamigouni, Vahan, surnommé Vahan le Mage à cause de son apostasie, se mit à la tête du mouvement. Une conspiration militaire éclata. Le marzban (gouverneur) et le général perse faillirent être pris. En plusieurs rencontres, les Perses furent battus par les insurgés. Cependant, ils parvinrent à ressaisir l'avantage et la résistance prit la forme d'une guerre de partisans. Vahan la prolongea pendant trois ans, pendant lesquels lui et les siens s'illustrèrent par des exploits dignes des Machabées. Le succès couronna leurs efforts. En 484, le roi de Perse fut vaincu dans une bataille décisive par les Turcs Hephtalites, aux environs de Merv

(1) L'histoire de cette insurrection et de celle de 481 a été écrite par Lazare de Pharbe, presque aussitôt après les derniers événements qu'elle rapporte. Son *Histoire d'Arménie* couvre la période comprise entre 387 et 486, mais elle est surtout développée pour les événements contemporains de l'historien. Elle est d'ailleurs très partiale.

Le gouvernement persan sentit le besoin de pacifier l'Arménie. Il s'entendit avec les insurgés. Vahan Mamigouni, appelé auprès du nouveau roi Balasch, fut chargé par lui de gouverner l'Arménie, avec le titre de marzban. Ce fut un grand triomphe pour le parti chrétien et patriote »[1].

VIE RELIGIEUSE

Toutes les difficultés que nous venons de rappeler empêchèrent naturellement les chrétientés d'Arménie de s'intéresser aux grands événements religieux qui se produisirent dans l'Empire grec. Le tome de Proclus avait répondu d'une manière suffisante aux problèmes qui pouvaient se poser aux esprits après le concile d'Éphèse ; en même temps qu'une condamnation formelle des docteurs nestoriens, il avait fourni des raisons pour orienter les âmes dans le sens du monophysisme qui se préparait : son influence fut profonde en Arménie. Le concile de Chalcédoine, auquel ne put assister aucun évêque arménien, passa à peu près inaperçu et, pendant de longues années, on en ignora ou on en négligea les enseignements.

L'ARMÉNIE DEVIENT MONOPHYSITE

Ce fut seulement après le rétablissement de la paix avec les Perses que l'on recommença à s'occuper de théologie. A ce moment, l'empereur Zénon venait de promulguer l'*Hénotique* et le monophysisme était devenu la doctrine officielle de Constantinople. Il était difficile aux Arméniens de ne pas regarder du côté des Romains. En 491, un concile se tint à Valarshapat, sous la présidence du catholicos Babken ; les évêques de l'Albanie et de l'Ibérie y prirent part avec ceux de l'Arménie proprement dite. Ce synode condamna solennellement le concile de Chalcédoine, la lettre de saint Léon à Flavien et l'évêque de Nisibe, Barsauma. On mesure sans peine la gravité d une telle décision ; elle fixa la position doctrinale de l'Église d'Arménie qui, au cours des siècles suivants, demeura fidèle au monophysisme.

(1) L. Duchesne, *Histoire ancienne de l'Église*, t. III, p. 546-547.

CHAPITRE IV

LA PAPAUTÉ APRÈS CHALCÉDOINE LES SCHISMES ROMAINS (461-514) [1]

§ 1. — De saint Hilaire à Anastase II.

Lorsque saint Léon mourut, le 10 novembre 461, l'Italie jouissait, sous l'autorité du patrice Ricimer, d'une paix relative. L'Empire d'Occident achevait d'agoniser, mais on ne s'en souciait pas beaucoup en dehors de Rome. En Orient, l'empereur Léon, après bien des hésitations, semblait décidé à imposer aux Égyptiens la formule de Chalcédoine.

SAINT HILAIRE

La paix était assurée. Le nouveau pape, saint Hilaire, n'eut qu'à en jouir. Il avait pris part en 449, comme légat du Siège apostolique, au brigandage d'Éphèse, et il y avait couru de tels

(1) Bibliographie. — I. Sources. — Les documents les plus importants, on peut presque dire les seuls, sont les lettres et autres écrits des papes qui se sont succédé à cette époque. Ces lettres sont recueillies par A. Thiel *Epistolae romanorum pontificum genuinae et quae ad eos scriptae sunt a S. Hilario usque ad Pelagium*, II ; tome I : *A sancto Hilario usque ad sanctum Hormisdam, ann. 461-523*, Brunsberg, 1868. Plusieurs lettres pontificales figurent également dans la *Collectio Avellana*, édit. Guenther (*Corpus scriptorum ecclesiasticorum latinorum*, t. XXXV), Vienne, 1895-1898. Quelques lettres nouvelles de saint Gélase qui proviennent de la *Collectio britannica* se trouvent dans S. Loewenfeld, *Epistolae pontificum romanorum ineditae*, Leipzig, 1885. La *Collectio Arelatensis*, qui renferme encore des lettres pontificales de ce temps, a été éditée par W. Gundlach, dans les *Monumenta Germaniae historica, Epistolae*, t. III, Berlin, 1892, p. 1-83.

Le pape saint Gélase est le seul qui ait eu une véritable activité littéraire les *Gesta de nomine Acacii*, les *Dicta adversus pelagianam haeresim*, l'*Adversus Andromachum senatorem* ont été introduits dans la *Collectio Avellana*. Le *Decretum Gelasianum* a fait l'objet d'une minutieuse étude de E. von Dobschuetz, *Das Decretum Gelasianum de libris recipiendis et non recipiendis in kritischem Text herausgegeben und untersucht* (*Texte und Untersuchungen*, t. XXXVIII, IV), Leipzig, 1912.

Pour le pontificat de Symmaque, le *Liber pontificalis*, dans ses deux recensions, est une source de première importance. On citera plus loin les documents relatifs au schisme laurentien.

II. Travaux. — Sur saint Gélase : A. Roux, *Le pape Gélase Ier, étude sur sa vie et ses écrits*, Paris, 1880 ; C. Trezzini, *La legislazione canonica di papa S. Gelasio I*, Locarno, 1911 ; Wl. Grzelak, *Die dogmatische Lehre des Papstes Gelasius I, ein Beitrag zur Dogmengeschichte*, Poznan, 1920.

Sur Symmaque et le schisme laurentien : H. Grisar, *Geschichte Roms und der Päpste im Mittelalter*, t. I, Fribourg-en-Brisgau, 1906 ; Fr. Stoeber, *Quellenstudien zum laurentianischen Schisma*, dans les *Sitzungsberichte* de l'Académie de Vienne, t. CXII, 1886 ; G. Pfeilschifter, *Der Ostgotenkönig Theoderich der Grosse und die katholische Kirche* (*Kirchengeschichtliche Studien*, t. III, I-II), Munster, 1896 ; E. Schnuerer, *Die politische Stellung des Papsttums zur Zeit Theoderich des Grossen*, dans *Historisches Jahrbuch*, 1888, p. 251-283.

Sur les affaires relatives à la primatie d'Arles, L. Duchesne, *Fastes épiscopaux de l'ancienne Gaule*, 2e édit., t. I, Paris, 1907, p. 86 et suiv.

Sur la question pascale, J. Schmid, *Die Osterfestberechnung in der abendländischen Kirche vom ersten allgemeinen Konzil zu Nicäa bis zum Ende der VIII Jahrhunderts*, Fribourg, 1907 ; F. Dannoy, *La question pascale au concile de Nicée*, dans *Échos d'Orient*, t. XXVIII, 1925, p. 424-444.

risques que, revenu à Rome et devenu pape, il tint à élever un oratoire en l'honneur de saint Jean l'Évangéliste avec une inscription pleine de reconnaissance pour son libérateur [1]. Son pontificat, qui dura sept ans (461-468), ne fut pas marqué par de grands événements. Plusieurs lettres adressées aux évêques de la Tarraconaise ont trait à des questions disciplinaires, en particulier au choix des évêques ; elles montrent que les évêques de cette province ont l'habitude de demander des instructions à Rome qui répond avec une remarquable précision. En Gaule, saint Hilaire s'efforce, sans le dire d'une manière précise, de restaurer la primatie d'Arles de manière à avoir dans l'évêque de cette ville un vicaire apostolique, capable de le renseigner sur les affaires du pays et de transmettre fidèlement ses instructions : il ne semble pas d'ailleurs que l'évêque d'Arles, Léonce, se soit montré très disposé à jouer ce rôle ; il obéit au pape, réunit des conciles quand celui-ci le demande, mais se refuse à toute initiative. Au reste, les questions soulevées en ce temps-là sont purement locales ; il s'agit habituellement d'élections épiscopales, de territoires dont la juridiction est contestée ; tout cela ne mène pas loin [2].

SIMPLICIUS

Simplicius succéda à Hilaire, sans incident. Ce fut sous son pontificat (468-483) que s'écroula l'Empire d'Occident. Nul n'y prit garde, car les derniers porteurs du titre impérial n'avaient guère été que des jouets entre les mains des Barbares. Ceux-ci, surtout en Italie et en Gaule, achevèrent rapidement de se civiliser ; ils adoptèrent pour eux-mêmes et pour leur entourage les mœurs romaines ; ils aimèrent à prendre conseil des représentants autorisés des anciennes familles de la noblesse. On aurait pu croire que rien n'était changé, si tous ces souverains barbares n'avaient pas été ariens. La persécution ne fut vraiment violente et durable qu'en Afrique et en Espagne ; partout on devait prendre des précautions et l'on se sentait à la merci d'un incident ou d'un caprice [3].

On sait peu de choses du pontificat de Simplicius, en dehors de l'intérêt qu'il porta aux affaires d'Orient, de plus en plus troubles, de plus en plus compliquées [4]. Deux de ses lettres concernent des élections épiscopales faites en Italie d'une manière plus ou moins régulière. Une troisième, la plus importante, est adressée à l'évêque de Séville, Zénon, que le pape constitue son vicaire dans toute l'Espagne, à charge pour lui de veiller à l'exécution des décrets du Siège apostolique et des décisions des Pères [5].

(1) Cette inscription est encore conservée : *Liberatori suo Beato Iohanni Evangelistae Hilarius episcopus famulus Christi*. Cf. L. Duchesne, *Le Liber pontificalis*, t. I, p. 245.
(2 Jaffé-Wattenbach, 552-559. Cf. L. Duchesne, *Fastes épiscopaux de l'ancienne Gaule*, 2e édit., t. I, p. 128-133.
(3) Cf. *infra*, chap. v.
(4) Cf. *supra*, p. 294-295.
(5) Cf. H. Leclercq, *L'Espagne chrétienne*, p. 391.

L'IMPORTANCE DES ÉLECTIONS PONTIFICALES

L'élection pontificale avait toujours été à Rome une très grosse affaire, et, dans quelques cas, elle avait déjà suscité des troubles. Naturellement elle devenait de plus en plus importante à mesure que croissait le patrimoine ecclésiastique dont le pape était le gérant, à mesure aussi que l'autorité du Siège apostolique se manifestait d'une manière plus agissante dans toutes les provinces. Elle donnait par suite lieu à des brigues, à des compétitions, qui n'étaient pas toujours marquées du signe du désintéressement. Quelquefois même, l'argent jouait un rôle et le Siège apostolique semblait presque mis à l'encan.

LE RÈGLEMENT DE 483

Pour empêcher le retour d'un tel scandale, une assemblée de sénateurs et de membres du clergé romain se tint aussitôt après la mort de Simplicius (10 mars 483), dans le mausolée impérial attenant à la basilique de Saint-Pierre ; le patrice Caecina Basilius, préfet du prétoire, la présida au nom du roi Odoacre et rappela que, conformément aux volontés du défunt pape, il devait donner son avis avant toute désignation du successeur, cela à cause des troubles et des dilapidations qui étaient à redouter. Il montra quelque surprise de ce que, cependant, des tentatives d'élection eussent été faites. Il proposa enfin aux assistants de décider que toute aliénation de biens ecclésiastiques, mobiliers ou immobiliers, fût interdite au futur pape et à ses successeurs. Cette motion fut votée ; après quoi on éleva au pontificat le diacre Félix.

FÉLIX III

Celui-ci était de vieille souche romaine. Son père, nommé lui aussi Félix, prêtre du titre de Fasciola, avait été chargé naguère par saint Léon de réparer la basilique de Saint-Paul. Lui-même avait été marié et avait eu deux enfants qu'il perdit au cours de son pontificat [1]. Ce fut sous son règne que fut consommée la rupture avec Acace de Constantinople et l'Église d'Orient [2]. C'est de ce côté, semble-t-il, que se tournèrent tous ses efforts au cours des neuf années pendant lesquelles il occupa le siège de Saint-Pierre.

SAINT GÉLASE

Saint Gélase, qui remplaça Félix III (492), était africain d'origine, mais lorsqu'il fut élevé au pontificat, il faisait depuis longtemps partie du clergé romain, et il avait eu déjà l'occasion de se signaler par des écrits de polémique et d'histoire relatifs au mono-

(1) Nous possédons encore, avec l'inscription dédicatoire des travaux de Saint-Paul au pape, quatre vers composés par saint Léon pour remercier le prêtre Félix de ses travaux. Nous avons également l'épitaphe de ce Félix, avec celles de la femme et des deux enfants de Félix III. Cf. L. Duchesne, *Le Liber Pontificalis*, t. I, p. 240 et 253. C'est à la même famille qu'appartiendra le pape saint Grégoire le Grand.

(2) Cf. *supra*, p. 295-296.

physisme ou au pélagianisme [1]. Il porta sur le siège de Saint-Pierre une opinion très haute de son autorité. Voici ce qu'il écrivait à Anastase :

Il y a, auguste empereur, deux pouvoirs qui se partagent principalement l'empire du monde : l'autorité sacrée des pontifes et la puissance royale ; et la charge des prêtres est d'autant plus lourde qu'au jugement divin ils devront rendre compte pour les rois mêmes des hommes... Votre Piété remarque sans aucun doute que personne ne peut, pour quelque motif humain que ce soit, s'élever contre le privilège de la confession de celui que la voix du Christ a préposé à toutes choses et que la vénérable Église a toujours reconnu et regardé dévotement comme son chef [2].

LA PERSONNALITÉ DE SAINT GÉLASE

Cette autorité, saint Gélase ne souffrit jamais de la voir diminuée ou contestée, et ses contemporains eux-mêmes ressentirent une impression profonde d'une personnalité aussi puissante [3]. Ce n'est pas à lui qu'il aurait fallu demander de faire des concessions à l'empereur d'Orient et au patriarche de Constantinople [4]. Ses relations avec les évêques italiens et les autres évêques d'Occident témoignent de la même vigueur [5]. On peut dire, sans exagération, que, malgré son peu de durée, le pontificat de Gélase tient une grande place dans l'histoire de l'Église ancienne.

ANASTASE II

Le successeur de saint Gélase, Anastase II (496), fut élu sans difficulté. Tout de suite, il manifesta le désir de reprendre les relations avec Constantinople, fût-ce au prix de quelques concessions [6]. Mais, bien vite, ces dispositions pacifiques soulevèrent des critiques acerbes jusque dans les rangs du clergé romain, si bien qu'un

(1) Il faut signaler surtout les *Gesta de nomine Acacii*, intitulés encore *Breviculus historiae Eutychianistarum*, histoire résumée de la lutte entre Rome et Constantinople jusqu'à l'excommunication d'Acace (484) ; le *De damnatione nominum Petri et Acacii*, qui a trait à la suppression des noms d'Acace et de Pierre Monge dans les diptyques ; les *Dicta adversus pelagianam haeresim.*

(2) Gélase, *Epist.*, xii, 2-3.

(3) Voir en particulier la lettre de Denis le Petit à Julien (*P. L.*, LXVII, 231 ; Thiel, *Epist. romanorum pontificum*, t. I, p. 286 et suiv.).

(4) Cf. *supra*, p. 305-306.

(5) Le nombre des lettres écrites par saint Gélase est exceptionnellement élevé pour la brève durée de son pontificat. Thiel ne comptait pas moins de 43 lettres et de 49 fragments ou traces de lettres perdues. On a retrouvé depuis vingt-deux lettres ou fragments nouveaux.

Parmi les actes de saint Gélase figure, à tort semble-t-il, le célèbre *Decretum gelasianum*, qui comprend cinq parties : *De Spiritu sancto* ; *de canone Scripturae Sacrae* ; *de sedibus patriarchalibus* ; *de synodis oecumenicis* ; *de libris recipiendis et non recipiendis.* Cette dernière partie, de beaucoup la plus importante, est une liste des livres à lire et des livres à proscrire : elle constitue le premier essai d'un *Index librorum prohibitorum.* Selon les vraisemblances, nous avons là l'œuvre privée d'un clerc qui devait vivre au commencement du vi^e siècle en Gaule ou dans l'Italie du Nord. Cf. E. von Dobschuetz, *Das Decretum Gelasianum de libris recipiendis et non recipiendis, in kritischem Text herausgegeben und untersucht.* Leipzig, 1912 : G. Bardy. *Gélase (décret de)*, dans *Supplément du dictionnaire de la Bible*, t. III, col. 579-590.

Plusieurs des lettres de Gélase sont adressées aux évêques de l'Illyricum. Elles concernent l'exercice de la souveraineté pontificale dans cette province de plus en plus tentée par une définitive orientation vers Constantinople. D'autres sont relatives à l'hérésie pélagienne contre laquelle le pape lutte avec énergie. Une lettre aux évêques de Lucanie fixe un certain nombre de points relatifs à la discipline ecclésiastique. Il faut enfin signaler un traité polémique *Contre le Sénateur Andromaque*, à propos de la célébration des Lupercales que l'on fêtait encore à Rome, malgré les désordres qui s'ensuivaient.

(6) Cf. *supra*, p. 307.

grand nombre de clercs et même de prêtres auraient abandonné sa communion [1]. Sa mort prématurée (19 novembre 498) sembla à quelques-uns un signe de la vengeance divine.

§ 2. — Symmaque et le schisme laurentien.

ÉLECTION DE SYMMAQUE ET DE LAURENT

On conçoit que l'élection du nouveau pape n'ait pas pu se faire dans le calme [2]. L'attitude d'Anastase avait des approbateurs nombreux et fervents : parmi eux se distinguait l'archiprêtre Laurent. A la vacance du siège, Laurent fut acclamé à Sainte-Marie par une partie du clergé et par la majorité du Sénat. Pendant ce temps ses adversaires, d'ailleurs, plus nombreux [3], choisissaient le diacre Symmaque dans la basilique du Latran (22 novembre). Symmaque était digne par ses vertus d'occuper le siège apostolique [4], mais cela n'empêcha pas les troubles d'éclater. De nouveau, on recommença à se quereller dans Rome, tant et si bien que le roi Théodoric, tout arien qu'il fût, décida de faire venir à Ravenne les deux compétiteurs. Le bon droit de Symmaque fut reconnu sans peine : celui-ci, aussitôt rentré à Rome, convoqua un concile qui se réunit le 1er mars 499, et où il fut décidé que nul n'aurait le droit, le pape vivant et en dehors de lui, de s'occuper de l'élection de son successeur et de chercher à former un parti en vue de cette élection. Laurent prit part au concile et en souscrivit les actes, avec son titre d'archiprêtre de Sainte-Praxède. Un peu plus tard, il fut nommé évêque de Nocera, en Campanie : menaces et promesses l'obligèrent peut-être à accepter cet honorable éloignement [5]. Nul en tout cas ne pouvait être surpris d'une telle mesure.

(1) *Liber Pontificalis*, édit. DUCHESNE, t. I, p. 258.

(2) Sur le détail de cette affaire, « nous sommes renseignés : 1° par les trois conciles romains de 499, 501, 502. Ils se sont conservés dans un recueil où ils figurent dans l'ordre 499, 502, 501 ; au premier concile est annexé le *Libellus Iohannis diaconi* ; avant celui de 501 sont disposées cinq pièces de la correspondance entre ce concile et le roi Théodoric. Ce recueil se rencontre dans les collections canoniques dites de Chieti, de Diessen, de Pithou, de Reims. La collection de Pithou le fait suivre de la lettre *Hortatur* (JAFFÉ-WATTENBACH, 764) adressée en 513 à saint Césaire d'Arles par le pape Symmaque. Comme cette lettre figure déjà dans le même recueil, il y a lieu de croire que cette fois elle représente l'exemplaire venu directement de Rome à Arles avec les documents conciliaires. Ceux-ci correspondent à certaines demandes que Césaire avait adressées au pape. D'autres manuscrits canoniques contiennent les trois conciles sans les pièces annexes ; 2° par les lettres d'Ennodius, et surtout son livre *Pro synodo* ; 3° par les deux vies de Symmaque qui figurent l'une dans le *Liber pontificalis* laurentien, l'autre dans le *Liber pontificalis* symmachien » (L. DUCHESNE, *L'Église au VIe siècle*, p. 113, n. 2).

(3) THÉODORE LE LECTEUR, *Hist. eccl.* (*P. G.*, LXXXVI, 193).

(4) La première édition du *Liber Pontificalis* fait de Symmaque ce bel éloge : « *Hic amavit clerum et pauperes, bonus, prudens, humanus, gratiosus* ». Théodore le Lecteur rapporte que la candidature de Laurent avait été soutenue par l'or du patrice Festus, qui espérait le décider à signer l'*Hénotique*. Peut-être est-ce là une calomnie, mais il est vraisemblable que les esprits étaient préoccupés des controverses orientales.

(5) Le fragment laurentien du *Liber Pontificalis* dit que Laurent partit pour la Campanie *coactus minis promissionibusque*. La recension symmachienne dit que *papa Symmachus... constituit Laurentium im Nucerinam civitatem episcopum intuitu misericordiae.*

SÉJOUR DE THÉODORIC A ROME

L'année suivante (500) se passa dans le calme. Le roi Théodoric vint à Rome et y séjourna pendant quelques mois [1]. L'ancienne capitale, tout à la joie d'avoir retrouvé pour un temps quelque chose de son ancienne splendeur, n'avait pas le loisir de se livrer aux vaines disputes. La première visite du roi fut pour la basilique vaticane : au milieu de l'émotion populaire, il fit sa prière au tombeau du prince des Apôtres ; puis il gagna le forum antique, au milieu d'un brillant cortège, harangua la foule au lieu dit *Ad palmam auream* et ordonna de graver la confirmation des privilèges de Rome sur des tables d'airain qui seraient exposées au Capitole. Parmi les spectateurs se trouvait un moine africain, Fulgence de Ruspe : ces magnificences l'émurent tellement qu'il ne put s'empêcher de dire à ses frères : « Que la Jérusalem céleste doit être belle, puisque la Rome terrestre brille d'un tel éclat ! Et si sur cette terre on accorde tant d'honneur à ceux qui aiment la vanité, quel honneur, quelle gloire seront le partage des saints qui sont les serviteurs de la vérité » [2] !

ACCUSATIONS CONTRE SYMMAQUE

Gloire factice et passagère ! Lorsque se furent éteints les derniers flambeaux, lorsque Théodoric eut regagné Ravenne, les adversaires de Symmaque, qui n'avaient pas désarmé, se remirent en campagne avec une nouvelle audace. Il ne leur était plus possible de contester la validité de son élection, puisque Théodoric s'était déjà prononcé sur ce point. Ils attaquèrent ses mœurs privées, sa gestion des biens ecclésiastiques. Le pape, disait-on, admettait dans son intimité des femmes plus ou moins recommandables dont on citait les noms et parmi lesquelles se distinguait une certaine Conditaria ; il avait acheté à prix d'argent la reconnaissance de son élection, sinon son élection elle-même, au mépris de la convention de 483 [3]. Bref, il était indigne du Siège apostolique.

LA QUESTION PASCALE

Théodoric, mis au courant de ces racontars, se trouva fort embarrassé. Il se demandait comment il pourrait décider Symmaque à venir s'expliquer à la cour, lorsqu'il crut trouver un prétexte favorable dans les discussions soulevées, en 501, autour de la date de Pâques.

Dès le IIe siècle, cette question avait divisé les églises [4], et malgré bien

(1) Nous connaissons ce séjour de Théodoric à Rome par divers documents, en particulier par la Vie de saint Fulgence de Ruspe, IX (édit. LAPEYRE, p. 55 et suiv.). Cf. G.-G. LAPEYRE, *Saint Fulgence de Ruspe, Un évêque catholique africain sous la domination orientale*, Paris, 1929, p. 132 et suiv.

(2) FERRAND, *Vita Sancti Fulgentii*, IX.

(3) Tous ces griefs sont indiqués dans le texte laurentien du *Liber Pontificalis*. Naturellement le texte symmachien n'en dit rien.

(4) Cf. t. II, p. 88-89, et t. III, p. 87-93. De tout temps, les érudits avaient cherché à résoudre le problème. Les livres relatifs au comput pascal sont des plus nombreux dans l'antiquité chrétienne et nous n'avons pas à les énumérer ici. On trouvera des détails dans B. KRUSCH, *Der 84 jährige*

des efforts elle demeurait encore une pierre d'achoppement contre laquelle il était trop facile de se heurter. « Le concile de Nicée avait ordonné aux Orientaux d'accepter pour la détermination de la fête de Pâques la règle alexandrine, d'après laquelle la pleine lune pascale (14 nisan) était celle qui suivait immédiatement l'équinoxe de printemps. Depuis lors, dans tout l'Empire d'Orient, il n'y avait plus de difficulté. Les évêques d'Alexandrie calculaient et transmettaient aux autres la date qui résultait de leurs calculs. A Rome, on n'avait pas jugé à propos de s'en rapporter aux lumières des Alexandrins. On calculait soi-même et d'après des données assez différentes. L'équinoxe, dans le vieux calendrier de Jules César, était fixé au 25 mars, tandis qu'à Alexandrie il tombait le 21, conformément à la réalité astronomique. D'autre part, à Alexandrie, on célébrait la fête le dimanche après le 14 du premier mois lunaire (nisan), même si ce dimanche tombait le 15 ; à Rome, on n'admettait pas la Pâque du 15 nisan. Si le 14 tombait un samedi, la fête était renvoyée au dimanche d'après le 15, c'est-à-dire au 22 nisan. Enfin, on croyait avoir une tradition d'après laquelle la Pâque ne pouvait être célébrée ni avant le 25 mars ni après le 21 avril. Pour comble de divergence, tandis que les Alexandrins calculaient l'âge de la lune d'après le cycle de Méton, ou cycle de dix-neuf ans, approximativement exact et actuellement encore en usage, les Romains s'obstinaient à employer un vieux cycle de quatre-vingt-quatre ans qui donnait souvent des lunes différentes de celles d'Alexandrie. De ces différences dans les limites de l'échéance pascale et dans la façon de calculer la lune, résultaient fort souvent des dates divergentes. Rome calculait pour tout l'Occident, Alexandrie pour tout l'Orient, mais souvent les Pâques différaient d'un ressort à l'autre soit d'une semaine, soit d'un mois entier » [1].

Habituellement ces divergences n'entraînaient pas de conséquences graves et l'on en prenait son parti sans trop de peine. De temps à autre, les savants élevaient la voix et proposaient des corrections au vieux comput romain : on ne les écoutait pas d'ordinaire, ce en quoi on n'avait pas nécessairement tort, car leurs calculs n'étaient pas toujours exacts. Les choses se compliquaient lorsque les autorités ecclésiastiques, pour une raison ou pour une autre, se croyaient obligées de ne pas suivre les règles traditionnelles. Ainsi, saint Léon le Grand avait célébré Pâques le 23 avril en 444, et en 455 le 24 avril, ce qui n'avait pas été sans soulever quelque émotion, puisque la règle interdisait de fêter la Résurrection après le 21 avril [2]. L'émotion s'était cependant calmée, sans trop de mal. Il en

Ostercyclus, Leipzig, 1880 ; J. Schmid, *Die Ostenfestberechnung in der abendandischer Kirche vom ersten allgemeinen Konzil zu Nicäa bis zum Ende des VIII. Jahrhunderts*, Fribourg-in-Brisgau, 1907.

(1) L. Duchesne, *L'Église au VIe siècle*, p. 138-139.

(2) Dans ces deux cas saint Léon avait voulu se mettre d'accord avec Alexandrie. Toute une correspondance s'était engagée à ce sujet et avait en effet abouti à unifier la date de Pâques ; cf. les lettres de saint Léon (Jaffé-Wattenbach, 468, 497, 498, 503, 507, 511, 512, 517) ; la lettre

alla tout autrement en l'an 501. Selon l'ancien usage de Rome, Symmaque avait, cette année-là, solennisé Pâques le 25 mars. Les autres églises de la chrétienté devaient célébrer la fête le 22 avril. Théodoric fut tout heureux de saisir cette occasion pour décider le pape à venir à Ravenne.

SYMMAQUE A RIMINI

Symmaque quitta Rome en effet, mais arrivé à Rimini, il reçut l'ordre de s'y arrêter. Un jour qu'il se promenait sur le bord de la mer, il vit passer les femmes avec qui il était accusé de vivre criminellement : elles se dirigeaient vers Ravenne. Il comprit alors que les questions sur la date de Pâques n'étaient qu'un vain prétexte. Il dissimula de son mieux, puis, au milieu de la nuit, il profita du sommeil de tous pour s'enfuir avec un de ses clercs et, revenu à Rome, il s'enferma à Saint-Pierre [1].

PIERRE D'ALTINUM, VISITEUR APOSTOLIQUE

Sa fuite fit sur l'esprit de Théodoric la plus pénible impression : elle lui parut une sorte d'aveu. Ses adversaires, reprenant l'avantage [2], obtinrent sans peine qu'un visiteur fût envoyé à Rome et administrât provisoirement l'église en attendant qu'eût été réglé le désaccord entre Symmaque et Laurent et que le cas du pape eût été examiné de près. Une telle mesure était particulièrement grave : elle revenait à déclarer qu'il n'y avait plus d'évêque à Rome et que le siège était vacant ou contesté. Le visiteur choisi, Pierre, évêque d'Altinum, aggrava encore le caractère de son mandat en se refusant, lorsqu'il fut arrivé à Rome, à tout rapport avec Symmaque et en célébrant à nouveau la fête de Pâques le 22 avril, comme si rien n'avait été fait le 25 mars. Symmaque protesta en vain contre cette intrusion. On refusa de l'entendre ; tous les édifices religieux de Rome, à l'exception de Saint-Pierre, et tous les biens de l'église, furent remis au visiteur.

de Paschasinus de Libylée (*P. L.*, LIV, 606) ; la lettre de Proterius d'Alexandrie (*ibid.*, 1085). La *Chronique* de Prosper témoigne de l'opposition soulevée par les partisans de la tradition ; a. 455 : « *Eodem anno pascha dominicum die VIII Kal. Maias celebratum est pertinaci intentione Alexandrini episcopi, cui omnes Orientales consentiendum putarunt, cum sanctus papa Leo XV. Kal. Maias potius observandum protestaretur, in quo nec in ratione pleni lunii nec in primi mensis limite fuisset curatum. Constant eiusdem papae epistulae ad clementissimum Marcianum datae, quibus ratio veritatis sollicite evidenterque patefacta est et quibus ecclesia catholica instrui potest quod haec persuasio studio unitatis et pacis potius tolerata sit quam probata, nunquam deinceps imitanda, ut quae exitialem attulit offensionem omnem in perpetuum perdat auctoritatem* ».

Sous le pontificat de saint Léon, un inconnu, qui pourrait bien être Prosper, tenta, en 447, de corriger le vieux comput romain, mais d'une façon peu satisfaisante. Un autre, Victorius d'Aquitaine, présenta, en 457, à l'archidiacre Hilaire, un cycle comprenant 532 ans, à partir de l'an 28 et constitué d'après les calculs alexandrins. On voit que les bonnes volontés ne faisaient pas défaut.

(1) Ces détails nous sont connus par le *Liber Pontificalis* laurentien (édit. DUCHESNE, t. I, p. 44).

(2) Il semble que, pour obtenir la nomination d'un visiteur, on ait insisté auprès de Théodoric sur les fautes proprement canoniques de Symmaque, en particulier sur sa simonie. « *Accusatus etiam ab universo clero romano quod contra decretum a suis decessoribus observatum ecclesiastica dilapidasse praedia et per hoc anathematis se vinculis inretisset* » (*ibid.*).

LE CONCILE DE ROME

Cependant le roi, désireux d'en finir, convoquait un certain nombre d'évêques italiens et leur ordonnait de se réunir à Rome pour juger le pape [1]. Une telle procédure était inouïe : il n'y avait pas d'exemple qu'un pontife romain eût été assigné devant ses pairs. Plusieurs évêques hésitèrent, exposèrent à Théodoric le cas qui se posait à leur conscience ; d'autres, plus sensibles à la gravité des accusations portées contre Symmaque et au triste état de l'Église, décidèrent d'agir sans retard. Bref, en mai 501 [2], le concile s'assembla dans la basilique de Jules (Sainte-Marie du Transtévère) [3] : les membres les plus influents, à savoir les évêques métropolitains de Milan, Ravenne et Aquilée, Laurent, Pierre et Marcellien, étaient loin d'être tous favorables au pape. Celui-ci consentit à comparaître ; bien plus il déclara accepter le jugement de ses inférieurs et se soumettre à leur condamnation, s'il était reconnu coupable. Il demanda cependant qu'on écartât le visiteur apostolique et qu'on lui rendît la jouissance de ses églises et de leurs revenus. Il est possible qu'on ait donné satisfaction à la première de ces requêtes ; Théodoric refusa de faire droit à la seconde. Symmaque céda, pour le bien de la paix.

ÉMEUTES CONTRE SYMMAQUE

La session suivante [4] se tint à Sainte-Croix de Jérusalem, au palais Sessorien. Pour s'y rendre depuis le Vatican, le pape était obligé de traverser la ville de Rome dans toute sa longueur. Pendant le trajet il fut attaqué avec les clercs qui l'accompagnaient, il y eut des blessés : deux de ses prêtres, Dignissimus, du titre de Saint-Pierre-ès-liens, et Gordianus, du titre des Saints-Jean-et-Paul, furent tués aux cours de la bagarre [5]. Lui-même dut rentrer à Saint-Pierre et il fut impossible de l'en faire sortir. En l'attendant, le concile avait commencé par entendre la lecture de l'acte d'accusation rédigé par ses ennemis, et, de prime abord, il y avait relevé deux irrégularités : il était faux que les crimes reprochés à Symmaque eussent été établis devant le roi ; et il était inadmissible que les serviteurs du pape fussent admis à témoigner contre lui.

(1) Ces convocations paraissent avoir été personnelles, et c'est bien Théodoric qui les fait. Symmaque avait simplement consenti au concile.

(2) Le *Liber Pontificalis* laurentien écrit : *Post sanctam festivitatem.* Cette fête est la fête de Pâques, célébrée le 22 avril. Le concile ne s'est donc pas réuni avant le mois de mai. Il a pu se tenir plus tard.

(3) Il semble que la séance de Sainte-Marie *in Trastevere* ait été plutôt une séance préliminaire et qu'elle ne prenne pas place parmi les sessions du concile. Cependant les documents ne sont pas en plein accord sur ce point.

(4) La date de cette séance n'est pas exactement fixée. Elle peut ne pas être de beaucoup postérieure à la précédente.

(5) Le *Liber Pontificalis* qui parle de la mort de ces deux prêtres ne la place pas à cet endroit précis. Dignissimus ne figure pas parmi les signataires de l'assemblée de 499 : peut-être n'était-il pas encore prêtre à ce moment. Gordianus est le père du pape Agapit.

SYMMAQUE REFUSE DE COMPARAITRE

Tout contribuait ainsi à compliquer une situation terriblement embrouillée. Plusieurs évêques, découragés, quittèrent Rome, y jugeant leur présence désormais inutile. Presque seul, Théodoric tenait à son concile : il félicita les évêques qui étaient restés, renvoya des convocations, désigna trois de ses officiers, Guilda, Bedeulf et Arigern, pour veiller sur la sûreté de Symmaque [1]. Le 1er septembre, l'assemblée put s'ouvrir, mais Symmaque, buté dans son obstination, refusa de comparaître. On lui envoya quatre délégations successives : à toutes il fit la même réponse, déclarant que lui et ses clercs avaient été cruellement traités, tandis qu'ils se rendaient au concile, et que, désormais, il ne se soumettrait plus à l'examen de ses collègues.

LES DÉCISIONS CONCILIAIRES

Finalement, une dernière réunion se tint le 23 octobre 501 [2]. Les évêques, après avoir rappelé les diverses phases de la procédure, rendirent un décret dans lequel il était dit que Symmaque n'avait pas pu être jugé pour les crimes qui lui étaient reprochés et qu'il était renvoyé au tribunal de Dieu : en attendant, il ne pouvait pas être tenu pour coupable et il fallait le reconnaître comme pasteur légitime [3]. Ses églises et son temporel lui seraient remis ; les fidèles devaient lui obéir ; les clercs se rallieraient à lui, sous peine d'être considérés comme schismatiques. Aucune sentence ne fut portée contre Pierre d'Altinum, qui, en toute cette affaire, s'était contenté d'obéir aux ordres du roi. On ne s'occupa pas non plus de Laurent qui n'avait pas reparu à Rome depuis sa nomination à l'évêché de Nocera.

RETOUR DE LAURENT A ROME

Les décisions prises étaient des plus sages ; mais, dans l'exaltation des esprits, il était difficile qu'elles fussent acceptées. Théodoric n'éprouvait aucune sympathie pour la cause de Symmaque : il tenait à ce qu'un jugement fût porté par les évêques, mais il aurait voulu que ce jugement fût une condamnation [4]. A Rome, les adversaires du pape, en particulier les sénateurs, Festus et Probinus, n'avaient jamais cessé leurs intrigues et ils se montraient disposés à agir de plus belle [5]. Ils firent tant et si bien qu'ils

(1) *Praeceptiones* III et IV, du 1er et du 27 août.

(2) Théodoric avait beaucoup insisté pour que l'affaire fût tranchée définitivement par les évêques. Il avait en cela le sentiment très net de son incompétence. Cf. *Praeceptio regis, Anagnosticum* du 1er octobre (édit. MOMMSEN, p. 424-425).

(3) « *Symmachus, papa, sedis apostolicae praesul, ab huiusmodi propositionibus impetitus, quantum ad homines respicit, quia totum causis obsistentibus superius designatis constat arbitrio divino fuisse dimissum, sit immunis et liber et christianae plebi sine aliqua de obiectis obligatione in omnibus ecclesiis suis ad ius sedis suae pertinentibus et tradat divina mysteria, quia cum ab impugnatorum suorum petitione propter superius designatas causas obligari non potuisse cognovimus* ».

(4) Cela apparaît clairement dans l'*Anagnosticum* (édit. MOMMSEN, p. 425).

(5) Festus et Probinus étaient de grands personnages : Festus avait été consul en 472 et Probinus en 489. Tous deux sont loués pour leurs vertus et leur science par Ennodius, *Opusc.*, VI

obtinrent du roi le retour de Laurent. Bientôt celui-ci revint à Rome ; en dépit de l'avis du concile, il fut remis en possession des églises de la ville et même de celles de la banlieue, spécialement de Saint-Paul-hors-les-Murs où son portrait fut placé parmi ceux des papes légitimes [1]. Symmaque ne conserva que Saint-Pierre. Cependant les appuis et les sympathies ne lui faisaient pas défaut : la plus grande partie du peuple tenait pour lui ; le sénateur Faustus groupait autour de lui ses partisans ; l'archevêque de Milan et celui de Ravenne prenaient sa défense en toute occasion.

CONCILE DE 502 Tout cela permit à Symmaque de tenir à Saint-Pierre, le 6 novembre 502 [2], un nouveau concile auquel prirent part, avec trente-sept prêtres romains, les évêques de toute l'Italie, sauf de la Vénétie. Ce concile s'occupa surtout du décret de 483 relatif à l'aliénation des biens ecclésiastiques et à la simonie, décret dont on s'était beaucoup servi contre Symmaque et non sans les plus graves raisons [3]. Le pape déclara et fit déclarer par le concile que ce décret avait été porté par une assemblée sans autorité et sans mandat, que lui-même ne pouvait y avoir désobéi, puisqu'il était sans valeur. Après quoi, il reprit, en d'autres termes, la loi qui venait d'être proclamée inexistante et il la fit sanctionner par les évêques.

TROUBLES PERSISTANTS Une telle décision pouvait être habile : elle manquait de franchise et de grandeur. Elle s'avéra d'ailleurs insuffisante pour calmer les esprits. Durant quatre ans, Laurent parvint à se maintenir à Rome et l'émeute ne cessa pas de troubler la ville. Le *Liber Pontificalis* parle de prêtres et de clercs massacrés, de saintes femmes et de vierges consacrées à Dieu chassées de leurs maisons et de leurs monastères, dépouillées de leurs vêtements, horriblement brûlées : ni de jour ni de nuit, les clercs dévoués à Symmaque ne pouvaient sortir sans crainte d'être attaqués. On peut croire qu'à de tels

Saint Avit de Vienne adressa à Festus, en même temps qu'à son collègue Symmaque, une lettre sur cette affaire (*Epist.*, XXXI). Le pape Symmaque n'avait guère d'autres personnages influents dans son parti que Faustus, le consul de 490, mais qui était alors assez mal vu de Théodoric.

(1) Cf. L. DUCHESNE, *Le Liber Pontificalis*, t. I, p. XXVIII. On pouvait encore voir ce portrait au XVIIe siècle. La peinture devait être à peu près contemporaine des événements. Plus tard, on n'aurait pas songé à mettre Laurent dans la galerie des papes.

(2) Ce concile eut lieu *Fl. Avieno iun. v. cl. cons.* Il serait beaucoup plus naturel, comme le remarque L. DUCHESNE (*L'Église au VIe siècle*, p. 122, n. 1), de placer ce concile en 501, car il semble bien faire suite à la réunion du 23 octobre de cette année-là et les évêques sont à peu près les mêmes. Cependant la date consulaire est formelle.

(3) Il est difficile de croire qu'il n'y ait pas eu quelque chose de fondé dans les accusations portées par les adversaires de Symmaque. Le *Liber Pontificalis* laurentien n'est pas seul à parler du rôle joué par l'argent dans l'élection du pape et dans les événements subséquents. Ennodius, qui est pourtant dévoué à Symmaque, parle (*Epist.*, III, x) d'une somme prêtée au pape par l'archevêque de Milan et distribuée à des personnages importants de Ravenne ; cf. *Epist.*, VI, XVI et XXXIII. D'ailleurs le procédé subtil employé par le concile de 502 pour écarter, puis pour reprendre sous une autre forme, le décret de 483 constitue un aveu formel.

procédés de leurs adversaires, les partisans de Symmaque n'étaient pas sans répondre par des agissements analogues. Festus et Probinus d'un côté, Faustus de l'autre servaient de chefs aux exaltés [1].

LIVRES POUR ET CONTRE SYMMAQUE

Les procédés violents demeurant insuffisants, on eut recours à d'autres moyens. Les lettrés entrèrent en jeu et se servirent de leur plume pour ou contre Symmaque. Le concile réuni pour juger Symmaque avait à peine pris fin qu'un anonyme publia un violent pamphlet « contre le Synode et son indécente absolution » (*adversus synodum incongruae absolutionis* [2]). En sens contraire, Ennodius, qui était alors diacre à Milan et qui était fort attaché au pape Symmaque, se hâta de rédiger une apologie *Contre ceux qui ont eu l'audace de s'opposer au synode*, afin de montrer que, si Dieu permet peut-être à des hommes de terminer des procès humains, il réserve à son propre jugement la cause des évêques du Siège romain [3].

LES APOCRYPHES SYMMACHIENS

La même thèse se trouve développée dans une série d'apocryphes en langue populaire, où l'histoire est chargée d'apporter son soi-disant témoignage en faveur de Symmaque. On y voit entre autres le pape Marcellin, traduit devant le concile de Sinuesse, qui se refuse à prononcer son arrêt parce que le premier siège ne peut être jugé par personne ; le pape Silvestre tenant dans les thermes de Trajan, en présence de Constantin tout récemment baptisé et guéri de la lèpre, un concile qui condamne plusieurs hérétiques, entre autres les partisans d'un comput pascal opposé à la date du 22 avril, qui donne plusieurs règles canoniques sur les droits et les devoirs des clercs, qui indique enfin avec précision la procédure à suivre pour condamner un évêque [4] ; le pape Libère, exilé à la porte de Rome,

(1) Laurent vivait à Ravenne au moment où il fut rappelé à Rome. Ses partisans firent valoir la règle qui interdisait les translations épiscopales : élu pour l'Église romaine, sa nomination à Nocera était illégale, donc frappée de nullité ; et il restait, malgré tout, évêque de Rome.

(2) Ce pamphlet n'existe plus, mais Ennodius le suit de si près dans sa réfutation qu'on peut sans peine le reconstituer. Cf. F. Stroeber, *Quellenstudien zum laurentianischen Schisma*, dans les *Sitzungsberichte* de l'Académie de Vienne, t. CXII, 1886, p. 312-334.

(3) Ennodius, *Adversus eos qui contra synodum scribere praesumpserunt* (*P. L.*, LXIII, 200) : « *Aliorum forte hominum causas Deus voluerit per homines terminare, sedis istius praesulem suo sine quaestione reservavit arbitrio : voluit beati Petri apostoli successores caelo tantum debere innocentiam* ».

(4) Ces apocryphes sont : les *Gesta Marcellini* ou *Synodus Sinuessana*, les *Gesta de Polychronii episcopi hierosolymitani excusatione* (Polychronius de Jérusalem est un personnage purement imaginaire) ; le *Constitutum Silvestri*, les *Gesta Liberii*, les *Gesta de Xysto purgatione*. Il suffit de les lire pour se rendre compte que, sous des noms d'emprunt, c'est toujours le pape Symmaque qui est visé. On justifie sa conduite en supposant qu'elle se conforme à des précédents traditionnels. Le *Constitutum Silvestri* ne tenait aucun compte du concile de Nicée : l'auteur s'efforça de réparer sa bévue en composant trois lettres nouvelles destinées à rattacher le *Constitutum* à l'œuvre du concile ; la première, *Quoniam omnia*, est adressée à Silvestre par les présidents de l'assemblée ; les deux autres, *Gaudeo prompta* et *Gloriosissimus*, sont deux rédactions différentes de la réponse pontificale : le pape y envoie son approbation au décret conciliaire et communique aux évêques

dans le cimetière de Novella, près de la voie Salaria, qui administre le baptême d'abord dans le cimetière Ostrien pour les fêtes de Pâques, puis, sur le conseil de Damase, à Saint-Pierre où un baptistère vient d'être rapidement installé pour les fêtes de la Pentecôte ; le pape Sixte III, accusé d'incontinence par deux grands personnages de Rome, Marinianus et Bassus, et traduit devant un tribunal où siègent des sénateurs, les membres du haut clergé de Rome et des moines ; la preuve de l'accusation étant impossible, Sixte III excommunie ses adversaires qui meurent sans avoir été réconciliés avec l'Église [1].

Le but de tous ces récits est clair, car ce sont les divers épisodes de l'histoire de Symmaque qui y sont transposés, sans aucun changement. Tels quels, les apocryphes symmachiens ont exercé longtemps leur influence ; les collections canoniques ont recueilli plusieurs de leurs formules qui ont acquis force de loi dans l'Église d'Occident [2].

LASSITUDE GÉNÉRALE

Ni les moyens violents, ni les procédés littéraires ne purent suffire à mettre un terme aux maux dont souffrait l'Église romaine. La lassitude, la patience, le temps eurent plus de succès. Peu à peu on en vint à se rendre compte dans les milieux les plus sages que les titres de Laurent au pontificat étaient contestables : alors même que l'élection de Symmaque eût été douteuse, Laurent en avait reconnu la validité, ensuite de quoi il avait été ordonné évêque de Nocera ; il n'était pas resté longtemps en possession de son siège, puisque dès 502 il était déposé et remplacé par un certain Aprilis qui assista au concile de cette année-là ; malgré tout, il n'était pas revenu à Rome pour y faire valoir ses soi-disant droits, et ce n'était que beaucoup plus tard qu'on l'y avait revu. Il était évident que, si Symmaque devait être écarté, une nouvelle élection serait nécessaire. Dès 506, quelques clercs laurentiens revinrent à la communion de Symmaque : nous possédons encore le *libellus* d'un diacre du nom de Jean, daté du 18 septembre de cette année-là ; Jean, pour gage de sa soumission, consent à condamner nommément Pierre d'Altinum et Laurent, *romanae ecclesiae pervasorem* [3].

son propre *Constitutum*. Plus tard, le *Constitutum* fut refait complètement par un auteur qui avait sur le comput pascal les idées de Denis le Petit, contraires à celles du premier faussaire. Ce dernier texte a été publié par CH. POISNEL, dans les *Mélanges* de l'École française de Rome, t. VI, 1886, p. 4.

(1) Nous avons ici, à ce qu'il semble, la plus ancienne des fausses constitutions disciplinaires qui ont été fabriquées sous le nom des papes.

(2) Sur la propagation des apocryphes symmachiens dans les collections canoniques du Moyen Age, on peut voir : MAASSEN, *Geschichte der Quellen und der Literatur des canonischen Rechts im Abendlande*, t. I ; L. DUCHESNE, *Le Liber Pontificalis*, t. I, p. CXXXIV et suiv. ; P. FOURNIER et G. LE BRAS, *Histoire des collections canoniques en Occident depuis les fausses décrétales jusqu'au décret de Gratien*, passim.

(3) THIEL, *Epistolae romanorum pontificum*, p. 597.

INTERVENTION DE DIOSCORE

L'année suivante (507), un diacre d'origine alexandrine que les événements de son pays avaient contraint à s'exiler et à se réfugier à Rome, Dioscore, consentit à servir d'intermédiaire entre Symmaque et le roi Théodoric. Il sut plaider la cause du pape avec tant de chaleur et d'habileté que Théodoric ordonna au patrice Festus de faire cesser l'opposition dont il était l'instigateur et de rendre les églises au pape légitime. Festus ne put qu'obéir à cet ordre. Quant à Laurent, il se retira sur une des terres du patrice et il y termina sa vie dans les austérités [1]. Le clergé laurentien ne se rallia que peu à peu. Quelques-uns même de ses membres refusèrent jusqu'au bout de se soumettre, en particulier le diacre Paschasius, un des hommes les plus instruits et les plus vertueux de ce temps [2]; et ce fut seulement à l'avènement du pape Hormisdas que les dernières traces du schisme furent effacées [3].

LE TÉMOIGNAGE DU LIBER PONTIFICALIS

Les dernières années du pontificat de Symmaque se passèrent dans le calme. Le *Liber Pontificalis* relève minutieusement les grands et multiples travaux que le pape fit à diverses églises de Rome, en particulier à Saint-Pierre qui fut, durant plusieurs années, sa cathédrale. Il rappelle également la charité de Symmaque à l'égard des évêques africains, exilés en Sardaigne, et des prisonniers ligures qu'il racheta ou renvoya libres avec des présents. Il parle enfin des mesures qu'il fut obligé de prendre contre les Manichéens de Rome dont il brûla les livres et qu'il fit envoyer en exil [4].

LE LIBER PONTIFICALIS LAURENTIEN

Tout cela est raconté avec une évidente sympathie. On ne saurait douter que, sous sa forme actuelle, le *Liber Pontificalis* défend la cause de Symmaque. Il est d'autant plus intéressant de constater qu'il a existé

(1) *Liber Pontificalis* laurentien (édit. Duchesne, t. I, p. 46) : « *Quod ubi Laurentius comperit urbem noluit diuturna conluctatione vexari ac sua sponte in praediis memorati patricii Festi sine dilatione concessit, ibique sub ingenti abstinentia terminum vitae sortitus est* ».

(2) Il est assez difficile de savoir exactement l'opinion du clergé romain pendant les différentes phases du conflit. En 499, soixante-quatorze prêtres romains avaient pris parti pour Symmaque; en 502, il n'y en avait plus que trente-sept ; à la même date, deux seulement des anciens diacres restaient fidèles au pape ; celui-ci avait d'ailleurs ordonné de nouveaux diacres, Hormisdas et Agapit. Seulement il ne faut pas oublier que plusieurs prêtres avaient été tués dans les troubles de 501.

Paschasius a dû être ordonné par Laurent, ce qui explique sa fidélité au parti laurentien. Saint Grégoire le Grand (*Dialog.*, IV, xl) l'appelle *mirae sanctitatis vir, eleemosynarum maxime operibus vacans, cultor pauperum et contemptor sui.* Il avait composé un traité sur le Saint-Esprit qui est perdu ; l'ouvrage conservé sous son nom appartient en réalité à Fauste de Riez. On a de lui une lettre écrite en 513 à l'abbé Eugippius, l'auteur de la vie de saint Séverin.

(3) L'épitaphe d'Hormisdas fait gloire à ce pape d'avoir guéri le corps de l'Église déchiré par le schisme, en remettant à leur place les membres arrachés.

(4) L'empereur Anastase avait accusé Symmaque d'être manichéen, ce qui lui valut une réponse très ferme de la part du pape. Les mesures contre les manichéens de Rome, dont parle le *Liber Pontificalis* doivent être postérieures à la lettre à Anastase.

une rédaction du même *Liber Pontificalis* écrite dans un tout autre esprit et des plus favorables à Laurent. De cette rédaction nous ne possédons plus que la vie de Symmaque, avec la fin de celle d'Anastase. Mais cette vie de Symmaque est composée avec une partialité si évidente et avec un tel souci des détails qu'on ne saurait guère hésiter sur sa date. Elle est à peu près contemporaine des événements et a dû être rédigée par un irréductible partisan de Laurent. Celui-ci avait à sa disposition, pour la chronologie des anciens papes, divers catalogues, dont le plus ancien est le catalogue libérien, constitué au IVe siècle par un compilateur inconnu à l'aide de pièces que l'on conservait soigneusement dans les archives de l'Église romaine. Plus tard on avait continué et complété le catalogue libérien de diverses manières, car rien n'était plus capable d'intéresser les fidèles de Rome et d'ailleurs que la chronologie des anciens papes. Au début du VIe siècle, il semble qu'un renouveau d'intérêt ait orienté les esprits vers le souvenir des origines : tandis qu'à Saint-Paul-hors-les-Murs on retraçait, en une imposante série de portraits, la physionomie des pontifes d'autrefois [1], on se mit à compléter les anciens catalogues et à réunir tous les renseignements que l'on pouvait avoir gardés sur les papes. Le *Liber Pontificalis* laurentien témoigne de cette activité : il devait d'ailleurs être assez court, sauf pour la période immédiatement contemporaine [2].

LE LIBER PONTIFICALIS SYMMACHIEN Quelques années après sa rédaction, un partisan de Symmaque reprit l'idée de son devancier. Celui-ci devait être peu instruit, car il écrit dans une langue populaire qui ne manque pas d'être assez savoureuse, mais qui déconcerte étrangement toutes nos habitudes. Il utilise d'ailleurs, à côté des renseignements puisés à bonne source, tout ce qu'il a pu ramasser de légendes, de traditions, de fantaisies [3]. Les apocryphes symmachiens, alors dans toute leur fraîcheur, figurent naturellement au premier rang des écrits dont il aime à s'inspirer. Lorsqu'il arrive au pontificat de Symmaque, il n'a plus à inventer, puisqu'il a été le témoin des faits, mais il les rapporte tels que pouvait les voir un homme du peuple ou un clerc inférieur. Son récit fait contraste avec les documents officiels. Tel quel, le *Liber Pontificalis* symmachien était destiné à une haute fortune. Composé peut-être pour défendre la mémoire de Symmaque, il fut

(1) Sur ces peintures et leur histoire, cf. L. DE BRUYNE, *L'antica serie di ritratti papali della basilica di S. Paolo fuori le mura*, Turin, 1934. La présence du portrait de Laurent suffit à nous renseigner sur leur date.

(2) L. DUCHESNE, Le *Liber Pontificalis*, t. I, p. XXX-XXXII.

(3) Les plus importants de ces renseignements sont relatifs aux décrets disciplinaires et liturgiques attribués aux différents papes, aux fondations et aux dotations d'églises, aux ordinations faites par les papes, à leurs sépultures et à leurs anniversaires funèbres, à la durée de la vacance du siège. Ces renseignements sont de valeur très diverse selon les temps. Ils ont été spécialement étudiés par L. DUCHESNE, *op. cit.*, p. CXXVIII-CLXI.

sans cesse complété par l'addition de biographies nouvelles, tant et si bien qu'on le poursuivit non seulement jusqu'à la fin du IXe siècle, mais même jusqu'à 1431 : c'est assez dire l'importance de cet ouvrage.

MORT DE SYMMAQUE

Symmaque mourut en 514, sans s'être réconcilié avec l'Église grecque, ce qui n'a rien de surprenant lorsqu'on connaît son caractère et qu'on se rappelle les circonstances mêmes de son élection. Il fut remplacé sur le siège pontifical par Hormisdas qui était un de ses diacres. Celui-ci eut la double joie de voir cesser les derniers restes du schisme laurentien et de mettre fin à la lamentable division qui, depuis si longtemps, séparait les deux moitiés de l'Église.

CHAPITRE V

L'ÉGLISE ET LES BARBARES[1]

§ 1. — La première poussée des envahisseurs.

LES INVASIONS DU IVe SIÈCLE

Depuis longtemps les esprits avertis redoutaient la menace tendue aux frontières de l'Empire. Dès l'époque de Marc-Aurèle, les essais de conquête avaient

(1) Bibliographie. — J. Beloch, *Der Verfall der antiken Kultur*, dans *Historische Zeitschrift*, t. LXXXIV, 1900, p. 1-38 ; H. Boehmer, *Das germanische Christentum*, dans *Theologische Studien und Kritiken*, 1913, p. 165-280 ; G. Boissier, *La fin du paganisme*, 2 vol., Paris, 1891 ; M. Bolwin, *Die christlichen Vorstellungen vom Weltberuf der Roma Aeterna bis auf Leo den Grossen*, Diss. Münster, 1922 ; J. B. Bury, *The Invasion of Europe by Barbarians*, Londres, 1928 ; Id., *History of the Later Roman Empire from Arcadius to Irene*, 2 vol., Londres, 1889-1892 ; Bury, Gwatkin, Whitney, Tanner, Previté-Orton, *The Cambridge mediaeval History*, t. III, *Germany and the Western Empire*, Cambridge, 1924 ; W. Classen, *Die Germanen und das Christentum*, Hambourg, 1921 ; A. Coville, *Recherches sur l'histoire de Lyon du cinquième au neuvième siècle*, Paris, 1928 ; F. Dahn, *Die Könige der Germanen*, 12 vol., Munich, Wurzbourg, Leipzig, 1861-1909 ; A. Dufourcq, *Histoire ancienne de l'Église*, t. V, *Le Christianisme et les Barbares*, Paris, s. d. [1931] ; A. Fliche, *La chrétienté médiévale (395-1254)*, Paris, 1929 ; Fustel de Coulanges, *Histoire des institutions politiques de l'ancienne France : la monarchie franque*, 3e édit., Paris, 1912 ; *L'invasion germanique et la fin de l'empire*, 3e édit., Paris, 1911 ; J. Geffcken, *Der Ausgang des griechisch- römischen Heidentums*, Leipzig, 1920 ; Id., *Stimmungen im untergehenden Weströmerreich*, dans les *Neue Jahrbücher f. Klass. Philologie*, t. XLV, 1920, p. 256-269 ; P. Gerosa, *Sant Agostino e la decadenza dell' Impero romano*, dans *Didaskaleion*, t. IV, 1915, p. 257-393 ; Grisar, *Rom und die fränkische Kirche*, dans *Zeitschrift für katholische Theologie*, t. XI, 1890, p. 447 et suiv. ; A. Gueldenpenning, *Geschichte des oströmischen Reiches unter den Kaisern Arcadius und Theodosius II*, Halle, 1885 ; L. Halphen, *Les Barbares*, Paris, 1930, 3e édit., 1936 ; T. Haenlein, *Die Bekehrung der Germanen und das Christentum*, 2 vol., Leipzig, 1919 ; A. Hauck, *Kirchengeschichte Deutschlands* t. I, 6e édit., Leipzig, 1922 ; C. H. Hayes, *An Introduction to the Sources relating to the Germanic Invasions*, New-York, 1909 ; T. Hodgkin, *Italy and her Invaders*, 8 vol., Londres, 1880-1900 ; Carlton Huntley Hayes, *An Introduction to the Sources relating to the Germanic Invasions*, New-York, 1909 ; Fr. Klingner, *Rom als Idee*, dans *Die Antike*, t. III, 1927, p. 17-34 ; Id., dans *Hermès*, t. LXIII, 1928, p. 181 et suiv. ; E. Lavisse, *Histoire de France*, Paris, 1900 et suiv. Tome II : *Le Christianisme, les Barbares, Mérovingiens et Carolingiens*, par C. Bayet, C. Pfister, A. Kleinclausz ; Dom H. Leclercq, article *Invasions*, dans le *Dictionnaire d'Archéologie chrétienne et de Liturgie* ; F. Lot, C. Pfister, L. Ganshof, *Histoire du moyen âge*, t. I, dans l'*Histoire générale* publiée sous la direction de G. Glotz, Paris, 1928 ; F. Lot, *La fin du monde antique et le début du moyen âge*, Paris, 1927 (riche bibliographie) ; Id., *Les invasions germaniques*, Paris, 1935 (monde barbare et monde romain) ; Malnory, *Saint Césaire, évêque d'Arles*, Paris, 1894 ; F. Martroye, *L'Occident à l'époque byzantine, Goths et Vandales*, Paris, 1903 ; Id., *Genséric, la conquête vandale en Afrique et la destruction de l'Empire d'Occident*, Paris, 1907 ; Pallmann, *Geschichte der Völkerwanderung bis zu Alarichs Tod*, 2 vol., Gotha, 1863 et suiv. ; Walther Rehm, *Der Untergang Roms im abendländischen Denken*, dans *Das Erbe der Alten*, zweite Reihe, gesammelt und hsg. von Otto Immisch, Leipzig, 1930 ; N. Reiter, *Der Glaube an die Fortdauer des römischen Reiches im Abendland während des 5 u. 6 Jahrh.*, Diss. Münster, 1900 ; Sagmueller, *Die Idee von der Kirche als imperium Romanum*, dans *Theol. Quartalschrift*, t. LXXX, 1898, p. 50-80 ; L. Schmidt, *Geschichte der Wandalen*, Leipzig, 1901 ; Id., *Geschichte der deutschen Stämme bis zum Ausgang der Völkerwanderung*, 2 vol., Berlin, 1904-1918 ; Schoenfeld, article *Gothi*, dans la *Real-Encyclopaedie* de Pauly-Wissowa, Supplement-Band III, 1918, col. 797-845 ; H. von Schubert, *Geschichte der christlichen Kirche im Frühmittelalter*, t. I, Tubingue, 1917 ; O. Seeck, *Geschichte des Untergangs der antiken Welt*, t. VI, Berlin, 1921 ; C. Silva-Tarouca, *Fontes*

fait place à une défensive où s'étaient usées les forces vives de l'Occident. Que la continuité de la digue élevée tout le long des frontières de l'Empire vînt à céder, la trouée devait fatalement s'élargir sous la pression de peuplades avides et pauvres que tentaient les villes opulentes, les riches campagnes de la Gaule et de l'Italie. Cependant les empereurs de la seconde moitié du IIIe siècle avaient infligé d'assez rudes coups aux Germains, les plus dangereux adversaires de la puissance romaine en Occident. Au IVe siècle aussi, quelques succès brillants avaient apporté leur réconfort ; par exemple, en 357, quand, avec treize mille hommes, Julien avait battu près de Strasbourg trente-cinq mille guerriers alamans. Mais, dès le milieu du siècle, des mouvements inaccoutumés, des incursions de plus en plus audacieuses, des poussées presqu'irrésistibles jetèrent la panique parmi les populations voisines des limites de l'Empire. Elles n'en pouvaient deviner la cause, qui était sans aucun doute la suivante. Les Huns qui, sortis des déserts de la Mongolie, avaient conquis une partie de la Chine, furent eux-mêmes poussés vers l'Ouest par d'autres envahisseurs. De proche en proche, les tribus germaniques de l'Europe orientale et septentrionale durent leur céder du terrain et elles n'eurent d'autre ressource que de chercher un refuge par delà les lignes romaines.

WISIGOTHS, OSTROGOTHS ET FRANCS

Au printemps de 376, trente-cinq à quarante mille Wisigoths demandent à Valens de franchir le Danube, suivis de quantité d'autres qui se passent de toute permission. La Mésie inférieure reste en leur pouvoir. En 396-397, ils envahissent la Macédoine et la Grèce. Arcadius les autorise à s'installer dans les provinces illyriennes. En 401, Alaric pousse jusqu'à Milan, où l'arrête Stilicon.

Admis en Pannonie vers 380, les Ostrogoths pénètrent dès 405 dans l'Italie du Nord, sous la conduite de Radagaise. C'est encore Stilicon qui bloque leur avance. Mais Stilicon n'aura plus de troupes à opposer aux Vandales quand, franchissant le Rhin du côté de Mayence, ceux-ci envahiront la Gaule en 406, la traverseront tout entière, et par delà les Pyrénées s'en iront piller l'Espagne.

Peu d'années après, en 415, c'étaient les Wisigoths conduits par Athaulf qui, à leur tour, faisaient de la Gaule une proie.

En 403, en 408, en 410, Alaric désolait de nouveau l'Italie et prenait Rome de vive force le 24 août 410. Pendant ce temps, les Francs s'emparaient de la ligne de l'Escaut ; et, vers 430, Cambrai tombait sous les coups de Clodion.

historiae ecclesiasticae medii aevi. Prima pars. Fontes s. V-IX, Bonn, 1930 ; E. STEIN, *Geschichte des spaetroemischen Reiches,* Vienne, 1928 ; G. UHLHORN, *Kämpfe und Siege des Christentums in der germanischen Welt,* 2e édit., 1905 ; G. VILLARI, *Le invasioni barbariche in Italia,* Milan, 1900 ; A. W. WADE-EVANS, WELSH, *Christian Origins,* Oxford, 1934 ; WIETERSHEIM, *Geschichte der Völkerwanderung,* 2e édit., 2 vol., Leipzig, 1880 et suiv.

ÉLABORATION D'UN ORDRE NOUVEAU

Sans doute, les Wisigoths ne se posaient point en conquérants. Le titre de « fédérés », d'alliés de la *Respublica Romanorum* leur suffisait, à condition qu'il s'accompagnât de substantiels avantages. Mais les Vandales, les Alains, les Suèves se montraient moins traitables. Et l'Empire, exténué, trop appauvri pour lever de bonnes troupes, n'était plus guère qu'une façade, encore respectée, mais derrière laquelle s'élaborait un ordre nouveau, — où subsisteront d'ailleurs beaucoup d'éléments de l'ordre en voie de disparaître.

§ 2. — Le sentiment chrétien à l'égard des Barbares.

LA « ROMANIA »

On voit apparaître dans les textes latins, vers la fin du IVe siècle, un mot nouveau dont la littérature antérieure n'offre pas d'exemple. C'est le mot *Romania.* « L'avènement de ce nom, a remarqué Gaston Paris [1], indique d'une façon frappante le moment où, la fusion étant devenue complète entre les peuples si divers soumis par Rome, ils se reconnurent comme membres d'une seule nation et s'opposèrent tous en bloc à l'infinie variété des Barbares qui les entouraient ». La *Romania*, c'est l'Empire romain, ou plutôt la civilisation romaine, prenant conscience de son originalité distincte, à l'heure où, de toutes parts, elle se sent menacée.

On dit souvent que le premier auteur qui aurait employé ce mot serait l'historien Orose, lequel écrivait en 417 son *Adversus paganos* [2]. On le relève cependant dans un ouvrage de polémique composé vers 383 et que nous a conservé un unique manuscrit de Paris : c'est un pamphlet dirigé contre saint Ambroise par un certain Maximin, sans doute l'évêque arien des Goths [3]. Peu après Orose, on le lit encore dans un passage qu, évoque un bien triste épisode. Le grand docteur chrétien, saint Augustini assiégé dans Hippone par les Vandales, reçoit des lettres des évêques de la province, qui lui demandent ce qu'ils doivent faire dans le péril et le désastre communs ; et il leur répond sur la conduite à tenir en face de ceux que son biographe Possidius, enfermé avec lui, appelle *illos Romaniae eversores* [4]. Il est difficile de ne pas attribuer ici à cette expression une portée très large : c'est le « monde romain », opposé à la *Barbaries* qui est en train de le submerger.

(1) *Adversus paganos, Mélanges linguistiques*, t. I, p. 18.
(2) III, XX, 11 ; VII, XLIII, 5.
(3) P. 75 (édit. KAUFFMANN, dans les *Texte und Unters. zur altgerm. Religionsgeschichte*, Strasbourg, 1899). Peut-être le mot doit-il être maintenu dans AMMIEN MARCELLIN, XVI, XI, 7, en dépit des corrections des éditeurs.
(4) *Vita Augustini*, XXX.

LES SOUFFRANCES MORALES DE L'ÉLITE

On pourrait supposer que les éléments chrétiens étaient assez détachés des formes politiques et des soucis nationaux pour accepter avec une certaine indifférence la dissolution de l'État romain. Ne leur eût-il pas été aisé de se consoler avec la parole célèbre de saint Paul : « Il n'y a plus ni Grec ni Juif, ni circoncis ou incirconcis, ni *barbare* ou Scythe, ni esclave ou homme libre : mais le Christ est tout en tous [1] ».

En fait, une élite en souffrit aussi cruellement que les païens les plus dévoués à la *respublica* ; et c'est cette élite, sans aucun doute, qui a donné à l'angoisse dont s'accompagnent toujours les grands bouleversements sociaux son expression la plus pathétique.

LE TÉMOIGNAGE DE SAINT JÉRÔME

N'en cherchons pas de plus explicites témoignages que ceux qu'offre saint Jérôme pendant toute une suite d'années. Il ne sera pas inutile d'en citer ici quelques-uns tout au long, car les historiens n'en exploitent le plus souvent qu'une faible partie.

En mettant, à Constantinople, vers 381, le point final à sa *Chronique*, qu'il arrêtait à la mort de Valens en 378, saint Jérôme expliquait dans sa Préface [2] que, s'il n'entamait pas l'histoire de l'époque de Gratien et de Théodose, ce n'était point qu'il craignît de s'exprimer en toute franchise sur le compte des vivants, mais parce que les incursions désordonnées des barbares frustraient chacun de toute sécurité : « *sed quoniam debacchantibus adhuc in terra nostra barbaris, incerta sunt omnia* ».

Quelques années plus tard, en 396, dans son nécrologe de Népotianus, il célébrait mélancoliquement la chance qu'avait eue le défunt d'échapper par la mort à tant de spectacles lamentables :

Mon cœur frémit en abordant les désastres de notre temps. Voilà plus de vingt ans qu'entre Constantinople et les Alpes Juliennes, le sang romain coule tous les jours. Scythie, Thrace, Macédoine, Thessalie, Dardanie, Dacie, Épire, Dalmatie, toutes les Pannonies, sont dévastées, déchirées, pillées par le Goth, le Sarmate, le Quade, l'Alain, les Huns, les Vandales, les Marcomans. Combien de dames, de vierges de Dieu, de corps nobles et délicats n'ont-ils pas été le jouet de ces bêtes sauvages ? Les évêques sont emmenés en captivité, les prêtres tués, ainsi que les clercs de divers rangs, les églises dévastées, les chevaux rangés près des autels du Christ comme dans une écurie, les restes des martyrs extraits du sol. Partout c'est le deuil, partout les gémissements, partout l'image de la mort. *Le monde romain s'écroule*, et cependant notre tête orgueilleuse ne fléchit pas. Quel crois-tu que peut être présentement l'état d'esprit des Corinthiens, des Athéniens, des Lacédémoniens, des Arcadiens et de toute la Grèce, *à qui des barbares commandent* ? Encore n'ai-je cité qu'un petit nombre de villes, sièges jadis de royaumes non sans importance. L'Orient semblait être à l'abri de ces maux et ne les ressentait que par de consternantes nouvelles.

(1) I *Col.*, III, 11.
(2) Édit. HELM, p. 7.

Or voilà que, l'année dernière, des extrémités du Caucase, des loups, non pas d'Arabie, mais de Septentrion, lâchés contre nous, ont parcouru en peu de temps de vastes provinces. Combien de monastères capturés ! Combien de cours d'eau ont roulé du sang humain ! Antioche a été assiégée, ainsi que les autres villes qu'arrosent l'Halys, le Cydnus, l'Oronte, l'Euphrate. Des troupeaux de captifs ont été emmenés ; l'Arabie, la Phénicie, la Palestine, l'Égypte sont asservies par la peur : « Aurais-je cent langues, cent bouches, une voix d'airain, non, jamais je ne pourrais redire tant de malheurs ! (Virgile, *Æn.*, VI, 625) »[1].

Ce n'étaient déjà plus les frontières de l'Empire, ni les lointaines provinces, que menaçaient tant d'incursions désastreuses. Rome même, le cœur de l'Empire, était visée et devait se racheter par des trésors de la cruauté d'un Alaric !

Dans une lettre écrite en 409, Jérôme prenait prétexte de cette suite de catastrophes pour démontrer à une jeune veuve, Agerochia, combien était inopportun et insensé son désir de se remarier[2].

Nous ne comprenons pas que l'Antéchrist approche. Nous survivons en petit nombre : cela n'est point dû à nos mérites, mais à la miséricorde divine. Des nations innombrables et féroces ont occupé l'ensemble de la Gaule. Tout l'espace renfermé entre les Alpes et les Pyrénées, entre l'Océan et le Rhin, le Quade, le Vandale, le Sarmate, les Alains, les Gépides, les Hérules, les Saxons, les Burgondes, les Alamans, et — ô malheureux État ! — les Pannoniens devenus ennemis, l'ont dévasté. Mayence, cette cité naguère illustre, a été prise, saccagée, et dans son église plusieurs milliers de victimes ont été massacrées. Les Vangions [sur le territoire de Worms] ont été réduits par un long siège ; la puissante ville de Reims, les habitants d'Amiens, d'Arras, et tout au bout du pays les Morins, ceux de Tournai, les Némètes, les Strasbourgeois, ont été déportés en Germanie. Les Aquitains et la Novempopulanie, la Lyonnaise et la Narbonnaise, sauf un petit nombre de villes, ont été complètement ravagés. Celles que le glaive menace au dehors, la faim les ravage au dedans. Je ne puis, sans verser des larmes, mentionner Toulouse dont la ruine n'a été empêchée jusqu'ici que par le mérite de son saint évêque Exupère. Les Espagnes elles-mêmes, voyant venir à leur tour la mort, tremblent chaque jour et se souviennent de l'irruption des Cimbres. Ce que d'autres ont enduré en une seule fois, l'appréhension le leur fait continuellement sentir.

Naguère, du Pont-Euxin aux Alpes Juliennes, notre bien n'était plus à nous, et pendant trente ans, une fois brisée la barrière du Danube, on se battait en pleines régions de l'Empire romain... Mais qui croirait, comment l'histoire dira-t-elle dans les termes requis, que Rome combat dans son propre sein, non pour la gloire, mais pour son salut ; qu'hélas ! elle ne lutte même plus, mais avec son or et ses meubles précieux, rachète sa vie ?... Toutes ces choses que je viens de dire, il est dangereux d'en parler, — de les écouter aussi. Nos gémissements mêmes ne sont pas libres ; et nous ne voulons pas, ou plutôt nous n'osons pas pleurer sur nos épreuves !

En 410, la profanation tant redoutée avait souillé la Ville. Alaric y avait pénétré, pour y exercer ses sévices et ses rapines. Une stupeur accable Jérôme :

J'ai voulu me mettre aujourd'hui à l'étude d'Ézéchiel ; mais au moment même où je commençais à dicter, j'ai ressenti un tel trouble en songeant à la catastrophe d'Occident — et surtout à la dévastation de Rome — que, comme dit le proverbe, les mots propres se dérobaient à moi. Longtemps je suis demeuré silencieux, me rendant bien compte que c'était le temps des larmes...

(1) *Epist.*, LX, 16.
(2) *Epist.*, CXXIII, 15-16.

Cette année même (ajoute-t-il), alors que j'avais expliqué trois livres d'Ézéchiel, une subite incursion des Barbares — de ceux que Virgile appelle les *vagantes Barcaei* — a déferlé comme un torrent sur l'Égypte, la Palestine, la Phénicie, la Syrie, entraînant tout avec soi. C'est grâce à la miséricorde du Christ que j'ai tout juste échappé à leurs mains [1].

Dans son *Commentaire sur Ézéchiel*, rédigé vers le même temps, il ne peut se tenir de méditer douloureusement sur le coup porté à toute une civilisation, vouée désormais à l'infortune [2].

Qui eût pu croire que cette Rome construite sur des victoires remportées sur tout l'univers s'écroulerait un jour ? Que pour les peuples siens, elle deviendrait à la fois une mère et un sépulcre ? Que tous les rivages de l'Orient, de l'Égypte, de l'Afrique se couvriraient d'esclaves, hommes et femmes, venus de cette ville jadis maîtresse du monde ? Que la sainte cité de Bethléem accueillerait — réduits à la mendicité — d'anciens nobles des deux sexes, comblés naguère de richesses [3] ?

Le moyen de ne pas pleurer devant un si lamentable spectacle et de ne pas « mêler des larmes à ces larmes » ?

Ce n'était pas seulement l'idée abstraite de défaite et d'invasion qui consternait ainsi Jérôme. Il avait gardé à Rome des amitiés que le temps respectait. Or Marcella, la plus intelligente de ses disciples, celle dont les questions mêmes, disait-il, étaient instructives, avait eu beaucoup à souffrir des envahisseurs. Jérôme trace un tableau ému de la dignité, du sang-froid qu'elle avait gardés sous leurs insultes et leurs coups de fouet. Elle n'avait eu de pensée que pour une jeune amie, Principia, qu'il s'agissait de soustraire à leur brutalité. Elle finit par attendrir les Barbares qui lui permirent de conduire la jeune fille à la Basilique de Saint-Paul et d'y trouver elle-même un refuge [4]. Peu de jours après, elle devait succomber à tant d'émotions et de violences.

AUTRES TÉMOIGNAGES PARALLÈLES Il est encore telle lettre [4] où l'on remarque la façon injurieuse dont Jérôme désigne les Huns. Pour lui, ce ne sont pas des hommes, ce sont des « bêtes » [5]. Lui, qui est un Pannonien, il réagit à l'égard des hordes pillardes et brutales comme un Romain de vieille roche, à la façon d'un saint Ambroise, par exemple. Celui-ci considère les Barbares comme des êtres fermés à tout sentiment d'humanité, dont les seuls ressorts sont l'*avaritia* — c'est-à-dire la rapacité — et la luxure. C'est pour cela même qu'il considère comme un devoir primordial de racheter coûte que coûte les captifs tombés entre leurs mains infâmes [6]. Au

(1) *Epist.*, CXXVI, 2 (année 411) à Marcellinus et Anapsychia. Cf. aussi *Epist.*, CXXVII, 12 (a. 413).
(2) Préface du livre III, XXV (a. 410 à 415).
(3)... *et quotidie sancta Bethleem nobiles quondam utriusque sexus atque omnibus divitiis affluentes susciperet mendicantes ?*
(4) *Epist.*, CXXVII, 13.
(5) *Epist.* LXXVII, 8 « *tales festias* ».
(6) *De Officiis*, II, LXX-LXXI, 136 ; III, LXXXIV, 126.

surplus, Ambroise n'avait qu'une médiocre sympathie pour l'Orient en général [1], et en cela encore il restait bien dans l'authentique lignée romaine.

Quant à Prudence, son jugement personnel apparaît avec une netteté sans équivoque dans les vers que voici :

Sed tantum distant Romana et barbara, quantum
Quadrupes abiuncta est bipedi vel muta loquenti,
Quantum etiam, qui rite Dei praecepta sequuntur,
Cultibus a stolidis et eorum erroribus absunt [2].

Il y a la même distance entre le monde romain et le monde barbare qu'entre le quadrupède et le bipède, qu'entre la brute muette et l'être doué de la parole ; pareille différence aussi qu'entre ceux qui suivent fidèlement les préceptes divins — et les cultes absurdes et erronés.

RACINES DE CETTE HOSTILITÉ

Sur quelle substructure de sentiments reposait cette profonde antipathie, que les événements allaient se charger de corriger et de mettre au point ?

LE MÉPRIS DU BARBARE

D'abord sur le séculaire mépris du « civilisé » pour l'inculture des peuples qui connaissaient mal la langue latine, et surtout qui restaient étrangers aux mœurs romaines. Ce mépris, hérité des Grecs, était très vivace au cœur des Romains. Eux-mêmes, pourtant, n'avaient-ils pas été traités jadis de « Barbares » par les Grecs [3] ? Mais ils ne se privaient pas d'infliger la même dénomination dépréciative aux nations dont les formes de vie s'écartaient des leurs [4]. Une des disgrâces qui avaient paru le plus dures à Ovide exilé à Tomi, dans le Pont-Euxin, c'avait été l'obligation d'apprendre le gète [5]. Il prétendait même qu'il avait composé, non sans en rougir, un poème en gète, à la gloire d'Auguste, son bourreau [6]. Quant au géographe Pomponius Mela, il renonçait à énumérer certaines peuplades et certains fleuves de la région des Cantabres, sous prétexte que des lèvres romaines n'en sauraient articuler les noms [7].

Cet état d'esprit se renforçait, parmi les convertis, de raisons d'une autre sorte.

ROME DEVANT L'OPINION CHRÉTIENNE

En premier lieu, les chrétiens cultivés acceptaient sans mauvaise humeur la supériorité de Rome sur l'Univers, et en souhaitaient la perpétuité. C'était parmi eux une conviction très ancienne que leur

(1) *Epist.*, LXIX, 6.
(2) *Contra Symmachum*, II, 816-819.
(3) Caton l'Ancien s'en irritait : cf. PLINE, *Hist. nat.*, XXIX, VII, 14.
(4) Cf. A. EICHHORN, *Barbarus quid significaverit*, Leipzig, 1904 ; J. JUETHNER, *Hellenen und Barbaren*, coll. *Das Erbe der Alten*, N. F. t. VIII, Leipzig, 1921 ; Hans WERNER, *Barbarus*, dans les *Neue Jahrbücher für das Klass. Altertum*, t. XLI, 1918, p. 389-408.
(5) *Tristes*, III, XIV, 17.
(6) *Pontiques*, IV, XIII, 19.
(7) III, 15 : *Cantabrorum aliquot populi amnesque sunt, sed* quorum nomine nostro ore concipi nequeant.

foi elle-même bénéficiait largement de la grande unité romaine. Même au temps des persécutions, et en dépit de certains courants foncièrement hostiles à la Rome-Babylone, toute souillée du sang des martyrs [1], leurs protestations de loyalisme n'étaient pas des *verba atque voces*. A plus forte raison avaient-elles atteint un très haut degré de conviction et de sincérité, depuis que l'Empire était devenu chrétien. Ils appréciaient, comme tous les citoyens raisonnables, le bienfait de cette *pax romana* que Sénèque avait été jadis le premier à nommer [2]. « En quelque lieu que j'aborde, remarque l'historien Orose, n'y connaîtrais-je personne, je suis tranquille, je n'ai pas de violences à redouter. Je suis un Romain parmi des Romains, un chrétien parmi des chrétiens, un homme parmi des hommes. La communauté de lois, de croyances, de nature, me protège : je retrouve partout une patrie » [3]. Saint Ambroise observe, de son côté, non sans un optimisme qui étonne, que l'on ne voit plus de ces guerres civiles qui jadis déchiraient la patrie [4].

Mais ils avaient une raison, que les « païens » n'avaient pas, de bénir et d'aimer l'hégémonie romaine. C'est qu'elle avait facilité largement la diffusion de la religion du Christ à travers le monde, en lui épargnant de se heurter à des nationalismes plus ou moins susceptibles. « Didicerunt omnes homines, *sub uno terrarum imperio viventes*, unius Dei omnipotentis imperium fideli eloquio confiteri [5] ». En un certain sens, l'Empire romain avait joué un rôle providentiel, et l'unité politique qu'il avait fondée et maintenue avait préparé de loin la magnifique unité promise à la foi [6].

Une autre croyance, depuis longtemps fort répandue, inscrivait dans les cœurs une angoisse à laquelle bien peu devaient échapper. On admettait que si la Ville Éternelle succombait quelque jour, ce désastre annoncerait la fin du monde. Dès le début du IVe siècle, Lactance écrivait dans ses *Institutions divines* [7] : « Il paraît visible que le monde est menacé d'une chute prochaine ; et la seule circonstance qui puisse annuler notre

(1) Cf. H. Weinel, *Die Stellung des Urchristentums zum Staat*, Tubingue, 1908.
(2) *De Providentia*, v.
(3) *Adversus paganos*, V, I, 14 ; cf. VI, I, 8. Le rhéteur Aelius Aristide avait développé éloquemment les mêmes considérations, dans son *Éloge de Rome* (XXVI, 71). Voir A. Boulanger, *Ælius Aristide*, Paris, 1923, p. 356 ; W. Gernentz, *Laudes Romae*, diss. Rostock, 1918 ; H. Fuchs, dans *Neue philol. Untersuchungen*, t. III, 1926, p. 196.
(4) *Enarr. in Ps.*, XLV, 21-22.
(5) Saint Ambroise, *ibid.*, 21.
(6) Cette idée devient un *leit-motiv* de l'apologétique chrétienne dès la fin du IVe siècle : Prudence, *Perist.*, II, 413 ; *Contra Symm.*, II, 580 ; Orose, *Adversus paganos*, III, VIII, 5 ; VI, I, 5 ; 22, 5 ; Cyrille d'Alexandrie, *in Isaiam*, I, 2 ; Id., *Comm. in Mich.*, XXXIX ; saint Jérôme, *in Ps.*, I ; *in Mich.*, IV ; saint Jean Chrysostome, *in Ps.*, XLV, 3 ; Prosper, *de Vocat. omnium Gentium*, II, 16. Le pape saint Léon Ier, au Ve siècle, l'exprimera encore, dans son fameux sermon LXXXII (*P. L.*, LIV, 422), sous une forme très claire : « Il convenait tout spécialement à l'œuvre divinement préparée, que de nombreux royaumes soient réunis en un seul empire, afin qu'une prédication générale pût atteindre rapidement tous les peuples que le gouvernement d'une seule ville tenait groupés... » (*quos unus teneret regimen civitatis*).
(7) VII, XXV, 5.

crainte, c'est que la ville de Rome subsiste encore dans un état florissant. Mais quand cette capitale de l'univers aura été renversée et qu'elle ne sera plus qu'un amas de ruines (selon la prédiction des Sibylles), il ne restera plus aucune raison de douter que la fin de l'univers ne soit arrivée. *Cette seule ville conserve et soutient tout* »[1]. Saint Jérôme partageait la même conviction[2]; on a vu qu'il prenait prétexte de cette formidable menace pour envier le bonheur de ceux qui y avaient échappé par la mort[3], ou pour dénoncer la puérilité de quiconque s'attardait encore à un rêve de bonheur humain[4].

Il n'était pas jusqu'à certains textes mystérieux de la Bible qui, au gré de quelques-uns, ne parussent favoriser l'idée d'une menace suspendue sur la vie même de l'univers. Il est question à diverses reprises, dans l'Ancien Testament, de Gog et de Magog. Magog est cité dans la *Genèse* (x, 2) comme un des sept fils de Japhet. Dans le tableau que trace Ézéchiel des luttes qu'aura à soutenir le théocrate futur, il est dit (xxxviii, 2 et suiv.) : « Fils de l'homme, tourne ta force vers Gog, au pays de Magog, prince souverain de Mosoch et de Thabal, et prophétisé par lui, et dis... ». Gog est présenté dans ce qui suit, à la fois comme l'instrument de la volonté divine et comme poussé par de mauvais desseins. Venu des confins du Septentrion, il assaillira un jour avec une armée immense le peuple d'Israël. — Enfin, dans l'*Apocalypse* (xx, 7-8), il est fait encore une allusion à Gog et à Magog, lancés par Satan, *à la fin des temps*, contre le peuple de Dieu.

Quels étaient le prince et la nation mystérieuse visés ainsi par l'Écriture Sainte ? Josèphe, l'historien juif, songeait déjà aux Scythes[5]. Quand les barbares commencèrent à entamer les frontières de l'Empire romain, Juifs et chrétiens furent tentés de reconnaître en Gog et Magog les peuples du Nord, spécialement les Goths. C'est l'interprétation de Saint Ambroise, dans le *De Fide*, « *Gog iste Gothus est, quem iam videmus exisse, de quo promittitur nobis futura victoria, dicente Domino*, etc... [6] » ; et cette interprétation persista longtemps, bien que combattue par saint Jérôme[7] et par saint Augustin[8]. Elle tendait à faire considérer le déferlement des Goths sur l'Empire comme un signe précurseur de la catastrophe finale, à l'idée de laquelle frissonnaient les plus intrépides.

(1) *Illa est civitas quae adhuc sustentat omnia.*
(2) Voy. *Epist.*, lxxi, 11 (à propos de l'*Épitre* de saint Paul aux Thessaloniciens, II, ii, 5).
(3) *Epist.*, lx, 15 (*Epitaphium Nepotiani*) : « ... *ut non tam plangendus sit, qui hac luce caruerit, quam congratulandum ei, quod de tantis miseriis evaserit* ».
(4) Cf. p. 5.
(5) *Antiq. Jud.*, I, vi, 1.
(6) *De fide*, II, xvi, 128.
(7) *Quaest. Hebr. in Gen.*, x, 2 : « Scio quendam Gog et Magog ad Gotorum nuper in terra nostra vagantium historiam rettulisse ; quod utrum verum sit, praelii ipsius fine monstratur, et certe Gothos omnes retro eruditi magis Getas quam Gog et Magog appellare consueverunt ».
(8) *De Civitate Dei*, XX, xi.

L'ÉVOLUTION DU SENTIMENT CHRÉTIEN. Cependant les progrès des envahisseurs s'accentuaient d'une année à l'autre ; et l'univers durait toujours...

Les églises allaient-elles s'enfermer dans le regret du passé, jeter le *nescio vos* aux maîtres de l'heure, admettre que, lié jusque-là à une civilisation qui s'affaissait visiblement, le christianisme devait courir la chance d'une désagrégation parallèle ? Une pareille attitude se décela vite impossible et insoutenable.

De fort bonne heure, on vit se dessiner dans certains esprits l'évolution qui devait rapprocher le christianisme des peuples conquérants. Cette tendance est déjà sensible chez l'historien Orose. Certes, Orose aime la *Romania* ; il paraît en croire les bases solides encore. Mais il estime que les Barbares sont perfectibles, qu'une occasion providentielle s'offre de les mettre en contact avec la vraie foi. Ils commettent des horreurs : oui, sans doute. Au moins ne sont-ils pas incapables de s'en repentir. En somme, sans que sa pensée sur l'avenir de l'hégémonie latine se dégage bien nettement, Orose est déjà à demi résigné à des vicissitudes dont la génération précédente, pleine de colère et de mépris, n'aurait pu accepter la perspective sans révolte.

Vingt-cinq ans plus tard, vers 445, les progrès des Barbares sont devenus trop évidents, leur force s'est trop brutalement affirmée, pour qu'aucun observateur doué de quelque perspicacité puisse conserver le moindre doute sur la déchéance finale de l'État romain. Déjà ils tiennent la plus grande partie de la Gaule, l'Espagne et l'Afrique ; chaque année, les territoires indépendants se rétrécissent davantage. Bien des âmes se désespéraient de voir les envahisseurs ariens ou païens battre les armées catholiques. C'est alors que le prêtre Salvien, de Marseille, convia énergiquement les Romains (le « *Romanus* », à l'époque des invasions et des établissements germaniques, c'est l'habitant, parlant latin, d'une partie quelconque de l'Empire) à faire leur examen de conscience, et à se demander si, de posséder la foi catholique devait vraiment suffire à leur attirer les bénédictions célestes, alors qu'ils s'y conformaient si peu. En un long tableau, où abondent les traits pittoresques, il opposa les vices de la civilisation romaine aux qualités, mêlées de défauts sans doute, mais indiscutables, des peuplades victorieuses. Ce parallèle saisissant se poursuit jusqu'au bout de l'œuvre. Aux Romains, il attribue toutes les difformités morales, l'ivrognerie, le mensonge, l'orgueil, la luxure, les faux serments. Chez les envahisseurs, en revanche, Salvien découvre maintes vertus. Ils s'aiment les uns les autres, tandis que les Romains ne pensent qu'à se persécuter réciproquement. On voit des pauvres, des veuves, des orphelins qui préfèrent s'en aller vivre au milieu des Goths et des « Bagaudes » et que ce choix ne déçoit point. Ils sont chastes, surtout les Goths et les Saxons. Ils ignorent les impuretés du cirque et du théâtre. Chez eux, la débauche est un crime, tandis que les Romains s'en font gloire. Ils ont exterminé, par certaines mesures radicales, en Afrique spécialement, des horreurs dont les Romains ne rougissaient pas. — Qu'ils soient hérétiques, il n'y faut point contredire, mais cela encore est la faute des Romains : car leur hérésie, c'est d'eux, après tout, qu'ils l'ont reçue.

Cette comparaison entre la *Romania* et la barbarie, toute à l'honneur de celle-ci, marque un nouveau développement de l'état d'esprit dont nous avons trouvé chez Orose les premiers vestiges. Notons qu'avec sa verve haute en couleur et ses paradoxes enflammés, Salvien exagère sans aucun doute la vertu des Barbares : une ou deux générations après la sienne, saint Césaire d'Arles montrera au vif leur bestialité et leurs penchants dépravés. C'est Salvien qui est, pour une large part, responsable de la thèse chère aux historiens d'outre-Rhin et un peu naïvement accueillie par Montalembert, d'après laquelle l'immixtion des Barbares aurait régénéré les populations romaines, physiquement et moralement. Mais enfin, telle est la tendance générale du *De gubernatione Dei*. Salvien constate que la *respublica* est déjà morte, ou du moins qu'elle n'a plus que le souffle (*vel certe extremum spiritum agens*) : se lie-t-on à une morte ?

Sans qu'il y ait lieu de supposer que Salvien ait reçu mandat de parler ainsi, son témoignage décèle que, dans les milieux catholiques, quelques-uns se résignaient déjà à l'acceptation du nouvel état de choses [1].

MOTIFS QUI L'ONT COMMANDÉE Parmi les motifs qui, plus ou moins consciemment, ont pu commander l'évolution du sentiment chrétien à l'égard des Barbares, on discerne ceux que voici.

D'abord, un état de fait dont il fallait bien s'accommoder et tirer le meilleur parti possible. Les Barbares étaient les maîtres. Sur quoi, dans le désordre universel, dans la déroute des institutions régulières, une résistance quelconque aurait-elle pris son point d'appui ? De quelle rénovation chimérique aurait-elle pu concevoir le rêve ? Il n'était donc que de regarder la situation en face, de s'adapter à elle et, puisque la vie ne pouvait suspendre son cours, de sauver tout ce qui était susceptible de l'être encore.

Au surplus, à bien examiner des contingences apparemment si désespérantes, un certain optimisme n'était pas interdit ; quelques lueurs lointaines couronnaient ces horizons si sombres. Quoique terriblement ébranlé par les lois impériales, le « paganisme » couvait encore : les res-

(1) Au terme de cette évolution, on verra ISIDORE DE SÉVILLE (576-636) considérer les Goths comme son peuple et les louer d'avoir reconquis les côtes d'Espagne sur les Byzantins (*M. G. H.*, dans *Auctores Antiquissimi*. t. XI, p. 267).

taurations promises ou tentées par Julien, par Eugène, n'étaient pas tellement lointaines qu'on ne pût craindre un renversement politique qui favoriserait de nouveau l'ancien culte. Or, avec la victoire des Barbares, ce danger s'évanouissait définitivement. L'aristocratie était ruinée, dispersée ; le monde des écoles réduit à peu près au silence[1]. Les meilleurs étais de la vieille religion s'affaissaient l'un après l'autre. Tout un système d'idées, de croyances, d'intérêts apparaissait condamné définitivement. — Cela d'autant plus que nul appui ne lui était accordé du côté des barbares. Parmi ceux-ci, les uns gardaient leur religion nationale, leurs divinités guerrières et farouches. D'autres se faisaient ariens, ou persévéraient dans l'hérésie que déjà leurs pères avaient adoptée. Beaucoup enfin passaient au christianisme orthodoxe. Mais les cultes gréco-romains, pour autant qu'ils subsistaient encore, ne semblaient exercer sur leur imagination aucun attrait.

D'autre part, la hiérarchie catholique ne pouvait manquer de s'apercevoir que sa position personnelle ne cessait de grandir, que son rôle social devenait prépondérant. Elle se sentait bien plus libre, bien plus puissante en face de la force divisée, éparpillée, incohérente des Barbares qu'elle ne l'avait été dans la puissante organisation de l'État romain. Avec sa structure régulière, sa solidarité, sa maîtrise sur les âmes, elle représentait l'ordre — dont tous sentaient confusément le besoin — et quelque chose aussi de plus prestigieux encore que l'ordre, le droit de parler au nom de Dieu et d'appeler, si besoin était, la vindicte céleste sur quiconque méconnaîtrait son autorité.

Quand l'évêque était — ce qui se produisait souvent — un grand personnage qui gardait quelque chose de la culture et du bien-dire jadis traditionnels chez tout Romain de bonne extraction, il intimidait facilement le Barbare ; et plus d'une fois sa souple diplomatie, s'exerçant de préférence auprès des familles royales, amenait la conversion, non pas seulement d'un prince ou d'une princesse, mais avec eux de toute une peuplade.

Certes, il arrivera une époque où l'Église sentira durement la tutelle des rois ariens, où, même chez les peuples catholiques, le clergé devra au souverain le *iuramentum fidei*, où les évêques ne seront point nommés sans son approbation, où les conciles ne pourront se réunir que s'il le permet. Mais, avant la consolidation des royaumes barbares et de l'hégémonie des princes, la puissance de la force spirituelle était prépondérante et le resta longtemps.

Enfin, cette mise en contact du monde barbare avec le monde romain, si brutale qu'elle eût été parfois, aurait du moins ce résultat de permettre l'évangélisation de masses considérables qu'il était naguère si difficile

(1) Cf. P. de Labriolle, *La réaction païenne*, Paris, 1934, p. 335-368.

d'atteindre. De ce point de vue, tel apologiste n'hésite pas à louer la Providence d'avoir déchaîné de cruelles épreuves, puisqu'elles ne pourront manquer d'apporter comme contre-partie des conquêtes riches de promesses et fécondes en consolations [1].

C'est ainsi qu'à l'abattement des premiers désastres succéda insensiblement une certaine confiance dans un avenir meilleur. Il demeurait aisé d'expliquer à ceux qui en avaient souffert dans leurs intérêts ou dans leur fierté que c'étaient l'impureté, l'*avaritia*, l'oubli de Dieu qui leur avaient valu ces épreuves et qu'au lieu de s'y laisser abattre ils feraient bien mieux d'en profiter en changeant de vie [2].

SURVIVANCES DES VIEILLES ANTIPATHIES

Il ne faudrait d'ailleurs pas croire que les répugnances latines à l'égard des envahisseurs aient totalement disparu, même quand, sous diverses formes, un *modus vivendi* se fut établi. C'est ainsi que Césaire d'Arles, si zélé pourtant à endoctriner les nouveaux venus, se fait dans un de ses sermons [3] l'écho de l'anecdote suivante. Au cours de leur passage d'Asie en Europe, raconte-t-il, les Goths abandonnèrent celles de leurs femmes qui étaient trop laides, afin de ne pas compromettre la pureté de leur race. « Ces malheureuses, errant dans les forêts, furent assaillies par des démons incubes. *Et c'est de ces unions furtives que sortit la nation des Huns* ». — On sait aussi avec quel dédain Sidoine Apollinaire parle des Burgondes — dont pourtant il ne méconnaît pas l'humeur pacifique — de leurs cheveux brillantés de beurre rance, de leur haleine empuantie d'ail [4]. Tout Romain de bonne race devait éprouver parfois le même genre de répulsion physique [5]. Sans doute comprenait-il aussi qu'il eût été puéril de se laisser dominer par des impressions de cette qualité.

Y EUT-IL UN « PLAN » DE CONQUÊTE ?

La conquête chrétienne des barbares a-t-elle fait l'objet d'un plan systématique, de bonne heure arrêté en ses traits généraux ? L'Église a-t-elle fixé tout de suite une ligne de conduite, qu'elle ait imposée de haut en bas à tous ses porte-parole ? On pourrait le croire, à lire les ouvrages, si vivants encore, du sincère et éloquent Ozanam. Mais il y a là une part évidente de fiction. Ozanam donne trop complaisamment à des idées plus ou moins implicites, à des résolutions qui furent prises au jour le jour, le caractère de projets fermes, suivis persévéramment à

(1) OROSE, *Adversus paganos*, VII, XLI.
(2) *Ibid.*, VII, XXXVII.
(3) III, 12.
(4) *Carm.*, XII (*M. G. H.*, *Auct. Antiq.*, t. VIII, p. 230 et suiv.).
(5) Salvien lui-même, pourtant plein de complaisance à l'égard des barbares, n'avait pu se tenir de noter leur « fétidité » (V, XXI).

travers plusieurs siècles. On a plutôt l'impression d'une élaboration un peu tâtonnante, guidée de loin et de haut par des principes, à coup sûr, — mais qui plus d'une fois se ralentit ou s'égara. Chaque réussite a son histoire, ses péripéties, son intérêt propre.

LES FACTEURS DU SUCCÈS

Si l'on cherche à en dégager les éléments communs, les causes générales, on arrive à certaines conclusions qu'il suffira d'indiquer brièvement ici.

Tout d'abord, le catholicisme fut servi par sa forte organisation. Même pendant les périodes les plus troublées, dès qu'une légère accalmie le permettait, les évêques se réunissaient, délibéraient ensemble, fixaient les articles de la discipline et les modalités de la vie cultuelle. L'historien qui négligerait, pour le ve et le vi^e^ siècle, les collections conciliaires, laisserait une lacune importante se creuser dans son information. Rien que dans l'empire des Wisigoths, de 419 à 540, on relève dix réunions épiscopales. — A mesure que les « paroisses » surgissaient ici et là [1], l'action sociale du clergé se développait efficacement. Les églises disposaient souvent d'assez larges ressources. C'était là un des éléments de leur force, car les grandes œuvres ne se font pas seulement avec du dévouement.

Nous avons déjà signalé combien était grand le prestige de l'évêque. Il n'était pas seulement un dignitaire, un administrateur, mais aussi un être sacré, un « homme apostolique », et il avait en main l'arme terrible de l'excommunication. La façon dont le clergé réussit en maint endroit à faire passer les populations d'un culte idolâtrique à un culte orthodoxe, d'une fête suspecte à une fête sanctifiée par quelque saint patronage, décèle un art de combinaison, d'ajustement, de substitution, tout à fait remarquable.

A côté du clergé séculier, la milice monastique exerçait une action profonde sur les imaginations et sur les cœurs. Le monachisme occidental bénéficia de l'inestimable bienfait de recevoir dès avant le milieu du vi^e^ siècle cette fameuse *Règle* de saint Benoît qu'on a définie « un des plus parfaits chefs-d'œuvre de la sagesse romaine inspirée par l'esprit chrétien ». « Le seul lieu où les hommes et les femmes redoutant le contact d'un monde pervers purent trouver un asile, remarque Ferdinand Lot, ce fut le cloître. Le monastère réalisa sur cette terre la Cité de Dieu. Au dehors, c'était le règne de la violence et du péché, — le siècle [2] ! »

Tout ce grand corps de la chrétienté, évêques, prêtres, moines, moniales, fidèles, était réglé, « modéré », au sens latin du mot, par la papauté. Non qu'elle intervînt alors très assidûment dans le gouvernement des églises : Grégoire de Tours ne mentionne que sept fois l'évêque de Rome

(1) Cf. le chapitre « la Vie chrétienne en Occident ».
(2) *La fin du monde antique*, p. 464.

dans son *Histoire des Francs* et ses autres écrits. Mais la situation morale du Saint-Siège était sans rivale. C'est aux bords du Tibre, a-t-on remarqué, que, depuis des siècles, les hommes étaient habitués à chercher une pensée directrice. Même après tant d'épreuves, la majesté de Rome restait intacte : « Ce sont les saints Apôtres (Pierre et Paul), dira saint Léon Ier, qui ont fait de toi la nation sainte, le peuple choisi, la Cité sacerdotale et royale qui, par le siège du bienheureux Pierre, es devenue la citadelle du monde, de telle sorte que ta suprématie spirituelle s'étend plus loin que (ne s'étendait) ta domination terrestre [1] ». La papauté soutint, orienta plus d'une fois l'activité conquérante de la foi chrétienne. Dès 431, le pape Célestin envoyait à l'Irlande son premier évêque ; en 429, il expédiait Germain d'Auxerre vers la Bretagne, fort travaillée alors par le pélagianisme. En 597, Grégoire Ier dépêchera aux Bretons l'abbé Augustin, qui devait mourir en 605 archevêque de Canterbury. Et la Bretagne, devenue catholique-romaine, engendrera un Anglo-Romain, Boniface, lequel, au temps de Grégoire II, et en constante liaison avec ce pape, donnera la Germanie à l'Église et à la papauté.

C'est ainsi que fut évité le péril qui avait menacé l'Église catholique, soumise à tant de puissances diverses et souvent hostiles l'une à l'autre : celui de se morceler, de se *nationaliser*, de perdre le sentiment de son unité. Tel fut le sort de l'arianisme, et l'un des secrets de sa défaite finale. L'Église y échappa et continua d'incarner, aux regards des « Romains », l'ancienne majesté œcuménique de l'Empire.

Mais il convient d'étudier à part les diverses fortunes de la foi catholique, selon les divers pays d'Occident où s'étaient abattues ou infiltrées les invasions.

§ 3. — Les pays danubiens.

LA PREMIÈRE ÉVANGÉLISATION DES GOTHS

Il ne faut pas croire que les Goths n'aient jamais connu le christianisme que sous sa forme arienne. Dès le IIIe siècle, certains éléments des tribus gothiques avaient été initiés au catholicisme, soit par des prisonniers qu'ils avaient ramassés lors de leurs razzias du côté de la Cappadoce [2], soit peut-être par des missionnaires venus parmi eux dans l'espoir de les convertir. « Ce sont, remarque Jacques Zeiller [3], ces Goths catholiques qui eurent à souffrir du roi Athanaric, encore païen, une persécution dont le souvenir s'est conservé et

(1) « *Ut... per sacram beati Petri sedem caput orbis effecta, latius praesideres religione divina quam dominatione terrena* » (*Sermo* LXXXII).
(2) PHILOSTORGE, *Hist. eccl.*, II, V. Cf. saint BASILE, *Epist.*, CLXIV et LXX.
(3) *Miscellanea Isidoriana homenaje a S. Isidoro de Sevilla*, Rome, 1936, p. 288. Cf. du même auteur *Les origines chrétiennes dans les provinces danubiennes de l'Empire romain*, Paris, 1918, ouvrage fondamental sur l'arianisme parmi les Goths.

qui fit des martyrs honorés par l'Église, tels que Bathusios et Verca, Niceta et Saba, le plus célèbre peut-être des martyrs goths. L'*Historia de regibus Gothorum* d'Isidore de Séville est une des sources qui nous renseignent sur cette persécution ; elle est d'ailleurs loin d'être la seule puisque, sans parler des Passions de martyrs, on peut recueillir des indications ou au moins des allusions à ces événements des premiers temps de l'histoire chrétienne des Goths dans saint Ambroise [1], saint Jérôme [2], saint Augustin [3], Socrate [4] et Sozomène [5] ». Un certain nombre de Goths ainsi convertis furent chassés au delà du Danube par Athanaric, et s'installèrent à l'intérieur de l'Empire. Quand la masse des Goths s'ébranla sous la pression des Huns, et franchit à son tour le Danube, elle essaya d'entraîner ces compatriotes catholiques, exilés une trentaine d'années auparavant, et de les associer à ses pillages : ceux-ci résistèrent, parfois au péril de leur vie, et voulurent rester *in concordia Romanorum a quibus dudum excepti fuerant* [6].

ULFILA

La plus grande partie de ces peuplades fut gagnée à l'arianisme grâce au fameux Ulfila (311-383) qui, consacré évêque par Eusèbe de Nicomédie, se constitua parmi eux le propagateur de la doctrine dont il avait reçu de celui-ci la tradition [7]. En dépit des insinuations de l'historien Sozomène [8], Ulfila avait une culture théologique très suffisante pour discerner les différences dogmatiques qui opposaient Nicéens, semi-Ariens et Ariens. Sa profession de foi, qui figure dans la *Lettre* de l'évêque arien Auxence de Durostorum [9], est d'une netteté qui ne laisse rien à désirer.

Je crois en un seul Dieu le Père, ***seul*** inengendré et invisible, et en son Fils unique, Notre-Seigneur et notre Dieu, artisan et auteur de toute créature, qui n'a pas son semblable. Par conséquent, *il n'y a qu'un seul Dieu de tous, le Père*, qui est aussi le Dieu de notre Dieu, et un seul Esprit saint, vertu illuminatrice et sanctificatrice, ... qui n'est ni Dieu, ni Seigneur, mais ministre fidèle du Christ, non égal, mais soumis et obéissant en tout à Dieu le Père, tout en lui étant semblable, selon les Écritures.

Semper sic credidi : telle a toujours été ma croyance, affirmait Ulfila.

Ulfila, qui savait le goth (son nom même trahit une origine germanique) traduisit en cette langue la presque totalité de la Bible [10] et admit

(1) *Expos. Evang. sec. Lucam*, II, 37.
(2) *Chronique*, édit. SCHŒNE, t. II, p. 197.
(3) *De Civit. Dei*, XVIII, LI-LII.
(4) *Hist. eccl.*, IV, XXXIII.
(5) *Hist. eccl.*, VI, XXXVII.
(6) ISIDORE DE SÉVILLE, *Hist. Gothorum* (édit. MOMMSEN, *M. G. H.*, *Auct. Antiq.*, t. XI, p. 271-272). Cf. ZEILLER, *art. cité*, p. 289.
(7) Cf. t. III, p. 497-499.
(8) *Hist. eccl.*, VI, XXXVII. Sozomène l'accuse « d'irréflexion ».
(9) Cette lettre est insérée dans la *Dissertatio Maximini contra Ambrosium* publiée par F. KAUFFMANN (*Texte und Untersuchungen zur altgermanischen Religionsgeschichte*, I, Strasbourg, 1899), cf. p. 76. Voir sur certaines bévues qui s'y décèlent, l'article de Dom MORIN, dans *Revue bénédictine*, juillet 1922, p. 224-233.
(10) Sauf le *Livre des Rois*, dit l'historien PHILOSTORGE (II, V). Cf. t. III, p. 498, n. 2.

le goth dans la liturgie [1]. Son action évangélisatrice fut efficacement soutenue par Valens : celui-ci, sur la prière du chef wisigoth Fritigern, envoya aux Wisigoths des catéchistes ariens, en même temps qu'il les autorisait à s'installer sur la rive droite du Danube.

L'ARIANISME ET LA LÉGALITÉ

Les lois impériales portées à partir de Théodose et qui interdisaient aux Ariens de l'Empire de tenir des réunions du culte purent gêner quelquefois le développement de l'arianisme, mais elles ne réussirent pas à le paralyser.

Au surplus, en 386, l'impératrice Justine, mère du jeune Valentinien II, arienne elle-même, fit rendre, à Milan, un édit qui autorisait la profession de foi de Rimini ; et cet édit devait être accueilli dans le *Code Théodosien*, lorsqu'il fut compilé vers 438 [2]. Toutefois les Ariens ne pouvaient, en principe, posséder d'églises qu'en dehors des villes. Il est probable qu'ils trouvèrent plus d'une fois le moyen de tourner la loi [3]. Puis, dans les zones frontières, les lois religieuses édictées par les empereurs ne pouvaient guère être appliquées.

LA DIFFUSION DE L'ARIANISME

La migration du monde barbare allait faire rouler une vague d'arianisme, partie des provinces danubiennes, sur tout l'Occident [4]. L'arianisme fit tache d'huile dans le Bas-Danube et dans les diverses contrées occidentales successivement envahies. Les Wisigoths le transmirent aux Ostrogoths, et ceux-ci, émigrant de la Pannonie en Italie, donneront à la secte son plus puissant protecteur, Théodoric. Les Gépides le connurent à leur tour [5], puis les Vandales qui, partis de la Germanie septentrionale, traversèrent la région du Danube moyen avant de gagner les provinces occidentales de l'Empire. Les Ruges, venus de la Baltique, le reçurent des Gépides, quand ils aidèrent ceux-ci à détruire l'empire des Huns [6] ; et des Ruges, il passa aux Alamans, puis aux Thuringiens, finalement aux Lombards.

LA CONTRE-ACTION CATHOLIQUE

Naturellement, les peuples barbares ne furent pas livrés à la propagande arienne, sans que se fît sentir aucune tentative de réaction du côté catholique. D'un plan concerté de contre-attaque, il ne semble pas qu'il

(1) *Grecam et latinam et gothicam linguam sine intermissione in una et sola ecclesia Cristi predicavit* (AUXENTIUS, *De fide, vita et obitu Wulfilae*, édit. KAUFFMANN, p. 305).
(2) *Code Théodos.*, XVI, I, 4 (21 janvier 386).
(3) Nestorius découvrit à Constantinople une église arienne clandestine : cf. SOCRATE, *Hist. eccl.*, VII, XXIX.
(4) Cf. J. ZEILLER, *Les origines chrétiennes dans les provinces danubiennes*, p. 534 et suiv.
(5) JORDANES, *De rebus Get.*, XXV.
(6) JORDANES, *De rebus Get.*, CCLXI.

puisse être question. Mais les initiatives vigoureuses, conquérantes, ne manquèrent pas.

A Constantinople, saint Jean Chrysostome se préoccupa d'assurer aux Goths catholiques qui y résidaient des prêtres, des diacres ou des lecteurs capables de les endoctriner dans leur langue ; il n'hésitait pas à aller leur porter lui-même la parole, avec l'aide d'un interprète qui traduisait immédiatement ses exhortations. Un certain nombre d'Ariens furent ainsi convertis par lui, si l'on en croit Théodoret [1]. Il y eut même au monastère de Promotus, à Constantinople, un centre religieux gothique.

L'historien donne certaines indications qui prouvent que Jean se préoccupait d'envoyer des missionnaires parmi les nomades habitant le long du Danube, en qui l'on peut reconnaître des Ostrogoths non encore évangélisés [2].

Parmi les propagateurs de la foi catholique dans les milieux ariens, il faut citer encore un des fidèles soutiens de saint Jean Chrysostome, Théotime de Tomi qui, nous dit Sozomène [3], « avait gagné à ce point l'admiration des barbares Huns qui habitaient sur les rives de l'Ister qu'ils l'appelaient « le dieu des Romains », car ils avaient l'expérience des actes divins qu'il accomplissait » ; et Niceta de Remesiana (Palanka) dont l'activité évangélisatrice se déploya en Dacie intérieure, et s'étendit certainement au delà. C'est à lui que Paulin de Nole adressa ces jolis vers [4] :

Orbis in mula regione, per te
Barbari discunt resonare Christum
Corde romano placidamque casti
Vivere pacem.

SAINT SÉVERIN

Plus tard, vers le milieu du ve siècle, saint Séverin [5] commença dans le Norique et en Dacie un apostolat qui ne devait pas durer moins d'une trentaine d'années. On ne savait presque rien de ses origines, mais sa parole enflammée, ses prédictions souvent réalisées, sa charité toujours en éveil, lui assurèrent une popularité immense, encore que, selon les vraisemblances, il n'ait même pas appartenu au clergé. Vers 455, il construisit un monastère à peu de distance de Favianae et y attira des recrues — Romains, indigènes du Norique, étrangers venus de loin — dont il fit ses collaborateurs. Il soignait les malades, opérait des guérisons merveilleuses ; mais il était

(1) *Hist. eccl.*, V, xxx.
(2) *Ibid.*, V, xxxi.
(3) *Hist. eccl.*, VIII, xxvi.
(4) *Carmen*, xvii, 257 et suiv.
(5) Cf. André Baudrillart, *Saint Séverin*, Paris, 1908, dans Coll. *Les Saints*. La biographie de Séverin fut racontée par Eugippius, son disciple, en 511 (édit. Sauppe, dans les *M. G. H.*, *Auct. Antiq.*, t. I, ii, 1877).

encore plus expert à purifier les âmes. Barbares et Romains le choisissaient volontiers pour arbitre ; il mettait un peu d'ordre dans l'universelle anarchie et, grâce à certaines dîmes habilement perçues, se créait des ressources pour soulager tant de misères. Quand la menace barbare (Goths, Hérules, Alamans, Ruges, Suèves) se faisait plus précise, c'est lui qui trouvait la tactique propre à la déjouer. Il n'essayait pas de convertir à tout prix. Mais son ascendant personnel apaisait les plus fanatiques. Sa mort, en 482, fut un deuil public et les désordres qui la suivirent firent comprendre ce qu'on avait perdu en le perdant.

« Si l'ensemble des Goths est resté arien jusqu'au milieu du VIe siècle, il y eut cependant chez eux, après leur passage en masse à l'arianisme, des conversions assez nombreuses pour que l'on puisse dire que les efforts de Chrysostome, de Théotime de Tomi, de Niceta de Remesiana et de leurs émules ignorés parmi les envahisseurs des provinces danubiennes n'ont pas été inutiles [1] ».

CONSÉQUENCES POLITIQUES DE L'ARIANISME CHEZ LES BARBARES

Que ces peuples aient en forte majorité reçu la foi chrétienne selon les conceptions propres à Arius et à ses disciples, ce fut là un fait dont les conséquences allèrent fort loin.

Certes, à considérer les choses d'un regard superficiel, on eût pu croire que les différences entre les deux confessions, la catholique et l'arienne, n'étaient pas tellement considérables [2]. N'avaient-elles pas la même foi dans la Bible, que la diligence d'Ulfila avait fait connaître en sa quasi-intégralité aux Goths convertis ? Les mêmes rites, mise à part cette particularité, en soi peu répréhensible, du côté goth, de tenir les assemblées liturgiques la nuit ou de grand matin ? N'avaient-elles pas la même hiérarchie, le même baptême (sauf que la formule arienne ne s'ajustait pas à la formule catholique [3]) ? En fait, ces sensibles analogies recouvraient des dissentiments fondamentaux. D'abord, et c'était là le point crucial, la foi arienne en la personne du Christ n'était pas celle de l'Église. Puis les Ariens étaient hostiles aux moines [4] ; ils n'admettaient pas les vœux de virginité ; leur clergé ne vivait pas toujours dans le célibat ; on ne voyait guère de « saints » parmi eux. Bref, leur sensibilité religieuse comportait des nuances fort différentes de celle des catholiques et la supériorité de la « culture » était nettement du côté de ceux-ci. Même quand la persécution n'achevait pas d'aigrir les cœurs, nulle sympathie ne pouvait les incliner les uns vers les autres. La fusion

(1) J. ZEILLER, *Les origines chrétiennes dans les provinces danubiennes*, p. 571.
(2) Il est douteux que les Goths les aient perçues clairement : cf. SOCRATE, *Hist. eccl.*, IV, XXXIII, et PROCOPE, *Bell. Goth.*, IV, IV, 11.
(3) Les Ariens l'administraient « au nom du Père, *par* le Fils, *dans* le Saint-Esprit ».
(4) FULGENCE DE RUSPE, *Epist.*, IX.

des races en fut longtemps compromise, et un pernicieux germe de faiblesse s'implanta ainsi dans les nouveaux royaumes barbares. Étroitement asservis à chaque monarque, les églises ariennes qui n'avaient guère de lien entre elles, et dont l'extension était limitée par l'extension de chaque tribu ou de chaque royaume, luttaient avec désavantage contre la puissante solidarité catholique. C'est finalement sous le signe du catholicisme que se réalisera la compénétration des peuples germains et gallo-romains.

§ 4. — L'Espagne

L'ESPAGNE ENVAHIE

C'est vers 409 que les premières bandes de Barbares — des Alains, des Suèves, des Vandales — franchirent les Pyrénées, avec la complicité de Constantin III, l'« anti-César » que ses troupes avaient proclamé empereur dans les Gaules, et firent connaître à l'Espagne des horreurs qui jusqu'alors lui avaient été épargnées. Les Suèves et une partie des Vandales s'établirent dans le Nord-Ouest de l'Espagne, en Galice, les Alains à l'Ouest en Lusitanie, les Vandales dans le Sud, en Bétique. Au moment où un peu de calme semblait revenir, Ataulf, le roi des Wisigoths, pénétra à son tour en Espagne et s'installa dans la région de Barcelone.

Il ne saurait être question de résumer ici les luttes et les fluctuations de ces diverses peuplades à travers la péninsule ibérique ni les essais infructueux des Romains pour reconquérir leur ancienne province. Au surplus, les sources sont fort lacuneuses et se réduisent souvent à de brèves mentions de chroniqueurs [1]. Il faut limiter notre exposé aux vicissitudes de l'Église d'Espagne, jusqu'alors si prospère et si fortement organisée [2].

LE PRISCILLIANISME AUX Ve ET VIe SIÈCLES

Disons d'abord quelques mots des suites de l'affaire priscillianiste [3].

Elle avait trop vivement agité les esprits en Espagne et en Gaule pour que l'émotion ainsi soulevée s'apaisât aisément. Priscillien, mis à mort sur l'ordre de l'usurpateur Maxime, fut regardé comme une manière de saint par ses fidèles, surtout en Galice où presque tous les évêques passaient pour dévoués à ses idées [4]. Vers la fin du IVe siècle, la majorité de l'épiscopat orthodoxe sentit la nécessité de réagir. Un concile réuni à Tolède en septembre 400 sous la pré-

(1) Elles sont énumérées dans l'*Espagne chrétienne* de Dom H. Leclercq, Paris, 1905, p. 18-24. Voir aussi l'article *Afrique*, du même, dans le *Dict. d'Archéologie chrétienne et de Liturgie* ; F. Goerres, *Kirche und Staat im Westgotenreich bis auf Leovigild*, dans *Studien und Kritiken*, 1893 ; A. K. Ziegler, *Church and State in Visigothic Spain*, Washington, 1930.

(2) Leclercq dans *Dict. d'Archéologie chrétienne et de Liturgie*, t. I, col. 584.

(3) Bibliographie dans le tome III, p. 385.

(4) Sulpice-Sévère, *Hist.*, II, LI. Cf. la *Chronique d'Hydace*, chap. CXXXV.

sidence du métropolitain de Mérida n'hésita pas à déposer les suspects Quelques-uns vinrent à résipiscence (parfois avec des réserves), — en particulier Symposius, évêque d'Astorga, Dictinius d'Astorga, son successeur, et Paternus de Braga [1].

Quoique découronnée, la secte continuait de vivre en Galice, et elle suscita parfois quelques inquiétudes chez les hommes d'Église les plus qualifiés, d'autant plus que les incursions barbares paralysaient toute sérieuse contrainte et ne permettaient guère aux évêques de se concerter oralement. C'est vers cette époque que saint Augustin — qui jusqu'en 395 n'avait jamais entendu parler du priscillianisme [2] — commença à s'en préoccuper. Son disciple et ami Orose, qui était originaire d'Espagne et que l'invasion des Vandales avait chassé vers l'Afrique, lui adressa en 414 un *Commonitorium de errore Priscillianistarum et Origenistarum* où il le consultait sur le cas des Priscillianistes (et sur certaines théories origénistes). Augustin lui répondit quelques mois après, en 415 [3]. Depuis lors, il reparla assez souvent de cette doctrine [4], sur laquelle son opinion s'était formée. Toujours il la considère comme étroitement apparentée au manichéisme et au gnosticisme, et reproche à ses défenseurs de dissimuler leur vraie pensée par le mensonge systématiquement pratiqué. Cet apparentement, les adversaires du priscillianisme se plairont à le souligner tout au long du ve siècle. Il est fort difficile d'en repérer la trace dans les traités de Priscillien (ou d'Instantius, si c'est à Instantius qu'il faut les imputer) : en effet, la doctrine de la création *ex nihilo*, le dogme de la Rédemption y sont fermement maintenus, et des anathèmes y sont même lancés contre Mani [5] et les Manichéens [6]. On doit donc admettre, ou bien que, dès l'origine, un enseignement ésotérique contredisait ces déclarations quasi officielles ; ou bien que, progressivement, la secte s'était senti des affinités avec le manichéisme, au point que, vue du dehors, elle pouvait être, de bonne foi, confondue avec lui, malgré certaines divergences nullement insignifiantes [7]. Il est difficile d'en dire davantage, en l'absence de textes tardifs, authentiquement priscillianistes.

Toujours est-il que les autorités ecclésiastiques, sans être obsédées de la question priscillianiste, ne la perdirent pas de vue. Vers le milieu du ve siècle, elle paraît même les avoir assez sérieusement troublées. Deux évêques, Pastor et Syagrius, rédigèrent contre elle, le premier un *libellus*

(1) Cf. t. III, p. 390.
(2) Il l'avoue lui-même dans *Epist.*, CLXVI, 3, 7.
(3) *Ad Orosium contra Priscillianistas et Origenistas.*
(4) Dans le *De Anima et eius origine*, qui est de la fin de 419 ; dans le *Contra mendacium*, qui est de 420 ; dans le *De haeresibus*, qui est de 428 ; dans la lettre CCXXXVII à Ceretius, dont on ignore la date. Cf. *P. L.*, XLII ; *Corpus* de Vienne, t. XXV.
(5) *Traité I* (édit. SCHEPPS, p. 22).
(6) *Traité III* (édit. SCHEPPS, p. 39-40 ; 43).
(7) Cf. *supra*, p. 117.

in modum symboli où Priscillien était nommément flétri (l'opuscule a été repéré par dom Morin [1]), le second un *De Fide* (que cet érudit a également réussi à identifier [2]). En 446, l'évêque Turribius d'Astorga signala, dans une lettre à deux évêques espagnols, Hydace et Ceponius, l'usage pernicieux que les Priscillianistes faisaient des apocryphes [3]. Sans doute est-ce ce Turribius qui provoqua la réunion d'un concile, à Astorga, cette même année [4]. En outre, il alerta par lettre le pape Léon Ier qui, fort ému lui-même des révélations scandaleuses qu'il avait récemment recueillies de certains sectaires manichéens ou priscillianistes [5], engagea toute une correspondance avec les évêques d'Espagne pour les engager à se réunir, soit en un concile provincial — la Galice étant spécialement infectée — soit en un concile général, si les circonstances politiques le permettaient [6]. Effectivement, en 447, un concile se tint à Tolède et promulgua un symbole et dix-huit anathèmes [7].

Sous le poids de ces initiatives conjuguées, la secte dut être obligée de se terrer plus profondément. Mais elle chemina à petit bruit. En 536, la réponse du pape Vigile au métropolitain de Braga, Profuturus, montra que le clergé galicien en avait encore du souci [8]. En 563, le deuxième concile de Braga dut fulminer encore des anathèmes contre Priscillien, dont il associait le nom à celui de Mani, et menaça d'excommunication tout clerc, tout moine, tout laïc, qui adhérerait à leurs vues [9]. Ce fut le coup de mort du priscillianisme sur lequel, dès lors, le silence se fait.

LE PÉRIL ARIEN Les Suèves étaient païens, les Alains et les Vandales étaient ariens. Le vrai danger pour l'Église d'Espagne, ce ne fut pas tant le priscillianisme, dont les destinées restèrent, en somme, obscures et médiocres, que l'arianisme. Celui-ci, à certains moments, parut triompher et ne fut refoulé définitivement, vers la fin du VIe siècle, que par l'habile et courageuse diplomatie de quelques personnalités énergiques : un Martin de Braga, un Léandre de Séville surent tout à la fois agir sur les foules et gagner habilement les familles royales dont les foules, pour une large part, suivaient avec docilité les évolutions religieuses.

(1) *Revue bénédictine*, t. X, 1893, p. 385 ; t. XII, 1895, p. 388.
(2) *Ibid.*
(3) *P. L.*, LIV, 693.
(4) HEFELÈ-LECLERCQ, *Histoire des conciles*, t. II, 1re partie, p. 481. Il est fort possible, à dire vrai, qu'il n'y ait pas eu « concile », à proprement parler, et que Turribius se soit borné à dresser un formulaire orthodoxe et à recueillir les signatures épiscopales.
(5) *Sermo* XVI ; *Chronique* d'HYDACE, 448.
(6) La lettre XV est la seule qui nous soit parvenue des quatre lettres écrites a ce moment par Léon Ier (*P. L.*, LIV, 677).
(7) HEFELÈ-LECLERCQ, *op. cit.*, t. II, 1re partie, p. 484. Cf. J. A. ALDAMA, *El Simbolo Toledano*. I (*Analecta Gregoriana*, vol. VII), Rome, 1934. Y eut-il, peu après, un concile en Galice ? La chose est douteuse.
(8) JAFFÉ-WATTENBACH, 907 ; *P. L.*, LXXXIV, 829.
(9) HEFELÈ-LECLERCQ, *op. cit.*, t. III, 1re partie, p. 175 et suiv.

La persécution arienne ne prit jamais, en Espagne, le caractère de ténacité féroce qu'elle revêtait en Afrique. Mais elle couvait sourdement, avec des éruptions brusques. Sans parler des dévastations et des pillages dont s'accompagna la première invasion, le roi vandale Genséric infligea, dans ses dernières années, maints sévices aux catholiques.

LES SUÈVES

Après le départ des Alains et des Vandales pour l'Afrique (429), les Suèves restaient maîtres du pays, dont l'Empire romain ne gardait plus que la Tarraconaise et la Carthaginoise.

On sait qu'ils furent battus successivement par Théodoric II, roi des Wisigoths, lequel était censé agir contre eux au nom de l'empereur Avitus (456), puis par Euric, meurtrier de son frère Théodoric, qui agissait, lui, pour son propre compte, et se tailla un vaste royaume dont Toulouse fut la capitale (468-476).

Or les Suèves qui avaient eu un roi catholique en la personne de Rechiar de 448 à 456 et dont beaucoup s'étaient passivement conformés à la doctrine du souverain [1], une fois relégués en Galice et dans quelques parties de la Lusitanie, subirent l'influence de leurs vainqueurs. Fortement travaillés par un prêtre — ou un évêque — arien nommé Ajax [2], ils passèrent en masse à l'arianisme. Au surplus, leur roi, Rémismond, venait d'épouser une parente de Théodoric, et, devenu lui-même arien, les avait précédés dans cette voie (466).

EURIC

Ce fut un dur échec pour le catholicisme espagnol. Quand Euric eut établi sa domination sur la Tarraconaise et une bonne partie de l'Espagne du Nord et même de la Carthaginoise, il se refusa par fanatisme religieux aux concessions qui lui auraient si aisément concilié les populations hispano-romaines.

Si l'on en juge par ce que Sidoine Apollinaire nous dit de ses sentiments à l'égard des catholiques, et de ses préférences partisanes pour l'arianisme [3], la sécurité des églises dut être bien précaire sous son règne. Mais le manque de documents ne permet guère d'en dire davantage [4].

LES ANNÉES DE PAIX

Pendant les années où le fils légitime d'Alaric II, mort en 507, lui succéda sous la tutelle de Théodoric, roi des Ostrogoths, le catholicisme connut quelques années de paix, hâtivement employées à la réorganisation du clergé et de la liturgie [5]. Ce fut l'œuvre des conciles tenus à Tarragone en 516 [6], à Gérone

(1) Isidore de Séville, *Hist. Suevorum*, lxxxvii.
(2) *Ibid.*, xc.
(3) *Epist.*, vii, 6.
(4) Ce que Grégoire de Tours (*Historia Francorum*, II, xxv) rapporte au sujet de ses persécutions s'applique seulement à la Gaule.
(5) Cassiodore, *Variae*, v, 39.
(6) Hefelé-Leclercq, *op. cit.*, t. II, 2e partie, p. 1026.

en 517[1], à Lérida et à Valence en 524[2]. En même temps reprenait la correspondance avec la papauté, qui essayait de restaurer les règles traditionnelles pour le choix des évêques, leur collaboration confraternelle, la délimitation de leur juridiction[3]. Parmi tant de violences et d'incertitudes, l'Église seule osait encore regarder au delà du moment présent.

RETOUR DES SUÈVES AU CATHOLICISME

C'est peu après que le peuple suève dessina une « conversion » nouvelle qui le porta vers la foi catholique. Il y fut incité, en une large mesure, par l'exemple de ses rois. Vivement ému d'une guérison obtenue grâce aux reliques de saint Martin — il avait dépêché une ambassade à Tours pendant la maladie de son fils — le roi Cararic (550-559) passa à l'orthodoxie avec tous les siens. Juste à ce moment arrivait d'Orient un moine originaire de Pannonie, qui allait tenir parmi les Suèves le rôle d'un véritable apôtre. Ce Martin fonda un monastère à Dumio, près de Braga ; puis il devint évêque de Braga peu d'années plus tard. Son action de pêcheur d'hommes se développa sous les rois Théodemir (559-570) et Mir (570-583). Il n'était pas seulement un prédicateur habile, un excellent organisateur ; c'était aussi un lettré, à la mode de ce temps. Ses écrits de philosophie morale sont comme une mosaïque d'idées et même de phrases empruntées à Sénèque. Son traité de catéchèse, le *De correctione rusticorum*[4], reste fort intéressant à qui veut se rendre compte de la survivance des usages païens parmi les ruraux d'Espagne.

L'INTERVENTION DE BYZANCE

Des destinées nouvelles allaient s'ouvrir aussi pour les sujets wisigoths. Un noble Goth, Athanagild, ayant fait appel à Justinien, celui-ci envoya une flotte commandée par le patrice Libère avec un corps expéditionnaire qui battit le roi arien Agila. Athanagild fut proclamé roi (554) et son règne fut calme et prospère. Carthagène, Malaga, Cadix, sans doute aussi Séville, furent rattachés à l'Empire ; et la province « romaine », c'est-à-dire byzantine, d'Espagne forma un commandement militaire sous les ordres du *magister militum Spaniae*.

LE DÉCLIN DE L'ARIANISME ESPAGNOL

Léovigild, le frère d'Athanagild, succéda à celui-ci en 568. Il maria son fils aîné, Herménégild (né d'un premier mariage), à Ingonde, fille de Sigebert et de Brunehaut. Ingonde eut beaucoup à souf-

(1) Hefelé-Leclercq, *loc. cit.*
(2) *Ibid.*, p. 1063.
(3) Lettres d'Hormidas dans Jaffé-Wattenbach, 786, 787, 788, 828, 855, 856 (datées de 517 à 520).
(4) Édité pour la première fois par Caspari, Christiania, 1883, avec une importante introduction.

frir de la part de sa belle-mère, Goswinde, arienne fanatique, qui avait entrepris de l'endoctriner et la fit même rebaptiser de force. Herménégilde en fut, comme on le conçoit, extrêmement irrité. Expédié par Léovigilde à Séville, il s'y convertit, sous l'influence de l'évêque Léandre, à la foi catholique et se mit en révolte contre son père. Celui-ci déploya alors en faveur de l'arianisme des méthodes d'intimidation, et aussi de concessions adroites, qui réussirent auprès de beaucoup de ses sujets. Un concile arien, réuni à Tolède en 580, alla jusqu'à dispenser les catholiques de se faire baptiser de nouveau : une simple imposition des mains suffirait [1]. Vincent, l'évêque de Saragosse, se laissa convaincre. Finalement, Herménégilde fut vaincu par son père et assassiné [2]. Peu après, Léovigilde, politique fort habile, annexait le royaume suève à l'État wisigoth (585).

Son autre fils, Récarède, qui lui succéda en 586, subit à son tour l'influence de Léandre de Séville ; il se convertit au catholicisme et rendit à ses nouveaux coreligionnaires les biens dont ils avaient été dépouillés. Une conjuration ourdie par la reine-mère ne réussit pas, et, une fois les coupables châtiés, une ère nouvelle s'ouvrit pour l'Église d'Espagne.

LE CONCILE DE TOLÈDE

Le 8 mai 589, un concile groupait à Tolède [3] soixante-quatre évêques et les représentants de sept autres. Après un jeûne de trois jours, ils entrèrent en séance et acclamèrent les déclarations du roi Récarède, lequel célébra son propre retour à la foi orthodoxe et l'élan de son peuple vers elle. L'arianisme fut ensuite solennellement condamné et les évêques arrêtèrent en commun la rédaction de vingt-trois canons disciplinaires. Le roi signa le premier le procès-verbal et donna force de loi aux décisions du concile [4].

LÉANDRE DE SÉVILLE

L'âme du concile avait été ce Léandre de Séville dont la foi contagieuse et l'habile tactique avaient su gagner Herménégild, en utilisant l'influence de sa femme Ingonde, puis Récarède lui-même. Exilé par Léovigild pour avoir favorisé la conversion et la révolte d'Herménégild, il s'était réfugié à Constantinople, entre 579 et 582, et avait su procurer aux catholiques d'Espagne les sympathies actives de la cour impériale. C'est là qu'il se lia avec le futur pape Grégoire le Grand, qui lui dédiera plus tard ses

(1) Hefelè-Leclercq, *op. cit.*, t. III, 1re partie, p. 205.
(2) Pour les appréciations divergentes de nos sources sur son attitude, cf. L. Duchesne, *L'Église au VIe siècle*, p. 572.
(3) Tolède était métropole ecclésiastique dès le premier quart du VIe siècle. Le roi des Wisigoths s'y installa après la conquête byzantine, et la ville fut ainsi assurée de sa situation prépondérante. Voir L. Duchesne, *L'Église au VIe siècle*, p. 557 et suiv.
(4) Cf. Hefelè-Leclercq, *op. cit.*, t. III, 1re partie, p. 222-228.

Moralia. Nous n'avons plus de lui qu'un ou deux opuscules [1] : mais il en avait composé plusieurs autres, en particulier contre l'arianisme [2].

Léandre éleva et forma son jeune frère, Isidore de Séville, né vers 570, et qui devait être au VIIe siècle la gloire de l'Église d'Espagne. « C'est en 589 que l'Espagne redevient orthodoxe et que commence le grand cycle de sa littérature latine, de ses conciles, de ses collections canoniques. Saint Isidore est au centre de cette triple renaissance [3]. »

§ 5. — L'Afrique du Nord.

VICTOR DE VITE

Nulle part la chrétienté occidentale n'eut plus à souffrir des barbares que dans le nord de l'Afrique, sous la domination vandale. Nous connaissons le détail de ces cent années de persécutions, coupées de répits plus ou moins longs, par l'historien Victor, de Vite (en Byzacène) [4]. Son *Historia persecutionis Africanae provinciae temporibus Geiserici et Hunerici regum Wandalorum* fut rédigée, alors qu'il était en exil, vers 486, aux confins de la Tripolitaine. Victor s'attache surtout à décrire les abominations commises par les barbares ariens, les affreuses souffrances infligées aux évêques, aux prêtres, aux vierges consacrées, aux simples fidèles. Cette histoire a le tour (quelquefois un peu emphatique) d'une longue et douloureuse *Passio martyrum.* En plus d'un cas, l'auteur tient à marquer qu'il a été le témoin des faits qu'il rapporte, ou qu'il en a vu les victimes. Il a même pris soin d'insérer diverses pièces officielles dans sa narration. On voit bien que, çà et là, il charge les couleurs. Mais il n'y a aucune raison de douter de sa véracité [5].

(1) Cf. *P. L.*, LXXII, 873-898.

(2) ISIDORE DE SÉVILLE, *De viris illustribus*, XLI. Cf. F. GOERRES, *Leander, Bischof von Sevilla*, dans *Zeitschrift. für wiss. Theol.*, t. XXI, 1886, p. 36 et suiv.

(3) G. LE BRAS, dans *Revue des Sciences religieuses*, t. XXXVIII, 1930, p. 218.

(4) Cf. *P. L.*, LVIII, 180-216 ; édit. PETSCHENIG, dans *Corpus* de Vienne, t. VII, 1881 ; édit. HALM, dans *M. G. H.*, *Auct. Antiq.*, t. III, 1879. Voir aussi le *De Bello Vandalico*, de PROCOPE, édit. DINDORF, dans le *Corpus* de Bonn. On consultera sur ce sujet : H. LECLERCQ, *L'Afrique chrétienne*, Paris, 1904 ; F. MARTROYE, *L'Occident à l'époque byzantine, Goths et Vandales*, Paris, 1904 ; ID., *Genséric. La conquête vandale en Afrique et la destruction de l'empire d'Occident*, Paris, 1907 ; J. MESNAGE, *Le Christianisme en Afrique*, 2 vol., Paris, 1914-1915 ; E. F. GAUTIER, *Genséric, roi des Vandales*, Paris, 1932.

(5) M. SAUMAGNE (*Revue tunisienne*, 3e et 4e trimestres 1930) oppose à sa narration la *Vie* de saint Fulgence de Ruspe (dont il sera parlé plus loin) par le diacre Ferrandus. « Entre l'hagiographie de Ferrand et la polémique vengeresse de Victor de Vite, écrit-il (p. 4), notre préférence va tout entière à l'œuvre de l'homme prudent qui, en racontant avec simplicité les actes d'un saint homme, les situe d'abord dans un milieu viable : il nous épargne de faire de lui la proie d'une longue torture et de l'entretenir dans une atmosphère de soufre parmi les supplices et la catastrophe. Nous trouvons là le témoignage que, durant un grand demi-siècle, l'Afrique sous la domination vandale a vécu et prospéré dans l'ordre et dans la paix... »

Victor écrit vers 486 ; Fulgence, né en 467, voyage dans sa jeunesse et devient évêque de Ruspe vers 507. Ils n'appartiennent donc pas à la même génération et n'ont pas eu les mêmes spectacles sous les yeux. Au surplus, le double exil que Fulgence dut subir prouve que, même au début du VIe siècle, la domination vandale n'était pas de tout repos.

CRUAUTÉ SPÉCIALE DE LA PERSÉCUTION VANDALE

Ce qui rendit si terrible le sort des églises africaines, c'est que, chez les Vandales envahisseurs, la férocité, l'avidité du barbare se doublaient de haines confessionnelles particulièrement agissantes. Ailleurs l'arianisme des conquérants — surtout chez les Wisigoths — n'avait pas ménagé aux catholiques certaines manifestations de défiance ou même d'hostilité, mais sans jamais glisser à la persécution ouverte [1]. En Afrique, ce fut un déchaînement de vexations, de brimades, d'abominables cruautés. La hiérarchie eut plus encore à souffrir que les simples fidèles. Genséric était d'une habileté consommée et savait où diriger ses coups. C'est aux élites qu'il s'attaquait. Pour lui, l'arianisme était une façon d'affirmer son indépendance, sa ferme volonté de ne pas subir la loi romaine, mais bien plutôt d'humilier Rome, de lui imposer les conditions de son choix, et de venger les vexations que les Ariens subissaient dans l'Empire. Même au temps des Dèce et des Dioclétien, les groupements chrétiens n'avaient pas subi des épreuves aussi effroyables, ou tout au moins aussi prolongées.

LES FAITS

Rappelons brièvement les faits. En mai ou juin 429, les Vandales abandonnaient l'Espagne, et abordaient en Afrique, au nombre d'environ quatre-vingt mille, non-combattants compris.

Genséric, leur chef, avait-il été appelé par le comte Boniface, alors tombé en disgrâce, et contre qui la cour de Ravenne avait même envoyé un général goth, Sigisvult ? Le bruit en courut plus tard [2]. Il est plus probable que Genséric avait jeté son dévolu sur l'Afrique, comme sur le domaine inexpugnable d'où il pourrait défier la puissance de Rome. En tous cas, si Boniface avait réellement commis cette imprudence, ce crime, il s'en repentit vite et essaya de refouler l'envahisseur qui, déjà, semait la terreur sur son passage. Il n'avait guère à sa disposition que des Goths mercenaires, et il savait ne pouvoir compter sur un efficace appui des troupes d'Italie.

L'Orient lui expédia vainement un Alain, nommé Aspar, maître de la milice. Hippone, assiégée, succomba au bout de quatorze mois (c'est pendant ce siège que mourut Augustin, le 28 août 430). Boniface abandonna alors l'Afrique et Aspar retourna à Constantinople.

L'Empire ne disposait plus que de Carthage et de Cirta. Genséric jugea habile de souscrire, le 11 février 435, à une convention par laquelle Valentinien III lui abandonnait les trois Maurétanies, avec Guelma.

(1) Les Ariens se piquaient de pratiquer la tolérance, même à l'égard des païens et des Juifs (PROCOPE, *De bello Goth.*, II, VI ; GRÉGOIRE DE TOURS, *Hist. Franc.*, V, XLIII). Théodoric disait : « *Religionem imperare non possumus, quia nemo cogitur ut credat invitus* » (CASSIODORE, *Variae*, II, XXVII).

(2) JORDANES, *Get.*, XXXIII, 167, 169 ; *Chron. Gall.*, XLVI (édit. MOMMSEN, t. I, p. 658).

Peu après, il rompait cette trêve, sans raisons valables, et, le 19 octobre 439, il entrait dans Carthage, qui n'essaya même pas de résister.

De là, il put tout à son aise écumer la Méditerranée et menacer le ravitaillement de Rome. Il essaya même, sans y réussir, de s'emparer de la Sicile. Il fallut, faute d'une marine capable de contrebattre la sienne, se résigner en 442 à un nouveau traité, qui validait l'état de fait créé par la force des armes.

Concession plus douloureuse encore : sur le conseil du général Aétius, Valentinien III livra sa fille en mariage au fils de Genséric, Hunéric, lequel, il est vrai, avait pu recevoir quelques rudiments de culture romaine (445).

Peu après la mort de Valentinien, Genséric s'empara des Maurétanies et de Tripoli. Bien mieux, il arma une flotte qui réussit à aborder en Italie ; le 2 juin 455 il s'installait dans Rome et, pendant quinze jours, il pilla méthodiquement la ville. Il revint en Afrique, chargé de butin, et ramenant, parmi de nombreux captifs, l'impératrice Eudoxie et ses deux filles, Eudocie et Placidie.

Ses flottes continuèrent d'infester la Méditerranée. L'empereur Zénon lança contre elles une expédition qui aboutit à un désastre. Désormais Genséric n'avait plus rien à craindre de l'Empire. Il mourut en janvier 477, maître incontesté de l'Afrique du Nord, après avoir accepté les propositions de paix offertes par Zénon.

La domination vandale s'étendait de Ceuta à Tripoli : sur les Maurétanies indociles, elle n'était guère, il est vrai, que nominale [1].

Ses successeurs, Hunéric (477-484) et Gonthamond (484-497), purent jouir en paix de cette hégémonie. Thrasamond (497-523) essuya une grande défaite, qui lui fut infligée par les Berbères de la région tripolitaine. A Hildéric, fils de l'ancien roi Hunéric et d'Eudoxie, échut la douleur d'assister à la ruine d'une puissance qui avait paru longtemps inexpugnable. Envoyé par Justinien, Bélisaire y mit fin en deux batailles (523), et la nation vandale, déjà fort diminuée par les incursions des Berbères, fut dispersée ou réduite en esclavage.

LES CRUAUTÉS DE GENSÉRIC

Quel avait été le sort des populations chrétiennes, durant cette longue domination vandale ? Le plus misérable qu'on puisse imaginer. Il serait vain d'accuser Victor de Vite d'avoir systématiquement poussé au noir les tableaux qu'il trace. Possidius, le biographe de saint Augustin, esprit posé et judicieux, apporte un témoignage qui, loin d'infirmer le sien,

(1) « Aucun conquérant de son temps et peut-être de tous les temps n'a mené une vie plus longue et plus glorieuse jusqu'à la fin. Octogénaire, il remporte encore sa plus belle victoire. Il meurt au lendemain de la paix définitivement imposée à ses ennemis, entouré du silence respectueux et terrifié du monde méditerranéen dévasté... Mais l'œuvre qu'il avait voulue ne lui a pas survécu pratiquement » (E. F. Gautier, *Genséric*, p. 312).

le corrobore[1]. Le clergé fut traité d'une façon indigne. Genséric exila plusieurs évêques ; il en fit périr d'autres dans d'affreux tourments. Une surveillance inquisitoriale et tracassière était exercée sur leur ministère, et la moindre allusion irrévérencieuse, ou jugée telle, au roi persécuteur, punie avec la dernière sévérité. Des basiliques furent détruites ou transférées aux Ariens, le culte réduit à quelques liturgies frustrées de tout apparat, la propagande catholique punie d'exil ou de mort. On vit une église envahie pendant le saint sacrifice, un jour de fête, les fidèles pourchassés et percés de flèches.

Un simple extrait de l'*Histoire* de Victor de Vite donnera une idée de ces épouvantables traitements :

> Combien de pontifes illustres, combien de nobles prêtres périrent alors dans divers genres de tourments ! C'est qu'on voulait leur faire livrer l'or ou l'argent qui leur appartenait, ou qui constituait un bien d'Église. Ceux qui cédaient étaient soumis à des tortures plus cruelles encore, sous prétexte qu'ils n'avaient livré qu'une partie, mais non le tout. Et plus ils donnaient, plus on les soupçonnait de posséder. Aux uns, les bourreaux ouvraient de force la bouche avec des pieux, et la remplissaient de boue fétide. Ils frappaient d'autres au front ou aux jambes avec des nerfs de bœuf qui sifflaient en s'abattant. A beaucoup d'autres, ils faisaient boire sans pitié de l'eau de mer, du vinaigre, du marc d'huile, en les gavant avec des outres qu'on collait contre leur bouche. Ni la faiblesse de l'âge, ni la considération du rang, ni le respect dû aux prêtres, n'adoucissaient ces barbares : bien mieux, toute dignité était un stimulant pour leur fureur[2].

Il n'y eut de rémission pour les catholiques que pendant les courtes périodes où quelque arrangement avantageux conclu avec les Romains détendait un peu l'humeur féroce du roi vandale — par exemple de 454 à 460, de 475 à 477.

HUNÉRIC

La mort de Genséric n'apporta même pas l'apaisement souhaité. Assez bien disposé d'abord à l'égard des catholiques — au point de les autoriser en 454 à élire un évêque pour Carthage qui en était privé depuis vingt-trois ans[3] — Hunéric reprit bientôt les méthodes hostiles inaugurées par son père. Une campagne de rumeurs infâmes fut montée contre le clergé. Les fonctionnaires furent contraints d'embrasser l'arianisme, sous peine d'être dépouillés et exilés[4]. Quatre mille neuf cent soixante-six clercs furent déportés « chez les Maures[5] », et partirent en une colonne lamentable vers le désert sous les sévices et les coups de fouet[6].

Hunéric ne se contenta pas de martyriser les non-Ariens : il essaya

(1) *Vita Augustini*, XXVIII. Possidius de Calama fut lui-même exilé en 437.
(2) VICTOR DE VITE, *Historia*, I, II, 5, 6.
(3) *Ibid.*, I, XVII ; II, I. C'est alors qu'Eugène fut promu à l'épiscopat.
(4) *Ibid.*, II, VI.
(5) *Inter Mauros mitti* : c'était l'expression consacrée.
(6) VICTOR DE VITE, *Historia*, III, VIII-XII.

par surcroît de leur démontrer que leur position dogmatique sur l'*homoousios* était intenable.

Le 20 mai 483, il convoqua à Carthage pour le mois de février suivant, en des termes lourds de menaces, tous les évêques orthodoxes pour soutenir une discussion avec les évêques ariens. Victor de Vite affirme qu'avant même que le colloque eût commencé, le roi s'arrangea pour mettre hors de jeu les évêques dont il connaissait la science et le savoir-faire [1]. Quatre cent soixante-six évêques se présentèrent au jour dit [2]. Ils avaient choisi dix mandataires pour parler en leur nom. Après un débat confus et sans issue, dominé par le plus scandaleux arbitraire, les catholiques n'eurent d'autre ressource que de déposer un *liber fidei catholicae*, dont ils avaient précisé d'avance les termes [3]. Mais leur sort était déjà réglé dans l'esprit d'Hunéric. Celui-ci les accusa de s'être dérobés à la controverse qu'il avait organisée et d'avoir fait de l'obstruction. Il retourna contre eux, de son propre aveu, les lois naguère portées par les empereurs contre les Ariens, et les somma de se convertir à l'arianisme avant le 1er juin de cette même année 484, s'ils ne voulaient s'exposer à être frappés à leur tour. Toutes les églises passeraient aux mains du clergé arien.

Cette ordonnance du 25 février 484 marqua le point de départ d'un déchaînement nouveau de vexations et de rigueurs. Les prélats réunis à Carthage furent dépouillés de tout et chassés de la ville. Défense fut édictée de leur offrir l'hospitalité et même de leur donner l'aumône. Plusieurs furent envoyés aux champs, comme colons. Un grand nombre de fidèles furent exilés ou martyrisés. Selon Victor, le clergé arien aurait coopéré activement à la chasse à l'homme qui se déchaîna un peu partout [4]. A ces maux s'ajouta la famine et bientôt une grave épidémie. Hunéric avait, au fond, une âme de bourreau. Il le fit bien voir aux Manichéens dont il découvrit un certain nombre dans son entourage et parmi le clergé arien : ils montèrent sur le bûcher. Quant à sa famille, il la décima pour régler la succession royale à sa façon, et punit atrocement ceux de ses sujets qu'il soupçonnait de favoriser les collatéraux qu'il voulait éliminer.

PROBLÈMES POSÉS PAR LA PERSÉCUTION

Il était impossible qu'en face de la pression morale et de la menace physique exercées par les Vandales, beaucoup d'âmes épouvantées ne se sentissent inégales à de telles épreuves. En fait, il y eut de nombreuses apostasies : beaucoup de laïcs, de prêtres, d'évêques même,

(1) VICTOR DE VITE, *Historia*, II, XI.

(2) La liste des évêques présents a été conservée dans un manuscrit de Laon (*Laudunensis*, 113, du IXe s.).

(3) VICTOR DE VITE le cite textuellement à la fin de son deuxième livre.

(4) VICTOR DE VITE, *Historia*, II, XVIII.

consentirent à recevoir le baptême arien. Ces défections posèrent plus tard de redoutables problèmes. Dès que l'atmosphère s'éclaircit un peu, les *tombés*, comme on les appelait naguère en Afrique, sollicitèrent leur réintégration dans l'Église. Il fallut en déterminer les conditions. A deux reprises, le 13 mars 487 et en 535, le soin de les fixer fut confié par prudence à un autre organisme que l'épiscopat africain. La première fois, ce fut un concile tenu à Rome sous la présidence du pape Félix II qui imposa aux apostats repentants d'assez dures pénalités : les membres du clergé seraient ramenés au rang de catéchumènes et ne devraient recevoir la communion qu'à l'article de la mort ; les clercs inférieurs et les simples laïcs seraient assujettis à une pénitence proportionnée à chaque cas [1]. — La seconde fois, le pape Agapet Ier fournit lui-même, le 9 septembre 535, dans une lettre aux évêques africains, la solution souhaitée : il écartait de l'autel les clercs passés à l'arianisme, mais prescrivait qu'on subvînt à leurs besoins [2].

Comme contrepartie à ces fléchissements, bien des traits d'héroïsme seraient à citer. Rappelons la belle lettre où Augustin, consulté par quelques évêques sur leur devoir présent en face de l'invasion, formula la consigne — qu'il devait observer lui-même — de rester coûte que coûte au milieu de leur troupeau [3] ; ou encore l'admirable activité que déploya l'évêque Deogratias pour soulager la misère des prisonniers drainés par Genséric de Rome en Afrique, lors de son expédition de 455 [4] ; enfin la fermeté inébranlable de nombre d'évêques, de prêtres et de laïcs au milieu des pires supplices [5].

LA POLÉMIQUE ANTI-ARIENNE Notons aussi que quelques évêques, capables de manier une plume, ne restèrent pas inertes en face de la propagande arienne. Vigile de Thapse (en Byzacène), qui prit part à la pseudo-discussion de janvier 484, composa divers opuscules contre les Ariens [6]. Pareillement, l'évêque Asclepius, Cerealis de Castellum, Eugène de Carthage, Victor de Cartenna, Voconius de Castellum. Seuls, les opuscules de Vigile ont partiellement survécu.

GONTHAMOND Le neveu d'Hunéric, Gonthamond, qui lui succéda en décembre 484, se montra plus clément que ses prédécesseurs. La troisième année de son règne, il rappela d'exil Eugène, l'évêque de Carthage ; il permit la réouverture des églises et accorda une amnistie aux clercs bannis.

(1) Mansi, t. VIII, col. 1171 et suiv. ; Hefelé-Leclercq, *Hist. des conciles*, t. II, 2e partie, p. 934.
(2) *Epist.*, II.
(3) *Epist.*, CCXXVIII, à Honoratus.
(4) Victor de Vite, *Historia*, I, VIII.
(5) *Ibid.*, V, IX.
(6) *P. L.*, LXII, 95 et suiv.

THRASAMOND

Son frère Thrasamond, frotté de culture et amateur de théologie, ne fit point preuve de la même tolérance [1] ; il punit d'exil le primat de Byzacène, l'évêque Victor, qui s'était permis de consacrer sans l'autorisation royale un certain nombre d'évêques. Eugène, l'évêque de Carthage, fut de nouveau relégué et mourut à Albi en 505. Fut frappé également et envoyé en Sardaigne, où il retrouva une soixantaine de ses collègues, l'évêque de Ruspe [2], le fameux Fulgence. Désigné au roi comme le théologien le plus capable de tout l'épiscopat, Thrasamond le tira d'exil pour participer, trois ans plus tard, à Carthage, à une controverse où les thèses ariennes s'entrechoquèrent avec les thèses catholiques. Deux opuscules rédigés hâtivement par Fulgence [3] définirent celles-ci, auxquelles, comme il fallait s'y attendre, Thrasamond demeura fermé. Mais beaucoup d'Ariens, séduits par l'éloquence de l'évêque, s'étaient convertis. Expédié de nouveau en Sardaigne, Fulgence en fut rappelé, après la mort de Thrasamond (28 mai 523), par Hildéric que l'influence de Justinien inclinait nettement en faveur du catholicisme. Il eut le bonheur d'assister à la réorganisation de l'Église d'Afrique, grâce aux mesures prises par le concile de Carthage, en 525 [4], et il mourut à Ruspe le 1er janvier 532.

En 535, Justinien devait publier un rescrit, qui restituait aux clercs leurs privilèges et aux catholiques les biens qui leur avaient été confisqués [5]. Mais ces mesures réparatrices ne rendirent pas à la chrétienté africaine sa magnifique vitalité d'autrefois.

FULGENCE DE RUSPE

La figure de Fulgence se détache si fortement sur cette période troublée qu'il convient de s'arrêter un instant devant elle. Sa *Vie* a été racontée par le diacre Ferrandus et nous est venue dans une cinquantaine de manuscrits [6]. Vie belle par des renoncements dont le moins méritoire ne fut pas d'être obligé de sacrifier son vœu toujours cher d'être moine, par le prestige d'une science théologique à laquelle Thrasamond, nous l'avons dit, fit appel — avec quelle sincérité ? — afin de s'éclairer personnellement.

« C'est pour s'être attaché à saint Augustin et à saint Prosper, a remarqué Bossuet dans sa *Défense de la Tradition* (V, 21), que Fulgence a été si célèbre parmi les prédicateurs de la Grâce ; ses réponses étaient respectées. Quand il revint de l'exil, qu'il avait souffert pour la foi de

(1) Ici Procope (*Bell. Vandal.*, I, VIII) n'est pas d'accord avec le chroniqueur Victor de Tonnenna, ni avec Grégoire de Tours (*Hist. Franc.*, II, I-II), beaucoup plus sévères que lui.
(2) Ruspe doit être placée sans doute à Henchir Sbia, près du Ras-Kabondia.
(3) Le *Contra Arianos liber* et l'*Ad Thrasamundum regem Vandalorum libri tres* sont édités dans *P. L.*, LXV.
(4) HEFELÉ-LECLERCQ, *op. cit.*, t. II, 2e partie, p. 1069.
(5) *Novelles* XXXVI, XXXVII.
(6) *Ferrand, diacre de Carthage. Vie de saint Fulgence de Ruspe*, texte établi et traduit par G.-G. LAPEYRE, Paris, 1929.

la Trinité, toute l'Afrique crut voir en lui un autre Augustin et chaque église le recevait comme son propre pasteur ».

La belle énergie de Fulgence lui valut, en effet, une grande popularité dans l'Afrique du début du VIe siècle. Quant à l'originalité de sa pensée théologique, l'étude du P. Lapeyre [1], si respectueuse soit-elle, ne nous permet guère d'illusion. Fulgence s'inscrivit parmi ces disciples enthousiastes qui, dans la fougue de leur foi augustinienne, acceptaient sans réserve les rigueurs et les obscurités de la doctrine du maître.

Augustin n'est pas sa source unique. Il puise chez d'autres écrivains d'Église, chez Tertullien par exemple. Mais c'est de lui qu'il s'inspire surtout. Et, dans la théorie de la Grâce, il pousse à bout la redoutable logique d'Augustin. Elle est de lui cette phrase : « Croyez fermement et gardez-vous bien de douter que non seulement les hommes, mais même les petits enfants, qui commencent de vivre dans le sein de leur mère, et qui y meurent, ou qui, nés de leur mère, quittent ce bas monde sans avoir reçu le baptême... seront punis du perpétuel supplice du feu éternel [2] ».

Fulgence n'est pas un simple compilateur : c'est un esprit vigoureux et clair ; mais l'idée de résister à une affirmation d'Augustin, dans l'ordre théologique, ou même de l'adoucir, lui eût paru une audace téméraire et presque sacrilège.

§ 6. — Les chrétientés celtiques [3].

OBSCURITÉ DES ORIGINES

Les débuts du christianisme dans les pays celtiques sont fort obscurs. Les documents significatifs font défaut ; et ce n'est guère qu'en groupant des indices

(1) *Saint Fulgence de Ruspe. Un évêque catholique africain sous la domination vandale*, Paris, 1929.

(2) *P. L.*, LXV, 501.

(3) BIBLIOGRAPHIE. — J. B. BURY, *The Life of St. Patrick*, Londres, 1905 ; Dom F. CABROL, *L'Angleterre chrétienne avant les Normands*, Paris, 1909 ; Jacques CHEVALIER, *Essai sur la formation de la nationalité et les réveils religieux au pays de Galles, des origines à la fin du VIe siècle*, Lyon et Paris, 1923 ; C. H. DOBLE et L. KERBIRION, *Les saints bretons*, Brest, 1933 ; F. DAINE, *Notes sur les saints bretons*, dans *Hermine*, 1902, 1904, 1905, 1906, dans *Revue de Bretagne*, 1906, et dans *Annales de Bretagne*, 1904-1905 ; John A. DUKE, *The Columban Church*, Oxford, 1932 (bibliographie, p. 171 à 189) ; Dom L. GOUGAUD, *Les chrétientés celtiques*, Paris, 1911 (riche bibliographie) ; ID., *Les scribes monastiques d'Irlande au travail*, dans *Revue d'Histoire ecclésiastique*, t. XXVII, 1931, p. 293-306 ; ID., *Christianity in Celtic Lands*, Londres, 1932 ; ID., *La chrétienté bretonne, des origines à la fin du XIIe siècle*, dans les *Mémoires de la Société d'Histoire de Bretagne*, t. XIII, 1902, p. 1-38 ; John GWYNN, *Liber Ardmachanus. The Book of Armagh*, Dublin-Londres, 1913 ; A. W. HADDAN and W. STUBBS, *Councils and ecclesiastical Documents relating to Great Britain and Ireland*, I, Oxford, 1869, II, 1 et 2, 1873-1878 ; W. HUNT, *The English Churches from its Foundation to the Norman Conquest*, Londres, 1899 ; James F. KENNEY, *The sources of the early History of Ireland. I. Ecclesiastical*, New-York, 1929 ; R. LARGILLIÈRE, *Les saints et l'organisation chrétienne primitive de l'Armorique bretonne*, Rennes, 1925 ; LEGRAND, *Les Vies des saints de la Bretagne armorique*, annotées par A. M. THOMAS et J. M. ABGRALL, Paris, 1901 ; F. LOT, *Les migrations saxonnes en Gaule et en Grande-Bretagne du IIIe au Ve siècle*, dans *Revue historique*, t. CXIX, 1915, p. 1-40 ; ID., *Mélanges d'histoire bretonne*, Paris, 1907 ; E. MARTIN, *Saint Colomban*, Paris, 1905 (coll *Les*

épars qu'on arrive à se représenter approximativement les faits, sans pouvoir toutefois les loger à leur place ni sous leur vraie lumière.

Il est certain qu'au IVe siècle l'Église bretonne avait quelques solides points d'appui dans la Bretagne romaine, à Eboracum (York), à Londinium (Londres), dans la *Colonia Lindiensium* (Lincoln). Trois évêques de ces villes assistaient au concile d'Arles, en 314 [1], et l'un d'eux s'appelait Éburius, nom dérivé d'un thème celtique. Plusieurs évêques bretons prirent part également au concile de Rimini, en 359 [2]. Le *De Synodis* de saint Hilaire, rédigé cette même année, est dédié aux évêques des provinces bretonnes ; et l'*Epistula ad Jovianum de fide* de saint Athanase montre que le grand jouteur n'ignorait pas les mouvements doctrinaux qui agitaient ce pays. L'arianisme [3], en effet, et surtout le pélagianisme, y rencontrèrent certaines sympathies. N'oublions pas que Pélage était breton, et que, s'il recruta ses plus zélés disciples dans la haute société romaine, deux au moins parmi ceux-ci, Agricola, fils de l'évêque Severianus, et Fastidius, étaient des Britanniques. Les idées pélagiennes firent des progrès si sensibles en Bretagne qu'il fallut deux missions de saint Germain d'Auxerre, l'une de 429 à 431, l'autre de 446 à 447, pour les contrebattre efficacement. Germain ne manqua pas de créer divers monastères, points d'appui pour la conquête des âmes.

ROME ABANDONNE LA BRETAGNE. C'est en 407 que se produisit l'événement qui allait compromettre pour près de deux siècles le développement du christianisme en Grande-Bretagne. Élu empereur par ses troupes, Constantin III les fit passer sur le continent pour soutenir sa cause, laissant la population sans défense contre les envahisseurs du dehors.

Une trentaine d'années plus tard, en 441-442, les Saxons et les Angles, partis du nord de la Germanie, s'installaient dans le pays et en refoulaient les anciens habitants dans le « Domnonée » (comtés actuels de Cornouailles, de Devon, de Dorset, de Somerset) et dans le pays de Galles. Beaucoup passèrent la mer et trouvèrent un refuge en Armorique. Des

Saints) ; Walter Alison PHILIPPS, *History of the Church of Ireland*, t. I, Oxford, 1933 ; C. PLUMMER, *Vitae Sanctorum Hiberniae*, Londres, 1910 ; ID., édit. des *Lives of Irish Saints*, Oxford, 1922 ; RIGUET, *Saint Patrice*, Paris, 1911 ; M. ROGER, *L'Enseignement des lettres classiques d'Ausone à Alcuin*, Paris, 1905 ; John RYAN, *Irish Monasticism*, Dublin et Cork, 1931 ; H. VON SCHUBERT, *Geschichte der christlichen Kirche im Frühmitelalter*, t. I, Tubingue, 1917, p. 202 et suiv. ; Douglas SIMPSON, *The historical S. Columba*, Londres, 1927 ; G. T. STOKES, *Ireland and the Celtic Church from St. Patrick to the English Conquest in 1172*, Londres, 1907 ; H. ZIMMER, *Ueber die Bedeutung des irischen Elementes für die mittelalterliche Kultur*, dans *Preuss. Jahrbücher*, t. LIX, 1887 ; ID., *Keltische Kirche in Britannien und Irland*, dans la *Realencyklopädie für protestantische Theologie und Kirche*, 2e édit., t. X, 1901, p. 204-243 ; ID., *Galliens Anteil an Irlands Christianisierung im 4-5 Jahrhundert und altirischer Bildung*, dans *Sitz.-Ber. der Berliner Akademie*, 1909, p. 543-580.

(1) HEFELÉ-LECLERCQ, *Histoire des Conciles*, t. I, 1re partie, p. 275. Cf. t. III, p. 464-465.

(2) *Ibid.*, t. I, 2e partie, p. 934.

(3) Cf. F. C. CONYBEARE, *The Character of the Heresy* (en l'espèce, l'arianisme) *of the Early British Church*, dans les *Transactions of the Society of Cymmrodorion*, 1897-1898, p. 84-117.

royaumes païens se constituèrent un peu partout — royaumes d'Essex, de Sussex, de Kent, de Wessex, etc. — et le catholicisme ne garda de vitalité que là où subsistaient les débris de la vieille population bretonne. La langue latine elle-même fut abolie dans l'usage courant, sauf parmi les clercs. Une certaine démoralisation régnait d'ailleurs dans ces îlots chrétiens, s'il en faut croire les doléances déclamatoires de Gildas, dans son *Liber querulus de excidio et conquestu Britanniae* [1].

Vers le milieu du VIe siècle, les luttes entre Bretons et Anglo-Saxons s'apaisèrent. Mais, pour rétablir en Grande-Bretagne le courant de vie religieuse que l'invasion avait presque tari, il faudra la sollicitude du pape Grégoire Ier et l'apostolat du moine Augustin, délégué par lui, avec quarante compagnons (595).

PATRICK EN IRLANDE

C'est saint Patrick qui fut, à partir de 432, le grand apôtre de l'Irlande (*Ivernia*, *Hibernia*). Quelques efforts d'évangélisation avaient peut-être été tentés déjà avant lui, comme il est aisé de le concevoir en raison du voisinage de la Bretagne, déjà partiellement acquise à la foi. Au surplus, Prosper d'Aquitaine, dans sa *Chronique* [2], affirme qu'en 431 le pape Célestin envoya aux *Scotti* [3] — c'est-à-dire aux Irlandais — leur premier évêque, Palladius, qu'il venait d'ordonner, et qu'il s'appliqua à christianiser cette île « barbare » : double affirmation qui implique que quelques groupements chrétiens s'étaient déjà formés et aussi qu'une tâche considérable restait encore à accomplir [4].

Ce fut saint Patrick qui assuma cette tâche pour une large part. Nous le connaissons assez mal, et les critiques ne sont pas toujours d'accord sur les éléments historiques à dégager de sa légende [5]. Quelques données semblent acquises. Patrick était né en Bretagne, à *Bannavenla Berniae* (Daventry), vers 389, d'une famille chrétienne d'un certain rang. Capturé à l'âge de seize ans par des pirates, il fut emmené en Irlande, et y apprit la langue du pays. Au bout de six ans, il réussit à s'évader, passa

(1) Peu d'épisodes sont moins bien connus que cette substitution de peuplades étrangères aux Britto-romains. Voir H. MUNRO CHADWICK, *The Origin of the english Nation*, Cambridge, 1907, et, en ce qui concerne Gildas, le mémoire de F. LOT, *De la valeur historique du De excidio et conquestu Britanniae de Gildas*, dans *Mediaeval Studies in memory of Gertrude Schoepperle Lowis*, Paris et New York, 1927. L'opuscule édifiant et satirique de Gildas (qui écrit vers le milieu du VIe siècle) n'a de valeur que là où il nomme les petits rois bretons de son temps. Il se lit dans la *P. L.*, LXIX, et dans les *M. G. H.*, *Auct. Antiq.*, t. IX, 1892 (édit. MOMMSEN).

(2) *Chron.*, a. 404.

(3) V. l'article *Scotti*, de KEUNE, dans la *Realencyclopädie* de PAULY-WISSOWA.

(4) Mgr DUCHESNE doute fort de cette mission de Palladius, dont la tradition irlandaise n'a conservé aucun souvenir (*Hist. anc. de l'Église*, t. III, p. 617-623).

(5) V. B. ROBERT, *Étude critique sur la vie et l'œuvre de saint Patrick*, Paris, 1883 ; H. ZIMMER, art. *Keltische Kirche*, dans la *Realencykl. f. protest. Theol.*, t. X, 1901, p. 207 ; J. B. BURY, *The Life of St. Patrick*, Londres, 1905 ; H. VON SCHUBERT, *Gesch. d. christl. Kirche im Frühmittelalter.*, 1917, p. 203. Sources principales : sa *Confessio* — dont l'authenticité est actuellement admise — et sa *Lettre à Coroticus* ; puis ses hagiographes, Tirechan et Muirchu (fin VIIe s.). Cf. *P. L.*, LIII, l'édition critique des opuscules de Patrick par N. J. D. WHITE, dans les *Proceedings of the Royal Irish Akademie*, t. XXV, 1907 et Walter Alison PHILIPPS., *Hist. of the Church of Ireland*, t. I, p. 77.

sur le continent, et reçut sa formation religieuse des moines de Lérins. De retour dans sa patrie, certaines visions lui imposèrent la certitude qu'il était promis à devenir l'apôtre de l'Irlande. Il se prépara à ce rôle auprès des évêques Amator et Germain, à Auxerre ; et quand arriva la nouvelle de la mort de Palladius, il partit (vers 432) pour le remplacer, après avoir reçu la consécration épiscopale (sans doute des mains de Germain d'Auxerre). Son action se fit sentir surtout dans le nord de l'île, à savoir dans l'Ulster (*Ulidia*), le Leinster et le Connaught : il y combattit le paganisme, y fonda nombre d'églises et de couvents, non sans rencontrer de graves difficultés du côté des druides qui jouissaient, grâce à leurs connaissances magiques, d'une grosse influence et ne se sentaient guère disposés à s'en laisser déposséder. Après un voyage à Rome, vers 441, il revint s'installer à Armagh qui fut désormais le centre de ses opérations conquérantes et devait plus tard devenir le siège primatial de l'Irlande. Naturellement, il s'aida de nombreux collaborateurs, parmi lesquels on comptait aussi des Gaulois, des Francs, des Romains, des Bretons. Mais c'était lui qui soutenait et dirigeait leur zèle. Quand il mourut, vers 461, son prestige était sans égal, et Patrick est demeuré l'apôtre national de l'Irlande, « terre des saints ».

L'APOSTOLAT IRLANDAIS

La vitalité du christianisme dans cette contrée se manifesta au ve et au vi^e siècle par l'apostolat que bon nombre d'ascètes itinérants exercèrent au dehors [1]. C'est ainsi que, parti d'Irlande avec douze moines, vers 563, saint Colomba s'installa dans l'île d'Hy ou Iona, au Nord-Ouest de l'Écosse. Cette île et les îles voisines, Éhica, Éléna, Himba, Scia, se peuplèrent de cénobites. Colomba réussit, malgré les druides, à amener à la foi les Pictes, dont le roi, Bridius, s'était laissé gagner par sa parole. Cette effervescence religieuse poussa aussi nombre d'âmes vers les monastères, parmi lesquels on peut citer celui de Killeavy, dans la plus grande des îles d'Aran (baie de Galway), celui de Clonard, dans le Meath, l'abbaye de Moville, dans l'Ulster, ceux de Derry et de Durrow, fondés par saint Colomba lui-même avant son départ pour Iona, celui de Bangor, d'où devaient sortir saint Colomban, le grand initiateur des migrations monastiques (590), et saint Gall, son compagnon.

LA VIE RELIGIEUSE EN IRLANDE

Chose curieuse, le diocèse épiscopal aux délimitations fixes n'existait probablement pas dans l'Irlande du vi^e siècle [2]. Les abbés, dont beaucoup étaient évêques, avaient juridiction dans le domaine plus ou moins

(1) Les voyages de saint Brandan le Navigateur, mort vers 580, ont largement défrayé la légende, au moyen âge. Cf. Ch. Plummer, *Some new Light on the Brendan Legend*, dans *Zeitschrift für keltische Philologie*, t. V, 1905, p. 124-141.

(2) La question est controversée : cf. Dom Gougaud, *Les chrétientés celtiques*, p. 217.

étendu, sis autour de leur monastère. C'est là une des raisons de l'exceptionnelle importance prise par le monachisme dans l'Église celtique. Les religieux s'y comptaient, dans les divers couvents, par centaines, et quelquefois par milliers. La plupart n'étaient pas prêtres. On entrevoit l'existence d'un clergé séculier, mais il reste pour nous dans la pénombre [1].

Les mortifications étaient assez rudes, parmi les ascètes. Certains parmi eux faisaient jusqu'à trois cents génuflexions ou prostrations le jour, et autant la nuit ; ils priaient pendant un long temps les bras étendus. Une autre pratique fort en faveur parmi eux consistait à se plonger dans un étang ou un cours d'eau, et à prolonger ces immersions, même en hiver [2]. Ils pratiquaient un régime fort austère et, dans certains monastères, le jeûne était perpétuel.

LA CULTURE IRLANDAISE

On a appelé l'Irlande l'*insula sanctorum et doctorum* [3]. La première épithète lui convient dès lors assurément ; elle ne méritera la seconde que plus tard. Le latin était enseigné dans les monastères, puisqu'aussi bien toute pensée religieuse avait besoin de cette langue. La poésie latine profane n'était pas tout à fait ignorée, les écrits de Colomban en font foi. Mais le goût s'égarait en des recherches purement verbales, en des combinaisons puériles, où se décèle une « culture » du plus modeste niveau [4].

CARACTÈRE A PART DE LA CHRÉTIENTÉ IRLANDAISE

En somme, l'Église d'Irlande vivait un peu en marge de la chrétienté, avec des particularités locales très marquées. Mais c'est dépasser les données certaines que de parler de « séparatisme », ou de défiance, ou d'indifférence, à l'égard de Rome. Colomban lui-même emploiera, en parlant de la papauté, les expressions les plus déférentes et appellera le pape « le chef des églises de l'Europe » et « le pasteur des pasteurs » [5]. A Rome même, on ne voit pas que le système irlandais ait suscité le moindre ombrage, encore que sur certains détails de discipline les églises exotiques y aient été blâmées.

LA PARTIE ANGLO-SAXONNE DE LA BRETAGNE

Les Pictes du Nord avaient bénéficié de l'apostolat de saint Colomba et de ses compagnons. Le sud de la grande île était resté dans sa partie anglo-saxonne presque complètement inac-

(1) Cf. Dom Gougaud, *ibid.*, p. 83-84 ; John Ryan, *Irish Monasticism*, Londres, 1931, p. 167 et suiv.

(2) Dom Gougaud, *La mortification par les bains froids, spécialement chez les ascètes celtiques*, dans *Bulletin d'ancienne littérature et d'Archéologie chrétiennes*, t. IV, 1914, p. 96-108.

(3) J. Healy, *Insula sanctorum et doctorum. Ireland's ancient School and Scholars*, 4e édit., Dublin, 1902.

(4) Cf. *infra*, « la Vie chrétienne en Occident ».

(5) Cf. Dom Gougaud, *Les Chrétientés celtiques*, p. 210.

cessible à toute évangélisation. Bouleversée par les envahisseurs, toute l'ancienne organisation romaine avait été emportée dans la débâcle. Pourtant à *Durovernum* (Cantorbéry) se dressait encore une église consacrée à saint Martin, grâce à la présence d'une princesse catholique, Berthe, fille du roi Caribert et arrière-petite-fille de Clovis.

LES ÉMIGRÉS BRETONS Nous avons dit que, devant la menace des Angles et des Saxons, beaucoup de Bretons passèrent en Armorique, par tribus ou fractions de tribus, dans la première moitié du VIe siècle. Ils s'y taillèrent leur place, les armes à la main. Quelques-uns même descendirent beaucoup plus au sud, jusqu'en Galice, ou se risquèrent à chercher refuge en Irlande. Mais c'est l'Armorique qui en reçut le plus grand nombre. Dès le VIe siècle, le *tractus armoricanus* est désigné sous le nom de *Britannia* [1]. Le breton armoricain est étroitement apparenté à l'ancien dialecte de la presqu'île de Cornouailles.

Au moment de l'arrivée des émigrants, il existait au moins trois sièges épiscopaux, Nantes, Vannes et Rennes, rattachés à la province de Tours. Peut-être le pays des *Coriosopites* et celui des *Osimi* — dont il est question dans la *Notitia Galliarum*, rédigée au début du Ve siècle — en possédaient-ils un aussi ; mais ce n'est qu'à l'époque bretonne qu'on peut nommer avec certitude, sur ces territoires, Quimper, Léon, Tréguier, Saint-Brieuc.

LEUR ESPRIT D'INDÉPENDANCE Un fait curieux, qui paraît acquis, c'est que l'autorité locale déjà constituée ne servit pas de cadre aux populations venues d'outre-mer. Celles-ci, animées d'un goût très fort d'indépendance, accru par la langue même qu'elles parlaient, se laissèrent guider par leurs missionnaires qui circulaient d'un endroit à un autre avec des autels portatifs, groupant autour de la célébration du culte leurs compatriotes épars. Il nous est venu un document significatif, qui nous permet d'entrevoir cette méthode itinérante [2]. Il figure dans un *Codex Monacensis* du IXe siècle. C'est une lettre de remontrances adressée par trois évêques de Gaule [3] à deux prêtres bretons nommés Lovocatus et Catihernus. Les évêques y formulent deux griefs. D'abord les prêtres incriminés célèbrent la messe sur des *tabulae*, de cabane en cabane ; puis ils se font assister par des femmes dans la célébration du Saint Sacrifice et leur permettent de

(1) MARIUS D'AVENCHES, *Chronicon* ; GRÉGOIRE DE TOURS, *Hist. Fr.*, IV, IV, 20 ; V, XVI, 27, etc. ; FORTUNAT, *Carmina*, III, 8 ; *Vita s. Paterni*, X, etc.

(2) Il a été publié par J. FRIEDRICH, dans les *Sitzungsberichte* de l'Académie de Munich, en 1895, p. 207 et suiv.

(3) A savoir Licinius, probablement le métropolitain de Tours qui entra en charge vers 509, Mélanius (de Rennes) et Eustochius (d'Angers). Ces trois évêques prirent part au concile d'Orléans, en 511 (cf. MANSI, t. VIII, col. 356). Les faits visés se rapportent donc au début du VIe siècle. Cf. L. DUCHESNE, dans *Revue de Bretagne et de Vendée*, t. VII, 1885, p. 4.

prendre le calice en main et de distribuer au peuple la communion. Les trois évêques les menacent de les exclure du troupeau de l'Église s'ils ne renoncent à cette double pratique [1]. C'est surtout sur le second grief qu'ils insistent ; mais il est évident qu'ils apprécient peu favorablement le procédé trop sommaire dont usent ces prêtres dans le service divin.

LA VIE PAROISSIALE

Naturellement, les établissements fixes, paroisses (*plou*, du latin *plebem* : comparez Plougastel = *plebs castelli* ; Plounévez = *plebs nova*, etc.) et monastères, ne tardèrent pas à constituer les centres nécessaires de la vie religieuse, sous le patronage de saints éponymes, dont la physionomie réelle le plus souvent nous échappe. Parmi les plus anciens de ces monastères, on compte celui de Lampaul en Ploudalmézeau, et ceux des îles d'Ouessant et de Batz, fondés tous trois par Paul Aurélien, originaire de Galles ; le monastère de Dol, fondé par Samson, déjà évêque et abbé dans son pays d'origine ; le monastère construit par saint Brieuc sur le Gouët et autour duquel se forma une agglomération urbaine.

En Bretagne, comme en Grande-Bretagne et en Irlande, c'est le monastère qui est le vrai centre de l'évêché, ou qui en est le berceau. L'évêque-abbé exerce son autorité sur les moines et sur les *plous* groupés autour des maisons qu'il dirige.

ORIGINALITÉ DES ÉGLISES BRETONNES

Le trait saillant des églises bretonnes pendant cette obscure période de leur formation première, ce fut, en somme, leur particularisme. Elles n'adoptèrent que beaucoup plus tard, au IXe siècle, le système de circonscriptions nettement délimitées qui était en usage dans le reste de la chrétienté. Et elles méconnurent obstinément l'autorité du métropolitain de Tours [2], contre lequel devait même se dresser, au IXe siècle, l'archevêque breton établi à Dol [3]. Ce n'est qu'à la fin du XIIe siècle que l'autorité de l'archevêque de Tours sera enfin imposée à l'épiscopat breton.

§ 7. — La Gaule [4].

LA GAULE ET LES BARBARES

Il serait superflu de rappeler ici, dans tout leur détail, les étapes de la conquête de la Gaule par les Barbares. Il suffira de marquer la zone d'in-

(1) Traduction complète du morceau dans P. DE LABRIOLLE, *Les Sources de l'Histoire du Montanisme*, Paris, 1913, p. 226-230.
(2) GOUGAUD, *Les Chrétientés celtiques*, p. 125 et suiv.
(3) F. LOT, *Mélanges*, p. 25.
(4) BIBLIOGRAPHIE. — Voir la bibliographie générale, au début de ce chapitre. Cf. aussi ALLOTTE DE LA FUYE, *L'Église et la culture intellectuelle aux temps mérovingiens* dans la *Revue*

fluence des diverses peuplades, au moment de la consolidation provi soire de leur puissance, vers la fin du ve siècle, quand eurent cédé les résistances dont Aétius avait été longtemps l'animateur.

Il faut pourtant évoquer le terrible danger auquel échappa ce pays en 451, quand Attila l'eut envahi avec son armée de Huns, grossie en route des Francs de la rive droite du Rhin et d'éléments burgondes restés en Germanie. Par Reims et Troyes, il vint mettre le siège devant Orléans. Le rôle de l'évêque Anianus (saint Aignan) fut de premier plan dans la résistance. Grégoire de Tours attribue aux prières de l'évêque le salut de la ville.

Comme les assiégés demandaient à grands cris à leur évêque ce qu'il fallait qu'ils fissent, celui-ci, plein de confiance en Dieu, les fait prosterner tous pour prier et pour implorer avec larmes le secours du Seigneur, toujours présent lorsqu'on a besoin de lui. Ils se mettent en prières, comme il l'avait ordonné, et l'évêque leur dit : « Regardez du haut du rempart de la ville si la compassion de Dieu nous vient en aide ! » *Il espérait en effet que la miséricorde divine enverrait Aétius qu'il avait été précédemment trouver à Arles en prévision de l'avenir* [1].

Ils ne voient personne. Alors l'évêque les envoie une seconde, une troisième fois sur le haut des murs. Ils aperçoivent enfin un nuage de poussière à l'horizon : c'est Aétius et son armée !

L'auteur de la *Vita Aniani* [2] impute également à Aignan une habile démarche diplomatique. Il note que c'est lui qui, se rendant à Arles, avait informé Aétius de la situation presque désespérée d'Orléans et provoqué la formation de l'armée de secours qui força les Huns à l'évacuer, juste au moment où ils venaient d'emporter la ville, puis leur infligea une défaite décisive au *Campus Mauriacus*.

LÉON LE GRAND ET ATTILA

C'est, comme on sait, après cet échec qu'Attila, une fois ses forces reconstituées, entra en Italie au printemps de 452, détruisit Aquilée, ravagea la Vénétie, prit Milan, Pavie et s'achemina vers Rome. L'évêque de Rome, Léon le Grand, fut envoyé au devant du redoutable Khan, avec le consulaire Avienus et le préfet Trigetius. « Attila, raconte Prosper

pratique d'Apologétique, t. I, 1906, p. 352 et suiv. ; Bernouilli, *Die Heiligen der Merowinger*, Tubingue, 1900 : S. Dill, *Roman Society in Gaul in the Merovingian Age*, Londres, 1926 ; L. Duchesne, *L'Église au VIe siècle*, Paris, *La Gaule franque*, p. 486-550 ; Fustel de Coulanges, *Histoire des institutions politiques de l'ancienne France*, 6 vol., Paris, 1875-1892 ; T. S. Holmes, *The origin and development of the christian Church in Gaul during the first six centuries*, Londres, 1911 ; G. Kurth, *Clovis*, 3e édit., Paris, 1923 ; Id., *Sainte Clotilde*, 6e édit., Paris, 1898 (coll. *Les Saints*) ; E. Lavisse, *Histoire de France*, II, I, Paris, 1903 ; E. Lesne, *Histoire de la propriété ecclésiastique en France*. Tome Ier : *Époque romaine et mérovingienne*, Lille, 1910 ; A. Marignan, *Études sur la civilisation française*. Tome Ier : *La société mérovingienne*. Tome II : *Le culte des saints sous les Mérovingiens*, Paris, 1899 ; Ueding, *Gesch. der Klöstergründungen der frühen Merowingerzeit*, Berlin, 1935 ; E. Vacandard, *Les élections épiscopales sous les Mérovingiens*, dans la *Revue des Questions historiques*, t. LXIII, 1899, et *Études de Critique et d'Histoire religieuses*, Paris, 1905, p. 123-187 ; R. Weyl, *Das fränkische Staatskirchenrecht zur Zeit der Merowinger*, Breslau, 1888.

(1) *Hist. Francorum*, II, VII (traduction H. Bordier).

(2) *M. G. H.*, *SS. rerum Merovingicarum*, t. III, p. 108.

dans sa *Chronique*[1], reçut la légation avec dignité, et il se réjouit tant de la présence de ce pape qu'il décida de renoncer à la guerre et de se retirer derrière le Danube, après avoir promis la paix ». Avait-il subi l'ascendant du pontife ? Jugeait-il plus sage d'accepter le tribut qui lui était offert et de ne pas demander un nouvel effort à une armée déjà surmenée ? Quelque crainte de subir un sort pareil à celui d'Alaric, mort si peu de temps après avoir profané Rome, se glissa-t-elle dans son cœur ? Le choix est libre entre ces diverses suppositions.

ÉTAT DE LA GAULE VERS LA FIN DU Ve SIÈCLE

Au lendemain de la suprême agonie de l'Empire d'Occident, quand Romulus Augustule eut été relégué au Lucullanum, sur le golfe de Baïes, et Népos assassiné, la Gaule présentait à peu près la physionomie que voici :

De la Loire aux Pyrénées et aux Alpes, les Wisigoths ; dans la vallée du Rhône et de la Saône, les Burgondes ; en Belgique et dans les pays rhénans, les Francs ; sur la rive gauche du Rhin, de Bâle à Mayence, les Alamans. Dispersés à travers le pays, les Gallo-Romains jouissaient d'une certaine indépendance entre la Seine et la Loire, et dans les vallées de la Marne et de l'Oise.

Or les Wisigoths et les Burgondes professaient l'arianisme ; les Francs, eux, étaient restés païens. Certes, la foi arienne d'un Euric n'était pas débonnaire : l'opposition sourde qu'il sentait dans le clergé catholique l'avait amené à bien des violences[2]. Cependant, il ne manquait pas d'un certain libéralisme, puisqu'il acceptait parmi ses hommes de confiance d'authentiques catholiques. — Quant aux Burgondes (dont l'historien Orose affirme[3] qu'ils avaient été catholiques, alors qu'ils séjournaient sur les rives du Rhin, mais qui, à l'imitation des Wisigoths, avaient finalement adopté l'arianisme), ils passaient pour assez débonnaires, et leur roi Gondebaud prêtait volontiers l'oreille aux exhortations de saint Avit, l'évêque de Vienne, qui lui faisait honte de suivre « l'erreur populaire »[4], mais n'obtenait rien d'autre que cette audience complaisante.

En somme, malgré certaines défections[5], les populations gallo-romaines restaient sur la réserve à l'égard des occupants du sol, en raison même de la divergence de foi religieuse qui créait chez elles un malaise.

(1) *P. L.*, LI.
(2) Lettre pathétique de Sidoine-Apollinaire sur le triste état du culte et des églises dans le Midi de la Gaule (*Epist.*, VIII, 6).
(3) *Adv. Paganos*, VII, XXXII. Voir COVILLE, *Recherches sur l'Histoire de Lyon*, p. 104 et 139, qui admet cette donnée, contre H. VON SCHUBERT, *Die Anfänge des Christentums bei den Burgunden*, t. I, Heidelberg, 1911, p. 88.
(4) GRÉGOIRE DE TOURS, *Hist. Franc.*, II, XXXIV
(5) SIDOINE-APOLLINAIRE, *Epist.*, I, VII ; II, I.

LES FRANCS EN GAULE Le début du VIe siècle marqua le premier et durable épanouissement de la puissance des Francs. Demeurés imperméables à la civilisation romaine et aux influences chrétiennes, ceux-ci avaient gardé leur sauvagerie native. Ils firent des déprédations terribles dans les villes du Rhin qu'ils conquirent et dans certaines cités du Nord de la Gaule. On a remarqué les étranges lacunes qu'offrent au Ve siècle les listes épiscopales dans des villes comme Cologne, Mayence, Worms, Spire, Strasbourg, Bâle, Cambrai, Tournai, Amiens, Arras [1]. Il est manifeste que la vie religieuse y était interrompue et la hiérarchie dispersée — ou pis encore.

SAINTE GENEVIÈVE Sous Childéric, Paris même avait vu les Francs Saliens autour de ses murs et dans ses murs. C'est pour subvenir aux besoins des habitants affamés de la ville que Geneviève, une fille héroïque qu'avait vouée à Dieu Germain d'Auxerre, un des derniers évêques gallo-romains — et qui déjà avait su raffermir le courage de ses compatriotes lors de la menace des Huns, en 451 — partit par voie d'eau jusqu'à Arcis-sur-Aube, afin d'en ramener les vivres indispensables. Sa *Vie* — dont l'authenticité est aujourd'hui reconnue — devait être racontée, vers 530, par un moine originaire de Meaux [2] ; elle nous permet de nous former quelque idée de cette « vierge forte unissant aux qualités charmantes de la femme le courage, l'énergie, l'esprit d'initiative [3] ».

Geneviève mourut le 3 janvier, vers l'an 500 environ. La basilique construite sur son tombeau fut mise sous le vocable de saint Pierre ; elle devait prendre plus tard celui de sainte Geneviève.

LA CONVERSION DE CLOVIS A la mort de son père Childéric en 482, Clovis n'avait que quinze ans. Dès le début de son règne, l'épiscopat catholique conçut à son sujet beaucoup d'espérances, qui ne devaient pas être trompées. Rémi, l'évêque de Reims, lui envoya une lettre où il lui suggérait de marcher toujours d'accord avec les évêques, pour le plus grand bien du pays [4]. Clovis ne ferma pas l'oreille à ce conseil et, au cours de ses conquêtes, il prendra soin de ménager le clergé et de lui épargner toute spoliation [5].

Il serait d'ailleurs peu exact de se représenter le jeune roi comme un docile instrument entre les mains de l'épiscopat. Une pensée politique se forma de bonne heure dans son esprit. Il se rendit compte que la

(1) Cf. L. Duchesne, *Fastes épiscopaux de l'ancienne Gaule*, t. III, 1915, p. 10-24.
(2) Édit. C. Künstle, dans la *Bibliotheca Teubneriana*, 1910.
(3) G. Kurth, *Étude critique sur la vie de sainte Geneviève*, dans *Revue d'Histoire ecclésiastique*, t. XIV, 1913, p. 78.
(4) *Epist.*, II, dans *P. L.*, LXV, 961.
(5) Grégoire de Tours, *Hist. Franc.*, II, XXVII.

principale, sinon l'unique barrière [1], qui séparait encore les deux races, la franque et la gallo-romaine, c'était la différence de religion ; et que se constituer le protecteur de la foi catholique, c'était attirer à lui, non seulement la foule qui gravitait autour des évêchés et des monastères, mais les sympathies agissantes d'innombrables âmes. Ce qu'il fit, il le fit en connaissance de cause, car les Ariens cherchèrent à l'attirer à eux — saint Avit le laisse entendre d'une façon suffisamment claire [2]. Au surplus, une de ses sœurs, Lantechilde, était arienne ; une autre, Albo-flède, avait été prise pour femme par le roi arien Théodoric. L'arianisme put lui paraître une solution tentante et facile. — Mais, en 493, Clovis avait épousé Clotilde [3], fille de l'arien Chilpéric, laquelle semble avoir exercé sur son esprit un réel ascendant et l'inclina du côté de la religion catholique, où elle avait été elle-même élevée par sa mère, la pieuse Caratène. Dans quelle mesure la « foi » à proprement parler travailla-t-elle son esprit, c'est ce qu'il est difficile de préciser [4], encore que l'hypothèse de froids calculs, dénués de tout mysticisme, soit fort peu vraisemblable. Une épreuve de force le décida à franchir le dernier pas — non sans quelques suprêmes hésitations. Le Dieu de Clotilde, invoqué au milieu d'une bataille douteuse contre les Alamans, lui donna la victoire. Clovis n'éluda pas le vœu solennel qu'il avait formulé, en implorant son appui. Le spectacle de guérisons miraculeuses au tombeau de saint Martin acheva de le convaincre. Quand, instruit par les soins de l'évêque Remi, il eut reçu le baptême dans le baptistère de l'église cathédrale de Reims avec trois mille soldats de sa garde [5], le peuple catholique reconnut en lui l'homme providentiel, « l'arbitre de ce temps » (selon l'expression de saint Avit), qui allait assurer en Occident le triomphe d'une civilisation nouvelle, et rendre désormais inutiles les appels à l'empereur de Byzance.

Clovis fut regardé comme un « nouveau Constantin » — cette comparaison est déjà indiquée par Grégoire de Tours [6]. Porté par l'opinion publique, il élargira rapidement la puissance de son peuple, parce que, chez ses adversaires ariens, même les plus tolérants (comme le roi des

(1) Il y avait aussi celle de la « personnalité » des lois, aggravée d'une certaine infériorité juridique au détriment des « Romains ».

(2) *Epist.*, XCVI. « Les sectateurs des schismes ont essayé de tromper la pénétration de votre esprit, en voilant l'éclat du nom chrétien par leurs opinions variables, aux multiples aspects, vides de vérité, etc. »

(3) GRÉGOIRE DE TOURS, *Hist. Franc.*, II, XXI ; III, XXXI.

(4) « Ses raisons, bien entendu, pas plus que ses objections, n'étaient de nature subtile. C'étaient des raisons de barbare » (L. DUCHESNE, *L'Église au VIe siècle*, p. 493).

(5) La date de ce baptême est controversée, les sources anciennes n'étant pas d'accord (*Epist.*, XLI, de saint Avit à Clovis ; lettre de saint Nizier de Trèves à Chlodosvinde, fille de Clotaire Ier ; *Hist. Franc.* de GRÉGOIRE DE TOURS, II, XXIX-XXXI ; *Vita Vedasti*, de JONAS DE BOBBIO (édit. KRUSCH, Hanovre, 1905)). La date probable, mais non certaine, est le 25 décembre 498 ou 499. Cf. en dernier lieu L. LEVILLAIN, *La conversion et le baptême de Clovis*, dans *Revue de l'Église de France*, t. XXI, 1935, p. 161-192.

(6) *Hist. Franc.*, II, XXXI « *Procedit* novus Constantinus *ad lavacrum, deleturus leprae veteris morbum...* ».

Burgondes, Gondebaud, ou Alaric II, le roi des Wisigoths [1]), les éléments catholiques ne pourront se défendre de souhaiter son succès et parfois de favoriser son action [2]. Il achève en 506 la ruine des Alamans ; il rejette un moment, en 507, les Wisigoths au delà des Pyrénées, et reçoit à cette occasion de l'empereur de Byzance, Anastase, le titre de consul.

Ces victoires, qui assuraient la ruine définitive de l'arianisme, firent du chef de bande un chef de race et donnèrent un centre politique à la société catholique en Occident. En outre, Clovis, avec beaucoup de sagesse, rassura les intérêts, conserva les cadres de l'administration romaine et ménagea l'aristocratie foncière, dans les rangs de laquelle se recrutait le plus souvent l'épiscopat. Un concile réuni à Orléans en juillet 511 traça les linéaments d'une sorte de concordat entre le pouvoir royal et l'Église [3]. Tout fut facilité par l'absence de ces rivalités confessionnelles, qui empoisonnèrent le royaume des Vandales en Afrique, celui des Wisigoths en Espagne, des Burgondes en Gaule, des Ostrogoths en Italie. Les Francs, il est vrai, restaient païens en grande majorité. Mais leur « paganisme » n'avait ni armature doctrinale, ni force conquérante. Un effort d'évangélisation, qui se prolongea tout au long du VIIe siècle, devait le réduire peu à peu.

L'ÉTAT BURGONDE

L'État burgonde, qui avait aidé Clovis à se débarrasser des Wisigoths, subsista encore pendant quelques années. Le roi Gondebaud, quoique arien, accepta les conseils d'un prélat diplomate qui était aussi un grand lettré, saint Avit [4], et lui permit de ramener à l'orthodoxie catholique son fils Sigismond et plusieurs membres de sa famille. Une fois que celui-ci eut succédé à son père, un concile fut convoqué à Épaone [5], d'accord avec le métropolitain de Lyon, et de l'aveu du roi. Sigismond, très pieux, mais trop impulsif, commit des fautes graves, parfois de véritables crimes, et périt tragiquement. Une dizaine d'années plus tard, en 536, les Francs mettaient la main sur la Burgondie. Toute la Gaule était désormais au pouvoir des fils de Clovis.

(1) Notons ici qu'Alaric avait si bien senti la nécessité de se concilier ses sujets romains en leur donnant l'assurance de vivre selon leurs lois qu'il avait institué une commission de *prudentes* chargée de faire un choix dans le *Code Théodosien* et autres monuments du droit romain. Cette compilation connue sous le nom de *Lex Romana Visigothorum* ou de *Breviarium Alarici*, vit le jour le 2 février 506. Il permit aussi une réunion conciliaire, celle d'Agde, le 11 septembre 506, sous la présidence de Césaire d'Arles. Cf. *infra*, p. 408.

(2) Cf. GRÉGOIRE DE TOURS, *Hist. Franc.*, II, XXXVI : « Multi iam tunc ex Gallia habere Francos dominos summo desiderio cupiebant ».

(3) HEFELÈ-LECLERCQ, *Hist. des conciles*, II, 2e partie, p. 1005. Pour les conflits ultérieurs, voir VACANDARD, art. cité.

(4) Cf. P. DE LABRIOLLE, *Histoire de la Littérature latine chrétienne*, 2e édit., 1924, p. 648-651 ; H. v. SCHUBERT, *Geschichte der christlichen Kirche im Frühmittelalter*, t. I, p. 36 et suiv. Cf. *infra*, p. 405.

(5) HEFELÈ-LECLERCQ, *op. cit.*, t. II, 2e partie, p. 1011.

CHAPITRE VI

L'ACTIVITÉ DOCTRINALE DANS L'ÉGLISE GALLO-ROMAINE[1]

§ 1. — Le mouvement des idées de Cassien à Faustus de Riez.

APERÇU GÉNÉRAL

Il est difficile de présenter en quelques pages un tableau d'ensemble de cette période obscure qui va de 429 à 530, et au cours de laquelle, tant au point de vue temporel qu'au point de vue doctrinal et disciplinaire, l'Église gallo-romaine a connu les phases d'une évolution qui devait aboutir à une transformation profonde. Au point de vue politique, l'Église, jusqu'alors soumise à l'autorité impériale, doit s'accommoder avec le pouvoir nouveau des royautés barbares ; au point de vue disciplinaire, elle s'efforce de trouver des solutions qui scelleront l'alliance de l'épiscopat aristocratique avec le monachisme indépendant et favoriseront l'organisation du clergé diocésain ; au point de vue doctrinal, elle doit se préoccuper d'imposer l'adoption des grandes théories de la grâce, telles qu'elles résultent de l'enseignement augustinien et des définitions conciliaires ou pontificales. Ce travail de reconstitution et d'assimilation exigera un siècle. Il est particulièrement intéressant à suivre dans les régions méridionales de la Gaule soumises à la domination gothique. Après une période de fluctuations, au cours de laquelle « les leviers de commande », ordinairement confiés aux évêques d'Arles, furent en certaines occasions directement pris en mains par les pontifes de Rome, l'œuvre nécessaire de stabilisation et de codification fut réalisée aux conciles d'Agde (506) et d'Orange (529). Par son action prudente et ferme, saint Césaire en a été l'artisan principal.

Nous n'avons pas dans ce chapitre à retracer les incidents ou les con-

(1) Bibliographie. — Les sources seront indiquées à l'occasion de chaque auteur ou concile. Comme travaux d'érudition ou études d'ensemble, voir Tillemont, *Mémoires*, t. XIV et XV ; *Histoire littéraire de la France*, par les Bénédictins de Saint-Maur (édit. Paulin-Paris, t. III et IV) ; L. Duchesne, *Fastes épiscopaux de l'ancienne Gaule*, t. I, Paris, 1907 ; 2e édit., 1910 ; *L'Église au VIe siècle*, Paris, 1925 ; C.-Fr. Arnold, *Cäsarius von Arelate und die gallische Kirche seiner Zeit*, Leipzig, 1894 ; A. Malnory, *Saint Césaire, évêque d'Arles (503-543)*, Paris, 1894 ; Sublet, *Le semi-pélagianisme des origines*, Namur, 1897 ; Fr. Woerter, *Beiträge zur Dogmengeschichte des Semi-pelagianismus*, Paderborn, 1898 ; Munster-i-W., 1899 (*Kirchengeschichtliche Studien*, V, 2) ; M. Jacquin, *La question de la prédestination aux Ve et VIe siècles*, dans *Revue d'histoire ecclésiastique*, t. VII, 1906, p. 269-300.

flits antérieurs à la réorganisation temporelle et disciplinaire accomplie par Césaire, ni les vicissitudes politiques des États barbares, ni l'histoire compliquée du Vicariat d'Arles [1] ; — mais, pour présenter l'évolution intellectuelle et dogmatique à laquelle sont restés attachés les noms de Faustus de Riez et de Césaire lui-même, pour comprendre le caractère précis de la réaction augustinienne affirmée par les canons d'Orange, il nous faut reprendre toute l'histoire doctrinale du siècle et remonter aux grands moines, instituteurs théologiques et ascétiques de la Provence : Cassien de Marseille, Honorat et Vincent de Lérins.

CASSIEN Beaucoup d'obscurités enveloppent encore la personnalité singulière de ce moine oriental qui, après une vie extraordinairement remplie, était venu près du tombeau de saint Victor pour y réaliser dans la tranquillité du cloître l'idéal de sainteté dont, au cours de ses longues enquêtes dans les pays égyptiens, il avait rencontré des exemples prestigieux [2]. Ce sédentaire et ce méditatif avait été un pèlerin inlassable ; il apportait en Gaule le fruit d'une expérience très vaste qui s'était autrefois mûrie à Bethléem, à Sceté et à Constantinople. La sagesse de saint Jean Chrysostome tempérait en lui le zèle presque effrayant des ascètes du désert. Ce n'est pas le moindre de ses mérites d'avoir excité l'appétit mystique des âmes en présentant l'exemple d'héroïsmes merveilleux, tout en montrant au premier plan des vertus monastiques la précieuse vertu de discrétion [3]. D'autres que lui et avant lui avaient exalté l'ascétisme ; mais il a mis le frein de la raison aux excès de zèle et aux enthousiasmes temporaires ; il a apporté aux improvisations individuelles le secours d'une méthode. Ce fut un connaisseur d'âmes, et aussi un dresseur. S'il impose au novice une série d'épreuves presque décourageantes [4], s'il prône l'obéissance aux anciens [5], ce n'est pas pour étioler les caractères et pour former, comme il dit, des cires molles, mais plutôt des âmes « dures comme le diamant » [6]. Cependant il ne doit rien à Pélage et ne professe pas la doctrine de l'*impeccantia* ; dans

(1) Cf. *supra*, p. 248 et suiv.

(2) Né vers 365, Jean Cassien séjourna à Bethléem entre 388-390 et 397-399, fit deux grands voyages en Égypte vers 390-397 et 399-400 ; s'attacha ensuite à saint Jean Chrysostome, à Constantinople et, après un arrêt en Italie (405), vint se fixer à Marseille (406 ?). Il est mort vers 435. Il a écrit un livre sur les *Institutions des Cénobites* (vers 418), des conférences (*Collationes*), publiées seulement en 426-429, et un traité de l'Incarnation (430). — Aucun ouvrage d'ensemble n'a encore été consacré à Cassien. Il serait originaire de Serta, près de Bitlis, en Gordyène ; cf. J. B. Thibaut, *L'ancienne liturgie gallicane, son origine et sa formation en Provence aux Ve et VIe siècles, sous l'influence de Cassien et de saint Césaire d'Arles*, Paris, s. d. (1929). On peut consulter : A. Hoech, *Lehre des Johannes Cassianus von Natur und Gnade ; ein Beitrag zur Geschichte des Gnadenstreits im 5 Jahrhundert*, Fribourg-en-Br., 1895 ; Jean Laugier, *Saint Jean Cassien et sa doctrine de la grâce*, Lyon, 1908 ; H. Bremond, *Les Pères du désert*, Paris, 1927. — Œuvres dans *P. L.*, XLIX-L ; édit. Petschenig, dans *Corpus* de Vienne, t. XIII et XVII, 1886-1888. Cf. *Histoire de l'Église*, t. III, p. 317.

(3) *Coll.*, II.

(4) *Coll.*, IV.

(5) *Coll.*, II, 10.

(6) *Coll.*, VI, 12.

sa conférence fameuse sur « la protection divine »[1], il posait en principe et très formellement que Dieu était la source nécessaire de toutes nos bonnes pensées et nos bonnes actions. Il se bornait seulement à soulever la question de savoir si le bien de nature est tellement affaibli que nous ne puissions attribuer à l'homme, postérieur à Adam, aucune initiative bonne ; il semblait distinguer deux modes dans l'action de la grâce : une action salvatrice, où Dieu joue le premier rôle ; une action tutélaire, où Dieu, *susceptor*, seconde et comble nos efforts propres.

Il était sans doute illogique, maintenant que l'on avait proclamé la nécessité permanente et universelle du secours divin *ad quoscumque actus*, d'établir une sorte de morcelage dans ce secours et de réserver dans certains cas au seul arbitre de l'homme la démarche initiale à laquelle se rattache le processus total de la sanctification ; mais Cassien se plaçait moins sur le plan de la métaphysique que sur celui des seules données conscientes et volontaires du sujet. Il ne s'est pas arrêté non plus à dénoncer au cœur de « l'homme intérieur » les élans indéracinables de la concupiscence, mais se préoccupe plutôt de fermer les issues de l'âme à l'assaut des huit mauvais « esprits » qui peuvent l'envahir[2]. Sa direction spirituelle devient une psychomachie dont il enseigne la tactique, et la démonologie des Pères du désert se profile curieusement à l'arrière-plan de ses analyses[3]. C'est par sa psychologie de l'effort personnel, beaucoup plus que par sa théologie, que Cassien s'éloigne de saint Augustin.

OPPOSITION EN PROVENCE CONTRE L'AUGUSTINISME

Aussi, lorsque vers 428 les théories d'Augustin propagées et souvent faussées par des disciples maladroits commencèrent à se répandre dans la vallée du Rhône, il n'est pas étonnant que les doctrines du *De correptione*, puis du *De praedestinatione* aient suscité la réprobation dans les milieux où s'exerçait l'influence de Cassien aussi bien que dans ceux où florissait la discipline enseignée à Lérins, partout où l'on estimait que l'œuvre du salut exigeait une participation active et incessante de la volonté propre. Outre que la théorie du don purement divin de « persévérance » choquait une tradition enracinée dans l'Église gauloise qui ne reconnaissait pas la validité du repentir exprimé aux derniers instants de la vie[4], la doctrine de prédestination que l'on pouvait au pis aller confondre avec le fatalisme, les restrictions apportées à l'universalité de la vocation divine et l'idée du mérite propre des bonnes œuvres, trop dépendantes, croyait-on, du secours divin, les conséquences d'inertie que l'on en déduisait, étaient

(1) *Coll.*, XIII. Voir dans PROSPER (*P. L.*, LI, 215-275), *Contra Collatorem*, la discussion des thèses de Cassien (résumé, c. 19-20, 266-270).
(2) *De institutis coenobiorum*, V-XII.
(3) *Coll.*, VII et VIII. Cf. t. III, p. 331-335.
(4) Lettre de CÉLESTIN, *Epist.*, IV. Cf. saint LÉON, *Epist.*, CVIII.

bien faites pour indigner des hommes auxquels une éducation sévère avait inculqué le mérite des vertus pragmatiques [1]. Par égard pour saint Augustin et avec une réserve dont on ne lui a su aucun gré, Cassien ne voulut pas engager de polémique. Mais des prêtres en vue, encouragés par la neutralité bienveillante de leurs évêques, à la veille eux-mêmes d'être promus à l'épiscopat, et parmi eux, semble-t-il, Ruricius qui sera bientôt évêque de Narbonne, Vénérius, qui sera évêque de Marseille, Loup, frère de Vincent, qui ira à Troyes, ne se firent pas faute de combattre les théories augustiniennes [2]. On peut dire que presque toute cette promotion d'évêques, qui se sont instruits à Lérins et qui de 430 à 480 occuperont les chaires du midi de la Gaule, a été formée dans un esprit de défiance à l'égard de l'augustinisme.

VINCENT DE LÉRINS

Le représentant le plus typique de cet état d'esprit est Vincent de Lérins [3]. Nous n'avons de ce prêtre qu'un ouvrage unique et d'ailleurs assez court, mais très remarquable : son *Commonitorium* [4]. Ce ne devait être en théorie qu'un aide-mémoire où, en utilisant surtout certains principes posés par Tertullien dans le *De praescriptione*, l'auteur s'efforçait d'établir un critérium certain de l'erreur et de l'orthodoxie. C'est en quelque sorte un « discours de la méthode » pouvant servir d'introduction générale à toute étude hérésiologique. Quelle est, se demande-t-on, la norme évidente et indiscutable de la vérité religieuse ? Ce ne peut être l'Écriture sainte, puisqu'elle est utilisée à toutes fins par les hérétiques. A la même époque, d'autres, que Vincent ne connaît pas ou du moins se garde de citer, alléguaient les autorités des conciles et du Siège apostolique. Vincent préfère s'appuyer sur la force massive de la tradition et du consentement universel : *Quod semper, quod ubique, quod ab omnibus* [5]. Avec beaucoup d'éloquence et de force, il démontre que la vérité orthodoxe et l'inerrance de l'Église n'ont jamais été attachées à l'enseignement d'aucun docteur particulier, quel que fût son génie. Il rappelle l'exemple mémorable d'Origène :

Son génie était si fort, si profond, si vif, si élégant qu'il dépassait de bien loin tous les autres ; son fonds doctrinal, son érudition si magnifiques, qu'il y eut peu de parties des sciences divines et à peu près aucune des sciences humaines qu'il n'ait approfondies. Quand son savoir eut épuisé les choses grecques, il se mit aussi aux études hébraïques. Est-il besoin encore de rappeler

(1) Lettre de PROSPER à Rufin, III, dans *P. L.*, LI, 77-90.

(2) PROSPER (*apud* saint AUGUSTIN, *Epist.*, CCXXV, 7) et *Epigramme* (*P. L.*, LI, 150), allusion à saint Loup ? — Sur Ruricius et Vénérius, prêtres de Marseille, cf. LE BLANC, *Inscript. chrét. de Gaule*, t. II, p. 617.

(3) F. BRUNETIÈRE et P. DE LABRIOLLE, *Saint Vincent de Lérins*, Paris, 1906, introduction et traduction ; Hugo KOCH, *Vincenz von Lerins und Gennadius*, dans *Texte und Untersuchungen*, t. XXXI, 2, Leipzig, 1907 ; A. D'ALÈS dans *Recherches de Science religieuse*, juillet 1936 ; cf. TILLEMONT, *op. cit.*, t. XV, p. 858-862.

(4) Texte latin, *P. L.*, L.

(5) *Commonitorium*, II. « Ce qui a toujours été cru, en tous lieux et par tous ».

son éloquence ? Sa parole avait tant de charme, tant de fluide abondance, tant de douceur, qu'on dirait qu'il découle de sa bouche non des mots, mais du miel ! Quoi de si malaisé à persuader qu'il n'ait rendu limpide par la force de sa dialectique ? Quoi de si difficile qu'il n'ait réussi à faire paraître très facile ? — Mais peut-être n'a-t-il formé la trame de ses exposés que d'une suite d'arguments ? — Bien au contraire, il n'est point de maître qui ait eu le plus souvent recours aux exemples empruntés à la loi divine. — Et n'aurait-il que peu écrit ? — Nul homme n'écrivit davantage... — Mais peut-être ne fut-il que médiocrement heureux en disciples ? — Qui fut plus heureux sous ce rapport ? Innombrables sont les docteurs, les prêtres, les confesseurs, les martyrs sortis de son sein. Et qui pourrait dire l'admiration, la gloire, le crédit dont il jouit auprès de tous ? Quel homme un peu zélé pour la religion qui ne soit accouru vers lui des parties les plus reculées de l'univers ? Quel est le chrétien qui ne le vénéra presque comme un prophète, quel est le philosophe qui n'eut pour lui le respect dû à un maître [1] ?

L'Église reprend son bien partout où elle le trouve. Si elle s'est gardée d'adopter la formule trop tentante : *Quod semper, quod ubique*, elle n'a pas craint d'intégrer, en propres termes, dans ses constitutions dogmatiques un développement très heureux de Vincent sur ce que celui-ci appelait déjà « le progrès » ou la croissance de la foi, « mais sous cette réserve que ce progrès constitue vraiment pour la foi un progrès et non une altération », « à condition que ce développement se produise dans le même dogme, dans le même sens et dans la même pensée » [2] :

Mais si les germes originels ont en une certaine mesure évolué avec le temps et maintenant s'épanouissent en leur pleine maturité, du moins le caractère propre de la graine ne doit-il changer en aucune façon. Qu'ils prennent apparence, forme, éclat, mais que chacun conserve la nature de son espèce. A Dieu ne plaise que les plants de roses de la doctrine catholique se transforment en chardons et en épines... Il est légitime que ces anciens dogmes de la philosophie céleste se dégrossissent, se liment, se polissent avec le développement des temps : ce qui est criminel, c'est de les altérer, de les tronquer, de les mutiler. Ils peuvent recevoir plus d'évidence, plus de lumière et de précision, oui : mais il est indispensable qu'ils gardent leur plénitude, leur intégrité, leur sens propre [3].

Mais gardons-nous de déduire de cette page justement célèbre que Vincent fut « évolutionniste » ; il est au contraire profondément et jalousement conservateur : « O Timothée, conserve le dépôt, évitant les nouveautés profanes... » [4].

En apparence, aucune idée de controverse n'inspire cet ouvrage ; les seules applications de la thèse visent l'hérésie contemporaine de Nestorius. Mais les allusions de l'auteur suggèrent invinciblement le souvenir de saint Augustin. Pas une parole blessante n'est prononcée contre lui ; il n'est pas nommé une seule fois et on affecte ne pas le connaître. Il y a dans ce parti-pris de silence une attestation très nette de non-recevoir, et lorsque, dans la conclusion de son mémoire, l'« étranger » inconnu, *peregrinus*, sous le nom duquel se présente l'auteur, cite et veut tourner

(1) *Commonitorium*, XVII (trad. P. DE LABRIOLLE, p. 71).
(2) *Commonit.*, XXIII. Concile du Vatican, constitution *De fide*, IV.
(3) *Commonit.*, XXIII.
(4) *Ibid.*, XXI-XXIV (*I Tim.*, VI, 20-21).

à son profit une recommandation empruntée à une lettre du pape Célestin aux évêques gaulois : « que la nouveauté cesse de harceler la croyance ancienne », il est bien probable qu'il en dévie sensiblement l'intention.

LUTTE CONTRE LE PRÉDESTINATIANISME

La vivacité de certaines attaques contre Augustin avait été, en effet, assez grande pour justifier l'intervention du pontife romain :

Nous avons toujours eu en notre communion, pour sa vie et pour ses mérites, cet homme de sainte mémoire ; jamais même la rumeur d'un soupçon défavorable n'a rejailli sur lui, et nous n'oublions pas que sa science lui a valu d'être toujours compté au rang des plus excellents maîtres par mes prédécesseurs, et ils avaient raison car, en tous lieux, tout le monde lui a rendu affection et honneur [1].

Cette déclaration qui interdisait toute critique aux adversaires d'Augustin avait été obtenue à la suite d'une démarche personnelle faite à Rome par Hilaire de Marseille et Prosper d'Aquitaine (430). Il en résulta que désormais la controverse, toujours aussi serrée, continua de sévir sans que, d'un côté tout au moins, on eût le droit de jeter dans la bagarre le nom vénéré d'Augustin. La tactique généralement adoptée consista à faire circuler des listes de propositions extraites de ses ouvrages, ou même, procédé plus déloyal qui fut, semble-t-il, employé par Vincent, à le réfuter par l'absurde, en prêtant à ses théories une forme absolue et révoltante [2]. Il était inévitable que dans l'énervement de la querelle, Prosper, qui s'était décidément constitué le champion d'Augustin, en vînt quelquefois à dépasser la mesure ; puisque l'on attaquait son maître, il n'épargna ni Cassien, ni Vincent [3]. Mais il ne faut pas oublier non plus que des disciples inintelligents prenaient de bonne foi pour paroles d'Augustin les thèses les moins acceptables [4]. Des organisations secrètes, assez louches, auraient tenté, vers cette période 430-440, un insidieux mouvement de propagande en faveur du fatalisme :

Ils osent promettre et enseigner que, dans leur Eglise, c'est-à-dire dans le conventicule de leur communion, on trouve une grâce divine considérable, spéciale, tout à fait personnelle ; en sorte que, sans aucun travail, sans aucun effort, sans aucune peine et quand bien même ils ne demanderaient ni ne chercheraient ni ne frapperaient, tous ceux qui sont des leurs reçoivent de Dieu une telle assistance que, soutenus par la main des anges, autrement dit, couverts de la protection des anges, ils ne peuvent jamais « heurter du pied contre une pierre » [5]...

Il faut voir sans doute dans ce mouvement, dont on a contesté à tort

(1) Lettre de CÉLESTIN, *Epist.*, XXI (citée par PROSPER, *Contra Collator.*, XXI).

(2) PROSPER, *Responsiones ad capitula Gallorum calumniantium* (*P. L.*, LI, 155-174) ; *pro Augustino responsiones ad capitula objectionum Vincentianarum* (177-186).

(3) PROSPER, *Contra Collator.*, I ; *ad cap. obj. Vincent, praef.* Cf., *supra*, p. 123.

(4) C'est le cas de ces prêtres de Gênes ou Genève (ou d'Agen ?) qui avaient confondu dans le texte d'Augustin objections et réponses (*Responsiones ad excerpta Genuensium*, dans *P. L.*, LI, 199).

(5) VINCENT DE LÉRINS, *Commonit.*, XXVI, trad. P. DE LABRIOLLE, p. 113.

l'existence, une infiltration du priscillianisme [1] ; il n'en reste pas moins que son succès compromettait le nom d'Augustin et pouvait, jusqu'à un certain point, justifier les appréhensions de Vincent.

L'ESPRIT LÉRINIEN FAUSTUS DE RIEZ

Mais ce serait rétrécir étrangement le rôle de Lérins que de tout ramener à cette controverse fâcheuse. Lérins fut un magnifique foyer de spiritualité et de conquête, une « pépinière » d'évêques et de prédicateurs illustres qui firent aller de pair le souci de la perfection morale et celui de l'apostolat. Ce fut le centre d'une culture monastique très haute dont le souvenir ineffaçable restait présent, malgré les soucis ultérieurs, à tous ceux qui y avaient goûté ; un foyer d'éducation où se forma un cadre nouveau d'évêques-moines, à la fois ascètes, théologiens et chefs, qui relevèrent la tradition alors bien tombée de saint Martin de Tours. Là, se sont formés trois métropolitains d'Arles, Honorat, Hilaire et Césaire ; Eucher de Lyon, Valérien de Cimiez, Maxime et Faustus de Riez [2]. Ils ont presque tous laissé un grand renom d'orateurs ; ils eurent un sens très vif de la discipline ou, ce qui revient au même, de l'autorité ; leur morale vigilante ne se contentait pas d'un acquiescement commode de la foi ou de la piété sans les œuvres. Nous avons vu qu'ils restaient en garde contre les tendances augustiniennes, mais ils admettaient selon l'enseignement de l'Église la réalité du péché originel et la puissance de la grâce. Lorsque Hilaire, encore réfractaire à sa vocation future, se cabrait devant les instances d'Honorat, celui-ci s'écria : « Ce que tu me refuses, que Dieu me le donne ! » Ce n'était pas le cri d'un Pélagien [3].

L'exemple d'Hilaire d'Arles, dans les vicissitudes de sa puissance vicariale et métropolitaine [4], suffirait à nous montrer quelle était la trempe des âmes qu'on forgeait à Lérins, mais les œuvres de Faustus, abbé de Lérins pendant vingt-neuf ans (433-462), puis évêque de Riez (462-485 ?), nous instruiront mieux sur l'état d'esprit qui régnait dans ce milieu d'élite [5]. Nous avons encore ses *Instructions*, tout animées d'une flamme austère inspirée de Cassien et peut-être de Pélage et qui s'adressent surtout à la raison, à la conscience. Il ne se souciait pas des séduc-

(1) Sirmond, *Historia Praedestinitiana*, 1648. *Contra* Tillemont, t. XVII, art. 19. Cf. E. Amann, art. *Praedestinatus* et *Prédistinatianisme*, dans *Dictionnaire de Théologie cathol.*, t. XII, col. 2775 et 2807.

(2) Cabrol-Leclercq, *Dictionnaire d'archéologie chrétienne et de liturgie*, t. VIII, col. 2596-2627. Cf. S. Eucher, *De laude eremi*, xlii.

(3) Hilaire, *Vie d'Honorat*, v (*P. L.*, L, 1262).

(4) Cf. *supra*, p. 261-262.

(5) A. Engelbrecht, *Studien über die Schriften des Bischofs von Riez, Faustus*, Vienne, 1889 ; A. Koch, *Der hl. Faustus, eine dogmengeschichtliche Monographie*, Stuttgart, 1895 ; Fr. Woerter, *Zur Dogmengesch. des Semipelagianismus*, II. *Die Lehre von Faustus von Riez*, Munster, 1899. Édition des œuvres de Faustus, *P. L.*, LVIII ; édit. Engelbrecht, dans le *Corpus* de Vienne, t XXI, 1891. Cette édition a été très vivement critiquée en ce qui concerne la publication des œuvres oratoires. Cf. G. Morin, dans *Revue bénédictine*, t. IX, 1892, p. 49-61 ; t. X, 1893, p. 62-68 ; *Zeitschrift. für neut. Wiss.*, t. XXXIV, 1935, p. 92-115. Cf. A. Malnory, *Saint Césaire, évêque d'Arles*, p. 289-290.

tions verbales. Mais ce Breton savait emprunter au spectacle des flots des images qui se gravaient dans l'âme et, en ce siècle tourmenté par un étrange besoin d'instabilité et de vagabondage, personne n'a trouvé de mots plus expressifs pour célébrer, loin des écueils et des orages, le « port » inviolé de la vie monastique, dont, explique-t-il, c'est folie de songer à s'enfuir [1].

Théologien et apologiste, il a laissé une œuvre assez étendue. Il écrivit contre l'arianisme et nous reparlerons plus loin de sa doctrine sur la grâce. Considéré en égal des évêques, imbu de ses prérogatives d'abbé, il entra en conflit avec l'évêque Théodore de Fréjus [2]. Plus tard, son rôle diplomatique entre l'Empereur et les Wisigoths ne fut exempt ni de responsabilités ni de périls et, dans les dernières années de sa vie, il fut exilé par le roi Euric (480-485).

POÈTES DE LA GAULE MÉRIDIONALE

La personnalité de Faustus en fait l'une des grandes figures ecclésiastiques du ve siècle et, en dépit de certaines défaillances théologiques, une des gloires de Lérins. Mais il ne faudrait pas croire que, devant l'invasion barbare, Lérins fût resté l'unique foyer intellectuel des Gaules et qu'en dehors de ses monastères aucun talent ne se soit produit. En réalité, l'ancienne culture, soit classique, soit chrétienne, fut lente à s'éteindre. Sans parler de Sidoine Apollinaire, qui la représente excellemment et dont il sera question dans un autre chapitre [3], mentionnons au moins ici le souvenir de ces poètes chrétiens de Provence et d'Aquitaine : — Marius Victor ou Victorinus, « orateur de Marseille », dont l'œuvre, une sorte de *Paradis perdu*, visiblement inspirée dans son prologue par la doctrine de Pélage, remonte au premier quart du siècle [4] ; — Orientius (Saint Orens), évêque d'Auch († 439 ?) [5], dont le *Commonitorium* est comme une « somme » de morale pélagienne où, laissant de côté toute question doctrinale, l'auteur s'approprie pour les versifier, non sans élégance et justesse, les propres formules de la *Vita christiana* et des Lettres à Célantia ou à Démétriade [6] : rappels à la pratique des devoirs et encouragements nécessaires, au milieu desquels perce, comme dans le *Carmen de Providentia*, l'impression saisissante des destructions récentes, « où la Gaule entière ne fut plus qu'un bûcher fumant [7]... » ; — Paulin de Pella, enfin (376-465 ?), descendant d'une opulente famille de Bordeaux et petit-fils d'Ausone, qui dans son poème retrace, âgé de plus de 80 ans, les tribulations de son existence agitée. Ce

(1) *Serm. ad monachos*, II et VII.
(2) Concile d'Arles (vers 455) : MANSI, t. VIII, col. 907-910.
(3) Cf. *infra*, 4e partie, chap. II, p. 560.
(4) GENNADIUS, *De viris*, XLI. Edit. SCHENKL, dans *Corpus* de Vienne, t. XVI.
(5) Édit. ELLIS (même volume que le précédent). Cf. Louis BELLANGER, *Étude sur le poème d'Orientius*, Paris, 1902.
(6) Ce point n'a pas été aperçu par Bellanger.
(7) *Carmen de Providentia*, II, 184.

sont les mémoires d'un vieillard doux et sympathique ; son *Eucharisticos* est un hymne de reconnaissance à Dieu au moment où son existence, débarrassée des soucis temporels, s'achève dans le calme, la piété et la pauvreté [1]. Comme beaucoup d'autres, il avait dû subir l'attrait de la prédication pélagienne, mais il s'en était bien dépris. Il n'y a rien de moins pélagien que cet hommage fervent rendu à la bénignité prévenante et à l'action protectrice du Christ à son égard.

SAINT AVIT

C'est encore aux poètes qu'il faudrait rattacher saint Avit, évêque de Vienne († 519) [2] : il a paraphrasé en cinq livres de son *Histoire spirituelle* le poème de Marius Victor, allant du récit de la Création jusqu'au passage de la mer Rouge, et des juges trop complaisants ont mis son œuvre en parallèle avec l'épopée de Milton [3]. Moins rhéteur que Sidoine Apollinaire, son collègue et son compatriote, il n'en est pas moins comme lui et en face de Césaire, évêque-moine et élève de Lérins, le représentant parfait de l'épiscopat lettré et aristocratique. Ce prélat « clarissime », classique distingué, a une culture théologique très incomplète ; il n'entend rien aux questions de la grâce, mais comme il doit défendre le catholicisme devant les Ariens, il s'est fait renseigner sur les difficultés trinitaires et christologiques. Il a ainsi laissé, de seconde main peut-être, des réfutations contre les Eutychiens et les Nestoriens [4]. Il a bien travaillé pour déraciner l'arianisme des pays burgondes et, à défaut d'une doctrine personnelle, il devait au moins à son atavisme et à son éducation de gallo-romain un sentiment très fort de l'unité et de la hiérarchie. Lorsque le pape Symmaque, menacé par Théodoric, se trouva en danger, saint Avit, au nom de tous les évêques de Gaule, poussa un cri d'alarme : « Dans les autres évêques, si quelque chose chancelle, on peut le redresser ; mais si le pape de Rome est mis en contestation, ce n'est plus un évêque, c'est l'institution épiscopale qui sera ébranlée [5]... »

C'est lui encore qui, dans l'affaire d'Acace, se fera fort d'assurer au pape Hormisdas que, non seulement dans la province de Vienne, mais dans la Gaule entière, tous se rallieront à sa décision et, faisant transmettre sa lettre par les soins du patrice Théodore, il précise que « d'après les lois des conciles, si quelque doute s'élève dans les affaires qui touchent à l'état de l'Église, nous devons recourir à l'évêque très grand de l'Église romaine comme les membres se rattachent à la tête » [6].

(1) Édit. G. Brandes.
(2) Œuvres, *P. L.*, LIX ; édit. Peiper, Berlin, 1883 (*M. G. H.*, *Auct. antiquissimi*, t. VI, ii); M. Chevalier, Lyon, 1890.
(3) Guizot, *Histoire de la civilisation en France*, t. II, 1845, p. 198-216.
(4) Édit. Chevalier, *Epist.*, lxxxvi-lxxxvii. Cf. G. Bardy, *Revue ecclésiastique de France*, t. XXIV, 1938, p. 33-38.
(5) Mansi, t. VIII, col. 294. Édit. Chevalier, *Epist.*, v.
(6) Édit Chevalier, *Epist.*, xxxii-xxxiii.

PHILOSOPHES ET CRITIQUES Pour achever le tableau de l'activité intellectuelle en Gaule vers 470, il ne resterait plus à citer que le prêtre de Vienne, Claudien Mamert [1], qui, dans un traité « sur la Substance de l'âme », défendit, contre la théorie de Cassien et de Faustus, la spiritualité complète de l'âme et des anges ; — Pomérius [2], philosophe africain réfugié en Gaule, qui avait rédigé, sous forme de dialogues, un traité (perdu) en huit livres sur toutes les questions relatives à la psychogénie, au péché originel et à la liberté, et dont nous possédons encore un traité d'inspiration éclectique sur *la Vie contemplative* ; — Gennadius enfin, qui, en plus des indications bibliographiques précieuses, encore que trop souvent erronées, de son *De viris illustribus* [3], avait écrit un *Livre des Dogmes* [4], qui fut plus tard interpolé, et une collection de traités contre toutes les hérésies (Nestoriens, Pélagiens, etc...). Mais il faut convenir que ces compilateurs se montrent de beaucoup inférieurs à ce que seront quelque trente ans plus tard les « encyclopédistes » illustres de l'Italie : un Boèce et un Cassiodore.

§ 2. — Saint Césaire d'Arles [5].

SAINT CÉSAIRE Saint Césaire appartient à la seconde génération de Lérins. Né vers 470 à Chalon-sur-Saône, il entra à Lérins à l'âge de vingt ans et y resta six ou sept années sous la conduite de l'abbé Porcaire. La tendance doctrinale imprimée par Faustus s'était peut-être assouplie et teintée d'augustinisme sous l'influence de disciples venus de divers pays. Mais le régime, cependant moins strict qu'autrefois, inculqua à Césaire une solide formation monastique dont il garda l'empreinte. Il y prit contact avec les réalités et les difficultés d'une vie à la fois ascétique et communautaire et s'y initia non sans quelques mécomptes à la pratique de l'autorité. Chargé ensuite par l'évêque Éone (Æonius) de « rétablir la discipline abbatiale » dans un monastère aux environs d'Arles, il fut, en 503, sacré évêque de cette ville, alors à l'apogée de son importance politique et de son activité commerciale.

Comme ses aînés de Lérins, Césaire se distingue des seigneurs nobles qui étaient en majorité dans l'épiscopat gaulois. Il est relativement pauvre

(1) *P. L.*, LIII ; édit. Engelbrecht, *Corpus* de Vienne, t. XI, 1885.
(2) Gennadius, *De viris*, xcix. Édit. de la *Vita Contempl.*, dans *P. L.*, LIX. Cf. Malnory, *Saint Césaire*, p. 17 ; Bardenhever, *op. cit.*, t. IV, p. 599.
(3) Édit. Richardson (*Text. und Untersuch.*, t. XIV).
(4) M. Turner, *Journal of Theological Studies*, t. VII, 1906, p. 78-99. Cf. G. Morin, dans *Revue bénédictine*, t. XXIV, 1907, p. 445-455.
(5) Bibliographie. — I. Sources. — *Vita S. Caesarii* et Œuvres, dans *P. L.*, LXVII, 1001-1042 ; Mansi, t. VIII.
II. Travaux. — A. Malnory, *Saint Césaire, évêque d'Arles* (*503-543*), Paris, 1894 ; C.-Fr. Arnold, *Cäsarius von Arelate und die Gallische Kirche seiner Zeit*, Leipzig, 1894 ; M. Chaillan, *Saint Césaire* (« Les Saints »), Paris, 1912 ; Germain Morin, *Études, textes, découvertes*, Maredsous, 1913.

et il le restera ; il n'a aucun goût pour les lettres profanes ; il garde strictement les coutumes ascétiques [1].

Il aime et il estime le petit clergé dont il prend la défense [2]. Très humble par devoir, il subordonne toujours son sens propre à la tradition, à la jurisprudence des conciles, aux décisions des papes. Mais il n'en est pas moins, par devoir encore et par caractère, un grand chef, intransigeant dans l'exercice de son autorité [3].

Parmi ses vertus privées, il faut citer la charité qu'il exerça dans un esprit très large, faisant vendre l'argenterie de l'église et les vases sacrés pour subvenir aux misères des victimes de la guerre [4]. Il veilla au rapatriement des réfugiés et des captifs ; il obtint le retour de la population d'Orange qui avait été déportée tout entière en Italie. Quand les hommes de ce temps faisaient l'aumône « pour le rachat de leur âme », ils donnaient à cette formule le plein sens qu'elle pouvait avoir pour des gens qui savaient par une expérience journalière ce qu'était la délivrance d'un prisonnier ou d'un otage. Il avait fondé près de sa cathédrale un hôpital, le plus grand et le mieux aménagé qu'on eût vu en Gaule [5].

Évêque d'une ville à la population mêlée, dans une cité à la fois capitale et ville frontière, exposé à la malveillance des éléments juifs et à la méfiance invétérée des officiers goths, il fut compromis trois fois et prouva chaque fois son innocence. Ses origines et ses sympathies le portaient plutôt vers les Burgondes, et il lui fallait prévoir toutes les éventualités politiques. Pour les intérêts moraux et matériels des peuples, il dut négocier avec Gondebaud [6] et l'on s'explique que les rois Alaric et Théodoric, toujours inquiets de la fidélité de leurs sujets catholiques, se soient alarmés, même à tort, de son action [7]. Il n'en fut pas moins l'auxiliaire loyal et le conseiller des souverains goths, surtout dans cette œuvre de stabilisation et de tolérance à laquelle ils s'adonnèrent dans les premières années du VIe siècle, marquant leur volonté de définir et de fixer

(1) MALNORY, *op. cit.*, p. 28 : « Une marque particulière de l'idée rigoureuse qu'il se faisait de son devoir à cet égard est la fidélité qu'il garda jusqu'à sa mort à la récitation des heures de nuit appelées Nocturnes, prenant soin de réveiller lui-même chaque nuit, au moment venu, avec un grand souci de l'heure exacte, les clercs qui l'assistaient dans la récitation C'était la règle de Lérins qui le tenait éveillé à cette heure, pendant que tous dormaient autour de lui ».

(2) MALNORY, *op. cit.*, p. 59-60 ; *Vita*, I, XLVIII.

(3) Lettre relative à Contuméliosus (MANSI, t. VIII, col. 811-812). Cf. : « S'il y a quelqu'un à qui ma conduite puisse déplaire, qu'il considère mon propre péril. Si j'use de sévérité, c'est parce que je connais le compte que j'aurai à rendre au tribunal du Juge éternel... Je ne me sens ni assez de mérites pour prendre sur moi les péchés des autres, ni assez d'éloquence pour contredire devant un juge si puissant tant de si grands saints qui ont fixé les règles de la discipline chrétienne ». Cité par MALNORY, *op. cit.*, p. 11.

(4) *Vita*, I, XXIV : « Peut-on faire quelque chose de trop pour des âmes rachetées par le sang de Jésus-Christ ? Dieu ne m'en voudra pas de donner le métal de ses autels, car il a donné lui-même le prix de son sang. Je voudrais bien savoir ce que diraient ceux qui me blâment s'ils étaient à la place de ceux que je délivre. Oseraient-ils appeler sacrilèges les auteurs de leur rachat ? »

(5) *Vita*, I, XV.

(6) *Vita*, II, VIII.

(7) Exil à Bordeaux sur l'ordre d'Alaric en 505 (*Vita*, I, XVII) ; accusation de trahison, pendant le siège d'Arles par l'armée franque et burgonde, en 507-508 (*Vita*, I, XXI) ; citation à Ravenne devant Théodoric en 513 (*Vita*, I, XXVI).

dans des monuments législatifs les droits et la bonne entente des nationalités barbare et romaine. La collaboration de Césaire à cette œuvre s'est manifestée avec évidence au temps d'Alaric II, roi de Toulouse, au concile d'Agde en 506 ; elle s'est marquée d'une manière plus continue encore pendant le long règne de Théodoric (508-526), lorsque sous les auspices de ce roi qui entendait « replacer dans la tradition romaine » les sujets de son vaste empire, Césaire apparut, dans cette Ravenne occidentale qu'était devenue Arles, auprès du grand homme d'État que fut le préfet Libère, comme le représentant le plus hautement qualifié de l'épiscopat catholique et gallo-romain [1].

LE CONCILE D'AGDE Le concile d'Agde qui, en septembre 506, à mi-chemin entre les diocèses de Provence et ceux du Sud-Ouest, réunit au nombre de trente-quatre les chefs ou les représentants de six provinces ecclésiastiques, avait pour but de régler dans le royaume wisigothique le statut disciplinaire et temporel de l'Église catholique [2]. L'idée qui inspira cette réunion est la suite logique de celle qui avait motivé la mise au point des lois civiles dans le *Bréviaire* d'Anianus, dit *d'Alaric*. Césaire, qui dans les archives de la métropole d'Arles s'était profondément documenté sur la législation canonique en reclassant et en complétant de sa main ce qu'il appelait les anciens statuts de l'Église (*statuta Ecclesiae antiqua*) [3], c'est-à-dire la collection des décisions adoptées dans les conciles antérieurs de Gaule et peut-être d'Afrique, et qui avait étudié en outre les décrétales des papes, — qui pendant son séjour contraint à Bordeaux s'était mis utilement en rapport avec le gouvernement d'Alaric et les évêques de l'Ouest, notamment Cyprien de Bordeaux, Vérus de Tours et Ruricius de Limoges, — Césaire, qui malgré son jeune âge présida le concile, en avait soigneusement préparé les travaux et en suggéra les décisions. Elles sanctionnent ou précisent les usages anciens, concernant principalement la discipline des clercs et des évêques et le régime des biens d'Église.

Les clercs n'ont pas le droit de grève (c. 2) et doivent recevoir un salaire convenable (c. 36) [4] ; ils ne peuvent recourir qu'exceptionnellement aux juges séculiers (c. 8) et n'ont pas le droit, qui appartient à l'évêque seul, de dire la bénédiction sur le peuple ou d'absoudre les péni-

(1) Malnory, *op. cit.*, p. 99 et suiv. ; 130-132.

(2) Mansi, t. VIII, col. 319-344 ; Malnory, *op. cit.*, p. 62-90 ; C. Fr. Arnold, *op. cit.*, p. 224-239.

(3) D'abord faussement attribués au IVe concile de Carthage, les *Statuta* ont été identifiés et édités par les Ballerini, t. III de saint Léon (*P. L.*, LVI, 879 ; Mansi, t. III, col. 949-960). Malnory, *op. cit.*, p. 50-62. Cf. Duchesne, *Fastes épiscopaux de l'ancienne Gaule*, t. I, p. 142-146 ; P. Fournier et G. Le Bras, *Hist. des Collections canoniques en Occident*, t. I, Paris, 1931, p. 46-48.

(4) Plus tard, le concile de Carpentras (527) reconnaîtra le droit des paroisses à disposer de leurs revenus sans les verser dans la mense épiscopale : Mansi, t. VIII, col. 707. Sur les revendications du petit clergé qui se plaint de « mourir de faim », voir le traité *De septem ordinibus Ecclesiae*, chap. v, dans *P. L.*, XXX, 154. Auteur : Faustus de Riez ? (cf. *Revue bénédictine*, t. VIII, 1891, p. 97-104).

tents (c. 44). L'évêque doit observer à leur égard les règles de la hiérarchie et de l'ancienneté (c. 23) ; s'il excommunie l'un d'eux pour une faute légère ou repousse celui qui implore son pardon, les évêques du voisinage signaleront le fait et ne refuseront pas (à ce dernier) la communion jusqu'au prochain synode, de peur qu'il ne meure excommunié (c. 3).

D'autres canons reprennent des prescriptions analogues d'Angers (453), de Tours (461), de Vannes (465), qui fixaient les conditions d'ordination (c. 17), l'obligation du célibat (c. 16), l'interdiction de l'ivresse (c. 41), de la chasse avec chiens ou faucons (c. 55), et des pratiques superstitieuses et divinatoires (c. 42, 68). Le contrôle des moines étrangers ou nomades est une fois de plus recommandé (c. 38) ; il est interdit de fonder un monastère nouveau sans la permission de l'évêque (c. 27 et 58). En ce qui concerne les biens d'Église, le principe d'inaliénabilité n'est pas rigoureusement maintenu ; l'évêque peut, de son propre chef, aliéner les terres de peu de valeur (c. 45) ; mais il ne peut qu'avec l'assentiment de deux ou trois collègues voisins vendre maisons, domaines, esclaves ou vases sacrés, ou quoi que ce soit dont vivent les pauvres (c. 6 et 7) [1].

L'église se propose de regrouper sous la main de l'évêque les chrétiens dispersés. L'existence d'oratoires ruraux ne dispense pas les fidèles de se présenter aux grandes fêtes ; ils doivent communier à Noël, à Pâques et à la Pentecôte (c. 18, 21). D'autres canons envisagent les dispositions à exiger pour le baptême des Juifs (c. 34), le cas de mariage entre parents très proches ou de mariage avec les hérétiques (c. 61, 67).

L'ACTION ADMINISTRATIVE ET POLITIQUE DE CÉSAIRE

Les décisions du concile d'Agde eurent une portée considérable qui fut reconnue bien au delà du royaume wisigoth, et Césaire se préoccupa en toute circonstance d'en fortifier ou d'en étendre l'effet. Son exemple, avivé par les admonestations pressantes du pape Hormisdas, finit par piquer l'émulation de son collègue de Vienne, saint Avit, qui, en 517, réunit à Épaone, quelque part en Savoie (Yenne ?) ou plus probablement dans la Drôme (St-Romain d'Albon ?) [2] trente-quatre évêques du pays burgonde, dans un concile où furent repris en substance de nombreux articles d'Agde [3]. Césaire présida lui-même d'autres conciles provinciaux ; en dehors de ceux qui devaient connaître

(1) On ne spécifiait pas s'il était licite d'aliéner des biens d'église au profit d'un monastère ; la jurisprudence romaine s'y opposait absolument. Césaire, qui essaya de faire trancher la question par Symmaque (*P. L.*, LXII, 53-54), puis par Agapet (*P. L.*, LXVI, 46), ne put obtenir la réponse affirmative qu'il souhaitait. Cf. MALNORY, *op. cit.*, p. 118-119.

(2) Cf. CABROL-LECLERCQ, art. *Epaone* dans *Dictionnaire d'archéol. chrétienne et de liturgie*, t. V, 107-111.

(3) MANSI, t. VIII, col. 555-566. La résolution la plus originale du concile d'Épaone a trait à l'affectation des basiliques ayant appartenu aux Ariens ; il fut décidé de ne reprendre que les édifices jadis construits par les catholiques et usurpés par les Ariens (c. 33). MALNORY, *loc. cit.*, p. 116. — Sur le caractère respectif des trois grands conciles nationaux d'Agde (wisigoth) en 506, d'Orléans (franc) en 511 et d'Épaone (burgonde) en 517, cf. C.-FR. ARNOLD, *op. cit.*, 232-238.

de litiges d'insubordination (affaire d'Agraecius, Carpentras 527 ; affaire de Contumeliosus, Marseille 533) [1], nous mentionnerons le quatrième concile d'Arles (524), tenu à l'occasion de la dédicace de la basilique Sainte-Marie, et le concile de Vaison, en 529. Le problème nouveau qui se pose alors intéresse le recrutement du clergé rural et l'instruction religieuse des masses. L'accroissement du nombre des églises obligeait à étendre le nombre des ordinations ; encore fallait-il prendre les garanties nécessaires d'âge, de moralité et d'instruction (Arles, c. 1 et 7) ; le concile de Vaison ordonne la création d'écoles presbytérales et recommande formellement aux prêtres le devoir de la prédication [2].

On a justement loué cette action législative de Césaire. Cependant il n'est pas tout à fait vrai de dire qu'il ait été l'un des créateurs de l'Église mérovingienne. Son œuvre a été bouleversée par les circonstances et n'a passé qu'en pièces et en morceaux dans les institutions de la monarchie franque. Césaire aurait pu fonder une œuvre magnifique si l'empire des Goths ne s'était pas écroulé. Il aurait tenu près de Théodoric la place d'un saint Ambroise auprès de Théodose. C'est en 513 qu'il fut à même d'entrevoir la réalisation, nous ne dirons pas de ce rêve, mais de cette mission. Représentant direct du Souverain Pontife, dûment mandaté à l'égard de tous les évêques de Gaule et d'Espagne, le métropolite d'Arles, vicaire du Siège apostolique, honoré du sacré pallium [3], aurait pu, avec la coopération éclairée de Libère, établir les fondements d'un régime chrétien. Il aurait désarmé la défiance de ses chefs ariens, calmé l'agitation de certains éléments catholiques du centre et de l'ouest de la Gaule et, dans un empire solidement constitué sur les meilleures traditions de Rome, il aurait complété son travail d'organisation religieuse, d'unification liturgique [4], de conversion et d'instruction des masses. Il n'en fut pas ainsi ; la dynastie gothique s'effondra tragiquement dans le sang en 534-536. Les acclamations qui saluèrent l'entrée de Childebert en 538 ne doivent pas nous faire méconnaître que le legs d'un passé grandiose a été gâché par les enfants de Clovis, et Césaire qui se réjouissait de passer sous la domination d'un roi catholique n'a peut-être pas pressenti qu'elle signifiait l'anéantissement prochain d'une partie de son travail [5]. En dépit de réunions conciliaires plus fréquentes que jamais,

(1) Agrécius, évêque d'Antibes, avait effectué des ordinations irrégulières (Mansi, VIII, 708). Contuméliosus, évêque de Riez, fut condamné pour inconduite ; des vices de forme dans la procédure attirèrent à Césaire diverses complications (Mansi, t. VIII, col. 807).

(2) Concile d'Arles (Mansi, t. VIII, col. 626). Concile de Vaison (Mansi, t. VIII, col. 725-728). Cf. *Vita*, I, XLI-XLIII.

(3) Jaffé-Wattenbach, 766-769. L'honneur du pallium n'était accordé, semble-t-il, qu'à l'évêque d'Ostie et à celui de Ravenne. Les diacres d'Arles eurent comme les diacres romains le droit de porter la dalmatique. Tous ces privilèges faisaient du Vicaire d'Arles comme le représentant visible et le délégué permanent du pape dans les pays transalpins.

(4) Sur l'action liturgique de Césaire, cf. J. B. Thibaut, *L'ancienne liturgie gallicane, son origine et sa formation en Provence aux Ve et VIe siècles*, Paris, 1929. Cf. observations de F. Cabrol, dans *Revue d'histoire ecclésiastique*, t. XXVI, 1930.

(5) *Vita*, II, XXXII.

mais toujours inefficaces, que vont devenir les règles qui exigeaient des clercs ou des évêques un délai d'épreuve, un minimum de science ou de vertu ? Que restera-t-il de l'expérience quasi collectiviste poursuivie au profit des indigents depuis les grandes aliénations volontaires du début du ve siècle ? de la conception du bien d'église censé le « bien des pauvres », ce qui sous un administrateur comme Césaire n'était pas une expression vaine ? des mesures de sauvegarde prises dans l'intérêt du clergé paroissial ? La terre ecclésiastique deviendra en fait domaine personnel de l'évêque ou bénéfice royal. Quand on voudra à nouveau civiliser et moraliser l'église franque, tout sera à reprendre par la base et ce sera la tâche ingrate et glorieuse des moines irlandais.

LA RÈGLE DE SAINT CÉSAIRE

Ce qui a subsisté de Césaire, c'est plutôt son influence spirituelle grâce au succès de sa *Règle*[1] et à la vogue de ses prédications. Pour le monastère de Saint-Jean, dirigé par sa propre sœur, Césarie, cette fondation religieuse dans laquelle il avait placé le meilleur de son cœur et qu'il reconstitua plus florissante encore après la tourmente de l'invasion de 508[2], il avait rédigé une règle qui était un modèle de vie sainte et une merveille de tact, « douce, comme un vêtement de lin », dira plus tard le poète Fortunat[3]. Sous la direction sage de l'abbesse, assistée d'une prévôte, les religieuses, hors de toute ingérence possible de l'évêque (Césaire tenait essentiellement à ce point)[4], devaient se conduire en charité mutuelle dans la pratique d'une vie pieuse, intelligemment occupée à des œuvres utiles, sans mortification rude, sans dévotion renfrognée. La règle de Césaire, appliquée aussi à des monastères masculins, se propagea dans la vallée du Rhône, en Ligurie, dans le Jura ; elle fut adoptée par la reine Radegonde pour son monastère de Sainte-Croix de Poitiers[5].

LES SERMONS DE CÉSAIRE

Ce qui nous intéresse aujourd'hui dans les sermons de Césaire[6], ce sont les traits qui nous permettent de saisir sur le vif des détails de mœurs de la cité arlé-

(1) *Regula sanctorum virginum* (*P. L.*, LXVII, 1107-1116, et édit. G. Morin, Bonn, 1933) Cf. *Histoire de l'Église*, t. V, p. 506.

(2) *Vita*, I, xx ; II, xxxiv.

(3) Fortunat, *Carm.*, viii, 6.

(4) Il fit confirmer ce privilège par une lettre du pape Hormisdas en 514 (cf. Malnory, *op. cit.*, p. 271-272).

(5) Malnory, *op. cit.*, 273-281. — Il existe également une *règle* masculine de saint Césaire, *regula ad monachos*, qui est une codification de la discipline de Lérins et qui remonte peut-être au temps où Césaire fut chargé de l'administration d'un monastère arlésien par Éone. Cf. Arnold, *op. cit.*, p. 509-523.

(6) Malnory, *op. cit.*, p. 167-244. — Les sermons de Césaire, dispersés de tous côtés et souvent placés sous le nom de saint Augustin ou de Faustus, n'ont été rassemblés que très tardivement. Le groupe le plus important figurait dans l'*Appendice* des œuvres de saint Augustin, *P. L.*, XXXIX. Dom Germain Morin, qui en a identifié un nombre considérable, en a donné, après un demi-siècle de labeur, une édition magistrale, *Caesarius episcopus Arelatensis... opera omnia*. Maredsous, 1937.

sienne et nous font entrevoir la vie que l'on menait dans cette grande ville populeuse et riche, à demi grecque, ville de marine, de garnison et de négoce, où l'on se divertissait fort, où les ménages irréguliers n'étaient pas rares, et où les jeunes filles aimaient mieux chanter des refrains d'amour que des cantiques, où les fidèles auraient bien voulu sortir de l'église avant la fin de la messe [1]. Mais Césaire ne prêchait pas pour amuser la curiosité des lecteurs à venir ; ses « admonitions » avaient un but pratique et il considérait que la prédication était un devoir primordial du sacerdoce :

Car si personnellement nous-même ou par l'entremise de quelqu'un de nos frères, nous ne tâchons pas de remplir l'office de la prédication, craignons que ne s'accomplisse sur nous et sur les nôtres la menace terrible que Dieu nous fait par son prophète : « J'enverrai la famine sur la terre... » Non pas la faim du pain ni la soif de l'eau, mais la famine de la parole de Dieu... Craignons que de tout ce qui aura péri par la faim de la parole de Dieu, on ne nous en réclame les âmes à notre âme, au jour du jugement [2] » !

A défaut de science ou de mémoire, il remarquait qu'on pouvait toujours faire lire par un diacre l'homélie d'un Père [3]. Césaire n'a aucun souci de l'originalité littéraire ; il approprie à son but immédiat les pensées et les phrases de saint Augustin et de Faustus. Aucune recherche non plus d'artifice verbal ou de langage pompeux ; un de ses prédécesseurs restait en chaire pendant quatre heures [4] ; les homélies de Césaire ne duraient qu'une vingtaine de minutes. Dans un langage très simple, appuyé de faits concrets, il rappelle les notions élémentaires et intransgressibles de la loi divine et de la conscience et, comme il en fait l'observation, il n'était pas besoin d'un talent rare ni de beaucoup de mémoire pour interdire l'infanticide et la superstition, pour conseiller sinon la chasteté, du moins une réserve convenable, pour condamner la haine et le vol [5]. Césaire a été à cet égard un des initiateurs de la morale chrétienne dans les masses rurales. Indéfiniment recopiées et imitées, ses homélies ont servi à l'instruction de nombreuses générations dans le haut Moyen âge ; elles ont été le livre de fond dont se sont servis les missionnaires des siècles suivants, saint Éloi et saint Boniface [6].

(1) Sermons (*Appendix August.*), CXXIX, CXXX, CCLXXXVIII, CCCIII, CCLXXXII.
(2) *Admonitio vel suggestio humilis* (publiée par MALNORY), p. 302. Cf. *Vita*, II, XXV.
(3) Cf. concile de Vaison, c. 2. *Suggestio humilis*, p. 302.
(4) *Vita Hilarii*, XI (*P. L.* L, 1231).
(5) *Suggestio*, p. 300.
(6) MALNORY, *op. cit.*, p. 241-244. Cf. *Vita*, I, XLII.

§ 3. — La doctrine de la grâce.
Du concile d'Arles au concile d'Orange (473-529)[1].

LE CONCILE D'ARLES LUCIDUS

Césaire n'était pas un théologien[2], mais la Providence a fait que son nom reste attaché à une étape capitale de l'histoire des dogmes. La campagne de Prosper n'avait pas trouvé en Gaule l'écho qu'on aurait pu attendre et, malgré l'arrivée de réfugiés africains dans le Midi, la théorie de saint Augustin, au moins dans sa formule totale, demeurait contestée ; la doctrine régnante et presque officielle dans les milieux théologiques était celle de Lérins. On en eut la preuve au concile d'Arles, vers 473, à l'occasion de l'affaire de Lucidus[3]. Rien n'autorise à voir dans ce personnage de chétive importance un adepte de l'augustinisme[4] ; ses idées rappelleraient plutôt celles de Jovinien. Il assurait que jamais un religieux n'avait enseigné d'erreur. Ne prêchant que l'enfer, il damnait indistinctement et sans exception païens, enfants non baptisés et pécheurs. Pour lui, le libre arbitre avait été complètement détruit ; il était faux que le Christ fût mort pour tous les hommes ; il pensait que le baptême n'était valable et réel que pour les prédestinés ; pour ceux qui devaient retourner au péché et par suite s'étaient présentés *infideliter* au baptême, le péché originel devait reparaître et leur être imputé.

LA DOCTRINE DE FAUSTUS

Faustus de Riez intervint avec force, et Lucidus dut se rétracter. Pour éclaircir la question, Faustus la reprit avec plus d'ampleur et l'étudia dans un traité en deux livres : « Sur la grâce de Dieu et le libre arbitre »[5]. Après avoir repoussé catégoriquement la doctrine de Pélage, Faustus, se retournant contre Lucidus, montre l'absurdité d'un fatalisme selon lequel l'âme raisonnable de l'homme, sous l'empire tyrannique de son Créateur, serait comme la plante qui croît dans l'inconscience, irresponsable de son fruit ; comme la mer, poussée au gré des vents[6]. Faustus se défendait d'égaler la grâce et la volonté libre ; la grâce avait « sans comparaison » et absolument la supériorité. Mais il rejetait l'existence de la grâce « spéciale »,

(1) Bibliographie. — Outre les ouvrages cités en tête de ce chapitre, et surtout Malnory, *op. cit.*, p. 148-152, et C. F. Arnold, *op. cit.*, p. 312-372, cf. : P. Lejay, *Le rôle théologique de saint Césaire d'Arles*, Paris, 1906 (ou *Revue d'histoire et de littérature religieuses*, t. X, 1905, p. 250 et suiv.).

(2) La netteté d'esprit de Césaire et son goût pour les formules exactes et bien arrêtées font que l'on a pu mettre son nom en avant pour lui attribuer ce *compendium* de la théologie trinitaire connu sous le nom de *Symbole de saint Athanase*, dont il est en tout cas « l'un des premiers témoins ». G. Morin, dans *Revue bénédictine*, t. XVIII, 1901, p. 347 et suiv. Cf. : A. Cooper Marsdin, *Caesarius, bishop of Arles, claimed as author of the Athanasian Creed*, Rochester, 1903.

(3) Mansi, t. VIII, col. 1007 et suiv.

(4) E. Amann, art. *Lucidus*, dans *Dict. de Théol. cath.*, t. IX, col. 1020.

(5) *P. L.*, LVIII. Édit. Engelbrecht, 1891 (*Corpus* de Vienne, t. XXI).

(6) *De gratia Dei et lib. arbitrio*, I, viii.

c'est-à-dire personnelle [1]. En se reportant à l'exemple des patriarches anciens, des innombrables enfants « de la race d'Abel » qui ont été sauvés chez les Gentils, il rappelait que l'image de Dieu restait toujours empreinte dans l'âme humaine, en sorte que, apte à vouloir le bien par nature, pouvant en fait pécher, c'était son principal mérite de pouvoir pécher et de s'y refuser [2].

C'était en revenir identiquement, avec les mêmes exemples, à la théorie de Pélage dans la lettre à Démétriade ; il ne manque que le mot de « sainteté naturelle ». Ce recul montre l'inconvénient qu'il y avait à croire qu'on pouvait accepter les définitions de l'Église sur la grâce sans adopter aussi l'explication métaphysique d'Augustin ; nous ne disons point : sa psychologie (déterminisme de la « délectation »), ni même sa théodicée (volonté salvifique restreinte). Il ne suffisait pas de dire que la grâce et le libre arbitre étaient « deux courants qui coulaient dans le même lit » ; il fallait en venir à une image plus expressive, celle des sarments de la vigne : « Les sarments n'apportent rien à la vigne, mais c'est d'elle qu'ils reçoivent la vie... Quand un sarment est coupé, un autre peut surgir de la racine vivante, mais celui qui est coupé ne peut vivre sans la racine... » [3]. Le but du concile d'Orange sera de faire admettre, non pas seulement les formules scripturaires ou conciliaires de la grâce, mais la métaphysique d'Augustin.

LES MOINES SCYTHES ET FULGENCE DE RUSPE

Les sujets abordés dans le grand ouvrage de Pomérius [4], une lettre d'Anastase à l'évêque d'Arles [5] montrent que l'on continuait de s'intéresser beaucoup en Gaule à la question de la création des âmes et à celle du péché originel. Vers 496, le pape Gélase, qui s'était adonné à l'extirpation définitive du pélagianisme, exigea de l'évêque Honorat de Marseille et de Gennadius une profession de foi explicite [6]. La question rebondit d'une façon inattendue vers 519. Une délégation de théologiens orientaux, les « moines scythes », qui s'étaient beaucoup dépensés dans l'affaire monophysite pour faire introduire une formule inédite de leur invention dans le symbole de la Trinité [7], voulant se faire bien voir de Rome, avaient montré un grand zèle contre Nestorius et Pélage. Pour embarrasser l'évêque Possessor, qui ne se décidait pas à les approuver, ils lui demandèrent ce qu'il fallait penser de l'orthodoxie de Faustus de Riez. Possessor, indécis, harcelé en outre par diverses personnalités de Byzance, demanda des instructions à Rome ; il reçut du pape Hormisdas

(1) *De gratia Dei et lib. arbitrio,* I, x.
(2) *Ibid.,* II, vii et x.
(3) Saint Augustin, *Tract. in Joh.,* lxxxi ; Prosper, *Sentent.,* 388 ; concile d'Orange, xxiv.
(4) Cf. *supra,* p. 406.
(5) Thiel, *Anastase,* vi. Lettre à Aeonius (23 août 498).
(6) Gennadius, *De viris,* xcix, c, ci.
(7) « Un de la Trinité qui a souffert dans la chair. » Cf. : Schwartz, *Acta Conc. Oecum.,* t. IV, ii, 1914, introd., p. v-xii. Cf. *infra,* p. 429.

une lettre très mécontente. Faustus n'était pas un auteur dont l'autorité fût reconnue ; la doctrine de la grâce et du libre arbitre avait été réglée par les Pères. Quel besoin y avait-il de poser de nouvelles questions en dehors des limites fixées par l'Église et de revenir sur ce qui avait été dit ? La foi chrétienne était invariablement définie par les Livres Saints, les conciles et les textes de saint Paul : au surplus, pour connaître l'opinion de l'Église romaine, on pouvait s'en rapporter aux livres de saint Augustin et particulièrement à ceux qu'il avait adressés à Hilaire et Prosper [1]. Les Scythes, brouillons et turbulents, étaient fort malmenés dans cette lettre ; Hormisdas, qui les avait eus près de lui pendant quatorze mois, savait à quoi s'en tenir sur leur compte. Mais l'archimandrite Jean Maxence, un de leurs chefs, ne se tint pas pour battu et, dans une réplique insolente et habile, il mit en parallèle des phrases de Faustus avec celles de saint Augustin pour faire ressortir de leur juxtaposition leur incompatibilité et par suite « l'hérésie » de Faustus [2]. En même temps, avec cette décision effrontée qui les caractérise, et toujours dans l'intention d'ennuyer Possessor, les Scythes, entreprenant un mouvement de grande envergure, sollicitèrent l'avis des évêques africains, alors exilés par les Vandales et réfugiés en Sardaigne [3]. La lettre synodique des douze évêques d'Afrique (523) leur apporta toute satisfaction ; c'était une profession orthodoxe, sans doute, mais d'un augustinisme extrêmement rigoureux [4]. Par surcroît, ceux-ci annonçaient que l'un d'entre eux, qui avait déjà écrit sur le sujet, venait de composer une grande réfutation des idées de Faustus : c'était l'un des membres les plus en vue de l'église d'Afrique, Fulgence de Ruspe, déjà célèbre comme apologiste de la foi contre les Ariens [5].

Fulgence est catholique et non fataliste ; dans son livre à Monime, il avait réfuté l'idée d'une prédestination au mal. Mais il partage, et peut-être aggrave encore, le pessimisme radical de saint Augustin en ce qui concerne la corruption totale de la nature déchue, l'impuissance absolue du libre arbitre à vouloir autre chose que le mal, sans la grâce. Sa doctrine coïncidait donc exactement avec celle de Jean Maxence et du diacre Pierre, ami de ce dernier [6].

On peut penser que les Scythes, soucieux de rallier des adhésions, se sont également adressés à Césaire. Bien que celui-ci admirât Faustus, la pratique continuelle qu'il avait des sermons d'Augustin, sa docilité à la

(1) Lettre de Possessor (évêque d'Afrique séjournant à Constantinople). THIEL, *Hormisdas Epist.*, cxv) ; réponse d'Hormisdas, *Epist.*, cxxiv, ou *P. G.*, LXXXVI, 91-94, ou SCHWARTZ, *op. cit.*, p. 1-62 (juillet-août 520).

(2) *P. G.*, LXXXVI, 93-112.

(3) *P. L.*, LXV, 442-451.

(4) *P. L.*, LXV, 435-442. Cf. FULGENCE, *Epist.*, XVII (à Pierre diacre).

(5) Cf. G. LAPEYRE, *Saint Fulgence de Ruspe ; un évêque catholique africain sous la domination vandale*, Paris, 1929. — Œuvres, *P. L.*, LXV. Sur son prestige, cf. *Vita Fulgentii*, xx, 41. Cf. *supra*, p. 385.

(6) Cf. G. LAPEYRE, *Saint Fulgence*, p. 225 et 271.

doctrine des Pères, dont il cataloguait avec soin les extraits [1], sa soumission complète aux directions des papes, devaient l'amener à l'augustinisme [2]. Il fut sûrement influencé par la réfutation de Fulgence [3] et, sans craindre de mécontenter les élèves de Faustus, il crut que son devoir était d'en défendre et d'en faire prévaloir les conclusions.

LE CONCILE DE VALENCE ET LES PRÉLIMINAIRES D'ORANGE

Pour répondre à cette campagne qui bouleversait les positions traditionnelles de l'église gallo-romaine, « les évêques du Christ, situés au delà de l'Isère », c'est-à-dire surtout les ressortissants du siège de Vienne, s'assemblèrent à Valence (septembre 528 ?). Césaire, souffrant, se fit représenter par son disciple Cyprien, évêque de Toulon, qui défendit avec fermeté la pure doctrine augustinienne : théorie de la grâce prévenante et libératrice comme condition absolue de la réintégration de la volonté humaine dans ses facultés et fins surnaturelles [4].

On connaît le texte découvert au XVIIe siècle dans un manuscrit de Trèves, disparu depuis, d'un document en dix-neuf *Capitula* qui a pu servir de base de discussion au concile de Valence et qui représente vraisemblablement un avant-projet proposé par les amis de Césaire [5]. Ce document qui affirme pleinement la doctrine de la grâce fut, soit par le concile, soit plutôt à titre privé par Césaire lui-même, renvoyé à l'examen de Rome. Ces articles constituent un exposé dogmatique complet, non seulement des questions afférentes à la métaphysique de la grâce — c'est-à-dire en un mot au pélagianisme et au semi-pélagianisme, — mais encore une réponse aux difficultés que l'on avait soulevées en Gaule quant à la valeur du baptême [6] et sur la nature et la destinée de l'âme [7].

Rome avait toujours marqué de la répugnance à engager son autorité dans des questions « trop profondes et trop difficiles » [8] ; elle n'approuva, semble-t-il, que l'ensemble des canons qui se rapportaient à la métaphysique de la grâce, et, pour corroborer pleinement ces derniers, fit tenir à Césaire une suite de maximes que Prosper avait colligées autrefois

(1) *Capitula S. S. Patrum*, dans *Revue bénédictine*, t. XXI, 1904, p. 225-239. Ce sont des extraits de saint Ambroise et saint Jérôme, destinés à prouver que la doctrine de saint Augustin ne constituait pas une nouveauté.

(2) Cf. « l'opuscule inédit » ou plutôt homélie sur la grâce, publiée par Dom G. Morin, dans *Revue bénédictine*, t. XIII, 1896, p. 435-439.

(3) Ce traité de Fulgence ne nous est pas parvenu. L'auteur « s'appliquait plutôt à exposer qu'à réfuter » (*Vita Fulgent.*, XXV) ; aucune méthode n'était mieux faite pour convaincre Césaire.

(4) *Vita Caesarii*, I, XLVI.

(5) *Capitula sancti Augustini in urbe Roma transmissa*, Mansi, t. VIII, col. 722-724.

(6) *Ibid.*, XI et XII.

(7) *Ibid.*, XIII-XIV (damnation et prédestination) ; XV-XIX (origine, résurrection ou métempsychose).

(8) *Capitulaires « célestiniens »*, X (*P. L.*, LI, 211). Cf. *supra*, p. 125. — La disjonction du *Cap.*, XIV, sur le caractère nécessaire de la prédestination au salut est particulièrement remarquable.

dans les œuvres de saint Augustin. Ce fut le second stade de l'élaboration des « Canons d'Orange »[1].

LE CONCILE D'ORANGE

Assuré dès lors de l'appui du pape Félix IV, Césaire profita d'une cérémonie religieuse particulièrement éclatante pour faire une déclaration solennelle[2]. La discussion avait été menée à Valence ; la résolution finale fut proclamée à Orange à l'occasion de la dédicace d'une basilique élevée en cette ville par le patrice Libère, le 3 juillet 529[3]. Sans s'inquiéter de l'opinion des opposants qui probablement s'abstinrent de paraître, — treize évêques seulement souscrivirent à la déclaration d'Orange, — Césaire estima « juste et raisonnable » de porter à la connaissance des fidèles, et plus encore de proposer à la réflexion des dissidents, la doctrine tirée des anciens Pères (en fait, fondée sur les seuls témoignages de saint Augustin) et portant sur les rapports de la grâce et du libre arbitre[4].

Après huit canons, empruntés au projet primitif, qui rappellent et précisent en termes formels l'étendue des conséquences héréditaires, morales et non seulement physiques, résultant de la forfaiture d'Adam (c. 1 et 2), la nécessité absolue d'une inspiration de l'Esprit Saint et de l'antécédence de la grâce dans toute pensée ou action de foi ou de charité valable pour le salut ; en d'autres termes, après qu'eût été définie l'insuffisance radicale à cet égard de la « vigueur naturelle » et du libre arbitre, faussé (*vitiatum*) en tous ceux qui sont nés de la faute d'Adam (c. 5 et 8), venait la série des sentences augustiniennes, phrases oratoires ou pathétiques, auxquelles l'intervention pontificale ne laissait pas de communiquer une valeur doctrinale.

— Que personne ne se glorifie de ce qu'il paraît posséder, comme si ce n'était pas un don qu'il eût reçu... (c. 16). — Dieu accomplit en l'homme beaucoup de biens que l'homme n'accomplit pas, mais l'homme n'accomplit aucun bien que Dieu ne lui donne le moyen de l'accomplir... (c. 20). — L'homme n'a de soi que mensonge et péché ; si l'homme a une part de vérité et de justice, elle provient de la source à laquelle nous devons nous désaltérer en ce désert aride (c. 22). — Les hommes exécutent leur propre vouloir quand ils font ce que

(1) Toute cette mise au point a dû faire l'objet de négociations officieuses dont il n'est pas resté trace. Il serait vraisemblable d'attribuer à l'archidiacre Boniface, futur pape, la communication des *Sentences* d'Augustin : celles-ci ont pu être plus nombreuses que les seize propositions insérées dans le texte d'Orange. Il est remarquable que Césaire paraisse être resté jusqu'à cette date complètement ignorant des écrits de Prosper.

(2) MANSI, t. VIII, col. 712 ; *P. L.*, LI, 723-730 ; HEFELÉ-LECLERCQ, *Histoire des conciles*, t. II, 2e partie, p. 1085 ; MALNORY, *op. cit.*, p. 152-153 ; DUCHESNE, *L'Église au VIe siècle* ; LEJAY, *L'Œuvre théologique de saint Césaire d'Arles*.

(3) L'enchaînement des faits reste incertain ; nous avons donné l'exposé qui concorde le mieux avec le récit de la *Vita S. Caesarii*, I, 46, mais on ne sait rien de précis sur la chronologie ni les « gestes » du concile de Valence. MALNORY et DUCHESNE admettent l'antériorité du concile d'Orange ; HEFELÉ-LECLERCQ, ARNOLD (p. 346-348), LEJAY (*Revue d'histoire et de littérature religieuses*, t. X, p. 247, n. 1) et CHAILLAN estiment au contraire que Valence a précédé Orange et les textes semblent leur donner raison.

(4) Étude très détaillée par C. F. ARNOLD, *op. cit.*, p. 533-567, et par G. FRITZ, art. *Orange (IIe concile d')*, dans *Dict. de Théol. catholique*, t. XI, p. 1087-1103 ; M. CAPPUYNS, *L'origine des « Capitula » d'Orange*, dans *Recherches de Théologie ancienne et médiévale*, t. VI, 1934, 121-143.

Dieu ne veut pas ; mais quand ils exécutent leur vouloir d'obéir au vouloir divin, bien qu'agissant volontairement, cela tient au vouloir de Celui qui prépare et ordonne leur volonté (c. 23).

Après ces attestations se plaçait une sorte de récapitulation dans laquelle nous serions portés à voir, non pas un épilogue, mais au contraire le cœur et la substance de la déclaration totale. Rectifiant certaines insuffisances théologiques de Cassien et de Faustus, Césaire établissait que tout ce qui avait pu être en Adam un « bien de la nature » avait dû, chez ses descendants, être réparé ou compensé par un effet de la grâce. Mais la conception inactive d'une accession au salut sans un effort loyal et fidèle du chrétien, pour accomplir son devoir avec l'aide et le concours du Christ, était écartée, ainsi que, et celle-ci très énergiquement, la thèse d'une prédestination au mal imputable à la puissance de Dieu.

Telles sont les trois parties qui composent le document d'Orange. A première vue, celui-ci paraît ne constituer qu'une profession de pur augustinisme. En réalité, sans être à proprement parler un compromis, il concilie avec sagesse des tendances encore antagonistes et réalise, mieux que dans les dix-neuf articles de l'avant-projet, une mise au point raisonnable. Sans doute Césaire, comme saint Augustin dont il reprend les expressions les plus catégoriques, reconnaît pleinement à la grâce de Dieu la priorité, l'efficacité, la nécessité ; il sait, avec Fulgence et Jean Maxence, la gravité de l'atteinte portée à notre libre arbitre par le péché originel [1], — mais ces droits, ces facultés et ces mérites, que Faustus croyait à tort retrouver en tout homme en vertu du bien naturel, Césaire les restitue au chrétien baptisé. Beaucoup plus nettement que saint Augustin [2], il professe que le chrétien, par suite de son baptême (dont il doit le bienfait et le désir à Dieu) reconquiert l'usage de son libre arbitre, retrouve le pouvoir d'acquérir, toujours avec l'aide

(1) Encore a-t-il atténué certaines expressions trop dures de la *Lettre synodique* des Africains et il n'aurait sans doute pas dit, comme les moines scythes, que, depuis le péché d'Adam, « l'homme dépouillé de son ancien honneur est devenu semblable aux bêtes de somme (*jumentis similem*), non qu'il ait perdu la raison, mais parce que la force de sa raison est enchaînée par l'attirance de la chair » (*carnali delectatione*) (profession de foi, dans *P. G.*, LXXXVI, 85). Dom Cappuyns, qui a bien montré les rapports existant entre la teneur des *Capitula* et divers passages de Jean Maxence, nous paraît cependant avoir eu tort de prétendre que les vingt-cinq canons d'Orange représenteraient le texte d'un *Syllabus* composé par les moines scythes et dont Rome aurait retransmis intégralement (ou presque) le contenu à Césaire. Les *Capitula* I-IV et VI-X de l'avant-projet (document de Trèves) offrent seuls des points de contact avec les écrits des Scythes ; en particulier les *Capitula* XI-XII et XV-XIX, dont on ne trouve pas « l'écho » chez J. Maxence, se rapportent en effet à des questions propres à la théologie gauloise et qui étaient probablement ignorées des Scythes, alors qu'en Gaule elles intéressaient les contemporains de Lucidus, de Claude Mamert et de Pomérius. Le rôle de Césaire a donc été plus actif qu'on ne veut bien le dire ; il paraît probable que les *XIX Capitula* de l'avant-projet ont été composés en Provence, les uns rédigés sous l'influence des écrits des Scythes et peut-être de Fulgence, les autres résultant de l'expérience théologique particulière à la Gaule.

(2) Remarquer la retouche caractéristique apportée, dans le canon XIII, au texte augustinien (*De civitate Dei*, XIV, XI ; PROSPER, *Sentent.*, CLII) : « Le libre-arbitre, frappé de faiblesse dans le premier homme, ne peut être rétabli *si ce n'est par la grâce du baptême* ; perdu, il ne peut être rendu que par Celui qui a pu le donner ».

de Dieu, des mérites surnaturels et doit s'appliquer à les gagner par son travail : *Omnes baptizati, Christo auxiliante et cooperante...*

Par ailleurs, ce manifeste célèbre, sanctionné par la signature des autorités officielles présentes à la cérémonie, n'est pas un texte de polémique ni de violence. Ni Cassien, ni Faustus ne sont nommés ; aucune condamnation n'est prononcée contre des personnes ou des écrits. Ce sont les thèses seules qui sont qualifiées « contraires à l'Écriture, au dogme des apôtres... inspirées de l'esprit d'hérésie, étrangères à la foi ». Césaire se soucie bien moins d'assurer sa propre victoire sur ses contradicteurs de Valence que de fournir un exposé indiscutable de la doctrine. Comme il le faisait pour tous les actes importants de son administration, il sollicita à nouveau la ratification du Siège apostolique [1]. Boniface II, successeur du pape Félix IV, la lui accorda d'autant plus volontiers que les canons d'Orange formulaient sur l'initiative de la grâce la théorie de saint Augustin, depuis longtemps reconnue à Rome. Mais, refusant de s'expliquer davantage contre les dissidents, il s'en remettait pour les persuader à la miséricorde divine et au zèle pastoral de Césaire (25 janvier 531) [2].

L'évêque d'Arles accueillit avec allégresse cette lettre qui, du moment qu'elle émanait de l'Église romaine, prouvait à ses yeux l'authentique orthodoxie des définitions proclamées [3]. Comme lui et pour la même raison, les siècles postérieurs ont attribué une autorité exceptionnelle aux canons d'Orange. Ce sont ces textes qui ont constitué, avec ceux de Carthage dont ils forment le complément, la base sur laquelle s'est édifiée la théologie catholique de la grâce.

(1) La requête de Césaire ne pouvait porter ni sur les *Capitula* ni sur les sentences augustiniennes, dont le prologue assure qu'ils ont été « transmis par le Siège apostolique » ; elle avait donc pour objet la profession de foi récapitulative, et ceci confirme notre interprétation qui voit dans ce passage la partie essentielle de la déclaration.

(2) *P. L.*, LXV, 31 ; JAFFÉ-WATTENBACH, 881. La date ci-dessus mentionnée : *VIII Kal. Febr. Lampadio et Oreste vir. cl. consulibus*, reste sujette à contestation. Cf. C. F. ARNOLD, *loc. cit.*, p. 357, note 1147.

(3) « Et c'est pourquoi quiconque croira, au sujet de la grâce et du libre-arbitre, autrement que le fixe cette autorité (du pape) et que l'a établi ce synode, qu'il sache qu'il se met en contradiction avec le Siège apostolique et avec toute l'Église dans le monde entier ». Addition manuscrite au texte d'Orange : cf. MAASSEN, *Concilia*, p. 45-46 ; MALNORY, *op. cit.*, p. 154.

TROISIÈME PARTIE

DE L'AVÈNEMENT DE JUSTIN Ier
A L'ÉLECTION DE GRÉGOIRE LE GRAND
(518-590)

CHAPITRE PREMIER

JUSTIN ET LE RÉTABLISSEMENT DE L'ORTHODOXIE EN ORIENT[1]

§ 1. — La situation religieuse en Orient vers 518.

Au moment de la mort d'Anastase (juillet 518), une forte opposition se dessinait en Orient contre les doctrines de Sévère et de ses adhérents et contre l'appui officiel dont ils jouissaient. L'avènement à l'Empire, au détriment des neveux d'Anastase, de Justin, comte des excubiteurs (9 juillet 518), originaire de l'Illyricum, attaché aux doctrines du concile de Chalcédoine, fut le signal de la réaction orthodoxe.

(1) BIBLIOGRAPHIE. — I. SOURCES. — Sources byzantines : PROCOPE, édit. HAURY, 3 vol., Leipzig, 1906-1913. Sur les contradictions entre l'*Historia arcana* (où l'on trouve des renseignements sur les origines de Justin) et les autres ouvrages de Procope, voir CH. DIEHL, *Justinien et la civilisation byzantine au VIe siècle*, Paris, 1901, p. XII-XX ; JEAN LYDUS, *De magistratibus*, édit. WUENSCH, Leipzig, 1903 ; ÉVAGRIUS, *Histoire de l'Église* (de 431 à 593), dans *P. G.*, LXXXVI, II ; JEAN MALALAS, *Chronographie* (jusqu'en 563), édit. DINDORF, Bonn, 1831, et *P. G.*, XCVII. Chroniques postérieures : *Chronique pascale* (ou *alexandrine*), jusqu'à 629, édit. DINDORF, Bonn, 2 vol., 1832, et *P. G.*, XCII ; THÉOPHANES (mort en 817), *Chronographie*, édit. de BOOR, 2 vol., Leipzig, 1883-1885.

Sources latines : *Liber Pontificalis*, édit. DUCHESNE, t. I, 1886 ; *Historia Miscella* (continuation du *Breviarium d'Eutrope*) par PAUL DIACRE jusqu'à la mort de Justinien, 565, édit. DROYSEN, dans *M. G. H., Auctores antiquissimi*, t. II, 1879 ; MARCELLINUS COMES, édit. MOMMSEN, dans *M. G. H., Auctores antiquissimi*, t. XI, 1894 ; VICTOR TONNENENSIS, dans *M. G. H., Auctores antiquissimi*, t. XI, 1894. Sur la correspondance entre Justin, Justinien et les papes : *Collectio Avellana* (voir plus loin), édit. GUENTHER, dans le *Corpus* de Vienne, t. XXXV, 1895-1898.

Sources orientales : Syrie : ZACHARIE LE SCOLASTIQUE, évêque de Mitylène, *Chronique* en grec écrite vers 518, entrée dans la compilation d'un moine syrien vers 569, édit. LAND, *Anecdota syr.*, III, 1870. traductions anglaise (HAMILTON et BROOKS, Londres, 1899) et allemande (KRUEGER, Leipzig, 1899). On doit surtout à Zacharie sa biographie de Sévère, texte syriaque, édit. et trad. française par KUGENER, dans *Patrologia orientalis*, t. II, 1. Les homélies de Sévère prononcées à Antioche entre 512-518 figurent dans le même recueil, t. IV, fasc. 1. Chronique de JOSUÉ LE STYLITE écrite vers 515, texte et traduction P. MARTIN, Leipzig, 1876. Cette chronique est insérée dans la 3e partie de la chronique de DENIS DE TELL-MAHRÉ, patriarche jacobite mort en 845, édit. et traduction CHABOT (Bibliothèque de l'École des Hautes-Études, fasc. 112, Paris, 1895). JEAN D'ÉPHÈSE (dit JEAN D'ASIE), *Histoire de l'Église*, jusqu'à l'empereur Maurice, 582. Seul le 3e livre est parvenu. Cf. V. NAU, dans *Revue de l'Orient chrétien*, t. II, 1897. Son œuvre capitale est le *Recueil des Vies des bienheureux Orientaux*, texte, édit. LAND, dans *Anecdota Syrica*, t. II ; trad. DOUWEN et LAND, *Iohannis episcopi ephesini Syri monophysitae commentarii de beatis Orientalibus*, Amsterdam, 1899. La plupart de ces sources ont inspiré la compilation de MICHEL LE SYRIEN patriarche jacobite d'Antioche, 1166-1199, édit. et trad. en français CHABOT, 4 vol., Paris, 1900. Sur les autres biographies et la correspondance de Sévère d'Antioche, voir la bibliographie du chapitre II de la deuxième partie (*supra*, p. 299) Égypte : la principale source est l'*Histoire des patriarches d'Alexandrie* de SÉVÈRE D'ASCHMOUNEÏN, dont le texte parvenu en arabe et la traduction sont en cours de publication dans la *Patrologia Orientalis*, t. I. Les *Annales* d'EUTYCHIUS, patriarche d'Alexandrie, 930-940, de la création du monde à 937. Texte arabe tradu en latin par POCOCK, dans *P. G.*, CXI.

II. TRAVAUX. — L. DUCHESNE, *L'Église au VIe siècle*, Paris, 1925 ; E. CASPAR, *Geschicht*

CONSTANTINOPLE ET ASIE MINEURE

A Constantinople et en Asie Mineure les Sévériens formaient des groupes isolés au milieu de la masse des orthodoxes. Le principal centre de résistance à la politique anti-chalcédonienne d'Anastase était le monastère des Acémètes [1], dont les moines défendaient avec fougue l'orthodoxie et que leurs adversaires accusaient de nestorianisme.

SYRIE

En Syrie les monophysites se groupaient autour de Sévère, élu patriarche d'Antioche après la mort de Flavien au concile tenu à Antioche en 512 sous la présidence de Xenaïas, évêque d'Hiérapolis [2]. Sévère, qui avait séjourné à Constantinople de 508 à 511, avait travaillé de concert avec l'empereur Anastase à l'union des églises orientales dans le sens de l'*Hénotique* de Zénon. Il avait déjà déployé une grande activité littéraire, cultivant tous les genres, auteur d'hymnes, de sermons, de commentaires sur l'Écriture, d'homélies et surtout de traités de polémique [3]. Il n'hésitait pas à employer la violence pour convaincre ses adversaires et à dilapider les biens de son église pour se créer des partisans [4]. Dur et autoritaire, il intervenait sans cesse dans les évêchés de son ressort et jouissait d'une grande popularité. Sa doctrine diffère essentiellement de celle d'Eutychès, qu'il comprenait dans le même anathème que Nestorius [5]. On a pu dire qu'elle était moins une hérésie qu'une intention schismatique [6]. Comme le concile de Chalcédoine, il admet que le Christ est consubstantiel au Père selon la divinité, à l'homme selon l'humanité, que ces deux natures subsistent après l'Incarnation, mais il conclut quand même à une seule nature du Verbe incarné et rejette la doctrine du concile de Chalcédoine, niant dans la forme ce qu'il confesse dans le fond. Ses partisans, appelés διακρινόμενοι (ceux qui se distinguent), témoignaient surtout leur éloignement pour ce concile, regardé par eux comme entaché de nestorianisme.

des Pappstums, t. II ; *Das Pappstum unter byzantinischer Herrschaft*, Tubingue, 1933 ; W. HUTTON, *The church of the sixth Century*, Londres, 1897 ; PARGOIRE, *L'Église byzantine de 527 à 847*, Paris, 1905 ; J. B. BURY, *History of the later Roman Empire*, t. II, Londres, 1923 ; VASILIEV, *Histoire de l'empire byzantin*, édit. française, Paris, 1932, t. I ; CH. DIEHL, *Justinien et la civilisation byzantine au VIe siècle*, Paris, 1901 ; J. LEBON, *Le monophysisme sévérien*, Louvain, 1909 ; Jean MASPERO, *Histoire des patriarches d'Alexandrie* (518-616), Paris, 1923 ; CH. DIEHL, *L'Égypte chrétienne et byzantine* dans *Histoire de la nation égyptienne* de G. HANOTAUX, t. III, Paris, 1933, p. 401-599. *Le monde oriental de 395 à 1081*, dans *Histoire générale*, sous la direction de G. GLOTZ, *Moyen âge* ; cf. t. III, Paris, 1936.

(1) Les Acémètes (*sans sommeil*), ainsi appelés parce qu'ils se relayaient pour célébrer l'office d'une manière ininterrompue, avaient pour fondateur Alexandre de Constantinople, mort en 430 (sur les Acémètes, voir l'article et la bibliographie de S. VAILHÉ, dans *Dictionnaire d'histoire et de géographie ecclésiastiques*, t. I, Paris, 1912, col. 274-282).

(2) HEFELÉ-LECLERCQ, *Histoire des conciles*, t. II, 2e p., p. 1016.

(3) J. LEBON, *Le monophysisme sévérien*, Louvain, 1909.

(4) Jean MASPERO, *Histoire des patriarches d'Alexandrie*, p. 81 et suiv.

(5) Il a exposé sa doctrine dans sa profession de foi adressée à Anthime, patriarche de Constantinople, en 535. ÉVAGRIUS, *Hist. eccl.*, IV, XI ; ZACHARIE LE MITYLÈNE, *Hist. eccl*, IX, XV ; MICHEL LE SYRIEN, édit. et trad. J. B. CHABOT, t. II, p. 208-212.

(6) Jean MASPERO, *op. cit.*, p. 11 (voir aussi p. 4-6).

Depuis la fermeture de l'école d'Édesse par Zénon en 489, les Nestoriens avaient perdu toute importance en Syrie et la plupart avaient émigré en Perse. En revanche, en dépit de l'influence de Sévère, les *chalcédoniles*, comme les orthodoxes étaient appelés par leurs adversaires, formaient encore une masse imposante dans ces régions. Malgré leur exil au désert par ordre d'Anastase, les abbés Théodose et Sabas avaient pu réunir un synode à Jérusalem en 512 et rédiger une profession de foi orthodoxe [1]. L'opposition se manifestait même en plein territoire monophysite, par exemple à Hiérapolis (Maboug) et surtout dans la Syrie occidentale, à Tyr, à Beyrouth, à Damas, à Bostra, où Flavien était regardé comme un saint [2].

ÉGYPTE

C'est en Égypte que les doctrines monophysites ont trouvé le terrain le plus favorable, surtout dans la population copte qui domine à l'intérieur du pays. Les patriarches d'Alexandrie, Grecs ou Syriens d'origine, se rattachent en général à la doctrine sévérienne, mais les évêques et les moines, « paysans mal dégrossis », sont peu préparés aux discussions théologiques. Les Coptes, sous les noms de *théodosiens* ou *Jacobites* (Dioscore Ier se serait appelé Jacques avant son ordination), se réclament de saint Cyrille et de sa formule *μία φύσις τοῦ Θεοῦ Λόγου*, bien qu'on leur oppose de nombreux passages où Cyrille a reconnu formellement l'existence des deux natures. Tout en répudiant Eutychès, ils professent une doctrine bâtarde de l'eutychianisme, pleine d'affirmations contradictoires, notamment lorsqu'ils justifient Dioscore (un pur Eutychien) et le brigandage d'Éphèse. De ces affirmations décousues il est résulté, comme on le verra, un grand nombre de sectes nouvelles qui se combattaient mutuellement, mais s'accordaient toutes à rejeter le concile de Chalcédoine [3].

En fait, la position religieuse des Égyptiens s'explique par leurs tendances particularistes et même séparatistes. Ils n'ont aucune affection pour l'Empire romain, qui les exploite et dont ils ne connaissent que les garnisons de soldats et les fonctionnaires avides. Le grec n'est guère parlé que dans les villes. La langue copte est prédominante ; la littérature copte, qui est surtout l'œuvre des moines, a pris un caractère national. Les Égyptiens, blessés par les railleries des Grecs et des Romains, se regardent comme le plus ancien peuple du monde [4]. Le patriarche d'Alexandrie,

(1) Mansi, t. VIII, col. 374-378 ; Hefelè-Leclercq, *op. cit.*, t. II, 2e p., p. 1016.

(2) Évagrius, *Hist. eccl.*, III, xxxiv ; H. Gelzer, *Josua Stylites und die damaligen Kirchlichen Parteien des Ostens*, dans *Byzantinische Zeitschrift*, t. I, 1892, p. 34-49, d'après la chronique syriaque de Josué le Stylite, édit. et trad. Martin, Leipzig, 1876 (*Abhandlungen für die Kunde des Morgenlandes*, t. VI, 1).

(3) Jean Maspero, *op. cit.*, p. 3, 18 et suiv. Sur les faux commis par les Jacobites égyptiens en particulier dans les manuscrits de saint Cyrille, voir p. 13.

(4) Jean Maspero, *op. cit.*, p. 23 et suiv., p. 35-39, p. 59. Les Coptes attachaient une grande importance au concile de Nicée, parce qu'il avait placé l'évêque d'Alexandrie après le pape. Le

qui a conservé le titre de *pape*, est maître absolu de son église, dont il nomme lui-même les évêques, sans se soucier de formalités électorales. Sa richesse est considérable et son église possède de nombreux domaines dans toute l'Égypte. Un des principaux griefs du clergé copte contre le concile de Chalcédoine est la place éminente dans l'Église, donnée par le 28e canon au patriarche de Constantinople, immédiatement après le pape et au détriment du patriarche d'Alexandrie. Un autre élément important de la situation religieuse de l'Égypte en 518 est le développement prodigieux des monastères, dont l'influence sur le peuple est considérable et où se recrutent les principaux défenseurs des doctrines hérétiques de tout genre [1].

§ 2. — Le rétablissement de l'orthodoxie.

RÉACTION ORTHODOXE A CONSTANTINOPLE

Justin avait été proclamé empereur le 9 juillet 518, le jour même de la mort d'Anastase. Six jours après, le dimanche 15 juillet, le peuple s'assembla en foule à Sainte-Sophie et, après avoir poussé des acclamations en l'honneur des souverains, demanda au patriarche de monter à l'ambon, de reconnaître le concile de Chalcédoine, de rétablir dans les diptyques les noms d'Euphemius, de Macédonius, du pape Léon et de jeter l'anathème à Sévère. Il était enjoint au patriarche d'envoyer le plus tôt possible ses lettres synodales à Rome. Le patriarche céda et célébra le lendemain 16 juillet une cérémonie en l'honneur du concile de Chalcédoine [2]. Le 20 juillet, quarante évêques s'assemblèrent en concile et accueillirent une supplique des moines de Constantinople, qui reproduisait les demandes du peuple et y ajoutait la réintégration dans leurs charges de ceux qui avaient été chassés pour leur attachement à Euphemius et Macédonius. Ces demandes furent adressées au patriarche, qui n'assistait pas aux séances, dans une lettre synodale, ainsi qu'à l'empereur [3].

L'ÉDIT IMPÉRIAL

Justin publia aussitôt un édit ordonnant à tous les évêques de reconnaître le concile de Chalcédoine et de rédiger une profession de foi orthodoxe sous peine d'exil et de confiscation des biens. Un deuxième édit interdisait aux hérétiques toute fonction publique et les excluait de l'armée [4]. D'après Michel le Syrien,

patriarche alexandrin Dioscore fut le premier qui prit le titre de patriarche œcuménique, au concile d'Éphèse en 449. Cf. DIEHL, *L'Égypte chrétienne et byzantine*, dans *Histoire de la nation égyptienne*, t. III, p. 413-451, 479-519.

(1) Jean MASPERO, *op. cit.*, p. 48. Sur les moines, voir : GAYET, *L'art copte*, Paris, 1892.

(2) Les incidents de ces deux journées sont connus par le récit très vivant d'un anonyme, reproduit dans les actes du Ve concile œcuménique. Cf. MANSI, t. VIII, col. 1057-1065.

(3) MANSI, t. VIII, col. 1041-1057.

(4) MICHEL LE SYRIEN, édit CHABOT, t. II, p. 180 · *Chronique syrienne*, a. 846.

tous les soldats durent adhérer au concile et des résistances se produisirent [1].

LA RÉACTION ORTHODOXE EN ORIENT

Justin délivra les évêques orthodoxes exilés ou emprisonnés par ordre d'Anastase [2]. Son édit fut obéi en Palestine et dans la Syrie méridionale. Au contraire, dans la Syrie du nord les résistances furent nombreuses et l'Égypte resta entièrement réfractaire. Le concile de Constantinople fut approuvé par des synodes tenus à Jérusalem (6 août), à Tyr (16 septembre), où une grande manifestation orthodoxe eut lieu à la cathédrale, et dans la Syrie seconde sous la présidence de Cyrus, évêque de Mariamna. Ce dernier concile jeta l'anathème sur Pierre, métropolite d'Apamée, qui prit le parti de s'enfuir [3]. Le 29 septembre, Sévère lui-même abandonna Antioche et alla s'embarquer au port de Séleucie pour Alexandrie [4]. On lui donna aussitôt comme successeur au patriarcat un orthodoxe, Paul, qui pourchassa impitoyablement les monophysites, en particulier dans les monastères. Jean d'Éphèse, dont le témoignage a été recueilli par Michel le Syrien, a dressé un tableau tragique de la persécution, qui atteignait les villages coupables d'avoir donné asile aux réfugiés et n'épargnait même pas les solitaires, les stylites obligés d'abandonner leurs colonnes et leurs ermitages [5].

LA FIN DU SCHISME AVEC LE SAINT-SIÈGE

Le schisme entre Rome et Constantinople, suscité par l'*Hénotique* de Zénon, durait depuis trente-quatre ans (484-518). On a vu qu'une tentative de rapprochement entre le pape Hormisdas et Anastase avait échoué en 515. L'orthodoxie ayant triomphé à Constantinople, il était naturel que Justin, poussé d'ailleurs par l'opinion populaire, voulût rentrer dans la communion romaine. Mais, avant que cet acte pût s'accomplir, il y avait bien des modalités à régler et même des difficultés à résoudre : reconnaissance de l'autorité du Siège apostolique, noms à inscrire dans les diptyques, évêques orthodoxes chassés de leurs sièges à rétablir, sans parler de difficultés dogmatiques, comme l'affaire des moines scythes. De là de longues négociations, qui durèrent depuis le mois d'août 518 jusqu'en mars 519, et un échange actif de lettres entre le pape, l'empereur, le patriarche, le comte Justinien, neveu de l'empereur et héritier du trône, et même plusieurs

(1) Michel le Syrien, *ibid.*
(2) Hefelé-Leclercq, *Hist. des conciles*, t. II, p. 1016.
(3) Mansi, t. VIII, col. 578, 1068-1082, 1093-1138.
(4) Le comte Vitalien rappelé d'exil aurait obtenu de Justin l'ordre de couper la langue à Sévère. Ce qui est certain c'est l'ordre de son arrestation. Sur la date de son départ d'Antioche, voir la discussion de Jean Maspero, *Histoire des patriarches d'Alexandrie*, p. 70, n. 3.
(5) Jean d'Éphèse ap. Michel le Syrien, édit. Chabot, t. II, p. 170-177, donne la liste des provinces dont les évêques furent chassés : Cilicie II, Cappadoce, Syrie, Carie et Asie. Cette liste comprend 52 noms, parmi lesquels celui de Julien, évêque d'Halicarnasse, le futur *phantasiaste*.

princesses de la famille impériale. Nous possédons cette ample correspondance, recueillie plus tard à Rome dans les archives pontificales par un contemporain du pape Vigile [1] ; elle a même continué, après la proclamation de l'union, entre Hormisdas et le successeur du patriarche Jean, Épiphane.

Dès le 1er août 518, Justin annonça son avènement au pape [2] et, le 7 septembre, le comte Gratus emportait pour Rome des lettres de l'empereur, du comte Justinien et du patriarche, demandant au pape d'envoyer des légats à Constantinople pour rétablir l'union [3]. Autant la lettre impériale est encore réservée (Justin communique au pape le désir du synode de rétablir la communion et demande l'envoi d'évêques *pacifiques* pour en traiter), autant la lettre de Justinien est pressante, et il demande au pape de venir lui-même à Constantinople. Ses lettres suivantes à Hormisdas ont un ton encore plus chaleureux [4].

Après avoir reçu l'ambassade de Gratus, le pape désigna comme légats deux évêques, Germain de Capoue et Jean, un prêtre romain, un diacre, un notaire et le diacre grec Dioscore, originaire d'Alexandrie, diplomate habile [5]. Ils avaient comme instruction formelle de ne recevoir dans leur communion que les clercs qui signeraient un formulaire préparé au temps d'Anastase [6] et dont les principaux articles étaient : la reconnaissance que l'orthodoxie s'est toujours conservée à Rome suivant la promesse faite à Pierre, la condamnation de Nestorius, Eutychès et de leurs sectateurs, l'acceptation des lettres dogmatiques du pape Léon, la radiation des diptyques de tous ceux qui avaient été excommuniés. Il s'agissait non seulement d'Acace, mais aussi de Zénon et d'Anastase, et ce fut sur cette question que l'entente fut la plus difficile.

Partis de Rome avec le comte Gratus, les légats débarquèrent à Avlona et, par la Via Egnatia et Thessalonique [7], parvinrent à Constantinople le 25 mars 519. Le comte Justinien était allé à leur rencontre avec un brillant cortège jusqu'au dixième mille. Le lendemain ils furent admis en présence de Justin, entouré du Sénat et de quatre évêques envoyés par le patriarche. L'empereur offrit de discuter : les légats refusèrent et deux

(1) Ces lettres, au nombre de 103, écrites en latin, font partie de la célèbre *collectio Avellana*, edit. O. GUENTHER, *Epistulae imperatorum, pontificum, aliorum, inde ab a. CCCLXVII usque ad a. DLIII datae, Avellana quae dicitur collectio*... (*Corpus Script. Eccles. Latin.*, XXXV. Pars I, *Epist.*, I-CIV, Vindobonae, 1895. Pars II, *Epist.*, CV-CCXXXXIII, Vindobonae, 1898). Les lettres ne sont pas classées par ordre chronologique. Étude critique de O. GUENTHER, *Avellana Studien* (*Académie des Sciences de Vienne, procès-verbaux de la classe hist.-philol.*, t. CXXXIV, 1896).

(2) *Coll. Avellana*, CXLI et CXLII (réponse du pape, octobre-novembre 518).

(3) *Coll. Avellana*, CXLIII, CXLVII (réponse d'Hormisdas à la lettre du patriarche Jean et deuxième lettre de celui-ci, CXLV et CXLVI).

(4) *Coll. Avellana*, CLXII.

(5) *Coll. Avellana*, CXLIV. L. DUCHESNE (*L'Église au VIe siècle*, p. 49) montre que le pape ne désirait pas un concile, mais la signature d'un formulaire.

(6) *Coll. Avellana*, CLIX (texte du *libellus* signé par le patriarche Jean). MANSI, t. VIII, col. 441-442 (texte des instructions données aux légats).

(7) *Coll. Avellana*, CLIII (lettre du pape au préfet du prétoire de Thessalonique pour lui recommander ses légats). Cf. CLII.

jours après, le 28 mars, jour du Jeudi Saint, ils faisaient signer le formulaire, dont ils étaient porteurs, par le patriarche, tous les évêques présents à Constantinople et les chefs de monastères. Les noms d'Acace et de ses successeurs, ceux de Zénon et d'Anastase étaient rayés des diptyques [1]. Le patriarche s'était engagé à suivre en tout le Siège apostolique. L'union était accomplie et les légats restèrent à Constantinople jusqu'au 10 juillet 520 pour en surveiller l'application [2].

AFFAIRE DES MOINES SCYTHES

Pendant que se poursuivaient les pourparlers relatifs à l'union, l'initiative de quelques moines avait failli amener une nouvelle querelle dogmatique. Des moines originaires de la Petite-Scythie (région du Bas-Danube, Dobroutscha actuelle), attachés à la maison du *magister militum* Vitalien, avaient mis en circulation une formule, qui devait d'après eux concilier le tome du pape Léon avec les affirmations dogmatiques de saint Cyrille et dépister les Nestoriens qui chercheraient à s'abriter sous l'autorité du concile de Chalcédoine [3]. Cette formule : *Unus de Trinitate passus est carne*, employée déjà dans une lettre dogmatique du patriarche Proclus (434-437), exclurait toute ambiguïté en affirmant que le Christ qui a souffert pour nous est bien l'une des personnes de la Trinité [4]. Elle correspondrait en outre au XIIe anathématisme de Cyrille : *Una natura Dei Verbi incarnata* et pourrait contribuer à ramener les Sévériens à l'orthodoxie.

A leur arrivée à Constantinople (mars 519), les légats trouvèrent la discussion engagée, mais, prévenus contre les Scythes par les Acémètes, ils refusèrent de trancher la question et plusieurs Scythes partirent pour Rome, afin d'exposer leur doctrine au pape [5]. Ils avaient converti à leurs idées le comte Justinien, déjà préoccupé sans doute de préparer le retour des Sévériens à l'orthodoxie. Ce fut dans cet esprit qu'il écrivit au pape plusieurs lettres pour lui recommander les moines et lui demander de se prononcer sur leur doctrine, de manière à ce que la paix fût rétablie dans le monde entier [6].

Les moines scythes restèrent à Rome quatorze mois (juin 519-août

(1) *Coll. Avellana*, CLIX, CLXVII (rapport du diacre Dioscore au pape sur la légation).

(2) DUCHESNE, *L'Église au VIe siècle*, p. 52. Les légats avaient parcouru certaines provinces et rencontré des résistances dans les villes où l'on devait rayer des diptyques les noms des évêques qui avaient été en rapports avec Acace et ses successeurs.

(3) J. ZEILLER, *Les origines chrétiennes dans les provinces danubiennes*, Paris, 1918, p. 383. Sur la vie religieuse dans la Petite Scythie, voir TAFRALI, *La Roumanie transdanubienne*, Paris, 1918, p. 73-80. Le nom de *Scythes* est donné à ces moines par la *Chronique de Marcellin* (a. 514).

(4) L. DUCHESNE, *L'Église au VIe siècle*, p. 54-61 ; TIXERONT, *Histoire des dogmes*, t. III, p. 130-133.

(5) L. DUCHESNE, *L'Église av VIe siècle*, p. 54.

(6) *Collectio Avellana*, CLXXXVIII (15 octobre 1519), CXCVI (9 juillet 520). Dans cette dernière lettre, Justinien, sans attendre la réponse du pape, déclare la formule correcte. Il demande aussi à Hormisdas de ne pas exiger la radiation des diptyques de tous les évêques qui ont trempé dans le schisme d'Acace.

520). Le pape, qui trouvait leur initiative indiscrète et intempestive, temporisa avant de donner sa réponse. Les Scythes en profitèrent pour répandre leurs doctrines dans le clergé romain et parmi les sénateurs. Ils trouvèrent à Rome leur compatriote Denis le Petit, le célèbre computiste et canoniste [1], qui se fit leur auxiliaire en publiant une traduction latine de la troisième lettre de Cyrille à Nestorius [2]. D'autre part, fatigués des hésitations du pape, les Scythes écrivirent aux évêques africains, exilés en Sicile depuis 507 par le roi vandale Thrasamond, une longue lettre pour leur demander leur avis [3]. Saint Fulgence, évêque de Ruspe, véritable chef de l'épiscopat africain, leur répondit par une lettre dogmatique dans laquelle il approuvait leur formule [4].

Tout fiers de ce succès, les moines insistèrent auprès du pape. Excédé, Hormisdas finit par les faire expulser de Rome. Dans ses lettres adressées à Justinien et au patriarche Épiphane, le pape déclara, sans la condamner, que la formule scythe était inutile et que les formules de la lettre de Léon et du concile de Chalcédoine suffisaient [5]. De retour à Constantinople, les Scythes racontèrent à leur chef, Jean Maxence, que le pape les avait chassés à dessein avant le retour de son légat Dioscore, qu'ils auraient accusé d'hérésie, d'où la lettre d'un ton très violent écrite par Maxence à Hormisdas [6].

Justinien resta le protecteur des Scythes et, après son avènement, publia un édit en leur faveur [7].

§ 3. — L'accueil fait à l'Union.

EUROPE ET ANATOLIE

Bien que dans ces régions les populations orthodoxes fussent en majorité, la signature du formulaire imposé par le pape rencontra des résistances, surtout dans les diocèses où l'on devait rayer des diptyques les noms des évêques qui avaient communié avec Acace et ses successeurs, c'est-à-dire presque tous les évêques depuis 484 [8]. A Éphèse, le concile de Chalcédoine fut injurié. A Thessalonique, l'arrivée du légat, Jean, fut le signal d'une véritable

(1) Versanne, *Denis le Petit et le droit canonique dans l'église latine*, Villefranche, 1913.
(2) *P. L.*, LXVII, 11.
(3) *Vie de saint Fulgence évêque de Ruspe*, xvi (*P. L.*, LXV, 87) ; cf. Martroye, *L'Occident à l'époque byzantine*, Paris, 1904, p. 210-213 ; G. Lapeyre, *Saint Fulgence de Ruspe*, Paris, 1929, p. 156-159. Sur les impressions du pape au sujet des moines scythes, voir sa lettre à l'évêque Possessor (*P. L.*, LXIII, 490).
(4) *P. L.*, LXV, p. 442 et suiv. ; Lapeyre, *op. cit.*, p. 224-225 et 271-273 (les moines scythes avaient aussi consulté Fulgence sur la question de la grâce).
(5) *Collectio Avellana*, ccxxxvi et ccxxxvii (26 mars 521).
(6) *P. G.*, LXXXVI, p. 93 et suiv. Un traité de Maxence figure parmi les œuvres de saint Fulgence, *P. L.*, LXV, 1772 et suiv.
(7) *Code Justinien*, I, i, 6. L'affaire des moines scythes a été étudiée dans ses détails au xviie siècle par le cardinal Noris (1631-1704) dans son *Historia Pelagiana*, t. II, chap. XVIII, édit. de Padoue, 1708.
(8) Voir les lettres dans lesquelles le comte Justinien insiste auprès du pape pour qu'il fasse quelques concessions à ce sujet. *Collectio Avellana*, cc (31 août 520), ccxxxv (9 septembre 520).

émeute. La population, soulevée par l'archevêque Dorothée et le prêtre Aristide, attaqua le légat et massacra l'hôte chez lequel il était descendu. Comme si l'ère des martyrs allait recommencer, le clergé baptisait les enfants en masse et distribuait la communion à tous. Hormisdas averti voulut faire comparaître Aristide et Dorothée devant lui. L'empereur s'y opposa et tous deux se disculpèrent devant un tribunal réuni à Héraclée. Bien plus, après la mort de Dorothée, ce fut Aristide qui lui succéda [1].

SYRIE ET ORIENT A Antioche, le patriarche orthodoxe, substitué à Sévère, compromit la cause de l'union par sa rigueur et par ses extorsions. Dénué de valeur morale, il était à la veille de subir une action judiciaire, lorsqu'il abdiqua en 521 [2]. Il fut remplacé par un moine de Palestine, Euphrasius, qui périt victime du tremblement de terre qui ruina Antioche le 20 mai 526 et détruisit l'église de Constantin. Celui-ci eut pour successeur Ephrem, comte d'Orient, originaire d'Amida, caractère énergique qui poursuivit l'œuvre d'union [3]. Les difficultés étaient grandes. Dans les villes, dont on avait expulsé les évêques sévériens, il fallait souvent soutenir leurs successeurs à main armée contre la résistance des monastères, où les nouveaux évêques cherchaient à se faire reconnaître par la violence. A Édesse on arracha de force du baptistère l'évêque Paul qui, bien que d'opinions modérées, avait consacré en 519 deux évêques monophysites. Conduit à Séleucie, il se soumit et fut réintégré dans son évêché ; mais, comme il refusait de proclamer le concile de Chalcédoine, il fut exilé à Euchaïta. Son successeur, Asclepios, poursuivit les moines réfractaires. A sa mort, en 525, Paul écrivit à l'empereur et au patriarche des lettres qui furent jugées satisfaisantes et il fut replacé sur le siège d'Édesse [4].

La cause de l'union fut encore compromise par des partisans secrets des doctrines nestoriennes, qui profitèrent de la défaite des monophysites pour jeter le masque. A Cyr (province d'Euphrate), dont l'évêque avait été exilé, le successeur laissa organiser une procession en l'honneur de Théodoret, évêque de Cyr, réhabilité sans doute par le IVe concile, mais qui n'en avait pas moins été l'ami de Nestorius et ne méritait pas que son image fût portée sur un char triomphal. Bien plus, l'évêque Sergius célébra peu après une fête en l'honneur de Diodore, de Théodore de Mopsueste, de Théodoret et de « saint Nestorius » (519). Le scandale fut tel qu'à la suite de l'enquête d'Hypatios, *magister militum per Orientem*,

(1) L. Duchesne, *L'Église au VIe siècle*, p. 52 ; Tafrali, *Thessalonique des origines au XIVe siècle*, Paris, 1919, p. 255-256, 265-267.
(2) L. Duchesne, *L'Église au VIe siècle*, p. 66.
(3) Ch. Diehl, *Justinien et la civilisation byzantine*, p. 579 ; L. Duchesne, *L'Église au VIe siècle*, p. 73.
(4) Jean d'Éphèse, *Comment. de beatis orientalibus*, édit. Van Douwen et Land, p. 130, 217 ; Michel le Syrien, édit. Chabot, t. II, p. 179 ; L. Duchesne, *L'Église au VIe siècle*, p. 68 et suiv.

Sergius fut déposé [1]. Les conséquences de cette manifestation intempestive devaient être considérables, et l'on peut y voir le point de départ de la lutte que Justinien devait mener contre les *Trois Chapitres.*

De son exil Sévère dirigeait la résistance et parvenait à correspondre avec ses fidèles d'Antioche et les évêques exilés. Il écrivait sans cesse de nouveaux traités et se préoccupait de perpétuer la hiérarchie monophysite, malgré la surveillance étroite que la police impériale exerçait sur les évêques privés de leur siège et qui n'osaient procéder à de nouvelles ordinations. Avec l'autorisation de Sévère, l'ex-évêque de Tella (Constantine, à l'est d'Édesse), retiré dans sa ville natale de Callinicum sur l'Euphrate, ordonna des prêtres et des diacres pendant plusieurs années. Dénoncé, il fut arrêté et conduit à Antioche, où il fut en butte aux mauvais traitements du patriarche Ephrem, et la police saisit les chartes sur lesquelles étaient inscrits les noms de tous ceux qu'il avait consacrés [2].

ÉGYPTE

Si active en Orient, la politique de Justin se montra très circonspecte en Égypte, où le rétablissement officiel de l'orthodoxie paraissait impossible. Le patriarche d'Alexandrie, Dioscore II, ardent monophysite, mourut le 24 octobre 518. Le pape Hormisdas engagea Justin à le remplacer par un orthodoxe et lui recommanda son légat, le diacre Dioscore, originaire d'Alexandrie. La négociation, qui fut longue, n'aboutit pas et Justin laissa les Alexandrins élire Timothée III, monophysite intransigeant, adepte de la secte acéphale, qui refusait même d'admettre l'*Hénotique* de Zénon [3]. Loin de l'inquiéter, Justin se servit même de lui dans diverses négociations, notamment avec le roi monophysite d'Axoum allié de l'empereur, contre les Arabes du Yémen [4]. Et, malgré cette tolérance, les écrivains coptes n'ont aucune reconnaissance pour Justin, qu'ils traitent d'homme diabolique et d'hérétique [5].

L'Égypte n'en était pas moins devenue le refuge d'un grand nombre d'évêques d'Orient chassés de leurs diocèses. Sévère et Julien, évêque d'Halicarnasse, avaient été des premiers. Sévère était reconnu comme le chef suprême des monophysites. Il allait librement de monastère en monastère, parlant, écrivant et substituant son action à celle du patriarche

(1) Ces faits furent rappelés au Ve concile œcuménique, session VII (MANSI, t. IX, col. 348-365) ; L. DUCHESNE, *L'Église au VIe siècle*, p. 67 et suiv.

(2) JEAN D'ÉPHÈSE, *Comment. de beatis Orientalibus*, XXIV ; *Vie de Jean de Tella* par son disciple Élie (édit. BROOKS, *Corpus Scriptor. Eccles. Oriental.*, 3e série, XXV, p. 23) ; L. DUCHESNE, *L'Église au VIe siècle*, p. 71-74.

(3) Jean MASPERO, *Histoire des patriarches d'Alexandrie*, p. 73 et suiv. Par une véritable confusion, certains écrivains coptes parlent d'un patriarche orthodoxe sous Justin. Les écrivains grecs et syriens sont d'accord pour affirmer que Timothée a succédé directement à Dioscore (J. MASPERO, *p. cit.*, p. 74-77). S. VAILHÉ, *Acéphales*, dans *Dictionnaire d'histoire et de géographie ecclésiastiques*, I, 1912, col. 287-288.

(4) VASILIEV, *Justin I and Abyssinia*, dans *Byzantinische Zeitschrift*, t. XXXIII, 1933, p. 71.

(5) *Histoire copte des patriarches d'Alexandrie*, ap. VASILIEV article cité, p. 72.

Timothée [1]. Les Égyptiens avaient pour lui une grande vénération et le canonisèrent après sa mort [2].

Mais, parmi les Syriens qui étaient venus rejoindre Sévère, plusieurs professaient des doctrines singulières qui les faisaient passer pour hérétiques aux yeux des Sévériens. De là des controverses entre monophysites, dont la plus célèbre est celle de l'aphtartodocétisme.

DOCTRINE DE JULIEN D'HALICARNASSE

Des moines ayant demandé à Sévère si Jésus a vraiment revêtu une chair corruptible, il répondit par l'affirmative, tandis qu'à la même question Julien répondit que la chair du Christ avait été incorruptible [3]. Poussant à l'extrême la doctrine de l'unité de nature, il affirma qu'on ne pouvait admettre que Jésus eût souffert, sans distinguer en lui le Verbe et le corps, ce qui revenait à la doctrine chalcédonienne. Le corps de Jésus ayant été impassible dès l'union dans le sein de la Vierge, la Passion devenait une apparence, *φαντασία*, d'où le nom de *phantasiaste* donné à la doctrine. Julien admettait cependant que le Christ avait souffert, mais de sa propre volonté, *ἑκουσίως*, sans que son corps fût soumis aux lois naturelles [4].

Pendant que Sévère parcourait l'Égypte, Julien développa sa doctrine dans un *tomos* qu'il envoya aux évêques, à Sévère lui-même et aux monastères. Cet écrit eut tout de suite du succès parmi les moines. Julien aboutissait à peu près aux théories d'Eutychès. Sévère chercha en vain à faire revenir Julien sur ses erreurs et il écrivit contre lui des traités, où il démontrait, avec les arguments qu'auraient employés des orthodoxes diophysites, que la doctrine julianiste ôtait à la Passion son efficacité et ruinait le dogme de la Rédemption [5]. Dans cette querelle le patriarche Timothée resta neutre, mais dans les dernières années de son épiscopat, presque toutes les églises de Basse-Égypte étaient julianistes. Les adversaires de Julien, mal vus, s'enfuyaient au désert et Sévère lui-même fut obligé de se réfugier à Xoïs. En 535, il demandait au duc d'Égypte, Aristomaque, la permission

(1) Jean Maspero, *op. cit.*, p. 80-81, 86-87.

(2) *Synaxarium, das ist Heiligen Kalender der Koptischen Christen*, édit. Wüstenfeld, Gotha, 1879 ; Jean Maspero, *op. cit.*, p. 86. Sévère est inscrit au synaxaire pour trois fêtes : son arrivée en Égypte (29 septembre), sa mort (8 février), la translation de ses reliques à Alexandrie (6 décembre).

(3) Zacharie de Mitylène, *Hist. eccl.*, IX, ix ; Michel le Syrien, édit. Chabot, t. II, p. 224-225, 251, 272 et suiv. ; *Chronique de Théophanes*, a. 6003 ; Jean Maspero, *op. cit.*, p. 88-90.

(4) Jean Maspero, *op. cit.*, p. 93-94 ; *Histoire copte des patriarches d'Alexandrie*, dans *Patrologia Orientalis*, t. I, p. 454 ; Léonce de Byzance, *De Sectis*, V, iii ; Victor de Tonnena, dans *P. L.*, LXVIII, 955.

(5) L. Duchesne, *L'Église au VIe siècle*, p. 71. Le *tomos* de Julien est reproduit dans Zacharie de Mitylène, *Hist. eccl.*, IX, xi et dans Michel le Syrien, édit. Chabot, t. II, p. 224-235. Sur la doctrine de Julien, voir Draguet, *Julien d'Halicarnasse et sa controverse avec Sévère*, Louvain, 1924 ; Jugie, *Julien d'Halicarnasse et Sévère d'Antioche*, dans *Échos d'Orient*, t. XXIV, 1925, p. 129-162 ,265-285.

de construire des églises à la place de celles qui avaient été usurpées par les Julianistes [1].

A la même époque, le diacre Thémistius d'Alexandrie, resté attaché à Sévère, découvrit que, si le corps du Christ avait été corruptible, Jésus devait avoir été soumis aux mêmes ignorances que les hommes. De là naquit une nouvelle hérésie, celle des *agnoèles*, qui ne devait pas être la dernière à fleurir sur le sol égyptien [2].

§ 4. — Le conflit avec Théodoric [3].

L'ÉDIT DE JUSTIN CONTRE LES ARIENS

L'arianisme avait pu se maintenir à Constantinople, en particulier parmi les Goths qui venaient encore se mettre au service de l'Empire. Par un édit publié vraisemblablement à la fin de l'année 524, Justin ordonnait la fermeture des églises ariennes de Constantinople et l'exclusion des Ariens de toute fonction civile et militaire [4]. Bien qu'on ne possède aucun détail sur ce point, il est vraisemblable que cet édit fut appliqué rigoureusement à Constantinople ; lorsqu'il fut envoyé en Italie au contraire (il y parvint au moins avant l'automne de 525), il souleva les protestations violentes de Théodoric.

PROTESTATIONS DE THÉODORIC

Depuis la conquête de l'Italie par les Ostrogoths (493), Théodoric n'avait pas rompu le lien moral de fédéré qui le rattachait à l'Empire. Sans rien changer aux institutions, il avait gouverné avec la collaboration de l'aristocratie romaine. Tout en construisant des églises ariennes à Rome et à Ravenne [5], il avait montré la plus grande tolérance religieuse pour l'Église catholique et, dans le schisme symmachien en 498, il s'était même prononcé pour le pape orthodoxe. Il est vraisemblable qu'après l'avènement de Justin, la reprise des rapports entre la papauté et Constantinople lui causa de vives inquiétudes, et c'est ce qui explique le changement subit

(1) *Histoire copte des patriarches d'Alexandrie*, dans *Patrol. Orient.*, t. I, p. 458 ; Michel le Syrien, édit. Chabot, t. II, p. 251.

(2) Jean Maspero, *op. cit.*, p. 96.

(3) Martroye, *L'Occident à l'époque byzantine. Goths et Vandales*, Paris, 1904, p. 147-149 ; Pfeilschifter, *Der Ostgothenkœnig Theodoric der Grosse und die katholische Kirche*, Münster, 1896 ; Bury, *History of the Later Roman Empire*, t. II, Londres, 1923, p. 155-158 ; M. Rosi, *L'ambasceria di papa Giovanni I*, dans *Archivio d. Soc. Rom. di Storia patria*, t. XXI, 1897 ; J. Zeiller, *Étude sur l'arianisme en Italie à l'époque ostrogothique et lombarde*, dans *Mélanges d'archéologie et d'histoire de l'École française de Rome*, t. XXV, 1905, p. 127-146 ; *Les églises ariennes de Rome à l'époque de la domination gothique* (*ibid.*, t. XXIV, 1904, p. 17 et suiv.) ; *La condition légale des Ariens à Constantinople de Théodose à Justinien*, dans *Miscellanea di Storia Ecclesiastica*, t. III, Rome, 1905, p. 465-469.

(4) La date de cet édit n'est connue que par la chronique de Théophanes, a. 6016. Il a été confondu à tort avec l'édit publié par Justin en 527 (*Code Justinien*, I, v, 12) après le voyage du pape Jean à Constantinople et qui excepte les fédérés goths de ces mesures. Voir la discussion de Bury, *op. cit.*, t. II, p. 156, 1.

(5) J. Zeiller, *Les églises ariennes de Rome*.

de son attitude à l'égard de l'aristocratie romaine, soupçonnée de relations secrètes avec Justin. La double condamnation d'Albinus et de Boèce, accusés à tort de complot contre lui, fut la manifestation tragique de ce revirement, mais elle n'est pas, comme beaucoup d'historiens l'ont affirmé, une réponse à l'édit de Justin. On ignore la date de la mort d'Albinus, mais l'année de l'exécution de Boèce est connue par les fastes consulaires de Ravenne, insérés dans la chronique de Marius d'Avenches. Ce fut en 524 qu'elle eut lieu, par conséquent avant que l'édit de Justin ait été connu en Italie [1]. Le supplice de Symmaque, beau-père de Boèce, dans le courant de 525, se rattache à la même accusation de complot.

La transmission de l'édit contre les Ariens dans de pareilles circonstances ne put qu'augmenter l'exaspération de Théodoric, qui ordonna au pape Jean de se transporter à Constantinople et d'exiger de Justin le retrait de son édit, sous menaces de représailles contre les catholiques.

LE VOYAGE DU PAPE JEAN Ier A CONSTANTINOPLE

Le pape fut accompagné de cinq évêques et de quatre sénateurs des plus grandes familles romaines [2]. Cette ambassade quitta l'Italie vers le mois d'octobre ou novembre 525. Elle était arrivée à Constantinople avant les fêtes de Noël qui furent célébrées par le pape solennellement [3]. Le pape fut reçu avec les plus grands honneurs. Les habitants de la ville impériale vinrent au devant de lui jusqu'au quinzième mille, des cierges et des croix à la main. L'empereur Justin se prosterna devant le pontife et, bien que déjà couronné par le patriarche, il voulut recevoir une seconde fois la couronne de sa main [4]. Le pape séjourna à Constantinople jusqu'à la fin d'avril 526, car il officia le dimanche de Pâques (19 avril) à Sainte-Sophie et célébra la messe en latin. Il avait d'ailleurs exigé d'occuper la place d'honneur avant le patriarche.

(1) Marius d'Avenches, *Chronique*, a. 524, édit. Mommsen (*M. G. H. Auctores antiquissimi. Chronica Minora*, t. II, p. 235) ; M. Cappuyns, *Boèce*, dans *Dictionnaire d'histoire et de géographie ecclésiastiques*, t. IX, 1935, col. 355-357. La date du 23 octobre acceptée par la tradition ecclésiastique n'apparaît que trois siècles plus tard, mais n'est pas invraisemblable, un intervalle de plusieurs mois s'étant écoulé entre la condamnation et l'exécution de Boèce. Il est vrai que le *Liber Pontificalis* (édit. Duchesne, t. I, p. 276) place le supplice de Boèce au moment où le pape était à Constantinople. Au contraire, l'*Anonyme de Valois*, mieux informé, le place avant le départ du pape (édit. Mommsen, *Chronica Minora*, t. I, p. 327, nos 86-87). Mais les deux auteurs sont d'accord pour placer le supplice de Symmaque après le départ du pape. Les procès d'Albinus et de Boèce n'ont donc rien à voir avec l'édit contre les Ariens. L'exécution de Symmaque au contraire est peut-être due à l'irritation de Théodoric à la nouvelle de cet édit.

(2) Bury, *op. cit.*, p. 156.

(3) La chronologie du voyage du pape a été solidement établie par Pfeilschifter et Bury, *op. cit.*, p. 157, 1. La chronique du comte Marcellin fait séjourner le pape à Constantinople au cours de l'année 525, mais les erreurs ne manquent pas dans cette chronique, comme le fait remarquer Duchesne, *L'Église au VIe siècle*, p. 74. Sur la présence du pape à Constantinople, le jour de Noël 525, on a le témoignage du prêtre Procope, qui, à l'arrivée de Jean Ier, traduisit un ouvrage latin en grec, *Chronique pascale*, édit. de Bonn, t. II, p. 120. Il resta cinq mois à Constantinople où il célébra la fête de Pâques et mourut peu après son retour à Ravenne, le 18 mai 526 (*Liber Pontificalis*, édit. Duchesne, t. I, p. 276 ; *Anonyme de Valois*, édit. Mommsen, dans *Chronica Minora*, t. I, p. 327, nos 88-91).

(4) *Liber Pontificalis*, édit. Duchesne, t. I, p. 274 ; *Anonyme de Valois*, dans *Chronica Minora*, t. I, p. 328 ; Théophanes, a. 6016.

Le résultat de sa mission ne répondit pas entièrement aux exigences de Théodoric. Justin promit de restituer aux Ariens leurs églises et d'autoriser leur culte, mais refusa d'admettre qu'un Arien converti au catholicisme, pût revenir à son ancienne foi [1]. Aussi, lorsque le pape débarqua à Ravenne, Théodoric irrité le fit jeter en prison avec les évêques qui l'accompagnaient. Jean mourut dans sa prison, le 18 mai 526. Il fut considéré comme un martyr et son corps, porté à Rome, fut enseveli à Saint-Pierre [2]. Pour forcer la main à l'empereur, le roi goth fit rédiger par le juif Symmaque un édit qui prescrivait aux Ariens de s'emparer des églises catholiques (26 août 526). L'édit devait être appliqué le 30 août, mais ce jour-là Théodoric mourut à Ravenne, et sa fille, la régente Amalasonthe, se rapprocha aussitôt de Constantinople [3].

(1) Bury, *op. cit.*, p. 157.
(2) *Liber Pontificalis*, édit. Duchesne, t. I, p. 276 ; *Anonyme de Valois*, édit. Mommsen, dans *Chronica minora*, t. I, p. 327, nº 93.
(3) *Anonyme de Valois*, dans *Chronica minora*, t. I, p. 328. On ne voit pas trop pourquoi l'existence de cet édit a été mise en doute par Bury.

CHAPITRE II

LA POLITIQUE RELIGIEUSE DE JUSTINIEN[1]

§ 1. — Justinien et ses doctrines en matière ecclésiastique.

AVÈNEMENT ET CARACTÈRE DE JUSTINIEN

Lorsqu'au printemps de 527 Justin tomba dangereusement malade, il accéda volontiers à la demande du sénat de prendre comme collègue son neveu, le comte Justinien, qui fut proclamé Auguste le 4 avril et couronné par le patriarche. Justin vécut encore quelques mois et mourut le 1er août 527. Le nouvel empereur prit le pouvoir sans rencontrer aucune opposition [2].

Flavius Petrus Sabbatius Justinianus [3] était né à Tauresium près de

(1) Bibliographie. — I. Sources. — Même bibliographie qu'au chapitre précédent, avec quelques additions. La législation religieuse de Justinien se trouve dans le Code et les Novelles ; ses édits dogmatiques sont insérés dans les actes du Ve concile œcuménique (Mansi, t. IX, col. 487 et suiv.). — Biographies des papes Agapet, Silvère, Vigile, Pélage, dans *Liber Pontificalis*, édit. Duchesne, t. I, p. 287-303. — Actes et correspondance de Vigile et de Pélage dans Mansi, t. IX et *P. L.*, LXIX. — Sur les conférences de 533 avec les monophysites, récit de l'évêque de Maronia, texte latin dans Mansi, VIII, 831-833. — Sur les événements qui ont précédé le Ve concile, on possède plusieurs témoignages africains de premier ordre, mais non sans partialité : Liberatus, diacre de Carthage, *Breviarium causae Nestorianorum et Eutychianorum*, xxiv, sorte de chronique qui va de 448 à 553 (*P. L.*, LXVIII, 1049-1052). — Facundus, évêque d'Hermiane en Byzacène (très défavorable à Vigile) : *Pro defensione III capitulorum et concilii Chalcedonensis* (*P. L.*, LXVII, 527-582) ; *Liber contra Mocianum scholasticum* (*ibid.*, 853-868) ; *Epistola fidei catholicae in defensione III capitulorum* (*ibid.*, 867-878). — Plusieurs renseignements sur les mêmes questions sont dus à la chronique contemporaine de Victor, évêque de Tonnena, qui prit part à Constantinople aux discussions sur les Trois Chapitres, édit. Mommsen, dans *M. G. H.*, *Auctores antiquissimi*, *Chronica Minora*, t. II, p. 200-203, et *P. L.*, LXVIII, 956-962. — Sur l'avènement de Justinien, récit de Pierre le Patrice ap. Constantin Porphyrogénète, *De Caerimoniis*, i, 95. — Aux historiographes cités dans le précédent chapitre, Procope, Malalas, Théophanes, ajouter la chronique d'Agathias sur le règne de Justinien qui fait suite aux *Guerres* de Procope et va de 552 à 558, édit. Dindorf (*Historici graeci minores*, t. II, Leipzig, 1871) et *P. G.*, LXXXVIII, ainsi que la *Chronique Pascale* (de la création du monde à 629), édit. Dindorf, Bonn, 1832, et *P. G.*, XCII, et la chronique copte de Jean de Nikiou, édit. et trad. française Zotenberg, 1883 (Not. et extr. des *Manuscrits*, t. XXIV, 1re partie).

II. Travaux. — Voir les ouvrages généraux sur l'Église et sur l'Empire byzantin à la bibliographie du chapitre précédent. Ch. Diehl, *Justinien et la civilisation byzantine au VIe siècle*, Paris, 1901 ; Holmes, *The age of Justinian and Theodora*, 2 vol., Londres, 1905 ; Glaizolle, *Un empereur théologien, Justinien. Son rôle dans les controverses, sa doctrine christologique*, Lyon, 1905 ; Bury, *History of the Later Roman Empire*, t. II, Londres, 1923 ; Batiffol, *L'empereur Justinien et le siège apostolique*, dans *Recherches de sciences religieuses*, t. XVI, 1926 ; Knecht, *Die Religionspolitik Kaiser Justinians*, Wurzbourg, 1896 ; H. Leclercq, *Justinien*, dans *Dictionnaire d'archéologie chrétienne et de liturgie*, t. VIII, 507-604, Paris, 1928.

(2) Diehl, *op. cit.*, p. 5-8 ; Bury, *op. cit.*, p. 23 ; Jean Malalas, xvii ; Zonaras, XIV, v, 40.

(3) D'après les diptyques consulaires de Justinien, Milan, collection Trivulzio ; Diehl, *op. cit.*, p. 6.

Bederiana, aux environs de l'ancienne ville de Skupi (Macédoine)[1]. Il était âgé de 45 ans. En pleine maturité, il avait pris, comme on l'a vu, une part considérable aux affaires sous le règne de son oncle et était intervenu d'une manière décisive dans les questions religieuses, ainsi qu'en témoigne sa correspondance active avec le pape Hormisdas. Il avait déjà manifesté quelques-uns des principes qui devaient diriger toute sa politique religieuse. Justin lui avait fait donner l'éducation raffinée qui était celle des jeunes gens de l'aristocratie byzantine et il en avait retenu surtout un goût très vif pour la théologie et les discussions dogmatiques. Un de ses maîtres fut l'un des plus grands théologiens de l'époque, Léonce de Byzance, moine scythe, aristotélicien, vrai fondateur de la scolastique byzantine[2].

Pendant son long règne (527-565), Justinien a déployé dans tous les domaines, administration, diplomatie, guerres, défense de l'Empire, finances, droit, art, affaires religieuses, une activité incroyable, contrôlant tout par lui-même, vrai bourreau de travail, à qui le sommeil était presque inconnu, mais cette activité était souvent brouillonne et intempestive et sa passion de l'autorité a entraîné parfois pour lui des échecs retentissants. Le nombre prodigieux de lois qu'il a rédigées, et sur les sujets les plus variés, n'en atteste pas moins son immense culture, sa facilité extraordinaire de travail et sa forte organisation.

Le beau portrait de Saint-Vital de Ravenne, exécuté vers 547, montre un homme de taille moyenne, solidement bâti, au visage arrondi, au teint coloré, aux cheveux bouclés, à la physionomie pleine de majesté. Au contraire le buste en mosaïque de Saint-Apollinaire le Nouveau, de date plus tardive, représente l'empereur vieilli, au visage épais, alourdi par un double menton et un regard terne, avec une expression désabusée[3]. Il menait d'ailleurs une vie très simple, en marge des cérémonies pompeuses qu'il ne fuyait pas, les regardant comme une institution d'État, mais qui étaient loin d'occuper toute son existence. Dans son magnifique palais, il vivait presque comme un ascète, ne buvant jamais de vin, mangeant peu, surtout des légumes, expédiant rapidement ses repas et jeûnant sans difficulté un jour et deux nuits[4]. Son plus grand plaisir était de passer ses soirées dans la bibliothèque du Palais, entouré de quelques évêques et moines avec lesquels il s'entretenait de théologie. Plusieurs de ses initiatives en matière de dogme devaient sortir de ces conférences[5].

(1) J. Zeiller, *Le site de Justiniana Prima*, dans *Mélanges Ch. Diehl*, 1930, t. I, p. 299-304.
(2) Loofs, *Leontius von Byzanz*, Leipzig, 1887 ; Ruegamer, *Leontius von Byzanz*, Wurzbourg, 1894 ; J. Tixeront, *Histoire des dogmes*, t. III, p. 4-9, 152-158, 248, et *Précis de Patrologie*, p. 836-388. Ses œuvres dans *P. G.*, LXXXVI, 1185-1767 et LXXXVI *bis*, 1769-2032.
(3) Ch. Diehl, *La peinture byzantine*, Paris, 1933, pl. IX et *Justinien et la civilisation byzantine au VIe siècle*, p. 13, 15.
(4) Ch. Diehl, *Justinien*, p. 14-22 ; Bury, *op. cit.*, p. 23-27.
(5) L. Duchesne, *L'Église au VIe siècle*, p. 174.

BUTS DE SA POLITIQUE

Justinien s'est proposé deux buts : restaurer l'Empire romain dans son intégrité en mettant fin aux dominations barbares établies sur son sol ; rétablir l'unité religieuse par une lutte sans merci contre les païens, les Juifs et les hérétiques. D'une part il se rattache à la tradition romaine et se considère comme le successeur légitime des Césars romains. On lit dans la préface du Code :

La protection suprême de la chose publique, consistant en deux forces, celle des armes et celle des lois, la race bienheureuse des Romains l'emporte sur toutes les nations et elle a réussi à dominer tous les peuples dans le passé, comme elle parviendra à les dominer avec le secours de Dieu dans l'avenir [1].

D'autre part, il considère comme le devoir essentiel de l'empereur de veiller à l'intégrité de la foi. Il écrit au patriarche Épiphane :

Les plus grands dons que Dieu ait faits aux hommes sont le Sacerdoce et l'Empire, le Sacerdoce pour le service des choses divines, l'Empire pour l'ordre des choses humaines. Les empereurs n'ont rien de plus à cœur que l'honnêteté des clercs et la vérité des dogmes. Tout sera bien si les saints canons sont observés, que nous tenons des apôtres et que les saints pères ont préservés et expliqués [2].

L'union intime de l'Église et de l'État résulte d'ailleurs de la protection divine, à laquelle l'empereur doit « de pouvoir terminer heureusement la guerre et de rendre la paix florissante » [3].

SES PRINCIPES DIRECTEURS

La conséquence de ces doctrines, c'est que l'empereur se croit directement responsable devant Dieu et qu'il considère comme son devoir essentiel de faire régner l'ordre *par la force des lois* [4], non seulement dans l'État, mais dans l'Église. Sans doute, il n'a pas innové en ces matières et il a reçu une tradition qui remontait à Constantin, mais il est intervenu dans le gouvernement de l'Église d'une manière plus systématique et plus absolue que ses prédécesseurs, et aucun régime n'a mérité mieux que le sien le nom de césaropapisme. Non seulement il a réglé de son chef les rapports entre l'Église et l'État, entre les autorités civiles et ecclésiastiques, qui doivent d'ailleurs, selon lui, se prêter un mutuel appui, mais il n'est pour ainsi dire pas une seule question de discipline intérieure, purement ecclésiastique, qu'il n'ait réglée souverainement et, dans la suite, sa volumi-

(1) *Deuxième préface au Code Justinien* (à Ménas, préfet du prétoire, 3 avril 529). Cf. la novelle XXX, *De proconsule Cappadociae*, où il rappelle que la ville de Césarée doit son nom à Jules César « *qui summo orbis terrarum arbitrio, quod nos obtinemus, bonum dedit p incipium : qua de etiam causa apud omnes terrae populos nominatissimum Caesaris nomen est, et nos praeter omnes alias imperatoriae majestatis notas eo gloriamur* » et la préface de la novelle XLVII où il rappelle les trois fondations de l'empire romain par Énée, « *et nos quidem Æneadae ab illo vocamur* », par les rois Romulus et Numa, par César et Auguste. Voir IORGA, *Histoire de la vie byzantine*, t. I, Bucarest, 1934, chap. 2 : *L'élément romain*, p. 34-46.

(2) *Novelle*, VI (16 mars 535).

(3) *Digeste*, préface I ; *Code Justinien*, I, XXVII, préface (au préfet du prétoire d'Afrique) : *Grâce à Dieu l'empereur a pu venger les injures de son Église et tirer les peuples du joug de la servitude.* Il rappelle avec orgueil que ses prédécesseurs n'avaient pas mérité ces bienfaits.

(4) Préface aux *Institutes*.

neuse législation a formé la source principale du droit canon des églises d'Orient. Bien des règlements qu'il a édictés sont encore aujourd'hui appliqués [1].

Surtout Justinien ne s'est pas contenté de reproduire dans des édits impériaux les décisions conciliaires ; il s'est cru le droit d'interpréter lui-même le dogme et de trancher de sa propre autorité les questions théologiques. L'*Hénotique* de Zénon n'était en somme qu'une mesure disciplinaire destinée à établir la paix religieuse en laissant en suspens l'autorité du concile de Chalcédoine. Cet édit n'avait qu'un caractère négatif. Justinien est allé plus loin, il a pris parti : dans les débats, il s'est arrogé le pouvoir de définir lui-même le dogme, sans se référer à une autorité ecclésiastique quelconque, et d'imposer ses conclusions à tous ses sujets et à l'Église elle-même.

SA DOCTRINE SUR L'AUTORITÉ DU SAINT-SIÈGE

Justinien n'a d'ailleurs jamais cessé de témoigner le plus grand respect à la papauté et de lui reconnaître non seulement la primauté d'honneur, mais aussi un pouvoir doctrinal, et, même quand il a pris des initiatives dogmatiques, il a toujours demandé aux papes de les approuver. Sans doute, lorsqu'il a rencontré des résistances, il a employé la contrainte, mais ses coups de force, si odieux qu'ils soient, n'en montrent pas moins l'importance qu'il attachait à l'opinion du pape et l'idée d'un schisme avec Rome n'a jamais effleuré sa pensée.

Dans sa novelle sur les cinq patriarcats [2], l'empereur affirme hautement que le pape de l'ancienne Rome est le premier de tous les prêtres. En tête du Code il fait figurer la constitution de Gratien, Valentinien et Théodose de 380, obligeant les peuples de l'Empire à suivre la religion que l'apôtre Pierre a transmise aux Romains [3], et il insère dans le premier livre la profession de foi qu'il a adressée au pape Jean II, ainsi que la réponse du pape : « Rendant honneur, dit-il, au Siège apostolique et à Votre Sainteté, ce qui a toujours été notre vœu, honorant comme un père, ainsi qu'il convient, Votre Béatitude, nous nous empressons de porter à la connaissance de Votre Sainteté tout ce qui concerne la situation des églises... » [4]. Et dans une constitution adressée en 533 au patriarche Épiphane, où il énumère des mesures contre les hérétiques, il affirme que le pape est *le chef de tous les très saints prêtres de Dieu* [5].

Ces manifestations de respect pour le Saint-Siège sont fréquentes dans la législation de Justinien, mais lorsqu'il fut en conflit avec des papes,

(1) P. Batiffol, *op. cit.*, p. 221-223.
(2) *Novelle*, cxxxi, 2.
(3) *Code Justinien*, I, i, 1. Cf. t. III, p. 284 et 505.
(4) *Code Justinien*, I, i, 8.
(5) *Code Justinien*, I, i, 7. Voir sur ces doctrines de Justinien : P. Batiffol, *op. cit.*, p. 212-223 : « La reconnaissance de l'autorité privilégiée du siège de Rome est un des principes de la politique religieuse de Justinien » (p. 220).

il distingua, avec une véritable subtilité, la personne du pape et l'autorité du Siège apostolique.

LE PROGRAMME D'ACTION

Tels sont les principes essentiels que Justinien a appliqués dans sa politique. Établir l'unité de la foi dans l'orthodoxie a été son but suprême. Il a voulu d'abord extirper le paganisme encore vivant, en dépit des lois, dans certaines régions de l'Empire. Il a rendu plus difficile l'exercice de la religion juive. Il a poursuivi impitoyablement les sectes anciennes, Samaritains, Montanistes et les tenants des anciennes hérésies. Il a favorisé la propagande chrétienne hors des frontières de l'Empire. En revanche il a eu pour les monophysites une politique toute différente, dont le programme était déjà tracé avant son avènement. Il ne leur a jamais appliqué ses lois contre les hérétiques, mais il a cru qu'avec quelques concessions il pourrait trouver avec eux un terrain d'entente et les ramener à l'orthodoxie. Il s'est engagé ainsi dans des difficultés inextricables et a fini par se rendre suspect à tous les partis.

L'INFLUENCE DE THÉODORA

Avant son avènement Justinien avait épousé une fille d'humble naissance, dont le père aurait été gardien des ours à l'Hippodrome et qui aurait mené une vie assez légère, comme danseuse, à Alexandrie [1]. Quoi qu'il en soit de ces racontars, Théodora fut reconnue comme impératrice, fut associée étroitement par Justinien à l'exercice du gouvernement, eut une cour fastueuse et exerça sur l'empereur une influence considérable. Elle eut les apparences et la réalité du pouvoir [2]. Son monogramme ou son nom figurent à côté de ceux de Justinien sur les monuments et à Saint-Vital de Ravenne elle fait face, entourée d'une cour brillante, au cortège de l'empereur. On connaît le rôle décisif que lui prête Procope pendant la Sédition Nika [3]. L'autorité qu'elle exerçait était reconnue de tous et, dans une constitution, Justinien proclamait qu'il avait l'habitude de s'entourer de ses conseils [4].

Or Théodora était monophysite, ce qui est un argument en faveur de

(1) PROCOPE, *Anecdota*, IX. Sur les contradictions entre les *Anecdota* et les autres ouvrages de Procope, voir DIEHL, *Justinien*, p. XVI-XIX, et *Théodora impératrice de Byzance*, Paris, 1904 (chap. V. *La légende de Théodora* montre que l'origine obscure et le passé orageux de Théodora sont des faits certains). Elle avait un enfant lorsqu'elle épousa Justinien, mais à partir de son mariage sa conduite fut irréprochable. Sur ses origines les sources diffèrent. Les uns la font originaire de Chypre (Évagrius et plus tard Nicéphore Callistès). D'après les sources monophysites reproduites par MICHEL LE SYRIEN, édit. CHABOT, t. II, p. 419-420, elle aurait été la fille d'un prêtre monophysite des environs de Callinicum sur l'Euphrate, mais le récit paraît suspect. Sur Théodora, voir aussi DEBIDOUR, *L'impératrice Théodora*, Paris, 1885, et CH. DIEHL, *Figures byzantines*, t. I, 1906, p. 51-75.

(2) DIEHL, *Théodora*, p. 143-157. « Elle règle tout dans l'État et dans l'Église », dit Cassiodore, *Variar.*, X, 20.

(3) PROCOPE, *Bellum Persicum*, I, XXIV-XXV, et MALALAS, XVIII.

(4) *Novelle*, VIII, 1.

son origine syrienne. Elle avait dû connaître Sévère avant d'épouser Justinien, soit à Antioche, soit à Alexandrie. Toutes les sources monophysites font d'elle les plus grands éloges. Pour Jean d'Éphèse elle est l'*impératrice fidèle, la reine suscitée par Dieu pour défendre les affligés des rigueurs du temps* [1]. Sévère l'appelle *la reine qui adore le Christ* [2]. D'après les sources de Michel le Syrien, elle se préoccupait encore plus que l'empereur de la paix des églises et lui persuadait d'y travailler [3]. Ce dernier témoignage jette un jour suffisant sur les interventions de Théodora dans la politique religieuse de Justinien. Non seulement elle protégea ouvertement les monophysites dont elle recueillit plus de cinq cents dans une cour du palais de Hormisdas [4], mais elle ne cessa de pousser l'empereur aux concessions les plus extrêmes en vue de les réconcilier avec l'Église [5].

§ 2. — Les mesures contre les dissidents.

LUTTE CONTRE LE PAGANISME

En dépit d'une législation de plus en plus sévère, il existait encore de nombreux païens dans l'Empire [6]. Ils se recrutaient en général dans deux catégories sociales différentes : une élite intellectuelle qui avait trouvé asile dans les Universités d'Athènes et d'Alexandrie et qui, par des spéculations sur la philosophie néoplatonicienne, avait constitué une sorte de théologie païenne [7] et, d'autre part, des masses populaires établies dans des régions reculées et peu accessibles, paysans des montagnes d'Anatolie, de certains cantons de la Syrie ou de la vallée du Nil. En vertu d'un traité conclu en 451 sous Marcien avec le peuple des Blemmyes situé au delà de la première cataracte, un sanctuaire d'Isis était toujours ouvert sur le territoire impérial dans l'île de Philé [8]. L'oracle de Jupiter Ammon s'était transporté dans l'oasis d'Augila, au sud de la Cyrénaïque, et un nombre important d'hiérodules y continuait les sacrifices. En Syrie, le grand temple de Baalbek était toujours fréquenté [9].

(1) Jean d'Éphèse, *Comment.*, p. 138, 154, 157, 160.
(2) Zacharias de Mitylène, *Hist. eccl.*, ix, 20.
(3) Michel le Syrien, édit. Chabot, t. II, p. 192-193. Les orthodoxes syriens connaissaient son attachement à Sévère, comme le prouve l'anecdote racontée par Cyrille de Scythopolis (*Sabae vita*, édit. Cotelier, t. III, p. 341-342), d'après laquelle Sabas aurait refusé de prier pour que Théodora eût des enfants, parce que ses fils « nourris des dogmes de Sévère » persécuteraient un jour les orthodoxes.
(4) Michel le Syrien, édit. Chabot, t. II, p. 193.
(5) L. Duchesne, *Les protégés de Théodora*, dans *Mélanges d'archéologie et d'histoire de l'École française de Rome*, t. XXXV, 1915.
(6) Sur ces lois, cf. *supra*. En 502, Anastase avait supprimé les Saturnales par un édit (Rubens Duval, *Histoire d'Édesse*, dans *Journal asiatique*, 1891, p. 496).
(7) Jean Maspero, *Horapollon et la fin du paganisme égyptien*, dans *Bulletin de l'Institut français d'archéologie orientale du Caire*, t. XI, p. 429-461.
(8) L. Duchesne, *Églises séparées*, 1896, p. 289-290 ; Wilcken, *Heidnisches und Christliches aus Ægypten*, dans *Archiv für Papyrusforschung*, t. I, 1901, p. 397-407.
(9) Jean d'Éphèse, *Chronique*, dans *Revue de l'Orient chrétien*, 1897, p. 491 ; L. Duchesne, *L'Église au VIe siècle*, p. 275.

Jusque-là les lois, dont l'application n'était pas toujours rigoureuse, se contentaient d'interdire le culte extérieur, ainsi que les dons et les legs en vue de ce culte, mais l'existence des païens était tolérée. La législation de Justinien au contraire se propose d'extirper entièrement le paganisme. Une constitution rédigée vraisemblablement quelques mois après l'avènement de Justinien oblige tous les païens à se faire instruire dans la religion chrétienne, eux, leurs femmes et leurs enfants, et à recevoir le baptême sous peine de confiscation des biens. Une loi postérieure punit de mort ceux qui, une fois baptisés, seront retournés au paganisme ou prendront part à des cérémonies clandestines [1].

Les édits furent appliqués avec rigueur et de véritables missions furent organisées pour évangéliser les populations restées païennes. Parmi les auxiliaires de Justinien se place un groupe de moines de Mésopotamie, la plupart monophysites d'ailleurs, venus à Constantinople au moment des tentatives d'union et protégés par Théodora.

LES MISSIONS DE JEAN D'ASIE

Leur chef était un moine d'Amida, Jean, qui avait vécu parmi les solitaires de la vallée du Tigre et avait eu pour maître un stylite. Très cultivé, connaissant à la fois le grec et le syriaque, il avait dû quitter le monastère d'Amida à la suite des mesures de Justin contre les monophysites en 521. Après de nombreuses pérégrinations, il vint à Constantinople et fut recueilli au monastère des Sykes (quartier actuel de Péra-Galata), où, sous la protection de Théodora, vivaient le moine Zooras et ses compagnons.

Jean se proposa de convertir les montagnards des environs de Smyrne et d'Éphèse, restés païens malgré tous les efforts du clergé local. Il commença par fonder un monastère dans un temple abandonné des environs de Tralles. Il recruta ses collaborateurs au monastère de Zooras et dans un couvent voisin fondé par le Syrien Maras. Ses succès furent tels qu'en peu d'années il ne resta plus un seul païen dans les montagnes d'Asie Mineure. Les paysans aidaient eux-mêmes les missionnaires à briser les idoles, à détruire les temples, à couper les arbres sacrés. Il se vante dans sa chronique d'avoir converti cent mille païens, élevé une centaine d'églises et dix ou douze monastères [2]. L'empereur subvenait aux dépenses et fournissait en abondance les robes baptismales ; mais Jean ne chercha pas à communiquer aux nouveaux convertis les doctrines monophysites.

(1) *Code Justinien*, I, XI, 9-10 (reproduit la législation antérieure, XI, 1-8). Les deux lois de Justinien ne sont connues que par l'*Epitome graec. constitut.* et le *Nomocanon*. Sur les dates, voir BURY, *Later Roman Empire*, t. II, p. 367, et CH. DIEHL, *Justinien*, p. 552-553.

(2) Récit dans sa chronique, reproduit par DENIS DE TELL-MAHRÉ, dans *Revue de l'Orient chrétien*, t. II, 1897, p. 482 et suiv. ; L. DUCHESNE, *L'Église au VIe siècle*, p. 276-280 ; MICHEL LE SYRIEN, édit. CHABOT, t. II, p. 207-208.

A la suite de ces conversions il fut surnommé *Jean d'Asie* ou *Jean d'Ephèse* (dont il avait reçu le titre épiscopal) [1].

POURSUITES CONTRE LES PAIENS DE CONSTANTINOPLE

Jean d'Éphèse faisait poursuivre les païens à Constantinople même. Pendant l'un des séjours qu'il venait faire de temps à autre au monastère des Sykes, ce fut sur ses dénonciations que la police impériale arrêta en 546 plusieurs notables, grammairiens, sophistes, médecins, qui furent condamnés à la peine du fouet et catéchisés de force. L'un d'eux, le patrice Phocas, s'empoisonna avant l'exécution. D'autres, comme Asclépiodote et le préteur Thomas, furent mis à mort [2].

Malgré ces rigueurs, le paganisme continua à vivre obscurément à Constantinople. En 562, la police saisit des livres de magie et arrêta cinq prêtres païens, un d'Athènes, deux d'Antioche, deux de Baalbek. Ils furent mutilés, promenés nus sur des chameaux et leurs livres furent brûlés sur une place publique [3].

LE PAGANISME EN ÉGYPTE

On verra plus loin, dans l'étude sur la propagande chrétienne en Nubie, que le temple d'Isis de l'île de Philé fut fermé en 535. D'autres temples païens existaient encore en Égypte au VIe siècle, malgré les nombreuses destructions du siècle précédent, exécutées surtout par des moines comme le célèbre Schenouti [4]. Au moment de l'avènement de Justinien, un certain Apa Moïse détruisait à Abydos un temple d'Apollon desservi par 23 prêtres [5]. Les cultes pharaoniques et surtout les anciens usages funéraires furent pratiqués encore longtemps [6] et, en plein VIIe siècle, le patriarche d'Alexandrie Andronic (616-622) est loué par son biographe d'avoir renversé des temples païens [7]. A Alexandrie même, l'Université (Μουσεῖα Ἀκαδημία) comptait toujours des païens parmi ses maîtres, comme le célèbre Jean Philoponos, auteur d'ouvrages inspirés d'Aristote et théoricien de l'hérésie trithéite [8]. Tous ces faits démontrent que l'application des édits de Justinien ne fut pas très efficace en Égypte.

FERMETURE DE L'ÉCOLE D'ATHÈNES

L'épisode le plus célèbre de la lutte de Justinien contre le paganisme est la fermeture de l'Université philosophique d'Athènes, où,

(1) MICHEL LE SYRIEN, *ibid.*
(2) L. DUCHESNE, *L'Église au VIe siècle*, p. 280 ; JEAN D'ÉPHÈSE, dans *Revue de l'Orient chrétien*, t. II, 1897, p. 481 et suiv.
(3) MICHEL LE SYRIEN, édit. CHABOT, t. II, p. 207, 271 ; JEAN MALALAS, *Chronique*, XVIII.
(4) Jean MASPERO, *Horapollon et la fin du paganisme égyptien*, dans *Bulletin de l'Institut français d'archéologie orientale*, t. XI, p. 485.
(5) D'après un fragment publié par AMÉLINEAU, *Mémoire de la mission française archéologique au Caire*, t. IV, p. 686 et suiv. ; Jean MASPERO, art. cité, p. 185.
(6) Jean MASPERO, *Histoire des patriarches d'Alexandrie*, p. 34.
(7) Jean MASPERO, art. cité, p. 185-186.
(8) Jean MASPERO, *Histoire des patriarches d'Alexandrie*, p. 47.

depuis la fin du IVe siècle, l'enseignement était donné par des néo-platoniciens, qui alliaient à leurs spéculations métaphysiques l'exercice d'un paganisme où la magie et les pratiques des religions orientales se mélangeaient aux rites helléniques [1]. Après la mort de Proclus (487), son successeur, Damascius, non moins dévot que lui, dirigeait les derniers cercles intellectuels païens, augmentant encore le caractère mystique de la doctrine dans son traité des *Principes*. Mais, au début du VIe siècle, l'enseignement était en pleine décadence, faute d'élèves et peut-être de professeurs [2]. Justinien ne fit donc guère que supprimer une institution déjà périmée.

Déjà Athènes avait perdu son École de droit [3], lorsqu'en 529 Justinien y envoya l'ordre d'y cesser tout enseignement philosophique et juridique. Cette mesure ne nous est connue que par la chronique de Malalas, mais elle est sans doute en relations avec un article d'une constitution qui interdit aux païens de donner tout enseignement et de recevoir un traitement public [4].

Damascius et six de ses collègues se réfugièrent en Perse et furent accueillis par le roi Chosroès, qui se piquait d'hellénisme et de philosophie. Il leur fit le meilleur accueil, les reçut familièrement à sa table et fit traduire en pehlvi ou en syriaque plusieurs dialogues de Platon. Damascius écrivit pour lui un traité de philosophie où il expliquait les mythes grecs ou orientaux [5]. Dans le traité conclu avec Justinien en 532, Chosroès stipula que ces philosophes pourraient rentrer dans leur pays sans être contraints d'abjurer leurs croyances païennes.

JUIFS Justinien respecta les droits civils des Juifs et toléra l'exercice de leur culte, mais il accrut le nombre de leurs incapacités en les assimilant aux hérétiques. Il leur fut interdit de témoigner en justice contre un chrétien orthodoxe, d'acheter des biens d'église ou des terres sur lesquelles s'élèverait une église. De plus, ceux qui feraient partie d'une

(1) BIBLIOGRAPHIE. — PETIT DE JULLEVILLE, *L'École d'Athènes*, Paris, 1868, p. 125-129 ; DIEHL, *Justinien*, p. 563-565 ; L. DUCHESNE, *L'Église au VIe siècle*, p. 157 et suiv. ; BURY, *Hist. of the Later Roman Empire*, t. II, p. 369-371 ; CHAPOT, *Les destinées de l'hellénisme au delà de l'Euphrate*, dans *Mémoires des Antiquaires de France*, t. LXIII, 1902, p. 260-261 ; Émile BRÉHIER, *Histoire de la philosophie*, t. I, Paris, 1926, p. 476-486. Sur le caractère des pratiques imposées aux adhérents, voir SCHISSEL, *Der Studienplan des Neoplatonikers Proclus*, dans *Byzantinische Zeitschrift*, t. XXVI, p. 265-272.

(2) Émile BRÉHIER, *op. cit.*, p. 484 ; RUELLE, *Le philosophe Damascius. Étude sur sa vie et ses écrits*, Paris, 1861.

(3) COLLINET, *Histoire de l'École de droit de Beyrouth*, Paris, 1925, p. 52.

(4) MALALAS, XVIII, place en même temps la fermeture des écoles de philosophie et de droit, *Code Justinien*, I, XII, 10, art. 5. Un passage d'une hymne de Romanos le Mélode, invectivant les *Hellènes* (nom donné aux païens), est regardé par Maas comme une allusion à cet événement, dans *Byzantinische Zeitschrift*, 1906, t. XV, p. 21.

(5) Le fait est connu par AGATHIAS, II, 30-33 (cf. SUIDAS, πρέσβεις) ; CHAPOT, *Les destinées de l'hellénisme au delà de l'Euphrate*, dans *Mémoires des Antiquaires de France*, t. LXIII, 1902, p. 261 ; DAMASCIUS, *Solutiones eorum de quibus dubitavit Chosroes Persarum rex*, trad. CHAIGNET, Paris, 1898.

curie municipale devraient en assumer toutes les charges, sans pouvoir accéder aux honneurs et privilèges des curiales [1].

Justinien alla jusqu'à vouloir réglementer les affaires intérieures des Juifs de la même manière qu'il légiférait pour l'Église. Sous prétexte que beaucoup de Juifs ne comprenaient pas l'hébreu, il enjoignit aux rabbins de permettre la lecture de la Bible dans les synagogues en grec ou en latin, et il leur recommanda soit la Version des Septante, soit celle d'un Juif du IIe siècle, Aquila [2]. Abordant jusqu'au dogme, il prohiba les doctrines de tradition rabbinique, comprises sous le nom de *Deuterosis*, qui niaient les dogmes du Jugement dernier et de la résurrection des morts ou refusaient d'admettre que les anges fussent des créatures de Dieu. L'empereur ordonne leur expulsion de la communauté juive [3].

SAMARITAINS

Les Samaritains étaient moins dispersés que les Juifs et formaient même des groupes compacts dans les montagnes de Palestine. On les rencontrait comme magiciens ou diseurs de bonne aventure [4]. Ils paraissaient plus dangereux que les Juifs et ils possédaient une version particulière du *Pentateuque*. Ils manifestaient une hostilité violente contre l'Empire et ne perdaient aucune occasion de le trahir. Leurs révoltes étaient fréquentes [5]. Justinien les poursuivit avec une âpreté particulière et, à la différence des Juifs, il les assimila aux païens et ordonna de détruire leurs synagogues [6]. Cinquante mille d'entre eux, réfugiés en Perse, auraient excité Chosroès à envahir la Palestine, tandis qu'une formidable révolte éclata en 529 sous le commandement d'un certain Julien qui fut proclamé empereur [7]. Le maître de la milice d'Orient dut lever une armée contre eux, parvint à les encercler et noya leur soulèvement dans le sang, avec l'aide d'un corps de Sarrasins. Vingt mille Samaritains périrent et un nombre égal d'entre eux fut vendu comme esclaves aux chefs arabes. Julien, qui avait fait massacrer de nombreux chrétiens, fut décapité. Les derniers débris du peuple samaritain furent traqués dans les montagnes [8].

En 551, Sergius, évêque de Césarée, intervint pour faire cesser la persé-

(1) *Novelle* XLV, datée de 537 ; L. DUCHESNE, *L'Église au VIe siècle*, p. 281.

(2) *Novelle* CXLVI, datée de 553. Sur *Aquila*, voir l'article de A. TRICOT, dans *Dictionnaire d'histoire et de géographie ecclésiastique*, t. III, 1924, col. 1108-1110.

(3) Même novelle, 2. Cf. BURY, *Later Roman Empire*, t. II, p. 366, 6.

(4) L. DUCHESNE, *L'Église au VIe siècle*, p. 282.

(5) Sous Zénon ils s'étaient déjà donné un roi. *Chronique pascale*, p. 840. PROCOPE, *De Ædificiis*, v, 7 ; MALALAS, XV.

(6) *Code Justinien*, I, v (*de haereticis et manichaeis et samaritis*), 18-19 (cette dernière constitution datée de 529).

(7) MALALAS, XVIII ; PROCOPE, *De Ædif.* (voir note 5) ; *Chronique pascale*, p. 872 ; CYRILLE DE SKYTHOPOLIS, *Vita Sabae*, LXX ; Jean DE NIKIOU, édit. et trad. ZOTENBERG (*Not. et ext. des manuscrits*, t. XXIV, 1, p. 518) ; MICHEL LE SYRIEN, édit. CHABOT, t. II, p. 91.

(8) BURY, *Later Roman Empire*, t. II, p. 365-366 ; Jean MASPERO, *Les patriarches d'Alexandrie*, p. 260.

cution. Sous la promesse que les Samaritains se tiendraient désormais tranquilles, Justinien révoqua quelques-unes des incapacités civiles qu'il leur avait imposées [1]. Mais une nouvelle révolte, à laquelle se joignirent des Juifs, éclata à Césarée en 555. Le proconsul de Palestine, Étienne, fut tué. Des chrétiens furent massacrés, des églises incendiées ou profanées. Il fallut une nouvelle expédition dirigée par le maître de la milice d'Orient, Amentius, qui fit crucifier les principaux meneurs, mais les Samaritains se montrèrent réfractaires au baptême et Justin II renouvela plus tard contre eux les lois d'incapacité civile [2].

LOIS CONTRE LES HÉRÉTIQUES Aggravant encore la législation de Justin, Justinien a exclu les hérétiques de toutes les fonctions civiles et militaires, de toutes les dignités municipales [3]. Il a exigé que tout candidat à une fonction publique fît certifier son orthodoxie par trois témoins jurant sur l'Évangile. Les professions libérales d'avocats, professeurs, etc., sont également fermées aux hérétiques. Ils ne peuvent ni témoigner en justice, ni tester, ni hériter. Toute manifestation de culte, offices, baptême, ordinations, leur est interdite. Leurs églises doivent être fermées. La loi les traite plus durement que les Juifs [4].

Telle est la législation, mais en fait elle n'a pas été appliquée de la même manière à toutes les hérésies. Tout d'abord les monophysites, que l'empereur s'est efforcé de gagner à l'orthodoxie, ont été provisoirement soustraits à ces mesures. Justinien a poursuivi surtout les sectateurs des anciennes hérésies, dont beaucoup formaient des groupes isolés dans l'Empire. Justin avait déjà décrété la peine de mort contre les Manichéens [5]. D'après Jean d'Éphèse, des Manichéens, parmi lesquels se trouvaient des sénateurs et des femmes nobles, ayant été découverts à Constantinople, l'empereur voulut discuter avec eux et, n'ayant pu les convaincre, les condamna à la confiscation des biens et au supplice du feu [6].

En Asie Mineure, dans la région de Pépuze, s'était conservée une communauté de Montanistes qui avait un évêque, des clercs, des édifices, des biens. Jean d'Éphèse s'y rendit sur l'ordre de l'empereur et brûla leur église principale. Un délai de trois mois leur fut donné pour se convertir, sous peine d'exil. Il y eut des résistances et plusieurs montanistes se laissèrent brûler dans leurs temples. Les ossements de Montan

(1) *Novelle* CXX, datée de 551.
(2) MICHEL LE SYRIEN, édit. CHABOT, t. II, p. 262, date la révolte de l'an 28 de Justinien = 555; MALALAS, XVIII ; JUSTIN II, *Novelle* CXIV ; Jean DE NIKIOU, édit. ZOTENBERG, p. 521. Sur l'histoire des luttes des Samaritains contre l'Empire, voir LAMMENS, *Le califat de Yazid Ier*, dans *Mélanges de la Faculté orientale de Beyrouth*, t. V, p. 669-711, 1910-1913.
(3) Loi de 527 contre les Ariens, à l'exception des fédérés goths (*Code Justinien*, I, v, 12).
(4) Ch. DIEHL, *Justinien*, p. 324-326 ; *Code Justinien*, I, IV, 20 ; v, 18 ; *Novelle* XXXVII, 8.
(5) *Code Justinien*, I, v, 12 : « *Manichaei undique expelluntor et capite puniuntor* ».
(6) *Revue de l'Orient chrétien*, t. II, 1897, p. 481.

furent exhumés et livrés aux flammes [1]. Un édit, publié en 530, expulsa de Constantinople les membres de la hiérarchie montaniste et interdit à ceux qui persévéraient dans leur hérésie de communiquer avec ceux qui s'étaient convertis [2].

Justinien tourna particulièrement ses efforts contre l'arianisme. A Constantinople, l'édit de Justin (527) et les édits généraux contre les hérétiques étaient suffisants. Au contraire, dans les pays d'Occident recouvrés sur les barbares, où l'Église arienne faisait figure d'Église d'État, des mesures spéciales furent prises contre elle. Justinien s'attacha à rétablir l'état de choses antérieur à la conquête de Genséric. Aussitôt après la victoire de Bélisaire, les évêques d'Afrique tinrent un concile pour réorganiser l'Église catholique (avril-mai 535) et envoyèrent une délégation à l'empereur pour lui demander de leur faire restituer les biens et les églises confisqués par les Vandales. Dans une constitution du 1er août 535, Justinien ordonna la restitution aux catholiques des biens, des églises et des vases sacrés dont ils avaient été dépouillés. Les Ariens furent chassés de leurs églises, leurs prêtres exilés et, conformément aux lois contre les hérétiques, exclus des fonctions publiques [3]. Des mesures analogues furent prises en Italie, où les églises ariennes possédaient de grandes richesses [4].

Un article d'une constitution de 547 mentionne expressément les Ariens en même temps que les Juifs, les Samaritains, les Nestoriens, les acéphales, les Eutychiens, parmi les sectes auxquelles il est interdit de recevoir des dons en biens immobiliers, soit des églises, soit des particuliers, pour y construire des lieux d'assemblées [5].

§ 3. — Les essais de conciliation avec les monophysites.

POINT DE VUE DE JUSTINIEN

A la différence de Justin, Justinien n'a jamais songé à traiter les monophysites et surtout les Sévériens comme les autres hérétiques. Ses études de théologie lui avaient donné la conviction qu'il pourrait prendre parti dans les questions qui séparaient les monophysites des orthodoxes et trouver avec eux un terrain d'entente. Il était poussé à entreprendre cette œuvre

(1) MICHEL LE SYRIEN, édit. CHABOT, t. II, p. 269-271 ; L. DUCHESNE, *L'Église au VIe siècle*, p. 280.

(2) *Code Justinien*, I, v, 20 (530). La loi énumère les membres de la hiérarchie : *patriarches, koinônoi, évêques, prêtres, diacres*. Voir GRÉGOIRE, *Du nouveau sur la hiérarchie de la secte montaniste*, dans *Byzantion*, t. II, 1925, p. 332-333 ; P. DE LABRIOLLE, *La crise montaniste*, Paris, 1913 ; LECLERCQ, art. *Montaniste (épigraphie)*, dans *Dictionnaire d'Archéologie chrétienne*, t. XI, 1934, col. 2529-2544.

(3) *Code Justinien, Novelle* XXXVII ; AUDOLLENT, *Carthage romaine*, Paris, 1901, p. 552-556 et article *Afrique*, dans *Dictionnaire d'histoire et de géographie ecclésiastiques*, t. I, 1912, col. 834-836 ; CH. DIEHL, *L'Afrique byzantine*, Paris, 1896, p. 39-40, 418-419.

(4) Ch. DIEHL, *Justinien*, p. 331.

(5) *Novelle* CXXXI, 14.

par son désir de réaliser dans l'Empire l'unité religieuse dans son intégrité ; on n'aperçoit même pas dans sa conduite l'arrière-pensée politique, qui fut celle de ses successeurs, de rétablir le loyalisme chez les populations orientales, dont les dissidences religieuses avaient fait naître une désaffection croissante à l'égard de l'Empire.

Au cours des multiples démarches, des négociations compliquées, des initiatives audacieuses, des péripéties de toute sorte de sa politique religieuse, il a toujours été dominé par deux idées très simples : s'en tenir à la lettre du symbole de Chalcédoine, mais l'interpréter dans le sens des écrits de Cyrille, derrière lesquels se retranchaient les monophysites, en le dégageant de tout ce qui aurait pu le faire suspecter de tendances nestoriennes. Et les historiens monophysites lui ont su quelque gré de cette attitude. Bien qu'ils le regardent comme hérétique et persécuteur, ils sont loin de lui témoigner la même haine qu'à Justin et vantent sa piété et sa miséricorde pour les pauvres [1].

L'ACTION DE THÉODORA

Théodora, comme on l'a déjà vu, ne pouvait être que le plus ferme appui de cette politique et allait même beaucoup plus loin que son époux dans la voie des concessions. Non seulement elle détermina Justinien dès son avènement à rappeler d'exil des moines et des évêques, mais des monophysites reparurent à Constantinople et y prêchèrent ouvertement [2]. Dès 531, des moines d'Amida et d'Édesse, réfugiés au désert, purent rentrer dans leurs monastères [3]. Quelques-uns, sous la conduite de huit évêques, gagnèrent Constantinople et furent amenés à Justinien. L'impératrice organisa au palais de Hormisdas un monastère qui compta bientôt cinq cents moines mésopotamiens, libres de pratiquer l'ascèse suivant leur règle, mais ils ne furent pas autorisés à circuler en ville. Un d'entre eux, Zooras, originaire d'Amida et ancien stylite, parvint avec l'aide de Théodora à créer au delà de la Corne d'Or, aux Sykes, le couvent qui servit d'asile à Jean d'Éphèse et y célébra les offices, suivis par le personnel de l'entourage de l'impératrice [4].

CONFÉRENCES DE CONSTANTINOPLE

Les monophysites remirent à l'empereur une requête dans laquelle ils exposaient leur foi [5]. La première pensée de Justinien fut de les ramener

(1) Textes réunis par Jean MASPERO, *Histoire des patriarches d'Alexandrie*, p. 109 et suiv.

(2) Date donnée par l'*Historia Misc.* ; Ch. DIEHL, *Théodora*, p. 252 et suiv.

(3) MICHEL LE SYRIEN, édit. CHABOT, t. II, p. 177 (mentionne l'intervention de Théodora) ; L. DUCHESNE, *Les protégés de Théodora*, dans *Mélanges d'archéologie et d'histoire*, t. XXXV, 1915, p. 57-79.

(4) *Mar Ze'ora*, « petit par son nom, mais grand par ses sentiments » (MICHEL LE SYRIEN, édit. CHABOT, t. II, p. 197-203). JEAN D'ÉPHÈSE, *Comment. de beatis Orientalibus*, édit. VAN DOUWEN et LAND, p. 8-14 (source du récit de Michel le Syrien).

(5) L. DUCHESNE, *L'Église au VIe siècle*, p. 82.

à l'orthodoxie au moyen d'une conférence entre eux et les évêques catholiques. Après une année de pourparlers, signalée par des manifestations monophysites et par la terrible sédition Nika (janvier 532), la conférence s'ouvrit au palais de Hormisdas en 533. Six évêques de chaque parti, trois prêtres de Constantinople, plusieurs clercs et moines avaient été désignés [1]. L'empereur avait même invité Sévère à venir à Constantinople, mais il s'excusa. Il y eut trois séances, dont les deux premières furent présidées par le *comes sacrarum largitionum*, qui, suivant les ordres qu'il avait reçus, ouvrit les débats par un discours rempli de bienveillance pour les monophysites. La première séance fut pleine de promesses. Les Orientaux condamnèrent sans restriction la doctrine d'Eutychès et admirent qu'on avait eu raison de convoquer un concile à Chalcédoine. A la deuxième séance au contraire, lorsqu'on aborda le fond des choses, les dissentiments éclatèrent sur la question des deux natures. Parmi les textes invoqués par les monophysites figuraient pour la première fois les œuvres de Denis l'Aréopagite, que les catholiques déclarèrent ignorer ; d'autres textes furent regardés comme des faux et les Orientaux finirent en reprochant au concile de Chalcédoine de n'avoir pas reproduit les douze anathématismes de Cyrille et d'avoir reçu dans sa communion d'anciens Nestoriens comme Théodoret, évêque de Cyr, et Ibas, évêque d'Édesse [2].

Justinien, accompagné du sénat, vint lui-même présider la troisième séance et fit l'admiration de tous par sa bonne grâce et son zèle religieux ; mais sur les six évêques monophysites, un seul, Philoxène de Dolichè, se déclara convaincu. Les autres objectèrent l'indulgence du concile de Chalcédoine pour Ibas et Théodoret, ainsi que l'opposition des orthodoxes à la formule des moines scythes (*unus de Trinitate passus*) [3].

CONDAMNATION DES ACÉMÈTES Ces conclusions agirent profondément sur l'esprit de Justinien, et il résolut de dégager l'orthodoxie de toute compromission avec le nestorianisme, tout d'abord en imposant à tout l'Empire la formule scythe. Il avait déjà inséré cette formule dans sa profession de foi placée au début du Code, en 528 [4]. Il la reproduisit dans deux édits dogmatiques (les premiers qu'il ait publiés), dans lesquels il définissait quelle devait être la véritable foi selon le concile de Chalcédoine, le premier, du 15 mars 533, adressé aux

(1) Hefelè-Leclercq, *Histoire des conciles*, t. II, 2e p., p. 1120-1125 ; L. Duchesne, *L'Église au VIe siècle*, p. 83.

(2) L. Duchesne, *L'Église au VIe siècle*, p. 83-85 ; Mansi, t. VIII, col. 817-834, reproduit le récit d'un évêque orthodoxe, Innocent de Maronia, qui assista à la conférence, parvenu dans une version latine médiocre.

(3) Suite du récit assez pittoresque de l'évêque de Maronia. Mansi, t. VIII, col. 831-833 ; L. Duchesne, *L'Église au VIe siècle*, p. 86 ; Batiffol, *Justinien et le siège apostolique*, p. 210.

(4) *Code Justinien*, I, i, 5.

peuples de Constantinople et des villes d'Asie [1], le second, du 26 mars suivant, envoyé au patriarche Épiphane [2].

Cependant une polémique très vive s'engagea entre les moines scythes et les Acémètes, dont plusieurs réprouvaient non seulement la formule, mais, dans leur ardeur à sauver les deux natures, allaient jusqu'à refuser à la Vierge le titre de Théotokos [3]. L'empereur envoya le texte de son premier édit au pape Jean II, au sénat et au peuple romain. Après avoir fait demander une consultation à l'un des théologiens de l'Église d'Afrique, le diacre Ferrand, le pape répondit à l'empereur en approuvant son édit [4].

Mais Justinien voulait davantage et avait demandé au pape de condamner les Acémètes. Ceux-ci envoyèrent à Rome deux des leurs, Cyrus et Euloge, pour défendre leur cause. De son côté, Justinien chargea deux évêques, celui d'Éphèse, Hypatius, et celui de Philippes, Démetrius, d'aller demander au pape d'instruire leur procès, mais les Acémètes étaient appuyés de hauts dignitaires, dont onze écrivirent au pape pour les défendre [5]. Après avoir vainement demandé aux Acémètes de se rétracter, le pape les condamna, le 24 mars 534, et reproduisit dans ses lettres à l'empereur et au sénat romain les douze anathématismes de Cyrille, dont les monophysites accusaient le concile de Chalcédoine de n'avoir tenu aucun compte [6].

THÉODORA ET LES SIÈGES PATRIARCAUX

La condamnation des Acémètes était une première victoire pour Justinien. Il en résulta à la cour un regain de faveur à l'égard des monophysites et une audace croissante de Théodora.

Le 7 février 535, mourait Timothée III, patriarche d'Alexandrie. Avant même que l'événement eût lieu, Théodora, désireuse d'empêcher la nomination d'un patriarche orthodoxe, envoya en Égypte l'un de ses chambellans, l'eunuque Kalotychios, qui, dès le 10 février, avant même que l'empereur eût pu être prévenu, fit élire au patriarcat le diacre Théodose, ami de Sévère et monophysite convaincu [7].

Au mois de juin suivant, le patriarcat de Constantinople devenait vacant

(1) *Code Justinien*, I, I, 6.
(2) *Code Justinien*, I, I, 7.
(3) TIXERONT, *Histoire des dogmes*, t. III, 1912, p. 123. Voir les articles *Acémètes*, de J. PARGOIRE, dans *Dictionnaire d'archéologie chrétienne*, t. I, 1907, col. 307-321, et de S. VAILHÉ, dans *Dictionnaire d'histoire et de géographie ecclésiastiques*, t. I, 1912, col. 274-282. Sur la consultation des Africains, *P. L.*, LXVI, 17.
(4) MANSI, t. VIII, col. 795-806 ; LIBERATUS, *Breviarium*, XX.
(5) Parmi eux se trouvait Cassiodore. L. DUCHESNE (*L'Église au VIe siècle*, p. 88-89) fait remarquer que c'est la première fois que les anathématismes de Cyrille figurent dans un document romain.
(6) DUCHESNE, *ibid.* ; BATIFFOL, *Justinien et le siège apostolique*, p. 211-212. Texte des lettres du pape dans MANSI, t. VIII, col. 797-799, 803-806.
(7) *Sources* : LIBERATUS, *Breviarium*, XX ; Jean DE NIKIOU, édit. ZOTENBERG, p. 514 ; ZACHARIAS DE MITYLÈNE, *Hist. eccl.*, IX, IX ; *Histoire des patriarches d'Alexandrie*, dans *Patrol. orientalis*, I, p. 455 ; Jean MASPERO, *Les patriarches d'Alexandrie*, p. 110 et suiv.

par la mort d'Épiphane. Théodora réussit à lui faire donner comme successeur Anthime, déjà évêque de Trébizonde [1], l'un des participants, dans les rangs orthodoxes, au colloque de 533, mais secrètement favorable aux Sévériens [2]. Bien qu'il eût promis à l'empereur de suivre en tout le Siège apostolique, il envoya, à peine élu, sa profession de foi à Sévère, comme s'il eût toujours été patriarche d'Antioche, ainsi qu'au monophysite notoire qu'était le patriarche d'Alexandrie. Sévère et Théodose répondirent en approuvant pleinement cette lettre synodale [3].

SÉVÈRE A CONSTANTINOPLE

Justinien, de plus en plus certain du succès, avait commencé à préparer une nouvelle conférence, cette fois avec les principaux chefs monophysites, Sévère et Timothée III, mort avant d'avoir eu le temps de répondre à cet appel. Du moins Sévère, revenant sur son premier refus, arriva à Constantinople dans l'été de 535 avec son disciple Pierre, évêque déposé d'Apamée, et y séjourna un an. Avec l'appui de Théodora, il fit de la propagande monophysite et acheva de convertir à ses idées le patriarche Anthime [4]. Il ne semble pas d'ailleurs que la conférence projetée ait pu avoir lieu.

Pendant que Sévère cherchait à gagner le haut clergé, le moine Zooras, de son couvent des Sykes, agissait sur le peuple et, son audace croissant, il ne craignit pas, le dimanche de Pâques (23 mars 536), de baptiser publiquement un grand nombre d'enfants des premières familles de la cour et de la ville [5]. Le scandale fut grand et le clerc Marianos le dénonça au pape Agapet [6]. L'audace des monophysites croissait à tel point que l'un d'eux, Isaac le Perse, trouvant Justinien trop tiède, creva à coups de bâton les yeux d'un portrait impérial [7].

LE SCHISME D'ALEXANDRIE

A Alexandrie, l'élection de Théodose, en dépit de ses opinions monophysites, avait été très mal accueillie par la masse des moines et du peuple, gagnée aux doctrines julianistes. Arraché de son trône patriarcal, Théodose dut céder la place à l'archidiacre Gaïanus, ami et partisan de Julien, soutenu

(1) D'après les canons en vigueur la translation d'un évêque à un autre siège était interdite.

(2) Sources : Évagrius, *Hist. eccl.*, IV, xi ; Zacharie de Mitylène, *Hist. eccl.*, IX, xix, xxi, xxvi ; Michel le Syrien, édit. Chabot, p. 208 et suiv.

(3) Michel le Syrien, d'après Jean d'Éphèse, donne le texte de la profession de foi, des réponses de Sévère et Théodose, ainsi que des lettres échangées entre eux dans la suite (édit Chabot, t. II, p. 208-220) ; Zachare de Mitylène, *Hist. eccl.*, IX, xv ; Évagrius, *Hist. eccl.* IV, xi.

(4) Zacharie de Mitylène, *Hist. eccl.*, IX, xix ; Évagrius, *Hist. eccl.*, IV, xi ; Jean Maspero, *Histoire des patriarches d'Alexandrie*, p. 100 ; P. Batiffol, *Justinien et le siège apostolique*, p. 225.

(5) Ch. Diehl, *Théodora, impératrice de Byzance*, p. 262-266.

(6) P. Batiffol, *Justinien et le siège apostolique*, p. 225.

(7) Ch. Diehl, *op. cit.*, p. 266.

à Alexandrie et dans les provinces par une foule de fanatiques, dont quelques-uns le regardaient comme un prophète [1].

Mais ce n'était pas l'affaire de Théodora pour qui les Julianistes ne pouvaient que discréditer la doctrine monophysite. Grâce à son intervention, Justinien envoya en Égypte le cubiculaire Narsès, le futur conquérant de l'Italie, avec six mille hommes. Il ouvrit une enquête pour savoir lequel des deux patriarches avait été élu le premier. Des signatures de clercs et de notables, au nombre de cent vingt, confirmèrent le bon droit de Théodose, qui fut rétabli solennellement sur le trône patriarcal, tandis que Gaïanus était exilé à Carthage [2]. Mais Théodose rencontra la plus vive opposition. Des émeutes éclatèrent et Narsès dut livrer une véritable guerre de rues avant de pouvoir imposer son candidat par la violence. D'après Michel le Syrien trois mille habitants furent massacrés au cours de ces troubles [3].

LE PAPE AGAPET A CONSTANTINOPLE

L'arrivée inopinée du pape Agapet à Constantinople devait mettre fin à la prépondérance monophysite. Chargé par le roi goth Théodat de détourner Justinien de la conquête de l'Italie et de lui proposer un accommodement, le pape arriva à Constantinople le 2 février 536 et reçut le même accueil magnifique que le pape Jean, dix ans plus tôt. Pendant son séjour très bref à Constantinople (il y mourut le 22 avril suivant), les questions religieuses l'occupèrent encore plus que les négociations diplomatiques [4], Justinien déclinant tout accommodement avec Théodat. Agapet refusa d'abord de communier avec le patriarche Anthime, s'il ne reconnaissait pas explicitement le dogme des deux natures. L'empereur ayant transmis cette condition au patriarche, Anthime déposa son pallium et disparut. Théodora lui trouva au palais un asile où il vécut encore douze ans en pratiquant l'ascétisme [5]. Justinien accepta cet acte d'autorité du pape et consentit à l'élection d'un nouveau patriarche, Ménas, originaire d'Alexandrie, qui reconnaissait le concile de Chalcédoine et qui fut sacré par le pape, le 13 mars 536 [6]. Agapet demanda en outre la réunion d'un concile qui condamnerait solennellement Anthime et remit à l'empereur une pétition émanant de soixante-sept monastères de Constantinople et

(1) LÉONCE DE BYZANCE, *De Sectis*, V, IV ; JEAN DE NIKIOU, édit. ZOTENBERG, p. 516 ; MICHEL LE SYRIEN, édit. CHABOT, t. II, p. 193 ; LIBERATUS, *Breviarium* ; J. MASPERO, *Histoire des patriarches d'Alexandrie*, p. 113.

(2) Jean MASPERO, *Histoire des patriarches d'Alexandrie*, p. 118-122.

(3) Jean MASPERO, *op. cit.*, p. 123 et suiv. ; MICHEL LE SYRIEN, édit. CHABOT, t. II, p. 193 194 ; LIBERATUS, *Breviarium*, XX.

(4) Sur le séjour du pape à Constantinople : *Liber Pontificalis*, édit. DUCHESNE, t. I, p. 287-288. Récit d'un témoin oculaire dans BARONIUS, *Annales*, t. IX, p. 543-545 ; LIBERATUS, *Breviarium*, XX.

(5) L. DUCHESNE, *L'Église au VIe siècle*, p. 95 ; KIRSCH, art. *Agapet I*, dans *Dictionnaire d'histoire et de géographie ecclésiastiques*, t. I, 1912, col. 887 890.

(6) Justinien reconnait dans la préface de sa *Novelle* XLII qu'Anthime a été chassé de son siège par le pape Agapet. GÉDÉON, Πατριαρχικοὶ Πίνακες, Constantinople, 1890, p. 223 et suiv.

de représentants des monastères de Syrie et de Palestine, qui suppliaient le pape de faire expulser les monophysites de la ville impériale [1].

CONCILE POUR LA CONDAMNATION D'ANTHIME

Le concile ne put se réunir qu'après la mort du pape, le 2 mai 536 [2]. La première session fut présidée par le nouveau patriarche, Ménas. A sa droite, siégeaient les cinq évêques italiens amenés par le pape, comme représentants du Siège apostolique, puis venaient les diacres romains Théophanes et Pélage, les apocrisiaires d'Antioche et de Jérusalem, le tribun Théodore, représentant l'empereur, et vingt-quatre métropolitains ou évêques. La supplique remise au pape fut apportée par vingt-quatre archimandrites de Constantinople. Il ne s'agissait pas de revenir sur la déposition d'Anthime, mais de l'obliger à se purger du soupçon d'hérésie, sous peine d'interdiction ecclésiastique. Sommé par trois fois de comparaître, Anthime resta introuvable. Il fut alors condamné par contumace et privé de tout pouvoir épiscopal et même de la prêtrise.

Puis, conformément à la requête des monastères, le concile voulut excommunier Sévère, Pierre, évêque d'Apamée, et le moine Zooras. Le patriarche Ménas déclara qu'il fallait en référer à l'empereur. Il semble qu'à la suite de pourparlers, Justinien ait cédé, car dans la cinquième et dernière session (4 juin) le concile confirmait les sentences prononcées contre Sévère et proscrivait ses livres. Justinien lui-même confirma ces décisions dans une constitution adressée le 10 juin au patriarche Ménas [3]. Il renonçait, momentanément du moins, à ses tentatives de conciliation.

LA RÉACTION ANTI-SÉVÉRIENNE

Le 6 août suivant, Justinien expulsait de Constantinople les chefs monophysites. Sévère lui-même s'enfuit et regagna l'Égypte, où, aussi mal vu des Julianistes que des orthodoxes, il se cacha à Xoïs, sur un canal dérivé du Nil, chez un de ses adhérents ; il continua à y écrire des traités contre les diophysites [4]. Le moine Zooras fut expulsé aussi avec tous les moines monophysites, mais non sans difficulté [5]. Le diacre romain Pélage resta à Constantinople et devint auprès de Justinien un conseiller écouté.

La même réaction eut lieu dans tout l'Orient. Ephrem, ancien comte

(1) Mansi, t. VIII, col. 895-914 ; L. Duchesne, *L'Église au VIe siècle*, p. 96-97.

(2) Actes du concile de 536 avec de nombreuses pièces annexes dans Mansi, t. VIII, col. 873-1176 ; Hefelé-Leclercq, *op. cit.*, t. I, 2, p. 1145 et suiv. ; P. Batiffol, *Justinien et le siège apostolique*, p. 228-231.

(3) *Novelle* xlii ; P. Batiffol, *op. cit.*, p. 230-231.

(4) Zacharie de Mitylène, *Hist. eccl.*, IX, xv ; Jean d'Éphèse, *Historiae fragmenta*, édit. Van Douwen et Land, p. 245 ; *Lettre de Sévère aux monastères d'Orient*, dans Michel le Syrien, édit. Chabot, t. II, p. 221-223.

(5) Récit pittoresque de son expulsion dans Ch. Diehl, *Théodora, impératrice de Byzance*, p. 261-263.

d'Orient et patriarche orthodoxe d'Antioche, parcourut la Syrie et exigea les abjurations par la force. Un des principaux chefs monophysites, Denis, évêque de Tella, s'étant réfugié en Perse, Ephrem se le fit livrer par le *marzban* (gouverneur persan) de Nisibe et l'emprisonna près d'Antioche [1].

En Égypte, le patriarche d'Alexandrie, Théodose, que Justinien avait soutenu dans l'espoir qu'il se rallierait au concile de Chalcédoine [2], fut mandé à Constantinople où il arriva en 537, accompagné de quelques évêques et de clercs. L'empereur, qui le ménageait, consentit à discuter avec lui et le somma par six fois de souscrire au concile de Chalcédoine. Après un sixième refus, Théodose fut déposé et exilé à Derkos en Thrace [3], puis, de sa propre autorité, Justinien nomma patriarche d'Alexandrie, sur la recommandation de Pélage, Paul, abbé d'un monastère de Canope, qui se trouvait à Constantinople où il était venu se plaindre de ses moines [4]. Sacré à Constantinople par le patriarche Ménas, Paul fut envoyé en Égypte avec des forces militaires et des pouvoirs civils exceptionnels, lui permettant de nommer et de révoquer tous les fonctionnaires. Violent et autoritaire, Paul, dès son arrivée, fit fermer de force toutes les églises monophysites d'Alexandrie que Justinien donna par la suite aux orthodoxes [5]. Les mesures furent si bien prises que le peuple d'Alexandrie ne bougea pas et que même les monastères de l'intérieur furent atteints par les ordonnances du patriarche [6].

DÉPOSITION DE PAUL PATRIARCHE D'ALEXANDRIE

Loin de servir la cause de l'orthodoxie, la conduite de Paul ne réussit qu'à la compromettre. Le patriarche ayant voulu destituer le duc d'Égypte, celui-ci fut prévenu secrètement par Psoïs, économe de l'église d'Alexandrie. Paul fit arrêter Psoïs, le livra au préfet augustal qui le fit mourir dans les tortures. La famille de Psoïs en ayant appelé à l'empereur, Théodora engagea Justinien à sévir. Le préfet augustal, destitué, déclara qu'il avait agi sur l'ordre du patriarche et fut décapité à Constantinople. Un concile, réuni à Gaza sur l'ordre de Justinien et présidé par Pélage, déposa Paul et lui substitua au patriarcat d'Alexandrie un certain Zoïle, figure effacée et médiocre, incapable d'initiative [7],

(1) JEAN D'ÉPHÈSE, *Commentarium*, CXII ; J. MASPERO, *Histoire des patriarches d'Alexandrie*, p. 122-123.
(2) Jean MASPERO, *Histoire des patriarches d'Alexandrie*, p. 128.
(3) ZACHARIE DE MITYLÈNE, *Hist. eccl.*, X, I ; MICHEL LE SYRIEN, édit. CHABOT, t. II, p. 203-206 ; LIBERATUS, *Breviarium*, XX ; VICTOR DE TONNENA. Sur les prétendues propositions de Justinien à Théodose, discussion critique de Jean MASPERO, *op. cit.*, p. 128 et suiv.
(4) JEAN D'ÉPHÈSE, *Comment.*, CXII ; LIBERATUS, *Breviarium*, VICTOR DE TONNENA ; MICHEL LE SYRIEN, édit. CHABOT, t. II, p. 206.
(5) Jean MASPERO, *op. cit.*, p. 138-143.
(6) Jean MASPERO, *op. cit.*, p. 141-144.
(7) *Simplicissimus sacerdos* (*Vigilii papae epistolae*, dans *P. L.*, LXIX, 62) ; Jean MASPERO, *op. cit.*, p. 144-150 ; ZACHARIE DE MITYLÈNE, *Hist. eccl.*, X, I ; MICHEL LE SYRIEN, édit. CHABOT,

LA HIÉRARCHIE MONOPHYSITE PERPÉTUÉE

Sévère mourut dans son exil de Xoïs le 8 février 538, vénéré par les Coptes comme un martyr [1], et, deux jours avant, était mort dans sa prison un autre chef monophysite, Jean, évêque de Tella [2]. L'ex-patriarche Anthime vivait caché au palais impérial et Théodose, ex-patriarche d'Alexandrie, était exilé en Thrace. La préoccupation du gouvernement impérial était d'empêcher la hiérarchie monophysite de se perpétuer, mais il se heurta à la volonté toute puissante de Théodora [3].

Par ses soins, Théodose fut transporté de Derkos à Constantinople, où il devait vivre encore trente ans. L'un de ses moines, Jean, vint le rejoindre. L'impératrice lui assigna un logis où il célébra des ordinations. Sous prétexte d'aller soigner une maladie dans une villa au delà du Bosphore, il s'échappa deux fois de sa résidence et parcourut l'Asie Mineure en ordonnant des prêtres. Dénoncé à son retour, il prétendit qu'il n'avait pas bougé.

En 543, le prince arabe Ghassanide Harith-ibn-Djabalah, patrice et phylarque des tribus arabes vassales de l'Empire, monophysite, vint à Constantinople et demanda à Théodora de lui désigner un évêque pour ses domaines. L'impératrice le renvoya à Théodose, qui chargea un certain Théodore des fonctions d'archevêque de Bostra et nomma évêque d'Édesse et métropolite œcuménique Jacques, surnommé Baradaï (la guenille), à cause de son extérieur misérable [4].

Fils d'un prêtre de Tella, et devenu moine près de Nisibe, Jacques vint à Constantinople, en 528, avec les moines orientaux que protégeait Théodora. A peine sacré évêque, il commença à parcourir l'Orient, habillé tantôt en moine, tantôt en évêque, tantôt en mendiant, souvent traqué par les soldats, mais toujours caché par quelque fidèle. Dans toutes les villes où il passait, il faisait élire un évêque, consacrait des prêtres et des diacres. Il se vantait d'avoir sacré vingt-sept évêques, deux patriarches et ordonné cent mille clercs [5]. Ce fut grâce à lui que la hiérarchie monophysite se reconstitua. Son action s'exerça même en Égypte. Il fit consacrer douze évêques égyptiens par Théodose et vint lui-même en faire sacrer deux à Alexandrie [6].

t. II, p. 206 ; JEAN DE NIKIOU, édit. ZOTENBERG, p. 516 ; LIBERATUS, *Breviarium*, XX ; PROCOPE, *Anecdota*, XXVII (sur l'action de Théodora).

(1) *Synaxaire arabe jacobite, redaction copte*, dans *Patrol. orient.*, t. III, 3, p. 418-419 ; MICHEL LE SYRIEN, édit. CHABOT, t. II, p. 224 et 243 ; Jean MASPERO, *Histoire des patriarches d'Alexandrie*, p. 133.

(2) Jean MASPERO, *op. cit.*, p. 123.

(3) L. DUCHESNE, *Les protégés de Théodora*, dans *Mélanges d'archéologie et d'histoire*, 1915, p. 62 et suiv.

(4) L. DUCHESNE, *ibid.* ; Jean MASPERO, *Histoire des patriarches d'Alexandrie*, p. 184.

(5) KLEYN, *Jacobus Baradaeus*, Leyde, 1862 ; Rubens DUVAL, *Anciennes littératures chrétiennes, II. Littérature syriaque*, p. 360-363 ; Jean MASPERO, *op. cit.*, p. 183 et suiv.

(6) JEAN D'ÉPHÈSE, *Comment.*, XLIX.

§ 4. — Les initiatives théologiques de Justinien.

LE PROGRAMME IMPÉRIAL EN 537

Malgré l'échec complet de ses tentatives de conciliation, Justinien ne renonça jamais à l'espoir de ramener ses peuples à l'unité religieuse par l'extirpation des anciennes hérésies, par la condamnation des écrits à tendances nestoriennes, dont les auteurs avaient été réconciliés par le concile de Chalcédoine. Plus que jamais entiché de son savoir théologique et de son autorité ecclésiastique, l'empereur régente l'Église, dépose les papes, dirige les controverses et se propose, après avoir obtenu les condamnations des écrits et des hommes qui font obstacle à l'unité, de publier des édits dogmatiques qui définiront la foi orthodoxe et qui, entérinés par les autorités ecclésiastiques, s'imposeront à tous sans distinction.

DÉPOSITION DE SILVÈRE ET AVÈNEMENT DE VIGILE

Pendant qu'au mois de mars 537 Bélisaire était assiégé dans Rome par Vitigès, il fit venir un jour devant lui le pape Silvère, l'accusa de vouloir livrer la ville aux Goths, le fit dépouiller de ses ornements sacerdotaux et déposer par le clergé romain, qui élut à sa place le diacre Vigile, ancien apocrisiaire à Constantinople [1]. D'après les trois témoignages concordants du *Liber Pontificalis*, des *Anecdota* de Procope, du *Breviarium* de Liberatus, diacre de Carthage, cette déposition de Silvère était une vengeance de Théodora, qui aurait voulu qu'après la mort d'Agapet, son successeur rétablît Anthime sur le trône patriarcal de Constantinople et se serait heurtée à un refus. Rien ne paraît plus vraisemblable. Silvère fut exilé à Patara en Lycie, puis ramené à Rome, d'où Vigile le déporta dans l'île Palmaria, où il mourut dans le dénûment [2].

LE PAPE VIGILE

La déposition de Silvère, véritable coup de force, que Bélisaire n'accomplit pas sans répugnance [3], pouvait passer pour un acte purement politique. Cependant le rôle que les sources attribuent à Vigile dans cette affaire, et surtout l'intervention de Théodora, ne permettent pas de douter que le désir de la cour byzantine était de voir sur le siège de saint Pierre un pape plus accommodant que Silvère.

D'une famille de l'aristocratie romaine, ordonné diacre par le pape Boniface qui avait songé un moment à en faire son successeur [4], Vigile

(1) *Liber Pontificalis*, édit. DUCHESNE, t. I, p. 291-293 ; LIBERATUS, *Breviarium*, XXII ; PROCOPE, *Bell. Goth.*, I, XXV, et *Anecdota*, I ; MARCELLINUS COMES, a. 537.

(2) MARTROYE, *L'Occident à l'époque byzantine. Goths et Vandales*, Paris, 1904, p. 335-338 ; P. BATIFFOL, *Justinien et le siège apostolique*, p. 231-232 ; L. DUCHESNE, *Vigile et Pélage*, dans *Revue des questions historiques*, t. XXXVI, 1884 ; *L'Église au VIe siècle*, p. 151-154.

(3) *Liber Pontificalis*, édit. DUCHESNE, t. I, p. 291.

(4) *Liber Pontificalis*, édit. DUCHESNE, t. I, p. 281.

fut envoyé comme apocrisiaire à Constantinople en 533 et il s'y trouvait encore au moment de l'arrivée du pape Agapet. Très ambitieux, il parvint à gagner les bonnes grâces de Théodora et ce fut lui qui fut chargé de porter à Bélisaire l'ordre de déposer Silvère [1]. Quelles promesses avait-il pu faire à l'impératrice ? D'après Liberatus, qui lui est tout à fait hostile, Théodora lui aurait promis une grosse somme d'argent si, devenu pape, il condamnait le concile de Chalcédoine, mais son récit, écrit en 564, est rempli d'erreurs. Il montre Vigile partant pour Rome aussitôt après la mort d'Agapet, puis trouvant Silvère sur le siège pontifical, s'en allant auprès de Bélisaire à Ravenne et lui offrant de l'or, s'il voulait déposer Silvère. Le malheur est que Ravenne n'était pas prise encore et que, comme on l'a vu, loin de se laisser acheter, Bélisaire n'agit dans cette affaire qu'à contre-cœur [2].

Une accusation plus sérieuse portée contre Vigile est celle d'avoir envoyé à Sévère, encore vivant, et aux autres chefs monophysites une lettre secrète dans laquelle, sans condamner le concile de Chalcédoine, il en atténuait le plus possible les formules diophysites [3]. Or cette lettre ne figure pas seulement dans l'ouvrage de Liberatus, mais aussi dans la chronique de Victor de Tonnena, dans un traité de Facundus et son existence est attestée par Pélage lui-même [4].

Mgr Duchesne a montré que, si cette lettre est authentique, elle date des premiers temps du pontificat de Vigile et est antérieure à l'Édit contre les Trois Chapitres. Mais il remarque que les concessions qu'elle fait sont non seulement contraires aux déclarations publiques de Vigile, mais dépassent de beaucoup celles que Justinien entendait faire aux monophysites. Ou elle a été fabriquée de toutes pièces, ou elle a été écrite par d'autres que Vigile, qui aurait été invité à la signer et s'y serait refusé [5].

LA CONDAMNATION DES ORIGÉNISTES

Avant même que Justinien pût songer à reprendre ses projets d'union des monophysites, il dut s'occuper d'une renaissance des doctrines d'Origène, qui avaient été condamnées souvent, mais qui s'étaient répandues de nouveau dans les monastères de Palestine, notamment dans celui qu'avait fondé l'ascète Sabas entre Jérusalem et la mer Morte. Des moines de Mar Saba, mécontents de leur abbé, fondèrent la *Nouvelle Laure* au sud de Bethléem et leur couvent devint le principal centre de propagande

(1) *Liber Pontificalis*, *ibid.*, p. 291-293.
(2) Liberatus, *Breviarium*, xxii.
(3) L. Duchesne, *L'Église au VIe siècle*, p. 176-177.
(4) Liberatus, *Breviarium*, xxii ; Victor Tunnunensis, a. 542 ; Facundus, *Adversus Mocianum.*, dans *P. L.*, LXVII, 861 ; Pélage, dans un traité inédit cité par Duchesne, *op. cit.*, p. 177.
(5) L. Duchesne (*L'Église au VIe siècle*, p. 177-178) remarque que tous les auteurs qui ont transcrit cette lettre, y compris Pélage, sont des ennemis de Vigile, qui dans ses lettres publiques reconnaît expressément l'autorité des quatre conciles œcuméniques et jette l'anathème à Sévère, à Zooras, à Anthime et à Théodose (*Vigilii Epistolae*, dans *P. L.*, LXIX, 22).

origéniste. Les doctrines de la préexistence et de la transmigration des âmes, celle de la réparation finale y étaient particulièrement en faveur [1].

En 531, Sabas, âgé de 92 ans, vint à Constantinople pour défendre les intérêts de la Palestine ravagée par les Samaritains et demander l'expulsion des moines origénistes. Les moines qui l'accompagnaient prirent part à des discussions avec les monophysites, et l'un d'eux, Léonce, soutint des opinions origénistes. Ils restèrent à Constantinople après le départ de Sabas, qui revint en Palestine pour y mourir le 5 décembre 532 [2].

Après la mort de saint Sabas, la propagande origéniste redoubla et gagna même la Grande Laure (Mar Saba), dont l'abbé, Gélase, dut expulser quarante moines, qui, aidés de ceux de la Nouvelle Laure, essayèrent de prendre le monastère d'assaut. Les Origénistes avaient même des intelligences à Constantinople où deux d'entre eux, venus pour représenter la Palestine en 536 au concile tenu pour la condamnation d'Anthime, furent nommés, l'un, Domitien, évêque d'Ancyre, l'autre, Théodore Askidas, évêque de Césarée en Cappadoce [3].

Jusque-là aucune mesure générale n'avait été prise contre la propagande origéniste. La lutte était limitée aux monastères de Palestine et devenait de plus en plus acharnée [4], lorsqu'au concile de Gaza, tenu en 539 pour la déposition de Paul, patriarche d'Alexandrie, l'origénisme fut dénoncé au légat du pape, Pélage, qui revint même à Constantinople avec des moines de Jérusalem chargés par leur patriarche de demander à l'empereur son intervention contre l'origénisme [5]. Pélage et le patriarche Ménas appuyèrent leurs demandes. Justinien, charmé de trouver une nouvelle occasion d'intervenir dans une question dogmatique [6], écrivit un traité contre Origène, qui fut prêt en 543. D'un ton extrêmement violent, ce traité apparentait les erreurs d'Origène à celles des païens, des Manichéens, des Ariens et se terminait par quinze anathématismes [7].

Publié sous la forme d'un édit, le traité fut adressé au patriarche Ménas avec l'ordre de le faire approuver par le Synode permanent et de le faire souscrire par tous les évêques et chefs de monastères. Le même envoi

(1) L. Duchesne, *L'Église au VIe siècle*, p. 166 ; Diekamp, *Die origenistichen Streitigkeiten im VI Jahrhundert und das allgemeine Concil*, Munster, 1899. Sur les doctrines origénistes, voir t. II, p. 249-294.

(2) Cyrille de Skythopolis, *Vie de saint Sabas*, édit. Cotelier, dans *Ecclesiae graecae monumenta*, t. III, 1686, p. 220-376 (voir p. 360).

(3) L. Duchesne, *L'Église au VIe siècle*, p. 168.

(4) Expulsion de 40 moines origénistes de la Grande Laure (L. Duchesne, *op. cit.*, p. 170-171). Mansi, t. IX, col. 706 ; *De synodis in Origenistas dissertatio.*

(5) Cyrille de Skythopolis, *Vita Sabae*, lxxxv ; Hefelè-Leclercq, *Hist. des conciles*, t. I, 2e p., p. 1182.

(6) *Gaudens se de talibus causis iudicium ferre* (Liberatus, *Breviarium*, xxiii, d'après qui Pélage, jaloux du crédit de Théodore Askidas, était enchanté de pouvoir lui nuire). Cf. P. Batiffol, *Justinien et le siège apostolique*, p. 233-234.

(7) F. Prat (*Origène*, Paris, 1909) est d'avis que les anathématismes représentent moins la pensée d'Origène que les opinions, parfois extravagantes, des moines palestiniens.

fut fait aux autres patriarches et au pape Vigile, qui donnèrent leur approbation. Nul ne put désormais être ordonné évêque ou archimandrite sans avoir souscrit aux anathématismes [1].

Ainsi Justinien se posait en défenseur de la foi, mais on n'allait pas tarder à s'apercevoir combien ce précédent était dangereux. L'édit ne fit nullement cesser les troubles dans les monastères de Palestine et, de Constantinople, Théodore Askidas, bien que devenu familier de l'empereur, favorisait secrètement les Origénistes [2].

L'AFFAIRE DES TROIS CHAPITRES

Entre la querelle origéniste et celle des Trois Chapitres, Théodore Askidas, archevêque de Césarée, mais resté à Constantinople, se chargea de faire la liaison. Obligé, pour garder son crédit auprès de Justinien, de souscrire malgré lui à l'édit contre Origène, il manifesta sa rancune contre Pélage et contre Gélase, abbé de Mar Saba, d'où il avait chassé les moines origénistes, en soulevant la question des Trois Chapitres. Gélase et plusieurs de ses moines n'admiraient-ils pas ce Théodore de Mopsueste qui avait attaqué dans ses écrits Origène et sa doctrine allégoriste [3] ?

Pélage ayant été rappelé à Rome en 543, Askidas se trouva le conseiller le plus écouté de Justinien. Encouragé par Théodora [4], il profita des entretiens qu'il avait le soir avec l'empereur dans la bibliothèque du palais, pour lui persuader de faire condamner les ouvrages nestoriens, dont les auteurs avaient été absous par le concile de Chalcédoine, seul obstacle, selon lui, à la réunion des monophysites [5].

Justinien entra d'autant plus volontiers dans ces vues que c'était cette question qui avait contribué le plus à faire échouer les conférences de 533 pour l'union. Les auteurs visés étaient Théodore, évêque de Mopsueste (392-428), le maître de Nestorius, Théodoret, évêque de Cyr (433-458), condisciple de Nestorius, mais dont il avait rejeté les doctrines, Ibas, évêque d'Édesse (435-457), les deux derniers réhabilités par le concile de Chalcédoine [6]. Fort du précédent de 543, Justinien publia un nouvel édit

(1) Texte inséré dans les actes du Ve concile : MANSI, t. IX, col. 487-534 ; HEFELÈ-LECLERCQ, *Histoire des conciles*, t. II, 2e p., p. 1183-1196 ; L. DUCHESNE, *L'Église au VIe siècle*, p. 172 ; ÉVAGRIUS, *Hist. eccl.*, IV, XXXVIII.

(2) L. DUCHESNE, *L'Église au VIe siècle*, p. 206-208. Des batailles rangées se livrèrent devant la Grande Laure. L'origénisme se maintint à la Nouvelle Laure, où naquit la doctrine des *isochristes*, d'après laquelle, après la résurrection des morts, tous les hommes seraient assimilés au Christ. Théodore Askidas favorisait cette doctrine et faisait donner les évêchés de Palestine à ses adhérents.

(3) L. DUCHESNE, *L'Église au VIe siècle*, p 173 ; HEFELÈ-LECLERCQ, *Histoire des conciles*, t. III, p. 13 et suiv. : une lettre de Domitien, évêque d'Ancyre, l'*alter ego* d'Askidas, écrite au pape Vigile et citée par Facundus, évêque d'Hermiane (*Defensio III Capitulorum*, dans *P. L.*, LXVII), avoue que les Origénistes ont voulu faire une diversion, poussés d'ailleurs par les monophysites.

(4) *Cum Theodorae Augustae favore* (LIBERATUS, *Breviarium*, XXIV).

(5) L. DUCHESNE, *L'Église au VIe siècle*, p. 174-175 ; P. BATIFFOL, *Justinien et le siège apostolique*, p. 235 et suiv.

(6) Cf. *supra*, p. 112-114.

dogmatique dans lequel, de son propre chef, il condamnait formellement les ouvrages incriminés. Le texte de l'édit est perdu et sa date exacte n'est pas connue [1]. Il contenait contre les trois auteurs des *anathématismes* (chapitres, κεφαλαια), d'où l'expression les « *Trois Chapitres* » appliquée aux écrits eux-mêmes [2]. L'empereur affirmait que cette condamnation n'atteignait en rien l'autorité du concile de Chalcédoine.

DOCTRINE CHRISTOLOGIQUE DES TROIS CHAPITRES

Bien qu'il ait été déjà question dans ce volume des trois auteurs incriminés par Justinien [3], il est nécessaire d'indiquer d'une manière précise les reproches dont leurs doctrines christologiques étaient l'objet. On peut remarquer d'abord que l'orthodoxie de Théodore, évêque de Mopsueste, mort en 428 dans la communion de l'Église, bien qu'il eût été le maître de Nestorius, n'avait pas été mise en question au concile de Chalcédoine, et l'on peut même s'étonner que Justinien et son entourage ne soient pas remontés jusqu'à Diodore de Tarse, dont Théodore avait été le disciple.

Toutes les doctrines de ces représentants de l'école d'Antioche se ramènent à séparer plus ou moins l'humanité du Christ de sa divinité. Théodore de Mopsueste enseignait que le Verbe, en se faisant chair, bien qu'impeccable par sa naissance virginale et son union avec Dieu, n'en a pas moins été un homme complet, ἄνθρωπος τέλειος, qui a connu l'enfance, les tentations, la souffrance. Cependant, d'après lui, l'inhabitation (ἐνοίκησις) du Verbe dans l'humanité du Christ n'était pas une présence substantielle, οὐσία, mais une grâce, εὐδοκία, de la même nature que celle qui est donnée aux justes. Le Verbe s'est complu dans l'âme de Jésus, comme dans celle d'un fils. Il en est résulté une seule personne, bien qu'avec deux natures distinctes et sans confusion. Marie est donc à la fois ἀνθρωποτόκος et θεοτόκος, mère d'un homme et mère de Dieu.

La doctrine de Théodoret procède de celle de son maître, mais n'en tire pas les mêmes conséquences que Nestorius. Sans doute il parle des deux natures comme si elles étaient des personnes distinctes, confondant ὑπόστασις avec φύσις tout en leur opposant πρόσωπον. Il admet cependant que l'union entre le Verbe et Jésus est non seulement morale, mais physique, ce qui revient à la *communication des idiomes* rejetée par Nestorius. Il regarde comme légitime le terme de θεοτόκος

(1) La Chronique Pascale (*P. G.*, XCII, 889) donne la date de 6041, ind. XII = 553.

(2) Des fragments du texte se trouvent dans l'ouvrage de Facundus, cité plus haut. La date est postérieure à celle de l'édit anti-origéniste (543) et antérieure au départ de Vigile pour Constantinople (fin de 545). HEFELÈ-LECLERCQ, *Histoire des conciles*, t. III, 1re p., p. 14-15; P. BATIFFOL, *Justinien et le siège apostolique*, p. 236-237.

(3) Cf. *supra*, p. 223-224 (déposition d'Ibas et Théodoret au brigandage d'Éphèse), p. 236-237 (leur réhabilitation au concile de Chalcédoine).

sans rejeter cependant celui d'ἀνθρωποτόκος. Mais surtout dans plusieurs ouvrages, en particulier dans l'*Eranistes* (le Mendiant), il réfute le 12e anathématisme de Cyrille (Dieu le Verbe a souffert, a été crucifié et est mort dans sa chair) et il raille la formule : ἔπαθεν ὁ Λόγος ἀπαθῶς, le Verbe a souffert impassiblement.

Enfin Ibas, évêque d'Edesse (435-457), auteur d'une traduction en syriaque des écrits de Théodore de Mopsueste, avait été incriminé pour la lettre qu'il avait écrite vers 433 à Maris, évêque d'Ardaschir, et dans laquelle il racontait, non sans certaines critiques, les actes du concile d'Éphèse. Ses doctrines se rapprochaient de celles de Théodoret et il blâmait l'intransigeance de Nestorius au sujet de la Théotokos.

ACCUEIL FAIT A L'ÉDIT DE JUSTINIEN.

Comme en 543, Justinien entendait faire approuver son édit par le pape, le patriarche et les évêques. Le patriarche Ménas signa le premier, avec la promesse qu'en cas d'opposition du pape, il pourrait retirer sa signature [1]. Les évêques du Synode permanent firent savoir au diacre Étienne, apocrisiaire du Saint-Siège, qu'ils avaient signé, contraints par Ménas. Les patriarches d'Antioche et d'Alexandrie envoyèrent leur adhésion. Au contraire, le patriarche de Jérusalem, Pierre, et Gélase, abbé de Mar Saba, déclarèrent l'édit contraire au concile de Chalcédoine, mais Pierre, appelé à Constantinople, n'échappa à la déposition qu'en donnant sa signature et grâce à la protection de Théodore Askidas, qui le força en retour à accepter deux syncelles origénistes [2].

Dans l'ensemble, les signatures des évêques orientaux furent obtenues par la contrainte. En Italie et en Afrique, au contraire, éclata une opposition violente contre l'édit. Dès le premier jour, Étienne, apocrisiaire du Saint-Siège, à Constantinople, avait refusé de l'approuver et avait rompu tout rapport avec les signataires, à commencer par Ménas [3]. A Rome, le pape Vigile, sans rejeter l'édit, semble avoir réservé sa décision, mais les diacres Pélage et Anatole écrivirent à Ferrand, diacre de Carthage, pour lui demander de provoquer une délibération du métropolite de Carthage avec les évêques africains, en lui affirmant que l'édit avait été inspiré par les acéphales, désireux de ruiner l'œuvre du concile de Chalcédoine [4]. Dacius, évêque de Milan, qui se trouvait à Constantinople au moment de la publication de l'édit, refusa de l'approuver et revint en Italie pour avertir le pape, qu'il trouva en Sicile [5].

(1) Facundus, *Defensio*, iv, 4.
(2) P. Batiffol, *Justinien et le siège apostolique*, p. 236-237 ; L. Duchesne, *L'Église au VIe siècle*, p. 207 ; Jean Maspero, *Les patriarches d'Alexandrie*, p. 153 ; Hefelè-Leclercq, *Histoire des conciles*, t. III, 1re p., p. 17.
(3) Facundus, *Defensio*, ii, 3 ; iv, 4, et *Adversus Mocianum*, dans *P. L.*, LXVII, 565, 625, 853 ; Liberatus, *Breviarium*, xxiv.
(4) Hefelè-Leclercq, *Histoire des conciles*, t. III, 1re p., p. 19.
(5) Facundus, *Defensio*, iv, 3.

VIGILE MANDÉ A CONSTANTINOPLE Les atermoiements de Vigile durent inquiéter Justinien et irriter l'impératrice. Dans tous les cas ce ne fut pas volontairement que le pape quitta Rome, menacée alors par Totila. Le 22 novembre 545, le secrétaire impérial, Anthime, fit enlever brutalement Vigile de la basilique Sainte-Cécile du Transtévère où il se trouvait et, au milieu d'un déploiement de troupes, le força à s'embarquer sur un navire [1]. D'Ostie, où il prit la mer, Vigile gagna la Sicile et aborda à Syracuse, où il put séjourner librement environ dix mois [2].

SÉJOUR DU PAPE EN SICILE La longue durée de ce séjour concorde assez mal avec la précipitation déployée par les autorités impériales pour faire partir le pape. Le motif de cette contradiction reste d'autant plus mystérieux, qu'en laissant le pape différer son arrivée, Justinien permit à Vigile de prendre contact avec l'opinion des évêques occidentaux qui l'encouragèrent à la résistance.

Ce fut en effet à Syracuse qu'arriva la réponse des Africains, consultés par Pélage et Anatole. Ferrand, qui avait rédigé cette consultation, déclarait que, si les Trois Chapitres étaient condamnés, c'en était fait de toutes les décisions des conciles œcuméniques [3]. En même temps que les délégations de Sardaigne et d'Afrique, demandant la résistance à l'édit, ce fut aussi à Syracuse que Datius, évêque de Milan, vint faire au pape un rapport de ce qui s'était passé à Constantinople [4]. Bien plus, à la nouvelle de l'arrivée du pape, Zoïle, patriarche d'Alexandrie, lui envoya des légats, qui arrivèrent à Syracuse au milieu de l'année 546, pour déclarer que son adhésion n'avait été obtenue que par la force et pour se rétracter [5].

VIGILE A CONSTANTINOPLE Le pape quitta Syracuse à l'automne de 546. Le 14 octobre il débarquait à Patras et, par la Grèce et l'Illyricum, il se dirigea sur Constantinople où il fit son entrée le 25 janvier 547. Sur sa route il n'avait cessé de recueillir des protestations contre l'édit. Avant même son arrivée, il avait conjuré Justinien de le retirer [6]. Justinien ne réserva pas moins à Vigile un accueil pompeux et le logea au palais de Placidie, qui servait de demeure aux apo-

(1) Le principal récit de ce départ est celui du *Liber Pontificalis*, édit. Duchesne, t. I, p. 297-300, qui attribue le caractère brutal de l'enlèvement à Théodora et relate les cris hostiles poussés par la foule pendant que la barque du pape descendait le Tibre jusqu'à Ostie, où il prit la mer. Ces faits confirmés par Victor de Tonnena, a. 546 (qui insinue à tort que Vigile avait promis à Théodora de condamner les Trois Chapitres). L. Duchesne, *L'Église au VIe siècle*, p. 179 ; P Batiffol, *Justinien et le siège apostolique*, p. 238 ; Grisar, *Histoire de Rome et des papes*, trad. Ledos, t. II, Paris, 1906, p. 62-63.

(2) Procope, *Bell. Goth.*, III, 15 ; Hefelè-Leclercq, *op. cit.*, t. III, 1re p., p. 20.

(3) Ferrand (Réponse de), dans *P. L.*, LXVIII, 921-928. Voir Hefelè-Leclercq, *Histoire des conciles*, t. III, 1re p., p. 19.

(4) Facundus, *Defensio*, IV ; L. Duchesne, *L'Église au VIe siècle*, p. 179.

(5) Jean Maspero, *Histoire des patriarches d'Alexandrie*, p. 154.

(6) Facundus, *Defensio*, IV, 3, et *Adversus Mocianum*, dans *P. L.*, LXVII, 862.

crisiaires romains [1]. Cependant, n'ayant obtenu aucune satisfaction, Vigile refusa d'entrer en communion avec le patriarche Ménas, ainsi qu'avec tous les évêques signataires de l'édit. En réponse, le patriarche raya le nom du pape des diptyques [2]. L'arrivée de Pélage, envoyé par Totila, qui s'était emparé de Rome (17 décembre 546) pour offrir la paix à Justinien, contribua à encourager Vigile dans sa résistance [3].

Cependant Justinien et son entourage ne cessaient de circonvenir le pape. Pour le convaincre on lui mettait sous les yeux des extraits bien choisis de Théodore de Mopsueste, ainsi que les attaques d'Ibas et de Théodoret contre Cyrille, et on lui assurait qu'on pourrait condamner leurs écrits sans abandonner le concile de Chalcédoine [4]. Il semble même qu'on ait employé les menaces, Vigile ayant dit à Justinien dans une assemblée qu'il pouvait tenir captive sa personne, mais non celle de l'Apôtre Pierre [5].

Il semble que ce fut après le départ de Pélage (premiers mois de 547) que la fermeté de Vigile ait fléchi. A part Facundus, évêque d'Hermiane en Byzacène, qui connaissait la question à fond et savait le grec aussi bien que le latin, mais se montrait d'une intransigeance farouche, l'entourage du pape était composé de personnalités assez effacées, comme Datius, évêque de Milan, revenu à Constantinople et des diacres romains, plus administrateurs que théologiens [6].

Quoi qu'il en soit, le 29 juin 547, Vigile se remettait en communion avec Ménas, dans l'entrevue, ménagée par Théodora, qu'il eut avec lui, et son nom était aussitôt rétabli au premier rang sur les diptyques [7]. Ce serait à ce moment qu'il aurait remis à l'empereur et à l'impératrice des cédules secrètes, lues plus tard au Ve concile œcuménique, dans lesquelles, tout en restant fidèle au symbole de Chalcédoine, il promettait de condamner les Trois Chapitres [8]. Justinien l'ayant pressé de signer son édit, le pape refusa énergiquement, voulant rester juge suprême de la controverse, mais les lettres secrètes auraient eu pour objet de rassurer l'empereur sur l'issue de la discussion [9].

(1) *Liber Pontificalis*, édit. L. Duchesne, t. I, p. 297-298 ; P. Batiffol, *Justinien et le siège apostolique*, p. 218 ; L. Duchesne, *L'Église au VIe siècle*, p. 179-180.

(2) Facundus, *Adversus Mocianum*, dans *P. L.*, LXVII, 862 ; Théophanes, a. 6039.

(3) L. Duchesne, *L'Église au VIe siècle*, p. 181-183.

(4) L. Duchesne, *L'Église au VIe siècle*, p. 185-186.

(5) *Epistula clericorum Italiae legatis Francorum qui Constantinopolim proficiscebantur*, dans *P. L.*, LXIX, 113-118. Sur les conférences de Justinien avec le pape, lettre de Justinien (Mansi, t. IX, col. 182).

(6) Hefelè-Leclercq, *Histoire des conciles*, t. III, 1re p., p. 23, 1.

(7) Mansi, t. IX, col. 351 ; Théophanes, a. 6039.

(8) Sur l'authenticité de ces promesses, cf. Hefelè-Leclercq, *Histoire des conciles*, t. III, 1re p., p. 69-72 ; L. Duchesne, *L'Église au VIe siècle*, p. 186-188. Texte des deux cédules dans Mansi, t. IX, col. 153. Elles ne figurent pas dans tous les manuscrits grecs ou latins des actes du Ve concile ; Facundus les déclare authentiques (*P. L.*, LXVII, 860), mais on a la preuve qu'elles ont du moins été interpolées au VIIe siècle, car on y trouve une expression monothélite, *μίαν ἐνέργειαν*, qui est un véritable anachronisme.

(9) L. Duchesne, *Vigile et Pélage*, dans *Revue des questions historiques*, t. XXXVI, 1884, p. 404 ; Hefelè-Leclercq, *Histoire des conciles*, t. III, 1re p., p. 25, 1.

L'ENQUÊTE DU PAPE

Avant de prononcer son jugement, Vigile réunit en conférence les soixante-dix évêques présents à Constantinople qui n'avaient pas signé l'édit. Il y eut deux séances présidées par le pape. Facundus, qui avait déjà commencé à écrire son traité *Pro defensione III capitulorum*, se fit fort de prouver que la lettre d'Ibas avait été reçue par le concile de Chalcédoine. Le pape interrompit alors les débats et demanda à chaque évêque de rédiger son avis par écrit. Aussitôt les émissaires de l'empereur se mirent à travailler les évêques isolément et obtinrent d'eux des cédules conformes au désir de Justinien. Facundus déclare que le *magister officiorum* leur donna seulement sept jours, dont deux fériés, pour rédiger leur réponse [1].

LE JUDICATUM

Ayant porté toutes les cédules au palais, Vigile rédigea sa sentence, *judicatum*, qu'il envoya au patriarche Ménas le samedi saint, 11 avril 548 [2]. Cet acte n'est connu que par des fragments, cités dans une lettre de Justinien et dans un acte postérieur de Vigile, le *Constitutum*. Le pape y condamnait les Trois Chapitres, mais avec de fortes réserves destinées à laisser intacte l'autorité du concile de Chalcédoine [3].

Contrairement à l'espoir du pape, le *Judicatum*, loin de ramener la paix, fut aussi mal accueilli dans son propre entourage que dans tout l'Occident. La mort de Théodora (29 juin 548) ne fit que renforcer les évêques dans leur opposition [4]. Ce fut à ce moment que Facundus publia sa *Défense des Trois Chapitres* qu'il avait essayé vainement de faire approuver par Justinien, ce qui indique de sa part une certaine candeur, car il y critiquait de la manière la plus acerbe l'intrusion du pouvoir impérial dans le domaine de la foi [5]. Les protestations contre le *Judicatum* se multiplièrent en Italie, en Dalmatie, en Illyrie, en Afrique et jusqu'en Gaule. La sentence du pape n'était même pas épargnée par les clercs de son entourage, son propre neveu, Rusticus et son confrère Sébastien, qui se mirent en rapport avec deux moines africains, Lampride et Félix, auteurs de libelles contre le *Judicatum*, et allèrent jusqu'à faire un affront public à Vigile, le jour de Noël 549, en l'abandonnant au moment où il allait célébrer la messe à Sainte-Sophie. Après les avoir réprimandés,

(1) Facundus, *Defensio*, ii, et *Adversus Mocianum*, dans *P. L.*, LXVII, 527-867 ; L. Duchesne, *L'Église au VIe siècle*, p. 187-188. Sur la date des traités de Facundus, cf. Hefelè-Leclercq, *Histoire des conciles*, t. III, 1re p., p. 32-33, et P. Batiffol, *Justinien et le siège apostolique*, p. 240, 241.

(2) La date est donnée par la lettre de Vigile *ad Rusticum et Sebastianum*, dans *P. L.*, LXIX, 45 Mansi, t. IX, col. 353.

(3) *Epistola clericorum Italiae*..., dans *P. L.*, LXIX, 115 ; L. Duchesne, *L'Église au VIe siècle*, p. 188 ; Hefelè-Leclercq, *op. cit.*, t. III, p. 26.

(4) L. Duchesne, *L'Église au VIe siècle*, p. 189-190.

(5) *Pro defensione III capitulorum*, en 12 livres. A ce moment, l'auteur n'a pas encore rompu avec Vigile. Texte dans *P. L.*, LXVII, col. 527-852. P. Batiffol, *Justinien et le siège apostolique*, p. 240-241.

Vigile finit par les suspendre, eux et plusieurs autres clercs romains, jusqu'à résipiscence [1]. Un abbé africain, venu à Constantinople pour fomenter l'opposition, fut excommunié [2].

Mais, ce qui fut plus grave que ces protestations individuelles, ce fut un véritable soulèvement des évêques d'Occident contre le pape. Les évêques d'Illyricum, réunis en concile, déposèrent le métropolite de Justiniana Prima qui voulait leur faire accepter le *Judicatum* [3]. En Gaule, un concile tenu à Orléans (28 octobre 549) renouvela les condamnations contre Nestorius et Eutychès. Aurélien, évêque d'Arles et vicaire apostolique, sur le bruit que le pape retirait le *Judicatum*, envoya à Constantinople le clerc Anastase pour se renseigner. Celui-ci fit parvenir la lettre de son évêque au pape, qui y fit une réponse pleine de précautions. Circonvenu et retenu presque de force à Constantinople, Anastase, de retour en Gaule, se fit l'apologiste de l'édit contre les Trois Chapitres [4].

Enfin les évêques d'Afrique allèrent plus loin et, sous la présidence de Reparatus, évêque de Carthage, tinrent un concile où ils excommunièrent le pape, déclarant qu'ils ne communiqueraient avec lui que quand il aurait fait pénitence [5].

LE JUDICATUM RETIRÉ

Devant cette opposition universelle, Vigile obtint de Justinien l'autorisation de retirer son *Judicatum* en lui faisant valoir que les évêques d'Occident, connaissant mal les raisons mises en avant par les théologiens grecs, avaient besoin d'être éclairés et que la convocation d'un concile œcuménique était nécessaire. Justinien se rendit à ces raisons, mais fit prêter serment au pape, sur les clous de la Passion et sur les quatre évangiles, en présence d'évêques et de dignitaires, qu'il s'emploierait de tout son pouvoir à faire condamner les Trois Chapitres et il fut convenu qu'on ne parlerait plus de la question avant la convocation du concile [6].

(1) MANSI, t. IX, col. 351-359 ; HEFELÉ-LECLERCQ, *Histoire des conciles*, t. III, p. 33-34 ; L. DUCHESNE, *L'Église au VI*e *siècle*, p. 190-192 ; *Epistola clericorum Italiae*, dans *P. L.*, LXIX, 45 ; VICTOR DE TONNENA, a. 549.

(2) Félix, abbé de Gillitanum (18 mars 550). *Lettre de Vigile à l'évêque de Tomi*, dans *P. L.*, LXIX, 47-50 ; MANSI, t. IX, col. 359-361.

(3) VICTOR DE TONNENA, a. 549 ; MANSI, t. IX, col. 549.

(4) L. DUCHESNE, *L'Église au VI*e *siècle*, p. 191.

(5) VICTOR DE TONNENA, a. 550.

(6) *Vigilii epistolae*, dans *P. L.*, LXIX, 60, 111-121 ; MANSI, t. IX, col. 104, 363.

CHAPITRE III

LE CONCILE DE CONSTANTINOPLE ET LA FIN DU RÈGNE DE JUSTINIEN

§ 1. — La lutte entre Vigile et Justinien [1].

LA PRÉPARATION DU CONCILE

Avant la réunion du concile, Justinien ordonna au synode provincial de la Cilicie Seconde de faire une enquête à Mopsueste sur la vénération dont Théodore aurait pu être l'objet, afin de pouvoir répondre aux objections de ceux qui trouvaient inouïe la condamnation d'un évêque mort dans la communion de l'Église. Le 17 juin 550, le concile se réunit à Mopsueste et les témoins cités à comparaître déclarèrent que jamais le nom de Théodore n'avait figuré sur les diptyques [2].

D'autre part, l'empereur essaya de désarmer l'opposition la plus dangereuse, celle des évêques d'Afrique. L'évêque de Carthage, Reparatus, mandé à Constantinople, y arriva (milieu de 551) avec plusieurs évêques. Malgré la pression exercée sur eux, ils refusèrent de condamner les Trois Chapitres. Alors l'empereur fit intenter un procès politique à Reparatus, accusé d'avoir causé la mort du *magister militum* Areobindus, à qui il avait porté de la part du duc de Numidie Guntarith, révolté, un sauf-conduit, malgré lequel il fut massacré [3]. Reparatus fut déposé et exilé ; son apocrisiaire, Primosus, devint, de par la volonté impériale, évêque de Carthage, mais une émeute sanglante accueillit son arrivée dans sa ville épiscopale [4]. D'autres évêques africains cédèrent et les récalcitrants furent internés dans des monastères. Un certain Mocianus Scholasticus, arien converti au catholicisme après la chute des Vandales, en grande faveur

(1) Bibliographie. — Ajouter aux sources déjà citées : *Epistula clericorum Italiae legatis Francorum qui Constantinopolim proficiscebantur* dans *P. L.*, LXIX, 113-118 et Mansi, t. IX, col. 154 et suiv. (Ces clercs, de l'entourage de Vigile, craignant la mauvaise impression faite en Occident par les calomnies contre le pape, remirent aux ambassadeurs du roi franc Théodebald, venus pour négocier une alliance contre les Goths, une lettre où ils exposèrent les péripéties de la controverse sur les Trois Chapitres. Leur témoignage est précieux.) — *Vie d'Eutychius*, patriarche de Constantinople (552-582), par son disciple, le prêtre Eustratius (écrite vers 583) dans *P. G.*, LXXXVI *bis*, 2296-2304 (témoignage important, malgré l'allure de panégyrique).

(2) Mansi, t. IX, col. 274-289 (actes du synode de Mopsueste lus à la Ve session du concile œcuménique).

(3) Ch. Diehl, *L'Afrique byzantine*, Paris, 1896, p. 437-449 ; Audollent, *Carthage romaine*, p. 557 ; H. Leclercq, *L'Afrique chrétienne*, t. II, 1904, p. 266 ; Victor de Tonnena, a. 552 ; Procope, *Bell. Vandal.*, II, 25-26. Réparatus mourut à Euchaïta en 563.

(4) Victor de Tonnena, a. 552 ; *Lettre des clercs italiens*, dans *P. L.*, **LXIX, 116.**

auprès de Justinien et de Théodore Askidas, fut envoyé en Afrique afin d'aider les autorités civiles à recruter pour le concile des évêques dociles à la volonté impériale [1]. Ce fut contre ce personnage que Facundus écrivit le traité dans lequel il dénonça les procédés arbitraires de la politique de Justinien [2].

Cette politique n'eut aucun succès en Illyricum, dont les évêques refusèrent de se rendre au concile [3]. Par contre, le patriarche d'Alexandrie, Zoïle, qui, ainsi qu'on l'a vu, avait retiré son adhésion à l'édit contre les Trois Chapitres et s'était réfugié à Constantinople, résista à toutes les instances de l'empereur pour revenir sur sa décision, fut déposé (juillet 551) et remplacé, contrairement à tous les canons, par Apollinaire, que Vigile refusa d'abord de reconnaître, puis qu'il admit ensuite dans sa communion et qui siégea au concile œcuménique comme patriarche d'Alexandrie [4].

LA CONFESSION DE FOI DE JUSTINIEN

Non content de se ménager à l'avance par tous les moyens les adhésions des futurs Pères du concile, Justinien, violant la promesse faite au pape de s'abstenir de toute discussion avant la réunion du synode, publia une *Confession de foi*, qui fut affichée sous la forme d'un édit à la porte des églises et répandue dans tout l'Empire. Déclarant que l'empereur, le patriarche et le pape sont les gardiens de l'orthodoxie, il affirmait que, pour mettre fin aux discordes, il allait exposer la droite foi par le présent édit. Il y rappelait longuement les décisions des quatre conciles œcuméniques et formulait treize anathématismes, dont les trois derniers concernaient les Trois Chapitres. Il se justifiait en terminant de porter atteinte aux décrets du concile de Chalcédoine [5]. Cette déclaration inouïe, qui préjugeait des conclusions du concile, réduit à l'état de chambre d'enregistrement, était sortie d'un mémoire écrit par Justinien et qu'il ne put s'empêcher de faire lire à plusieurs évêques qui le répandirent dans le public, malgré les protestations du pape ; ce fut Théodore Askidas qui décida l'empereur à transformer ce document en un édit [6].

L'OPPOSITION DE VIGILE

Malgré son désir de conciliation, le pape ne pouvait accepter un pareil acte. Aux envoyés qui le lui portèrent, Théodore Askidas en tête, au palais de Placidie, il

(1) Ch. DIEHL, *L'Afrique byzantine*, p. 442-443 ; HEFELÈ-LECLERCQ, *Histoire des conciles*, t. III, 1re p., p. 42-43.
(2) FACUNDUS, *Adversus Mocianum*, dans *P. L.*, LXVII, col. 853-867.
(3) MANSI, t. IX, col. 153.
(4) LIBERATUS, *Breviarium*, XXIII ; MANSI, t. IX, col. 63 ; Jean MASPERO, *Histoire des patriarches d'Alexandrie*, p. 156.
(5) Ὁμολογία πίστεως Ἰουστινιανοῦ ; texte dans MANSI, t. IX, col. 537-582. Analyse dans HEFELÈ-LECLERCQ, *Histoire des conciles*, t. III, 1re p., p. 44-56.
(6) Récit de VIGILE, dans MANSI, t. IX, col. 59.

répondit en les adjurant d'insister auprès de l'empereur pour le retrait de cet édit et Datius, évêque de Milan, protesta au nom de tous les évêques de Gaule, Ligurie, Émilie, Vénétie [1]. Peu touché de ces protestations, Théodore Askidas, pour mieux bafouer le pape, alla célébrer la messe dans l'église où l'édit venait d'être affiché et, de sa propre autorité, raya des diptyques le nom du patriarche d'Alexandrie Zoïle pour y substituer celui d'Apollinaire [2].

Soutenu par Datius et par Pélage, revenu à Constantinople, Vigile rompit tout rapport avec le patriarche Ménas et fit préparer une sentence de déposition contre Askidas et d'excommunication temporaire contre tous les signataires de l'édit [3] (mi-juillet 551).

VIOLENCES SUR LA PERSONNE DU PAPE

Devant cette attitude, l'irritation de Justinien fut telle que le pape, craignant d'être arrêté, quitta le palais de Placidie et se réfugia avec Datius dans l'église Saint-Pierre du palais de Hormisdas. L'empereur ordonna de les en arracher. Prévenu à temps, Vigile signa la sentence de déposition d'Askidas et la confia à un homme sûr (17 août 551). A l'arrivée des soldats de police, qui firent irruption dans l'église, l'arc tendu, le pape et Datius, protégés par les clercs romains, se serrèrent contre l'autel, mais ces défenseurs furent repoussés ou arrêtés. Alors on assista à ce spectacle inouï : le pape cramponné à l'une des colonnes qui supportaient l'autel, les sbires essayant de le saisir par la barbe et par les pieds et tirant avec une telle violence que la colonne se brisa et que, si des clercs ne s'étaient précipités pour soutenir la table sainte, le pape eût été écrasé. Décontenancés et assaillis par les cris hostiles de la foule qui remplissait l'église, les sbires se retirèrent sous les huées [4].

Le coup de force manqué, Justinien essaya des menaces qui furent sans effet et il dut négocier. Bélisaire, accompagné de trois anciens consuls, vint jurer au pape que, s'il rentrait au palais de Placidie, il ne lui serait fait aucun mal. Vigile rédigea une formule de serment, mais l'empereur refusa de la signer, et ce furent ses commissaires qui jurèrent sur des reliques. Vigile regagna le palais de Placidie. Datius et les autres clercs quittèrent l'asile [5].

LE PAPE A CHALCÉDOINE

De retour au palais de Placidie, Vigile et Datius furent en quelque sorte mis au secret et subirent toute espèce de vexations. Il fut interdit aux clercs romains

(1) *Epistola clericorum Italiae...*, dans *P. L.*, LXIX, 54, 61, 117 ; L. Duchesne, *L'Église au VIe siècle*, p. 197.
(2) Récit du pape dans son Encyclique (Mansi, t. IX, col. 51). Hefelè-Leclercq, *Histoire des conciles*, t. III, 1re p., p. 57.
(3) L. Duchesne, *L'Église au VIe siècle*, p. 198.
(4) L. Duchesne, *L'Église au VIe siècle*, p. 198-199. Récits des clercs italiens et du pape (Mansi, t. IX, col. 52, 60, 154).
(5) Mansi, t. IX, col. 52, 154.

présents à Constantinople de communiquer avec eux ; leurs propres serviteurs leur furent enlevés et ceux qui les remplacèrent avaient pour consigne de leur faire des affronts. Des notaires pontificaux soudoyés fabriquèrent de fausses lettres de Vigile qui furent envoyées en Italie. Le palais de Placidie fut environné de gardes et d'espions [1]. Ce fut à ce moment (août-décembre 551) que des clercs italiens, pour répondre aux calomnies répandues contre Vigile en Occident et démentir les fausses allégations de l'envoyé de l'évêque d'Arles, Anastase, remirent aux ambassadeurs de Théodebald, roi d'Austrasie, venus pour négocier une alliance contre les Goths [2], la lettre dans laquelle ils exposaient toutes les péripéties de la controverse des Trois Chapitres et qui constitue une de nos principales sources sur ces événements [3].

La situation devint tellement intenable que, dans la nuit du 23 décembre 551, le pape s'échappa du palais de Placidie, gagna une barque qui l'attendait sur le rivage et aborda à Chalcédoine, où il alla se réfugier dans l'église Sainte-Euphémie qui avait servi de siège au IVe concile. Là, le pape fut rejoint par l'évêque de Milan. Vigile ne tarda pas à tomber malade et l'un des clercs italiens, Verecundus, évêque de Junca, mourut même dans l'église [4].

Justinien envoya de nouveau Bélisaire au pape pour l'engager à revenir (28 janvier 552), mais Vigile mit comme condition à son retour que l'empereur rendrait d'abord la paix à l'Église en retirant son édit. Justinien répondit au pape le 31 janvier par une lettre remplie d'injures et qui n'était même pas signée [5].

L'ENCYCLIQUE DE VIGILE

A la suite de cette lettre, Vigile, s'attendant à de nouvelles violences, composa une encyclique adressée à tout le peuple chrétien. Il y rappelait tous les sévices exercés contre lui depuis le mois d'août 551 et exposait sa foi conforme à celle des quatre grands conciles. Il publiait en même temps la sentence de déposition de Théodore Askidas, datée du 14 août 551, et excommuniait le patriarche Ménas, ainsi que tous les évêques de son obédience [6]. Au moment où il allait signer cette encyclique, Vigile reçut un nouveau message de Justinien, lui demandant de fixer le jour où les commissaires impériaux viendraient lui affirmer par serment qu'il pourrait rentrer en toute sécurité au palais de Placidie. Le pape répondit qu'il ne quitterait pas Chalcédoine sans avoir obtenu satisfaction, mais offrit

(1) L. Duchesne, *L'Église au VIe siècle*, p. 201
(2) Procope, *Bellum Gothicum*, iv, 24.
(3) *Epistola clericorum Italiae...* ; Mansi, t. IX, col. 154 et suiv.
(4) *Epistola clericorum Italiae, Ibid.* Récit du pape, Encyclique (Mansi, t. IX, col. 50-52).
(5) *Encyclique de Vigile*, dans *P. L.*, LXIX, 53-54. Bélisaire était accompagné de quatre hauts dignitaires.
(6) Texte de l'Encyclique dans Mansi, t. IX, col. 50-55, et *P. L.*, LXIX, 67-68. L'Encyclique est datée du 5 février 552.

d'envoyer à l'empereur Datius, qui, après avoir obtenu par serment le sauf-conduit nécessaire, lui porterait les réclamations du pape [1]. Justinien témoigna son mécontentement en faisant arrêter et mettre au secret dix évêques italiens et deux africains et en faisant arracher de force de l'église Sainte-Euphémie les diacres Pélage et Tullianus. Vigile resta ferme et parvint à faire afficher ses sentences contre Théodore Askidas et Ménas dans les endroits les plus fréquentés de Constantinople [2].

REVIREMENT DE JUSTINIEN

A la suite de cet acte audacieux, Justinien, qui paraissait tenir avant tout à la réunion du concile et ne voulait pas rompre avec le Siège apostolique, ordonna à tous les évêques ou clercs atteints par les sentences du pape de lui envoyer leur acte de soumission. Dans des déclarations d'un ton très humble, le patriarche Ménas et Théodore Askidas reconnaissaient les quatre conciles œcuméniques, sans suppression ni addition et demandaient pardon au pape d'avoir communiqué avec des excommuniés [3].

Le pape, ayant obtenu satisfaction, regagna Constantinople. A peu près au même moment moururent l'évêque de Milan, Datius, et le patriarche Ménas, qui eut pour successeur un moine d'Amasée du Pont, Eutychius, envoyé par son évêque pour le représenter au concile. Le nouveau patriarche remit au pape, le jour de son intronisation (6 janvier 553), une profession de foi orthodoxe, signée d'Apollinaire, patriarche d'Alexandrie, de Domninos, patriarche d'Antioche, d'Élie, archevêque de Thessalonique [4]. Le 28 janvier le pape approuvait la profession de foi d'Eutychius et déclarait qu'il consentait à la réunion d'un concile œcuménique sous sa présidence au sujet des Trois Chapitres, *servata aequitate* [5] et conformément aux décisions des quatre conciles œcuméniques.

LE PAPE ET LE CONCILE

Déjà des lettres de convocation au concile avaient été lancées. Vigile voulait qu'il eût lieu en Sicile et en Italie, afin que les évêques d'Occident et surtout d'Afrique y fussent nombreux. Justinien refusa et décida que chacun des cinq patriarcats enverrait le même nombre d'évêques, ce qui donnait une majorité écrasante aux Grecs [6].

(1) L. Duchesne, *L'Église au VIe siècle*, p. 203-204.

(2) Mansi, t. IX, col. 57 et suiv. Hefelè-Leclercq (*op. cit.*, t. III, 1re p., p. 63, 1) explique que ce document fit partie d'un recueil de pièces envoyées en Occident dans les premiers mois de 552.

(3) Ces déclarations sont reproduites au début du *Constitutum* de Vigile (*P. L.*, LXIX, 67).

(4) *Vie d'Eutychius* (écrite vers 583 par son disciple le prêtre Eustratius), dans *P. G.*, LXXXVI *bis*, 2296-2304. La lettre à Vigile est reproduite en latin dans le *Constitutum* (Mansi, t. IX, col. 63) et en grec dans les actes du Ve concile (Mansi, t. IX, col. 186).

(5) Τοῦ δικαίου φυλαττεμένου (le droit étant respecté). Mansi, t. IX, col. 187. ; Hefelè-Leclercq, *Histoire des conciles*, t. III, 1re p., p. 65.

(6) Le texte de la convocation est perdu. Les détails sur les desiderata de Vigile sont indiqués dans un édit postérieur de Justinien (Mansi, t. IX, col. 187). Hefelè-Leclercq, *Histoire des conciles*, t. III, 1re p., p. 65 et suiv.

Vigile protesta en vain. On annonça bientôt que les évêques grecs seraient au nombre de 150, alors qu'il y avait à peine 25 évêques occidentaux à Constantinople. Il ne vint personne de l'Illyricum, de la Gaule, de l'Espagne, et ceux qui représentaient l'Afrique avaient été choisis par le gouvernement impérial. Le pape, malade, était indécis, bien que Pélage l'encourageât à la résistance, et il demanda un délai avant de faire connaître sa décision [1].

Les documents nous montrent ses hésitations. Un peu avant Pâques (qui en 553 tombait le 20 avril), Justinien lui proposa l'arbitrage d'un nombre égal d'évêques grecs et latins : Vigile refusa [2], puis, à quelques jours de là, répondit favorablement à une démarche auprès de lui des trois patriarches de Constantinople, Antioche, Alexandrie [3]. Enfin il demanda la réunion d'une conférence entre lui-même, trois évêques latins et quatre évêques grecs. Justinien n'y consentit que si chaque patriarche était présent ou représenté par quatre évêques. Le pape refusa et finit par déclarer qu'il admettait que le concile délibérât suivant ses propres inspirations et que lui-même ferait connaître sa sentence [4], mais, le 1er mai, Justinien lui faisait savoir par Bélisaire que cette sentence ne serait pas reçue [5].

§ 2. — Le Ve Concile œcuménique [6].

LA RÉUNION DU CONCILE

Le 5 mai 553, le Ve Concile œcuménique se réunit dans le *secretarium* de Sainte-Sophie, salle spacieuse qui faisait partie du palais patriarcal. En l'absence du pape, le patriarche Eutychius présida, entouré des patriarches d'Alexandrie et d'Antioche, des représentants d'Eustochius, patriarche de Jérusalem, et de cent quarante-cinq métropolites ou évêques, dont

(1) P. Batiffol, *Justinien et le siège apostolique*, p. 248.
(2) Mansi, t. IX, col. 64 ; Hefelè-Leclercq, *Histoire des conciles*, t. III, 1re p., p. 66-67.
(3) *P. L.*, LXIX, 63-68 ; Mansi, t. IX, col. 185-188.
(4) L. Duchesne, *L'Église au VIe siècle*, p. 210.
(5) Mansi, t. IX, col. 197.
(6) Bibliographie. — 1. Sources. — Les actes grecs du Ve Concile œcuménique sont perdus, sauf celui des anathématismes (Hefelè-Leclercq, *op. cit.*, t. III, 1re p., p. 105-132). On en possède une traduction latine, faite probablement à l'usage de Vigile, ainsi que l'enquête faite sur ces actes par le VIe Concile œcuménique en 680. Manuscrits connus des actes latins : A, publié par Surius en 1567 ; B, *Codex Parisiensis* provenant de la bibliothèque de Joly, chanoine de Paris, consulté par Labbe et revu par Baluze qui trouva plusieurs variantes au texte de Surius ; C, *Codex Bellovacensis* procuré à Baluze par Herman, chanoine de Beauvais, et dont le texte concorde avec celui édité par Surius. La première édition correcte fut donc celle de Baluze : *Nova collectio Conciliorum seu supplementum ad collectionem Philippi Labbaei...*, t. I, Paris, 1683 et 1707, p. 475 et suiv. Texte reproduit par Mansi, t. IX, col. 157-419. — On trouve dans la collection de Mansi le texte du premier *Constitutum* de Vigile (Mansi, t. IX, col. 61-106). Le texte du second *Constitutum de damnatione III capitulorum* fut découvert par Baluze dans la bibliothèque de Colbert, mais le protocole de l'acte a disparu et on ignore à qui il était adressé (édit. Mansi, t. IX, col. 457-488).

Travaux sur la transmission des actes du concile : Hefelè-Leclercq, *op. cit.*, t. III, 1re p., p. 68, 138-140. — Sur les mesures du concile contre l'origénisme : F. Diekamp, *Die origenistichen Streitigkeiten im sechstem Jahrhundert und das fünfte allgemeine Concil*, Munster, 1899.

six venus d'Afrique [1]. Le concile admit d'abord un message de l'empereur apporté par le silentiaire Théodore. Justinien rappelait les efforts de ses prédécesseurs pour faire condamner les hérésies par des conciles, dont les décisions avaient été transcrites dans les lois impériales. Les empereurs étaient ainsi présentés comme les défenseurs de la foi définie par les conciles et Justinien, s'appuyant sur les consultations que l'empereur Léon avait demandées aux évêques en 457 au sujet du concile de Chalcédoine, présenta d'une manière tout à fait inexacte sa *Profession de foi* comme une consultation de ce genre. Pour en finir avec les restes de l'hérésie nestorienne, il avait, disait-il, interrogé chacun des évêques au sujet des Trois Chapitres. Tous les avaient condamnés, mais, comme il restait encore des défenseurs de cette doctrine impie, l'empereur avait convoqué les évêques en concile pour leur permettre de manifester leur volonté. Quant à Vigile, « pape très religieux de l'ancienne Rome », l'empereur l'avait consulté aussi. Il avait jeté l'anathème sur les Trois Chapitres et avait assuré l'empereur qu'il aurait bientôt sa réponse définitive [2]. Ainsi sous une forme déférente l'empereur préjugeait des décisions du concile et lui traçait le plan même de ses travaux. Au contraire, la lettre synodale d'Eutychius à Vigile, lue à la première séance et signée de tous les évêques présents à Constantinople, semblait considérer la question des Trois Chapitres comme entière.

DÉMARCHES DU CONCILE AUPRÈS DU PAPE

Cependant, à la fin de la première session, le concile décida d'envoyer une ambassade au pape pour l'inviter à venir siéger. Le 6 mai une nombreuse députation, conduite par les trois patriarches, alla trouver Vigile au palais de Placidie. Le pape déclara qu'étant malade, il lui fallait un délai pour faire connaître sa décision. Le lendemain, la démarche fut réitérée par ordre de l'empereur. Cette fois les patriarches étaient accompagnés du *magister officiorum* et du *quaestor sacri palatii*. Le pape resta inébranlable et déclara qu'il ne siégerait que si l'on faisait venir au concile d'autres évêques italiens [3].

LE CONCILE DÉLIBÈRE SANS LE PAPE

Après avoir pris connaissance dans sa deuxième session (8 mai) de la réponse du pape, le concile passa outre et exposa (3e session) sa profession de foi, déclarant qu'il suivrait en tout les décisions des conciles généraux

(1) Sur l'emplacement du *Secretarium* ou *Grand Sekreton*, assez vaste pour contenir l'empereur avec toute sa cour en même temps que le patriarche et son clergé, voir Ébersolt, *Sainte-Sophie de Constantinople, étude de topographie*, Paris, 1910, p. 26, et Vogt, *Le livre des cérémonies*, édit. et trad. française, t. I, 1935, *Commentaire*, p. 142. A la clôture du concile il y eut 160 souscriptions (Hefelé-Leclercq, *op. cit.*, t. III, 1re p., p. 68).

(2) Mansi, t. IX, col. 178 et suiv.

(3) Mansi, t. IX, col. 196.

et les opinions des Pères de l'Église, dont l'énumération fut faite, puis, le 12 (ou 13) mai, eut lieu la lecture des passages incriminés de Théodoret, Ibas et Théodore de Mopsueste. Sans aucune hésitation le concile se déclara d'accord avec l'empereur pour les condamner. « C'était à qui prononcerait les plus forts anathèmes contre Théodore, Ibas et Théodoret, à qui pousserait les cris les plus enthousiastes en faveur de l'empereur orthodoxe, l'ami de Dieu, Justinien »[1].

LE « CONSTITUTUM » DE VIGILE

Mais, le lendemain même de cette session (14 mai), le pape publiait la décision qu'il s'était engagé à donner dans les vingt jours sans s'être concerté avec le concile[2]. L'acte souscrit par seize évêques (neuf Italiens, deux Africains, deux Illyriens, trois Asiatiques) et trois clercs romains, dont Pélage, était adressé à l'empereur et récapitulait toutes les péripéties de la controverse jusqu'à l'ouverture du concile. Le pape examinait ensuite soixante propositions de Théodore de Mopsueste qu'il condamnait *apostolicae sententiae auctoritate*, mais il refusait de condamner sa mémoire, parce qu'il était mort dans la communion de l'Église et, qu'au surplus, il était contraire à l'usage de condamner des morts. De même il refusait de condamner Théodoret et Ibas, parce qu'on ne devait pas revenir sur les décisions du concile de Chalcédoine, qui les avait déchargés de tout soupçon de nestorianisme avec l'autorité du Siège apostolique. En conséquence le pape défendait de rien écrire ou publier qui fût contraire au *Constitutum* et terminait par cinq anathématismes contre tous ceux qui attaqueraient les Trois Chapitres par des paroles ou des écrits[3].

Ce mémoire d'un ton à la fois ferme et modéré, destiné à sauvegarder l'œuvre des précédents conciles et à apporter la paix à l'Église, sans aucune récrimination contre l'empereur, sans aucune excommunication pour les actes passés, a été jugé comme « l'une des meilleures compositions littéraires que nous ait léguées le VIe siècle »[4].

Vraisemblablement le 14 mai[5], Vigile envoya le diacre Servusdei prévenir les membres des ambassades qui lui avaient été adressées précédemment que sa réponse à l'empereur était prête. Ceux-ci, les évêques Théodore, Bénigne et Phocas, les patrices Bélisaire et Céthégus, les consulaires Justin et Constance se rendirent au palais de Placidie, mais, avertis

(1) L. Duchesne, *L'Église au VIe siècle*, p. 212.

(2) *Constitutum Vigilii papae de III capitulis* (Mansi, t. IX, col. 61-106).

(3) Analyse dans Hefelé-Leclercq, *op. cit.*, t. III, 1re p., p. 93-101 (avec le texte grec des anathématismes, qui nous est parvenu) et dans Tixeront, *Histoire des dogmes*, t. III, p. 143-145.

(4) Tixeront, *op. cit.*, p. 143. Voir aussi P. Batiffol, *Justinien et le siège apostolique*, p. 252-253. On a supposé, non sans vraisemblance, que Pélage avait dû avoir une grande part à la rédaction de cet acte.

(5) Batiffol (*op. cit.*, p. 253) remarque justement que la remise du *Constitutum* est antérieure à la session conciliaire du 26 mai, mais on ne voit pas pourquoi il laisse entendre que la pièce a pu être remise à une autre date que celle qu'elle porte, le 14 mai. Elle fut en tout cas une réponse à l'hostilité que le concile manifesta contre les Trois Chapitres dans sa quatrième session.

du sens de la réponse, ils refusèrent de l'accepter sans un ordre de l'empereur, et dirent à Vigile qu'il pouvait faire porter directement cette pièce au palais impérial par l'un de ses diacres. Servusdei fut chargé de cette mission, mais l'empereur refusa de recevoir le *Constitutum* en disant que, si le pape y condamnait les Trois Chapitres, son initiative était inutile, puisqu'il les avait déjà condamnés et que, s'il prenait leur défense, il se contredisait lui-même, ce qui rendait sa pièce irrecevable [1].

L'ACTION CONTRE VIGILE

Justinien alla plus loin. Par son ordre, le *quaestor sacri palatii* apporta au concile, dans sa VIIe session (26 mai), un dossier complet rassemblé contre Vigile. Il comprenait plusieurs lettres du pape à des évêques pour défendre son *Judicatum* et trois pièces secrètes dans lesquelles Vigile prenait manifestement parti contre les Trois Chapitres, les deux lettres remises à Justinien et à Théodora et le serment solennel prêté le 15 août 550, par lequel Vigile promettait de ne rien faire sans être d'accord avec l'empereur et de s'employer de tout son pouvoir à les faire condamner. En conséquence, l'empereur demandait au concile la radiation des diptyques du nom de Vigile, tant à Constantinople que partout ailleurs, pour avoir condamné les Trois Chapitres pendant sept ans et avoir ensuite désavoué ses déclarations les plus solennelles. La lettre fut reçue sans opposition par le concile, qui loua le zèle de l'empereur pour la défense de l'unité de l'Église [2].

Le nom du pape fut rayé des diptyques, mais le concile n'osa l'excommunier, et joignit même à sa décision une déclaration indiquant que cette mesure n'atteignait en rien la communion du concile et de l'empereur avec le Siège apostolique. « Nous conservons, disait Justinien dans son message, l'unité du Siège apostolique et il est manifeste que vous la conserverez aussi. Ni le cas de Vigile, ni celui d'aucun autre, fût-il encore pire, ne pourrait nuire à la paix des églises » et le concile, approuvant ces déclarations, les faisait siennes [3].

LA CONDAMNATION DES TROIS CHAPITRES

Dans l'intervalle entre la IVe et la VIIe session, le concile avait poursuivi son enquête sur les Trois Chapitres (Ve et VIe sessions, 17 et 19 mai 553) et admis, contrairement au *Constitutum*, qu'il était légitime de condamner des morts tombés dans l'erreur. Enfin, le 2 juin 553, dans sa VIIIe et dernière session, le concile rendit sa sentence sous la forme de

(1) Sur ces démarches qui figurent dans une rédaction particulière du procès-verbal de la VIIe session (voir P. Batiffol, *op. cit.*, p. 253-254).

(2) Mansi, t. IX, col. 346, 351, 366. Il y a divergence dans les manuscrits sur la date de cette session, fixée au 3 juin par le manuscrit de Paris et au 26 mai par le manuscrit de Beauvais et par celui utilisé par Surius. Cette dernière date semble préférable, les trois manuscrits fixant la VIIIe et dernière session au 2 juin.

(3) Mansi, t. IX, col. 367 ; L. Duchesne, *L'Église au VIe siècle*, p. 214.

quatorze anathématismes qui reproduisaient ceux de l'édit de Justinien [1]. Il condamnait tous les écrits de Théodore de Mopsueste, les impiétés de Théodoret contre le concile d'Éphèse et les anathématismes de Cyrille, la lettre d'Ibas à Maris, dans laquelle il niait l'Incarnation du Verbe et accusait Cyrille d'être apollinariste, mais il recevait la doctrine des quatre premiers conciles œcuméniques, y compris celui de Chalcédoine. En fait, ce dernier concile avait rejeté les écrits incriminés tout en réconciliant leurs auteurs avec l'Église.

§ 3. — La réception du concile et les dernières années de Justinien.

MESURES PRISES POUR LA RÉCEPTION DU CONCILE

On ne connaît aucun édit qui ait traduit en articles de loi les décisions du concile. On sait cependant par Cyrille de Scythopolis que Justinien envoya les Actes du concile dans toutes les provinces et exigea les souscriptions de tous les évêques qui n'avaient pas participé à l'assemblée. Les adhésions furent obtenues facilement en Orient et un concile, tenu à Jérusalem en 553, approuva unanimement ces actes. Il n'y eut que peu d'opposants : un évêque d'Abyla fut déposé et, en Palestine, les moines origénistes furent chassés de la Nouvelle Laure [2]. La querelle origéniste, en effet, n'était pas apaisée en Palestine et les sectateurs de la folle doctrine des *isochristes*, d'après laquelle, après la résurrection finale, tous les hommes seraient semblables au Christ, avaient été assez influents pour faire nommer l'un d'entre eux, Macaire, au patriarcat de Jérusalem après la mort de Pierre (automne de 552). Justinien, averti, déposa Macaire, le remplaça par Eustochius, diacre d'Alexandrie, et, avant l'ouverture du Ve concile, réunit les évêques présents pour leur dénoncer les égarements des moines de Palestine. Le concile adopta les conclusions de l'empereur et les formula en quinze anathématismes [3]. De là les difficultés que rencontra le patriarche Eustochius lorsqu'il voulut faire accepter les décrets du Ve concile à la Nouvelle Laure. Il finit par en faire chasser les récalcitrants et les remplaça par des moines orthodoxes, sans pouvoir rétablir complètement la paix [4].

ACCEPTATION DU CONCILE PAR LE PAPE

Après le concile, Justinien avait pris des mesures de représailles contre les clercs romains. Les diacres Pélage et Sarpatus furent mis en prison et Rusticus exilé en Thébaïde [5]. D'après le *Liber*

(1) MANSI, t. IX, col. 367-375 ; HEFELÉ-LECLERCQ, *op. cit.*, t. III, 1re p., p. 105-132.
(2) CYRILLE DE SKYTHOPOLIS, *Vita Sabae*, XC ; HEFELÉ-LECLERCQ, *op. cit.*, t. III, 1re p., p. 133 et suiv. ; L. DUCHESNE, *L'Église au VIe siècle*, p. 215.
(3) MANSI, t. IX, col. 396, 533 ; GEORGES LE MOINE, *Chronique*, dans *P. G.*, CX, 780 ; L. DUCHESNE, *op. cit.*, p. 208-211.
(4) L. DUCHESNE, *op. cit.*, p. 215.
(5) VICTOR DE TONNENA, a. 553.

Pontificalis, Vigile aurait été aussi exilé et même condamné à travailler dans les mines [1], mais il y a là quelque invraisemblance. Vigile, qui souffrait d'une maladie de la pierre, paraît être resté à Constantinople [2]. Rome avait été réoccupée par Narsès en 552 et le clergé romain demandait le retour du pape, absent depuis 545. Justinien y consentit, si le pape reconnaissait le Ve concile. Après six mois de réflexion, Vigile écrivit une lettre au patriarche Eutychius, dans laquelle il déclarait qu'ayant été trompé ainsi que ses clercs, il n'avait aucune honte à se rétracter suivant l'exemple d'Augustin. Après avoir scruté les saints Pères, il reconnaissait les erreurs des trois écrivains condamnés par le concile et jetait sur eux l'anathème (8 décembre 553) [3].

Le 23 février 554, le pape publiait un second *Constitutum*, dans lequel, après avoir exposé la foi du concile de Chalcédoine, il soutenait que la lettre d'Ibas (dont il niait l'authenticité) n'y avait pas été approuvée et il cherchait à expliquer le vote des légats romains au IVe concile [4].

Après s'être réconcilié avec Justinien, Vigile resta encore un an à Constantinople et obtint de l'empereur la *Pragmatique Sanction* qui réorganisait le gouvernement de l'Italie [5]. Il partit pour l'Italie au printemps de 555 et mourut avant d'arriver à Rome, pendant une escale à Syracuse, le 7 juin de la même année [6].

L'OPPOSITION AU CONCILE. AFRIQUE

D'après Léonce de Byzance, l'empereur, qui attendait après le Ve concile la réconciliation des monophysites, ne tarda pas à être déçu [7]. Bien plus, le concile fut très mal accueilli par les évêques orthodoxes d'Occident, tenus à l'écart des délibérations. L'opposition fut particulièrement violente en Afrique, où Primosus, substitué de force à Reparatus comme métropolite de Carthage, était regardé comme un intrus par les évêques de la Proconsulaire et de la Numidie. De là les mesures brutales prises par les autorités civiles contre les récalcitrants qui furent exilés et maltraités, surtout après la publication du second *Judicatum*, qui fit considérer Vigile en Afrique comme un prévaricateur. Victor,

(1) *Liber Pontificalis*, édit. Duchesne, t. I, p. 299.
(2) P. Batiffol, *Justinien et le siège apostolique*, p. 258-259.
(3) Évagrius, *Hist. eccl.*, IV, xxxviii ; Photius, *De synodis* (Mansi, t. IX, col. 855). *Lettre de Vigile à Eutychius*, d'après le manuscrit de Paris (Mansi, t. IX, col. 419 et suiv.). P. de Marca (*De concordia Sacerdotii et Imperii*, Francfort, 1708, p. 207 et suiv.) publie pour la première fois ce document écrit en grec.
(4) Le texte latin du deuxième *Constitutum* a été découvert par Baluze dans la bibliothèque de Colbert : *Vigilii papae Constitutum de damnatione III capitulorum* (Mansi, t. IX, col. 457-488). Le protocole de l'acte a disparu et l'on ignore à qui il était adressé. Cf. Hefelè-Leclercq, *op. cit.*, 1re p., p. 138-140.
(5) *Novellae*, append. VII (édit. Zachariae von Lingenthal, Leipzig, 1881 = nov. 164) (la Pragmatique Sanction est datée du 13 août 554). Ch. Diehl, *Étude sur l'administration byzantine dans l'Exarchat de Ravenne*, Paris, 1888, p. 157 et suiv. ; *Justinien et la civilisation byzantine*, p. 202-203 ; Bury, *History of the Later Roman Empire*, t. II, Londres, 1923, p. 282 et 390.
(6) *Liber Pontificalis*, édit. Duchesne, t. I, p. 302.
(7) Léonce de Byzance, *De sectis*, act. vi.

évêque de Tonnena, d'abord emprisonné, puis exilé aux Baléares, fut enfin interné en Égypte, à Canope, en même temps que Théodore, évêque de Cabarsussi. Félix, abbé de Gillitanum, auteur d'un mémoire contre le concile, fut interné à Sinope (557). Primasius, évêque d'Hadrumète, fut enfermé au monastère de Stude. Le diacre Liberatus alla rejoindre l'évêque de Carthage, Reparatus, dans son exil d'Euchaïta. D'autres parvinrent à se cacher, comme Facundus, évêque d'Hermiane, mais, sa retraite ayant été découverte, il dut comparaître en 564 devant l'empereur et le patriarche, ainsi que plusieurs évêques africains mandés à Constantinople. Sur leur refus de souscrire aux actes du concile, ils furent jetés en prison. Beaucoup de ces évêques et clercs africains moururent dans la misère. La situation resta troublée, bien que Primosus eût pu faire reconnaître ses pouvoirs par la plupart des évêques de la Proconsulaire et de la Numidie (554-555) [1].

L'OPPOSITION AU CONCILE. ILLYRICUM

Les évêques d'Illyricum, qui avaient refusé de siéger au concile, furent aussi l'objet de mesures de rigueur. En 554, Frontius, métropolite de Salone, cité à Constantinople pour avoir défendu les Trois Chapitres, fut exilé en Thébaïde et remplacé à Salone [2]. Vers 556, un mémoire fut adressé à Justinien par des évêques d'une province indéterminée, qui serait, suivant Hefelè, l'Illyricum occidental. La condamnation des Trois Chapitres y était vivement critiquée et présentée comme une satisfaction donnée aux monophysites. Ce mémoire est perdu, mais on le connaît par la réponse qu'y fit Justinien. Il reproduisait dans cette lettre une partie de sa profession de foi et reprochait aux évêques de s'être séparés de leurs collègues et de s'être comparés orgueilleusement aux apôtres. Il leur signalait dans leur mémoire plusieurs propositions hérétiques et flétrissait le *docteur impie* qui était venu troubler la paix de la province (et qui serait peut-être Frontius) [3].

La paix ne fut pas rétablie pour cela en Illyricum, dont les églises firent cause commune contre le concile avec celles du patriarcat d'Aquilée. Le successeur de Frontius à Salone, Probinus, qui partageait ses doctrines, dut se réfugier à Aquilée [4].

(1) Victor de Tonnena, a. 553-557 ; Liberatus, *Breviarium*, xxiv ; Hefelè-Leclercq, *op. cit.*, t. III, p. 145-146 ; Ch. Diehl, *L'Afrique byzantine*, p. 448 ; Audollent, art. *Afrique*, dans *Dictionnaire d'histoire et de géographie ecclésiastiques*, t. I, col. 839-842 ; L. Duchesne, *L'Église au VIe siècle*, p. 215.

(2) Victor de Tonnena, a. 554 ; De Voinovitch, *Histoire de Dalmatie*, t. I, Paris, 1935, p. 244-246.

(3) Texte dans Mansi, t. IX, col. 589-646 ; Hefelè-Leclercq, *op. cit.*, t. III, 1re p., p. 143-145.

(4) De Voinovitch, *op. cit.*, p. 245.

L'ITALIE ET L'AVÈNEMENT DE PÉLAGE

Emprisonné pour son opposition au concile, le diacre Pélage rédigeait dans sa prison des traités dans lesquels il blâmait la faiblesse de Vigile et surtout sa capitulation finale. Dans l'un de ces traités, retrouvé par Mgr Duchesne dans un manuscrit de la bibliothèque d'Orléans, il faisait l'apologie du premier *Constitutum* écrit, sinon par lui-même, au moins sous son inspiration. Il y montrait qu'il n'y avait pas de contradiction entre le concile de Chalcédoine, qui avait replacé Ibas et Théodoret dans leurs évêchés, sans condamner leurs écrits, et celui de Constantinople, qui ne s'était pas inquiété de cette réhabilitation, mais avait toute latitude pour prononcer une sentence doctrinale sur ces écrits [1].

Pélage, dans ce traité, était manifestement sur la voie qui le mena à l'acceptation du Ve concile et à la réconciliation avec Justinien, qui le renvoya en Italie dès 554 et l'imposa comme pape aux Romains après la mort de Vigile (fin de 555).

La personne du nouveau pape, accusé d'avoir trahi son prédécesseur, et les décrets du Ve concile étaient également mal vus à Rome et en Italie. Ce fut sous la protection de Narsès, gouverneur militaire d'Italie, qu'il fut élu et sacré le 16 avril 556. L'évêque d'Ostie, consécrateur-né des papes, se fit représenter par un simple clerc à la cérémonie, à laquelle n'assistèrent que deux évêques, au lieu des trois requis par les canons. Plusieurs monastères et des clercs refusèrent de communier avec Pélage et, pour faire cesser cette opposition, il dut exposer à Saint-Pierre une profession de foi dans laquelle il protestait de son attachement aux quatre premiers conciles œcuméniques, en particulier à celui de Chalcédoine, en omettant le Ve concile [2].

Par cette déclaration peu glorieuse, dans laquelle il allait jusqu'à traiter de *vénérables évêques* Ibas et Théodoret, Pélage obtint la paix dans Rome, mais les évêques de Ligurie, Émilie, Vénétie, Istrie, auxquels se joignirent ceux de Dalmatie, refusèrent de communier avec lui. Le chef de l'opposition était Paulin, métropolite d'Aquilée. Pélage envoya des clercs romains dans ces régions et mit le patrice Narsès, qu'il trouvait trop tiède, en demeure d'intervenir, au besoin par la force. Il demanda que les métropolites d'Aquilée et de Milan fussent dirigés sous bonne garde à Rome pour comparaître en sa présence [3], mais Narsès s'abstint de toute intervention. La conquête de l'Italie du nord par les Lombards, en 568, ne fit que favo-

(1) Bibliothèque d'Orléans, ms. 70. L. Duchesne. *Vigile et Pélage*, dans *Revue des questions historiques*, XXXVI, 1884, p. 428, et *L'Église au VIe siècle*, p. 219 et suiv. Publication de ce texte : *Pelagii diaconi ecclesiae romanae in defensione III capitulorum*, par Mgr Devreesse, dans *Studi e testi*, t. VII, Cité du Vatican, 1932 ; Victor de Tonnena, a. 558.

(2) *Liber Pontificalis*, édit. Duchesne, t. I, p. 303 ; Hefelé-Leclercq, *op. cit.*, t. III, 1re p., p. 143-145.

(3) Voir les deux lettres de Pélage à Narsès, dans Mansi, t. IX, col. 712 et suiv., et *P. L.*, LXIX, 392-397 ; Martroye, *L'Occident à l'époque byzantine* ; *Goths et Vandales* Paris, 1904, p. 611-615.

riser cette résistance qui ne devait s'éteindre complètement qu'à la fin du VIIe siècle.

Pélage envoya aussi sa profession de foi en Italie et en Gaule, au roi Childebert [1].

JUSTINIEN ET L'APHTARTODOCÉTISME

Jusqu'à la fin de sa vie, Justinien fut hanté du désir de ramener les monophysites, mais la dernière initiative qu'il prit inconsidérément, l'entraîna lui-même à tomber dans l'hérésie qu'il voulait faire cesser [2]. D'après Jean d'Éphèse, ce fut un évêque de Jaffa qui exposa à l'empereur la doctrine que Julien d'Halicarnasse avait répandue en Égypte, où elle avait eu le plus grand succès [3] et d'après laquelle les souffrances du Christ pendant la Passion n'auraient été réelles que par un miracle spécial dû à sa volonté. Justinien fut persuadé que cette doctrine pouvait être interprétée d'une manière orthodoxe, alors qu'elle ne représentait que la doctrine de l'unité de nature poussée à ses dernières conséquences.

Suivant son habitude, Justinien prépara un édit dogmatique qu'il prétendit imposer à tous les évêques [4]. Il se heurta d'abord à l'opposition du patriarche Eutychius. Irrité et devenu plus absolu que jamais, Justinien le fit arrêter et, comme il refusait de comparaître devant un tribunal d'évêques, il fut déposé par contumace sous les prétextes les plus futiles et exilé dans son ancien monastère d'Amasée du Pont [5]. Ce fut le 22 janvier 565 qu'il fut arrêté. Le 19 avril 565 l'empereur lui donna comme successeur Jean le Scolastique, originaire des environs d'Antioche, canoniste distingué. On ignore s'il accepta la doctrine impériale [6].

La nouvelle de cette dernière initiative de Justinien se répandit bientôt dans toute la chrétienté. En Gaule, des Syriens monophysites firent courir le bruit que Justinien était tombé dans les erreurs de Nestorius

(1) MANSI, t. IX, col. 716-718. Lettre de Pélage à Childebert, dans *Historiens de France*, t. IV, p. 71-72.

(2) BIBLIOGRAPHIE. — I. SOURCES. — ÉVAGRIUS, *Hist. eccl.*, IV, XXXIX-XL ; *Vie d'Eutychius*, 4-5 ; THÉOPHANES, a. 6057 ; MICHEL LE SYRIEN, édit. CHABOT, t. II, p. 272-281 (d'après JEAN D'ÉPHÈSE) ; JEAN DE NIKIOU, XCIV (édit. ZOTENBERG, p. 399) ; VICTOR DE TONNENA, a. 566. II. TRAVAUX. — Ch. DIEHL, *Justinien*, p. 364-365 ; KNECHT, *Die Religionspolitik Kaiser Justinians I*, Wurzbourg, 1896, p. 140-144 ; P. BATIFFOL, *L'empereur Justinien et le siège apostolique*, p. 261-264 ; Jean MASPERO, *Histoire des patriarches d'Alexandrie*, p. 165 ; L. DUCHESNE, *L'Église au VIe siècle*, p. 271-273 ; HUTTON, *The church of the sixth Century*, Londres, 1897, *appendix : The alleged Heresy of Justinian*, p. 303-309 (arguments contestables pour justifier Justinien du reproche d'hérésie). Voir la discussion de JUGIE, *L'empereur Justinien a-t-il été aphtartodocète ?* dans *Échos d'Orient*, t. XXXV, 1932, p. 399-402 (bonne mise au point de la question). BURY, *History of the Later Roman Empire*, t. II, p. 393, 4.

(3) Cf. *supra*, p. 433 ; JEAN D'ÉPHÈSE, dans MICHEL LE SYRIEN, édit. CHABOT, p. 272-281.

(4) On ignore le texte de cet édit et on n'est même pas certain qu'il ait été publié. Il ne semble pas qu'il ait été expédié à Rome, car on ne constate aucune intervention du pape Jean III, successeur de Pélage depuis 561. Justinien paraît avoir essayé préalablement de gagner les patriarches à ses idées. L'opinion des contemporains est donnée exactement par ÉVAGRIUS, *Hist. eccl.*, IV, XXXIX (qui écrit vers 594).

(5) *Vie d'Eutychius*, dans *P. G.*, LXXXVI *bis*, 2316-2317.

(6) L. DUCHESNE, *L'Église au VIe siècle*, p. 271-272.

et d'Eutychès. Nizier, évêque de Trèves, écrivit à l'empereur pour l'en détourner et l'exhorter à ne plus persécuter les orthodoxes [1].

Mais l'opposition se manifesta surtout à Antioche, où le patriarche Anastase assembla un concile de cent quatre-vingt-quinze évêques. Tous se déclarèrent prêts à abandonner leurs sièges, plutôt que d'accepter la doctrine des *phantasiastes*, ainsi qu'on nommait les Julianistes. Une lettre conçue en termes respectueux, mais très fermes, fut envoyée à l'empereur par le patriarche et les évêques, et des circulaires furent répandues dans les monastères de Syrie pour les mettre en garde contre la nouvelle hérésie [2].

MORT DE JUSTINIEN

Le patriarche Anastase s'attendait à être expulsé de son siège et il avait déjà rédigé un discours d'adieu à son peuple, quand survint la mort de Justinien le 14 novembre 565. Il était âgé de 82 ans et régnait depuis trente-huit ans [3].

Il est très difficile de porter un jugement d'ensemble sur une œuvre aussi complexe, aussi pleine de contradictions que celle de Justinien. Certains côtés de cette œuvre se sont vite révélés caducs ; d'autres au contraire sont à la base de la civilisation européenne. Au seul point de vue religieux, sa législation ecclésiastique est une des principales sources du droit canon des églises d'Orient ; par sa diplomatie et par l'aide puissante qu'il a accordée aux missions, il a étendu le champ du christianisme. Par contre, sa politique religieuse a complètement échoué. Infatué de son savoir théologique, mais en fait docile aux influences qui se sont exercées sur lui tour à tour, celles de Théodora, de Théodore Askidas, de Pélage et de bien d'autres, il a cru qu'il suffirait de rédiger des formulaires pour mettre fin aux malentendus qui divisaient les églises et, en vertu de sa toute-puissance et de sa responsabilité devant Dieu, il s'est arrogé le droit de trancher d'autorité les questions dogmatiques, de diriger, de hâter les efforts de l'Église, de substituer même son action à la sienne, et de considérer comme des rebelles tous ceux, si haut placés fussent-ils, papes, patriarches, évêques, qui osaient résister à sa volonté.

Cette activité brouillonne, ces coups de force suivis de revirements subits, ces persécutions, ces exils, ces dépositions d'évêques n'ont abouti qu'à envenimer les querelles et qu'à rendre impossible le retour à l'unité qu'il avait rêvé. Sa mort délivra l'Église de la nouvelle persécution religieuse qu'il était en train de préparer. Malgré le respect qu'il témoignait au Siège apostolique, il avait cruellement humilié l'Église Romaine et

(1) *Monumenta Germaniae Historica*, in-4°. *Epistolae*, t. III, p. 118 et *P. L.*, LXVIII, 378.

(2) Michel le Syrien, édit. Chabot, p. 273-281 ; Évagrius, *Hist. eccl.*, IV, xxxix-xli ; L. Duchesne, *L'Église au VIe siècle*, p. 272-273.

(3) Évagrius, *Hist. eccl.*, V, i ; Théophanes, a. 6057 (donne la date du 11 novembre) ; *Chronique pascale*, a. 6086 ; *P. G.*, XCII, 958, donne le 14 novembre, ind. XV. Description de ses funérailles par Corippus, *Laudes Iustini*, i, 226 et suiv. ; iii, 28 et suiv.

laissait l'Occident à la veille d'un schisme. En Orient, les graves concessions qu'il avait faites aux monophysites n'avaient, au dire même de ses contemporains, abouti à aucun résultat. Syriens et Égyptiens jacobites restaient irréconciliables. A la fin de son règne, il laissait l'Église encore plus troublée qu'à son avènement et léguait à ses héritiers la tâche écrasante de réparer ses erreurs.

CHAPITRE IV

LES SUCCESSEURS DE JUSTINIEN ET L'ÉGLISE (565-590) [1]

§ 1. — La situation religieuse à la mort de Justinien.

LES FORCES MONOPHYSITES

Après la mort de Sévère et la disparition d'Anthime, les seuls chefs monophysites étaient le vieux patriarche d'Alexandrie, Théodose, qui, de son exil de Derkos en Thrace, continuait à correspondre avec ses fidèles d'Égypte, et Jacques Baradaï, évêque d'Édesse, qui, traqué par la police impériale, ne pouvait guère se montrer que sur les terres de l'émir ghassanide. Les monophysites avaient leurs principales forces dans les provinces de langue syriaque, dans les banlieues des villes comme Antioche et Apamée, dans les territoires d'Anatolie soumis à l'influence de Jean d'Éphèse. La résistance des monophysites était toute passive et ils étaient d'ailleurs aussi divisés sur les personnes que sur les doctrines [2].

APOLLINAIRE EN ÉGYPTE

La doctrine jacobite avait perdu surtout du terrain en Égypte, où, depuis 551, le patriarche Apollinaire, revêtu des pouvoirs civils et militaires, faisait régner une véritable terreur. A Alexandrie, il avait confisqué toutes les églises jacobites pour les remettre aux orthodoxes et il avait interdit l'accès de la ville au clergé monophysite. Théodose étant mort dans son exil en 566, les jacobites ne songèrent même pas à lui donner un successeur. Une tentative du syncelle de Théodose, Paul, que Jacques Baradaï

(1) Bibliographie. — I. Sources. — Les sources orientales, Jean d'Éphèse, Denis de Tell'-Mahré, Michel le Syrien, Jean de Nikiou, ont une importance toute particulière pour cette période (voir la bibliographie des chapitres I et II). Il en est de même de l'*Histoire ecclésiastique* d'Évagrius. — Pour les actes des empereurs, un instrument de travail très commode a été fourni par la publication de Dœlger, *Regesten der Kaiserurkunden des Oestroemischen Reiches*, t. I, de 565 à 1025, Munich, 1924 (travail préparatoire au *Corpus*, des diplômes grecs du moyen âge). — L'historiographie grecque de cette période est très pauvre et on doit avoir recours à des chroniques postérieures, *Chronique pascale*, Théophanes, etc... La plus voisine des événements est celle d'un contemporain d'Héraclius, Théophylacte de Simocatta, édit. de Boor, Leipzig, 1887. Il y a peu de renseignements à tirer du panégyrique en vers de Justin II par l'Africain Corippus, *In laudem Justini*, édit. Partsch, dans *M. G. H. Auctores antiquissimi*, t. III, 2.

II. Travaux. — Voir la bibliographie des ouvrages généraux au chapitre I. Les monographies relatives aux empereurs sont indiquées au paragraphe suivant.

(2) L. Duchesne, *L'Église au VIe siècle*, p. 332 et suiv.

avait fait nommer patriarche d'Antioche, pour se faire élire patriarche d'Alexandrie, échoua complètement [1].

LE DÉSARROI JACOBITE EN ÉGYPTE

En Égypte, le parti monophysite était en pleine décomposition. Non seulement les évêques jacobites étaient réduits à se cacher, non seulement ils restèrent dix ans sans pouvoir donner de successeur à Théodose, mais à l'intérieur du parti les schismes et les hérésies, chaque jour plus nombreuses, créaient des rancunes et des divisions irrémédiables. Un traité de la fin du VIe siècle énumère en Égypte vingt sectes monophysites [2]. La plus puissante était toujours celle des *Julianistes* ou *Gaïanites*, dans laquelle se recrutaient la plupart des évêques jacobites, mais ils se divisaient eux-mêmes en trois sectes qui donnaient des explications différentes de l'incorruptibilité du corps de Jésus. Les *actistètes* ou *phantasiastes* allaient jusqu'à supprimer toute distinction entre la chair de Jésus et sa divinité [3]. Sans parler des anciennes sectes schismatiques, *acéphales*, *Dioscoriens*, *agnoètes*, etc..., les doctrines les plus étranges, manifestations d'un fanatisme morbide, comme celle des *katacéphalites*, se répandaient dans le peuple [4].

La plus importante de ces hérésies nouvelles était celle des *trithéites*, qui soutenaient que dans la Trinité il y avait autant de natures, de substances, de déités que de personnes. Cette doctrine remontait à Jean Asquçnâgès d'Apamée qui l'avait soutenue à Constantinople en 557 et avait été excommunié et exilé. Il mourut peu après, mais ses idées furent adoptées et propagées par deux disciples de Jacques Baradaï, Conon, évêque de Tarse, et Eugène, évêque de Séleucie, ainsi que par le moine Athanase, qui passait pour être né d'une bâtarde de Théodora [5] et qui, héritier des papiers d'Asquçnâgès, les communiqua à un professeur d'Alexandrie, Jean Philoponos, monophysite et aristotélicien. Philoponos se prit d'enthousiasme pour le trithéisme et écrivit un livre dans lequel il appuyait la nouvelle doctrine sur les théories d'Aristote [6].

(1) Jean MASPERO (*Histoire des patriarches d'Alexandrie*, p. 157-165) rassemble des témoignages assez contradictoires sur Apollinaire, auquel JEAN MOSCHOS (*Pratum spirituale*, CXCIII) attribue un acte qui le montre charitable et délicat. Sur la tentative de Paul à Alexandrie, cf. Jean MASPERO, *op. cit.*, p. 226 et suiv.

(2) TIMOTHÉE, prêtre de Constantinople, *Περὶ τῶν προσερχομένων τῇ ἁγία ἐκκλησία* (De ceux qui reviennent à l'Église), dans *P. G.*, LXXXVI (1), 11-74, écrit sous le patriarche d'Alexandrie Damien.

(3) Jean MASPERO, *Histoire des patriarches d'Alexandrie*, p. 191 et suiv. ; MICHEL LE SYRIEN, édit. CHABOT, t. II, p. 265 ; LÉONCE DE BYZANCE, *De sectis*, dans *P. G.*, LXXXVI (1), 1261.

(4) Les *acéphales* étaient séparés depuis leur refus d'admettre l'*Hénotique* de Zénon. Les *Dioscoriens* ne reconnaissaient plus la légitimité des patriarches depuis Dioscore Ier (mort en 454). Les *agnoètes* soutenaient que Jésus incarné avait été soumis à la même ignorance que les hommes. Les *katacéphalites* prétendaient qu'après avoir été suspendu la tête en bas un certain nombre d'heures pendant 20 jours, tout homme devenait *impassible* et purifié du mal ; il pouvait alors se livrer à tous les déportements sans pécher (MICHEL LE SYRIEN, édit. CHABOT, t. II, p. 261-262).

(5) JEAN D'ÉPHÈSE, *Hist. eccl.*, V, I, II ; MICHEL LE SYRIEN, édit. CHABOT, t. II, p. 253.

(6) Jean MASPERO, *op. cit.*, p. 194 et suiv. ; JEAN D'ÉPHÈSE, *Comm. de beat. Orient.*, XLVIII ;

Le trithéisme se propagea rapidement et gagna même l'Italie, mais, grâce à Philoponos, il obtint un vif succès en Égypte, où il devint une cause de division nouvelle. Le trithéisme cependant faisait horreur à beaucoup de monophysites et, malgré les partisans qu'il avait en Égypte, Athanase ne put se faire élire patriarche jacobite d'Alexandrie après la mort de Théodose en 566 [1].

§ 2. — La politique d'union de Justin II à Maurice (565-590).

JUSTIN II ET L'UNION Justinien, jaloux de son autorité, était mort sans avoir déclaré lequel de ses trois neveux lui succéderait ; mais à peine avait-il fermé les yeux que le plus influent d'entre eux, Justin le Curopalate, se fit proclamer empereur par le sénat, et alla recevoir les acclamations du peuple à l'Hippodrome [2]. Malgré les échecs subis par Justinien, son successeur ne vit d'autre remède à la situation religieuse et politique de l'Empire que de reprendre la tentative d'union avec les monophysites. Il avait d'ailleurs épousé une nièce de Théodora, Sophie, élevée dans la doctrine de Sévère et ralliée à l'orthodoxie assez tardivement. Intelligente et décidée, elle favorisa l'union de tout son pouvoir [3].

Justin montra son désir de conciliation en rappelant tous les évêques exilés par Justinien, à l'exception du patriarche Eutychius, en admettant à son audience l'ex-patriarche d'Alexandrie, Théodose, avec tous les honneurs réservés aux patriarches et en le faisant ensevelir en grande pompe, après sa mort, en 566 [4]. Plusieurs évêques, qui se trouvaient internés à Constantinople, furent renvoyés dans leurs diocèses et l'higoumène Photin fut dépêché en Égypte pour faire cesser les troubles [5]. Justin poussa la longanimité jusqu'à accepter de se porter arbitre entre les trithéistes de Constantinople, qui avaient pour chef Athanase, et leurs adversaires

MICHEL LE SYRIEN, édit. CHABOT, t. II, p. 306. Le livre de PHILOPONOS intitulé Διαιτητής (l'Arbitre), est connu par des fragments (TIMOTHÉE, *op. cit.*, dans *P. G.*, LXXXVI, col. 44-66 ; PHOTIUS, *Bibliotheca*, XXI-XXIV, L-LVI ; MICHEL LE SYRIEN, édit. CHABOT, t. II, p. 92-211). Sur l'influence d'Aristote sur la théologie monophysite, cf. L. DUCHESNE, *L'Église au VIe siècle*, p. 342-343, et Jean MASPERO, *op. cit.*, p. 202.

(1) JEAN D'ÉPHÈSE, *Hist. eccl.*, V, x ; MICHEL LE SYRIEN, édit. CHABOT, t. II, p. 331 ; Jean MASPERO, *op. cit.*, p. 206 et suiv. Une tentative avait été faite à Rome pour gagner le patrice Narsès à ces idées.

(2) THÉOPHANES, a. 6058 ; ÉVAGRIUS, *Hist. eccl.*, V, I ; CORIPPUS, *De laudibus Justini minoris*, édit. PARTSCH, dans *M. G. H.*, in-4°, *Scriptores*, t. III, 2, 1879.

(3) L. DUCHESNE, *L'Église au VIe siècle*, p. 347 ; JEAN D'ÉPHÈSE, *Hist. eccl.*, II, x ; MICHEL LE SYRIEN, édit. CHABOT, t. II, p. 306. Sur Justin II voir : GROH, *Geschichte des ostrœmischen Kaisers Justin II*, Leipzig, 1889 ; STEIN, *Studien zur Geschichte des byzantinischen Reiches, vornehmlich unter den Kaisern Justin II und Tiberius Constantinus*, Stuttgart, 1919 ; Ch. DIEHL, *Le monde oriental de 395 à 1081*, t. III de l'*Histoire générale, Moyen âge*, sous la direction de G. GLOTZ, Paris, 1936, p. 123 et suiv.

(4) MICHEL LE SYRIEN, édit. CHABOT, t. II, p. 282-285 ; DOELGER, *Regesten*, n° 1 (14 novembre 655).

(5) Jean MASPERO, *Histoire des patriarches d'Alexandrie*, p. 169 et suiv. ; DŒLGER, *Regesten*, n° 2.

monophysites. Le patriarche orthodoxe, Jean le Scolastique, essaya, sans y parvenir d'ailleurs, de les mettre d'accord [1].

LE PREMIER HÉNOTIQUE DE JUSTIN II (567)

Par l'entremise de l'impératrice Sophie, des conférences pour l'union se tinrent à Constantinople, où étaient arrivés Jacques Baradaï et plusieurs chefs monophysites (566). Après des discussions qui durèrent un an, on ne put aboutir à aucune solution. Les évêques d'Orient repartirent et l'empereur se réserva d'envoyer l'un de ses fonctionnaires en Orient pour reprendre la négociation [2]. Dans l'intervalle Justin publia un Hénotique dans lequel il défendait toute querelle « sur les personnes ou les syllabes », mais il allait aussi loin que possible dans les concessions, renouvelait l'Hénotique de Zénon, condamnait les Trois Chapitres, ne mentionnait pas le concile de Chalcédoine, recevait Sévère d'Antioche, amnistiait tous les monophysites condamnés. Ces concessions parurent encore insuffisantes aux Sévériens, qui exigeaient une déclaration explicite sur l'unité de nature du Christ [3].

CONFÉRENCES DE CALLINICUM (567)

Le patrice Jean, envoyé en ambassade en Perse, fut chargé par l'empereur de faire accepter son édit aux Jacobites. A son retour de Perse, il assembla les chefs monophysites à Callinicum [4] et leur donna lecture de l'Hénotique de Justin. Quelques évêques, dont Jacques Baradaï, étaient disposés à se contenter des concessions impériales, à condition que la doctrine des deux natures fût expressément condamnée, mais la plupart des moines, qui avaient été molestés sous Justinien, ne voulaient pas accepter un édit impérial, quel qu'il fût. L'un d'eux arracha le texte de l'édit des mains du lecteur et le déchira. Les monophysites eux-mêmes se querellaient, et la présence parmi eux de trithéites contribua à augmenter la confusion. Le patrice Jean, écœuré, regagna Constantinople, sans que l'édit impérial eût été accepté [5].

QUERELLES TRITHÉITES

Athanase, toléré à Constantinople à cause de sa parenté, bien qu'illégitime, avec l'impératrice Sophie, avait entrepris de se faire nommer patriarche d'Alexandrie

(1) L. Duchesne, *L'Église au VIe siècle*, p. 346.

(2) Jean d'Éphèse, *Hist. eccl.*, II, x ; Michel le Syrien, édit. Chabot, t. II, p. 284-285 ; L. Duchesne, *L'Église au VIe siècle*, p. 348.

(3) Évagrius, *Hist. eccl.*, V, iv ; Hefelé-Leclercq, *Histoire des conciles*, t. III, 1re p., p. 148 ; Jean Maspero, *Histoire des patriarches d'Alexandrie*, p. 20-22.

(4) Michel le Syrien, édit. Chabot, t. II, p. 285-286. C'est par erreur que les éditeurs de L. Duchesne (*L'Église au VIe siècle*, p. 348-349) placent ce congrès à Dara. D'après Michel le Syrien, en allant en Perse, le patrice Jean avait rencontré Jacques Baradaï à Callinicum et avait bien fixé le siège du congrès à Dara, à son retour, mais dans l'intervalle l'empereur lui enjoignit de tenir l'assemblée le plus tôt possible et elle eut lieu à Callinicum sur l'Euphrate. Cf. Dœlger, *Regesten*, n° 8 (567).

(5) Michel le Syrien, édit. Chabot, t. II, p. 287-290 ; Jean Maspero, *op. cit.*, p. 167-168 ; L. Duchesne, *L'Église au VIe siècle*, p. 348-350.

à la place du patriarche orthodoxe Apollinaire. Malgré sa bonne volonté, Justin n'osa aller jusque-là et, lorsque Apollinaire mourut en 570, il lui donna comme successeur un laïc, le patrice Jean, ce qui souleva une vive opposition [1]. A la même époque, Jean Philoponos écrivait un nouveau traité sur la Résurrection des morts, où il soutenait que les corps humains étant anéantis par la corruption, cette résurrection serait impossible si de nouveaux corps ne se levaient sur l'ordre de Dieu. Le livre, apporté à Constantinople, suscita un schisme entre Athanase, qui prit sa défense, et les deux évêques trithéites Conon et Eugène. Le trithéisme se divisa en deux sectes [2].

LE SECOND HÉNOTIQUE DE JUSTIN II (571)

La tentative de conciliation ayant échoué, Justin prit le parti de préparer un nouvel édit, mais de le soumettre avant sa publication aux évêques dissidents qui, pressés par les laïcs de leur parti, finirent par y souscrire [3]. L'édit conçu en termes modérés, reconnaissant une seule nature incarnée, mais ἐν θεωρίᾳ (c'est-à-dire en pensée) une différence entre deux natures divine et humaine, faisait au fond beaucoup moins de concessions aux monophysites que le premier. Le concile de Chalcédoine n'était pas mentionné, mais implicitement reconnu et il n'était plus question de réhabiliter Sévère [4].

L'APPLICATION DE L'ÉDIT

Cette fois, il n'y eut pas de conférence avec les monophysites, leurs représentants ayant accepté l'édit à l'avance, de gré ou de force. Ordre fut donné à tous les évêques et clercs de souscrire à l'édit. Ceux qui refusèrent furent emprisonnés et des églises monophysites furent fermées à Constantinople. Le patriarche Jean le Scolastique, chargé d'appliquer l'édit, montra la plus grande rigueur et força tous les monastères d'hommes et de femmes à l'accepter. Il alla jusqu'à exiger la réordination des clercs qui se soumettaient et, après une tentative de conciliation, il fit emprisonner les chefs monophysites qui se trouvaient à Constantinople, Paul d'Antioche et Jean d'Éphèse [5]. Paul, qui avait souscrit à l'édit avant sa publication, traduit devant le tribunal impérial et menacé de mort, prit le parti d'abjurer. Il fut alors en grande faveur auprès de Justin et de Sophie, au point que le patriarche Jean, inquiet de son crédit, lui fit proposer un siège épis-

(1) Jean Maspero, *op. cit.*, p. 224 et suiv. et 256-257. Les trithéites alexandrins ne cessaient de réclamer Athanase, qui prit le titre de patriarche jusqu'à sa mort en 571 (Michel le Syrien, édit. Chabot, t. II, p. 285).

(2) Jean Maspero, *op. cit.*, p. 209 et suiv. Sur ce schisme, cf. Jean d'Éphèse, *Hist. eccl.*, II, xxxvi, li.

(3) L. Duchesne, *L'Église au VIe siècle*, p. 353-354 ; Dœlger, *Regesten*, n° 20.

(4) Évagrius, *Hist. eccl.*, V, iv ; Jean Maspero, *op. cit.*, p. 168-169.

(5) L. Duchesne, *L'Église au VIe siècle*, p. 351-354 ; Dœlger, *Regesten*, n°s 18, 19, 20 (février-mars 571).

copal vacant. Paul refusa, parvint à s'évader et se cacha à Constantinople [1]. Ces poursuites contre les monophysites paraissent avoir été surtout actives à Constantinople et en Asie-Mineure, bien que, d'après les chroniques orientales, elles se soient étendues aussi à l'Orient et à l'Égypte [2].

RÉGENCE ET RÈGNE DE TIBÈRE (576-582)

Vers la fin de 573, Justin II commença à donner des signes de folie. Le mal s'étant aggravé, Sophie profita d'un intervalle de lucidité de son époux pour lui faire désigner comme César et héritier du trône le comte des excubiteurs, Tibère (8 septembre 574). Justin vécut encore jusqu'au 4 octobre 578, mais n'exerça plus le pouvoir [3]. Très populaire et bien vu de tous, Tibère mit fin aux poursuites contre les monophysites et permit à Jacques Baradaï, qui avait été emprisonné trois ans, puis interné dans une île, de revenir à Constantinople. Après la mort du patriarche Jean le Scolastique, il rappela de son exil Eutychius, interné à Amasée du Pont depuis 565, et le rétablit, en 577, sur le trône patriarcal. Eutychius fut reçu en triomphe à Constantinople [4], mais il voulut exercer sur les monophysites les mêmes rigueurs que son prédécesseur et se heurta à plusieurs reprises à la résistance de l'empereur, qui lui aurait déclaré qu'il y avait assez de Barbares à combattre [5].

Tibère reçut avec les plus grands honneurs le phylarque ghassanide Moundir-ibn-Harith et lui accorda la liberté de quelques clercs monophysites que le patriarche orthodoxe d'Alexandrie avait envoyés à Constantinople et qu'Eutychius, sur leur refus d'abjurer, avait internés dans des monastères [6]. Par une singulière contradiction, Eutychius tomba lui-même dans l'hérésie et adopta les doctrines de Philoponos sur la résurrection des corps. Le futur pape Grégoire le Grand, qui était alors apocrisiaire du Saint-Siège à Constantinople, protesta vivement contre ces doctrines. L'empereur prit le parti de Grégoire et, à la suite de conférences tenues en 582, Eutychius fut invité à brûler le livre qu'il avait écrit sur ce sujet [7].

(1) Brooks, *The patriarch Paul of Antioch and the Alexandrine Schism of 575*, dans *Byzantinische Zeitschrift*, t. XXX, 1929-1930, p. 468-476.

(2) Michel le Syrien (édit. Chabot, t. II, p. 295-299) prétend que l'édit a été inspiré à Justin par le patriarche Jean, jaloux de ce que l'empereur voulait soumettre la question au pape. Jean de Nikiou, trad. Zotenberg, p. 521

(3) Évagrius, *Hist. eccl.*, V, xi et xiii ; Jean d'Éphèse, *Hist. eccl.*, III, ii, v.

(4) L. Duchesne, *L'Église au VIe siècle*, p. 256 ; Jean Maspero (*Histoire des patriarches d'Alexandrie*, p. 250 et suiv.) remarque que l'éloge de Tibère se trouve à la fois dans Évagrius (*Hist. eccl.*, V, xiii), Jean d'Éphèse (*Hist. eccl.*, III, xxii) et Jean de Nikiou (édit. et trad. Zotenberg, p. 521). Sur le rappel d'Eutychius, voir Évagrius, *Hist. eccl.*, v-xvi et *Vie d'Eutychius*, dans *P. G.*, LXXXVI (2).

(5) Jean d'Éphèse, *Hist. eccl.*, III, xiii-xvi, xxi ; Michel le Syrien, édit. Chabot, t. II, p. 310 ; Jean Maspero, *op. cit.*, p. 252.

(6) Jean Maspero, *op. cit.*, p. 257-258.

(7) Grégoire le Grand, *Moralia in Iob.*, XIV, xxxi, 72-74. Cf. P. Batiffol, *Saint Grégoire le Grand*, Paris, 1928, p. 35-36.

AVÈNEMENT DE MAURICE

Eutychius mourut le 5 avril 582 et Tibère le 14 août suivant, après avoir désigné pour successeur Maurice, le meilleur de ses généraux, et l'avoir fiancé à sa fille Constantina [1]. Dès son avènement, le nouvel empereur montra dans les questions religieuses la même modération que son prédécesseur, tout en restant fidèle à l'orthodoxie, d'accord en cela avec le successeur d'Eutychius, le patriarche Jean, dit le Jeûneur, et le patriarche d'Antioche, Grégoire [2]. On ignore pour quelles raisons la légende syriaque a fait un saint de cet empereur, bien qu'il ait toujours été en communion avec Rome [3]. Maurice avait eu d'excellents rapports, même avant son avènement, avec le futur pape Grégoire le Grand, qui tint un de ses enfants sur les fonts baptismaux [4], mais ce fut peu de temps avant l'avènement de Grégoire à la papauté qu'éclata le conflit entre Jean le Jeûneur et le pape Pélage au sujet du titre de patriarche œcuménique, conflit qui devait amener un refroidissement entre Rome et Constantinople [5].

§ 3. — L'organisation des églises jacobites.

L'un des événements les plus importants de cette période est la réorganisation des églises jacobites, à la faveur de la tolérance manifestée par le gouvernement impérial et en dépit des obstacles qu'y apportèrent les dissensions continuelles des sectes monophysites. En 575, après les édits de Justin, toute la hiérarchie orientale était orthodoxe et les Jacobites étaient réduits à se cacher ; à la fin du VIe siècle au contraire, la situation était renversée. Les évêques orthodoxes, que les indigènes appelaient *melkites* (*impériaux*, du syriaque *melek*, prince), voyaient diminuer le nombre de leurs fidèles, passés en masse au parti jacobite.

CRÉATION D'UN PATRIARCHE JACOBITE A ALEXANDRIE

Ce fut seulement en 575, neuf ans après la mort en exil de Théodose, que les Jacobites d'Égypte parvinrent à se donner un patriarche. Une première tentative fut faite par Longin, évêque des Nobades, appelé par deux clercs d'Alexandrie et qui vint de la lointaine Nubie. Deux autres évêques et lui, à l'instigation de Paul d'Antioche, qui vivait en Égypte déguisé en soldat, se réunirent en plein désert et choisirent comme patriarche un archimandrite syrien d'origine, Théodore. Mais les Alexandrins refusèrent d'accepter sa profession de foi et élurent

(1) THÉOPHYLACTE DE SIMOCATTA, *Chronique*, I, I-XIII ; ÉVAGRIUS, *Hist. eccl.*, V, XV, XXII ; VI, I.
(2) Jean MASPERO, *Histoire des patriarches d'Alexandrie*, p. 253 et suiv.
(3) *Légende syriaque de Maurice*, édition et traduction dans *Patrologia Orientalis*, t. V, p. 773-778.
(4) GRÉGOIRE DE TOURS, *Historia Francorum*, X, I.
(5) *Gregorii Magni Epistolae*, JAFFÉ-WATTENBACH, 1357 (1er juin 595) ; P. BATIFFOL, *Saint Grégoire le Grand*, p. 49-51. Sur ce conflit, cf. le tome V.

de leur côté un ancien compagnon d'exil de Théodose, Pierre, vieillard simple et ignorant [1].

Pierre commença par ordonner soixante-dix évêques jacobites [2] (il n'en restait plus que quatre dans toute l'Égypte), mais son élection même était une défaite pour les Syriens, dont les Alexandrins supportaient mal l'influence. De là les aigres propos échangés par lettres entre Paul d'Antioche, toujours en Égypte, et le patriarche Pierre qui, en 576, de sa propre autorité, déclara Paul déchu du patriarcat d'Antioche. Le vieux Jacques Baradaï intervint, fit même le voyage d'Égypte, mais se laissa circonvenir par Pierre, qu'il reconnut comme patriarche légitime d'Alexandrie et alla jusqu'à admettre la déposition de Paul [3].

TROUBLES EXCITÉS PAR LA DÉPOSITION DE PAUL

Pierre avait agi comme s'il était le patriarche œcuménique de tout l'Orient, titre qu'avait pris d'ailleurs Théodose et que Jacques Baradaï avait implicitement accepté [4]. Mais Paul, traité de relaps par ses adversaires à cause de son abjuration de 571, avait témoigné son repentir et avait été réhabilité. Il avait donc encore en Syrie de nombreux partisans et la promulgation de l'acte qui le déposait excita en Orient une véritable guerre civile ; des moines de monastères adverses se livraient des batailles rangées et beaucoup d'entre eux furent arrêtés par la police impériale comme meurtriers et séditieux [5].

Paul quitta l'Égypte en janvier 576 et alla se réfugier probablement auprès de l'émir ghassanide Moundhir-ibn-Arith, qui essaya, de concert avec Jean d'Éphèse, d'obtenir la réconciliation de Jacques Baradaï avec Paul. L'évêque des Nobades, Longin, qui traînait toujours à sa suite son pseudo-patriarche Théodore, vint lui-même en Syrie, mais il y fut mal accueilli et complètement joué. Ce fut après son retour en Égypte que Paul se réfugia de nouveau à Constantinople [6].

DAMIEN PATRIARCHE JACOBITE D'ALEXANDRIE

Pierre d'Alexandrie étant mort le 19 juin 577, ce fut seulement après un an de discussions que le clergé jacobite élut pour le remplacer Damien, moine du monastère de l'Enaton,

(1) L. Duchesne, *L'Église au VIe siècle*, p. 358, Jean Maspero, *Histoire des patriarches d'Alexandrie*, p. 233-243. Sources : Jean d'Éphèse, *Hist. eccl.*, IV, x, xvi ; Michel le Syrien, édit. Chabot, t. II, p. 323-325. Il faut y joindre une défense du patriarche Paul d'Antioche par un reclus nommé Sergius, écrite vers 580-581, publiée par Chabot, *Documenta ad origines monophysitarum illustrandas*, texte syriaque, dans *Corpus Scriptorum Orientalium*, t. XXXVII, 1908, n° 41, document utilisé par Brooks, *The patriarch Paul of Antioch and the Alexandrine Schism of 575*, dans *Festgabe Heisenberg*, *Byzantinische Zeitschrift*, t. XXXIII, 1929-1930, p. 468-476.

(2) Jean d'Éphèse, *Hist. eccl.*, IV, xii, 16.

(3) Jean Maspero, *Histoire des patriarches d'Alexandrie*, p. 243 et suiv. Jean d'Éphèse (*Hist. eccl.*, IV, xv-xvii) déclare que les facultés de Jacques Baradaï avaient baissé.

(4) Brooks, *op. cit.*, p. 473-474.

(5) L. Duchesne, *L'Église au VIe siècle*, p. 363.

(6) L. Duchesne, *L'Église au VIe siècle*, p. 363 ; Brooks, *op. cit.*, p. 475-476.

près d'Alexandrie, d'origine syrienne, d'une grande érudition théologique [1]. A la différence de son prédécesseur, Damien se montra ouvertement, prêchant et tenant des synodes dans les églises jacobites. Très autoritaire, il revendiqua comme Pierre la direction de toutes les églises d'Orient et poursuivit de sa haine Longin, évêque des Nobades, toujours attaché à son patriarche Théodore. Dans la presqu'île formée par les deux Nils avant leur confluent à Khartoum, vivait une population éthiopienne, les Alaouah, dont le roi faisait demander à Alexandrie l'envoi de missionnaires chrétiens de la Nubie voisine. Damien entreprit de supplanter Longin et envoya au roi d'Alouah deux évêques qui lui peignirent Longin comme un dangereux hérétique, mais le roi les repoussa et les menaça de mort. Longin, averti, parvint après de nombreuses difficultés au pays d'Alouah et baptisa le roi ainsi que tout son peuple [2].

Damien s'efforça, sans beaucoup de succès, de faire cesser les schismes déjà anciens et les hérésies qui divisaient les monophysites, acéphales, Gaïanites, Mélétiens, trithéites, et ne put s'entendre avec eux [3]. Il se heurta surtout à la doctrine d'Étienne le Sophiste (probablement laïc et professeur de philosophie). Frappé de la contradiction des Sévériens, qui admettaient qu'après l'incarnation, il fallait distinguer par la pensée, *ἐν θεωρίᾳ*, les caractères de la divinité et de l'humanité, il affirma que c'était revenir au nestorianisme et soutint que ces caractères ne pouvaient être distingués. Après l'incarnation, selon lui, il n'existait plus de différence entre les deux natures. Malgré les objurgations de Damien, Étienne enseigna cette doctrine à Alexandrie en 584 et il eut pour auxiliaires deux clercs d'Antioche venus en Égypte avec l'espoir que Damien les nommerait évêques. Déçus dans leur ambition, ils propagèrent les doctrines d'Étienne [4].

LE PATRIARCAT MELKITE

Le contemporain de Damien sur le siège patriarcal orthodoxe fut Euloge, qui avait succédé au patriarche Jean en 581. De naissance syrienne, ordonné prêtre à Antioche, il connut à Constantinople Grégoire le Grand, alors apocrisiaire, et se lia d'amitié avec lui. Peu combatif, il fit cependant expulser Damien d'Égypte, mais il ne s'attaquait aux monophysites que par ses écrits (aujourd'hui perdus), où il défendait le tome de Léon et réfutait les doctrines de Sévère et de Théodose. Il obtint quelques conversions

(1) JEAN D'ÉPHÈSE, *Hist. eccl.*, IV, XLI, XLIII, LI-LIII. MICHEL LE SYRIEN (édit. CHABOT, t. II, p. 325 et suiv., 348, 365) donne sa profession de foi adressée à Jacques Baradaï et (p. 339-342) ses autres lettres. Jean MASPERO, *Histoire des patriarches d'Alexandrie*, p. 278-283.

(2) Jean MASPERO, *op. cit.*, p. 286 et suiv. ; JEAN D'ÉPHÈSE, *Hist. eccl.*, IV, LI-LIII ; MICHEL LE SYRIEN, édit. CHABOT, p. 348.

(3) Jean MASPERO, *op. cit.*, p. 290-296.

(4) L. DUCHESNE, *L'Église au VIe siècle*, p. 366 ; Jean MASPERO, *Histoire des patriarches d'Alexandrie*, p. 292 et suiv. ; MICHEL LE SYRIEN, édit. CHABOT, t. II, p. 361 ; DENIS DE TELL-MAHRÉ, *Chronique* (ASSEMANI, *Bibliotheca Orientalis*, t. II, p. 72 et suiv.), d'après qui Étienne se convertit à l'orthodoxie ; TIMOTHÉE, *op. cit.*, dans *P. G.*, LXXXVI, 44 ; TIXERONT, *Histoire des dogmes*, t. III, p. 117.

de monophysites et fonda de nouvelles églises catholiques, mais son influence était nulle en Haute-Égypte et s'exerçait surtout à Alexandrie où dominaient les Grecs, fonctionnaires et notables. Il combattit principalement la secte des Novatiens ou cathares, variété de Montanistes avec lesquels ils finirent par se fondre, soutenant comme eux que certaines fautes excluaient pour toujours de l'Église [1].

L'UNITÉ MONOPHYSITE RÉTABLIE Au moment de l'avènement de Damien, la lutte durait toujours en Orient autour de la personne de Paul, dont les partisans regardaient Damien comme un usurpateur, mais que ses adversaires refusaient de reconnaître comme patriarche d'Antioche. Pour rétablir la paix Jacques Baradaï entreprit un second voyage en Égypte, mais il mourut subitement avec trois clercs de sa suite au monastère de Saint-Romain, situé à la frontière syro-égyptienne, le 30 juillet 578 [2].

Damien prit alors en mains la cause de l'union et gagna la Syrie, sous prétexte d'aller voir son frère, gouverneur d'Édesse, puis d'Édesse il prit secrètement la route d'Antioche, convoqua les évêques syriens pour élire un patriarche et parvint, après avoir soudoyé le gardien d'une église, à se faire ouvrir les portes d'Antioche ; mais le secret fut éventé. Cernés dans une maison par une troupe de soldats, Damien et ses évêques durent s'enfuir par les égouts avec le patriarche qu'ils avaient élu. Damien parvint à échapper aux poursuites et eut l'audace de gagner Constantinople [3] (janvier-février 580).

Là, Damien trouva l'émir ghassanide, Moundir-ibn-Harith, auquel Tibère avait, comme on l'a vu, ménagé un amical accueil. Le prince arabe avait le vif désir de réconcilier tous les monophysites. Son appel avait été accueilli par Jean d'Éphèse. Un concile monophysite fut tenu dans la ville impériale et l'entente fut complète. D'après Michel le Syrien, Damien promit même de se réconcilier avec Paul et de le reconnaître comme patriarche d'Antioche [4].

Mais le concile fut mal accueilli en Égypte comme en Syrie et Damien fut accusé de faiblesse. Malgré ce qu'il avait promis, il reprit contre Paul sa campagne d'injures. Le clergé jacobite de Syrie finit par élire un nouveau patriarche d'Antioche, Pierre de Callinicum (581), que Jean d'Éphèse et les Paulites refusèrent de reconnaître. Pris de scrupules à l'idée que son prédécesseur était encore vivant, Pierre voulut abdiquer et, en 584, partit pour Alexandrie ; mais, à son retour, il apprit que Paul était mort

(1) Jean MASPERO, *Histoire des patriarches d'Alexandrie*, p. 259-261.
(2) Jean MASPERO, *op. cit.*, p. 296 et suiv. ; JEAN D'ÉPHÈSE, *Hist. eccl.*, IV, XXXIV ; MICHEL LE SYRIEN, édit. CHABOT, t. II, p. 337 ; DENIS DE TELL-MAHRÉ, dans ASSEMANI, t. I, p. 424.
(3) JEAN D'ÉPHÈSE, *Hist. eccl.*, IV, XLI ; MICHEL LE SYRIEN, édit. CHABOT, t. II, p. 345, 66 ; Jean MASPERO, *Histoire des patriarches d'Alexandrie*, p. 299.
(4) Jean MASPERO, *op. cit.*, p. 300 et suiv. ; JEAN D'ÉPHÈSE, *Hist. eccl.*, IV, XXXIX-XLI ; MICHEL LE SYRIEN, édit. CHABOT, t. II, p. 345.

depuis deux ans environ dans son asile de Constantinople et il resta patriarche [1].

NOUVELLES QUERELLES ENTRE COPTES ET SYRIENS

L'accord ne dura pas longtemps, les Syriens voyant d'un mauvais œil la prépondérance prise par Damien dans tout l'Orient. Une circonstance imprévue contribua à l'ébranler. Moundir-ibn-Harith, le Ghassanide, principal auteur de la réconciliation entre les monophysites, tomba en disgrâce, sous l'accusation d'avoir eu pendant la campagne de Mésopotamie des relations suspectes avec les chefs persans. En 584, Maurice le fit arrêter et conduire à Constantinople ; son royaume fut supprimé et l'autorité sur les tribus arabes de la frontière fut confiée à quinze phylarques [2].

La querelle entre Damien et Pierre d'Antioche naquit au cours d'une controverse dogmatique. Désireux de réfuter les arguments des trithéites, et voulant montrer que les trois personnes sont un seul Dieu, Damien écrivit un traité d'après lequel les propriétés des trois personnes, innascibilité, génération, procession, étaient les personnes elles-mêmes, chacune n'étant pas Dieu en soi, mais participant au Dieu commun. Il arriva ainsi à créer une quatrième entité, d'où le nom de *tétradites* donné à ses partisans. Pierre protesta d'abord par une lettre, puis écrivit contre Damien un gros traité en quatre tomes de 25 chapitres chacun [3].

La querelle s'envenima. Pierre proposa une conférence qui eut lieu en Basse-Égypte, mais, lorsque Pierre se présenta avec ses évêques, il apprit que la conférence avait pris fin. Une seconde réunion qui devait avoir lieu en Syrie échoua par la mauvaise volonté et la mauvaise foi de Damien ; des injures on en vint même aux coups (587). La discorde continua à régner entre les deux patriarcats jacobites [4].

§ 4. — Les rapports avec l'Occident.

LES SUCCESSEURS DE JUSTINIEN ET L'OCCIDENT

Obligés de lutter en Orient contre l'Empire perse, sur le Danube contre les invasions des Avars, les trois premiers successeurs de Justinien s'intéressèrent moins que lui aux affaires d'Occident et cherchèrent surtout à y conserver les positions acquises en organisant la défensive en Italie contre les Lombards, en Afrique contre

(1) Jean MASPERO, *Histoire des patriarches d'Alexandrie*, p. 303-306 ; L. DUCHESNE, *L'Église au VIe siècle*, p. 365-366.

(2) MICHEL LE SYRIEN, édit. CHABOT, t. II, p. 349 et suiv. ; THÉOPHYLACTE DE SIMOCATTA, III, 17 ; ÉVAGRIUS, *Hist. eccl.*, V, XX ; VI, II ; JEAN MOSCHUS, *Pratum spirituale*, CLV.

(3) Jean MASPERO, *Histoire des patriarches d'Alexandrie*, p. 306 et suiv. ; L. DUCHESNE, *L'Église au VIe siècle*, p. 368.

(4) Jean MASPERO, *op. cit.*, p. 312-317.

les Maures, d'où la création par Maurice des deux exarchats de Ravenne et d'Afrique [1]. A part le conflit au sujet du titre de patriarche œcuménique, qui naquit à la fin du règne de Maurice [2], les rapports de ces empereurs avec le Saint-Siège paraissent avoir été pacifiques et même cordiaux, comme le prouve la magnifique croix-reliquaire d'orfèvrerie donnée à la basilique Saint-Pierre par Justin II et Sophie [3].

L'OPPOSITION AU Ve CONCILE EN ITALIE

Nous avons signalé en son temps l'opposition que les décrets du Ve concile avaient soulevée en Occident et le schisme de l'Italie du nord qui s'en était suivi [4]. A la mort de Pélage Ier, l'opposition était déjà moins forte, bien que le schisme ait persisté, même après la conquête lombarde (568-569) qui eut pour résultats la fuite de l'archevêque d'Aquilée, Paulin, à Grado et celle d'Honorat, archevêque de Milan, à Gênes. Honorat étant mort en 570, les clercs milanais, réfugiés à Gênes, élurent à sa place Laurent II, tandis que les clercs restés à Milan élisaient Fronto. Pour l'emporter sur son rival, Laurent se soumit au pape Jean III et lui remit une profession de foi par laquelle il acceptait les décrets du concile [5]. Pour faire cesser le schisme, Justin II envoya en 571 son premier Hénotique aux évêques de Toscane, Ligurie et Istrie [6].

Cependant sous Maurice les résistances étaient encore nombreuses. L'exarque de Ravenne, Smaragdus, voulut employer la force pour les faire cesser, mais les évêques se plaignirent à l'empereur qui défendit à l'exarque de les molester [7]. Smaragdus n'en renouvela pas moins sa tentative en 586. Élie archevêque d'Aquilée réfugié à Grado étant mort, Smaragdus fit arrêter et transporter à Ravenne son successeur, Sévère, ainsi que trois évêques et les força par des mauvais traitements à communier avec l'archevêque de Ravenne qui avait condamné les Trois Chapitres. Rentrés à Grado les évêques furent traités d'apostats et, dans un concile tenu à Frioul, Sévère dut se séparer de nouveau de la communion romaine [8]. Il devait persister dans son schisme jusqu'à sa mort en 607 et ce fut seulement un siècle plus tard, sous le pape Sergius Ier, que toute trace du schisme disparut [9].

(1) Ch. Diehl, *Le monde oriental*, dans *Histoire du moyen âge*, t. III, coll. Glotz, p. 125-128 Voir aussi son *Administration byzantine dans l'Exarchat de Ravenne*, Paris, 1888, et son *Afrique byzantine*, Paris, 1896.

(2) Ce conflit, qui s'est prolongé sous saint Grégoire le Grand, sera étudié dans le tome V.

(3) Ch. Diehl, *Manuel d'art byzantin*, 2e édit., 1925, t. I, p. 310 et fig. 155. Une des faces porte l'effigie de l'empereur (dans lequel on a voulu voir parfois Justin Ier) et celle de l'impératrice.

(4) Cf. *supra*, p. 477-480.

(5) Hefelè-Leclercq, *Histoire des conciles*, t. III, 1re p., p. 148. Grégoire le Grand étant alors *praetor urbanus* souscrivit à cette profession de foi (*Gregorii Magni Epistolae*, IV, ii et xxxix).

(6) Dœlger, *Regesten*, n° 19.

(7) Hefelè-Leclercq, *op. cit.*, t. III, 1re p., p. 149-150. Lettre synodale des évêques ap. Mansi, t. IX, col. 891-899.

(8) Hefelè-Leclercq, *op. cit.*, t. III, 1re p., p. 149-150 ; Paul Diacre, *De gestis Langobardorum*, iii, 26.

(9) Bède le Vénérable, *De temporum ratione*, lxvi, dans *P. L.*, XC, 569.

LA QUESTION LOMBARDE

Sous Tibère et surtout sous Maurice, les progrès de l'invasion lombarde obligèrent les papes à s'occuper de la défense de l'Italie, soit en sollicitant des secours de Constantinople, soit en agissant eux-mêmes pour le compte de l'Empire, par voie diplomatique, tantôt auprès des Lombards, tantôt auprès des princes francs dont les empereurs escomptaient l'intervention pour repousser les Lombards. En 579, au moment de l'avènement de Pélage II, les Lombards arrivèrent pour la première fois en vue de Rome et il semble que ce furent les démarches du pape qui les décidèrent à s'éloigner [1]. Pélage fut plusieurs fois mêlé aux négociations que Maurice poursuivait avec le roi d'Austrasie, Childebert, pour le décider à combattre les Lombards, mais les expéditions des Francs au delà des Alpes n'aboutirent à aucun résultat et l'année 590 vit à la fois la cinquième et dernière campagne des Austrasiens en Lombardie, la mort du roi lombard Autharis et celle du pape Pélage II. Les adversaires, également impuissants, conservaient leurs positions, mais un avenir sombre s'ouvrait pour Rome, ravagée par la peste et encerclée de tous côtés par les Lombards, maîtres de Bénévent et de Spolète [2].

(1) *Liber pontificalis*, édit. DUCHESNE, t. I, p. 112.

(2) BIBLIOGRAPHIE. — I. SOURCES. — PAUL DIACRE, *Historia gentis Langobardorum*, édit. *M. G. H.*, *Scriptores Rerum Langobardicarum et Italicarum*, 1878, p. 45-87. Biographie du pape Pélage II, dans le *Liber Pontificalis*, édit. DUCHESNE, t. I, p. 310-311.

II. TRAVAUX. — VILLARI, *Le invasioni barbariche in Italia*, Milan, 1901 ; GASQUET, *Le royaume lombard, ses rapports avec l'Empire grec*, dans *Revue historique*, t. XXXIII ; L. DUCHESNE *Les évêchés d'Italie et l'invasion lombarde*, dans *Mélanges d'archéologie et d'histoire*, 1903.

CHAPITRE V

LES ÉGLISES DE PERSE ET D'ARMÉNIE AU VIe SIÈCLE [1]

§ 1. — L'Église de Perse.

A la fin du ve siècle, l'Eglise de Perse, malgré certaines résistances, avait réussi à sortir de la crise monophysite et le christianisme avait réalisé de sérieux progrès [2]. Toutefois, des difficultés d'un autre ordre allaient surgir : elles s'échelonnent sur tout le vie siècle.

LE CATHOLICAT DE BABAI

Babaï, fils d'Hormizd, fut élu patriarche en 597. Il était marié ; et s'il faut croire Bar-Hebraeus, sa science était fort médiocre. Il réussit cependant à diriger avec sagesse et fermeté l'Église de Perse en des circonstances assez critiques.

En ce temps-là, en effet, un certain Mazdak prêchait l'abolition de la propriété privée et la communauté des femmes. Le roi Qawad avait cru trouver dans le novateur un auxiliaire précieux pour ruiner l'influence de la noblesse en diminuant ses richesses et en rendant impossible la constitution d'arbres généalogiques incontestables. Lorsque Qawad eût été déposé en 496 et remplacé par son frère Zamasp, les mages songèrent à s'appuyer sur le christianisme pour combattre les doctrines immorales de Mazdak. Le nouveau roi adressa à Babaï un édit pour lui demander de réunir les évêques soumis à son autorité et d'établir une réforme relativement au mariage légitime et à la procréation des enfants pour tous les clercs en tous pays [3].

LE CONCILE DE 497

Il était impossible de résister à une pareille demande. Le concile s'assembla en 497 : il décida, conformément d'ailleurs à ce qu'avait précédemment édicté le synode de 486, que, depuis le patriarche jusqu'au dernier clerc de la hiérarchie, chacun pourrait contracter un mariage chaste avec une seule femme pour engendrer des enfants [4]. D'autres problèmes se posèrent encore

(1) Bibliographie. — La bibliographie à consulter pour ce chapitre est la même que pour le chapitre III de la seconde partie. Nous avons indiqué en notes, pour des questions spéciales, quelques ouvrages qui n'avaient pas encore été mentionnés.
(2) Cf. *supra*, p. 330.
(3) *Synodicon orientale*, édit. Chabot, p. 312.
(4) *Ibid.*

aux évêques. Les intrigues de Barsauma avaient abouti, ici et là, à l'élection d'évêques schismatiques ; il fut décidé que tous ceux qui avaient été nommés conformément aux règles seraient reçus dans la communion du catholicos, mais qu'on exclurait impitoyablement les intrus. Enfin, devant l'audace croissante des propagandistes monophysites, des mesures sévères furent prises contre eux et Siméon de Beit-Arsam, le plus intrépide d'entre eux, fut obligé de chercher asile dans l'Empire byzantin.

PÉRIODE D'ANARCHIE

Le concile de 497 est l'événement important du pontificat de Babaï. Celui-ci mourut en 502. Sila, son archidiacre, lui succéda et avec lui commença une longue période d'anarchie qui se prolongea un demi-siècle durant. Sila était, en effet, un homme de mœurs peu recommandables et fort enclin au népotisme ; il ne parvint à asseoir son autorité que grâce à la protection du roi ; et lorsqu'il se vit près de mourir, il indiqua, pour le remplacer, son gendre, le médecin Élisée. Une telle désignation était contraire aux canons et Élisée était peu fait pour remplir les austères devoirs d'un évêque. Aussi, tandis qu'Élisée était intronisé à Séleucie avec l'appui du parti de la cour, plusieurs évêques nommèrent pour occuper le siège patriarcal un certain Narsès. Puis chacun des deux rivaux se mit à ordonner des évêques et la confusion devint inextricable. Narsès mourut le premier, vers 535. Élisée crut que son heure était venue et qu'il pourrait réaliser sans encombre toutes ses ambitions. Mais ses mœurs étaient par trop scandaleuses et il avait causé, parmi ses collègues, trop de mécontentements. Les évêques persans s'entendirent pour le déposer et rayèrent des diptyques son nom ainsi que celui de Narsès ; puis ils élevèrent à sa place un certain Paul qui était bien vu du roi Chosroès Ier, pour avoir, en une circonstance critique, ravitaillé en eau l'armée royale en proie à une soif ardente.

ÉLECTION DE MAR-ABA

Paul aurait peut-être rétabli la paix, au milieu des dissensions qui troublaient l'Église ; mais il était vieux quand il fut élu, et il mourut après quelques mois seulement de pontificat. Il était réservé à Mar-Aba de rendre à l'Église de Perse le calme dont elle avait si grand besoin [1].

LES ORIGINES DE MAR-ABA

Mar-Aba était originaire de la contrée qui s'étend sur la rive droite du Tigre, en face de Hale. Il était né dans une famille mazdéiste et paraît avoir été très attaché dans sa jeunesse à ses convictions religieuses. Lorsqu'il

(1) Nous connaissons bien la vie de Mar-Aba grâce à une bibliographie de bon aloi, éditée par Bedjan, *Vie de Iabalaha, de trois autres patriarches et de quelques laïques nestoriens*, Leipzig, 1893, p. 206-274. On trouve également bien des renseignements dans le *Synodicon orientale*, édit. Chabot, p. 318-351, 540-562.

eut grandi, il entra dans la carrière administrative et son avenir y paraissait assuré, mais une rencontre fortuite, celle d'un étudiant de Nisibe qui remplissait dans le pays les fonctions de catéchiste, le détourna des vanités du monde et le convertit à Jésus-Christ. Devenu chrétien, Mar-Aba suivit les leçons de l'école de Nisibe où il fit preuve de la plus vive intelligence ; puis il se rendit en terre romaine, afin de visiter les saints lieux et de disputer avec le célèbre Sergius qu'il souhaitait ramener à la vraie foi. A Édesse, il rencontra un Syrien, nommé Thomas, qui lui apprit le grec et avec qui il se lia étroitement. Ensemble, les deux compagnons entreprirent la visite de la Palestine, puis ils se rendirent en Égypte où Mar-Aba interpréta les saintes Écritures en langue grecque [1]. Après un pèlerinage dans les solitudes où vivaient encore des milliers de moines, ils gagnèrent Corinthe, Athènes et enfin Constantinople.

PAUL LE PERSE

A cette époque, c'est-à-dire entre 525 et 533, d'autres docteurs orientaux se trouvaient dans la ville impériale : depuis l'avènement de Justin, les monophysites avaient cessé d'y être les maîtres et ceux qui ne pensaient pas comme eux avaient plus de liberté pour s'y rendre. Parmi d'autres, le plus connu des Persans que rencontrèrent Mar-Aba et Thomas est Paul le Perse qui devint plus tard métropolitain de Nisibe. Il jouissait alors de la faveur impériale, car, en 527, les empereurs Justin et Justinien le chargèrent de discuter avec un docteur manichéen nommé Photin, qui attendait en prison le jour de son exécution capitale. Rien n'est plus curieux que le procès-verbal de ce colloque, que nous possédons encore [2]. Photin comparut, chargé de ses chaînes, devant le préfet de Constantinople, Théodore Teganistes, et, pendant plusieurs jours, il soutint l'effort d'une discussion fort serrée avec Paul. Il est vrai que ce dernier était nestorien, ou du moins fortement suspect de l'être ; mais, depuis l'abandon de l'*Hénotique*, on attachait à cela moins d'importance et, parmi les défenseurs du concile de Chalcédoine, beaucoup trouvaient plus facile de s'entendre avec les Persans, fussent-ils soupçonnés d'hérésie, qu'avec certains Cyrilliens intransigeants comme l'étaient les moines scythes [3] et leurs admirateurs.

(1) Ce fut à Alexandrie que Mar-Aba rencontra un certain Cosmas, ancien marchand que les intérêts de son commerce avaient conduit fort loin en Orient, au moins jusqu'à Aden et Adoulis. Depuis qu'il s'était retiré des affaires, il continuait à porter le plus vif intérêt aux pays lointains et interrogeait sur eux tous les voyageurs qu'il avait l'occasion de voir. Il lisait aussi la Bible avec une passion qui n'était pas toujours très éclairée et il y cherchait des renseignements cosmographiques assez inattendus : c'est ainsi qu'il assure que la terre est plate et rectangulaire. Sa *Cosmographia christiana* n'en est pas moins un ouvrage fort curieux et dans lequel il y a beaucoup à prendre pour la connaissance du christianisme au VIe siècle. Cosmas sortait d'un milieu monophysite plus ou moins avancé ; il n'ignorait pas que Mar-Aba était loin de partager ses idées. Il parle cependant avec beaucoup de respect de sa piété et de sa science très véridique, et il ajoute: « C'est lui qui maintenant a été élevé par la grâce de Dieu sur le trône sublime et archiépiscopal de toute la Perse, ayant été là-même institué évêque catholicos ».

(2) Ce texte, publié par A. Mai, dans la *Nova Patrum bibliotheca*, t. IV, 2, p. 80-90, a été repris dans *P. G.*, LXXXVIII, 529-552.

(3) Sur ces personnages, cf. *supra*, chap. I.

LES « INSTITUTA REGULARIA » DE PAUL LE PERSE

A Constantinople, Paul le Perse donnait volontiers des leçons d'exégèse et parmi ses auditeurs se trouvaient parfois d'aussi grands personnages que Junilius, questeur du sacré palais. Son enseignement oral se trouvait résumé dans un petit livre dont il était l'auteur et qu'il avait, semble-t-il, rédigé en grec, les *Instituta regularia divinae legis* : les idées exposées dans cet ouvrage sur l'inspiration, le canon, l'interprétation des saintes Écritures étaient exactement celles de Théodore de Mopsueste et de l'ancienne école d'Antioche. Junilius eut un jour l'occasion de parler des *Instituta* à l'évêque d'Hadrumète, Primasius, qui se trouvait alors à Constantinople, et, selon son désir, il les traduisit en latin. Par cette traduction, le manuel de l'école de Nisibe trouva le chemin de l'Occident, où il a joui de la plus haute considération, très souvent copié et cité avec éloge par les docteurs scolastiques [1].

RETOUR DE MAR-ABA EN PERSE

Mar-Aba et son compagnon n'atteignirent pas à la même renommée que Paul. Thomas ne tarda pas à mourir dans la capitale. Quant à Mar-Aba, après un séjour d'une année, il reprit le chemin de la Perse. Un chroniqueur postérieur assure que son départ n'aurait pas été volontaire, car on aurait invité les deux amis à anathématiser Théodore de Mopsueste et les docteurs nestoriens, et ils auraient failli être mis à mort pour avoir refusé : la fuite seule leur aurait permis de sauver leur vie. Cette tradition est incertaine [2]. Du moins est-il sûr que rentré dans son pays, Mar-Aba, après une vaine tentative pour se retirer au désert et y mener la vie ascétique, reprit sa carrière de professeur et enseigna pendant quelques années à Nisibe.

LE SYNODE DE MAR-ABA

Il le fit avec un tel éclat et un tel succès [3] qu'à la mort de Paul (540) tous les suffrages le désignèrent pour succéder au vieux catholicos et que le roi Chosroès approuva sans aucune peine cette élection. La situation de l'Église perse

(1) Cf. O. Mercati, *Note di letteratura biblica e christiana antica* dans *Studi e testi*, t. V, Rome 1901, p. 180-206 : *Per la vita e gli scritti di Paolo il persiano* ; H. Kihn, *Theodor von Mopsuestia und Junilius Africanus als Exegeten*, Fribourg, 1880 ; A. Rahlfs, *Lehrer und Schüler bei Junilius Africanus*, dans les *Nachrichten* de l'Académie de Göttingue, 1891, p. 241-246. Il n'est pas absolument certain que Paul le Perse, après avoir quitté Constantinople, soit devenu évêque de Nisibe. Cf. A. Baumstark, *Geschichte der syrischen Literatur*, p. 120.

(2) Tandis que J. Labourt (*Le christianisme dans l'empire perse*, p. 167 et suiv.) essaie d'en établir la valeur, L. Duchesne (*L'Église au VIe siècle*, p. 317, n. 1) fait remarquer qu'à ce moment les Trois Chapitres n'étaient pas encore en cause et qu'on n'avait à Constantinople aucune raison pour en exiger la condamnation par des étrangers. Nous ne connaissons d'ailleurs l'incident que par le *Liber Turris*, de Mare, et cet auteur n'est pas toujours très sûr.

(3) Parmi les disciples de Mar-Aba figurent de nombreux évêques : Narsès d'Anbar, Jacques de Beit-Garmaï, Ézéchiel de Zabe, Moïse de Karka de Ledan, d'autres encore. Peut-être cette liste a-t-elle été amplifiée. On y voit figurer le nom de Paul de Nisibe qui paraît avoir été un condisciple de Mar-Aba plutôt que son élève.

à cette date, nous le savons déjà, était des plus difficiles. La première chose à faire était de pacifier l'épiscopat et d'effacer toutes les traces du schisme provoqué par Élisée et Narsès. Dans le synode qui suivit son élection, « on statua que si, dans un seul siège, il n'y a qu'un évêque institué avant la dualité, il reste légitime. S'il y en a deux, on choisira le plus vertueux et l'autre le servira comme prêtre. Que si tous deux sont également vertueux et orthodoxes, celui qui a été institué le premier sera confirmé dans l'épiscopat. L'autre renoncera aux fonctions épiscopales, mais sera désigné comme successeur. Si tous deux sont indignes, ils doivent être déposés et servir dans l'ordre qu'ils avaient auparavant »[1].

TOURNÉE PASTORALE DE MAR-ABA

Ces décisions prises, il restait à les faire exécuter. Accompagné d'un certain nombre d'évêques et de métropolitains, Mar-Aba entreprit un long voyage dans les pays de Basse-Chaldée, de Susiane et de Perse proprement dite, où le schisme avait eu des répercussions plus douloureuses qu'ailleurs. Le compte rendu, que nous avons conservé, de cette tournée pastorale nous fait connaître à la fois les désordres auxquels il était nécessaire de remédier et l'activité réformatrice du catholicos ; il révèle aussi les difficultés auxquelles, en bien des diocèses, et particulièrement à Beit-Lapat, se heurta la réforme. Malgré toutes les entraves apportées par les uns ou par les autres, Mar-Aba put accomplir sa tâche. A son retour, il adressa « aux amis de Dieu, les métropolitains et les évêques et à tout le clergé des chrétiens de l'Orient », une lettre encyclique où il mettait en relief les résultats obtenus et les besognes qui restaient à accomplir pour la réforme des mœurs.

LA RÉFORME DES MŒURS

Des abus considérables s'étaient en effet introduits parmi les fidèles et les clercs. A l'exemple des Perses, de nombreux chrétiens s'étaient unis à des femmes qui étaient leurs proches parentes, à leurs tantes ou même à leurs sœurs. Ces infractions à la règle sont sévèrement punies. « Aux clercs, le catholicos accorde un délai de deux mois ou au plus d'un an pour se soumettre et se séparer de leur compagne illégitime, sous peine d'être interdits et privés de la communion laïque. Aux laïques, que l'ignorance de l'Écriture rend plus excusables, Mar-Aba permet de garder leurs femmes, s'il leur semble trop dur de la quitter, moyennant la pénitence canonique d'un an de jeûne, accompagnée de larges aumônes. Mais si, après la promulgation de la foi, de nouveaux abus se produisent, il n'y aura pas de peines assez

(1) *Synodicon orientale*, p. 321.
(2) Le récit de ce voyage nous a été conservé par le *Synodicon orientale*, p. 321 et suiv. Cf. J. Labourt, *Le christianisme dans l'empire perse*, p. 172 et suiv.

sévères contre les délinquants : ils seront interdits et privés même de la sépulture ecclésiastique »[1].

REPRISE DE LA PERSÉCUTION On pouvait espérer que, grâce à l'activité de Mar-Aba, à sa sainteté, à l'ascendant qu'il exerçait, une période de prospérité et de conquêtes s'ouvrait alors pour l'Église de Perse. Vains espoirs. En 540, une guerre sans merci s'était ouverte entre la Perse et Byzance[2] : les chrétiens de Perse en subirent le contre-coup, car les mages profitèrent de l'occasion pour exciter contre eux les passions religieuses du mazdéisme national. Sans doute la persécution n'atteignit pas les proportions gigantesques de celle de Sapor, mais elle visa surtout à frapper les nobles qui s'étaient convertis, en dépit des ordonnances royales : parmi ses victimes, Pirangushnasp, qui avait pris le nom de Grégoire, et Sazdpanah sont justement célèbres[3].

ARRESTATION DE MAR-ABA Le catholicos lui-même, Mar-Aba, fut arrêté en 541, comme il revenait de sa tournée pastorale : il fut accusé d'avoir converti des mazdéistes, d'avoir interdit aux chrétiens sous peine des censures ecclésiastiques certaines pratiques païennes, d'avoir montré au sujet du mariage des exigences incompatibles avec les usages traditionnels. Toutefois on se contenta de le mettre en prison et de le traîner captif à la suite de l'armée royale. Un beau jour cependant, on découvrit que l'énergique catholicos était un converti du mazdéisme : il y avait là un cas de mort sans rémission. Les mages essayèrent en vain de fléchir la vaillance de leur prisonnier, d'obtenir de lui des concessions : tout fut inutile. Mais les chrétiens de Séleucie commencèrent à s'agiter, et, devant leur attitude menaçante, on renonça à le faire mourir. On se contenta de le confier à la garde du rad d'Adurbaidzan qui le relégua dans une bourgade perdue au milieu des montagnes, où il n'y avait pas d'autres chrétiens que lui et les clercs de sa suite[4].

POPULARITÉ DE MAR-ABA Mar-Aba se concilia bientôt l'estime et l'admiration de ses gardiens. De leur côté, les chrétiens apprirent vite le chemin de ce lieu de détention, si bien qu'ils s'y rendirent de toutes parts en pèlerinage. On lit dans la *Vita* :

Des provinces se rassemblaient les métropolitains, les évêques, les prêtres et les diacres, les fidèles hommes et femmes, pour y prier et être bénis par lui.

(1) *Synodicon orientale*, p. 335.

(2) Ch. Diehl et G. Marçais, *Le monde oriental de 395 à 1081*, t. III de l'*Histoire générale. Moyen-âge*, sous la direction de G. Glotz, p. 69.

(3) G. Hoffmann, *Auszüge aus syrischen Akten persicher Märtyrer*, Leipzig, 1886, p. 78 et suiv. Cf. J. Labourt, *Le christianisme dans l'empire perse*, p. 178-180. Plusieurs évêques, ainsi que des prêtres et des diacres, furent également emprisonnés et subirent une longue détention.

(4) Selon J. Labourt (*op. cit.*, p. 184, n. 1), le lieu de l'exil de Mar-Aba fut peut-être un village situé aux environs du fameux temple du feu d'Adargushashp, dans la région de Ganzak.

Plusieurs, à cause de leurs péchés, se tenaient à sa porte dans le sac et la cendre, puis il leur pardonnait. D'autres étaient bénis pour la charge spirituelle de l'épiscopat ; d'autres pour la dignité de la prêtrise ou du diaconat ; il conférait également les autres ordres ecclésiastiques... Des troupes d'évêques se réunissaient avec leurs collègues et ils faisaient entendre des hymnes inspirées du Saint-Esprit ; des légions de prêtres étaient reçus dans le camp de leurs collègues et ils se racontaient les grandes merveilles qu'ils voyaient et entendaient. Les montagnes et les hauteurs de l'Adurbaidzan semblaient aplanies sous les pas des saints [1].

INTRIGUES DES MAZDÉENS CONTRE LE CATHOLICOS

Le catholicos, non content d'accueillir tous ceux qui venaient à lui et de pourvoir de son mieux au gouvernement des églises, profita de son exil pour réunir les règlements disciplinaires qu'il avait déjà promulgués et pour les compléter par de nouvelles décisions, dont les plus importantes concernent la nomination des évêques de Beit-Lapat et de Nisibe, et celle du catholicos lui-même. Tout cela, on le comprend, ne faisait pas l'affaire des mages qui avaient voulu réduire Mar-Aba à l'impuissance et qui constataient avec dépit l'échec de leur tentative. Vers 548, un renégat, que le catholicos avait dû excommunier pour ses crimes, essaya de l'assassiner. L'agression échoua lamentablement ; mais Mar-Aba, mis en garde, s'enfuit secrètement avec un de ses disciples et, tout d'un coup, il arriva à Séleucie où il se présenta devant le roi.

MAR-ABA DEVANT LE ROI

La désobéissance était formelle : la mort devait en être le prix. Mar-Aba le savait : il expliqua tranquillement à l'envoyé de Chosroès, venu pour lui demander des explications, qu'il consentirait volontiers à mourir en public, si telle était la volonté royale, mais qu'il ne voulait pas périr obscurément dans un coin de montagne sous les coups d'un renégat. Chosroès pardonna ; il aurait même fait relâcher son captif sans l'insistance des mages.

LA RÉVOLTE

A ce moment, on vit arriver à la ville royale une délégation de Huns Hephtalites (Haitâl), ennemis traditionnels de l'Empire perse, qui venait demander au catholicos de consacrer un évêque pour leurs compatriotes [2]. Cette marque extraordinaire de vénération toucha vivement Chosroès. Une révolte venait d'ailleurs d'éclater à Beit-Lapat et beaucoup de chrétiens y prenaient part ; elle pouvait devenir menaçante pour le roi. Celui-ci demanda à Mar-Aba d'intervenir afin de l'apaiser ; le patriarche accepta, écrivit aux révoltés

(1) *Vita Marabae*, p. 247.

(2) Les Huns blancs occupaient la Bactriane et les régions voisines de l'Oxus. A partir du ve siècle, les rois de Perse eurent fréquemment à lutter contre eux. Leur empire fut détruit vers 570. Les Turcs dominèrent alors au nord de l'Oxus et les Perses au sud de ce fleuve. Le christianisme avait été prêché dans le pays dès le ve siècle.

de Susiane, alla même dans le pays, si bien que le calme fut rétabli, autant par l'autorité persuasive du négociateur que par la force des armes.

MORT DE MAR-ABA

La complète liberté fut pour Mar-Aba la récompense de ce dernier succès. Il ne put pas en jouir longtemps, car ses souffrances avaient profondément altéré sa santé : il mourut le 29 février 552 à Séleucie. Son œuvre lui survécut : « Grâce à ses efforts, continués par ses successeurs, la discipline canonique se maintint dans son intégrité ; les chrétientés persanes purent traverser sans subir des dommages irréparables les redoutables épreuves que leur réservait la malveillance de Chosroès II »[1].

LE CATHOLICAT DE JOSEPH

Après Mar-Aba, le catholicat tomba en de mauvaises mains. Chosroès ne permit pas aux évêques de procéder à l'élection selon les règles canoniques ; il nomma directement à la tête de l'Église en Perse son médecin, Joseph, qui avait fait dans l'Empire byzantin ses études médicales et qui, à son retour à Nisibe, avait embrassé la vie monastique. Il apparut tout de suite que le nouveau catholicos exercerait son pouvoir d'une manière très personnelle : il commença en effet par ajourner le synode général qui, selon l'usage, suivait de près la nomination de tout nouveau patriarche ; il fit de même l'année suivante (553), en invoquant des difficultés et des affaires urgentes qui le retenaient ; ce ne fut qu'en janvier 554 qu'il assembla à Séleucie les évêques persans : après avoir renouvelé leur profession de foi orthodoxe contre les monophysites, les Pères du concile promulguèrent vingt-trois canons qui traitent en particulier du mariage et de la fornication, et des pouvoirs du patriarche [2].

ACCUSATIONS CONTRE JOSEPH

Si précises qu'elles fussent, ces règles n'empêchèrent par Joseph de gouverner l'Église à la façon d'un tyran : nominations et dépositions illégales d'évêques, interventions multipliées dans les diocèses étrangers, emprisonnement de clercs, il fit tant et si bien qu'après s'être plaints dans une épître collective, les évêques de Perse le déposèrent. Mais, comme il ne tenait nul compte de cette sentence, il fallut s'adresser au roi Chosroès lui-même, et pour faire entendre à celui-ci la vérité, on usa, paraît-il, d'un ingénieux apologue :

Un pauvre était entré dans la cour du roi. Le roi l'aima et lui donna un grand éléphant. Tandis qu'il le conduisait chez lui, le pauvre se disait en lui-même assez perplexe : La porte de ma maison est trop étroite pour donner accès à l'animal, et ma maison ne pourra le contenir, même si je détruis la porte. Du

(1) J. Labourt, *Le christianisme dans l'empire perse*, p. 191.
(2) *Synodicon orientale*, p. 355

reste, je ne pourrai jamais nourrir la bête. Il reconduisit l'éléphant chez le roi et le supplia en ces termes : Je t'en prie, par Dieu, aie pitié de moi, reprends-moi cet éléphant que je ne puis ni garder, ni nourrir et que ma maison ne saurait contenir [1].

DÉPOSITION DE JOSEPH

Le roi comprit et permit aux évêques de destituer Joseph et de le réduire à la communion laïque (567 ?). Sa succession fut dévolue, avec l'approbation de Chosroès, à Ezéchiel, évêque de Zabe, qui avait été disciple de Mar-Aba [2]. Du catholicat d'Ézéchiel, le fait le plus marquant est un concile tenu en 576 et auquel prirent part trois métropolitains et vingt-sept évêques ; trente-neuf canons disciplinaires résument l'activité de ce synode [3].

LA PROPAGANDE MONOPHYSITE

Il est remarquable que les canons de 576 ne fassent à peu près aucune allusion à la situation intérieure de l'Église persane, car, à ce moment même, elle était des plus agitées. Déjà, au début du VIe siècle, la propagande monophysite avait fortement troublé les esprits et il avait fallu se débarrasser de son infatigable prédicateur, l'évêque Siméon de Beit-Arsam. Le mouvement s'était ralenti à la suite des rigueurs de Kawad et de la guerre faite aux monophysites de l'Empire par le gouvernement de Justinien. Mais, quand Jacques Baradaï eut réussi à reconstituer en pays syriaque un épiscopat dissident, l'Église jacobite issue de lui ne borna pas son activité aux provinces impériales ; elle franchit sans retard la frontière perse. Dès 559, Jacques lui-même consacra évêque de Tagrit Ahudemmeh, homme également considéré pour sa science et pour la pureté de ses mœurs. Ce prélat déploya le zèle le plus ardent pour propager la doctrine monophysite et il recruta des adhérents jusque dans la famille royale ; il baptisa même un fils de Chosroès, auquel il donna le nom de Georges, ce qui lui valut d'être emprisonné et mis à mort en 575 [4].

LES MOINES DU TUR-ABDIN

« Plus efficace encore était l'action des prédicateurs insaisissables qui, partant du Tur-Abdin, acquis en majeure partie aux Jacobites [5], ou parcourant les routes commerciales du désert sous la protection des ghassanides, allaient réveiller les enthousiasmes un peu endormis des captifs romains

(1) MARE, *Liber Turris*, p. 47.

(2) La chronologie est ici difficile à établir. On peut accepter pour la destitution de Joseph la date de 567, indiquée par l'annaliste Mare. Il est possible que le nouveau patriarche n'ait pas été élu immédiatement et qu'il ait fallu attendre jusqu'en 570 pour instituer Ézéchiel. Celui-ci serait mort, semble-t-il, en 580-581.

(3) *Synodicon orientale*, édit. CHABOT, p. 368 et suiv.

(4) Cf. F. NAU, *Les histoires d'Ahoudemmeh et de Marouta, primats jacobites de Tagrit et de l'Orient*, dans *Patrologia orientalis*, t. III, fasc. 1.

(5) Suivant la légende, les monastères du Tur Abdin auraient eu pour fondateur un moine égyptien, nommé Eugène, qui vivait au IVe siècle. On ne saurait accepter cette légende qui n'a en sa faveur que des témoignages tardifs. Cf. J. LABOURT, *Le christianisme dans l'empire perse*, p. 302 et suiv.

et syriens qui peuplaient la Mésopotamie et la Chaldée. Chosroès Ier avait largement usé du système de la déportation : chaque convoi de prisonniers qui descendait le Tigre ou l'Euphrate venait grossir les rangs des Jacobites. La sympathie du gouvernement de Byzance, depuis l'évolution de Justinien vers les partisans de Sévère jusqu'à l'avènement de Maurice, ne leur fit pas défaut »[1]. Le zèle indomptable de ces moines monophysites obtint d'appréciables résultats : s'il n'aboutit pas à grand'chose à Hira, auprès des Arabes Lakhmides qui étaient les vassaux du roi de Perse et qui avaient un évêque nestorien, il fit de nombreuses recrues dans l'Adiabène et le Beit Arbayé, surtout lorsque Marouta prit la direction du mouvement.

ABRAHAM DE KASHKAR Les moines nestoriens ne furent d'ailleurs pas sans s'émouvoir de la propagande de leurs confrères monophysites. Ils eurent la chance d'être guidés, juste à ce moment, par un réformateur de premier ordre, Abraham de Kashkar. Celui-ci s'était initié aux pratiques de la vie parfaite auprès des anachorètes du désert de Scété, puis au mont Sinaï et en Palestine. Revenu dans son pays, il se retira au mont Izla, avec la volonté bien arrêtée d'introduire en Perse les méthodes du monachisme égyptien : lorsqu'il mourut en 586, à l'âge de quatre-vingt-quinze ans, il avait groupé autour de lui une pléiade de moines éminents qui propagèrent dans toutes les provinces persanes ses tendances ascétiques[2]. Ces moines ne se croyaient pas le droit d'oublier les besoins de l'Église ; comme ils se sentaient chargés d'âmes, ils se firent partout des prédicateurs et des réformateurs ; beaucoup d'entre eux avaient passé par l'école de Nisibe ; tous devaient savoir lire, de telle sorte qu'ils purent répondre aux difficultés soulevées par les monophysites et fortifier, par des arguments théologiques, la foi de leurs compatriotes.

LE RÈGNE D'HORMIZD IV Le catholicos Ézéchiel était encore en charge au moment de la mort du roi Chosroès Ier (579). Hormizd IV, qui occupa ensuite le trône, se montra favorable aux chrétiens, malgré les réclamations des mages qui voyaient avec dépit leur influence diminuer. Il aurait un jour répondu en ces termes aux mécontents :

(1) J. Labourt, *op. cit.*, p. 199.

(2) Sur Abraham le Grand, on peut voir l'ouvrage de Thomas de Marga, *The book of gouvernors*, édit. E. A. Wallis Budge, Londres, 1893 ; la *Chronique de Seert*, dans *Patrologia orientalis*, t. VII, p. 133-135 ; *Le livre de la chasteté, composé par Jesusdenah, évêque de Baçrah*, édit. J. B. Chabot, dans *Mélanges d'archéologie et d'histoire*, publiés par l'École française de Rome, t. XVI, 1896, p. 225-291. La règle d'Abraham a été éditée par J. B. Chabot : *Regulae monasticae saeculo VI ab Abrahamo fundatore et Dadjesu rectore conventus Syrorum in monte Izla conditae*, dans les *Rendiconti della R. Accademia dei Lincei, classe di scienze morali, storiche e filologica*, 5e série, t. VII, p. 38-59.

De même que notre trône royal ne peut se tenir sur ses deux pieds de devant, s'il ne s'appuie également sur les deux de derrière, ainsi notre gouvernement ne peut être stable et assuré si nous faisons révolter contre nous les chrétiens et les sectateurs des religions étrangères à notre foi. Cessez donc de vous élever contre les chrétiens, mais efforcez-vous avec zèle de faire de bonnes œuvres, à la vue desquelles les chrétiens et les sectateurs des autres religions vous loueront et se sentiront attirés à votre religion [1].

LE CATHOLICAT D'ISHOYABH

Cette réponse n'est peut-être pas historique : du moins exprime-t-elle bien les sentiments manifestés par le nouveau roi à l'égard des chrétiens. Dans ces conditions, le successeur d'Ézéchiel au siège patriarcal fut élu sans difficulté. Ishoyabh, évêque d'Arzun, reçut ainsi en 582-583 la dignité de catholicos, avec l'assentiment et peut-être sur la désignation du roi, à qui il avait, dit-on, rendu des services signalés en renseignant l'armée persane sur les mouvements des troupes byzantines. En 585, Ishoyabh convoqua à Séleucie un grand synode auquel on doit trente et un canons fort importants : les premiers de ces canons surtout nous renseignent sur la situation intérieure de l'Église à ce moment. Le canon 1 est dirigé contre les monophysites, « ces hérétiques qui, dans leur absurdité, osent attribuer à la nature et à l'hypostase de la divinité et de l'essence du Verbe les propriétés et les passions de la nature humaine du Christ qui, parfois, à cause de l'union parfaite entre l'humanité du Christ et sa divinité, sont attribuées à Dieu économiquement mais non naturellement » [2]. Le canon 2 vise « des bègues et des imposteurs qui s'attaquent à Théodore de Mopsueste comme des scarabées et des grillons sortant des recoins ou des trous de l'erreur » [3]. Il définit « qu'il n'est permis à aucun homme... de blâmer ce docteur de l'Église en secret ou en public, de rejeter ses saints écrits ou d'accepter cet autre commentaire qui est étranger à la vérité et a été interprété, ainsi que nous l'avons dit, par un homme ami des fictions, ami de l'élégance du langage, contraire à la vérité, semblable aux prostituées qui aiment une parure provocatrice » [4].

HENANA D'ADIABÈNE

On sent, en lisant ces expressions énergiques, que le synode de 585 vise un adversaire nouveau et particulièrement dangereux. Les monophysites, en effet, n'étaient plus seuls alors à troubler l'Église persane. Des ennemis intérieurs venaient de se déclarer contre l'orthodoxie officielle, et ils avaient à leur tête un des maîtres les plus illustres de l'école de Nisibe, Henana d'Adiabène. Nous connaissons mal l'enseignement d'Henana : Babaï lui reproche

(1) Tabari, *Geschichte der Persen und Araben zur Zeit der Sassaniden aus der arabischen Chronik des Tabari*, édit. T. Noeldeke, p. 268.
(2) *Synodicon orientale*, édit. Chabot, p. 393.
(3) *Synodicon orientale*, édit. Chabot, p. 400.
(4) *Ibid.*

d'avoir enseigné le fatalisme [1] et d'avoir dit que la fatalité et le sort sont cause de tout, car tout est conduit par les étoiles, d'avoir cru que les étoiles étaient des êtres vivants et animés, d'avoir nié la résurrection des corps ou tout au moins d'avoir assuré que le corps du Christ ressuscité et ceux des fidèles après le jugement dernier étaient sphériques, d'avoir prétendu que tous les hommes participent à la nature de Dieu [2]. On reconnaît là les doctrines attribuées à Origène et condamnées en 543 : il n'est pas invraisemblable que Henana en ait repris l'une ou l'autre ; mais on peut être assuré que là n'était pas le principal grief soulevé contre lui. Ce qu'on lui reprochait surtout, c'était de ne pas adhérer aveuglément à la doctrine et à l'exégèse de Théodore de Mopsueste, le docteur par excellence de l'Église persane, et d'accepter plus volontiers certaines opinions de saint Jean Chrysostome ; c'était de reconnaître la valeur du mot *theotokos* et la communication des idiomes.

INTÉRÊT DE SON ENSEIGNEMENT En somme, l'enseignement de Henana, dans la mesure où nous le connaissons, se rapprochait par bien des points des doctrines professées par les orthodoxes et définies par le concile de 553. Comme on a justement noté, « cette apparition est très remarquable. A vivre isolée du reste de la chrétienté, l'Église de Perse connaît le danger de trop cultiver son individualité et de voir ainsi s'élargir progressivement le fossé qui la séparait de ses voisins. Le danger, des gens comme Henana en avaient conscience. Ils avaient conscience également de la nécessité de s'appuyer sur l'Église byzantine pour résister à la poussée jacobite qui, de tous les côtés, encerclait le particularisme persan : au nord, l'Église d'Arménie ; au sud celles que les missionnaires égyptiens organisaient dans le Yémen, en Nubie, en Éthiopie, étaient toutes des églises monophysites. A l'intérieur, on constatait chaque jour les progrès de la propagande hérétique. Le chartrier de Siméon de Beit-Arsam correspondait en somme à une idée juste [3]. Les chrétiens de Perse étaient les seuls de leur avis. Le gouvernement mazdéen était fondé à les soupçonner d'hérésie. Déjà on les qualifiait de nesto-

(1) Entendons par là en particulier qu'Henana repoussait les doctrines pélagiennes acceptées par Théodore de Mopsueste. On trouve dans le synode de Sabrisho cette condamnation, dirigée contre Henana : « Nous repoussons et éloignons de toute participation avec nous quiconque admet et dit que le péché est placé dans la nature et que l'homme pèche involontairement, et quiconque dit que la nature d'Adam a été créée immortelle dès l'origine ». *Synodicon orientale*, édit. Chabot, p. 459.

(2) *Synodicon orientale*, édit. Chabot, p. 626 et suiv.

(3) Vers la fin de sa vie, Siméon de Beit-Arsam avait entrepris de longs voyages pour rechercher un peu partout des professions de foi favorables au monophysisme et démontrer ainsi que l'Église de Perse était isolée dans sa croyance. On était aux environs de 530. Il put recueillir en Égypte l'adhésion de Sévère, alors exilé, et celle de Timothée IV d'Alexandrie. Les nouvelles églises d'Éthiopie et du royaume des Homérites, où le christianisme venait de s'organiser sous l'impulsion des missionnaires monophysites, donnèrent aussi leur adhésion. D'autres souscriptions furent obtenues en Arménie, en Ibérie, en Albanie. L'Empire byzantin avait officiellement cessé d'être monophysite : il est peu probable que Siméon ait été s'adresser à Constantinople.

riens. Combien n'eût-il pas été utile de se rattacher à l'Église de l'empire romain, à l'Église universelle ! Avec elle, on n'avait aucune relation officielle, mais c'était toute la dissidence, car aucun anathème n'avait été lancé ni d'un côté ni de l'autre »[1].

OPPOSITIONS A HENANA

Si telles étaient vraiment les pensées d'Henana, elles étaient partagées par un certain nombre de ses compatriotes : l'évêque de Nisibe et tous les habitants de la ville étaient favorables au docteur ; un grand nombre parmi les élèves de l'école l'étaient également. Par contre les monastères, citadelles conservatrices par excellence, opposaient une vive résistance au novateur. Il en allait de même du roi qui voulait bien à la rigueur accepter que ses sujets fussent chrétiens, mais qui ne pouvait admettre qu'ils fussent en relation de communion ou autres avec les chrétiens de l'Empire ennemi de Constantinople : le nestorianisme des Perses, le monophysisme des Arméniens étaient la condition de la tolérance dont ils étaient l'objet de temps à autre.

RÉVOLTE DE BAHRAM

Les décisions du concile de 585 ne mirent donc pas fin à la propagande hénanienne, mais elles contribuèrent à en atténuer les effets. Quelques années plus tard, les événements politiques servirent de leur côté à resserrer l'union de tous les Nestoriens qui durent faire face à de nouveaux dangers. En 590, en effet, un haut dignitaire du royaume, Bahram Sobin, qui commandait les troupes dans les provinces du Nord, se révolta contre l'autorité royale et marcha sur Séleucie, avec le dessein bien arrêté de détrôner Hormizd et de prendre sa place. Tous les nobles étaient d'accord avec lui pour enlever le pouvoir à Hormizd qu'ils détestaient cordialement, mais non pas pour reconnaître sa propre souveraineté. Après avoir déposé le roi à qui ils crevèrent les yeux, ils le remplacèrent par son fils Chosroès II. Bahram n'en continua pas moins sa marche vers la capitale et Chosroès, ne se sentant pas assez fort, se réfugia sur les terres de l'Empire byzantin. Il demanda en même temps la protection de Maurice. Celui-ci, on le comprend sans peine, ne se fit pas prier pour intervenir dans les affaires intérieures de la Perse et pour se poser en champion de la dynastie sassanide. Il donna à Chosroès les secours qu'il demandait et lui envoya des troupes sous le commandement de Narsès. Les Romains firent merveille en cette occasion : Bahram fut vaincu et obligé de s'enfuir de l'autre côté de la mer Caspienne. D'autres rebelles, qui avaient essayé de s'opposer au triomphe de Chosroès, ne purent pas résister. Chosroès II devint ainsi le maître incontesté de la Perse[2].

(1) L. Duchesne, *L'Église au VIe siècle*, p. 325-326.
(2) Sur ces événements, on peut voir, outre la *Chronique de Seert*, une chronique anonyme

EXIL ET MORT DE ISHOYABH

Pendant ce temps, le patriarche Ishoyabh Ier s'était efforcé de louvoyer entre les compétiteurs. Soucieux avant tout de l'intérêt de son église, il n'avait voulu ni se prononcer pour Bahram ni reconnaître Chosroès. Lorsque celui-ci eut établi son pouvoir, le catholicos n'eut rien de mieux à faire qu'à s'exiler : il se réfugia à Hira, auprès du prince arabe Numan qui avait tout récemment demandé le baptême, et il y mourut au bout de peu d'années (594-595). La sœur de Numan, Hind la jeune, lui fit faire de magnifiques funérailles et l'inhuma dans un cloître qui venait d'être achevé.

LE CATHOLICAT DE SABRISHO

Chosroès, qui avait proclamé la liberté de conscience dans ses Etats, invita les évêques à lui donner sans tarder un successeur. L'évêque de Lashom, Sabrisho, fut élu sans difficulté. On racontait, en effet, que, lors du retour du roi dans ses États, un vieillard lui était apparu, tenant la bride de son cheval et l'exhortant à marcher hardiment au combat. Après la victoire, Chosroès avait raconté sa vision à son épouse Shirin, qui était chrétienne, et celle-ci avait déclaré que le vieillard inconnu n'était autre que l'évêque de Lashom [1]. On comprend, dans ces conditions, le sens de son élévation au catholicat. D'ailleurs Sabrisho était digne du pouvoir suprême par la sainteté de sa vie et l'austérité de sa vertu. Son pontificat fut employé surtout à reconstruire les églises qui avaient été détruites sous le règne d'Hormizd, à délivrer des prisonniers, à visiter les évêques. Peut-être aurait-il rendu à l'Église perse toute sa splendeur, s'il n'était pas mort en 604, plus qu'octogénaire [2]. Ses successeurs furent au contraire les témoins d'une irrémédiable décadence.

composée par un Nestorien entre 670 et 680 ; cf. I. Guidi, *Un nuovo testo siriaco sulla storia degli ultimi Sassanidi*, dans les *Actes du huitième congrès international des orientalistes tenu en* 1889 *à Stockholm et Christiania*, Leyde, 1891-1893. Cette chronique a été réimprimée, avec une traduction latine par le même auteur, sous le titre de *Chronicon anonymum*, dans le *Corpus scriptorum ecclesiasticorum orientalium, Scriptores syri*, ser. III, t. IV, p. 15-39 ; une traduction allemande en a été faite par Th. Nœldeke, *Die von Guidi herausgegebene syrische Chronik*, dans les *Sitzungsberichte der k. Akademie der Wissenschaften*, Vienne, 1893, t. CXXVIII, IX. Abteilung.

(1) I. Guidi, *Chronicon anonymum*, p. 16. Pendant son séjour dans les provinces orientales de l'Empire byzantin, Chosroès était entré en relations avec quelques prélats monophysites, tels le patriarche d'Antioche, Grégoire, et l'évêque de Mélitène, Domitien. Il avait également appris à entourer d'une grande vénération la mémoire de saint Serge que l'on honorait à Resapha, dans le désert de l'Euphrate. On racontait que Serge avait combattu pour Chosroès à la tête de l'armée byzantine. Un peu plus tard, saint Serge passa pour avoir délivré la favorite Siriu de sa stérilité et pour lui avoir accordé un fils Merdanshah. Tout cela valut à saint Serge de grands honneurs : Chosroès lui bâtit plusieurs *martyria* en territoire persan et envoya une croix d'or dans son église de Resapha. Saint Serge était surtout vénéré par les monophysites. Ceux-ci ne manquèrent pas de tirer parti de la dévotion du roi.

(2) Nous possédons une biographie de Sabrisho, écrite par un contemporain, le solitaire Pierre. Ce récit a été édité par le P. Bedjan, *Vie de Jabalaha, de trois autres patriarches et de quelques laïques nestoriens*, Paris et Leipzig, 1895, p. 288-331. Cf. *Chronique de Seert*, dans *Patrologia orientalis*, t. XIII, p. 474-504 [154-184].

§ 2. — L'Église d'Arménie.

L'Église d'Arménie avait officiellement reconnu la confession monophysite en 491 au concile de Vagharchapat tenu en présence des évêques arméniens, albanais et ibériens. Durant le VIe siècle, elle resta fidèle à cette confession.

LES CONCILES DE TVIN La condamnation portée alors contre les Chalcédoniens fut renouvelée à deux reprises dans l'espace d'un demi-siècle par deux conciles de Tvin. Dans le premier, réuni en 524 ou 527 par le catholicos Nersès II d'Achtarag, les décrets de Chalcédoine furent à nouveaux rejetés, la séparation d'avec les Grecs proclamée, les deux fêtes de la Nativité du Sauveur et de son baptême fixées au même jour ; la formule *qui crucifixus est pro nobis* insérée dans le chant du Trisagion [1].

Un second synode de Tvin, tenu le 14 décembre 552, réforma en outre le calendrier et fixa au 11 juillet 552 le début de l'ère arménienne vulgaire [2]. Il renouvela d'ailleurs les condamnations naguère portées contre les Nestoriens.

L'UNION AVEC CONSTANTINOPLE Un incident survenu en 571 ramena momentanément l'union officielle de l'Église d'Arménie avec celle de Constantinople. Les Perses avaient élevé à Tvin, la capitale même de l'Arménie, un temple du feu. Sous la conduite du catholicos Jean et du marspan Souren, le peuple se souleva contre ses maîtres, mais l'insurrection fut rapidement vaincue et le catholicos dut se réfugier à Constantinople avec une partie de son clergé : il fut naturellement invité à se rallier au concile de Chalcédoine, et, avant de mourir, il signa, en effet, une formule d'adhésion. Mais cette conversion isolée et lointaine n'eut aucune influence sur les destinées de l'Église d'Arménie. Sans doute, vers le même temps, le catholicos de l'Aghouanie, Abas, qui résidait à Partav, fut-il maintenu dans la doctrine orthodoxe grâce aux efforts de Jean de Jérusalem, dont une lettre lui rappela fort opportunément la nécessité de s'accorder avec le siège de saint Pierre : ce fait n'eut pas d'influence sur la foi de l'Église arménienne.

SOUS LE RÈGNE DE MAURICE Plus tard, l'empereur Maurice reçut de Chosroès II, qu'il avait aidé à reconquérir son trône, toute la partie de l'Arménie située à l'ouest de la rivière Azat.

(1) Nous sommes très mal renseignés sur les synodes de Tvin. Ces deux conciles sont souvent confondus en un seul dans les documents, et les données fournies par les historiens arméniens eux-mêmes sont ici des plus obscures.

(2) Le second concile s'est peut-être tenu seulement en 554. Sur le début de l'ère arménienne vulgaire, cf. E. Dulaurier, *Recherches sur la chronologie arménienne technique et historique*, Paris, 1859, p. 50-56.

Il voulut alors ramener ses nouveaux sujet à l'orthodoxie chalcédonienne, et il convoqua à Constantinople un synode qui comprit vingt et un évêques. Le catholicos, Moïse, installé à Tvin, en territoire persan, refusa de venir à ce concile, en disant qu'il ne passerait pas l'Azat pour aller manger du pain cuit au four et pour boire de l'eau chaude, allusion aux usages liturgiques suivis par les Byzantins [1]. Tout ce que put faire Maurice, ce fut d'amener les évêques arméniens qu'il avait réunis à adhérer au concile de Chalcédoine et de nommer un catholicos orthodoxe, Jean III, qu'il installa à Avan, en terre impériale. L'Église arménienne se trouva ainsi divisée par un schisme, mais celui-ci eut d'autant moins d'importance que seules les circonstances politiques l'avaient provoqué et que les fidèles ne cessèrent pas de professer la croyance monophysite [2].

Au VIIe siècle seulement, on assistera à des tentatives d'union plus sérieuses, et à plusieurs reprises on verra les Arméniens se réconcilier plus ou moins sincèrement avec l'Église byzantine. L'histoire de ces efforts sera étudiée plus loin [3].

(1) F. Combefis, *Historia haeresis monothelitarum*, dans *Auctarium novum*, t. II, Paris, 1648, p. 282 ; A. Ter-Mikelian, *Die armenische Kirche in ihren Beziehungen zum byzantinischen Reich, vom IV. bis zum XIII. Jahrhundert*, Leipzig, 1892, p. 58 et suiv.

(2) L'établissement d'un second catholicos arménien sur le territoire de l'empire amena les Aghouans à se séparer de l'Église arménienne et à proclamer leur autonomie. La séparation fut d'ailleurs de courte durée et les Aghouans ne tardèrent pas à reconnaître de nouveau l'autorité du patriarche arménien.

(3) Cf. t. V.

CHAPITRE VI

L'EXPANSION CHRÉTIENNE AUX Ve ET VIe SIÈCLES[1]

Dès les origines, le christianisme s'est proposé de conquérir le monde entier, et les prédicateurs de l'Évangile ne se sont pas laissé arrêter par les frontières de l'Empire romain. Tandis qu'aux ve et vi^e^ siècles

(1) Bibliographie. — I. Sources. — Les sources à consulter pour ce chapitre sont nombreuses et dispersées ; mais par ailleurs nous ne trouvons nulle part les renseignements complets dont on aurait besoin pour faire une histoire tant soit peu suivie. Il faut consulter les historiens que nous avons signalés bien des fois (voir *Bibliographie générale*), en particulier Évagrius, Théophane le Confesseur, Jean Malalas, Zacharie le Rhéteur, Michel le Syrien. La *Topographie chrétienne* de Cosmas Indicopleustes apporte des données sur l'état du monde chrétien au début du vi^e^ siècle. Les vies de saint Euthyme et de saint Sabas par Cyrille de Scythopolis nous font connaître bien des choses sur les Arabes nomades. Pour les missions persanes, la *Chronique de Séert* est importante. Il ne faut pas oublier de consulter des recueils canoniques comme le *Synodicon orientale* ou des textes comme les *Notitiae episcopatuum* qui renseignent sur la situation ecclésiastique à tel ou tel moment.

Les synaxaires, en particulier le *Synaxaire éthiopien*, le *Synaxaire arabe*, le *Synaxaire arménien*, tous trois publiés dans la *Patrologia orientalis*, renferment bien des légendes sur lesquelles on ne peut pas faire fonds. Cependant, dans ces légendes mêmes, il y a parfois des éléments utilisables.

Les inscriptions ou les monuments qui se rapportent à l'expansion chrétienne au ve siècle sont encore rares. Mais de temps à autre, ces documents apportent des données intéressantes. Pour le royaume himyarite, cf. *Corpus inscriptionum semiticarum, pars IV, inscriptiones himyariticas et sabaeas continens*, Paris ; pour la Syrie, Dussaud et Macler, *Voyage archéologique au Safa et dans le Djebel-el-Druz*, Paris, 1901 ; *Rapport sur une mission dans les régions désertiques de la Syrie moyenne*, dans *Nouvelles archives des missions scientifiques et littéraires*, t. X, Paris, 1902.

II. Travaux. — Un bon résumé d'ensemble, mais qui devrait être complété en tenant compte des découvertes récentes, est donné par L. Duchesne, *Autonomies ecclésiastiques. Églises séparées*, Paris, 1905, p. 281-353.

Pour l'Arabie et les Arabes, voir Cheikho, *Le christianisme et la littérature chrétienne en Arabie avant l'Islam*, dans *Al Macchriq* (en arabe), Beyrouth, 1910 ; R. Dussaud, *Les Arabes en Syrie avant l'Islam*, Paris, 1907 ; I. Guidi, *L'Arabie antéislamique*, Paris, 1921 ; S. Vailhé, *La province ecclésiastique d'Arabie*, dans *Échos d'Orient*, t. III, 1899 ; S. Weber, *Arabien vor dem Islam*, Leipzig, 1904 ; Rothstein, *Die Dynastie der Lakhmiden in al-Hira*, Berlin, 1899. Une très bonne étude d'ensemble est celle de R. Aigrain, art. *Arabie*, dans *Dictionnaire d'histoire et de géographie ecclésiastiques*, t. III, 1924, col. 1158-1339.

Pour l'Éthiopie : A. Dillmann, *Ueber die Anfänge des Axumitischen Reiches*, dans les *Abhandlungen der kgl. Akademie der Wissenschaften zu Berlin, Philos. hist. Klasse*, 1878, p. 176-238 ; *Zur Geschichte des axumitischen Reiches im vierten bis sechsten Jahrhundert*, ibid., 1880, p. 1-51 ; J. B. Coulbeaux, *Histoire politique et religieuse de l'Abyssinie*, Paris, 1929 ; E. A. Wallis Budge, *The book of the Saints of the ethiopic church*, Cambridge, 1928 ; H. Duensing, *Liefert das äthiopische Synaxar Materialien zur Geschichte Abessiniens* Göttingue, 1900.

Sur les missions de l'Inde et de l'Asie centrale : M. A. Wigram, *An introduction to the history of the assyrian church*, Londres, 1910 ; J. Labourt, *Le christianisme dans l'empire perse*, Paris, 1905 ; A. Mingana, *The early spread of christianity in India*, dans *Bulletin of the John Rylands library*, t. X, 1926, p. 443 et suiv. ; *Early spread of christianity in central Asia and the far East*, ibid., t. IX, 1925, p. 301 et suiv. ; L. Cahun, *Introduction à l'histoire de l'Asie, Turcs et Mongols des origines à 1405*, Paris, 1896 ; X. Barthold, *Zur Geschichte des Christentums in Mittelasien bis zur mongolischen Eroberung* (traduit du russe par X. Stube), Tubingue, 1893 ; P. Pelliot, *Chrétiens d'Asie centrale et d'Extrême-Orient*, dans *T'oung Pao*, t. XV, 1915, p. 623-644 ; F. Nau, *L'expansion nestorienne en Asie*, dans *Annales du Musée Guimet, Bibliothèque de vulgarisation*, t. XL, 1913, p. 193-388. Une remarquable synthèse des résultats acquis est donnée par E. Tisserant, *Nestorienne (Église)*, dans *Dictionnaire de théologie catholique*, t. XI, col. 195-213.

l'œuvre de conquête se poursuivait en Perse et en Arménie [1], des peuples, que leur situation géographique ou le retard de leur civilisation semblait tenir à l'écart des grands courants de la propagande chrétienne, furent également touchés par les missions.

PROPAGANDE CHRÉTIENNE ET DIPLOMATIE

Au VIe siècle les règnes de Justin et de Justinien en particulier furent marqués par une extension importante du christianisme hors des frontières de l'Empire, chez les peuples barbares qui l'entouraient. A cette époque, comme on l'a dit, le diplomate et le missionnaire se prêtaient un mutuel appui et tout peuple qui acceptait le christianisme était gagné à l'alliance byzantine [2]. A vrai dire les empereurs ne concevaient pas une action politique chez un peuple païen sans une propagande simultanée du christianisme. Justinien n'a fait d'ailleurs que rendre plus intense et plus efficace une action qui se poursuivait depuis le Ve siècle dans trois directions : littoral nord de la Mer Noire et Caucase, frontières de Syrie, frontières d'Égypte.

PAYS DE LA MER NOIRE ET DU CAUCASE

Par les deux postes qu'il occupait au nord de la mer Noire, Cherson et Bosporos (Panticapée), l'Empire agissait sur les Barbares [3] de la plaine russe et du Caucase. Les Goths de Crimée, les Huns Outrigours et Koutrigours sur les deux rives du Don, les Abasges et les peuples du Caucase, les Tzanes, peuple pillard de la haute vallée de l'Euphrate, acceptèrent successivement le baptême. Leurs chefs étaient attirés à Constantinople et comblés d'honneurs et de cadeaux, comme Tzathios, roi du Lazique (Mingrélie), qui vint à Constantinople sous Justin et épousa une Grecque, après avoir livré plusieurs de ses forteresses à l'Empire. Les missionnaires élevaient des églises aux frais de l'empereur et incul-

(1) Nous n'avons pas parlé de la propagande exercée dans les régions reculées de l'Empire perse. Il serait injuste de n'en rien dire ici. Parmi les victimes de la persécution de Yazdegerd II figure un certain Pethion, mis à mort le 25 octobre 447, qui s'était voué à l'évangélisation des contrées montagneuses entre la Médie et la vallée du Tigre, de Beleshfar à Beit Darayé. Cf. J. LABOURT, *Le christianisme dans l'empire perse*, p. 127-128. Un peu plus tard, Saba, « le docteur des païens », suivit avec un grand succès les traces de Pethion. Il était originaire de Beleshfar en Médie et appartenait à une famille de l'aristocratie iranienne. Converti au christianisme et devenu moine, il se mit à prêcher le christianisme dans la région de Halé, où il opéra de nombreuses conversions. Il ne tarda pas à être ordonné prêtre par l'évêque de Lashom, Mika : son apostolat n'en fut que plus fécond, si bien que toute la ville de Hâlé devint chrétienne et qu'on dut y bâtir une église. Il poursuivit ensuite ses courses apostoliques dans les environs, puis dans la montagne habitée par les Kurdes, et partout il gagna au Christ de nombreuses âmes. Après avoir longtemps prêché, il finit par mourir dans une cellule qu'il s'était construite près de Nahr-Zawar, dans le Beit Aramayé (487). Il est remarquable que ni Saba ni Pethion ne sont officiellement mandatés pour prêcher l'Évangile. Ils agissent d'eux-mêmes, poussés par leur propre zèle. Les évêques se contentent ensuite d'approuver et de bénir leurs travaux.

(2) Ch. DIEHL, *Justinien*, p. 375-377.

(3) Ch. DIEHL, *op. cit.*, chap. VIII, *L'œuvre diplomatique* ; VASILIEV, *Gotui V'Kruimy*, dans *Bulletin de l'Académie des Sciences de Russie*, t. I, 1921 et t. V, 1927 (traduction française en préparation) ; CHAPOT, *La frontière de l'Euphrate, de Pompée à la conquête arabe*, Paris, 1907.

quaient souvent à leurs néophytes barbares les principes d'une vie civilisée, se faisant au besoin agriculteurs et architectes [1].

§ 1. — Le christianisme en Arabie. Les nomades.

LES ARABES NOMADES

Les villes et les bourgades de la province romaine d'Arabie renfermaient une population mêlée, mais sédentaire. A côté des Grecs et des Syriens qui, à en juger par les noms propres des inscriptions, y étaient fort nombreux, il s'y trouvait quelques Arabes. Ceux-ci, groupés en tribus, continuaient, pour la plupart, à mener la vie nomade qui avait été celle de leurs ancêtres et ils se préoccupaient assez peu des frontières par lesquelles l'Empire romain était théoriquement séparé de l'Empire parthe. Ils passaient sans cesse de l'un à l'autre État, multipliant les razzias qui assuraient leur vie quotidienne, et ce n'était pas le titre de *phylarques*, donné parfois à tel ou tel de leurs chefs, qui suffisait à ceux-ci pour faire tenir en repos leurs remuants sujets.

LA REINE MAOUVIA ET L'ÉVÊQUE MOISE

Pourtant ces fils du désert apprirent peu à peu à connaître le christianisme qui, d'assez bonne heure, avait multiplié ses conquêtes dans les villes et les villages de la province [2] et dont les moines, vers la fin du IVe siècle, commencèrent à peupler les solitudes. Nous connaissons par Rufin et par d'autres écrivains ecclésiastiques l'histoire de la reine Maouvia, qui, après être entrée en lutte avec les généraux de Valens et leur avoir infligé des pertes considérables, se déclara prête à traiter et même à se convertir, si l'on consentait à donner pour évêque à sa tribu un certain solitaire du nom de Moïse, dont les vertus l'avaient frappée. Valens accepta cette condition, et l'on fit conduire le saint homme à Alexandrie, pour qu'il y reçut la consécration épiscopale des mains de l'évêque du lieu, Lucius. Mais Lucius était arien : toute païenne qu'elle fût, Maouvia savait parfaitement distinguer les orthodoxes des hérétiques. Moïse, de son côté, se montra intraitable ; il refusa de se laisser imposer les mains par un hérétique. Il fallut recourir à des évêques exilés pour la foi de Nicée, et ceux-ci le

(1) Zacharie le Rhéteur, *Chronique*, édit. Krueger, Leipzig, 1899, p. 254-255 ; Ch. Diehl, *Justinien*, p. 376-377, 380-382.

(2) Cf. t. III, p. 496. Au ve siècle, le christianisme se développa largement en Arabie ; c'est ainsi qu'au concile de Chalcédoine, en 451, on ne compta pas moins de vingt évêques arabes, présents ou représentés : ceux de Bostra, d'Adraa, de Canatha, de Dionysias, de Philippopolis, de Constantia, de Phaena, de Zoraba, de Madaba, de Neve, de Chrysopolis, d'Évra, d'Eutimia, de Maximianopolis, de Neapolis, de Neela, de Gérasa, de Philadelphie, d'Esbus. On ne s'étonnera pas d'une liste aussi longue. Vers le même temps, Sozomène (*Hist. eccl.*, VII, xix) remarquait qu'en Arabie, comme dans l'île de Chypre, on nommait des évêques même pour des bourgades. Vers la fin du ve siècle, une loi de l'empereur Zénon sanctionna cet usage en prescrivant d'établir un évêché dans chacune des villes nouvelles ou restaurées (*Cod. Justin.*, I, iii, 35). Cf. R. Aigrain, art. *Arabie*, dans *Dictionnaire d'histoire et de géographie ecclésiastiques*, t. III, col. 1158 et suiv.

consacrèrent à la satisfaction générale. La cérémonie accomplie, Moïse revint s'établir au milieu des Sarrasins. La plupart d'entre eux étaient encore païens : il en convertit un grand nombre. S'il faut en croire certains récits, Maouvia elle-même n'aurait pas eu à se faire baptiser, car d'origine romaine, elle était déjà chrétienne, et elle avait été emmenée naguère en captivité par un prince sarrasin qui l'avait épousée à cause de sa beauté [1].

OBADIEN

On peut se demander si l'évêque sarrasin dont il vient d'être question est un personnage différent d'un ermite du nom de Moïse, qui vivait à Raïthu vers la fin du IVe siècle et qui obtint par ses prières la guérison d'un chef arabe appelé Obadien. Celui-ci, une fois délivré du démon qui le possédait, se convertit avec toute sa tribu. Mais il faut croire qu'il n'exerçait sur le pays qu'une autorité assez restreinte ; car il ne put empêcher les Blemmyes de massacrer, le 18 décembre d'une année inconnue, tous les solitaires de Raïthu, y compris Paul leur supérieur [2].

ZOCOMOS

Sozomène raconte encore l'histoire d'un moine dont les prières obtinrent de Dieu qu'il donnât un fils à un autre chef de tribu, élevé au titre de phylarque, et nommé Zocomos. Après la naissance de l'enfant, le phylarque se fit baptiser, et toute sa tribu le suivit dans sa conversion. Les Romains n'eurent pas désormais d'allié plus fidèle que lui contre les Perses et les Sarrasins [3].

SAINT EUTHYME LE GRAND : L'ÉVÊQUE DES PAREMBOLAI

Les moines, on le voit, jouent un grand rôle dans toutes ces histoires. La vie de saint Euthyme le Grand nous fait connaître, pour le Ve siècle, des faits analogues. Vers la fin de 420, raconte l'hagiographe, une bande de Sarrasins arriva à l'Ouadi Dabor, où les saints Euthyme et Théoctiste avaient établi une laure ; déjà les jeunes moines s'effrayaient à la pensée des ravages qu'allaient commettre les pillards [4], lorsque le cheik demanda à voir Euthyme : il venait solliciter du grand solitaire la guérison de son fils Térébon qui était paralysé du côté droit. Ce cheik s'appelait Aspebet et, après

(1) RUFIN, *Hist. eccl.*, XI, VI ; SOCRATE, *Hist. eccl.*, IV, XXXVI ; SOZOMÈNE, *Hist. eccl.*, VI, XXXVIII. Cf. AMMIEN MARCELLIN, *Histor.*, XXXI, XVI, 5.

(2) Cf. COMBEFIS, *Illustrium martyrum lecti triumphi*, Paris, 1660, p. 99-128.

(3) SOZOMÈNE, *Hist. eccl.*, VI, XXXVIII. L'historien insiste avec raison sur le prestige des moines aux yeux des Sarrasins. Bien d'autres faits témoignent de ce prestige. Saint Hilarion était connu comme le grand guérisseur des Saracènes dans la région d'Éluse en Palestine troisième. Comme il passait dans la ville un jour de fête de Vénus, ceux-ci le reconnurent et lui prodiguèrent les marques de vénération. A quoi le saint répondit en les exhortant à n'adorer que le vrai Dieu. Les habitants se laissèrent toucher, et avant de laisser partir Hilarion, ils lui demandèrent de tracer incontinent le plan d'une future église. Cf. Saint JÉRÔME, *Vita Hilarionis*, XXV.

(4) Les Sarrasins étaient de redoutables pillards, et leurs incursions en Palestine furent fréquentes au début du Ve siècle. CASSIEN (*Collat.*, VI, 1) raconte le massacre de solitaires près de Thekoa par une de leurs bandes. Saint JÉRÔME (*Epist.*, CXXVI) faillit être pris en 411 et n'eut que le temps de se mettre à l'abri.

avoir été au service du roi de Perse, Yazdegerd Ier, il s'était placé sous la protection des Romains qui en avaient fait un phylarque. Euthyme accueillit favorablement sa prière et guérit le jeune Térébon. Sur quoi, Aspebet demanda le baptême et reçut le nom chrétien de Pierre ; peu de temps après, sa tribu se convertit. Il fallut alors donner un évêque à ces néophytes. Nul autre ne parut plus digne de cette fonction qu'Aspebet lui-même qui, vers 427, fut sacré par Juvénal de Jérusalem [1]. Son diocèse prit le nom de *parembolai* (campement) : le centre en fut en effet fixé non loin du couvent d'Euthyme, en un lieu où les Sarrasins venaient volontiers s'installer pour quelque temps, mais les diocésains d'Aspebet restèrent toujours d'incorrigibles nomades. L'évêque des Parembolai prit part en 431 au concile d'Éphèse, où, suivant les conseils d'Euthyme, il s'attacha aux enseignements de Cyrille d'Alexandrie et d'Acace de Mélitène. Aspebet eut pour successeurs Auxilaos qui assista au brigandage d'Éphèse en 449 ; puis Jean qui se rendit en 451 au concile de Chalcédoine. Quant à Térébon, le miraculé de saint Euthyme, il devint phylarque à la place de son père, transmit sa charge à ses descendants, et l'un de ses petits-fils, Térébon II, raconta plus tard à Cyrille de Scythopolis les événements que nous venons de rappeler [2].

LA PAREMBOLÈ DE PHÉNICIE

Il y eut, au cours du ve siècle, une autre Parembolè des Sarrasins dans la Phénicie seconde. Elle est connue par son évêque Eustathe qui assista en 451 au concile de Chalcédoine, et qui, plus tard, signa la lettre des évêques de Phénicie seconde à l'empereur Léon sur le meurtre de Protérius. On peut voir l'origine de la Parembolè phénicienne dans la conversion de trente mille Sarrasins, au commencement du ve siècle, par Nonnos, évêque d'Héliopolis [3].

L'ILE IOTABÈ

On mentionnera encore la présence d'un évêque dans l'île Iotabé. « Cette île, actuellement appelée Tiran, à l'entrée du golfe d'Akaba, était un centre important de transit commercial et de perception douanière. Un Arabe appelé Amorkesos, désertant les régions soumises au roi de Perse, vint s'y établir vers 470, après en avoir chassé les préposés romains. En 473, il envoya l'évêque de sa nation, appelé Pierre, à l'empereur Léon, pour lui obtenir la situation de phylarque des Sarrasins de l'Arabie Pétrée. Léon fit venir l'émir, le combla d'hon-

(1) Cyrille de Scythopolis, *Vita S. Euthymii*, dans Cotelier, *Ecclesiae graecae monumenta*, t. IV, p. 19 et suiv.

(2) Plusieurs membres de cette tribu entrèrent eux-mêmes au monastère, à commencer par Maris, le beau-frère d'Aspebet ; il succéda à saint Théoctiste dans le gouvernement de la communauté et mourut en 448. Saint Élie, le futur patriarche de Jérusalem, était lui-même un Sarrasin d'origine.

(3) S. Vailhé, *Notes de géographie ecclésiastique*, dans *Échos d'Orient*, t. IV, 1900, p. 11-15.

neurs et lui accorda l'autorité, non seulement sur Iotabé, mais encore sur d'autres localités. En 498, l'île fut reprise par Romanus, général de l'empereur Anastase. Mais l'évêché se maintint. On trouve au concile de Jérusalem de 536 un Anastase, évêque de l'île Iotabé [1] ». L'origine de cet évêché est d'ailleurs incertaine : on a songé à y voir une suite passagère du siège de Pharan, au Sinaï.

§ 2. — Le christianisme en Arabie. Les sédentaires.

LE CHRISTIANISME EN ARABIE

Ce fut surtout sur les frontières de Syrie et d'Égypte que la propagande fut active et que les principaux succès furent remportés. Le christianisme était déjà ancien dans la province romaine d'Arabie avec ses évêchés de Bostra et de Pétra, ainsi que l'important monastère de Sainte-Catherine du Sinaï [2]. En dehors de cette province, il eut beaucoup plus de mal à s'implanter : l'Arabie presque entière demeura fermée à la propagande. Cependant, il finit par faire des conquêtes appréciables dans certaines régions.

LE ROYAUME DE HIRA

En dehors même des limites des deux Empires romain et perse, les royaumes arabes continuèrent à survivre. On songea de bonne heure à utiliser leurs forces et à signer avec eux des traités d'alliance, plus ou moins régulièrement observés. Le christianisme put ainsi pénétrer dans ces royaumes. Les Perses furent les premiers à faire appel aux services des Arabes pour veiller à la garde de leurs frontières : le royaume des Lakhmides, dont Hira était la capitale, se trouva par la suite jouer un certain rôle dans l'histoire [3].

LA CONVERSION

La ville de Hira, située au sud de Babylone, sur la rive droite de l'Euphrate, servit, dès ses origines, de centre à tous les Arabes de la région. Tandis que les uns se contentaient de camper aux alentours ou venaient simplement s'y ravitailler, d'autres y étaient installés à demeure, et s'étaient convertis au christianisme sous le nom de Ibad, ou serviteurs (de Dieu). L'on a songé, non sans vraisemblance, à rattacher la prédication de l'Évangile en cette région aux déportations de chrétiens opérées vers la fin du IIIe siècle par les Perses [4].

L'ÉVÊQUE OSÉE

Au début du ve siècle, Hira était le siège d'un évêché, dont le titulaire, Osée, prit part au concile de Séleucie où fut décidée la réorganisation de l'Église perse, mais qui demeura en

(1) L. Duchesne, *Autonomies ecclésiastiques*, p. 344-345.
(2) Lina Eckenstein, *A history of Sinaï*, Londres, 1921.
(3) Cf. Rothstein, *Die Dynastie der Lakhmiden in al-Hira*, Berlin, 1899.
(4) Cf. t. II, p. 140.

dehors des provinces ecclésiastiques de la Perse ; d'ailleurs la ville ne faisait pas partie intégrante de l'Empire des Sassanides.

INFLUENCE DE SAINT SIMÉON

A ce moment, régnait toute puissante sur les pays arabes l'influence de saint Siméon le Stylite. Sa colonne était dressée dans la zone romaine, à Djebel-Simân ; mais cela n'empêchait pas les Arabes de toute région de s'y rendre par foules. Le saint donnait des conseils, apaisait les discussions, réglait les questions de préséance entre les phylarques ; il opérait aussi de multiples miracles, et bien souvent les enfants du désert, captivés par ses discours, autant qu'émus par ses exemples prodigieux, demandaient en masse à entrer dans l'Église. Un moment, le roi de Hira, En-Noman, qui mourut en 418, songea à interdire à ses sujets les pèlerinages à la colonne de saint Siméon, par crainte apparemment des influences anti-persanes qui risquaient de s'exercer sur eux. Mais le saint lui-même apparut au roi pendant la nuit et le fit durement châtier. Les pèlerinages continuèrent donc et En-Noman se montra même plus bienveillant à l'égard des chrétiens qu'il ne l'avait été jusqu'alors, en leur permettant de construire des églises [1].

LES ÉVÊQUES DE HIRA AU Ve SIÈCLE

Sous le règne de ses successeurs, El-Mundhir (418-462), El Aswad (462-482), El-Mundhir II (482 ?-489 ?), En-Naman II (499 ?-502), les Arabes de Hira furent à plusieurs reprises engagés dans les guerres contre les Romains et ils eurent à beaucoup en souffrir. Ils exercèrent aussi leur influence dans les différends qui troublèrent à certains moments l'Empire perse, et il semble qu'El-Mundhir I ne fut pas sans contribuer au ralentissement de la persécution déchaînée par le roi des rois contre les chrétiens de son Empire. A diverses reprises, au cours du ve siècle, les évêques de Hira prirent part aux conciles présidés par les catholicos de Séleucie, notamment au concile de Markabta en 424 [2], aux conciles de Séleucie en 486 et en 497. Ils approuvèrent toutes les décisions prises par ces assemblées et fixèrent ainsi les destinées de leur église dans les voies du nestorianisme.

TENTATIVES MONOPHYSITES

Il y eut sans doute au début du vie siècle, sous le règne d'Anastase, des tentatives assez infructueuses pour introduire le monophysisme à Hira. Siméon,

(1) Théodoret (*Historia religiosa*, xxvi) donne beaucoup de renseignements sur l'influence exercée par Siméon le Stylite, et il a été lui-même le témoin de cette influence. Il faut ajouter que l'*Historia religiosa* fut terminée en 444 et que le stylite ne mourut que quinze ans plus tard. Cf. H. Delehaye, *Les saints stylites*, p. xxxi-xxxii.

(2) *Synodicon orientale*, édit. Chabot, p 285. Markabta est qualifiée ville des Tayyayê, c'est-à-dire des Arabes nomades, et il devait s'y trouver une population en notable partie chrétienne, puisque cette ville fut choisie pour la tenue d'un synode.

avant de devenir évêque de Beit-Arsam, donna le signal du mouvement : il vint à Hira pour y enseigner sa doctrine et il réussit, paraît-il, à opérer des conversions et même à bâtir des églises. Un peu plus tard, en 513, Sévère d'Antioche envoya deux évêques monophysites à la cour d'El-Mundhir III (505-554), et ceux-ci discutèrent avec le roi. L'Arabe, dit-on, les écouta avec attention ; et soudain, il parut saisi d'une profonde tristesse à la nouvelle que l'archange Michel venait de mourir. Les évêques le rassurèrent en lui disant qu'un ange n'était pas soumis à la mort. A quoi El-Mundhir répliqua qu'il était d'autant plus incroyable que la divinité, unie avec l'humanité du Christ dans une seule nature, ait pu mourir sur la croix. Les monophysites n'insistèrent pas, et le royaume de Hira demeura nestorien [1].

LE ROI EL-MUNDHIR

Le roi El-Mundhir était lui-même païen et des plus féroces ; il offrait à sa divinité des sacrifices humains : ainsi immola-t-il un jour, en 544, le fils du ghassanide el-Harith, son ennemi, qu'il avait surpris dans une paisible expédition de pâturage [2]. Une autre fois, il sacrifia quatre cents religieuses qu'il avait faites prisonnières à Émèse [3]. Pourtant, ce terrible personnage avait une épouse chrétienne, Hind, la propre sœur du jeune prince si cruellement mis à mort à Ouzza. Hind fonda à Hira un monastère, dont le géographe Yakout nous a conservé l'épître dédicatoire :

> Cette église a été bâtie par Hind, fille de Harith ibn Amr ibn Hodjr, la reine-fille des rois et mère du roi Amr-el-Mundhir, la servante du Christ, mère de son serviteur et fille de ses serviteurs, sous le règne du roi des rois Chosroès Anouscharwân, au temps de l'évêque Mar-Ephraïm. Que le Dieu pour lequel elle a bâti ce monastère lui pardonne ses fautes ; qu'il ait pitié d'elle et de son fils ; qu'il l'accueille et la fasse résider dans son séjour de paix et de vérité et que Dieu soit avec elle et avec son fils dans les siècles des siècles.

LES SUCCESSEURS D'EL-MUNDHIR

« L'inscription a été gravée sous le règne d'Amr, fils de Mundhir (554-569) : elle suppose que ce prince était chrétien. L'Évangile, toutefois, eut peine à s'enraciner dans cette famille impérieuse et sanguinaire. Après Amr, elle revient au paganisme, sinon dans la personne de son frère Kabous, au moins par le successeur de celui-ci, qui était aussi son frère, Mundhir-ibn-Mundhir [4]. Après Mundhir régna Naaman, qui pratiqua

(1) Cette anecdote est racontée par Théodore le Lecteur, *Hist. eccl.*, II, xxxv ; Zonaras, *Epitome histor.*, xxviii, 4, et quelques autres. Elle est évidemment légendaire, mais l'intervention des monophysites n'a rien que de vraisemblable.
(2) Procope, *De Bello persico*, III, 28.
(3) Zacharie le Rhéteur, *Hist. eccl.*, VIII, v ; Michel le Syrien, *Histor.*, édit. Chabot, t. II, p. 178-179.
(4) Évagrius, *Hist. eccl.*, VI, xxii.

d'abord l'idolâtrie et les sacrifices humains, mais finit par se convertir, vers l'année 594[1]. »

AUTRES ÉVÊCHÉS ARABES

D'autres évêchés, dans les régions peuplées par les Arabes, dépendaient encore du catholicos de Séleucie. Signalons en particulier ceux de Anbar ou Peroz Shapur, sur l'Euphrate, que visita Mar-Aba en 540 ; de Hagar sur la côte occidentale au golfe Persique, dont l'évêque Isaac assista au concile de 576, et d'autres encore.

L'ÉTAT DES GHASSANIDES

Pour tenir en respect l'État arabe de Hira, vassal de la Perse, Justinien réunit en 531 toutes les tribus arabes de Syrie sous l'autorité du chef de la tribu des Ghassanides, Aréthas (Harith-ibn-Gabala), qui reçut le titre de phylarque général, la dignité de patrice et une forte pension. Il était chrétien et monophysite, ce qui lui assura l'appui de Théodora, et il intervint à plusieurs reprises, comme on l'a vu, comme protecteur des jacobites, dans les conflits religieux du règne de Justinien. La plupart des tribus placées sous ses ordres embrassèrent le christianisme et cet état à demi nomade resta fidèle à l'alliance impériale pendant le VIe siècle[2].

§ 3. — Aksoumites et Homérites.

L'ARABIE

« Au sud de l'Arabie romaine s'étendent à l'intérieur les plateaux du Nedjed et près de la mer Rouge, la région du Hedjaz. Le Nedjed fut touché par la prédication chrétienne, mais assez tard, pas avant le VIe siècle. Quant au Hedjaz, il ne l'entendit jamais »[3].

Au contraire, le christianisme pénétra d'assez bonne heure parmi des populations beaucoup plus méridionales, celles des hauts plateaux qui dominent à l'Est et à l'Ouest le débouché de la Mer Rouge dans l'Océan Indien. Deux États s'étaient organisés dans cette région, l'un sur la côte

(1) L. Duchesne, *Églises séparées*, p. 351. On trouvera de nombreux détails dans l'article de R. Aigrain, *Arabie*, dans *Dictionnaire d'histoire et de géographie ecclésiastiques*, t. III, col. 1225-1233. Cf. H. Charles, *Le christianisme des Arabes nomades sur le Limes et dans le désert syro-mésopotamien aux alentours de l'hégire*, Paris, 1936, p. 55 et suiv.

(2) Chapot, *op. cit.*, p. 33.

(3) L. Duchesne, *Histoire ancienne de l'Église*, t. III, p. 574. On signale sans doute de temps à autre la présence ou le passage à la Mecque de chrétiens. Mais c'étaient régulièrement des étrangers que les relations commerciales surtout obligeaient à séjourner dans la ville ou à la traverser. Les Mecquois d'origine devenus chrétiens ont toujours été une exception rarissime, si même la tradition qui attache à leur nom l'épithète de chrétiens n'est pas à écarter comme tendancieuse. Cf. H. Lammens, *Les chrétiens à la Mecque à la veille de l'hégire*, dans *Bulletin de l'Institut français d'archéologie orientale*, t. XIV, 1918, p. 191-230 ; R. Aigrain, art. *Arabie*, dans *Dictionnaire d'histoire et de géographie ecclésiastiques*, t. III, col. 1253 et suiv.

africaine, l'autre en face, dans cette partie de l'Arabie à laquelle on donne, par opposition au reste de la péninsule, le nom d'Arabie heureuse.

LE ROYAUME HOMÉRITE L'État arabe était le plus ancien. Dès les temps les plus reculés, le port d'Aden recevait les produits des nations méditerranéennes, de l'Égypte, de l'Asie Mineure, de la Grèce, en même temps que ceux des Indes lointaines. Les princes de Saba, qui régnaient dans le pays, avaient eu jadis à défendre leur autonomie contre les Égyptiens et contre les Assyriens ; et tout le monde connaît la célèbre reine de Saba qui vint un jour à Jérusalem pour y rendre visite à Salomon. De nombreuses inscriptions nous renseignent sur le passé lointain des anciens royaumes de Mair et de Saba ; elles nous en révèlent en particulier la religion polythéiste [1]. Les Romains n'entretinrent avec les habitants du pays sabéen que des relations lointaines [2]. A partir du Ier siècle environ, l'État en question porta le nom de royaume d'Himyar ou d'Homer.

LE ROYAUME D'AKSOUM Sur la côte africaine, le port d'Adoulis jouait par rapport aux populations de l'intérieur le même rôle qu'Aden sur la côte arabe : grâce à lui, on pouvait communiquer avec les montagnards de l'Abyssinie. Ceux-ci se rattachaient aux mêmes origines ethniques que les tribus voisines, Gallas, Dankalis, Somalis, mais, depuis longtemps ils avaient subi l'influence physique et spirituelle des Arabes du Sud qui avaient immigré dans leur pays. Non seulement le type physique de la race s'était trouvé modifié, mais la langue et l'écriture avaient été importées d'Arabie, introduisant avec elles toutes sortes d'éléments civilisateurs. Par le nord aussi s'étaient exercées en Éthiopie des influences étrangères, surtout celle de l'Égypte hellénisée. Une inscription du IVe siècle, remontant au règne du roi aksoumite Ezânâ, est rédigée en grec et témoigne clairement de la diffusion de cette langue parmi les Éthiopiens [3].

LA PROPAGANDE JUIVE La propagande juive, favorisée par les circonstances, trouva dans les populations sabéennes du royaume himyarite un terrain tout prêt à l'accueillir. Elle

(1) Ces inscriptions sont ou seront contenues dans le *Corpus inscriptionum semiticarum, pars IV, inscriptiones himyariticas et sabaeas continens*, Paris. Mais le recueil est encore loin d'être achevé.

(2) Le royaume des Homérites fut menacé, l'an 730 de Rome, par une expédition dont le chef était C. Aelius Gallus et qui vint échouer sous les murs de Meriba ; un peu plus tard, une flotte romaine détruisit le port d'Aden. Ce ne furent que des incidents sans lendemain. Cependant le commerce de l'État arabe eut à se ressentir de la concurrence que lui faisait la route de l'Égypte.

(3) DILLMANN, *Ueber die Anfänge des axumitischen Reiches*, dans les *Abhandlungen* de l'Académie de Berlin, 1878, p. 176-238 ; *Zur Geschichte des axumitischen Reiches im vierten bis sechsten Jahrhundert*, *ibid.*, 1880, p. 1-51 ; A. RAHLFS, *Zu den altabessinischen Königsinschriften*, I. *Wie Ezana nach seinem Uebertritt zum Christentum das Formular seiner Inschriften umarbeitete*, dans *Oriens christianus*, Neue Serie, t. VI, 1916.

se développa surtout après la destruction de Jérusalem par les armées de Titus et de Vespasien ; au IVe siècle, de nombreuses inscriptions, où est invoqué le Seigneur du ciel, le Seigneur du ciel et de la terre, le Miséricordieux, témoignent des progrès accomplis dans cette région par la foi monothéiste [1]. Nous n'avons pas autant de preuves de la pénétration juive dans le royaume éthiopien d'Aksoum, mais il n'est pas invraisemblable que là aussi le monothéisme ait préparé les voies à la prédication chrétienne.

ORIGINES CHRÉTIENNES A AKSOUM

Ce fut, on le sait, au IVe siècle que l'Évangile fut introduit en Éthiopie, dont Frumence devint le premier évêque [2]. La lettre adressée en 356 par l'empereur Constance aux rois d'Aksoum, Aïzanas et Sazanas, confirme le récit de Rufin et montre en même temps l'intérêt pris par l'Empire romain à la nouvelle Église d'Abyssinie [3].

ET CHEZ LES HIMYARITES

Le christianisme pénétra à la même époque chez les Himyarites. On a parlé déjà [4] de la mission du moine Théophile de Dibous, qui fut envoyé par Constance dans leur pays, tant afin d'obtenir la liberté des transactions et celle du culte pour les marchands romains que pour convertir les Himyarites à la vraie foi. Philostorge assure que cette mission obtint des résultats merveilleux : non seulement trois églises chrétiennes auraient été bâties à Safar, la capitale du pays, à Aden, et même à l'*emporium romanum* (Hormuz) à l'entrée du golfe Persique, mais le roi lui-même aurait accepté l'Évangile [5].

AU Ve SIÈCLE

On peut douter d'autant plus de l'exactitude de ces renseignements que le silence le plus profond recouvre la vie des Églises arabe et abyssine pendant tout le Ve siècle. Il est incontestable que, sous le règne de Constance, les royaumes d'Homer et d'Aksoum ont été touchés par la propagande chrétienne. Il est presque aussi assuré que cette première propagande ne poussa pas de profondes racines. Théodore le Lecteur nous parle en effet d'un peuple soumis aux Perses — tel fut le cas des Himyarites en dehors des périodes de domination aksoumite — qui habitait le pays maritime du Sud où vécut la reine admiratrice de Salomon : il les appelle Imméréniens ou Immères,

(1) Cf. G. Ryckmans, *Les noms propres sud-sémitiques*, Louvain, 1934-1935.
(2) Rufin, *Hist. eccl.*, X, IX. Cf. t. III, p. 495.
(3) Athanase, *Apol. ad Constant.*, XXXI.
(4) Cf. t. III, p. 496.
(5) Philostorge, *Hist. eccl.*, III, IV-VI. L. Duchesne (*Histoire ancienne de l'Église*, t. III, p. 578, n. 3) ne croit pas à l'existence de cette troisième église, car il ne semble pas que l'État homérite se soit étendu jusqu'au golfe Persique. Il est sûr que Philostorge s'embrouille dans la géographie et qu'on doit se défier de ses localisations.

et tous les traits de son récit montrent qu'il s'agit des Himyarites. Ce peuple était païen, mais il se convertit, ajoute Théodore, au temps de l'empereur Anastase dont il reçut un évêque [1]. Vers le même temps, nous connaissons en effet un évêque des Homérites qui pourrait être celui dont parle Théodore : il s'appelait Silvanus et il était l'oncle de Jean le Diacrinomène ou Jean d'Égée, qu'il décida à écrire son histoire [2].

L'ÉGLISE DE NEDJRAN

A cette date, il n'y avait pas seulement des églises à Safar et à Aden ; il y en avait une à Nedjran, à l'intérieur du pays, et celle-là devait devenir la plus célèbre de toutes. D'après la légende [3], « un chrétien de Syrie appelé Phémion, maçon de son état, et un compagnon nommé Salih qui s'était attaché à lui, auraient été capturés dans une razzia et vendus à Nedjran. Là Phémion dessécha miraculeusement un palmier, objet d'un culte idolâtrique et la population se convertit. Suivant d'autres récits, il aurait détourné le fils d'un notable nedjranite, Abdallah ben Thamir, de suivre les leçons d'un magicien et lui aurait fait reconnaître l'unité de Dieu ; alors Abdallah aurait multiplié les miracles, se montrant plus puissant que les magiciens du pays, si bien que la population aurait confessé l'unité divine et n'aurait adopté que par la suite les nouveautés imaginées par les chrétiens, c'est-à-dire la foi en la Trinité » [4]. Il n'y a pas grand'chose à retenir de ces traditions, bien que le nom grec de Phémion puisse garantir l'existence d'un fait réel à leur point de départ. On doit se contenter de constater l'existence d'une église chrétienne à Nedjran au début du VIe siècle [5].

LES NEUF SAINTS EN ÉTHIOPIE

Quant à l'Éthiopie, nous ne savons absolument rien du christianisme en ce pays entre la mission de Théophile, qui vint à Aksoum au retour de son voyage chez les Himyarites, et l'arrivée des neuf saints à la fin du Ve siècle. Ceux-ci sont neuf moines qui seraient venus de Rome (c'est-à-dire de Byzance) au royaume d'Aksoum, les uns sous le règne d'El-Ameda, les autres sous celui de Gabra-Masqal. Ils introduisirent la vie monastique dans l'Éthiopie du Nord, et chacun construisit un monastère dans la région qu'il évangélisa. Les livres éthiopiens nous ont conservé leurs noms

(1) Théodore le Lecteur, *Hist. eccl.*, II, LVIII.

(2) Cf. Miller, *Fragments inédits de Théodore le Lecteur et de Jean d'Égée*, dans *Revue archéologique*, t. XXVI, 1876, p. 285 et 400.

(3) Cette légende est rapportée par les historiens arabes, en particulier par ibn Ishaq vers 770. Cf. Th. Nœldeke, *Geschichte der Perser und Araber zur Zeit der Sassaniden*, Leyde, 1879, p. 178. On montre encore à Nedjran une mosquée d'Abdallah ibn Thamir ; cf. Halévy, dans *Archives des missions scientifiques*, 2e série, t. VII, 1872, p. 244.

(4) R. Aigrain, art. *Arabie*, dans *Dictionnaire d'histoire et de géographie ecclésiastiques*, t. I, col. 1241.

(5) Cf. *infra*, p. 526.

ainsi que ceux des couvents qu'ils fondèrent : Alef (fête le 11 magabit, 20 mars) créa le couvent de Behza ; Sehmâ (fête le 16 ter, 24 janvier) se fixa à Sedenya ; Za-Mikahel Aragawi (fête le 14 teqemt, 24 octobre) fonda le célèbre monastère de Dabra-Damo dans le Tigré, et il aurait été le premier à établir un monastère de femmes ; Afsè (fête le 29 genbot, 6 juin) fonda le couvent de Jaha, près de la vallée du Mareb ; Garima ou Isaac (fête le 17 sané, 24 juin) s'installa à Madara ; Pantalewon (fête le 6 teqemt, 16 octobre) s'établit à Aksoum ; Liganos (fête le 28 hedar, 7 décembre) fonda le monastère de Dabra Qanasel ; Guba (fête le 29 genbot, 6 juin) demeura près de Madara ; Yemata (fête le 28 tequemt, 7 novembre) fonda un couvent à Garalta.

Bien que les textes qui nous parlent des neuf saints soient relativement récents, on n'a pas de raison pour douter de leur existence et de leur mission. On a fait remarquer que leurs noms rappelaient ceux des monastères célèbres de la Syrie et on rattache souvent à leur activité la traduction en éthiopien du Nouveau Testament, particulièrement celle des Évangiles, dont l'ancien texte grec se rapproche du texte grec usité en Syrie beaucoup plus que de celui qui était répandu en Égypte [1].

TRADITIONS MONOPHYSITES

On s'est demandé, et l'on se demande encore, si les neuf Pères étaient monophysites ou orthodoxes : la première hypothèse demeure la plus vraisemblable. L'Église d'Abyssinie a toujours témoigné à l'égard du concile de Chalcédoine d'une profonde hostilité, et les rapports étroits qu'elle a entretenus dès l'origine avec l'église d'Alexandrie, où son chef, l'aboûna, va demander la consécration épiscopale, prouvent à leur manière que les doctrines monophysites font partie intégrante du christianisme abyssin.

AUTRES RÉCITS SUR LA CONVERSION D'AKSOUM

D'autres traditions, sans nier du reste la venue des neuf saints, attribuent à la conversion de l'Éthiopie des causes assez différentes. Selon Jean Malalas [2], le roi d'Aksoum, Andas (Andog ? Ela Amida ?) [3] et le roi des Homérites, Dimiou, seraient entrés en guerre parce que ce dernier, en représaille des persécutions subies par les Juifs en pays romain, arrêtait les commerçants romains qui

(1) On lit dans le *Livre des mystères*, vaste recueil compilé au commencement du xve siècle, par un moine nommé Georges de Sagla : « Pour le Nouveau Testament que nous avons en Éthiopie, il a été traduit tout entier du grec en geez avant que la doctrine de Nestorius eût apparu, avant que la confession de Léon fût formée, avant qu'on eût réuni le concile des Ariens, c'est-à-dire des évêques de Chalcédoine ». Les problèmes soulevés par la traduction du Nouveau Testament en éthiopien sont loin d'être encore résolus.

(2) Jean Malalas, *Chronographia*, édit. de Bonn, p. 433. De lui dépendent Jean d'Asie (Michel le Syrien, ix, 18) et Théophane.

(3) Sur le nom du roi en question, on pourra voir le résumé de la discussion dans l'art. de R. Aigrain, *art. cité*, col. 1141-1142.

prenaient de l'Inde à la mer Rouge le chemin du Yemen. Le commerce, ainsi détourné de sa voie habituelle, se trouvait par contre-coup éloigné de l'Éthiopie, ce qui aurait paru à Andas un motif suffisant pour déclarer la guerre à son voisin. En engageant la campagne, le roi d'Aksoum aurait fait vœu de se convertir au christianisme, s'il était victorieux. Il battit en effet son adversaire, le tua, ravagea son royaume et entra dans sa capitale, où il installa un vice-roi. Il demanda alors un évêque et des prêtres à l'empereur de Byzance [1]. Celui-ci lui expédia un paramonaire (sacristain) d'Alexandrie, nommé Jean, après l'avoir fait consacrer évêque, et le fit accompagner d'une troupe de clercs. Jean fut le premier des aboûnas d'Abyssinie [2].

Le royaume d'Aksoum devint ainsi chrétien ; il put même prendre figure de protecteur à l'égard des chrétiens himyarites, puisque le roi Dimiou avait précisément été attaqué et vaincu à la suite des sévices qu'il exerçait sur les chrétiens byzantins.

LE CHRISTIANISME EN ÉTHIOPIE

Dès lors l'Éthiopie devint comme un État vassal de Byzance. Fort de l'alliance impériale, le roi d'Aksoum, qui possédait le port d'Adulis sur la mer Rouge, prit pied sur la côte du Yemen et, à l'instigation de Justin Ier, attaqua le roi des Himyarites. Sous Justinien ; le royaume d'Aksoum fut le pivot de la politique impériale en Arabie et, dans la pensée de l'empereur, dut s'opposer comme une barrière aux entreprises de la Perse, qui cherchait à intercepter les routes commerciales, terrestres et maritimes, aboutissant à Aden. Et à cette expansion éthiopienne en Arabie correspondit une propagande chrétienne chez les habitants du Yémen.

LES MARTYRS HIMYARITES

Dès le ve siècle une chrétienté avait été fondée en pays himyarite à Nedjrân, assez loin dans l'intérieur, non loin de la route des caravanes [3]. Au vie siècle, le roi d'Aksoum ayant occupé une partie du pays, installa un vice-roi et une garnison à Safar, et y établit un nouveau centre chrétien. Mais les fidèles étaient en butte à l'hostilité des indigènes et surtout des Juifs, en particulier à Nedjrân, dont la communauté reçut des lettres de consolation et des traités monophysites de propagande de l'évêque mésopo-

(1) Malalas rapporte cette histoire au règne de Justinien ; elle est certainement antérieure et doit se placer, selon Duchesne (*L'Église au VIe siècle*, p. 287, n. 1), sous le règne d'Anastase, peut-être même sous celui de Zénon.

(2) Les traditions indigènes sont rapportées par Malalas, édit. de Bonn, p. 429-433 ; Guidi, *Bizanzio ed il regno d'Aksum*, dans *Studi Bizantini*, t. I, Rome, 1925, p. 139 ; Vasiliev, *Justin I und Abyssinia*, dans *Byzantinische Zeitschrift*, t. XXXIII, 1933, p. 67 et suiv. ; Kammerer, *Essai sur l'histoire antique d'Abyssinie*, Paris, 1926 ; Conti Rossini, *Storia d'Etiopia*, Bergame, 1928 ; Coulbeaux, *Histoire politique et religieuse d'Abyssinie*, Paris, 1928.

(3) Sur les traditions divergentes au sujet de cette création, voir L. Duchesne, *L'Église au VIe siècle*, p. 288.

tamien Jacques de Saroug [1]. Vers 523 un chef himyarite, Dhû Nowas, de l'ancienne famille royale et juif de religion, profitant de la mort du vice-roi éthiopien, souleva le pays contre les Abyssins, s'empara de Safar, massacra la garnison et le clergé, et changea l'église en synagogue. De là il vint assiéger Nedjrân, accorda une capitulation aux habitants, mais viola ses promesses et fit périr tous les chrétiens avec des raffinements de cruauté [2].

A la nouvelle de ces massacres, le roi d'Aksoum, Kaleb, encouragé par l'empereur, organisa une expédition, aux préparatifs de laquelle assista Cosmas Indicopleustès, qui se trouvait alors à Adulis (526). Malgré les difficultés de transport, il débarqua en Arabie, tandis qu'une flotte impériale croisait dans la mer Rouge. Kaleb s'empara de Dhû Nowas, qui avait en vain sollicité l'alliance du roi de Perse, le tua de sa propre main, rétablit le christianisme à Safar et y laissa un vice-roi. Cependant en 531, un chef chrétien, Abraha, se révolta contre le négus, qui, malgré deux expéditions, ne put rétablir son pouvoir dans le Yémen. Abraha n'en fut pas moins l'allié de Byzance et, d'après une tradition islamique, il aurait même essayé de s'emparer de La Mecque en 542 [3]. Appuyée sur l'alliance impériale, sa dynastie conserva le pouvoir jusqu'en 570, époque de la conquête du Yémen par les Perses.

Les colonies chrétiennes d'Arabie étaient encore assez prospères au temps de Mahomet, qui accorda des garanties à celle de Nedjrân. Omar expulsa les chrétiens qui allèrent fonder une nouvelle Nedjrân en Mésopotamie, puis à la fin du VIIIe siècle, après avoir professé longtemps les dogmes monophysites, ils acceptèrent la doctrine nestorienne, propagée chez eux par le catholicos de Perse, Timothée [4].

§ 4. — Le christianisme en Afrique.

LE CHRISTIANISME EN NUBIE A l'avènement de Justinien, le christianisme ne dépassait guère la frontière méridionale de l'Égypte. Au delà de la première cataracte, deux peuples

(1) L. Duchesne, *op. cit.*, p. 288-289 ; Rubens Duval, *La littérature syriaque*, Paris, 1907, p. 351-352.

(2) L. Duchesne, *op. cit.*, p. 289-290. Principale source : *Lettre de Siméon de Beit-Arscham, évêque de Séleucie, à Siméon, abbé de Gabboula* (Siméon, ambassadeur de Justin auprès du roi arabe de Hira Mundhir, eut connaissance de ces faits par une lettre adressée à Mundhir par le roi des Himyarites), édit. Guidi, texte et trad., dans *Atti della R. Accademia dei Lincei*, Rome, 1881. De la lettre de Siméon dérive le *Martyrium Arethae et sociorum*, *Acta Sanctorum Octobris*, t. VII, p. 721-758 ; texte grec traduit du syriaque, dû probablement à Sergius, évêque de Resapha, l'un des envoyés de Justin au roi de Hîra. La *Vie de saint Grégentios, évêque de Safar*, dans *P. G.*, LXXXVI, 568 et suiv., est une sorte de roman, dont le début n'est connu que par le résumé des synaxaires grecs (*Propylaea ad Acta Sanctorum, Novembris*, p. 328). Rubens Duval, *op. cit.*, p. 136-138.

(3) L. Duchesne, *L'Église au VIe siècle*, p. 290-292. Sur les légendes arabes relatives aux chrétientés arabes, *Chronique de Tabari*, édit. Nœldeke, p. 205, et Caetani, *Annali del Islam*, t. I, p. 143 et suiv.

(4) L. Duchesne, *op. cit.*, p. 294 ; *Lettre du catholicos Timothée*, dans Guidi, *Atti della R. Academia dei Lincei*, 3e série, t. VII, p. 483.

païens se disputaient la Nubie. En vertu d'un traité qui remontait au règne de Dioclétien et qui avait été respecté par tous les empereurs chrétiens, un sanctuaire dédié à Isis était resté ouvert dans l'île de Philé. Chaque année les Blemmyes descendaient le Nil et venaient vénérer la statue de la déesse, qu'ils emportaient dans leur pays et rapportaient ensuite dans son temple [1]. Les Blemmyes n'en faisaient pas moins des incursions incessantes sur le territoire égyptien, et les documents du ve siècle montrent la terreur qu'inspiraient ces pillards [2].

Justinien entreprit en Nubie une action décisive. Par ses ordres Narsès, un général perse passé au service de l'Empire, se rendit dans l'île de Philé vers 535, emprisonna les prêtres d'Isis, envoya la statue de la déesse à Constantinople et convertit en églises son temple et plusieurs autres sanctuaires païens [3]. Un évêque, Théodore, sacré par le patriarche d'Alexandrie Timothée dès 526, résidait déjà à Philé [4].

A la suite de cet événement, les Nobades, poussés probablement par le gouvernement impérial, attaquèrent les Blemmyes et, après une guerre acharnée de deux ans, les forcèrent à évacuer la vallée du Nil et à se réfugier dans les steppes entre le désert arabique et la mer Rouge, comme en témoigne l'inscription pompeuse de Qalabchech (ancienne Talmis), dans laquelle Silko, roi des Nobades, célèbre sa victoire [5]. Ce fut après cette guerre qu'une mission fut envoyée en Nubie pour évangéliser les Nobades. Justinien aurait voulu les convertir à l'orthodoxie chalcédonienne, mais il fut prévenu par Théodora et par le patriarche jacobite d'Alexandrie, Théodose, alors exilé à Derkos en Thrace. Un prêtre de l'entourage de Théodose, Julien, gagna la Nubie vers 540 et y séjourna jusqu'en 545. Le roi et son peuple se firent baptiser et, lorsque les missionnaires de l'empereur arrivèrent, Silko les éconduisit en leur disant qu'il ne voulait d'autre foi que celle de Théodose [6]. Avant son départ, Julien demanda à l'évêque de Philé, Théodore, de continuer son apostolat. Celui-ci acheva de convertir les Nobades, de 545 à 551. A son lit de mort en 566, l'ex-patriarche Théodose

(1) Priscus, *De legationibus*, fr. 11, p. 583 ; *Corpus Inscriptionum graecarum*, nos 4945-4946 (renseignements sur le culte de Philé) ; Wilcken, *Heidnisches und Christliches aus Ægypten*, dans *Archiv für Papyrusforschung*, t. I, 1901, p. 399-400 ; Bury, *History of the Later Roman Empire*, t. II, p. 371 ; L. Duchesne, *Églises séparées*, p. 290.

(2) Gelzer, *Studien zur byzantinischen Verwaltung Ægyptens*, Leipzig, 1909, p. 11 ; *Papyrus de Leyde* Z. 4, dans *Archiv für Papyrusforschung*, I, 1901, p. 399 ; Evagrius, *Hist. eccl.*, I, vii (Nestorius exilé en Haute-Égypte, prisonnier des Blemmyes en 435) ; Josué le Stylite, *Chronique*, 20. Fragments d'un poème de la *Blemmyomachie*, édit. Ludwich, à la suite des poésies d'Eudokia, Leipzig, 1897 ; Germaine Rouillard, *L'administration civile de l'Égypte byzantine*, 2e édit., 1928, p. 150.

(3) Jean Maspero, *Organisation militaire de l'Égypte byzantine*, Paris, 1912, p. 129 ; Procope, *Bell. Pers.*, i, 19.

(4) Jean Maspero, *Théodore de Philae*, dans *Revue de l'histoire des religions*, 1909, tirage, p. 1-3.

(5) *Corpus Inscriptionum graecarum*, no 5072 ; G. Lefebvre, *Recueil des inscriptions grecques chrétiennes d'Égypte*, Le Caire, 1907, no 628 ; L. Duchesne, *L'Église au VIe siècle*, p. 297.

(6) Principale source : Jean d'Éphèse, *Hist. eccl.*, III, iv, 6-7 ; traduction anglaise du récit de la conversion des Nobades dans Bury, *History of the Later Roman Empire*, t. II, p. 328-329, d'après l'édition Payne-Smith ; L. Duchesne, *Églises séparées*, p. 291.

nomma évêque des Nobades le prêtre Longin. Celui-ci fut retenu d'abord à Constantinople par ordre de Justin II, puis il parvint à s'enfuir et arriva chez les Nobades en 569. Six ans plus tard, il passait à Philé où il retrouva l'évêque Théodore et lui demanda de l'accompagner à Alexandrie, où il allait participer à l'élection d'un patriarche jacobite, mais Théodore s'excusa à cause de sa vieillesse [1]. Ainsi les Églises d'Éthiopie et de Nubie devinrent, par suite des circonstances, un prolongement de l'Église jacobite d'Égypte.

PROPAGANDE CHRÉTIENNE DANS LE SAHARA

La propagande chrétienne s'exerça aussi dans les oasis du désert libyque et plus à l'ouest, au sud de la Tripolitaine, de la Numidie et de la Mauritanie. Justinien fit fermer le temple d'Amon qui s'était conservé dans l'oasis d'Augilas, où une église dédiée à la Vierge fut construite [2]. Au sud de Leptis Magna, la tribu des *Gadabilani* devint chrétienne. Sous Justin II, le peuple berbère des Garamantes du Fezzan fit demander à l'empereur des missionnaires. Au moment de l'invasion arabe en Afrique, la plupart des tribus berbères étaient converties au christianisme [3].

§ 5. — Les Indes et l'Asie centrale.

Dès avant l'ère chrétienne, des relations commerciales étaient établies entre Babylone et l'Extrême-Orient : l'alternance saisonnière des moussons permet en effet de naviguer facilement au delà du détroit d'Hormuz, jusqu'à l'extrémité sud de l'Inde et à Ceylan. Les Perses maintinrent les traditions commerciales des Babyloniens ; et, dès qu'il y eut chez eux des chrétiens, la route des marchands devint aussi celle des missionnaires.

LE GOLFE PERSIQUE

La foi se répandit d'abord sur les deux côtes du golfe Persique. Selon la Chronique d'Arbèle, il y aurait eu dès 225 un évêque non seulement à Prat de Maisan, près de l'embouchure de l'Euphrate, mais encore dans le Beit-Qatarayé, sur le littoral arabe, au nord de Bahrayn. En tout cas, vers 390, un monastère fut établi dans une des îles du groupe de Bahrayn [4] ; en 410, l'évêque des Iles — celles du groupe de Bahrayn — est mentionné dans la liste du synode d'Isaac [5]. Vers le même temps, le Fars était évangélisé : il y avait

(1) Jean Maspero, *Théodore de Philae*, p. 1-3, 12-15 (voir ses observations sur la prétendue création d'un exarchat impérial en Nubie).
(2) Procope, *De Ædificiis*, VI, 2 ; Jean Maspero, *Organisation militaire de l'Égypte byzantine*, p. 12.
(3) L. Duchesne, *Églises séparées*, p. 283-286 ; Holme, *The extinction of the Christian Church in North Africa*, Londres, 1898 ; A. Audollent, art. *Afrique*, dans *Dictionnaire d'histoire et de géographie ecclésiastiques*, t. I, col. 842.
(4) *Chronique de Séert*, dans *Patrologia orientalis*, t. V, p. 311 [199].
(5) *Synodicon orientale*, édit. Chabot, p. 273.

en 410 un évêque à Rewardashir, et cette ville fut même élevée à la dignité de métropole avant 486 [1].

LES RÉCITS DE COSMAS INDICOPLEUSTES

Il est très difficile de savoir quelque chose de précis sur l'Inde proprement dite, car le mot Indes a servi dans l'antiquité à désigner des pays très différents, comme l'Arabie, l'Éthiopie, l'Indoustan. Le premier texte assuré est celui de Cosmas Indicopleustes qui, dans sa *Topographia christiana*, enregistre des constatations faites sur place entre 520 et 525 [2].

« Cosmas signale une chrétienté dans l'île de Socotora ou de Dioscuride, dont les habitants, dit-il, descendent des colons introduits par Ptolémée et parlent grec... On lui a dit qu'il y a dans l'île une multitude de chrétiens, dont le clergé va recevoir l'ordination en Perse. Il serait étrange que ces descendants des colons de Ptolémée ne s'adressent pas à Alexandrie, si l'île n'était devenue une possession perse, où Chosroès, d'après les géographes arabes al-Hamdani et Yaqub, avait déporté certaines populations des pays conquis sur Byzance. Comme dans le Beit-Qatarayé et l'Oman, il y a donc eu une véritable évangélisation de la population bigarrée de l'île, Grecs, Arabes, Indous, etc. » [3].

A CEYLAN

La chrétienté de Ceylan paraît avoir été tout à fait différente [4]. Cosmas parle de l'île de Taprobane en deux passages de son livre. Dans le premier, il dit seulement qu'on y trouve une église, avec des fidèles et des clercs ; dans le second, il précise que cette église est constituée par des Perses, et que son clergé, composé d'un prêtre, d'un diacre et de clercs inférieurs, est ordonné en Perse. Il ajoute que le roi du pays et les indigènes sont d'une autre religion [5]. On peut donc penser qu'il n'y avait pas à Ceylan un centre missionnaire, mais seulement un comptoir de négociants persans avec leur paroisse. Cosmas ignore s'il y a des chrétientés au delà de Ceylan, mais il en existe, ajoute-t-il, à Malé et à Quilou : dans cette dernière localité, on trouve un évêque ordonné en Perse. Le site exact de Malé n'est pas connu : il faut le placer sans doute sur la côte de Malabar.

(1) Ebed Jesu (*Collectio canonum*, VIII, xv) pense que la dignité métropolitaine fut même concédée à l'église de Rewardashir par Yaballaha Ier (415-420).

(2) Cosmas Indicopleustes, *Topographia christiana*, iii. La difficulté de préciser le sens exact du mot Indes dans les textes anciens a bien été mise en relief par Mingana, *The early spread of christianity in India*, dans *Bulletin of the John Rylands library*, t. X, 1926, p. 443-446.

(3) E. Tisserant, art. *Nestorienne (Église)*, dans *Dictionnaire de théologie catholique*, t. XI, i, col. 196.

(4) On peut se demander si Théophile l'Indien n'était pas originaire de Ceylan. Philostorge nous apprend qu'il était originaire de l'île Divou, qui pourrait être Dahlak dans la mer Rouge ou Socotora au sud de l'Arabie. Mais L. Duchesne (*Histoire ancienne de l'Église*, t. III, p. 579, n. 1) a dit que le nom de Divou s'applique plutôt à une île voisine de l'Inde, comme peut l'être Ceylan.

(5) Cosmas Indicopleustes, *Topographia christiana*, iii. Cf. E. O. Winstedt, *The christian topography of Cosmas Indicopleustes edited with geographical notes*, Cambridge, 1909, p. 354.

DANS LES INDES

Quelques autres textes montrent encore l'existence de chrétientés dans les Indes au cours du ve siècle, mais ils n'apportent aucune précision sur le nombre, l'emplacement, l'organisation de ces colonies. Ma'na, dont l'activité littéraire s'exerça pendant le dernier quart du ve siècle, envoyait ses traductions de Diodore aux pays maritimes (Bahrayu) et aux Indes [1]. Les monuments conservés sont plus tardifs : on ne peut guère attribuer les croix découvertes à Meilapore, sur la côte de Coromandel près de Madras, et à Kottayam, en Travancore, à une époque antérieure au vi^e ou même au viie siècle [2]. Il est d'ailleurs probable qu'avant cette époque bien des comptoirs commerciaux de l'Inde ont été touchés par la propagande évangélique.

Plus intéressantes que les chrétientés de l'Inde, composées, semble-t-il, de marchands étrangers, sont, au ve siècle, les églises naissantes de l'Asie centrale, parce qu'elles sont des groupes vraiment homogènes, constitués au sein des populations locales, surtout parmi les nomades ou semi-nomades appartenant à la race altaïque, Turcs, Tartares ou Mongols.

CHEZ LES HUNS

Dès 424, nous connaissons l'existence d'évêchés à Ray, Nisapur (Abrashar), Merv, Hérat. Peut-être même la prédication évangélique s'était-elle déjà étendue assez loin en dehors des limites de l'Empire perse : ce que nous savons de la diffusion du manichéisme au iiie siècle nous autorise à croire que le christianisme a dû trouver lui aussi, sous sa forme orthodoxe, un accueil favorable chez des peuples où la vie religieuse n'était pas encore dirigée par un sacerdoce hiérarchisé. Cependant les témoignages anciens font défaut ; et lorsque saint Jérôme, à la fin du ive siècle, écrit que les Huns apprennent le psautier [3], il fait peut-être simplement allusion aux Huns qui commençaient alors à envahir l'Europe. Mais, en 498, il y avait des chrétiens parmi les Turcs, Huns des bords de l'Oxus ou Hephtalites, auprès desquels se réfugia Qawad [4]. « Aux environs de 525, un évêque de Arran, Qardutsat, partit avec sept prêtres pour évangéliser une tribu de Huns, probablement aussi en Cisoxiane, et ils traduisirent en hunnique un certain nombre de livres religieux [5]. L'auteur de ce récit, Zacharie le Rhéteur, qui est monophysite, ne dit pas que Qardutsat fût nestorien. Mais Arran, bien que situé à l'ouest de la mer Caspienne et au nord de l'Araxe, était, dès 420, le siège d'un évêché, dépendant de Séleucie Ctésiphon [6] ». Au cours du vi^e siècle, les missions nestoriennes continuèrent à se développer chez les

(1) *Chronique de Séert*, dans *Patrologia orientalis*, t. VII, p. 117 [25].
(2) Cf. t. V.
(3) Saint Jérôme, *Epist.*, xvii.
(4) *Chronique de Séert*, dans *Patrologia orientalis*, t. VII, p. 128 [36].
(5) Zacharie le Rhéteur, *Hist. eccl.*, dans *Corpus Scriptor. ecclesiast. orient.*, 3e série, t. VI, traduct., p. 145 et suiv.
(6) E. Tisserant, art. *Nestorienne (Église)*, dans *Dictionnaire de théologie catholique*, t. XI, 1, col. 207-208.

Hephtalites, tellement que, peu après 549, les chrétiens de ce pays demandèrent un évêque au catholicos Mar-Aba Ier.

En 590, Nersès le Persan captura par milliers des soldats de cette race, qui avaient pris part à la révolte contre Chosroès II et lutté en faveur de Bahram : ces soldats portaient une croix tatouée sur le front : étaient-ils des païens attirés par les mystères chrétiens et attribuant à la croix une vertu prophylactique ou de véritables chrétiens ? Nous ne le savons pas au juste.

CONCLUSION

Tous ces faits apparaissent comme des éclairs dans un ciel obscur. Au cours du ve et du vie siècles, le christianisme a poursuivi son expansion au delà des limites de l'Empire, mais nous connaissons à peine l'histoire des églises ainsi fondées en Asie païenne. Si parfois, surtout au temps de Justin et de Justinien, des raisons politiques expliquent l'œuvre des missionnaires, le plus souvent ces missions n'ont rien d'officiel. Ce sont des moines, comme en Abyssinie, des prisonniers, comme à Nerdjan, des commerçants, comme à Ceylan et sur les côtes de l'Inde, qui prêchent les premiers l'Évangile. La hiérarchie organisée n'apparaît que plus tard. De ces chrétientés lointaines, beaucoup ne seront d'ailleurs pas durables : la suite de cette histoire en montrera la fragilité.

QUATRIÈME PARTIE

CULTURE ET VIE CHRÉTIENNES AUX Ve ET VIe SIÈCLES

CHAPITRE PREMIER

LA VIE CHRÉTIENNE EN ORIENT

§ 1. — Constitution de l'Eglise.

LE DROIT CANON

Au VIe siècle le droit canon est encore très peu constitué en Orient [1]. Il existe des recueils de canons conciliaires, mais il n'y a aucun effort de synthèse : beaucoup de règlements qui correspondaient à des circonstances passagères étaient devenus sans utilité ; par contre, s'étaient présentés des cas nouveaux, non prévus par les conciles. C'est ce qui explique l'importance de la législation ecclésiastique de Justinien, destinée à combler ces lacunes. Nous savons déjà que cet empereur se considérait comme responsable de la discipline religieuse, et ses lois, acceptées sans résistance, forment une source importante du droit canon des églises d'Orient. Certaines de ses novelles, la 123e sur le clergé, la 133e sur les monastères, sont déjà des essais de synthèses partielles [2].

En effet, bien que formant deux domaines distincts, le droit civil et le droit canon sont intimement mélangés. Les lois civiles sont placées sous la protection divine [3] et les lois relatives à l'organisation ecclésiastique figurent dans le Code et parmi les Novelles à côté des lois civiles [4]. Comme on le voit en Occident sous Charlemagne, plusieurs lois ont pour objet d'imposer aux laïcs l'observation de la morale chrétienne [5], et nous avons vu que les décrets des conciles sont confirmés par des édits impériaux.

(1) BIBLIOGRAPHIE. — PARGOIRE, *L'Église byzantine*, 1905, p. 74-80 ; ALBERTONI, *Per una esposizione del diritto bizantino*, Imola, 1927, capo II : *Il diritto della Chiesa*, p. 61-70 (bibliographie abondante). Textes dans Joseph-Simonius ASSÉMANI, *Bibliotheca Juris Orientalis canonici et civilis*, 5 vol., Rome, 1762-1765 (ouvrage inachevé). — Sur les rapports entre le droit civil et le droit canon, voir MORTREUIL, *Histoire du droit byzantin*, t. I, Paris, 1843, p. 196-198 ; JUSTEL, *Bibliotheca juris canonici*, t. I, Paris, 1661 ; PITRA, *Juris ecclesiastici Graecorum historia et monumenta*, t. I, Rome, 1864 ; Zachariae von LINGENTHAL, *Geschichte des griechisch-römischen Rechts*, 3e édit., Berlin, 1892.

(2) L. DUCHESNE, *L'Église au VIe siècle*, p. 266 et suiv.

(3) Préfaces des *Institutes* et du *Digeste*, rédigées *in nomine D.N.I.C.* Titre I du livre I du *Code* : *De summa Trinitate et de fide catholica*, avec la profession de foi de Justinien.

(4) Les treize premiers titres du Code et 33 novelles sont consacrées à des matières ecclésiastiques.

(5) Par exemple *Novelles* XII, CXVII, 10, CLIV, prohibant les mariages consanguins et supprimant le divorce par consentement mutuel ; *Novelles* XIV et LI permettant la libération des comédiennes et prostituées, rivées à leur métier par un contrat. En 566, Justin II rétablit le divorce par consentement mutuel.

Une des premières collections canoniques est due au patriarche de Constantinople Jean le Scolastique (565-577), ancien avocat d'Antioche, qui, avant son avènement, avait rangé sous 50 titres les canons des conciles par ordre de matières. Il s'était servi d'une œuvre écrite vers 534, qui recevait comme sources les *Canons Apostoliques* et ceux de dix conciles généraux ou provinciaux. Jean y ajouta 68 canons de saint Basile et, devenu patriarche, publia les *LXXXVII Chapitres* extraits de douze novelles de Justinien [1]. On voit qu'à cette époque les 85 canons attribués aux apôtres, dont l'authenticité était rejetée en Occident, étaient admis à Constantinople, avant d'être acceptés officiellement par le concile *in Trullo* en 692 et, dans une de ses novelles, Justinien recommande de les observer [2].

Des collections analogues à celle de Jean le Scolastique furent composées sous Justinien et Justin II, et de ce mélange intime du droit ecclésiastique et du droit civil naquit la conception, propre à l'église byzantine, du *Nomocanon*, synthèse entre les deux catégories de sources, dont le premier exemplaire fut publié sous Maurice [3].

LA HIÉRARCHIE LES PATRIARCATS

La doctrine qui domine au VIe siècle et qui est exprimée dans la législation de Justinien est celle des cinq patriarcats, regardés comme d'origine apostolique [4]. Au premier rang, se trouve le successeur de saint Pierre, le pape de Rome, considéré comme « le premier de tous les prêtres ». Nous avons vu, en étudiant la politique religieuse de Justinien, que cet empereur ne lui reconnaît pas seulement une primauté d'honneur, mais qu'il n'a pas même l'idée qu'un dogme puisse être promulgué, fût-il dû à l'initiative impériale, sans son assentiment formel. Les contraintes les plus odieuses imposées à Vigile ne sont qu'un aveu implicite de cette doctrine.

Au second rang vient le patriarche de Constantinople, depuis le concile de Chalcédoine. Il doit ce rang à ce qu'il est l'évêque de la Nouvelle Rome. La légende de l'apostolicité du siège de Constantinople, qui aurait eu pour fondateur un disciple de saint André, ne paraît s'être formée qu'au VIIe siècle [5]. Viennent ensuite le patriarche d'Alexandrie, qui continue à porter le titre de pape, celui d'Antioche et celui de Jérusalem.

Il existait toute une série d'usages destinés à assurer la communion

(1) PARGOIRE, *L'Église byzantine*, p. 78-79.

(2) H. LECLERCQ, *Canons apostoliques*, dans *Dictionnaire d'Archéologie chrétienne*, t. II, col. 1913-1914 ; *Novelle* VI.

(3) Zachariae von LINGENTHAL, *Ueber den Verfasser und die Quellen des Nomokanon in XIV Titeln* (celui-ci publié sous Héraclius d'après le précédent), dans les *Mémoires de l'Acad. Imp. des Sciences de Saint-Pétersbourg*, 7e sér., t. XXXII.

(4) JUSTINIEN, *Novelles* CXXIII, 3 ; CXXXI, 2.

(5) DUCHESNE, *L'Église au VIe siècle*, p. 76-77, d'après qui la légende apparaît dans un écrit forgé au VIIe siècle et mis sous le nom de Dorothée, évêque de Tyr.

entre les patriarches et leurs bons rapports avec l'empereur : envoi mutuel de lettres synodales, contenant une profession de foi, par le pape ou le patriarche nouvellement élu ; inscription du nom des patriarches ou des papes sur les diptyques des vivants dont la commémoration était faite au canon de la messe et lue à l'ambon par un diacre ; représentation diplomatique du pape et des patriarches auprès de la cour impériale au moyen des *apocrisiaires*, véritables ambassadeurs ou nonces chargés de traiter avec l'empereur les affaires relatives à leur église. Les apocrisiaires du pape, qui constituaient une nonciature permanente depuis le ve siècle, avaient une importance exceptionnelle et étaient logés au palais de Placidia. Plusieurs d'entre eux, Vigile, Pélage, Grégoire le Grand, arrivèrent à la papauté. Ils étaient choisis parmi les diacres romains et n'avaient d'autres pouvoirs que ceux qui leur avaient été conférés expressément par le pape [1].

LA JURIDICTION SUR L'ILLYRICUM

Au vi^e siècle, le patriarcat de Constantinople ne comprenait en Europe que le diocèse civil de Thrace. Le reste de la péninsule des Balkans formant la préfecture du prétoire d'Illyricum et comprenant les deux diocèses civils de Macédoine et de Dacie, bien que rattaché politiquement à Constantinople depuis Gratien, continuait à relever directement de la juridiction du pape, considéré comme patriarche d'Occident et représenté par le vicaire apostolique créé par le pape Damase à Thessalonique [2]. A plusieurs reprises, les patriarches de Constantinople essayèrent d'attirer ces pays à leur juridiction, comme le montre une loi de Théodose II datée de 421. Pendant le schisme d'Acace, l'archevêque de Thessalonique, abandonnant son titre de vicaire apostolique, se sépara de Rome, mais, en 514, quarante évêques d'Illyricum rentrèrent dans la communion romaine. Sous Justinien, le patriarche Épiphane fit une nouvelle tentative pour placer l'Illyricum sous son autorité en accueillant en 531 la plainte déposée par deux évêques grecs contre l'élection à l'évêché de Larissa d'un certain Étienne, laïc et homme de guerre. Étienne fut excommunié, amené de force à Constantinople et emprisonné. Mais Étienne parvint à en appeler au pape Boniface II qui tint un concile dans lequel furent lus les titres qui reconnaissaient les droits spéciaux du pape sur l'Illyricum, dont la Thessalie faisait partie [3].

(1) Louis Bréhier, *Normal relations between Rome and the Churches of the East before the Schism of the eleventh Century*, dans *The constructive Quarterly*, New York, janvier 1917, et en français dans la *Documentation catholique*, 18 février 1928. Sur les formules de correspondance des patriarches avec les papes, voir P. Batiffol, *Justinien et le Siège apostolique*, p. 206-207.

(2) Duchesne, *L'Illyricum ecclésiastique*, dans *Byzantinische Zeitschrift*, t. I, 1892, p. 531-550, et *Églises séparées*, p. 229-280 ; J. Zeiller, *Origines chrétiennes dans les provinces danubiennes de l'Empire romain*, Paris, 1918, et *L'Empire romain et l'Église*, dans *Histoire du monde*, sous la direction de E. Cavaignac, t. V, ii, p. 199-208.

(3) Actes du concile dont la fin est perdue (Mansi, t. VIII, col. 739-784 ; Hefelé-Leclercq, t. I, 2e partie, p. 1117-1119).

D'autre part Justinien, voulant donner plus d'importance à sa ville natale de Skupi, qui reçut le nom de *Justiniana prima*, y transporta le préfet du prétoire d'Illyricum et éleva son évêque au rang d'archevêque, avec juridiction sur le diocèse civil de Dacie. A la demande de l'empereur, le pape conféra au nouvel archevêque le titre de vicaire apostolique, que continua à porter d'ailleurs l'archevêque de Thessalonique. La juridiction du pape sur l'Illyricum fut donc formellement confirmée [1].

L'ÉPISCOPAT

Au VIe siècle, la part du peuple est de plus en plus restreinte dans les élections épiscopales. D'après la législation de Justinien, les notables unis au clergé dressent une liste de trois candidats et le choix définitif appartient soit au patriarche, soit au métropolitain, soit aux évêques de la province [2]. Dans la pratique, la volonté de l'empereur ou de son représentant était prépondérante. Des laïcs étaient parfois élus évêques, mais leur élection donnait lieu à des contestations [3] ; de même les translations d'un siège épiscopal à un autre, s'agit-il d'un patriarcat, étaient rigoureusement interdites et, en 536, ce fut l'un des griefs du pape Agapet contre le patriarche Anthime, promu de Trébizonde à Constantinople.

Dans sa législation, Justinien poursuivit un certain nombre d'abus et édicta des règles conformes aux canons des conciles : âge de trente-cinq ans au moins exigé pour le nouvel élu, fixation du tarif des droits à payer par lui à ceux qui l'ont ordonné (afin de réagir contre une tendance à la simonie), obligation à la résidence, défense d'être absent du diocèse plus d'un an et de venir à la cour sans l'autorisation du métropolitain, tenue d'un concile provincial une fois par an [4]. En ce qui concerne la résidence, la règle était souvent violée et, pendant tout le règne de Justinien, nombreux étaient les évêques qui, avec l'assentiment de l'empereur lui-même, résidaient habituellement à Constantinople.

Comme les patriarches, les métropolites et évêques avaient autour d'eux une cour plus ou moins nombreuse. Les personnages les plus importants de cette cour étaient les *syncelles*, hommes de confiance et véritables vicaires de l'évêque qui pouvait leur confier ses pouvoirs, particulièrement en son absence. De même certains évêques envoyaient, comme les patriarches, des *apocrisiaires* à la cour impériale ou dans les cours patriarcales. Parmi les autres dignitaires on trouve cités dans les textes des *référendaires*, des *diœcèles* (œuvres charitables), *des économes* (administrateurs des biens de l'église), des *sacellaires* (autorité sur les monastères), des *didaskaloi* (chargés de l'instruction des fidèles) [5].

(1) *Novelles*, XI (535), CXXXI, 3 (18 mars 545). DUCHESNE, *op. cit.*
(2) *Novelles*, CXXIII, CXXXVII, 2. PARGOIRE, *L'Église byzantine*, p. 56-57.
(3) Comme dans l'affaire de l'évêché de Larissa, relatée plus haut.
(4) *Code Justinien*, I, III, 42 ; *Novelles*, VI, LXVII, CXXIII, CXXXVII, 2.
(5) PARGOIRE, *Église byzantine*, p. 63-65. Dans les petites églises, un même clerc cumulait plu-

JURIDICTION ÉPISCOPALE

Il faut distinguer la juridiction ordinaire et la juridiction gracieuse par voie d'arbitrage. Le tribunal de l'évêque est seul compétent lorsqu'il s'agit des infractions des clercs à la discipline ecclésiastique [1]. Justinien a encore élargi ce privilège en décidant que tout laïc qui intentera une action à un clerc s'adressera d'abord à l'évêque, mais avec appel possible au tribunal séculier [2].

Mais il arrivait souvent que, depuis la fin du IVe siècle, des procès purement civils fussent soumis à l'arbitrage de l'évêque. Justinien l'autorise dans les cités où ne réside pas le gouverneur de la province [3], mais partout ailleurs, conformément à des lois d'Arcadius et de Valentinien III reproduites dans le Code, il faut pour cela le consentement des deux parties [4]. Les documents égyptiens, qui sont les plus nombreux que nous possédions en cette matière, nous montrent l'importance qu'avait prise en Égypte le recours au tribunal épiscopal dans les procès purement civils [5].

Les évêques eux-mêmes ne peuvent être jugés que par un tribunal d'évêques [6], et le *Synode permanent*, que préside le patriarche de Constantinople, est souvent désigné pour cet office [7], mais on a pu voir, par la manière dont Justinien traitait les évêques et même les patriarches, combien cette juridiction leur offrait peu de garanties. En 570, Justin II fit enlever d'Antioche le patriarche Anastase, accusé d'avoir mal parlé de l'empereur et de dilapider les revenus de son église. Il fut déposé et remplacé par un moine du Sinaï ; mais, à la mort de celui-ci en 593, Maurice le rétablit sur le siège d'Antioche [8].

ROLE CIVIL DES ÉVÊQUES

Enfin, de plus en plus, comme en Occident d'ailleurs à la même époque, les évêques interviennent dans le gouvernement civil des cités et des provinces. Peu à peu ils ont pris la place des *defensores civitatis*, chargés de défendre les populations contre l'arbitraire des gouverneurs. En certains cas, ils peuvent substituer leur action à celle de l'administration civile, surveiller les travaux publics, faire exécuter les lois contre la débauche et aussi contre

sieurs de ces fonctions. Sur l'importance du Grand Économe de Sainte-Sophie à Constantinople, voir Gretser et Goar, *Observations au texte de Codinus*, dans *P. G.*, CLVII, 134.

(1) *Novelle* LXXXIII.
(2) *Novelle* CXXIII, 21.
(3) *Novelle* LXXXVI, 7.
(4) *Code Justinien*, I, IV (*de episcopali audientia*).
(5) H. I. Bell, *The episcopalis audientia in Byzantine Egypt*, dans *Byzantion*, t. I, 1924, p. 139 et suiv. : Une veuve d'Oxhyrhyncos invoque l'arbitrage de l'évêque contre un moine, tuteur de sa fille et qui veut la marier malgré elle à un de ses parents (d'après un papyrus du British Museum) ; cf. Germaine Rouillard, *L'administration civile de l'Égypte byzantine*, 2e édit., Paris, 1928, p. 157.
(6) *Novelle* CXXIII.
(7) Comme pour l'évêque de Larissa en 531.
(8) Duchesne, *L'Église au VIe siècle*, p. 273-274.

les hérétiques [1]. En Égypte, les évêques interviennent dans les affaires municipales (nomination des fonctionnaires, contrôle financier, entretien des bâtiments municipaux, etc...) [2]. Quant au rôle civil et politique des patriarches d'Alexandrie, il est dû, comme on l'a vu, à des circonstances exceptionnelles, mais devenues permanentes au VIe siècle. Les patriarches melchites Apollinaire et Euloge ont reçu de l'empereur des pouvoirs qui faisaient d'eux des vice-rois et plaçaient sous leurs ordres l'armée et toute l'administration civile [3].

LE CLERGÉ

Sont considérés comme clercs les prêtres, diacres, diaconesses, sous-diacres, lecteurs, chantres. L'âge obligatoire pour la prêtrise est de quarante ans, ainsi que pour les diaconesses, choisies parmi les vierges ou les veuves d'un seul mari et tenues d'observer la continence. Dénuées de tout pouvoir sacramentel, elles avaient surtout des fonctions charitables [4]. Les diacres et sous-diacres devaient avoir au moins vingt-cinq ans, les lecteurs dix-huit ans. Les chantres étaient considérés comme clercs. Le mariage était permis à tous les ordres, à condition qu'il eût précédé le sous-diaconat, et les secondes noces étaient interdites, sauf aux lecteurs et aux chantres [5]. Dans la législation de Justinien, il est encore question des chorévêques, et la preuve de leur persistance, du moins en Orient, est fournie par un texte de Procope, qui montre le chorévêque de Sergiopolis (Resapha sur l'Euphrate) exerçant le commandement de cette petite forteresse et négociant avec les Perses pendant le siège de 543 [6]. Ils n'en deviennent pas moins de plus en plus rares et sont remplacés par des *périodeutes* (visiteurs), qui dépendent de l'évêque de la cité [7].

Une fonction qui prend de plus en plus d'importance est celle de l'archidiacre, qui devient l'auxiliaire par excellence de l'évêque, bien qu'il n'ait pas d'autre grade que celui de diacre, l'élévation au sacerdoce étant pour lui une diminution de pouvoir [8].

Les clercs vivent des revenus de l'église dans laquelle ils ont été ordonnés et leur fonction essentielle est de célébrer l'office quotidien. Dans les grandes églises, ils sont fort nombreux. Une novelle de Justinien a pour objet de limiter le nombre des desservants de Sainte-Sophie et de le

(1) BURY, *History of the later Roman Empire*, t. II, p. 361. Voir surtout *Code Justinien*, I, IV, 21, 31, 33 et *Novelle* LXXXVI.
(2) Germaine ROUILLARD, *L'administration civile de l'Égypte byzantine*, 2e édit., p. 66-67.
(3) Jean MASPÉRO, *Patriarches d'Alexandrie*, p. 267-268 ; Ch. DIEHL, *L'Égypte chrétienne et byzantine*, dans *Histoire de la nation égyptienne*, t. III, p. 534-535.
(4) Henri LECLERCQ, *Diaconesses*, dans *Dictionnaire d'Archéologie chrétienne*, t. IV, col. 725-733.
(5) *Novelle* VI, 5-6 ; PARGOIRE, *L'Église byzantine*, p. 58.
(6) *Code Justinien*, I, III, 41 (42), 19 ; PROCOPE, *De Ædif.*, II, 9 ; *Bellum persicum*, II, 5 ; CHAPOT, *Resapha-Sergiopolis*, dans *Bulletin de Correspondance hellénique*, t. XXVII, 1903, p. 288.
(7) GILLMANN, *Das Institut der Chorbischöfe im Orient*, Munich, 1903, p. 146.
(8) PARGOIRE, *L'Église byzantine*, p. 61.

ramener au chiffre ancien qui comprenait déjà 525 clercs, dont 60 prêtres et 100 diacres [1].

Depuis Constantin les clercs sont exempts des charges municipales et des impôts extraordinaires. Ils ont enfin, comme on l'a vu, le privilège du for compétent [2].

LE DROIT D'ASILE

Le droit d'asile était un des privilèges les plus importants des églises et il avait été étendu par les lois de Théodose II, qui prolongeait l'asile jusqu'aux portes extérieures de l'enclos où l'église s'élevait [3], et de Léon Ier, qui en faisait profiter les débiteurs insolvables et dégageait l'église de toute obligation pécuniaire vis-à-vis de leurs créanciers [4].

La législation de Justinien réagit contre ces tendances. Elle prescrit aux fonctionnaires d'arracher de l'asile les coupables d'homicide, adultère, rapt, de percevoir les impôts même à l'intérieur des églises, d'arrêter et d'interner, après les avoir tirés de l'asile, les agents comptables, coupables de détournements au préjudice du fisc. Au cas où l'évêque s'y opposerait, il devrait indemniser le fisc sur ses biens personnels, et il fut prescrit aux économes et défenseurs des églises de faciliter la tâche des officiers impériaux [5]. C'était un retour à la législation de Théodose Ier ; de plus, comme on l'a vu à propos du pape Vigile, l'empereur n'avait au besoin aucun scrupule à violer ses propres lois.

LA PROPRIÉTÉ ECCLÉSIASTIQUE

Les nombreux privilèges que l'Église a reçus depuis Constantin ont été amplifiés encore et surtout réglementés par la législation de Justinien [6]. Ces privilèges (droit d'hériter, exemption des contributions extraordinaires, etc...) sont considérés par Justinien non plus comme des privilèges, mais comme des droits dérivés de la personnalité juridique des églises. D'autre part, dans la pensée du législateur cette personnalité appartient aux églises particulières. L'empereur se plaint que certains testaments soient faits au profit de Jésus-Christ, des archanges, des

(1) *Novelle* III, 1, 1.

(2) PARGOIRE, *op. cit.*, p. 60.

(3) MARTROYE, *L'asile et la législation impériale du IVe au VIe siècle*, dans *Mémoires de la Société des Antiquaires de France*, t. LXXV, 1919, p. 82-90. *Constitution de Théodose II du 23 mars 431*, à la suite des Actes du concile d'Éphèse : MANSI, t. V, col. 437-445 ; *Cod. Théod.*, IX, XLV, 4 ; *Cod. Just.*, I, XII, 3.

(4) Loi du 28 février 466 (*Cod. Just.*, I, XII, 6).

(5) *Novelles* XVII, 7 (535), XXXVII (*de africana ecclesia*) ; *Edictum* X (non daté) ; *Novelle* CXXVIII, 13 (restriction du λόγος ἀσυλίας), parole donnée à quelqu'un pour le mettre à l'abri de toute poursuite, lui et ses biens.

(6) BIBLIOGRAPHIE. — KNECHT, *System des Justinianischen Kirchen-vermögensrechtes*, Stuttgart, 1905 ; H. ALIVISATOS, *Die kirchliche Gesetzgebung des Kaisers Justinian I.* Berlin, 1913 ; SAUMAGNE, *Étude sur la propriété ecclésiastique à Carthage d'après les novelles* XXXI *et* XXXVII *de Justinien*, dans *Byzantinische Zeitschrift*, t. XXII, 1913, p. 77-87 (restitution aux églises catholiques des biens détenus par les Ariens).

saints, et décide que dans ce cas le legs sera transféré à l'église du pays où a été rédigé le testament [1].

Les sources de la propriété ecclésiastique sont essentiellement les dons volontaires (terres, immeubles, magasins, rentes, etc...), les contributions légales (biens des hérétiques ou païens, produits des amendes pour certains délits, rentes payées par l'État) et certains héritages *ab intestat*, en particulier des membres du clergé [2].

Justinien a augmenté en faveur des églises la durée de la prescription légale et, comme ses prédécesseurs, interdit, sauf dans certains cas, les aliénations, donations ou emphytéoses perpétuelles des biens ecclésiastiques. Il réglemente aussi les droits des fondateurs, déclarés eux et leurs héritiers responsables de l'achèvement du travail entrepris. Il leur conserve le droit d'administration temporelle de leur fondation sous bénéfice d'une entente avec l'évêque, mais il leur enlève celui d'imposer à l'évêque des clercs pour desservir la fondation, et l'on voit tout de suite la différence entre ce régime et le patronage occidental [3].

Justinien a réglementé aussi dans le sens des canons des conciles les modalités de l'administration des biens ecclésiastiques et fixé d'une manière précise les attributions des agents de l'évêque, dont le principal est l'économe, qui doit être un clerc et reçoit le pouvoir d'agir au nom de l'église [4].

Enfin plusieurs novelles fixent l'emploi des revenus des églises, déterminent les sommes qui doivent être attribuées à l'entretien des clercs, aux cérémonies liturgiques, aux bâtiments, à l'entretien des pauvres [5].

§ 2. — Les établissements monastiques [6].

LES MONASTÈRES

Pendant les ve et vi^e^ siècles, le nombre des monastères s'est multiplié en Orient d'une manière prodigieuse et leur popularité s'est accrue. Leur nombre était au moins aussi grand, sinon plus grand, dans les églises jacobites que dans les églises orthodoxes. Tous d'ailleurs, quelle que fût leur confession, suivaient les

(1) *Code Justinien*, I, II, 26 ; *Novelle* CXXXI, 9 (545). Voir les observations de Knecht, *op. cit.*, p. 27-33.

(2) Knecht, p. 67-72. L'église de Constantinople possédait dans la ville des magasins. Justinien reproduit certaines lois de Théodose II et Valentinien III (*Code Justinien*, I, III, 20).

(3) Knecht, *op. cit.*, p. 39 ; *Novelle* LVII (537) et CXXIII (546).

(4) L'obligation pour chaque église d'avoir un économe clerc avait été prescrite par le canon 26 du concile de Chalcédoine. Cf. *Code Justinien*, I, III, 32 ; Knecht, *op. cit.*, p. 108-111.

(5) Knecht, *op. cit.*, p. 93. Les règles relatives aux fondations charitables seront indiquées plus loin.

(6) Bibliographie. — Knecht, *op. cit.* ; Diehl, *La vie religieuse au VIe siècle*, dans *Justinien et la civilisation byzantine*, 1901, p. 496-531 ; W. Nissen, *Die Regelung des Klosterwesens im Römerreiche*, Hambourg, 1897 ; Marin, *Les moines de Constantinople depuis la fondation de la ville jusqu'à la mort de Photius*, Paris, 1897 ; Granitch, *Die rechtliche Stellung und Organisation der griechischen Klöster nach dem justinianischen Recht*, dans *Byzantinische Zeitschrift*, t. XXIX, 1929, p. 6-34 ; et *Die privatrechtliche Stellung der griechischen Mönche im V und VI Iahrhundert*, dans la même revue, t. XXX, 1930, p. 669.

mêmes règles, dérivées des prescriptions de saint Basile, et professaient le même idéal d'ascétisme. Justinien avait une grande admiration pour les moines, et ses nombreuses lois relatives à l'organisation monastique constituent le fondement même de cette institution en Orient.

En 518, il existait à Constantinople soixante-sept monastères d'hommes et un grand nombre de monastères de femmes [1]. Ils couvraient de vastes espaces, en particulier le long de la mer de Marmara, où se trouvait le célèbre monastère de Stude, qui s'était signalé par son attachement au siège de Rome pendant le schisme d'Acace et était devenu l'un des sièges des Acémètes (sans sommeil), qui se succédaient jour et nuit pour célébrer l'office divin sans interruption [2]. On a vu le rôle qu'ils avaient joué dans les querelles théologiques.

ÉGYPTE

Les monastères n'étaient pas moins nombreux dans toutes les provinces. A Alexandrie, ils encerclaient véritablement la cité. Dans le groupe de Canope se trouvait l'important monastère de la Metanoia (Pénitence), dont les moines suivaient la règle de saint Pakhôme [3] et avaient fondé de nombreuses colonies. Le groupe de l'Enaton, au sud-ouest, principal foyer jacobite, où les querelles religieuses étaient fréquentes, d'où sortaient périodiquement de nouvelles hérésies, aurait compté jusqu'à soixante monastères [4]. A l'intérieur de l'Égypte les monastères les plus importants étaient ceux de Baouit, de Saint-Siméon à Assouan (Deïr-Seman), les deux couvents fondés par le moine Schnoudi sur la rive gauche du Nil, près de Sohag à la fin du IVe siècle, le Deïr-el-Abiad (couvent Blanc), et le Deïr-el-Amar (couvent Rouge), le monastère fondé à Saqqara, non loin des ruines de Memphis par saint Jérémie en 470 [5]. Non moins important étaient les monastères du Sinaï rebâtis et entourés de fortifications par Justinien pour les mettre à l'abri des incursions des Bédouins. Ce fut en 535 que l'empereur y fit construire une église dédiée à la Vierge [6].

ORIENT

Le goût de l'ascétisme était peut-être encore plus répandu en Syrie et en Mésopotamie. Les monastères orthodoxes ou jacobites étaient innombrables dans toutes les régions d'Antioche, d'Apamée, d'Édesse, d'Amida. Des groupes importants s'étaient installés en

(1) Le chiffre est connu par les souscriptions des archimandrites au *libellus* adressé au concile qui rétablit l'orthodoxie. Cf. MANSI, t. VIII, col. 1051-1056.

(2) DIEHL, *Justinien*, p. 499. Sur le nom même du monastère, voir DELEHAYE, *Stoudion-Stoudios* dans *Analecta Bollandiana*, t. LII, p. 64.

(3) Sur cette règle, voir SCHIEWITZ, *Das morgenländische Mönchtum*, Mayence, 1900, t. I; P. LADEUZE, *Étude sur le cénobitisme pakhomien*, Louvain, 1898; VAN CAUWENBERGH, *Étude sur les moines d'Égypte depuis le concile de Chalcédoine jusqu'à l'invasion arabe*, Louvain, 1914.

(4) Jean MASPERO, *Patriarches d'Alexandrie*, p. 48.

(5) DIEHL, *L'Égypte chrétienne et byzantine*, dans *Histoire de la nation égyptienne*, t. III, p. 508-517.

(6) PROCOPE, *De aedif.*, V, VIII. D'après la chronique d'Eutychios, patriarche d'Alexandrie (933-940), Justinien aurait construit au Sinaï les trois églises fortifiées de Clysma, Raithou et des Buissons. Voir Lina ECKENSTEIN, *A history of Sinai*, Londres, 1921, p. 121-133.

plein désert, dans les montagnes voisines de l'Euphrate, sur les limites de la Cappadoce et de la Commagène. Les ermites y étaient nombreux [1]. Les monastères étaient surpeuplés : celui des Édesséniens à Amida aurait compté 700 moines [2]. De même que Palladius a relaté dans son *Histoire Lausiaque* les exploits des ascètes égyptiens des IVe et Ve siècles [3], de même Jean d'Éphèse, dans son *Commentaire sur les bienheureux Orientaux*, a écrit comme une Légende Dorée des ascètes de la Syrie et de la Mésopotamie, dans laquelle il montre d'une manière saisissante l'attrait qui dirigeait vers le cloître des gens de toute condition, dont plusieurs menaient dans le siècle une existence de moines et entendaient reposer après leur mort dans un monastère [4].

C'était surtout en Orient que le monachisme revêtait les aspects les plus variés et parfois les plus étranges. A côté des monastères où les moines pratiquaient la vie commune (cénobites), se trouvaient en grand nombre les groupes de *Kellioles*, qui menaient dans des cellules séparées (*Kellia*), mais rapprochées les unes des autres, une vie solitaire et se réunissaient seulement le samedi et le dimanche dans une église commune, la *laure* [5]. En Palestine, les centres monastiques les plus importants étaient des laures, dont les plus anciennes avaient été fondées par saint Euthyme (377-473) et par saint Sabas (439-532). Originaire de Cappadoce, Sabas devint le disciple d'Euthyme vers 457, fut ordonné prêtre en 492 et fonda des laures près de Jérusalem. Mal vu de ses moines, qui le dénoncèrent au patriarche, il se réfugia dans le désert de Skythopolis entre Jérusalem et la mer Morte et y fonda la Grande Laure (appelée depuis Mar Saba). Son attachement à l'orthodoxie et au concile de Chalcédoine lui suscita, comme nous l'avons vu, l'hostilité de plusieurs moines, sectateurs des doctrines origénistes, qui allèrent fonder la Nouvelle Laure au sud de Bethléem [6]. Sabas, dont nous avons décrit plus haut l'activité, mourut en 532, laissant un *typikon* ou règle monastique, qui comprenait un calendrier liturgique et cent quarante-six articles disciplinaires [7]. En face de ces laures, un autre ascète, saint Théodose (423-529), avait fondé à l'est de Bethléem un monastère cénobitique [8].

(1) Diehl, *Justinien et la civilisation byzantine au VIe siècle*, p. 574-575.

(2) Jean d'Éphèse, *Commentar. de beatis Orient.*, LXXIX, CXXV.

(3) Palladius, *Histoire lausiaque*, édit. et trad. Lucot (*Textes et documents Hemmer-Lejay*), Paris, 1912.

(4) Voir surtout les chapitres CII-CIII, CXIX-CXX, CXLIX-CLI, CLXXVI-CLXXVIII, CLXXX-CLXXXI, trad. Douwen et Land : *Iohannis episcopi ephesini Syri monophysitae commentarii de beatis Orientalibus*, Amsterdam, 1889.

(5) Pargoire, *L'Église byzantine*, p. 67-68.

(6) Cyrille de Skytopolis, moine en 543 dans la laure de Saint-Euthyme, puis à la Nouvelle-Laure et enfin à Mar Saba en 557, a écrit en grec la *Vie de saint Sabas* (édit. Cotelier, dans *Ecclesiae graecae monumenta*, t. III, 1686, p. 220-376), celle de *saint Euthyme* (édit. Montfaucon, dans *Analecta graeca*, 1688, t. I, p. 1-99), celle de *saint Théodose* (édit. Usener, Bonn, 1890).

(7) Ces règles ont été retrouvées par Dmitrijevsky dans un manuscrit du Sinaï. Voir Dmitrijevsky, *Les règles monastiques de saint Sabas* (en russe) (Travaux de l'Académie ecclésiastique de Kiev, 1890, p. 168-170). Voir le compte rendu de cet ouvrage et la reproduction du texte par Kurtz, dans *Byzantinische Zeitschrift*, t. III, 1894, p. 168-170.

(8) Couret, *La Palestine sous les empereurs grecs*, Grenoble, 1869.

LES ERMITES Mais, à côté, et souvent même à l'intérieur de ces établissements, vivaient des ermites qui avaient obtenu, à cause de leur sainteté, l'autorisation de mener ce genre d'existence, *anachorètes*, *hésychastes* (quiétistes parvenus à la contemplation divine), *reclus* enfermés dans d'étroites cellules, comme ce Barnasuphe, copte établi dans un monastère près de Gaza, qui ne communiquait avec l'extérieur que par l'intermédiaire de l'higoumène et passait pour prophète [1].

Les plus populaires de ces ermites étaient les *stylites*, qui passaient leur vie au sommet d'une colonne. Le premier exemple de ce genre de vie fut donné par le célèbre saint Siméon, moine d'un monastère situé à l'embouchure de l'Oronte, qui obtint de son higoumène la permission de faire fabriquer une colonne et d'installer au sommet une petite cellule dans laquelle il vécut quarante-sept ans (412-459) [2]. Son exemple fut contagieux. Près d'Antioche même, un autre Siméon, dont la renommée atteignit Constantinople et que l'empereur Maurice avait en grande vénération, parvint à passer soixante-huit ans dans cette position et, dans tout l'Orient, se dressèrent des colonnes, dont les hôtes, monophysites ou orthodoxes, étaient l'objet de la plus grande vénération [3].

LÉGISLATION MONASTIQUE DE JUSTINIEN Il y avait dans ce prodigieux développement du monachisme une exubérance que l'Église s'efforçait de discipliner, mais les canons des conciles, comme ceux de Chalcédoine qui proclamaient la subordination des monastères aux autorités ecclésiastiques restaient souvent lettre morte. Nombreux étaient les moines errants, les *sarabaïtes*, qui vivaient d'aumônes et ne dépendaient d'aucun supérieur. Justinien entreprit de rétablir partout la discipline et ses lois formèrent un véritable code embrassant tous les domaines de la vie monastique [4]. Tous les monastères furent soumis à l'évêque du diocèse, qui exerça sur eux une autorité illimitée et sans l'approbation duquel aucun nouveau monastère ne put être fondé. Tous les moines doivent vivre à l'intérieur d'une clôture. Seule la forme cénobitique, la vie en commun, est autorisée. Il n'y a d'exception que pour les malades, les vieillards et les anachorètes qui obtiennent l'autorisation de pratiquer librement l'ascèse, mais sans sortir de la clôture. Les nouveaux venus doivent faire un noviciat de trois ans

(1) Évagrius, *Hist. eccl.*, IV, xxiii ; Janin, *Barsanuphe*, dans *Dictionnaire d'histoire et de géographie ecclésiastiques*, t. VI, col. 945-946.

(2) Sur les différentes vies de saint Siméon, voir Lietzmann et Hilgenfeld, *Das Leben des heiligen Symeon Stylites*, dans *Texte und Untersuchungen Ad. Harnack*, III, 2, Leipzig, 1908, et l'analyse si claire de cette publication par le R. P. Delehaye, dans *Byzantinische Zeitschrift*, t. XIX, 1910, p. 149-153 ; Henri Leclercq, *Antioche*, dans *Dictionnaire d'Archéologie chrétienne*, t. I, col. 2831-2832.

(3) Weigand (*Zur Datierung der Peregrinatio Aetheriae*, dans *Byzantinische Zeitschrift*, t. XX, 1911, p. 9-10) cite d'autres stylites orientaux. Cf. aussi Jean Lassus, *Images de stylites*, dans *Bulletin d'études orientales de l'Institut français de Damas*, t. II, p. 67-82 et pl. XVIII-XXI.

(4) Voir les travaux cités plus haut de Knecht et de Granitsch.

et ne sont reçus définitivement que s'ils prouvent qu'ils ne sont pas des esclaves fugitifs. Il leur est interdit d'abandonner le monastère, sous peine, à la deuxième tentative, d'être versés dans l'armée. Des règles spéciales sont édictées pour les monastères de femmes, dont l'accès est interdit à tout homme, à l'exception des clercs et des apocrisiaires.

Le gouvernement d'un monastère appartient à un *higoumène* élu à vie par les moines. Son pouvoir est absolu et il n'a à consulter le chapitre que dans des cas déterminés (aliénation de biens ou baux emphytéotiques). Avant le VIe siècle, les supérieurs de monastères sont désignés indifféremment par les titres d'higoumènes ou d'archimandrites. A partir de Justinien, il semble que le terme d'*archimandrite* (mot d'origine syriaque signifiant chef de bergerie) soit attribué spécialement aux chefs de monastères anciens ou importants [1]. En outre, Justinien généralise une institution qui existait déjà dans certains diocèses : un agent de l'évêque, sous le titre d'*exarque*, est chargé d'assurer la discipline et l'observation des canons dans les monastères, dans lesquels il peut déléguer des visiteurs (*stationarii*) [2].

LA VIE MONASTIQUE

Dès le VIe siècle, la plupart des monastères possèdent un *typikon* (formulaire), à la fois ensemble de règles liturgiques et disciplinaires, comme la règle de saint Sabas en Palestine, et aussi règlement relatif à la condition matérielle du monastère qui exprime la volonté du fondateur ; parfois on y trouve annexé un βρέβιον, inventaire des biens meubles et immeubles [3].

Malgré cette autonomie — il n'y a jamais eu en Orient de congrégations monastiques soumises à une règle commune comme en Occident, — la vie monastique ne différait guère d'une région à l'autre et s'inspirait, en les modifiant et en les interprétant plus ou moins, des préceptes de saint Basile. Le costume, σχῆμα, consistait essentiellement dans une tunique grossière de bure ou de poil de chèvre, le *Kolobion*, parfois sans manches, attribuée au Christ dans les peintures syriennes de la Crucifixion [4]. Pardessus était jetée la *mandya*, manteau de forme variée. Un haut bonnet noir (*Kamelaukion*), une ceinture de cuir, une sorte d'étole ornée de croix (*analabos*), un capuchon (*Koukoulion*), des sandales complétaient ce costume [5]. Le moine devait pratiquer l'ascétisme dans sa nourriture :

(1) En 536, une supplique au pape Agapet est signée par 8 archimandrites et 58 higoumènes de Constantinople (MANSI, t. VIII, col. 906-910). La *Novelle* V distingue les deux dignités. Cf. J. PARGOIRE, *Archimandrite*, dans *Dictionnaire d'Archéologie chrétienne*, t. I, col. 2739 et suiv.

(2) *Novelle* CXXXIII, 4 (539). A Constantinople le *sacellaire*, dignitaire patriarcal, exerçait aussi une surveillance sur les monastères.

(3) KRUMBACHER, *Geschichte der byzantinischen Literatur*, 2e édit., Munich, 1897, p. 314-319 (abondante bibliographie).

(4) L. BRÉHIER, *L'art chrétien*, 2e édit., 1928, p. 118, 132-133.

(5) Ce costume est figuré au frontispice de l'évangéliaire syriaque de Florence, copié et orné par le moine Rabula au monastère de Zagba, en Mésopotamie, en 586 (reproduit dans DIEHL, *Justinien*, p. 500, fig. 163).

abstinence de viande, un seul repas par jour, observance du Grand Carême de sept semaines et des carêmes précédant les fêtes de Noël (Avent), des saints Apôtres, de la Dormition. Les offices duraient six heures par jour, et les vigiles des fêtes toute la nuit. Les travaux manuels, tissage, culture, la copie et l'enluminure des manuscrits, les travaux intellectuels occupaient le reste du temps. Les pénitences infligées aux délinquants étaient surtout spirituelles (privation des eulogies, exclusion temporaire de la communauté).

Une autre obligation importante de la vie monastique était l'exercice de la charité et l'hospitalité donnée aux voyageurs et aux pèlerins. Chacun des grands monastères avait son hospice et son hôtellerie, sans parler de ceux qui étaient affectés spécialement à des œuvres d'assistance publique, ainsi qu'on le verra plus loin [1].

§ 3. — La vie intérieure de l'Eglise.

LES LITURGIES Il existe au VIe siècle en Orient trois types de liturgies : *type alexandrin* (liturgie grecque de saint Marc ; liturgie copte de saint Cyrille ; liturgie éthiopienne des douze Apôtres) ; *type syrien* (liturgie de saint Jacques, texte grec et syriaque) ; *type byzantin* (liturgies de saint Jean Chrysostome, de saint Basile, des présanctifiés) [2]. Au VIe siècle, le grec est encore la langue liturgique par excellence, sauf dans les pays reculés de l'intérieur des terres. Pour s'attacher le peuple, les Jacobites adoptent de plus en plus les langues nationales, le syriaque, le copte, l'arménien. Il en résulte la disparition des types grecs alexandrin ou syrien, remplacé chez les fidèles de langue grecque par le type byzantin [3].

LA MESSE BYZANTINE Au VIe siècle, la liturgie byzantine ne connaît pas encore la longue préparation des oblats à l'autel de la Prothesis. La messe des catéchumènes commence par la Petite Entrée du célébrant, accompagnée du chant du Trisagion et de l'encensement. Après l'échange de paix entre le célébrant et le peuple, a lieu la lecture de trois textes de l'Écriture : prophéties, épître, évangile, puis l'homélie, après laquelle les catéchumènes quittent l'église. La messe des fidèles est annoncée par la prière litanique dirigée par un diacre, puis, après la récitation du Symbole, a lieu la Grande Entrée, les diacres portant solennellement les oblats à l'autel, pendant que le peuple chante l'hymne triomphale du Cheroubicon. Après la bénédiction et le baiser

(1) DIEHL, *Justinien*, p. 508 et suiv., 528.
(2) PARGOIRE, *L'Église byzantine*, p 97-99. Voir aussi les articles du *Dictionnaire d'Archéologie chrétienne et de Liturgie* : Placide de MEESTER, *Liturgies grecques*, t. VI, col. 1591-1662 ; Henri LECLERCQ, *Livres liturgiques grecs*, t. IX, col. 1890-1891, et *Livres Saints illustrés*, t. IX, 1891-1896 ; STEFANESCU, *L'illustration des liturgies dans l'art de Byzance et de l'Orient*, Bruxelles, 1936.
(3) PARGOIRE, *op. cit.*, p. 98.

de paix, la lecture des diptyques des vivants et des morts précède le canon proprement dit, qui comprend l'anaphora (élévation), l'hymne eucharistique, la commémoration, l'épiclèse. Viennent enfin de nouvelles litanies, l'oraison dominicale, l'échange de paix, la fraction de l'hostie, la communion, les actions de grâces, le congé donné aux fidèles (apolysis). La récitation du symbole de Constantinople a été introduite en 511 par le patriarche Timothée, comme protestation contre le concile de Chalcédoine [1].

CADRE ET ACCESSOIRES DE LA LITURGIE

Les églises de cette époque conservent la plupart du temps le plan basilical, qu'elles soient couvertes ou non par des coupoles comme Sainte-Sophie ou Sainte-Irène à Constantinople. Les plans circulaires, cruciformes ou octogonaux sont réservés aux baptistères, aux chapelles funéraires ou *martyria*, destinées à conserver des sépultures de saints ou de grands personnages, comme les Saints-Apôtres de Constantinople, église sépulcrale des empereurs, rebâtie après 532 avec cinq coupoles disposées en croix. Les églises sont précédées d'un atrium entouré de portiques et d'un narthex. La nef est réservée aux fidèles, mais, de plus, au-dessus des bas-côtés règnent des tribunes (catéchumènes), dont le nom indique l'usage primitif, mais qui sont ensuite réservées aux femmes. Le chœur est séparé de la nef par un chancel richement orné, accosté des deux ambons. La barrière de l'iconostase est encore inconnue [2]. Derrière l'autel unique surmonté d'un ciborium, une simple table portée par des colonnes, mais revêtue de riches draperies, se dresse dans l'abside le trône épiscopal au milieu des bancs réservés au clergé. Dès cette époque aussi apparaît le plan triconque à trois absides, la principale à l'est (l'orientation est une règle absolue), les deux autres au nord et au sud. Tel fut à Constantinople le plan de Saint-André de Crisis (Hodja Moustapha-djami). Les deux chœurs secondaires, sans doute d'origine monastique, servaient vraisemblablement aux chantres [3]. Justinien ajouta un chœur bâti sur ce plan à la basilique de Bethléem [4].

Les collections publiques et privées conservent de magnifiques spécimens d'instruments liturgiques du VIe siècle : patènes ou *disques*, en argent, ornées du thème de la communion des Apôtres, avec une reproduction exacte de l'autel et des vases sacrés ; calices (*poleria*) ; éventails liturgiques (*rhipidia*) en argent, timbrés de la figure des chérubins ; cuillers destinées à la communion ; fioles à saintes huiles ; encensoirs, etc... [5].

(1) PARGOIRE, *op. cit.*, p. 99-100 ; MOREAU, *Les anaphores des liturgies de saint Jean Chrysostome et de saint Basile*, Paris, 1927.

(2) L. BRÉHIER, *Anciennes clôtures de chœur antérieures aux iconostases dans les monastères de l'Athos* (*Ve Congrès des Études byzantines*, Rome, 1936).

(3) EBERSOLT, *Monuments d'architecture byzantine*, Paris, 1934 (étudie tous les plans usités dans les églises).

(4) VINCENT et ABEL, *Bethléem*, Paris, 1914.

(5) L. BRÉHIER, *Les trésors d'argenterie d'Antioche*, dans *Gazette des Beaux-Arts*, mars-avril 1920 (patène de Riha avec en exergue un calice ministériel ; calice Tyler) ; Ch. DIEHL, *L'école*

Parmi les livres liturgiques, on a conservé surtout des évangéliaires somptueusement ornés (texte en lettres d'or sur parchemin pourpré interrompu par des miniatures) [1]. Les officiants se servaient aussi de rouleaux liturgiques, figurés sur quelques monuments et dont le rouleau de Josué du Vatican peut donner une idée.

Le costume liturgique commence à se distinguer plus nettement du costume civil qu'à la période précédente. La célèbre mosaïque de la procession de Justinien à Saint-Vital de Ravenne représente en avant de l'empereur des titulaires des trois premiers ordres ecclésiastiques : l'évêque Maximien, vêtu d'une longue tunique blanche (*tunica alba*) par-dessus laquelle est jetée l'ample chasuble verte (*paenula, planeta*) ; à son cou est enroulé le *pallium*, bande d'étoffe blanche timbrée d'une croix noire ; il porte à la main une croix. Le prêtre et le diacre tonsurés portent une longue tunique blanche à larges manches (dalmatiques) ; le prêtre tient le livre des évangiles ; le diacre balance l'encensoir.

OFFICE DIVIN

Les clercs attachés à une église et les moines sont tenus de chanter l'office quotidien [2] divisé anciennement en trois parties : *mesonyklikon* (milieu de la nuit), *orthros* (aurore), *lykhnikon* (jour). Cette coutume se conserva en Égypte et au Sinaï. A Constantinople et dans les autres provinces, on adopta les sept heures canoniales qui se terminent par l'*hesperinos* (vêpres) et l'*apodeipnon* (complies) [3]. Ce fut au VIe siècle qu'aux textes scripturaires on ajouta des hymnes rythmiques ou proses dues aux mélodes, à la fois poètes et musiciens, dont le plus célèbre est Romanos, Syrien d'origine venu à Constantinople. Il a fallu reconstituer ses œuvres, transcrites dans les manuscrits comme de la prose. Le personnage lui-même, dont la légende s'est emparée, est bien un contemporain de Justinien [4].

SACREMENTS

Le baptême doit être encore administré dans un baptistère, et le concile tenu en 536 à Constantinople blâme les monophysites de le conférer dans des maisons privées [5]. Il est administré par une triple immersion, de préférence aux grandes fêtes (Noël, Épiphanie,

artistique d'Antioche et les trésors d'argenterie syrienne, dans *Syria*, 1921 ; ID., *Un nouveau trésor d'argenterie syrienne*, dans *Syria*, 1926 (d'une richesse particulière) ; L. BRÉHIER, *La sculpture et les arts mineurs byzantins*, Paris, 1936 (planches XXV, XXVII-XXVIII, XLIV, XLV, LII, LIV).

(1) Ch. DIEHL, *Manuel d'art byzantin*, 2e édit., Paris, 1925, p. 245-261, et *La peinture byzantine*, Paris, 1933 ; EBERSOLT, *La miniature byzantine*, Paris, 1926

(2) *Cod. Just.*, I, III, 41.

(3) PARGOIRE, *L'Église byzantine*, p. 104-105.

(4) KRUMBACHER, *Geschichte der byzantinischen Literatur*, 2e édit., Munich, 1897, p. 653-705; MAAS, *Die Chronologie der Hymnen des Romanos*, dans *Byzantinische Zeitschrift*, t. XV, 1906, p. 1-44. Éditions partielles : PITRA, *Analecta Sacra*, I, 1876 ; PAPADOPOULOS KERAMEUS, *Athonika*, dans *Byzantinische Zeitschrift*, t. VI, 1897, p. 383-386.

(5) MANSI, t. VIII, col. 895-899 ; *Novelles* LVIII, LXI.

Pâques, Ascension). Le rituel de Constantinople, fixé au ve siècle, fait suivre la cérémonie du baptême de la confirmation [1]. Le baptême est conféré aux enfants quarante jours après leur naissance, mais on attend souvent qu'ils aient atteint deux ans.

L'usage de la pénitence publique a disparu et la confession donne lieu à la rédaction de pénitentiels dont le plus ancien est attribué au patriarche Jean le Jeûneur (582-595) [2].

Des monuments comme la patène de Riha nous montrent par l'exemple des apôtres comment les fidèles communiaient. Ils recevaient le pain consacré dans leur main voilée et buvaient à même le calice. Les communions des fidèles avaient lieu surtout aux grandes fêtes, mais, d'après les lettres spirituelles de l'ermite Barsanuphe, certains fidèles communiaient chaque jour. Quelques-uns obtenaient même la permission de conserver l'Eucharistie chez eux pour pouvoir le faire plus facilement [3]. Il était d'usage d'administrer la communion aux enfants après leur baptême.

FORMES DE LA PIÉTÉ

Parmi les formes multiples que revêt la dévotion à cette époque, quelques-unes, sans être nouvelles, sont particulièrement caractéristiques. En dehors de l'office divin, la récitation quotidienne du psautier, même parmi les laïcs, est devenue courante. Les manifestations de la piété collective se traduisent par des processions ou litanies, organisées à l'occasion d'un événement important, mais Justinien doit rappeler dans sa législation qu'aucune procession ne peut avoir lieu sans la participation du clergé [4]. Plusieurs de ces processions, rehaussées de la présence de l'empereur et de la cour, se dirigeaient à des jours déterminés vers des sanctuaires célèbres, comme celui de la Vierge des Blachernes [5]. Une autre coutume pieuse, répandue aussi en Occident, consistait dans l'envoi des *eulogies*, à l'origine parcelle du pain offert par les fidèles pour l'Eucharistie et non consacré, puis, par extension, au vi[e] siècle, tout objet mis en contact avec un autre objet d'un caractère sacré, par exemple, les ampoules remplies de l'huile des lampes qui brûlaient devant le Saint-Sépulcre ou de l'eau de la fontaine du sanctuaire de saint Ménas en Égypte [6].

Mais trois pratiques sont surtout à considérer, à cause de l'importance qu'elles ont prise : le culte des icones, celui des reliques et les pèlerinages, pratiques d'ailleurs bien souvent associées et manifestation par excellence de la dévotion envers la Vierge et les saints.

(1) Sur les rites orientaux et byzantins, voir P. de Puniet, *Dictionnaire d'Archéologie chrétienne et de Liturgie*, t. II, col. 251-297.
(2) Édité dans *P. G.*, LXXXIX, 1889-1978.
(3) Barsanuphe, *Œuvres*, édit. de Nicodème l'Hagiorite, Venise, 1816, p. 70.
(4) *Novelle* cxxiii, 32 ; Pargoire, *L'Église byzantine*, p. 108.
(5) Ebersolt, *Sanctuaires de Byzance*, Paris, 1921, p. 44-53.
(6) Voir art. *Ampoules*, dans *Dictionnaire d'Archéologie chrétienne*, t. I, col. 1722-1747 et *Eulogie*, *ibid.*, t. V, col. 733-734.

ICONES

Les icones dérivent des portraits funéraires égyptiens qui avaient remplacé les masques sur les cercueils anthropoïdes depuis l'époque hellénistique. Les plus anciennes qui soient conservées, découvertes au Sinaï par Porphyre Ouspensky (bustes de deux époux tenant chacun une croix d'or, bustes des saints Serge et Bacchus avec une petite icone du Christ entre leurs nimbes, fin du ve ou vi^e^ siècle, au musée de Kiev) présentent les mêmes procédés techniques et surtout le même style et la même expression que les nombreux portraits funéraires découverts dans les tombes d'Antinoé : peinture à l'encaustique, figures presque de face reproduisant des traits individuels, mais avec des yeux démesurément agrandis, au regard profond qui semble venir de l'au-delà [1].

Comme ces portraits, les plus anciennes icones ont une valeur commémorative et reproduisent d'abord les effigies des martyrs, puis celles des saints, des apôtres, de la Vierge et enfin du Christ. Il se forme ainsi, d'après les textes, dès le ive siècle, des types de personnages dont le caractère céleste est indiqué par le nimbe, celui du Christ timbré d'une croix. Mais en même temps que se développait, en Syrie surtout, une abondante littérature apocryphe, on en vint à considérer certaines figures du Christ et de la Vierge comme des portraits authentiques et, en outre, d'un caractère miraculeux, comme l'icone de la Vierge rapportée de Palestine par l'impératrice Pulchérie, dont on attribuait l'exécution à saint Luc, comme les images *acheiropoièles* (non faites de main d'homme) du Christ, dues au contact d'un voile avec la face du Sauveur, celle de Kamouliana en Cappadoce, transportée à Constantinople en 574, celle, plus célèbre, d'Édesse envoyée par le Christ au roi Abgar [2]. Au vi^e^ siècle, le culte des icones est en pleine floraison.

RELIQUES

Le culte des reliques, déjà si développé dans la chrétienté au ive siècle, a pris en Orient au vi^e^ siècle une importance considérable [3]. Constantinople devient à cette époque le centre par excellence des reliques qui y affluent de tous côtés et sont acceptées comme authentiques avec une grande facilité. Le Palais impérial, en particulier, est un vaste reliquaire, et les empereurs s'attachent à y rassembler des

(1) Wulff et Alpatov, *Denkmaeler der Ikonenmalerei*, Dresde, 1925 ; L. Bréhier, *Les icones dans l'histoire de l'art*, dans *Mélanges Ouspensky*, 2e partie, p. 150-173, Paris, 1933. Parmi les icones que l'on peut dater du vi^e^ siècle signalons la riche collection du musée Empereur Frédéric à Berlin (deux martyrs, l'abbé Abraham provenant de Baouit, Madone tenant l'Enfant, etc...) et au musée de Kiev une icone de saint Jean-Baptiste.

(2) St. Runciman, *Some remarks on the Image of Edessa*, dans *Cambridge Historical Journal*, t. III, 1931, p. 238-252 ; A. Grabar, *La Sainte-Face de Laon* (*Seminarium Kondakovianum*), Prague, 1931 ; L. Bréhier, *Icones non faites de main d'homme*, dans *Revue Archéologique*, 1932, p. 68-77 ; Dobschuetz, *Christusbilder*, 2 vol., Leipzig, 1899.

(3) Pargoire, *L'Église byzantine*, p. 117-119 ; Ebersolt, *Sanctuaires de Byzance*, Paris, 1921 (ouvrage fondamental qui rassemble tous les textes et les monuments relatifs aux reliques conservées à Constantinople).

reliques de la Passion, comme le morceau de la Vraie Croix, apporté de Jérusalem, et un autre, venu d'Apamée en 574. Dans le Chrysotriclinion construit par Justin II, on conserve la verge de Moïse apportée d'après la tradition sous Constantin. Dans l'église Saint-Étienne du palais de Daphné, l'impératrice Pulchérie avait déposé en 428 la main droite du premier martyr. Mais, en outre, chaque église, chaque monastère possédait un grand nombre de reliques insignes. Aucune église nouvelle n'était consacrée sans qu'on y transportât d'abord des reliques. L'église Sainte-Sophie, reconstruite après la révolte de 532, reçut le *Puits sacré* (celui de la Samaritaine), des trompettes de Jéricho et un fragment de la Vraie Croix. Après la reconstruction des Saints-Apôtres en 547, le patriarche Ménas, monté sur le char impérial, y transporta les reliques des saints André, Luc et Timothée et, en 551, dans le même équipage, son collègue d'Alexandrie, assis à ses côtés, les reliques de sainte Irène dans l'église qui lui était dédiée. On pense que cette dernière scène est représentée sur le célèbre ivoire de Trèves [1].

La vénération des reliques exerça une grande influence sur la diffusion du culte des saints. Si les empereurs s'attachaient à rechercher partout de nouvelles reliques, ils avaient aussi la coutume d'en distribuer des fragments conservés dans de somptueux reliquaires, à des princes étrangers, à des ambassadeurs, à de grands personnages. Nous avons déjà cité la croix-reliquaire envoyée au pape par Justin II. Le même empereur fit cadeau en 569 à la reine Radegonde, retirée dans un monastère de Poitiers, d'un fragment de la Vraie Croix enchâssé dans le magnifique reliquaire dont un fragment existe toujours au couvent de Sainte-Croix à Poitiers [2]. Ce fut par ce moyen aussi que s'implanta en Occident le culte des martyrs et de saints originaires d'Orient.

PÈLERINAGES

Au culte des reliques sont intimement liés les pèlerinages, entrepris la plupart du temps pour les vénérer. Grecs, Orientaux et Occidentaux se rencontrent dans les sanctuaires célèbres, et rien n'a mieux servi la diffusion en Occident des usages et des légendes de l'Orient, comme le montre la place qui leur est faite dans l'œuvre de Grégoire de Tours [3].

Le pèlerinage par excellence, depuis le IVe siècle, est celui des Lieux Saints de Palestine, auquel plusieurs pèlerins ajoutaient celui du Sinaï. De nombreux hospices s'étaient élevés à Jérusalem, à Bethléem, à Nazareth, pour héberger les innombrables pèlerins venus de toute la chrétienté, en particulier au moment de la Semaine Sainte et de la fête de l'Exaltation

(1) Ebersolt, *op. cit.*, p. 14-15.
(2) Molinier, *L'orfèvrerie*, p. 40.
(3) L. Bréhier, *Les colonies d'Orientaux en Occident*, dans *Byzantinische Zeitschrift*, t. XII, 1903, p. 1-39. Ebersolt, *Orient et Occident*, t. I, 1928 (surtout chap. I-IV).

de la Croix (Anastasis) célébrée dès cette époque au mois de septembre [1]. Aux monastères du Sinaï l'affluence était assez grande pour nécessiter la construction d'une vaste maison des hôtes, que le pape saint Grégoire le Grand enrichit de ses dons [2].

Parmi les autres pèlerinages fréquentés, on peut citer en Égypte celui de Saint-Ménas au lac Maréotis (Abou Mina), avec sa grande basilique construite aux frais de l'empereur Arcadius, ses cryptes, dans lesquelles on vénérait une icone du saint orant entre deux chameaux agenouillés, et sa source miraculeuse dont les pèlerins rapportaient l'eau dans des ampoules timbrées à l'effigie du saint [3]. A Saqqara, dans le voisinage de l'ancienne Memphis, le monastère fondé en 470 par l'Apa Jérémie attirait aussi beaucoup de pèlerins [4]. En Asie-Mineure et en Syrie, les pèlerinages, pour être moins célèbres, ne manquaient pas non plus [5]. En Europe, le plus important était celui de saint Démétrius à Thessalonique, où dans la splendide basilique fondée au ve siècle par le préfet d'Illyricum, Leontius, on conservait le corps du saint martyr. De son sarcophage découlait une huile odoriférante et les murs de la basilique étaient couverts de belles mosaïques (très endommagées par l'incendie de 1917), véritables icones votives, dues à la reconnaissance des fidèles qui avaient obtenu des grâces par l'intercession du saint [6].

§ 4. — Activité extérieure de l'Eglise.

ASSISTANCE PUBLIQUE

Dès le IVe siècle, la charité, pratiquée par l'Église depuis sa naissance, a été organisée par la création d'établissements dotés de revenus fixes, fondés par des empereurs, des évêques ou des particuliers. Mais, ce qui est nouveau au VIe siècle, c'est l'effort de l'État pour protéger ces établissements et créer une organisation d'ensemble. Tel est l'objet de la législation de Justinien dans ces matières [7].

(1) Vincent et Abel, *Jérusalem*, t. II, *Jérusalem nouvelle*, Paris, 2 vol., 1914 et 1922 (sur l'origine de la fête de l'Exaltation de la Croix, p. 203-206).

(2) *Gregorii Magni epistolae* (*P. L.*, t. LXXVII, col. 562, 1118-1119) ; Lina Eckenstein, *A history of Sinaï*, Londres, 1921, p. 130. En Syrie, l'un des plus fréquentés était celui de Saint-Siméon Stylite à Kalaat-Seman (voir plus haut), où furent élevées au VIe siècle les quatre basiliques disposées en croix autour de la cour octogonale au milieu de laquelle se dressait la colonne du Stylite. Description d'Évagrius, *Hist. eccl.*, I, XIV. Bibliographie dans Ebersolt, *Monuments d'architecture byzantine*, 1934, p. 173, et H. Leclercq, dans *Dictionnaire d'Archéologie chrétienne*, t. I, col. 2380-2388.

(3) Kaufmann, *Der Menastempel und die Heiligtümer von Karm Abu Mina in der aegyptischen Mariûtwüste*, Francfort, 1909 (l'auteur a dirigé les fouilles du sanctuaire).

(4) Diehl, *L'Égypte chrétienne et byzantine*, dans *Histoire de la nation égyptienne*, t. III, p. 511-512.

(5) Pargoire, *L'Église byzantine*, p. 119-120.

(6) Diehl, *Les monuments chrétiens de Salonique*, Paris, 1918 ; Tafrali, *Thessalonique, des origines au XIVe siècle*, Paris, 1919, et *Topographie de Thessalonique*, Paris, 1913.

(7) Knecht, *System des justinianischen Kirchenvermögensrechtes*, Stuttgart, 1905 (voir surtout, p. 43-55, *Die Wohltätigkeitsanstalten*). Principales lois relatives à ces fondations dans *Cod. Just.*, I, II, 19 ; I, III.

A la différence de ce qui se passe en Occident, on construit en Orient des établissements spéciaux pour chacune des œuvres d'assistance. Ce sont d'abord les *xenodochia*, hospices destinés aux pauvres et aux voyageurs. Justinien fit ainsi reconstruire magnifiquement le *xenodochium* de Saint-Sampson, brûlé pendant la sédition Nika [1]. A la tête de ces établissements se trouvaient des directeurs, *xenodochoi*, toujours des clercs. Les *nosocomia* étaient les hôpitaux destinés aux malades, desservis par des veuves, des frères laïcs ou, comme à Alexandrie, par une corporation de clercs, les *parabolani*, soumis étroitement à l'évêque, dont plusieurs avaient une instruction médicale. Les *ptochotrophia* étaient des asiles où des diacres distribuaient des secours aux pauvres. Justinien reproduisit dans son code une constitution de 382 destinée à réprimer la mendicité, mais en supprimant la peine de la prison pour les réfractaires [2].

Les *orphanotrophia*, orphelinats, étaient de fondation très ancienne. Ils étaient dirigés par des clercs soumis à l'évêque et, au point de vue civil, ils dépendaient des fonctionnaires municipaux, en tant que tuteurs et curateurs des orphelins [3]. Les *brephotrophia* étaient de véritables crèches qui recueillaient les enfants abandonnés. Les *gerontocomia*, asiles de vieillards, étaient d'origine plus récente, les vieillards étant soignés auparavant dans les *xenodochia*. Justinien fonda même un hospice pour les invalides qui avaient été au service de l'État. Enfin Justinien et Théodora créèrent sur la rive asiatique du Bosphore le monastère de la Pénitence pour les filles repenties [4].

Toutes les fondations étaient dotées de la personnalité morale. L'État garantissait leur patrimoine et en surveillait l'usage. Les administrateurs pouvaient être nommés par les fondateurs ou par les évêques. De toute manière, ils étaient soumis étroitement à l'évêque, devaient lui rendre compte de leur gestion et, en cas de malversation, relevaient de sa juridiction au contentieux avec appel au métropolitain [5]. A Constantinople, existait un bureau spécial des fondations pieuses, composé de clercs et de moines. Son personnage le plus important était le Grand Orphanotrophe, presque toujours un moine, véritable directeur de l'assistance publique [6].

L'ENSEIGNEMENT C'est un fait important que l'Église n'a aucune part directe à l'enseignement public organisé par l'État. A Constantinople, l'Université Impériale, créée par Théodose II au Capitole en 425, avec ses 31 chaires latines et grecques de grammaire,

(1) Procope, *De Ædif.*, I, ii ; *Novelles* lix, 3, cxxxi, 15. Il était situé entre Sainte-Sophie et Sainte-Irène.
(2) *Code Justinien*, XI, xxvi ; *Novelle* lxxx, 4-5.
(3) *Novelle* cxxxi.
(4) Procope, *De Ædif.*, I, ix.
(5) *Novelles* cxxxi, 9, 12 ; cxxiii, 23.
(6) Diehl, *Justinien et la civilisation byzantine*, p. 530.

de rhétorique, de philosophie et de droit, ne fait aucune part à l'enseignement théologique [1]. Ses professeurs étaient des laïcs et recevaient de l'empereur des titres honorifiques [2]. A l'Université d'Athènes, supprimée par Justinien en 529, tous les professeurs étaient païens. Il en avait été longtemps de même à l'Université d'Alexandrie, et nous avons vu à quelles conséquences désastreuses avait abouti l'intrusion d'un de ses maîtres, chrétien jacobite, Jean Philoponos, dans le domaine de la théologie. Justinien réorganisa l'enseignement du droit, confié aux trois Universités de Rome, Constantinople et Beyrouth [3], et interdit l'enseignement aux païens et aux hérétiques [4].

Bien que les témoignages soient insuffisants, on ne peut douter que la fondation de Théodose II fonctionnât toujours au VIe siècle et, bien que son enseignement fût purement profane, fondé entièrement sur l'étude de la littérature et de la philosophie antiques, ses cours étaient suivis par des jeunes gens destinés, soit à exercer des fonctions publiques, soit à entrer dans le clergé. Beaucoup d'évêques de cette époque lui ont appartenu. L'Église était restée fidèle à la doctrine des Pères du IVe siècle et, en particulier, de saint Basile, sur l'utilité de l'étude des auteurs profanes pour les chrétiens [5]. On ne discerne encore aucune trace de la défiance que l'Église et surtout le monachisme devaient manifester plus tard pour les études classiques, et l'admiration pour les auteurs de l'antiquité païenne se reflétait jusque dans les épitaphes et les épigrammes funéraires contemporaines de Justinien [6]. Ce n'était plus là qu'un jeu littéraire regardé comme inoffensif.

En réalité, l'absence de l'enseignement théologique dans les écoles publiques provient de ce que l'Église se l'était réservé. La doctrine ne fut fixée qu'au concile *in Trullo* [7], qui défendit aux laïcs d'enseigner publiquement la théologie. Cette règle n'était donc pas entièrement fixée au temps de Justinien, mais, ce qui est certain, c'est que l'Église avait créé des écoles spéciales de théologie. Nous savons déjà qu'auprès de chaque évêque se trouvait un *didaskalos*, écolâtre, qui devait diriger cet enseignement. Malheureusement nous sommes mieux renseignés sur les personnalités formées dans ces écoles que sur les établissements eux-mêmes. Quelques-unes d'entre elles, célèbres au IVe et au Ve siècle, celles d'Alexandrie et d'Antioche, ne donnaient plus signe de vie à l'époque de Justinien,

(1) *Cod. Théodos.*, XIV, IX, 3. — BIBLIOGRAPHIE : FUCHS, *Die höheren Schulen von Konstantinopel im Mittelalter*, Leipzig, 1926, p. 1-8 ; L. BRÉHIER, *Notes sur l'histoire de l'enseignement supérieur à Constantinople*, dans *Byzantion*, t. III, 1926, p. 73-94.

(2) Titre de comte de premier ordre. *Cod. Théodos.*, VI, XXI, 1.

(3) COLLINET, *Histoire de l'École de droit de Beyrouth*, Paris, 1925.

(4) *Cod. Just.*, I, V, 18 ; I, XI, 10.

(5) Saint BASILE, Πρὸς τοὺς νέους, ὅπως ἂν ἐξ ἑλληνικῶν ὠφελοῖντο λόγων, dans *P. G.*, t. XXXI, col. 564-589.

(6) P. WALTZ, *L'inspiration païenne et le sentiment chrétien dans les épigrammes funéraires du VIe siècle*, dans *L'Acropole*, Paris, janvier 1931.

(7) Ou *Quinisexte*, en 691-692.

mais continuaient certainement à subsister. Celle d'Édesse avait été fermée par Zénon en 489, et ses maîtres nestoriens s'étaient transportés à Nisibe, en territoire persan, où fut organisée une école, très florissante au VIe siècle [1].

Nous avons enfin la preuve qu'il existait des écoles monastiques, comme le prouvent la novelle de Justinien prescrivant aux moines la lecture des Saintes Écritures et le témoignage de Jean d'Éphèse [2]. Les grands monastères, comme celui des Acémètes à Constantinople ou ceux du Sinaï, possédaient d'importantes bibliothèques et des ateliers de calligraphie [3].

LITTÉRATURE RELIGIEUSE La littérature théologique, qui a jeté un grand éclat au Ve siècle [4], n'a pas été moins abondante sous Justinien, mais les œuvres de premier ordre sont plus rares désormais. Les traités d'un caractère polémique, comme ceux de l'empereur lui-même, sont plus nombreux que les œuvres spéculatives.

Le principal théologien de cette époque est Léonce de Byzance, né à Constantinople vers 485. Après un voyage à Rome en 519, il se retira à la Laure de Mar-Saba en Palestine et revint plusieurs fois à Constantinople, où il mourut en 542. Dans ses ouvrages, il attaqua avec le même zèle les Nestoriens et les monophysites et introduisit le terme d'*enhypostasis* pour désigner la relation entre les deux natures divine et humaine du Verbe. Il appuyait sa doctrine sur les catégories et les distinctions d'Aristote [5].

Léonce de Byzance représente une tentative pour adapter la philosophie d'Aristote aux dogmes chrétiens, reprise, comme on l'a vu, par le philosophe d'Alexandrie Jean Philoponos. Ce fut à la même époque qu'un accord plus hasardeux fut essayé entre la théologie chrétienne et le néoplatonisme, d'abord par un moine monophysite d'Édesse, Étienne Bar-Soudaili, dont la doctrine aboutissait au panthéisme [6], puis, par les écrits mis sous le nom de Denis l'Aréopagite, disciple de saint Paul, dont il est question pour la première fois dans les conférences de Constantinople en 533 [7]. L'auteur de ces écrits, que l'on a essayé en vain d'identifier à

(1) LABOURT, *Le christianisme dans l'empire perse*, Paris, 1904, p. 288-301.
(2) *Novelle* CXXXIII, 2 ; JEAN D'ÉPHÈSE, *De beatis Orientalibus*, CIII, CVI.
(3) MANSI, t. VII, col. 679 ; PITRA, *Analecta novissima*, I, 41 ; DIEHL, *Justinien et la civilisation byzantine*, p. 526-527.
(4) KRUMBACHER, *Geschichte der byzantinischen Literatur*, 2e édit., Munich, 1897. *Théologie* par A. EHRHARD, p. 37-206. — ANCIENNES LITTÉRATURES CHRÉTIENNES : P. BATIFFOL, *La littérature grecque*, Paris, 1901 ; II. R. DUVAL, *La littérature syriaque*, Paris, 1907 ; G. BARDY, *Littérature grecque chrétienne*, Paris, 1928.
(5) *Œuvres*, dans *P. G.*, t. LXXXVI, col. 1267-2100 ; J. TIXERONT, *Histoire des dogmes*, t. III, 1912, p. 4-9, 152-158 ; RUEGAMER, *Leontius von Byzanz*, Wurzbourg, 1894 ; BURY, *History of the Later Roman Empire*, t. II, p. 373-375.
(6) L. DUCHESNE, *L'Église au VIe siècle*, p. 158-160 ; Rubens DUVAL, *Littérature syriaque*, p. 356-358 ; FOTHERINGAM, *Stephen Bar Sudaïli, the Syrian mystic and the book of Hierotheos*, Leyde, 1886.
(7) Cf. *supra*, p. 450.

Sévère [1], a beaucoup de rapports avec Bar-Sudaïli et paraît être comme lui un néoplatonicien converti au christianisme et originaire de la Syrie du nord. L'œuvre du pseudo-Denis, qui cherche à lier le mysticisme à la théologie, eut un succès considérable et exerça une grande influence, tant en Orient qu'en Occident, pendant tout le moyen âge [2].

Nous ne pouvons que mentionner ici les autres manifestations d'activité religieuse dans le domaine littéraire : commentaires sur l'Écriture, éloquence de la chaire, hagiographie, qui prend un immense développement chez les orthodoxes aussi bien que chez les jacobites (commentaire de Jean d'Éphèse sur les bienheureux orientaux) et qui est devenue un genre littéraire avec ses règles et son plan traditionnels. L'histoire ecclésiastique est représentée par Évagrius, Syrien, né en 536, avocat à Antioche, puis questeur sous Tibère et préfet sous Maurice. Ses six livres continuent Socrate, Sozomène, Théodoret et vont de 431 à 593 [3]. Un traité parénétique, inspiré d'Isocrate, sur les devoirs des princes, est dédié à Justinien par le diacre Agapet [4]. Un ouvrage curieux est la *Topographie chrétienne* de l'alexandrin Cosmas Indicopleustès, voyageur en Arabie, en Afrique Orientale, dans l'Inde. Ce fut dans un monastère du Sinaï entre 547-549 qu'il écrivit son livre, sorte de commentaire géographique de la Bible, accompagné d'un exposé de la cosmologie syrienne et de descriptions des pays qu'il a visités ou sur lesquels il a eu des renseignements [5].

Nous ne reviendrons pas sur la poésie rythmique des mélodes, qui est une des créations les plus originales de cette époque, point de départ d'une littérature exclusivement chrétienne, indépendante de tout modèle antique. Il en est de même des innombrables récits apocryphes de l'Ancien et du Nouveau Testament, la plupart d'origine syrienne et qui devaient enrichir l'iconographie religieuse de ses thèmes les plus pittoresques [6].

L'ART RELIGIEUX

Il est inutile d'insister sur le prodigieux développement de l'art religieux au VIe siècle. C'est à cette époque que se sont formées, à l'aide de multiples apports, les tradi-

(1) Stéphanou, *Les derniers essais d'identification du pseudo-Denys l'Aréopagite*, dans *Échos d'Orient*, t. XXXV, 1932, p. 446-469 ; Lebon, *Le pseudo-Denys l'Aréopagite et Sévère d'Antioche*, dans *Revue d'histoire ecclésiastique*, t. XXVI, 1930, p. 880-915.

(2) Œuvres du pseudo-Denis : *De la hiérarchie céleste* (*hiérarchie des anges*), *De la hiérarchie ecclésiastique, Des noms divins, De la théologie mystique, Lettres I-XI*, édit. *P. G.*, t. III et IV ; *Tableau bibliographique des études dionysiennes*, dans *Échos d'Orient*, t. XXXV, 1932, p. 466-469 ; Bardy, *Autour de Denys l'Aréopagite*, dans *Recherches de Science religieuse*, t. XXI, 1931, p. 201-204.

(3) Édit. *P. G.*, LXXXVI, 2405-2906.

(4) A. Bellomo, *Agapeto diacono e la sua schedia regia*, Bari, 1906 (montre le succès extraordinaire de cette œuvre connue par 88 manuscrits et croit y retrouver des allusions aux traits de caractère de Justinien. L'ouvrage a été souvent traduit et imité, en 1612, à l'usage du roi Louis XIII).

(5) Édit. *P. G.*, t. LXXXVIII, p. 10-46.

(6) Migne, *Dictionnaire des apocryphes*, 2 vol., Paris, 1856-1858, dans *Encyclopédie théologique*, t. XXIII et XXIV ; Fabricius, *Codex apocryphus...*, 1719 ; J. Bousquet et E. Amann, *Les apocryphes du Nouveau Testament. Le protévangile de Jacques*, Paris, 1910.

tions de l'art byzantin, qui a régné dans tout l'Orient au moyen âge et s'est perpétué dans les églises orthodoxes jusqu'à nos jours [1]. Ce que l'on ne s'est pas assez demandé, c'est la mesure dans laquelle l'Église a exercé une action sur cette floraison artistique. Presque tous les palais impériaux ont disparu, et seuls les monuments religieux nous sont parvenus, plus ou moins intacts. Or les renseignements que nous possédons sur ces palais, dont celui de Spalato nous montre un type du IVe siècle, prouvent que c'est à l'image de ces palais que les édifices chrétiens, d'abord très modestes, ont été construits et décorés aux Ve et VIe siècles. L'église est devenue le palais du Seigneur, mais elle a emprunté aux palais terrestres leurs plans, leurs modes de construction et de couverture, leurs pavements et leurs colonnades, leurs chancels et leurs revêtements de marbre polychrome, leurs mosaïques murales et jusqu'aux détails iconographiques des grandes compositions qui les ornaient : types et scènes de majesté, costumes somptueux des dignitaires auliques attribués aux saints et aux martyrs.

L'action de l'Église sur l'art religieux a consisté d'abord, comme on l'a vu, à adapter au culte chrétien les plans d'édifices de l'architecture profane, à emprunter au mobilier somptueux des palais les modèles de vases sacrés, les tentures de soie historiée, les meubles de bronze et d'ivoire et tous les accessoires nécessaires aux cérémonies, à choisir enfin dans les compositions artistiques, destinées à exalter la personne de l'empereur, les thèmes destinés à créer une tradition d'iconographie chrétienne [2].

A l'époque de Justinien cette évolution était achevée. Un art religieux s'était constitué avec ses lois propres ; les techniques les plus savantes et les plus riches, les talents les plus remarquables étaient désormais au service de l'Église. Les monuments de cette époque qui subsistent encore, plus ou moins déformés, à Constantinople, à Salonique, à Parenzo, à Ravenne, et surtout le dôme sublime de Sainte-Sophie, chef-d'œuvre de l'art byzantin à sa naissance, attestent l'effort prodigieux entrepris par Justinien et ses contemporains pour évoquer, à l'aide des magnificences empruntées aux palais terrestres, les splendeurs des demeures éternelles.

(1) Sur l'art byzantin du VIe siècle, voir la bibliographie donnée plus haut, p. 549, n. 1.

(2) Sur cette iconographie impériale, voir L. BRÉHIER et P. BATIFFOL, *Les survivances du culte impérial romain*, Paris, 1920, et A. GRABAR, *L'empereur dans l'art byzantin*, Paris, 1936.

CHAPITRE II

LA CULTURE CHRÉTIENNE EN OCCIDENT

§ 1. — La culture littéraire [1].

LA DÉSORGANISATION DES ÉCOLES

On a vu à quel point les pressentiments douloureux qui étreignaient les cœurs, lors de la première ruée des Vandales, des Alains et des Suèves, au début du ve siècle, furent justifiés et même dépassés par l'événement. En bien des endroits, les richesses, les œuvres d'art, toutes les parures délicates de la vie romaine furent dispersées, dilapidées par des mains ignorantes et brutales ; et, chose plus dommageable encore, car ce n'était plus seulement une élite qui en devait souffrir, les institutions régulières furent sinon entraînées dans la débâcle, du moins gravement ébranlées. Les écoles publiques, en particulier, se trouvèrent ici et là à peu près désorganisées. On les maintint d'abord dans les centres quelque peu florissants et lettrés. Puis, au cours du vi^e siècle, elles se raréfièrent et la plupart, semble-t-il, sauf en Italie, disparurent [2]. L'enseignement ne fut plus donné, quand il put l'être, que par des maîtres particuliers, auxquels les membres de l'aristocratie confiaient leurs enfants. Il y eut encore des individus instruits, quelquefois des groupes, lorsque les circonstances s'y prêtaient ; mais le niveau général de la culture baissa progressivement, cette culture qui ne se transmet que par un effort ininterrompu, et qui apparaît si fragile et si précaire, dès que se désagrègent les cadres indispensables à sa continuité.

LE NOUVEAU TYPE DE « LETTRÉ »

« La dissolution de l'Empire, a remarqué l'illustre linguiste Meillet [3], a permis aux tendances propres des parlers de chaque province de se multiplier. *Mais les changements n'atteignaient pleinement que la langue parlée*. Même durant les derniers siècles de l'Empire, même devant les

(1) Bibliographie. — M. Roger, *L'Enseignement des Lettres classiques d'Ausone à Alcuin*, Paris, 1905 ; E. Norden, *Die lateinische Literatur im Uebergang vom Altertum zum Mittelalter*, dans Henneberg, *Die Kultur der Gegenwart*, I, 8, 1912, p. 483-522 ; P. de Labriolle, *Histoire de la littérature latine chrétienne*, Paris, 2e édit., 1924, p. 15-45.

(2) Sur les illusions d'Ozanam à ce propos, voir les très justes réflexions d'E. Jordan, dans *Ozanam, Livre du Centenaire*, Paris, 1913, p. 246.

(3) *Esquisse d'une histoire de la langue latine*, p. 279. Cf. Ferd. Lot, *A quelle époque a-t-on cessé de parler latin ?* Extrait du *Bulletin du Cange*, t. VI, 1931, p. 12.

grandes invasions, *personne n'écrit volontairement comme on parlait.* Pour écrire, il faut avoir fréquenté une école. Si bas que soit tombé l'enseignement, les maîtres n'ont jamais ignoré que *l'on devait rester fidèle à la tradition du latin écrit.* Et quiconque a prétendu écrire a au moins tenté d'écrire le latin traditionnel. Au VIe et au VIIe siècle, les difficultés étaient telles que même un évêque cultivé comme Grégoire de Tours écrivait un latin fort altéré par la langue courante. Mais *c'est le latin traditionnel qu'il s'efforçait d'employer...* »

Ils eurent quelque mérite, ceux qui essayèrent, au milieu de l'ignorance croissante, de faire œuvre d'écrivains. On ne saurait mieux comprendre qu'en les lisant le prix infini des âges privilégiés où le goût a acquis toute sa finesse et conserve tout son équilibre.

Un lettré, un *scolasticus*, au Ve et au VIe siècle, ce n'est pas un homme qui « pense », ou essaye du moins de penser, et d'ajuster à ses idées les expressions dont il use. Non : c'est un homme qui se préoccupe moins du fond des choses que de donner à son style un air « distingué », et qui croit y arriver en multipliant les synonymes, les épithètes, les images et surtout les métaphores.

Voici en quels termes Sidoine Apollinaire apprécie la manière d'écrire d'un de ses contemporains. La redondance de ses éloges est aussi significative que le choix des qualités qu'il se plaît à louer :

Il est peu ou point d'orateur qui, ayant à préparer un discours, montre autant d'habileté que lui à le disposer selon les causes, *à l'arranger et composer avec l'assistance des mots et des syllabes.* En outre, on y trouve toujours à propos, dans les exemples cités, la fidélité des citations, la propriété dans les épithètes, la grâce dans les figures, la force dans les raisonnements, la gravité dans les pensées, l'abondance dans le style, l'éclat foudroyant dans les sentences finales. La structure de la phrase est vigoureuse, ferme, *unie par l'indivisible lien d'associations de mots ingénieux* — sans être pour cela moins coulante, moins facile, moins arrondie de toutes façons. Les mots se prêtent commodément à la langue du lecteur qui, n'étant jamais arrêté par les expressions raboteuses, roule dans le palais sans balbutier ; elle est pure et polie comme la surface du cristal ou de l'onyx, que l'ongle parcourt sans y rencontrer de résistance ; point d'obstacle qui l'arrête, tant les jointures sont bien unies [1].

Dans cette même lettre, il recommande le *tropologicum genus ac figuratum*, et il ajoute *limatis plurifariam verbis eminentissimum* [2].

Il est infiniment rare, chez les auteurs de cette sorte, que la métaphore soit vraiment *créée*, qu'elle jaillisse d'un sentiment spontané, d'une vision directe et personnelle des choses : elle n'est qu'un jeu d'esprit qu'ils poussent à bout avec un soin méticuleux et dont ils surveillent jalousement le détail. C'est ainsi que, dans une lettre-préface, Sidoine-Apollinaire, ayant réussi, dit-il, dans la *traversée* de la vie à éviter les *écueils*, se félicite de pouvoir enfin *jeter l'ancre* d'une renommée suffisante dans le

(1) *Epist.*, IX, VII, trad. BARET.
(2) IX, VII, 2-3.

port de l'opinion publique [1]. Ou bien il dénonce l'infâme tactique d'un délateur qui, lorsqu'il ne peut attaquer certaines maisons à l'aide des *machines de guerre* d'une haine déclarée, en triomphe grâce au *travail de sape* d'une trahison sournoise [2].

Cette façon de *continuer* laborieusement une image est un des secrets du style « précieux » : elle contribue largement à donner aux œuvres de cette époque déshéritée un caractère livresque et vieillot, une accablante monotonie. Dans cette prose languissante et si souvent obscure le procédé est roi.

Au lieu de composer sa phrase de lumière et d'ombre, le littérateur « décadent » essaie de faire un sort à chaque *côlon* par des répétitions inutiles et qui sont de virtuosité pure, par des rapprochements factices entre des vocables que leur racine apparente, par des oppositions de sens que soulignent et détachent le « chiasme », l'allitération, parfois même la rime. Une phrase ainsi conçue n'est plus un organisme où les parties n'ont de valeur que par rapport à l'ensemble auquel elles se subordonnent : chaque détail est traité, soigné, fignolé pour lui-même. Rien de plus fatigant, rien de plus puéril que ces perpétuels et maladroits artifices.

Mais le curieux, c'est que ces écrivains n'innovent guère. Ils ne font qu'exagérer, parfois jusqu'à l'absurde, les procédés de la rhétorique, tels qu'ils s'étaient développés dès les premiers siècles de l'Empire, et tels que des écrivains comme Apulée, du côté païen, comme Tertullien, du côté chrétien, en avaient propagé la mode.

Par exemple, le goût pour l'allitération — laquelle consiste à rapprocher des mots commençant par la même consonne ou par la même voyelle — remontait au plus ancien passé de la langue latine. Seulement elle y établissait d'ordinaire un lien entre des termes déjà joints par un rapport de signification. Plus tard, on l'avait aimée pour elle-même, pour sa valeur musicale, pour ses appels sonores. C'est bien ainsi que la traitent le plus souvent les écrivains tardifs : elle est pour eux non pas une manière de souligner plus vigoureusement la parenté ou l'opposition des idées, mais un simple jeu d'homophonie en vue de l'agrément supposé des oreilles. De même, leur façon de surcharger les phrases de mots superflus pour de simples effets de redondance où la pensée elle-même ne gagne rien se rattache, non pas certes à la tradition classique, mais aux afféteries de la rhétorique apuléienne. — Autant en dirons-nous de certains cliquetis de mots qui, rapprochés pour leurs consonances, avoisinent parfois ce que

(1) *Epist.*, I, I, 4.
(2) *Epist.*, III, XIII. Cf. S. AVIT (édit. PEIPER, dans les *M. G. H.*, *Auct. Antiq.*, t. VI, 2, p. 78) : « Recolens utique tempus illud quo, *inter saevissimas perturbationum procellas* confecti operis firmam soliditatem, quasi *gubernatores* invicti *ad dedicationis portum*, *circumstridentibus* undique *naufragiorum casibus*, impune duxistis ». GRÉGOIRE DE TOURS (édit. ARNDT, KRUSCH, BONNET, p. 734) : « Fuerunt... qui, quasi *astrorum iubar*, non solum meritorum *radiantes luce*, verum etiam dogmatum magnitudine *coruscantes*, orbem totum *radio* suae praedicationis *inlustraverunt* ».

nous appelons le « calembour », Apulée avait largement usé de ces gentillesses, et saint Augustin lui-même, avec toute sa finesse d'esprit, ne les avait nullement dédaignées [1]. Mais en se stéréotypant, le procédé devient vite assez peu supportable.

Enfin, s'il est vrai que, dès le premier siècle de notre ère, certaines constructions usitées jusqu'alors en poésie font invasion dans la langue de la prose [2], que certains mots même, qui étaient du vocabulaire des poètes, y trouvent également asile, dès qu'ils communiquent à la phrase un tour audacieux et comme inspiré [3], — jamais un Tacite, ni un Pline le Jeune, ni même un Apulée n'eût osé mélanger les deux langages, le prosaïque et le poétique, aussi hardiment que s'y risquent, à leur dam, un saint Avit [4] ou un saint Grégoire de Tours [5] — toute unité de couleur disparaît.

Si l'on recompose l'ensemble des procédés dont quelques-uns seulement viennent d'être définis, on se forme une idée approximative du style étrange des siècles de déclin. Toutes les manies des siècles antérieurs s'y donnent rendez-vous, et de toutes on y rencontre les échantillons les plus variés. Mais le goût — le goût qui choisit, qui exclut, qui adapte — voilà ce qui manque le plus aux écrivains de ces époques de petite culture. Ils unissent à une touchante bonne volonté de bien écrire une surprenante impuissance à écrire vraiment bien, parce que leur sens critique et leur sens littéraire sont également débiles.

UN « CAS-LIMITE »

Le cas-limite de ces puérilités verbales, c'est celui du grammairien chrétien Virgile de Toulouse, personnage fort énigmatique dont on croit, sans en être sûr, qu'il vécut dans la seconde moitié du VIe siècle. Les jeux frivoles sur les mots — ressource des intelligences médiocres — avaient commencé de bonne heure. Dans la deuxième moitié du IVe siècle vivait à Laon un professeur de grec, nommé Martin l'Irlandais, qui prétendait expliquer nombre de mots latins par des étymologies grecques de haute fantaisie [6]. Virgile, lui, nous introduit dans un cercle (réel ou fictif) de demi-lettrés, où l'on discute à perte de vue sur les mystères d'une latinité baroque, qui n'a, avec le véritable latin, qu'un lointain rapport [7]. Ces charades ineptes, cette science chétive qui croit se hausser en s'étayant sur des logogriphes, ces extravagances pseudo-

(1) Joli choix d'exemples collectionnés par Mlle Chr. MOHRMANN dans les *Sermons* d'Augustin (*Mnémosyne*, 3e série, t. III, 1936, p. 33-61).

(2) Voir l'édition des *Annales*, de Tacite, par H. GOELZER, t. I, p. LXXX ; BOURGERY, *Sénèque prosateur*, Paris, 1922, p. 116.

(3) Très significative, à ce point de vue, est la lettre IX, XXVI, de Pline le Jeune.

(4) Voir GOELZER, *Saint Avit*, p. 705 et suiv.

(5) Max BONNET, *Le latin de Grégoire de Tours*, p. 738 et suiv.

(6) Voir GOETZ, *Corpus Glossar. lat.*, t. V, p. 583-586. — Dès le VIe s. on constate dans certains monastères irlandais et bretons un goût singulier pour une latinité énigmatique, où les mots sont fabriqués d'une façon toute fantaisiste. Exemple de ces sottises prétentieuses : les *Hesperica Famina* (édit. JENKINSON, Cambridge, 1909).

(7) Édition HUEMER, dans la *Teubneriana*. Traduction des *Epitomae*, par l'abbé D. TARDI, thèse Paris, 1927.

philologiques, ont provoqué plus d'une enquête chez les érudits modernes. « On ne saurait se le dissimuler, disait Sainte-Beuve : les absurdités d'un temps deviennent l'objet sérieux des études d'un autre temps [1] ».

CLAIRVOYANCE DE CES ÉCRIVAINS

Si ces beaux esprits superficiels avaient besoin d'une excuse — que le malheur des temps leur fournit surabondamment, — ils la trouveraient dans la clairvoyance avec laquelle ils sentent et avouent les lacunes qu'ils ne savent comment réparer. Ils essayent de sauver quelque chose de la « culture » traditionnelle, mais ne se méprennent pas sur les fléchissements désolants que partout elle subit.

Déjà, au ve siècle, Mamertus Claudianus, l'évêque de Vienne, déplorait dans une lettre fort pittoresque la chute humiliante des divers « arts libéraux » [2]. Son ami, Sidoine Apollinaire, était du même avis, et ne voulait plus reconnaître que chez un tout petit nombre les *virtutes artium*, autrefois si florissantes, et qui s'étiolaient dans le climat défavorable d'un siècle vieilli et fatigué [3]. Un siècle plus tard, Grégoire de Tours confessera, au seuil de son *Histoire des Francs*, les perplexités que lui inspire la témérité de son entreprise :

Les cités de la Gaule laissaient déchoir, ou plutôt périr, la culture des belles-lettres... On n'aurait pas pu trouver un seul homme qui, grammairien versé dans la dialectique, sût dépeindre [les événements de l'époque] soit dans le langage de la prose, soit dans celui des vers. La plupart en gémissaient souvent et disaient : « Malheur à notre temps, car l'étude des lettres a péri parmi nous, et l'on ne trouve personne dans le monde qui soit capable de faire connaître par ses écrits ce qui s'est passé de nos jours ! » Considérant ces plaintes..., je n'ai pu taire en mon style inculte ni les démêlés des méchants, ni la vie des gens de bien ; séduit surtout par cette parole qui m'a souvent frappé, chez nous, quand je l'entendais, que « bien peu comprennent un rhéteur qui disserte, mais beaucoup un ignorant qui parle » (*philosophantem rhetorem intelligunt pauci, loquentem rusticum multi*).

Et encore [4] :

Quoique ces livres soient écrits dans un style bien gauche (*stilo rusticiori*), je conjure cependant tous les prêtres du Seigneur, qui, après moi indigne, gouverneront l'église de Tours de ne jamais les faire détruire...

Je crains [5], si j'entreprends d'écrire, qu'on ne me dise : Penses-tu, ignorant, toi, qui n'es pas du métier (*o rustice et idiota*), placer ton nom parmi ceux des écrivains ; ou espères-tu faire accepter des gens compétents cette œuvre dénuée des grâces de l'art et dépourvue de toute science du style ? Toi qui n'as aucune pratique des lettres, qui ne sais pas distinguer les noms, qui prends souvent les masculins pour des féminins, les féminins pour des neutres, et au lieu des neutres mets des masculins ; qui n'emploies pas comme il convient les prépositions mêmes, dont l'emploi a été réglé par les plus illustres auteurs,

(1) *Causeries du Lundi*, t. XI, p. 517.
(2) *Epist.* ad Sapaudum (*P. L.*, LIII, 783 ; *Corp. Script. Eccl. Lat.*, t. XI, p. 204) : « *Unum illud procul ambiguo dixerim nostro saeculo* non ingenia deesse, sed studia... *Vides os romanum, non modo neglegentiae, sed pudori esse Romanis*, etc... »
(3) *Virtutes artium... quae per aetatem mundi iam senescentis lassatis velut seminibus emedullatae*, etc... (*M. G. H.*, *Auct. Antiq.*, t. VIII, p. 130) ; *Epist.*, V, x, 4 ; II, x, 1 ; IV, xvii, 2.
(4) *Hist. Franc.*, X, xxxi.
(5) *De gloria Confess.*, *Praoemium.*

puisque tu en places qui veulent l'accusatif devant des mots à l'ablatif, et inversement ; crois-tu qu'on ne s'apercevra pas que c'est le bœuf pesant voulant jouer à la palestre, ou l'âne indolent s'efforçant de prendre son vol à travers la rangée des joueurs de paume ? — Tout de même je répondrai : c'est pour vous que je travaille et, grâce à ma rusticité (*per meam rusticitatem*), vous pourrez exercer votre savoir...

Grégoire gardait donc le sentiment profond et humble de ses insuffisances ; et combien ce sentiment était fondé, le beau travail de Max Bonnet [1] l'a abondamment prouvé.

Ce qui a partiellement gâté le style de la plupart de ces écrivains, c'est leur vœu d'être élégants, diserts, et d'imiter les classiques, à l'égard desquels ils gardaient un respect profond et mal éclairé. Il a suffi, en des cas exceptionnels, que le souci du fond des choses éliminât ces coquetteries verbales, pour que reparût quelque chose de la forte et substantielle brièveté latine. Telle s'offre à nous, par exemple, la *Règle* de saint Benoît. On peut souscrire sans réserve au jugement que prononce à son propos dom Germain Morin [2] : « Pour moi qui suis pourtant quelque peu familiarisé avec la littérature latine du haut moyen âge, je tiens fermement qu'en dépit de son soi-disant manque d'originalité, le rédacteur de la règle monastique a un style à lui, *une langue vraiment caractéristique par sa concision, sa clarté, son énergie, sa grandeur toute romaine* ; il m'est impossible d'en entendre lire un chapitre, un alinéa, sans éprouver en moi un sentiment qu'aucune lecture, sauf celle de l'Évangile et d'un très petit nombre de productions du génie chrétien, n'excite au même degré ».

LA POÉSIE LATINE CHRÉTIENNE En un certain sens, la poésie latine chrétienne [3] — représentée par Orientius, Claudius Marius Victor, Paulin de Pella, Claudianus Mamertus, Dracontius, Sedulius, Sidoine Apollinaire, au ve siècle [4] ; par saint Avit, Ennodius, Fortunat au vi^e^ — se laissait pénétrer moins que la prose par le mauvais goût de l'époque. C'est que l'imitation des poètes classiques, — de Virgile surtout, modèle constamment étudié — maintenait jusqu'à un certain point l'ancien langage, et même l'ancienne prosodie. Gaston Boissier, ayant eu jadis la curiosité de comparer le *Paschale Carmen* de Sedulius au remaniement en prose que celui-ci prit la peine d'en donner, dut constater que les vers de Sedulius sont beaucoup plus simples et plus

(1) *Le latin de saint Grégoire de Tours*, Paris, 1890.

(2) *Revue Bénédictine*, t. XXXII, 1922, p. 122. Cf. *infra*, p. 594. Naturellement cette netteté vigoureuse n'empêche pas maintes irrégularités au point de vue de la syntaxe proprement dite. Cf. Wœlfflin, dans *Archiv f. lat. Lexic.*, t. IX, 1896, p. 493, et les *Indices* de B. Linderbauer (*Floril. Patristicum*, XVII, 1928).

(3) Bibliographie. — M. Manitius, *Gesch. der christlich-lateinischen Poesie bis zur Mitte des 8 Jahrh.*, Stuttgart, 1891 ; F. G. E. Raby, *A History of christian-latin Poetry...*, Oxford, 1927 (bibliographie, p. 461-485).

(4) L'époque où vivait Commodien — que le P. Brewer place vers le milieu du ve siècle — reste controversée. Voir P. de Labriolle, *Histoire de la littérature latine chrétienne*, 2e édit., p. 246-251.

aisés à comprendre que sa prose [1]. C'est que la manie des périphrases, réfrénée par la loi des vers, se déploie librement en prose. — Au surplus, le principe même de cette poésie qui traite les sujets spécifiquement chrétiens avec les procédés hérités des classiques païens, et chez saint Avit, par exemple, dépouille, pour construire l'arche de Noé, le Pélion, le Pinde, l'Ossa et l'Atlas [2], paraît au lecteur moderne difficilement acceptable, et lui gâte quelques réussites assez heureuses.

BOÈCE Les intelligences vraiment viriles de ces temps quelque peu déshérités — il n'est question ici que de celles qui bénéficièrent du don d'écrire — furent Boèce et Cassiodore.

Le « premier des scolastiques », Anicius Manlius Severinus Boethius [3], appartenait à la *gens* illustre des *Anicii* qui, au cours du IVe et du Ve siècle, avait donné à l'Empire une longue série de hauts fonctionnaires [4]. Les *Anicii* étaient devenus chrétiens dès le milieu du IVe siècle [5]. Né vers 480, Boèce entra au service du roi Théodoric. Son père avait été consul en 487 ; il le devint lui-même en 510, et il eut la fierté de voir ses fils promus à la même dignité en 522. Théodoric lui confiait volontiers les missions délicates. Une disgrâce profonde interrompit brusquement cette brillante carrière. Ayant pris la défense du sénateur Albinus, qui était accusé d'entretenir des intelligences avec l'empereur d'Orient, Justin Ier, Boèce fut jeté dans les fers, inculpé de haute trahison et même de magie. Il périt dans les tourments, en 524.

Les motifs de sa condamnation étaient uniquement politiques. Pourtant il avait servi la cause catholique contre l'hostilité de son irascible maître et il était mort avec une admirable résignation. Aussi fut-il de bonne heure rangé au nombre des martyrs et honoré comme tel à Pavie et à Brescia [6].

(1) *Revue de Philologie*, t. VI, 1882, p. 28 et suiv.
(2) *Libelli de spiritalis historiae gestis*, IV, 299 et suiv.
(3) BIBLIOGRAPHIE, dans P. DE LABRIOLLE, *Histoire de la littérature latine chrétienne*, 2e édit., 1924, p. 659, 665 et suiv., 744 ; R. BONNAUD, *L'éducation scientifique de Boèce*, dans *Speculum*, t. IV, 1929, p. 198-206 ; Konrad BRUDER, *Die philosophischen Elemente in den Opuscula Sacra des Boethius*, dans *Gnomon*, t. VI, 1930, p. 165-168 ; Lane COOPER, *A concordance of Boethius*, Cambridge (Mass.), 1928 ; Pierre COURCELLE, *Boèce et l'École d'Alexandrie*, dans *Mélanges d'Archéologie et d'Histoire*, t. LII, 1935 ; Cesare FOLIGNO, *Latin Thought during the Middle Age*, Oxford, 1929 ; GALDI, dans *Bolletino di filologia classica*, t. XXXVI, 1929, p. 129-131 ; A. KAPPELMACHER, *Der schrifstellerische Plan des Boethius*, dans *Wiener Studien*, t. XLVI, 1928, p. 215-225 ; Howard Rollin PATCH, *The Tradition of Boethius*, New-York, 1935 ; E. K. RAND, *Founders of the middle Age*, Cambridge, 1928, p. 135-180 ; Viktor SCHURR, *Die Trinitätslehre des Boethius im Lichte der « skythischen Kontroversen »*, Paderborn, 1935 (dans *Forschungen zur christlichen Literatur- und Dogmengeschichte*, t. XVIII, 1) ; E. T. SILK, *The Study of Boethius' Consolatio Philosophiae in the Middle Age*, dans *Transactions and Proc. of the Amer. Philol. Assoc.*, t. LXII, 1931, p. XXXVII-XXXVIII ; E. T. SILK, *Saeculi noni auctoris in Boetii Consolationem Philosophiae Commentarius*, American Academy in Rome, 1935 ; Maurice DE WULF, *Histoire de la philosophie médiévale*, t. I (*Des origines jusqu'à la fin du XIIe siècle*), Louvain et Paris, 1934.
(4) PAULY-WISSOWA, *Realenc.*, I, 2198 et suiv. Tableau généalogique, *ibid.*, p. 2201.
(5) PRUDENCE, *Contra Symmachum*, I, 548 et suiv. ; ZOSIME, VI, VII, 4 ; *Corpus inscr. lat.*, XIV, 1875.
(6) *Martyrologe* d'Adon (*P. L.*, CXXIII, 107).

Le meilleur de sa gloire posthume, il le dut à cette *Consolation philosophique* qui nous est venue dans près de quatre cents manuscrits et dont nous connaissons plus de vingt commentaires [1]. Entremêlé de prose et de poésie, cet ouvrage semble donner par avance un démenti à la maxime ironique de la Rochefoucauld : « La philosophie triomphe aisément des maux passés et des maux à venir ; mais les maux présents triomphent d'elle »: C'est dans l'angoisse même d'une dure captivité que Boèce sut se dégager de l'accablement de sa propre misère pour élever ses regards vers les plus graves questions de la destinée humaine : l'injustice et son pouvoir démoralisant, les caprices de la fortune, la nature du bien et du mal, le hasard, le libre arbitre. Aujourd'hui encore, en dépit de certaines formes de raisonnement — plus sensibles dans les trois derniers livres — qui annoncent les arguties du moyen âge, la *Consolation* se lit avec intérêt. Un mouvement puissant et doux emporte la discussion sur des cimes de plus en plus hautes. C'est toute la noble sagesse antique dont Boèce recueille les leçons pour en faire la substance de ce « protreptique », de cette exhortation à s'orienter vers Dieu, terme et but de toute créature. Nous y entendons tour à tour les échos d'Aristote, de Platon, de Sénèque, de Cicéron et même de Virgile. Il faut faire aussi très large la part de l'influence exercée sur la pensée de Boèce par l'école d'Alexandrie, en particulier par les commentaires d'Ammonius, contemporain de Boèce, sur le *Gorgias* de Platon et sur divers traités d'Aristote [2].

En dépit de ses lourdes fonctions administratives, Boèce n'avait vécu que pour la pensée. Il avait appris le grec à Athènes, sans doute aussi à Alexandrie ; et il s'était assigné comme tâche de traduire en latin tout Aristote, tout Platon, de les commenter et de démontrer leur accord fondamental dans la plupart des problèmes de la philosophie [3]. Il reprenait ainsi, au profit de la théologie catholique, ce rôle d'intermédiaire qu'avaient tenu, plus d'un siècle auparavant, saint Jérôme et Rufin. Il ne put exécuter qu'une faible partie de ce programme, qui eût été chimérique s'il n'avait compté que sur ses seules forces. Mais Boèce usait largement de Porphyre et des grands néo-platoniciens de son temps, tels que Proclus, Ammonius, et leurs disciples. En apprenant par lui à disserter sur la logique, l'arithmétique, la musique, etc..., le moyen âge ne s'est pas douté qu'il bénéficiait, grâce à Boèce, d'un immense travail de filtrage et de paraphrase dont la dernière école païenne, celle d'Alexandrie, avait été l'ouvrière principale.

CASSIODORE

Né à Scylacium (= Squillace), sur la côte sud-est de l'Italie, Cassiodore fut questeur (vers 507-511), consul (en 514), gouverneur de la Lucanie, *magister officiorum* et préfet du prétoire (de

(1) Voir Howard Rollin Patch, *op. cit.* Édition commentée de Fortescue et Smith, Londres, 1925. Édition critique de Weinberger, dans le *Corpus* de Vienne, t. LXVII 1934.
(2) Voir le mémoire, cité dans la bibliographie, de P. Courcelle.
(3) *In libr. Aristot. de Interpr.*, II, ii, 3.

533 à 536). Son *cursus honorum* se poursuivit ainsi sans interruption pendant quarante ans, sous quatre rois successifs, auxquels ses aptitudes administratives et ses dons de lettré le rendirent indispensable. Vers 550, il renonça aux honneurs mondains et se retira au monastère de Vivarium, qu'il fonda dans ses domaines du Bruttium. Outre le désir de faire plus sûrement son salut, une autre préoccupation l'avait déterminé à cette retraite. Il souffrait de la pénurie d'exégètes sérieux de l'Écriture sainte [1]. Déjà, peu d'années auparavant, il avait songé, d'accord avec le pape Agapet, à créer à Rome une école biblique, analogue à celle qui avait fait la gloire d'Alexandrie au temps des Clément et des Origène, ou à celle qui florissait encore à Nisibis, en Mésopotamie. La mort d'Agapet, après une année seulement de pontificat, des circonstances politiques peu favorables, firent échouer ce projet, qu'il reprit sous une forme plus modeste à Vivarium [2]. C'est là qu'il composa ses ouvrages de théologie. Il y mourut peu après 575, presque centenaire.

Son œuvre la plus fameuse, ce sont les *Institutiones divinarum et saecularium litterarum* en deux livres, composées vers le milieu du VIe siècle. La pleine intelligence des Livres saints, tel est le but où tendait Cassiodore, et dont il voulait aider ses moines à se rapprocher. Il leur apprenait que la simple lecture des textes canoniques ne suffit point pour en pénétrer tout le sens, et que les sciences profanes, géographie, grammaire, rhétorique, dialectique, arithmétique, musique, géométrie, astronomie, y coopèrent puissamment [3]. Il les exhortait aussi à copier les manuscrits des Écritures avec un soin digne d'une pareille tâche, renouvelant le conseil que déjà saint Martin avait donné cent cinquante ans auparavant aux cénobites du monastère de Tours [4], et il marquait les prudentes limites dans lesquelles devait, par respect pour la parole divine, se renfermer le goût des corrections textuelles, dût la grammaire ou la stylistique pâtir de cette réserve. Une bibliothèque achetée à grands frais et conservée dans neuf *armaria* leur fournissait tous les secours nécessaires [5]. A ceux qui ne se sentaient pas d'aptitude aux travaux littéraires [6], il recommandait l'agri-

(1) *Institutiones*, I, *Praef.* (*P. L.*, LXX, 1105-1106).

(2) *Ibid.* — Sur la bibliothèque qu'avait constituée déjà le pape Agapet, voir l'intéressant article, historique et archéologique, de H. I. MARROU, extrait des *Mélanges d'Archéologie et d'Histoire* publiés par l'École française de Rome, t. XLVIII, 1931.

(3) *Institutiones*, I, XXV et suiv. (*P. L.*, LXX, 1139).

(4) SULPICE SÉVÈRE, *Vita S. Martini*, VII.

(5) Pour le contenu probable de cette bibliothèque, voir OLLERIS, *Cassiodore conservateur des livres de l'Antiquité latine*, Paris, 1841, p. 54-68 ; A. FRANZ, *M. Aurelius Cassiodorus senator*, Breslau, 1872, p. 80-92 ; Dom LECLERCQ, dans *Dictionnaire d'Archéologie chrétienne et de Liturgie*, t. II, col. 2359 et suiv. On a supposé que cette bibliothèque aurait été recueillie plus tard, au moins partiellement, au fameux monastère de Bobbio, fondé en 614, par saint Colomban (cf. P. LEJAY, dans *Bulletin d'ancienne Littérature et d'Archéologie chrétiennes*, t. III, 1913, p. 265). Mais cette hypothèse a été écartée récemment par Mgr MERCATI (voir *Bulletin de la Société G. Budé*, 1935, p. 27).

(6) Il dit joliment : « *Quod si alicui fratrum, ut meminit Vergilius « Frigidus obstiterit circum praecordia sanguis », ut nec humanis nec divinis litteris perfecte possit erudiri... eligat certe quod sequitur : « Rura mihi et rigui placeant in vallibus amnes...* »

culture et l'art des jardins, en leur signalant le secours qu'ils pourraient trouver chez certains spécialistes anciens, Gargilius Martialis, Columella, Æmilianus Macer. — Le second livre des *Institutiones* comprend sept chapitres, autant que d'arts « libéraux », dont Cassiodore résume la méthode et les préceptes d'après les théoriciens de l'antiquité et quelques auteurs chrétiens, comme saint Augustin et Boèce.

En somme, malgré certaines restrictions prudentes, il communiquait à ses moines le goût du travail intellectuel ; il leur fournissait des livres et leur apprenait à en tirer profit ; tout en coordonnant à l'exégèse de la Bible les recherches méthodiques auxquelles il les conviait, — point de vue un peu exclusif qui avait été déjà celui des Pères du IVe siècle, — il se gardait de tout anathème contre les écrivains païens et leur faisait de nombreux emprunts. Il fondait ainsi une tradition laborieuse et éclectique qui devait se renouer après lui, et qui lui assure la reconnaissance de la civilisation occidentale [1].

LES DÉFIANCES A L'ÉGARD DE LA CULTURE CLASSIQUE

Cassiodore y eut d'autant plus de mérite que la culture gréco-latine rencontrait encore, dans certains milieux, une opposition assez vive. Beaucoup de chrétiens, se contentant de leur seule foi et d'un seul livre, la Bible, auraient volontiers rejeté sans distinction ni inventaire l'héritage intellectuel de l'ancien monde où ils redoutaient une critique audacieuse, dissolvante, et certaines complaisances pour l'immoralité [2]. Ces défiances étaient particulièrement éveillées dans les milieux monastiques, où beaucoup de religieux, préoccupés avant tout de leur salut individuel, estimaient que les ouvrages profanes nuisaient plutôt à cette tâche essentielle [3]. Quel appauvrissement pour l'esprit humain, si de tels scrupules avaient fait loi !

Ils n'y eussent pas réussi sans paradoxe. « Le Christianisme ne pouvait pas devenir une religion d'illettrés, étant fondé sur l'Écriture et sur la

(1) Cf. A. VAN DE VYVER, *Cassiodore et son œuvre*, dans *Speculum*, t. VI, 1931, p. 154-292.

(2) Voir sur ces débats STIGLMAYR, *Kirchenväter und Klassizismus, Stimmen der Vorzeit über humanistische Bildung*, Fribourg-en-Br., 1913 ; P. DE LABRIOLLE, *Histoire de la littérature latine chrétienne*, 2e édit., 1924, p. 18-42.

(3) Cf. CASSIEN, *Coll.*, XIV, 12-13 (*P. L.*, XLIX, 974). C'est Cassien lui-même qui parle : « Je me suis imprégné de littérature jusqu'au fond. Avec un esprit de la sorte infecté des œuvres des poètes, les fables frivoles, les histoires grossières dont je fus imbu dès ma petite enfance... m'occupent même à l'heure de la prière... Le souvenir effronté des poèmes jadis appris me traverse l'esprit ; l'image des héros et de leurs combats semble flotter devant mes yeux. Tandis que ces fantômes se jouent de moi, mon âme n'est plus libre d'aspirer à la contemplation des choses célestes » (trad. PICHERIT, t. II, p. 192). Saint Jérôme avait formulé un adage : « *Monachus... non doctoris habet, sed plangentis officium* » (*Contra Vigilantium, P. L.*, XXIII, 367). Beaucoup de solitaires vivaient *sine codicibus* (saint Augustin, *De doctrina christiana*, I, XXXIX) ; y comparer *Vitae Patrum* (*P. L.*, LXXIII, 799, 953, 958). Voir aussi le rêve de saint Césaire, *Vita Caesarii*, I, IX (*Acta Sanctorum Augusti*, t. VI, p. 65). — L'auteur de la deuxième lettre pélagienne, publiée par CASPARI (*Briefe Abhandl. und Predigten aus den zwei letzten Jahrhunderten des kirchlichen Alterthums*, Christiania, 1890, p. 14), reproche à un correspondant de trouver du temps pour Virgile, Salluste, Térence, Cicéron *et caeteros stultitiae et perditionis auctores*. Vers le milieu du Ve siècle, l'historien SOCRATE se voit obligé de développer tout un plaidoyer pour les lettres profanes (*Hist. eccl.*, III, XVI) : sans doute n'eût-il pas pris cette peine s'il ne les avait beaucoup entendu attaquer autour de lui.

tradition, c'est-à-dire sur des livres, et l'Église, société organisée, comportant par la force des choses une administration, un droit, une liturgie. Puis, il y avait le latin, nécessaire pour comprendre les textes. Le latin ecclésiastique, c'est-à-dire encore à demi classique, dont la langue vulgaire s'écartait de plus en plus, ne s'apprenait déjà plus par le seul usage : il y fallait l'étude [1] ». Mais une tentation s'offrait d'elle-même aux esprits. Du moment que l'on disposait de la riche littérature ecclésiastique du IIIe et surtout du IVe siècle — celle des saint Jérôme, des saint Ambroise, des saint Jean Chrysostome, des saint Augustin, et de tant d'autres docteurs illustres — n'était-il pas loisible de s'en contenter, et de substituer aux classiques païens des guides plus qualifiés [2] ? Cassiodore ne le pensa pas ; mais il crut bon de se couvrir du patronage des *Patres sanctissimi*, c'est-à-dire des Pères du IVe siècle, qui — non sans hésitations, non sans « repentirs » — avaient maintenu, afin de sauver la spéculation théologique, la permission d'apprendre l'art de penser et d'écrire là où cet art avait été si excellemment pratiqué [3].

LA TRANSMISSION DES MANUSCRITS

Les esprits un peu curieux d'antiquité faisaient leurs principales délices de livres qui, par leur médiocrité même, étaient mieux à leur portée, par exemple les *Artes*, c'est-à-dire les manuels des grammairiens, ou les encyclopédies plus ou moins baroques comme les *Saturnales* de Macrobe, les *Noces de Mercure et de la Philologie* de Martianus Capella. Virgile mis à part, les grands classiques n'étaient guère lus, au moins dans les milieux chrétiens. Cependant il y eut un certain nombre de bibliothèques privées où ils trouvèrent asile. Nous sommes bien loin de les connaître toutes [4] ; nous en connaissons tout de même quelques-unes, par exemple celle d'Isidore de Séville, excerpteur infatigable, celle de son ami Braulio, l'évêque de Saragosse. D'amateurs de cette sorte — même parmi les chrétiens — l'espèce ne dut pas être tellement rare, fût-ce dans les périodes les plus pénibles. — Nul doute aussi que beaucoup de monastères n'aient accueilli des œuvres profanes, quitte à prendre à leur sujet les précautions requises. On lit dans une des ineptes élucubrations du grammairien Virgile de Toulouse quelques lignes, peu connues, qui permettent de se représenter comment les choses se passaient. Traduisons-les littéralement [5].

(1) E. JORDAN, *Ozanam*, dans *Livre du Centenaire*, Paris, 1913, p. 249.

(2) Au seuil même de sa célèbre *Vita Martini* (*Prol.*, I), SULPICE-SÉVÈRE formait le vœu qu'elle remplaçât les « combats d'Hector » et les « discussions philosophiques de Socrate ».

(3) Voir P. DE LABRIOLLE, *op. cit.*, p. 34-39 ; CASSIODORE, *Institutiones*, dans *P. L.*, LXX, 1140 et 1142.

(4) Les spécialistes les plus qualifiés confessent leurs ignorances sur les péripéties de la transmission des manuscrits durant les *dark Ages*. Voir P. S. ALLEN dans *Proceedings of the classical Association*, 1917, p. 132-133.

(5) Édit. HUEMER (*Teubneriana*), p. 135.

Conformément à l'autorité apostolique, l'Église romaine a gardé et observe l'habitude de tenir les livres des philosophes chrétiens à part des écrits païens. Les hommes nés et élevés dans les études libérales de la philosophie profane considéraient comme nécessaire, une fois devenus des fidèles, de conserver l'habitude de cette sagesse même. Les docteurs ecclésiastiques, voyant qu'on ne pouvait les faire renoncer à l'effort ainsi commencé — et étant donné aussi que des hommes éloquents devaient faire largement profiter pour la composition et l'ornement de leurs écrits la sagesse céleste et divine, si, convertis au Seigneur et sans rien perdre de leur éloquence, ils tournaient des études perverses vers de bonnes études — (les docteurs) ont pris la mesure fort sage que voici : *on organiserait deux bibliothèques, l'une pour les livres des philosophes croyants, l'autre pour les écrits des païens.* On ne mêlerait pas, ainsi, les choses de la foi aux choses qui lui sont étrangères, au risque de ne plus opérer de distinction entre ce qui est pur et ce qui est impur. Si quelqu'un voulait lire les païens, c'est à part qu'il les prendrait en mains.

Tel fut sans doute le *modus vivendi* décidé par l'autorité compétente. Et c'est ainsi qu'à travers bien des timidités, bien des incuries, grâce parfois à d'heureuses routines — et il ne faut pas exclure non plus, en divers cas, une pieuse sollicitude à l'égard des belles choses du passé — se conservèrent quelques-uns des chefs-d'œuvre de l'antiquité latine.

Bientôt ce furent les moines irlandais et bretons qui — si l'expression n'est pas trop ambitieuse — recueillirent et maintinrent le flambeau. A quelle époque les églises d'Irlande et de Grande-Bretagne avaient-elles reçu les germes de la culture classique ? La question est controversée. Ce qui est sûr, c'est que dans ces régions détachées de la *Romania*, comme la Bretagne, ou qui n'en avaient jamais fait partie, comme l'Irlande, le paganisme gréco-romain ne représentant rien de concret et, par suite, rien de très redoutable, l'usage des lettres classiques fut accepté avec un peu plus de sérénité qu'ailleurs [1]. Dans les monastères semés à travers l'Occident par le moine Colomban ou par ses disciples — Bobbio, dans la province de Pavie, Luxeuil, près de Belfort, en 590, Saint-Gall en 614 — plus d'un manuscrit précieux trouva l'abri tutélaire qui le sauva de la destruction. Et de la sorte s'opéra en Occident, tandis que se déroulaient les siècles de fer, la transmission des lettres antiques jusqu'à la renaissance carolingienne.

LA CONNAISSANCE DU GREC

Au IVe siècle, le grec demeurait encore en Occident l'apanage et la parure d'une élite aristocratique. Beaucoup de lettrés se piquaient de le savoir. On entendait à Rome des déclamateurs grecs [2] ; lesquels auraient sans doute fait l'économie de leur éloquence, s'il n'y avait eu un public pour l'apprécier.

(1) Voir M. Roger, *L'enseignement des lettres classiques, d'Ausone à Alcuin*, Paris, 1905.

(2) Par exemple ce Palladius qui fut en 381 *comes sacrarum largitionum* et en 382 *magister officiorum* : voir Seeck, dans son édition de Symmaque, p. CCII ; une lettre de Symmaque lui-même, *Epist.*, I, XV, et Sidoine Apollinaire, *Epist.*, V, X. Les nombreux passages que Macrobe a extraits d'auteurs grecs dans les *Saturnales* et dans le *De differentiis et societatibus graeci et latini verbi* impliquent que ses lecteurs possédaient le grec.

Il est question, dans le *Code Théodosien*, d'un poste à Trèves, dont pourrait bénéficier un maître de grec, *si quis dignus repperiri potuerit* [1]. Certaines familles nobles se procuraient à Athènes des professeurs compétents [2].

Le grec faisait partie, semble-t-il, du cycle régulier de l'enseignement, mais on n'en apprenait que les éléments. Saint Augustin enfant ne s'était senti pour cette langue qu'un faible attrait, et, quoique capable de lire des ouvrages en grec, il n'y fut jamais tout à fait à son aise. Saint Jérôme le connaissait à peine, alors qu'il avait déjà achevé ses études de rhétorique et de philosophie [3], et il ne s'y appliqua sérieusement que pendant son séjour au désert. Paulin de Nole laisse entendre qu'il n'est pas non plus grand clerc en la matière [4]. N'ont su vraiment le grec que ceux à qui l'occasion fut donnée de faire un séjour plus ou moins prolongé en Orient, un saint Hilaire, un Rufin, un Orose, saint Jérôme lui-même [5]. De là, la fortune de ceux qui s'attribuèrent la tâche d'intermédiaires et de traducteurs.

Il n'est pas douteux qu'à partir du ve siècle, toute familiarité avec le grec tend à disparaître des hautes classes et de l'Église elle-même [6]. De là, beaucoup d'embarras dans les rapports entre l'Occident et l'Orient. Quand Cyrille d'Alexandrie en appelle à Rome, dans l'affaire de Nestorius, il a soin d'y expédier son diacre Posidonios avec les traductions latines de toutes les pièces qu'il a lui-même publiées [7]. Nestorius qui, par deux fois, a écrit en grec sans prendre la même précaution, ne reçoit aucune réponse [8]. Le pape Célestin observe que cette réponse aurait été expédiée depuis longtemps, s'il avait trouvé dans son entourage quelqu'un qui sût le grec [9]. — Mêmes difficultés, lors du concile de Chalcédoine (451). Le pape Léon avoue qu'on n'a pas bien compris à Rome les *Actes* de ce concile, et qu'il n'a sous la main personne de qui il puisse attendre une traduction sûre [10]. Sous les papes Anastase II (496-498), Symmaque (498-

(1) *Cod. Théodos.*, XIII, III, 2 (a. 376).

(2) C'est ce qu'indique Symmaque dans sa Ve *Relatio*, où il sollicite la dignité sénatoriale pour Celse, un professeur grec.

(3) Rufin affirme même qu'il l'ignorait totalement (*Apol.*, II, VII) ; mais il y met sans doute quelque malveillance.

(4) *Epist.*, XLVI, 2.

(5) Saint Ambroise l'apprit aussi, par nécessité, afin de pouvoir utiliser les théologiens grecs, au lendemain de son élection à l'épiscopat. La jeune amie romaine de saint Jérôme, Blésilla, dont la famille avait de grands biens en Épire, le parlait couramment (saint JÉRÔME, *Epist.*, XXXIX, 1)

(6) Il faut naturellement mettre à part quelques cas isolés, par exemple Macrobe, Sidoine Apollinaire, Consentius de Narbonne (qui faisait des vers grecs), plus tard Boèce. A en croire son biographe, Fulgence de Ruspe, né d'une famille sénatoriale en Byzacène, apprit le grec avant le latin, et s'exprimait fort élégamment en cette langue (*Vita*, IV-V). Le grec était parlé aux ve et VIe siècles dans quelques parties du Midi de la Gaule, par exemple à Arles. Voir *Histoire Littéraire de la France*, t. I, p. 58-60 ; t. III, p. 23-31 ; la *Vie de Césaire*, par Cyprien de Toulon, II, 15 ; E. MAAS, *Die Griechen in Sudgallien*, dans *Iahreshefte des österr. arch. Instituts*, t. X, 1907, p. 106.

(7) MANSI, t. IV, col. 1547.

(8) *Ibid.*, col. 1021, 1023.

(9) *Ibid.*, col. 1026... « dudum sumpsimus epistulas has, quibus in angusto nihil potuimus dare responsi, etc... »

(10) MANSI, t. V, col. 224.

514), Hormisdas (514-523), c'est Denis le Petit, originaire de Scythie, mais qui vivait comme moine à Rome, qui joua, à la cour papale, le rôle d'une sorte de traducteur officiel. Vers le même temps, Cassiodore, qui passait à juste titre pour un des plus doctes personnages de son temps, dut recourir au *scolasticus* Épiphane (helléniste bien médiocre), quand il entreprit de compiler dans son *Historia tripartita* les ouvrages des historiens Socrate, Sozomène et Théodoret.

Ce fut sous son impulsion que quelques-uns de ses amis, mieux outillés que lui, entreprirent de faire passer en latin un choix d'œuvres grecques. Un certain Mutianus traduisit les trente-quatre *Homélies* de saint Jean Chrysostome sur l'*Épître aux Hébreux* et les cinquante-cinq *Homélies* du même sur les *Actes des Apôtres* [1] ; Bellator transposa des *Homélies* d'Origène [2]. La traduction des *Hypotyposes* de Clément d'Alexandrie sortit probablement du même groupe lettré [3] ; pareillement les *Antiquités judaïques*, de Josèphe [4]. C'est Cassiodore qui en était l'âme et lui soufflait son ardeur laborieuse. Pour la dernière fois, la culture grecque, bientôt vouée en Occident à l'oubli, provoquait le zèle d'une élite laborieuse. Dans l'entourage de Grégoire le Grand, personne ne saura le grec, ni le pape lui-même [5].

Le seul bienfait — si l'on peut dire — de cette ignorance, c'est que la théologie latine, inspirée des doctrines d'Augustin, se développe dans sa ligne, sans subir les influences qui, au cours du IVe siècle, l'avaient frustrée d'une partie de son originalité.

§ 2.— L'art chrétien en Occident aux Ve et VIe siècles [6].

On ne peut dire que l'art chrétien soit resté aussi étroitement asservi aux traditions du passé, durant cette période, que l'était la littérature

(1) *Institutiones*, I, VIII-IX.
(2) *Ibid.*, I, VI.
(3) *Ibid.*, I, VIII.
(4) *Ibid.*, I, XVII. La traduction est tout à fait insuffisante : voir *Corpus* de Vienne, t. XXXVII, p. XLI.
(5) Grégoire avait pourtant représenté à Constantinople le pape Pélage II, de 579 à 585. Il avoue son ignorance : *Epist.*, VII, XXIX ; XI, LV ; cf. *Epist.*, I, XXVIII ; III, LXIII ; VII, XXVII ; X, XXI ; XI, LV. — Notons qu'on trouve beaucoup de mots grecs dans les ouvrages plus ou moins puérils dont nous avons cité quelques spécimens (p. 562) et qui appartiennent au VIe et au VIIe siècle. C'est que, à mesure que le grec était moins bien su, il passait en usage de se donner, par cet emploi de vocables grecs, un air de science et d'érudition. Voir GŒTZ, dans les *Sitzunsberichte* de l'Acad. dè Leipzig, 1896, p. 74.
(6) BIBLIOGRAPHIE. — Voir t. III, p. 428. On ajoutera : Paul ALLARD, *L'art païen sous les empereurs chrétiens*, Paris, 1879 ; H. ACHELIS, art. *Altchristliche Kunst*, dans *Die Religion in Geschichte und Gegenwart*, 2e édit., t. I, 1927 ; G. BALDWIN BROWN, *The arts in early England* : I. *Ecclesiastical architecture in England from the conversion of the Saxons to the Norman conquest* ; II. *The Life of Saxon-England in its relation to the Arts*, Londres, 1903 ; E. BERTAUX, *L'Art dans l'Italie méridionale*, t. I, Paris, 1904 ; BRUTAILS, *Précis d'archéologie au moyen âge*, Paris, 1908 ; C. ENLART, *Manuel d'archéologie française*, t. I. *Architecture religieuse*, Paris, 1902 ; St. GSELL, *Les monuments antiques de l'Algérie*, 2 vol., Paris, 1901 ; Samuel GUYER, *Die christlichen Denkmäler des ersten Jahrtausends in der Schweiz*, Leipzig, 1907 ; A. JACOBY, *Die geographische Mosaik von Madaba*, Leipzig, 1905 (mosaïque de 520-550) ; R. DE LASTEYRIE, *L'architecture en France à l'époque*

elle-même. Ce n'est pas du côté des barbares qu'un renouveau lui vint : ceux-ci n'apportaient avec eux aucune conception originale ni même aucun souci de l'art (sauf par imitation respectueuse de la civilisation dont les splendeurs s'imposaient à leurs regards). Mais, malgré les perturbations sociales qui paralysaient les longues disciplines indispensables à toute formation solide, des influences orientales s'exercèrent, surtout dans le nord de l'Italie, qui modifièrent assez heureusement les vieilles techniques usées.

LA PORTE SAINTE-SABINE Abandonnée par les empereurs dès le début du ve siècle, Rome gardait, certes, son prestige séculaire, que maintenait la papauté. Mais le centre de l'activité artistique se déplaça vers Milan, et surtout vers Ravenne. Parmi les dernières réussites des artistes romains, on peut citer la porte de Sainte-Sabine [1], probablement contemporaine de l'église elle-même qui fut construite sous le pontificat de Célestin Ier (422-432) ; elle reste aujourd'hui l'unique porte d'entrée de l'antique façade. Ses quatre battants égaux en bois de cyprès renferment chacun sept panneaux (trois de quatre-vingts centimètres sur trente-trois, quatre de vingt-quatre centimètres sur trente-trois). Dix panneaux sur vingt-huit ont été détruits. Une série d'épisodes empruntés à l'Ancien et au Nouveau Testament y sont sculptés. Ceux qui subsistent ne manquent ni de noblesse ni de vie. Il en est même un ou deux, par exemple le reniement de saint Pierre, l'enlèvement d'Élie, qui, soit par l'intensité de l'expression, soit par la vivacité du mouvement, décèlent une réelle habileté de ciseau [2].

CARACTÈRE DES SUJETS TRAITÉS Le goût des scènes historiques empruntées à la Bible se développe largement au ve et au vi^e siècle, comme aussi les descriptions de « passions » subies par les martyrs. L'amour des fidèles pour les images avait passé d'Orient en Occident [3] et n'y éveillait que de rares scrupules : les fresques et surtout les mosaïques des églises, qui s'élevaient partout,

romane, Paris, 1912 ; H. Lietzmann, *Symbolstudien*, dans *Zeitschrift für die neutestam. Wissenschaft*, t. XXI, 1922 et suiv. ; Helmert Lother, *Der Pfau in der altchristlichen Kunst*, Leipzig, 1929 ; R. Michel, *Die Mosaiken von Santa Costanza in Rom*, Leipzig, 1912 ; E. Muntz, *La tradition antique chez les artistes du Moyen âge*, dans *Journal des Savants*, 1887, p. 629-642 ; 1888, p. 40-50, 162-177 ; J. Reil, *Die frühchristlichen Darstellungen der Kreuzigung Christi*, Leipzig, 1904 ; J. Reil, *Die altchristlichen Bildzyklen des Lebens Jesu*, Leipzig, 1910 ; J. Reil, *Christus am Kreuz in der Bildkunst der Karolingerzeit*, Leipzig, 1930 ; H. Rott, *Kleinasiatische Denkmäler aus Pisidien, Pamphylien, Kappadokien und Lykien*, Leipzig, 1908 ; O. Schœnewolf, *Die Darstellung der Auferstehung Christi. Ihre Entstehung und ihre ältesten Denkmäler*, Leipzig, 1909 ; M. de Vogüé, *L'architecture civile et religieuse du Ier au VIe siècle dans la Syrie centrale*, 2 vol., Paris, 1865-1877 ; E. Weigand, *Die Geburts-Kirche von Bethleem, eine Untersuchung zur christlichen Antike*, Leipzig, 1911.

(1) V. J. J. Berthier, *Commentatio cui titulus La porte de Sainte-Sabine à Rome*, dans *l'Index Lectionum de l'Université de Fribourg en Suisse*, 1892.

(2) Photographies *ibid.*, p. 63 et 82.

(3) Cf. Vacandard, *Études de critique et d'histoire religieuse*, 3e série, 1912, p. 180 et suiv.

y donnaient satisfaction. Les sujets traités étaient parfois tirés de ces Évangiles apocryphes qui devaient jouer, au cours des temps, un rôle si considérable dans l'iconographie chrétienne [1]. Le culte de la Vierge Marie, proclamée solennellement « Mère de Dieu » par le concile d'Éphèse et si souvent magnifiée dans les homélies des prédicateurs, provoqua aussi les artistes à montrer la Madone dans sa majesté de reine du ciel [2], qu'elle soit représentée seule, entourée d'apôtres, ou portant dans ses bras l'Enfant-Jésus. Les anges eux-mêmes apparaissent sous la figure de gracieux adolescents avec des ailes attachées à leurs épaules, comme les Victoires païennes [3]. La conception de la hiérarchie céleste, telle qu'elle fut établie vers le début du VIe siècle par le pseudo Denis l'Aréopagite [4], ne fut pas sans influence sur l'iconographie angélique et inspira le caractère triomphal qu'elle revêtit souvent à partir de cette époque.

Notons aussi que c'est seulement vers la fin du VIe siècle que l'image de Jésus crucifié se répand en Occident. Le Sauveur y est représenté en *colobium* (sorte de tunique à manches courtes). On sait combien la réalité douloureuse du Calvaire avait longtemps paru pénible et offensante [5]. Il ne fallut rien de moins que la lutte contre les monophysites pour décider les artistes d'Orient à montrer Jésus en croix : de là ce type passa peu à peu en Occident, où bientôt furent oubliées les premières susceptibilités de la piété chrétienne.

L'ART CHRÉTIEN A RAVENNE C'est à Ravenne que l'on peut le mieux se rendre compte de ce que fut l'art chrétien au Ve et au VIe siècle [6]. Grâce à sa position très forte, au bord de la mer et derrière de vastes lagunes, cette ville, à demi-morte aujourd'hui, offrit un abri sûr, dès 404, à l'empereur Honorius, puis à sa sœur, l'énergique Galla Placidia, puis encore, vers la fin du Ve siècle, à Théodoric, enfin aux vice-rois qui, une fois l'Italie reconquise, l'administrèrent au nom de Justinien. Elle connut ainsi une ère d'exceptionnelle prospérité, dont, malgré des destructions irréparables, nombre de monuments portent encore témoignage.

(1) Voir Louis BRÉHIER, *L'Art chrétien*, Paris, 1918, p. 61 et 98. H. GRISAR, *Hist. de Rome et des Papes*, trad. LEDOS, t. I, livres II-V, p. 272. Saint Augustin lui-même ne les avait pas condamnés radicalement, tout en leur déniant toute *canonica auctoritas* (*De Civitate Dei*, XV, XXIII).

(2) Exemple, la mosaïque absidale de la cathédrale de Parenzo (Istrie), VIe siècle.

(3) Le premier monument où ils soient ainsi figurés est, semble-t-il, la mosaïque de l'arc triomphal de Sainte-Marie-Majeure, œuvre du pape Sixte III (432-440). Notons que saint Jérôme parle à propos des quatre évangélistes de *terga pennata et ubique volitantia* (*Epist.*, LIII, 9).

(4) Voir STIGLMAYR, *Die Engellehre des sogenannten Dionysius Areopagita. Compte-rendu du 4e Congrès scientif. intern. des Cathol.*, Fribourg-en-S., 1898, Sect. I, p. 403-414.

(5) Texte significatif dans GRÉGOIRE DE TOURS, *De gloria Martyrum*, XXIII. Cf. V. JERPHANION, *La voix des Monuments*, Paris, 1930, p. 158 et suiv.

(6) Cf. Ch. DIEHL, *Ravenne*, Paris, 1903 (coll. *Les Villes d'Art célèbres*) ; DUETSCHKE, *Ravennatische Studien*, 1909 ; RICCI, *Guida di Ravenna*, 4e édit., 1908 ; bibliographie dans M. VON MERCKLIN, *Katal. d. Bibliothek d. K. arch. Instituts in Rom*, t. I, I², 1913, p. 495-497.

A l'époque de Galla Placidia (425-450) se rapportent l'église de Saint-Jean-l'Évangéliste, malheureusement très remaniée, et où seule l'abside donne quelque idée du monument primitif, le mausolée de Galla Placidia, un des édifices les mieux conservés de Ravenne, petite chapelle en forme de croix latine où le revêtement de mosaïques atteste une remarquable habileté et un sens parfait du coloris, le baptistère des orthodoxes (San Giovanni in Fonte), dont la coupole, ornée de mosaïques où la pièce centrale représente le baptême du Christ, offre un curieux mélange de symbolisme païen et d'évocations chrétiennes. — De Galla Placidia à l'époque de Théodoric (493-526), les compositions historiques inspirées de la vie du Sauveur prennent une place de plus en plus grande, et un certain goût de dignité un peu solennelle se trahit dans les attitudes des personnages divins représentés. L'église de Saint-Théodore (Spirito Santo), le baptistère des Ariens, Saint-Vital, le mausolée de Théodoric appartiennent à la période que domine le nom de ce prince, sensible aux grandeurs romaines et ambitieux de les imiter. La plus belle réussite de la période ostrogothique, c'est la basilique de San-Apollinare Nuovo, si abîmée soit-elle. Les trois zones superposées de mosaïques qui ornent les parois de la grande nef font songer, a-t-on pu dire, « à l'antiquité classique et à certaines œuvres d'une incomparable perfection, mais où dominait ce même esprit d'ordre et d'harmonie qu'on retrouve encore ici [1] ». — Quant à Justinien, une fois que Ravenne eut été reconquise en 540, il s'empressa de parer la cité de nouveaux monuments, avec la collaboration de l'évêque Maximien et d'un riche banquier nommé Julien. Quoique dépouillée du revêtement de ses marbres, l'église Saint-Apollinaire *in Classe* offre, à l'intérieur, des lignes sobres et pures, et, dans son abside, de fort belles mosaïques qui remontent au VIe siècle. Quant à l'église Saint-Vital, avec sa haute coupole soutenue par huit fort piliers, ses chapiteaux finement ouvragés, ses mosaïques étincelantes, ses vivants portraits de Justinien et de Théodora, elle donne l'idée la plus exacte de l'art byzantin naturalisé en Occident.

LES INFLUENCES ORIENTALES

Entre Ravenne et Byzance, la parenté est indéniable, en effet. C'est de l'Orient, ou, en termes plus précis, c'est de l'Égypte, de la Syrie, de l'Asie-Mineure que sont venues ces recherches dans l'ornementation, ces ciselures de pierres, cet art un peu chargé et touffu. L'influence byzantine se trahit également dans la majesté soutenue des attitudes — qu'on compare le Bon Pasteur des Catacombes à celui du mausolée de Galla Placidia, — dans ces arcades qui relient les colonnes, dans la science du coloris et dans la combinaison des plaques de nacre avec les cubes d'argent ou

(1) Ch. BAYET, *Recherches sur l'histoire de la peinture et de la sculpture chrétiennes en Orient*, Paris, 1879, p. 99

d'or. Certes, la tradition antique n'est point oubliée, ni même le symbolisme naïf de l'art chrétien primitif. Mais aussi bien dans les monuments eux-mêmes que dans les massifs sarcophages [1] et dans les ivoires minutieusement travaillés [2], une technique nouvelle se fait jour dont les qualités originales s'effaceront dès après l'époque de Justinien, avec le sixième siècle finissant [3].

(1) WILPERT, *I sarcofagi chrestiani antichi*, t. I-II, Rome, 1929, t. III, 1932 ; t. IV, 1936. Le tome III de cette magnifique publication contient l'*Index topographique*.

(2) Par exemple, la fameuse chaire dite de Maximien, que l'on voit dans la sacristie de la cathédrale de Ravenne.

(3) Cf. GRISAR, *Histoire de Rome et des Papes*, trad. LEDOS, t. I, p. 309 et suiv.

CHAPITRE III

LA VIE CHRÉTIENNE EN OCCIDENT [1]

PERSISTANCE DE L'ESPRIT CHRÉTIEN L'histoire de l'Église, durant ces siècles de décomposition politique, n'est pas toujours réconfortante, pour qui se borne à en étudier la partie extérieure et active. Que de querelles, parfois bien vaines en leur objet ! Que de perfidies ! Que de violences même ! Quels empiétements de l'autorité civile sur le « spirituel » ; et, en plus d'un cas, que de dévotieux respect des représentants du spirituel à l'égard de l'autorité civile ! Chez les moines, quelle turbulence, quel goût d'émeute, poussé parfois jusqu'aux attentats et aux massacres ! On se demande comment les foules pouvaient se mobiliser pour des questions aussi abstruses que celle des deux « natures » ou des deux « volontés » ; on se le demanderait, plutôt, si l'on ne savait le rôle des passions partisanes et de l'esprit de clientèle dans des controverses de ce genre ; et qu'au surplus les hommes n'ont pas toujours besoin de se former une idée claire des objets pour lesquels ils se battent et consentent même à mourir.

Mais sous ces agitations de surface, l'esprit de l'Évangile gardait sa vitalité ; il suscitait d'admirables renoncements ; il soutenait dans quantité d'âmes un zèle infatigable à se perfectionner elles-mêmes, à lutter autour d'elles contre tant de déviations morales, de superstitions, de basses cupidités. Le sens de l'ordre, le respect de la discipline, l'amour du travail, voilà les sentiments que fomentait le christianisme, et qui demeuraient la plus solide armature d'une société qui, sans ces étais, se serait affaissée plus pesamment encore.

Le développement de l'organisation paroissiale fut une des belles réussites de cette époque, à tant d'égards attristante.

§ 1. — L'organisation paroissiale [2].

ORIGINE DU MOT « PAROISSE » C'est un mot dont l'histoire est curieuse que le mot « paroisse » — en

(1) Bibliographie. — En dehors des ouvrages cités dans la bibliographie générale, les indications bibliographiques seront données à propos de chacune des questions traitées dans ce chapitre.
(2) Faits et textes dans P. de Labriolle, *Parœcia* (extrait de l'*Archivum latinitatis medii aevi*, 1927).

latin, *parœcia* ou *parochia*. Ce mot est né d'un sentiment mystique qui s'est assez vite évaporé. Il signifiait, au début, l'habitacle momentané que le chrétien, considéré individuellement, ou telle église chrétienne, trouve ici-bas durant son pèlerinage terrestre, la vraie patrie étant au ciel. Παροικεῖν, en grec, signifie « séjourner en pays étranger ». Puis, à partir du IVe siècle — par une série de transitions dont nous ne pouvons guère reconstituer les étapes — l'expression se resserra, se spécialisa : elle fit partie désormais de la langue administrative de l'Eglise.

« PAROISSE » ET « DIOCÈSE »

Elle n'y a d'ailleurs pas une valeur constante, et ce n'est que par l'examen attentif du contexte qui l'encadre qu'on arrive à en préciser chaque fois le sens, d'une façon probable ou sûre.

Παροικία (*paroecia*) signifie parfois telle ou telle église particulière. Eusèbe de Césarée, dans son *Histoire ecclésiastique*, dont la deuxième édition parut en 324 ou 325, rapporte que Timothée obtint le premier le gouvernement de la παροικία d'Éphèse [1]. Ailleurs, il nomme Théophile, évêque de la παροικία de Césarée, et Narcisse, évêque de celle de Jérusalem [2] ; Démétrius, évêque des παροικίαι d'Égypte (le mot est au pluriel, cette fois [3]) ; Grégoire et Athénodore, son frère, « pasteurs des παροικίαι du Pont [4] » ; Basilide, évêque des παροικίαι de la Pentapole. Il lui arrive même une fois d'employer une formule déjà un peu archaïque à son époque [5] : c'est sans doute que, fidèle à ses habitudes d'excerpteur, il copie le libellé qu'il lisait en tête de la lettre de Denis, lequel vivait dans la seconde moitié du IIe siècle.

On peut, semble-t-il, traduire παροικίαι de la même façon dans la lettre où, entre 313 et 317, Alexandre, évêque d'Alexandrie, signalait à son collègue de Constantinople les intrigues d'Arius « contre les églises alors en plein progrès [6] ».

Mais, dès le début du IVe siècle, le mot commence à revêtir un autre sens, même dans des documents officiels. Par exemple, le dix-huitième canon du concile tenu à Ancyre en 314 débute en ces termes : « Au cas où des évêques élus, mais non accueillis par le *diocèse* pour lequel ils ont été nommés [7], voudraient s'introduire dans d'autres *diocèses* [8] et faire vio-

(1) *Hist. eccl.*, III, IV, 5.
(2) *Ibid.*, V, XXIII, 3.
(3) *Ibid.*, VI, II, 2.
(4) *Ibid.*, VII, XXVIII, 1.
(5) C'est à propos de Denis de Corinthe, dont il nous dit qu'il écrivit « τῇ Ἐκκλησίᾳ... τῇ παροικούσῃ Γόρτυναν ἅμα ταῖς λοιπαῖς κατὰ Κρήτην παροικίαις. »
(6) *Epist.*, I, I (*P. G.*, XVIII, 548) « ἀεὶ μείζοσι παροικίαις πέφυκεν ἐπιβουλεύειν. » Le mot est répété un peu plus loin, *Epist.*, II, I.
(7) HEFELÈ-LECLERCQ, *Histoire des conciles*, t. I, 1re partie, p. 320 : « ὑπὸ τῆς παροικίας ἐκεινῆς εἰς ἥν ὠνομάσθησαν. » Dom LECLERCQ traduit παροίκία — évidemment à tort — par *paroisse*.
(8) παροικίαις.

lence aux (évêques) déjà installés... » De même dans la lettre écrite de prison vers 304 par quatre évêques d'Égypte, Hesychius, Pachomius, Theodorus et Phileas, à Melitius de Lycopolis, le mot *paroecia* apparaît à trois reprises dans l'acception non douteuse de *diocèse*[1].

De semblables perplexités ne s'imposent qu'exceptionnellement. Dans la seconde moitié du IVe siècle, *parochia* s'emploie couramment au sens de diocèse. C'est avec cette acception qu'on le rencontre chez Paulin de Nole[2], chez saint Jérôme[3] et chez saint Augustin[4]. Quelquefois le mot oppose la partie rurale d'un diocèse à la ville où l'évêque réside[5].

Paroecia était donc dès lors en concurrence avec *dioecesis* (ou *diocesis*). L'inconvénient que pouvait offrir ce dernier terme, c'est qu'il appartenait à la langue de l'administration civile. Dans l'Empire réorganisé par Dioclétien, chacune des quatre grandes préfectures, — Orient, Illyrie, Gaule, Italie, — s'était trouvée partagée en plusieurs « diocèses » administrés par les vicaires des *praefecti praetorio* : le « diocèse » comprenait un certain nombre de provinces, auxquelles des *rectores* étaient préposés[6]. De là l'inconvénient — nullement chimérique — de certaines confusions, fâcheuses[7].

En fait, les deux mots ont vécu parallèlement ; et il a fallu un assez long temps pour que *parochia* et *dioecesis* fussent nettement confinés dans un emploi unique.

LE MOT « PAROCHIA » SE SPÉCIALISE

En dépit des affirmations d'Imbart de la Tour, dans son beau livre sur les *Paroisses rurales du IVe au XIe siècle*[8], le mot *diocesis* ne signifiait pas exclusivement la « paroisse » au Ve siècle, non plus que *parochia* n'était réservé au « diocèse ». Il n'est pas douteux que Sidoine Apollinaire use du mot *parochia* pour désigner les « paroisses » proprement dites. La lettre bien connue qu'il écrivit en 474 à l'évêque Basile sur les

(1) Nous ne connaissons la pièce que par une ancienne traduction latine (ROUTH, *Reliq. sacrae*, 2e édit., t. IV, p. 91 et suiv.) : ... praebuit a te facta ordinatio *in paroeciis* ad te minime pertinentibus » ; « ... est constitutum et fixum, *in alienis paroeciis* non licere alicui episcoporum ordinationes celebrare » ; « ... vix enim unusquisque *paroeciam* regere poterit suam... »

(2) *Epist.*, XXIV, 6 (dans la série des *Lettres* d'Augustin).

(3) *Epist.*, L, 1, 2 (c'est une lettre de saint Épiphane, traduite par Jérôme) ; *Epist.*, CIX, 2 ; *Contra Vigil.*, III.

(4) *Epist.*, CCIX, 2.

(5) Ainsi, dans saint BASILE, *Epist.*, CCXL.

(6) La première mention des *diocoeses* civils apparaît dans la liste de Vérone, publiée en 1742 par Scipione MAFFEI, et en 1862, par MOMMSEN (*Gesamm. Schriften*, V, 561).

(7) Ainsi dans le canon 2 du deuxième concile œcuménique, tenu à Constantinople en 381, διοίκησις paraît employé au sens « laïc » (HEFELÈ-LECLERCQ, *op. cit.*, t. II, 1re partie, p. 25). Au canon 9 du concile de Chalcédoine, διοίκησις désigne, semble-t-il, un groupe de plusieurs éparchies, présidées chacune par un métropolitain, et qui dépend d'un exarque (*Ibid.*, t. II, 2e partie, p. 791). Dans d'autres textes, il ne peut s'agir que d'un simple « diocèse », au sens moderne du mot : par exemple, saint AUGUSTIN, *Breviculus Collationis*, I, XII ; concile de Tours (461), c. 9 (HEFELÈ-LECLERCQ, *op. cit.*, t. II, 2e partie, p. 900), etc.

(8) Paris, 1900. Cf. le compte-rendu de Ulrich STUTZ, dans *Göttingische Gelehrte Anzeigen*, janvier 1904, p. 1-86.

déprédations d'Euric exclut toute contestation sur ce point : « La solitude, écrit-il, ne règne pas seulement *dans les « parochiae » des campagnes* ; jusque dans les églises des villes, les assemblées des fidèles deviennent plus rares » [1]. Même au VIe siècle, il arrive que *parochia* et *diocesis* s'échangent comme deux synonymes [2]. — Mais on peut dire qu'à partir de cette époque *parochia* signifie très ordinairement la paroisse, telle que nous la concevons aujourd'hui [3] — étant entendu qu'il s'agit toujours d'une paroisse rurale, jamais encore d'une paroisse urbaine [4].

L'ORIGINE DES PAROISSES Dans les documents *parochia* et *dioecesis* ont servi l'un et l'autre à désigner la cellule de l'Église, la paroisse, quand le système paroissial eut pris son premier développement.

C'est un fait connu que le christianisme fut d'abord une religion de cités, et que ses progrès furent bien plus rapides dans les centres urbains que dans les campagnes. Mais il vint un moment où les églises sentirent la nécessité de substituer à l'action évangélisatrice une organisation permanente. Il semble bien que le cadre paroissial se soit consolidé à des époques assez différentes selon les contrées où s'exerçait la propagande chrétienne.

Pour l'Occident, c'est en Gaule qu'il se constitua le plus rapidement et qu'on connaît le mieux les modalités de sa formation [5]. Commencée en Narbonnaise au début du IVe siècle, arrêtée bientôt par la crise arienne jusqu'à la mort de Constance, en 361, la fondation des églises rurales fut reprise dans toute la Gaule sous Gratien et Théodose ; elle se poursuivit au Ve siècle, et, après l'anarchie déchaînée par les invasions, reçut au VIe siècle une impulsion nouvelle. Des églises furent construites, soit dans des *villae* appartenant à des évêques ou à des propriétaires laïcs, soit dans des bourgades (*vici*, *castra*) qui souvent avaient été pour les païens

(1) *Epist.*, VII, VI, 8 (*M. G. H.*, *Auct. Antiq.*, t. VIII, p. 109).

(2) Un exemple caractéristique nous est fourni par GRÉGOIRE DE TOURS, *Hist. Franc.*, VI, XXXVIII, où les paroisses de l'église de Rodez (*Ruthena ecclesia*) sont appelées tour à tour, dans le même chapitre, *dioeceses* et *parrochiae*.

(3) Il suffit de feuilleter MAASSEN, *M. G. H.*, *Legum sectio III*, *Concilia*, pour s'en convaincre. Signalons, par exemple, le canon 5 du concile d'Orléans, en 511 (t. I, p. 6), le canon 7 du concile d'Épaone, en 517 (t. I, p. 20), le canon 2 du concile de Lyon, en 516-523 (t. I, p. 33), le règlement du concile de Carpentras, en 527, sur la répartition des dons des fidèles entre l'évêque et les paroisses (t. I, p. 41), etc. Cf. aussi t. I, p. 56, 69, 89, 93, etc. Tous ces textes sont significatifs pour le développement de l'organisation paroissiale. Il y a d'ailleurs des textes du VIe siècle, des lettres papales, où *parochia* signifie encore *diocèse*, par exemple, la lettre 18 d'Hormisdas (THIEL, p. 778, l. 2) et la lettre 20 (p. 780), l'une et l'autre du 19 novembre 516. Chez GRÉGOIRE LE GRAND, *Epist.* VI, XI, *parochia* s'oppose à *civitas* (la cité de l'évêque) comme la partie rurale du diocèse.

(4) Cf. L. DUCHESNE, *Liber Pontificalis*, t. I, p. 157, n. 3. — H. K. SCHAEFER a essayé de démontrer, dans la *Römische Quartalschrift* (t. I et II, 1905) que les paroisses urbaines datent de l'époque franque.

(5) Dans l'église anglo-saxonne, l'organisation des paroisses rurales fut assez tardive. Les abbayes expédiaient leurs moines ici et là pour instruire et édifier les fidèles, mais il était rare que les campagnes eussent un clergé à demeure (Voy. la *Vita Luthberti*, de BÈDE, IX). — En Espagne, certains canons de conciles du VIe siècle impliquent l'existence d'églises rurales, et s'occupent de régler les droits des évêques, d'une part, des fondateurs d'églises ou des donataires de terrains, d'autre part. Voir dom Paul SÉJOURNÉ, *Saint Isidore de Séville*, Paris, 1929, p. 230 et suiv.

un centre de vie religieuse, autour de quelque temple [1], soit enfin, plus rarement, dans des *loca deserta*. On y célébrait le culte ; mais l'église de la *civitas*, l'église épiscopale, avait seule un baptistère ; et, à certains jours de fête solennelle, les fidèles étaient tenus de s'y réunir [2]. Puis le nombre croissant de ceux-ci obligea les évêques à accorder aux curés une certaine autonomie. Les églises rurales eurent à leur tour leur *presbyterium*, c'est-à-dire un collège clérical organisé, comme l'évêque avait le sien : diacres, sous-diacres, lecteurs, portiers [3]. De là, pour certains curés, une tentation, vite réprimée par les conciles [4], de s'émanciper de l'autorité de l'évêque, ou du moins de s'arroger des initiatives dont celui-ci se réservait le privilège. — En principe, les prêtres qui desservaient les églises ou les oratoires élevés dans des *villae* particulières ne pouvaient être choisis qu'avec l'agrément de l'évêque. Mais les grands propriétaires ne se privèrent pas d'empiéter sur l'autorité épiscopale et de disputer aux évêques les biens des églises construites sur leurs domaines [5].

Aux églises rurales était souvent annexée une école ecclésiastique où étaient formés les enfants qui paraissaient capables d'entrer un jour dans le clergé. Ces *iuniores* formaient communauté sous la surveillance du curé ou d'un clerc délégué par lui [6]. Ils étaient défrayés soit par les allocations (*stipendium*) que fournissait l'évêque, soit par les dotations du fondateur de la paroisse, soit par les offrandes et legs dont bénéficiait l'église [7]. A partir de la fin du ve siècle, le clergé se recruta souvent dans les classes riches, et les clercs ruraux purent se tirer d'affaires, en certains cas, par leurs propres moyens.

LA MORALITÉ DU CLERGÉ La dispersion même des membres du clergé rendait nécessaire une surveillance sur leur parfaite tenue [8]. On sait que, depuis le IVe siècle, en dépit de certaines résistances (Helvidius, Jovinien, Vigilance), l'Occident était très ferme à proclamer que les évêques, prêtres et diacres mariés devaient s'abstenir de tous rapports conjugaux [9]. Au ve siècle, saint Léon avait décidé qu'après

(1) W. Seston a beaucoup insisté sur ce dernier point, dans un article de la *Revue d'histoire et de philosophie religieuses*, t. XV, 1935, p. 243-254.
(2) Concile d'Orléans (511), c. 25 ; *ibid.* (541), c. 3.
(3) Concile de Vaison (442), c. 3 ; concile d'Auxerre (578), c. 6 ; concile de Vaison (529), c. 2.
(4) Concile d'Arles (554), c. 4.
(5) Concile d'Orléans (541), c. 26 ; concile de Chalon (a. 639-654), c. 45. Sur ces usurpations, qui allèrent s'aggravant, voir Paul Thomas, *Le droit de propriété des laïques sur les églises et le patronage laïque au moyen âge*, Paris, 1906 ; Lesne, *Histoire de la propriété ecclésiastique en France*, t. I, Paris, 1910 ; Schnuerer, *L'Église et la civilisation au moyen âge*, trad. franç., Paris, 1933, t. I, p. 276.
(6) Concile de Vaison (529), c. 1 ; concile d'Émerita (666), c. 18.
(7) Le concile d'Orléans (en 511), c. 15, ne laissait aux clercs des paroisses qu'une partie de leurs revenus ; le concile tenu dans la même ville en 538, c. 5, et le concile de Paris, en 614, c. 8, leur en abandonnèrent la gestion totale.
(8) Voir A. Netzer, *La situation des curés ruraux du Ve au VIIIe siècle*, dans les *Mélanges Lot*, Paris, 1925, p. 575-602.
(9) Concile d'Elvire (vers 300), can. 33 ; concile romain de 386 tenu par Sirice (Jaffé-Wattenbach, t. I, p. 41) ; lettres du pape Innocent Ier à Victrice de Rouen et à Exupère de Toulouse (*P. L.*, LVI, 501, 523-524) ; conciles de Carthage (390), can. 2 ; (401), can. 3.

leur ordination les sous-diacres mariés seraient eux-mêmes tenus d'y renoncer. Toute union conjugale était interdite aux clercs déjà engagés dans les ordres. Ces principes, théoriquement intangibles, sont fréquemment rappelés par les conciles du VIe siècle, dont les insistances prouvent qu'ils n'étaient pas toujours respectés. Non seulement les clercs mariés s'entendent rappeler les sacrifices qu'ils ont pris l'engagement de consentir [1] ; mais toute cohabitation d'un clerc avec une femme étrangère à leur proche famille est sévèrement interdite [2].

Il n'est pas jusqu'à leur habit même dont les modalités et l'accoutrement ne soient réglés, afin qu'ils se distinguent à première vue des laïcs ; il leur est interdit de se servir du *sagum* ; ils doivent user seulement de la *casula* [3]. C'était là une innovation, qui n'était pas d'usage en Gaule jusqu'au Ve siècle.

LA CELLULE CHRÉTIENNE

« Une fois organisée, a écrit Imbart de la Tour [4], la paroisse devient l'unité religieuse ; elle sera bientôt l'unité sociale par excellence. A mesure que la société se dissout, seule elle reste compacte et une. C'est dans son enceinte que les hommes naissent, grandissent, se marient et meurent. C'est l'église qui est le centre de leurs croyances et de leurs intérêts... La paroisse est le *legitimus conventus* de la population chrétienne. C'est sur de telles assises que reposera au moyen âge tout l'édifice social ou religieux ».

§ 2. — Quelques formes de la piété chrétienne aux Ve et VIe siècles.

LE CULTE DES MARTYRS ET LA LITTÉRATURE HAGIOGRAPHIQUE

Le culte des martyrs restait extrêmement florissant. Ce n'étaient plus de simples *memoriae*, comme naguère, qu'on leur consacrait, mais de vastes sanctuaires, de somptueuses basiliques. Les docteurs de l'Église avaient quelque peine à maintenir dans les limites requises les adorations des foules, qui apportaient là leur piété exigeante, leurs espoirs, leurs avidités, leurs superstitions. Saint Augustin s'employa infatigablement à interdire tout culte de *latrie* à l'égard des martyrs, et à exiger plus de décence dans les manifestations de la piété populaire [5]. Mais on garde l'impression que ces barrières officielles étaient souvent débordées, tant le bruit des cures merveilleuses obtenues sur tous les points du monde romain par la vertu des reliques

(1) Concile d'Orléans (538), can. 2 ; (541), can. 17 ; (549), can. 4 ; d'Auxerre (573-603), can. 21 ; de Mâcon (583).
(2) Concile de Clermont (535), can. 15 ; d'Eauze (551) ; de Tours (567), can. 10 ; de Mâcon (583), can. 1 ; de Lyon (583). Cf. t. III, p. 418.
(3) Concile de Mâcon (583), can. 5.
(4) *Op. cit.*, p. 72.
(5) Voir surtout *Contra Faustum*, XX, XXI, *Sermo*, CXCVI, 4 ; CXCVIII, 1-3 ; CCLXXIII 3 et 8 ; *De civitate Dei*, VIII. XVII.

soulevait l'enthousiasme des fidèles [1]. Nulle faveur n'était plus enviée que celle d'être enterré *ad martyres* ou *ad sanctos*, c'est-à-dire auprès d'un corps saint, dont les effluves étaient censés purifier le corps du pécheur adjacent [2]. Une immense littérature circulait où étaient racontés les exploits des héros du Christ et ceux des simples confesseurs. Elle fit oublier les chefs-d'œuvre les plus indiscutés et les documents les plus authentiques de l'histoire des persécutions. Peu à peu les récits de ce genre consistèrent à exploiter des données souvent fort maigres et presque déficientes, au moyen de certains thèmes de développement tout artificiels. L'image hiératique du martyr se substitua aux portraits individuels. « Le martyr n'est plus l'homme sujet à toutes les faiblesses, qui souffre lamentablement dans sa chair, tandis que son âme reste inébranlablement attachée à sa foi. C'est un être surhumain qui dispose à son gré de la force et de la faveur divine. Ce mortel, qui, avant même d'avoir consommé son sacrifice, est entré dans la gloire, c'est, dans des proportions grandies, le héros d'épopée [3] », — un être hors nature, aux propos sublimes et intarissables. Tous les procédés d'exposition sont stylisés et se reproduisent d'une passion à l'autre avec une accablante monotonie : discours, scènes sanglantes, interventions surnaturelles alternent dans les récits de cette sorte. L'empereur, le juge sans entrailles, les bourreaux, les assistants sont des êtres abstraits, des types. Dès qu'on voit apparaître une date, le texte d'un prétendu édit, le nom d'un juge ou d'un témoin, il faut se méfier : l'hagiographe n'épargne aucune précision mensongère pour relever l'intérêt de l'histoire qu'il raconte. L'accuser de faux serait un bien gros mot : il use largement et sans remords des fictions qu'autorisait dans l'antiquité la convention littéraire. Certaines passions ressemblent à des romans d'aventure (par exemple celle de Placidas-Eustathe) [4], à des romans idylliques, à des romans didactiques. Ce qui manque le plus à ces élucubrations, c'est le talent : tout entiers au soin d'édifier, les auteurs se moquent de la vraisemblance, n'ont aucun souci de la chronologie et n'évitent que rarement la plus fâcheuse platitude.

A mesure que la culture déclinera, les inventions de cette qualité usurperont de plus en plus sur les données de l'histoire et les exigences du bon sens. C'est peut-être dans l'hagiographie d'Égypte que les outrances furent le plus sensibles ; mais l'esprit du temps les favorisa aussi bien en Occident qu'en Orient. Plus d'un de ces récits s'apparente, d'ailleurs, au roman grec profane, et en perpétue les thèmes habituels en les tournant vers l'édification [5].

(1) Texte caractéristique de saint Victrice de Rouen, dans son *De laude sanctorum*, XI, 22.
(2) Voir l'article *Ad Sanctos*, dans le *Dictionnaire d'Archéologie chrétienne et de Liturgie*, t. I, col. 479.
(3) H. Delehaye, *Les passions des martyrs et les genres littéraires*, p. 238.
(4) *Ibid.*, p. 317.
(5) Par exemple les « reconnaissances », les fiançailles contrariées (qui aboutissent dans ces *Actes* romanesques à un réciproque engagement de virginité, etc...). Voir Delehaye, *op. cit.*, p. 316 et suiv.

Ajoutons qu'au cours des temps ces passions tardives ont été constamment remaniées. « Ceux qui n'ont étudié la transmission de la pensée que dans les chefs-d'œuvre de la littérature classique, observe le P. Delehaye, ont peine à se rendre compte des conditions dans lesquelles nous sont parvenus les monuments antiques du culte des saints... Ce qui les attend sur le terrain de l'hagiographie, c'est l'instabilité et l'arbitraire, un mouvement perpétuel qui rend très difficile à saisir, non seulement l'état initial d'un texte, mais un moment donné de son évolution. Le travail accompli au cours des âges sur les classiques est entrepris en vue de les conserver. *Tous ceux qui mettent la main à nos textes semblent conspirer pour les altérer* ». Soumis à toutes les causes de déformation qui sont le fait des agents ordinaires de transmission, ces textes y ont été plus exposés que toute autre catégorie d'écrits en raison même de leurs visées édifiantes. La vogue dont ils jouissaient a incité d'innombrables rédacteurs ou copistes à les retoucher afin d'y développer les éléments présumés utiles, ou d'en accommoder la forme à tels ou tels scrupules. De là parfois, pour une même légende, des versions surabondantes où, avec une parfaite désinvolture, chaque rédacteur a retranché, ajouté, contaminé, corrigé, selon son caprice ou selon le goût de son époque.

LE CULTE DE LA VIERGE Il est difficile de déterminer la place que le culte de la Vierge Marie tenait dans la piété quotidienne des fidèles au ve et au vi^e^ siècle. Il n'avait sûrement pas encore pris le magnifique développement qu'il devait recevoir au moyen âge ; et l'Orient avait devancé l'Occident dans les honneurs rendus à la Mère de Dieu [1]. Quand le concile d'Éphèse, en 431, eut affirmé contre Nestorius le droit de Marie à être appelée ainsi [2], les basiliques consacrées à la Vierge surgirent de toutes parts. Le pape Sixte III lui dédia la *basilica Liberiana* à Rome. Mais rares restèrent, jusqu'au viie siècle, les fêtes indubitablement attestées. La fête de l'Annonciation au 25 mars ne l'est pas avant cette époque [3]. Toutefois saint Grégoire de Tours fait allusion à une fête de la Vierge célébrée en Gaule, au vi^e^ siècle [4] ; il croit savoir que la Gaule possède des reliques de Marie [5]. D'autre part, le martyrologe hiéronymien indique au 18 janvier une fête — la fête gallicane de la *Depositio S. Mariae* [6].

(1) Il y eut même, vers la fin du ive siècle, en Thrace, en Scythie supérieure et en Arabie, une secte féminine, les Collyridiennes, qui, sur une sorte d'autel improvisé, exposaient aux regards un pain qui était ensuite offert en sacrifice « au nom de Marie » et distribué. Saint Épiphane stigmatise durement leur initiative qu'il juge impudente (*Panarion*, LXXIX, 1).

(2) Saint Cyrille la nomme « la Mère de Dieu, la Vierge mère, la source de lumière, le vase incorruptible, le temple où Dieu s'est abrité » (*P. G.*, LXXVII, 1032).

(3) Concile *in Trullo* (692), can. 52.

(4) *De gloria martyrum*, I, 4.

(5) *Ibid.*, I, 9 et 11.

(6) L. Duchesne, dans *Mélanges d'Archéologie et d'Histoire*, t. V, 1885, p. 155. — Sur la mariolatrie, voir les articles des grands répertoires (*Dictionnaire apologétique*, *Dictionnaire de Théologie catholique*, *Dictionnaire d'Archéologie chrétienne et de Liturgie*).

L'ONOMASTIQUE CHRÉTIENNE Parmi les usages qui témoignent du souci de sanctifier tous les détails de la vie chrétienne — et en même temps de s'assurer la protection efficace d'un « patron » céleste, — il faut signaler le développement d'une onomastique empruntée, soit aux personnages de l'Ancien et du Nouveau Testament, soit aux saints et aux martyrs [1].

Les milieux chrétiens étaient restés longtemps indifférents à la qualité des noms propres. Parmi les quatre-vingt-sept évêques qui signèrent les *Actes* du concile de 256 — saint Cyprien nous en a conservé la liste — il n'en est aucun qui porte un nom dérivé de l'Ancien Testament ; et deux seulement portent des noms tirés du Nouveau Testament (le n° 72, *Petrus* ; le n° 47, *Paulus*). Nulle part, dans le monde romain, les chrétiens n'éprouvaient encore le besoin de se distinguer des païens par des appellations spéciales ; et beaucoup étaient étiquetés de noms empruntés à une mythologie cependant honnie et tenue pour diabolique (Mercurius, Satyrus, Aphrodisius, Dionysius, etc.).

C'est seulement à partir du milieu du IIIe siècle que, sensibles peut-être au vieil adage *nomen est omen*, les parents se préoccupèrent d'assigner à leurs enfants des noms expressément chrétiens, ou du moins évocateurs des grandes figures vénérées, tels que Pierre et Paul [2]. Il arriva aussi que des convertis échangeassent leur nom originel contre un nom chrétien ou emprunté à l'Ancien Testament [3]. Mais c'est seulement à partir du IVe siècle que des noms tels que Jean, Jacques, André, Simon, Marie, devinrent d'usage courant. Vers la fin du siècle, saint Jean Chrysostome engageait vivement les familles à garantir à leurs enfants les avantages d'une puissante intervention d'en haut [4]. Quand un catéchumène recevait le baptême, il avait soin d'ordinaire de prendre un nouveau nom [5]. C'est alors qu'on vit apparaître d'étranges noms composés : *Adeodatus*, *Christiger*, *Deogratias*, *Deumhabet*, *Quodvultdeus*, etc... Les fêtes chrétiennes, les vertus chrétiennes fournirent aussi toute une onomastique [6]. Ajoutons

(1) Source fondamentale : les *indices* des *Inscriptiones lat. christ. Veteres* d'Ernst DIEHL. Voir H. LECLERCQ, art. *Noms propres*, dans le *Dictionnaire d'Archéologie chrétienne et de Liturgie* ; A. VON HARNACK, *Die Mission und Ausbreitung des Christentums*, 3e édit., Leipzig, t. I, 1915, p. 407-415 ; H. DELEHAYE, *Les origines du culte des martyrs*, 2e édit., Bruxelles, 1933, p. 137-140 ; J SCHRIJNEN, *Die Namengebung im altchristlichen Latein*, dans *Mnemosyne*, 3e série, t. II, 1935, p. 291 et suiv.

(2) Témoignage de DENIS D'ALEXANDRIE, ap. EUSÈBE DE CÉSARÉE, *Hist. eccl.*, VII, XXV, 14. — Il y avait, au surplus, des Pauls et des Pierres païens (cf. EUSTATHIUS, *De engastr.*, XXII, dans *Texte und Untersuchungen*, t. II, 4, p. 61).

(3) Cas mentionné par EUSÈBE DE CÉSARÉE, *Mart. Palest.*, XI, 7. Il ne faut pas en exagérer le nombre : sur les 237 évêques qui signèrent au concile de Nicée en 325 — et qui avaient dû recevoir leurs noms entre 250 et 290 environ — plus de deux cents portent encore des noms païens.

(4) *Hom. in Gen.*, XXI, 3. Même conseil au Ve siècle, de la part de THÉODORET, *Graec. aff. Cur.*, VIII, 67.

(5) Exemple dans *Acta S. Petri Balsami* (RUINART, p. 501).

(6) *Anastasia*, *Epiphania*, *Natalicius*, *Paschasius*, etc. ; et *Agape*, *Agapetus*, *Agathe*, *Caritas*, *Fides*, *Sophia*...

que le culte des martyrs fit surgir le nom de *Martyrius* sur tous les points du monde romain.

Naturellement les habitudes païennes ne furent pas évincées pour autant. On trouve encore dans les inscriptions chrétiennes, même à une époque tardive, beaucoup de noms signifiant simplement, soit le pays d'origine, soit la profession, soit une particularité physique ou intellectuelle. Mais la prépondérance des vocables chrétiens va s'affirmant de plus en plus.

L'ABOLITION DES COMBATS DE GLADIATEURS

A l'actif des bienfaits sociaux du christianisme, il faut inscrire l'abolition des combats de gladiateurs. Déjà en 403, Prudence suppliait Honorius de les supprimer [1]. D'après le récit de l'historien Théodoret [2], un ascète nommé Télémaque serait venu d'Orient à Rome dans l'intention de les faire cesser ; il se serait jeté entre les combattants pour les séparer, et aurait été lapidé par les spectateurs, furieux d'être ainsi frustrés de leur plaisir. Honorius, informé de cet événement, aurait placé Télémaque « au nombre des glorieux martyrs » et « mis fin à ces criminelles exhibitions ».

Le P. Delehaye a constaté [3] qu'il est question dans le *Martyrologe hiéronymien* d'un saint Almachius à qui une histoire analogue est imputée. Le *Martyrologe* nous a conservé les grandes lignes d'une passion antique que Théodoret n'a pas connue, mais dont la substance est conforme au récit qui lui est parvenu par une autre voie. « Nous possédons ainsi *deux* versions d'un même fait, qu'il serait téméraire de révoquer en doute [4] ».

Le seul point litigieux, c'est de savoir si le moine héroïque se nommait Télémaque ou Almachius : sans doute faut-il opiner pour Almachius (ou Almacius), nom assez fréquent vers la fin du IVe siècle et qu'atteste le *Martyrologe hiéronymien*.

§ 3. — Les infiltrations païennes dans le christianisme [5].

L'OPINION DES « PÈRES »

Certains modernes paraissent s'émouvoir à l'idée que le christianisme, après sa victoire définitive, ait recueilli dans ses pratiques courantes, dans sa liturgie

(1) *Contra Symmachum*, II, 1414-1429.
(2) *Hist. eccl.*, V, XXVI.
(3) *Anal. Bollandiana*, 1914, p. 421.
(4) Mgr KIRSCH est un peu plus sceptique (*Römische Quartalschrift*, t. XXVI, II, 1912, p. 210), mais ne conteste pas que les jeux de gladiateurs n'aient cessé peu après 410.
(5) BIBLIOGRAPHIE. — P. BATIFFOL, *Études de liturgie et d'archéologie chrétiennes*, Paris, 1919 ; R. BŒSE, *Superstitiones Aretalenses e Caesario collectae*, diss. Marburg, 1909 ; Ed. CHASTEL, *Histoire de la destruction du paganisme dans l'Empire d'Orient*, Paris, 1850 ; F. CUMONT, *Les religions orientales dans le paganisme romain*, 4e édit., Paris, 1929 ; H. DELEHAYE, *Les légendes hagiographiques*, Bruxelles, 1905 ; F. J. DŒLGER, *Antike und Christentum*, Münster i. W., 1929 et suiv. (toute la série des cahiers) ; H. GRISAR, *Histoire de Rome et des Papes*, trad. LEDOS, t. II, 1906, p. 350-335 ; GUÉNIN, *L'évangélisation du Finistère au VIe siècle*, dans *Annales de Bretagne*, t. XXIV,

même, beaucoup d'éléments empruntés aux cultes païens : les uns exploitent triomphalement ces « plagiats », comme preuves significatives d'une véritable déchéance ; d'autres cherchent à les minimiser, décelant ainsi combien de telles transpositions les gênent.

Les porte-parole du catholicisme, aux siècles mêmes où s'opéraient ces transferts, les acceptaient avec plus de sérénité, et parfois même ils avaient l'air de s'en applaudir, comme en témoignent quelques textes plus ou moins explicites.

Les banquets servis près des tombeaux des martyrs évoquaient d'assez près les *Parentalia* païennes, et d'aucuns en faisaient grief aux chrétiens [1]. Plusieurs évêques d'Italie, en particulier saint Ambroise, prirent le parti de les supprimer. Mais saint Grégoire le Thaumaturge les autorisait [2]. Saint Augustin, sans y être très favorable, admettait qu'on ménageât l'*infirmitas* des *turbae gentilium* qui s'incorporaient à la foi [3], et Paulin de Nole se sentait plein d'indulgence pour ces « pieuses erreurs », pour cette « simplicité » dénuée de malice [4].

Dans son traité intitulé *Méthode pour soigner les maladies helléniques*, rédigé près d'Antioche vers 437, Théodoret de Cyr s'étonne de l'irritation que causa aux païens le transfert des honneurs publics des héros aux martyrs ; il leur explique que, quelque dépit qu'ils en puissent avoir, les fêtes des saints sont célébrées comme l'étaient naguère les fêtes païennes, dans les sanctuaires dont les temples ont fourni les matériaux, mais avec autrement de décence et de recueillement.

p. 671 ; Id., *Le paganisme en Bretagne au VIe siècle*, dans *Annales de Bretagne*, t. XVII, p. 216 ; Heinr. Guenter, *Die christliche Legende des Abendlandes*, Heidelberg, 1910 ; K. Jaisle, *Die Dioscuren als Retter zur See bei Griechen und Römern und ihr Fortleben in christlichen Legenden*, Tubingue, 1907 ; B. Krusch, *Kulturbilder aus dem Frankenreiche zur Zeit Gregors von Tours. Ein Beitrag zur Geschichte des Aberglaubens*, dans les *Sitzungsber. der preussischen Akad. d. Wiss.*, phil.-hist. Klasse, t. XXVI, 1934, p. 785-800 ; P. de Labriolle, *La réaction païenne*, Paris, 1934, p. 451-454 (pour la méthode recommandable en cet ordre de problèmes) ; H. Leclercq, *Fêtes chrétiennes et fêtes païennes à Rome, du IVe au VIIe siècle*, dans *Semaine d'Ethnologie religieuse de Louvain*, Paris, 1914, p. 375 et suiv. ; Id., art. *Paganisme*, dans *Dict. d'Archéol. chr. et de Lit.*, t. XIII, p. 367-371 ; Lucius, *Die Anfänge des Heiligenkults*, Tubingue, 1904 ; Alb. Mueller, *Die Neujahrfeier im römischen Kaiserreiche*, dans *Philologus*, t. LXVIII, 1909, p. 470 et suiv. (sur les survivances de diverses superstitions païennes) ; Martin P. Nilsson, *Studien zur Vorgeschichte des Weinachtsfestes*, dans *Archiv für Religionswissenschaft*, t. XIX, 1918, Heft I, p. 50-150 ; Paul Piper, *Superstitiones et Paganiae Einsidlenses*, dans *Mélanges Chatelain*, Paris, 1910, p. 300 et suiv. ; Rendel Harris, *The Dioscuri in the christian Legende*, 1903 ; Saintyves, *Les saints successeurs des dieux*, Paris, 1910 (et les comptes rendus de cet ouvrage dans le *Journal des Savants*, 1910, p. 407 ; dans la *Revue d'histoire et de littérature religieuses*, 1910, p. 76) ; Otto Seeck, *Geschichte des Untergangs der antiken Welt*, 6 vol., Berlin, 1895-1921, et *Anhang* ; E. Stemplinger, *Antike Aberglauben in modernen Ausstrahlungen*, Leipzig, 1922 (coll. *Erbe der Alten*, H. 21) ; Usener, *Zur Herübernahme von heidnischen Gebraüchen in der alten Kirche* (dans les *Philosophische Aufsätze E. Zeller gewidmet*), Leipzig, 1887 ; E. Vacandard, *Études de critique et d'histoire religieuse*, 3e série, Paris, 1912 (les *origines du culte des saints*, surtout p. 145-174 : survivances païennes dans le culte des saints) ; F. Widlak, *Die aberglaübischen und heidnischen Gebräuche der alten Deutschen nach dem Zeugnisse der Synode von Liftinae im Iahre 743*, Znaïm, 1904.

(1) Par exemple le manichéen Faustus (*ap.* saint Augustin, *Contra Faustum*, XX, xxi) ; cf. Maxime de Madaure (*ap.* Augustin, *Epist.*, xvi, 2).

(2) Saint Grégoire de Nysse, *Vita S. Greg. Thaum.* (*P. G.*, XLVI, 953).

(3) *Epist.*, xxix, 2.

(4) *Carm.*, xxvii, 549 ; *Natale*, ix, 563-567. Grégoire le Grand ne verra pas non plus d'inconvénient à ce que les Anglais convertis festoient aux jours d'anniversaire des martyrs (*Epist.*, XI, lxxi).

Au lieu des Pandia, des Diasia, des Dionysia et autres solennités, on célèbre les fêtes de Pierre, de Paul, de Thomas, de Sergius, de Marcellus, de Leontius, d'Antonia, de Maurice et des autres martyrs ; et à la place des anciennes pompes et de leurs obscénités de tout genre, nous célébrons des réjouissances modestes, sans ivresse, sans rires et plaisanteries bruyantes, mais avec des cantiques religieux, de pieux discours, et des prières mêlées de larmes [1].

Pareillement, il ne songe pas à trouver mauvais que les temples des saints guérisseurs Cosme et Damien, Cyr et Jean, soient pleins d'ex-voto, le plus souvent imités des membres guéris, comme l'étaient naguère les sanctuaires païens d'Asclepios : bien au contraire, il décrit avec complaisance ces témoignages de la gratitude des miraculés [2].

Au chapitre II du *Liber de gloria confessorum*, Grégoire de Tours raconte sans s'émouvoir comment un évêque gaulois substitua le culte chrétien de saint Hilaire au culte païen d'un génie des eaux, dans les montagnes d'Aubrac. Chaque année, des paysans jetaient dans le lac des vêtements, des toisons, des fromages, de la cire, des pains et festoyaient sur ses bords. L'évêque eut l'idée de faire élever, aux rives du lac, une basilique en l'honneur de saint Hilaire. Et les ruraux prirent l'habitude d'y apporter comme offrande les objets et les vivres dont ils gratifiaient précédemment la divinité du lac.

On lit encore dans la correspondance de Grégoire le Grand de curieuses instructions destinées à être transmises au moine Augustin, celui-là même que ce pape avait désigné en 595 pour aller porter la foi aux Anglo-Saxons [3]. L'opportunisme ecclésiastique, la prudence experte d'un grand conducteur d'hommes s'y montrent dans tout leur jour.

J'ai beaucoup réfléchi au cas des Angles. Que, décidément, les temples des idoles ne soient pas détruits, mais seulement les idoles qui s'y trouvent. On fera de l'eau bénite, on en aspergera les temples, on construira des autels, on y déposera des reliques ; parce que, *si ces temples sont bien bâtis*, il faut qu'ils passent du culte des démons au service de Dieu.

Il est assurément impossible de libérer des esprits endurcis de toutes leurs erreurs à la fois ; *et qui veut atteindre un sommet élevé, ce n'est pas par des bonds qu'il y réussit, c'est en s'élevant par degrés et progressivement.*

Dom de Bruyne a retrouvé dans le manuscrit 18.296 du fonds latin de la Bibliothèque Nationale, à Paris, un sermon dont malheureusement la date exacte n'est pas indiquée, et qu'a publié Dom Morin [4]. L'auteur anonyme y rappelle que les Anciens observaient deux cérémonies pour appeler sur leurs biens la bénédiction céleste : l'*amburbale*, procession célébrée tous les cinq ans, qui se déroulait autour de la cité ; l'*ambarvale*, célébré annuellement, où l'on tournait autour des champs pour que riche soit la moisson. Et il ajoute : « *Quam sollempnitatem* (*sic* : il s'agit de l'*amburbale*) *singulis annis translutimus in honorem beate Mariae*

(1) *Graec. aff. cur.*, VIII, LXIX.
(2) *Ibid.*, VIII.
(3) *Epist.*, XI, LVI à Mellitus.
(4) *Revue Bénédictine*, t. XXXIV, 1922, p.14.

quarto nonas februari [1] », tandis que « nous imitons l'*ambarvale* lors des Rogations, *nostros circumeuntes agros*, etc... ». Cette filiation ne paraît pas le scandaliser le moins du monde.

Baronius ne faisait donc que résumer le sentiment ordinaire des écrivains d'Église, quand il écrivait dans ses *Annales* [2] «...*multa quidem ex superstitione gentilicia in christianam religionem laudabiliter esse translata*, pluribus exemplis superius patrumque auctoritate sunt demonstrata ».

Dès longtemps — dès l'époque d'Origène, alors que vers le milieu du IIIe siècle il rédigeait sa tardive riposte à Celse — s'était imposée cette idée qu'un acte, un rite, doit être jugé, non pas en lui-même, mais au point de vue de l'intention qui l'inspire, et que c'est cette visée qui le qualifie [3] : thèse qu'Augustin devait couvrir de son autorité [4], et qui rassura plus d'une fois les consciences promptes à s'alarmer. A quoi s'ajoutait la nécessité de fermer les yeux sur certaines pratiques contestables, mais non point mauvaises radicalement. On lit dans le *Contra Faustum* [5] :

> Autre chose est ce que nous enseignons, autre chose ce que nous tolérons ; autre chose ce que nous avons mission de commander, autre chose ce que nous avons ordre de corriger — et que nous sommes obligés de supporter provisoirement, jusqu'à amendement.

LES RÉSISTANCES

Mais il ne faut pas croire pour autant que toute survivance ou transposition des anciennes pratiques païennes ne rencontrât que facilité arrangeante et molle condescendance. Là où un usage impliquait de façon non douteuse une croyance héritée de la mythologie ; ou l'adoration des forces naturelles, — de ces *elementa*, dont saint Paul avait parlé avec défiance et horreur ; — ou simplement un désordre moral notoirement dommageable aux âmes, la désapprobation ecclésiastique se faisait énergique et péremptoire.

On en peut observer les réactions, d'abord dans les canons des conciles : c'est pour les avoir trop négligés que Fustel de Coulanges s'est totalement mépris sur la persistance de la religion païenne en Gaule, au VIe et au VIIe siècle, la croyant abolie définitivement, alors que tant de décisions conciliaires la montrent sournoisement vivante [6] ; ensuite, chez des sermonnaires tels que Césaire d'Arles, Pierre Chrysologue, Maxime de Turin, saint Léon [7], qui, s'adressant à des foules plus ou moins grossières, stigmatisent avec ironie et rudesse leurs superstitions absurdes, venues d'un

(1) C'est-à-dire le 2 février, fête de la Purification. Bède le Vénérable fournit la même indication, *De temporum ratione*, XII. Discussion de cette origine par TOUTAIN, *Revue de l'hist. des Religions*, t. LXXIX, 1919, p. 1-13 ; BATIFFOL, dans *Bull. de la Soc. Nat. des Antiq. de France*, 1922, p. 240 ; Dom DE BRUYNE, dans *Revue Bénédictine*, t. XXXIV, 1923, p. 18.
(2) LVI, n° 76.
(3) *Contra Celsum*, V, XLIV ; VII, LXIII.
(4) *Contra Faustum*, XX, XXI ; *Epist.*, CII, 3, 18.
(5) *Contra Faustum*, XX, XXI.
(6) *La Monarchie franque*, p. 507-508. Voir la brillante démonstration de l'abbé VACANDARD, dans la *Revue des Questions historiques*, t. XXI, 1899, p. 424 et suiv.
(7) Voir aussi PSEUDO-AUGUSTIN, *Serm.*, CCLXV. CCLXXVIII-CCLXXIX.

immémorial passé. Voici un spécimen de ces textes peu connus : l'auteur, Maxime de Turin, s'adresse à ses ouailles en ces termes [1] :

Qui parmi vous, mes frères — ce n'est pas à vous tous que je m'adresse, car il y en a parmi vous qu'au point de vue des observances actuelles vous devriez prendre pour modèles — qui ne serait affligé de vous voir oublieux de votre salut, au point de pécher à la face du ciel ? Il y a quelques jours, j'en gourmandais certains pour leur rapacité ; ce jour-là même, vers le soir, la foule se mit à crier si fort que cette clameur impie montait jusqu'au ciel. J'en demandai l'explication. On me répondit que ces hurlements étaient pour aider la lune en travail [2] ! Je me mis à rire, stupéfait de votre sottise. Ainsi, tels de dévôts chrétiens, vous portiez secours à Dieu ! Vous criiez, de peur que, si vous vous étiez tus, il ne perdît son astre ! Il est si débile, si faible, que s'il n'était aidé par votre voix, il ne pourrait protéger les luminaires qu'il a créés ! Vous faites bien de prêter votre concours à la Divinité, afin que, grâce à vous, elle puisse gouverner le ciel. Ce qui serait mieux encore, ce serait de veiller les nuits tout entières ; car combien de fois, durant votre sommeil, la lune a-t-elle dû subir son épreuve, sans pourtant tomber du ciel ? Puis, est-ce uniquement vers le soir que survient l'éclipse, n'est-ce pas aussi parfois vers le lever du jour ? Seulement, pour vous, son épreuve n'a lieu qu'aux heures de la soirée, quand votre ventre se gonfle d'un dîner copieux et que votre tête tourne, étourdie par trop de rasades. Pour vous, la lune travaille quand le vin vous travaille, et vos chants viennent en émouvoir le globe, quand les coupes émeuvent aussi vos yeux. Comment peux-tu voir, ivrogne, ce qui se passe dans le ciel, quand tu ne vois pas ce qui, sur la terre, se passe autour de toi ?...

Dans un autre passage non moins pittoresque [3], il s'en prend à ceux qui adorent Dieu à l'Église, mais permettent à leurs serviteurs d'élever des idoles dans les domaines qu'ils possèdent, de célébrer des sacrifices, et même de se taillader la chair — en l'honneur de Diane — comme autrefois les *Galli* en l'honneur de Cybèle.

Les désordres auxquels donnaient prétexte les mascarades des Calendes de Janvier [4] et les Lupercales [5] attiraient spécialement les sévérités des moralistes. Saint Césaire d'Arles s'emportait contre ceux qui, au moment du 1er janvier, se déguisent en bêtes (*cervulum faciunt*) ou en femmes ; qui aménagent des tables chargées de mets, afin que les démons, y ayant goûté, les favorisent tout le long de l'année ; qui font des *balationes* et des *saltationes* devant les basiliques des saints ; qui portent des phylactères diaboliques [6], etc...

CONCLUSION

Il va de soi que les « infiltrations » du paganisme n'ont pas toutes été repérées et asséchées par la vigilance des autorités. L'irruption dans la société chrétienne de populations qui, nominalement converties, restaient païennes par leurs mœurs, leurs préjugés, leur

(1) Deuxième moitié du ve siècle : *Hom.*, c, 4-9 (*P. L.*, LVII, 485).
(2) Cf. Tite-Live, XXVI, v ; Juvénal, *Sat.*, VI, 443 ; Tacite, *Ann.*, I, xxviii.
(3) *Hom.*, ci (*P. L.*, LVII, 733).
(4) Voir Nilsson, *Studien*, p. 50 et suiv.
(5) Le pape Gélase essaya, en 494, non pas de faire supprimer les Lupercales à Rome, mais de détourner les chrétiens de s'y associer. Nous possédons la réponse qu'il fit au sénateur Andromachus qui en avait pris la défense au nom de la tradition (*P. L.*, LIX, 110).
(6) Textes soigneusement colligés par Bœsb (voir la Bibliographie).

ignorance, a exercé des effets auxquels ne pouvait parer le contrôle d'un clergé de médiocre culture, pour qui le merveilleux, même sous ses formes les plus grossières, avait comme un droit préétabli à la créance de tous. De là dans la liturgie, dans les légendes, dans les biographies de saints et de martyrs, quantité d'éléments qui se rattachent à des croyances, à des pratiques bien antérieures au christianisme, — et que la critique moderne s'applique à dégager, non parfois sans quelque parti-pris de dénigrement[1]. — Ce qui est sûr, c'est que tout l'effort de moralisation et de bon sens accompli durant ces siècles désaxés l'a été par l'Église, par ses conciles et par quelques-uns de ses plus énergiques évêques. Il fallut accorder quelque chose aux instincts de la multitude, mais l'héritage païen ne fut accepté, dans bien des cas, que sous bénéfice d'inventaire.

§ 4. — Le monachisme bénédictin[2].

LES RÈGLES MONASTIQUES AVANT SAINT BENOIT

La révélation de l'Orient monastique à l'Occident[3] avait suscité, non seulement quantité d'imitations individuelles des ascè-

(1) Voir par ex. sur les « saints militaires », qui seraient les successeurs des dieux païens, la discussion de P. Monceaux, *Journal des Savants*, 1910, p. 407.

(2) Bibliographie. — B. Albers, *Der Geist des hl. Benedictus*, Fribourg-en-Brisgau, 1917 ; Dom U. Berlière, *L'ascèse bénédictine, des origines à la fin du XIIe siècle*, Paris, 1927 ; Dom Cuthbert Butler, éditeur de la *Sancti Benedicti Regula monasteriorum*, 2e édit., Fribourg-en-Brisgau, 1927 ; Id., *Le monachisme bénédictin*, Paris, 1924 (trad. Ch. Grolleau de *Benedictine Monasticism*, Londres, 1919) : Dom F. Cabrol, *Saint Benoît*, Paris, 1933 (coll. *Les Saints*) ; Dom John Chapman, *St. Benedict and the sixth Century*, Londres, 1929 ; Collinet, *La règle de saint Benoît et la législation de Justinien*, dans *Revue de l'Histoire des Religions*, t. CIII-CIV, 1931, p. 272 et suiv. ; Denys Gorce, *La part des Vitae Patrum dans l'élaboration de la Règle bénédictine*, extrait de la *Revue liturgique et monastique*, numéro spécial publié à l'occasion du XIVe centenaire de la fondation du Mont-Cassin abbaye de Maredsous, 1929 ; Id., *A l'Ecole de saint Benoît*, Paris, 1937 ; O. Gradenwitz, *Textschichten in der Regel des hl. Benedikt*, dans *Zeitschrift für Kirchengeschichte*, 1931, p. 257-270 ; Dom Ildefons Herwegen, *Saint Benoît*, traduction française de A. Alibertis et N. de Varey, Paris, 1935 ; A. Jæger, *Benedikt von Nursia und die Bildung der Antike*, dans *Pharus*, t. XX, ii, 1929, p. 1-11 ; G. de Kerlorian, *Saint Benoît* (collection « l'Art et les Saints ») ; Dom C. Lambot, *La vie et les miracles de saint Benoît racontés par saint Grégoire*, dans la *Revue liturgique et monastique*, t. XIX, 1934, p. 137-165 ; Mc. Laughlin, *Le très ancien droit monastique de l'Occident*, Ligugé, Paris, 1935 (coll. *Archives de la France monastique*) ; H. Leclercq, art. *Mont-Cassin*, dans *Dictionnaire d'Archéol. chr. et de Liturgie*, t. XI, col. 2451-2468 ; Dom B. Linderbauer, éditeur de la *Regula*, Metten, 1922 (avec une importante étude sur la langue de saint Benoît : cf. sur cette édition dom G. Morin, dans *Revue Bénédictine*, t. XXXIV, 1922, p. 119-134) ; Id. dans *Florilegium Patristicum*, Bonn, 1928 ; Dom G. Morin, *Pour la topographie ancienne du Mont-Cassin*, dans la *Revue Bénédictine*, t. XVIII, 1908, p. 277-303 ; 468-497 ; cf. *ibid.*, 1935, p. 211-215 ; Id., *L'idéal monastique et la vie chrétienne des premiers jours*, Paris, 1921 ; *La Règle de saint Benoît*, texte latin traduit et annoté par les fils du saint Patriarche, Paris, 1933 (collection *Pax*) ; *Regula S. Benedicti*, dans *P. L.*, LXVI, 215-932 ; M. Rothenhausler, *Ueber Anlage und Quellen der Regel des hl. Benedikt*, dans *Studien und Mittheil. aus dem Bened.- und Cistercienser-Orden*, t. XXXVIII, 1917, p. i et XXXIX, 1918, p. 167 ; dom Ph. Schmitz, *Saint Benoît de Nursie*, dans le *Dictionnaire d'histoire et de géographie ecclésiastiques*, t. VII, 1934, col. 137-165 ; Id., *Saint Benoît*, dans le *Dictionnaire de Droit canon*, t. II, col. 247-269 ; G. Schnuerer, *L'Église et la civilisation au moyen âge* (trad. Castella-Burgard), Paris, 1933, t. I, p. 167-205 ; H. Schroers, *Das Charakterbild des hl. Benedikt von Nursia und seine Quellen*, dans *Zeitschrift für Kathol. Theologie*, t. XLV, 1921, p. 199-207 ; H. von Schubert, *Geschichte der christlichen Kirche des Frühmittelalters*, Tubingue, 1918, p. 62 et suiv. ; L. Traube-H. Plenkers, *Textgeschichte der Regula S. Benedicti*, Munich, 1910 ; E. Wœlfflin, *Die Latinität des Benedikt von Nursia*, dans l'*Archiv für latein. Lexicographie u. Gramm.*, t. IX, 1896, p. 493 et suiv.

(3) Voir t. III, p. 348-369.

tes orientaux (avec les différences requises par la différence même des climats), mais aussi la création de nombreux monastères.

Comme il n'y avait guère de groupements monastiques où fussent associées plusieurs maisons religieuses, chaque monastère suivait la loi de son fondateur et gardait son esprit particulier. Au surplus, la vie érémitique continuait d'être en faveur, juxtaposée parfois à la vie cénobitique, et un esprit aussi modéré que Cassien ne pouvait se tenir d'accorder une certaine supériorité à la première sur la seconde [1], tant il restait pénétré de la beauté de l'idéal égyptien primitif. Saint Jérôme lui-même n'avait-il pas proposé à ses contemporains l'exemple de Paul, d'Antoine et d'Hilarion ?

Érémitisme, cénobitisme, ces deux formes de vie étaient simultanément pratiquées, et une grande diversité dominait ces essais encore capricieux. Mais le besoin d'une règle fixe était généralement senti. Rufin avait fait un abrégé de celle de saint Basile [2], saint Jérôme avait traduit la *Règle* de saint Pakhôme [3]. Cassien avait résumé les vues des « abbés » égyptiens [4]. La lettre CCXI de saint Augustin aux religieuses d'Hippone était tenue pour une règle véritable dont tout cénobite pouvait tirer parti [5]. Saint Honorat d'Arles, mort vers 428, avait esquissé certaines constitutions qui ne nous sont pas parvenues ; mais nous possédons la *Regula ad monachos* [6] de saint Césaire d'Arles (469-542) et sa *Regula ad Virgines* [7], celles aussi d'Aurelianus, évêque d'Arles de 546 à 551 [8]. A quoi s'ajoutent les traductions latines des *Apophlegmala Patrum* et des *Vitae Patrum* [9].

L'heure était venue de mettre un peu d'ordre dans cette ample littérature canonique, et d'en dégager ce qui était susceptible de promouvoir de façon vraiment efficace la vie spirituelle. Nul meilleur moyen de couper court à certains abus, provoqués soit par la faiblesse humaine, soit par des tentatives mal réglées pour rivaliser avec l'ascèse orientale [10].

Le goût de la codification se manifestait d'ailleurs au VIe siècle dans des domaines divers. Justinien chargeait en 528 une commission de dix juristes de réunir, avec les retouches nécessaires, toutes les Constitutions encore utilisables : c'est de leur travail que sortit dès le 7 avril 529 le *Code Justinien*, bientôt complété en 533 par le *Digeste*, où étaient réunis les écrits des jurisconsultes classiques. — D'autre part, dans le monde ecclésiastique, Denis le Petit, un moine scythe, qui depuis 497 vivait à

(1) *Confér.*, XVIII et XIX.
(2) Voir t. III, p. 344.
(3) *Ibid.*, p. 314.
(4) *Ibid.*, p. 317.
(5) *Ibid.*, p. 354.
(6) *P. L.*, LXVII, 1099.
(7) LXVII, 1105. La *Regula ad Virgines* a été éditée par dom MORIN, dans *Florit. Patristicum*, t. XXXIV, 1933.
(8) *P. L.*, LXVIII, 385.
(9) Voir t. III, p. 318 et suiv.
(10) Cf. la *Regula Benedicti*, chap. I. et les textes groupés par DUDDEN, *Gregory the Great*, Londres, 1905, II, 174.

Rome, où il mourut vers 540, formait le *Codex canonum ecclesiasticorum* et une *Collectio decretorum pontificum Romanorum*, précieux répertoires dont l'Église romaine devait faire un usage constant [1]. Il est donc naturel que Benoît ait lui-même songé à unifier les diverses règles qui circulaient soit en Orient soit en Occident, et à en constituer, avec l'éclectisme souhaitable, une sorte de *Corpus*.

Y fut-il invité par le pape Hormisdas, qui avait lui-même provoqué l'une au moins des entreprises de Denis le Petit ? On l'a parfois supposé. Mais la tradition n'a pas retenu le souvenir d'une mission de ce genre, et le pape Grégoire le Grand n'y fait aucune allusion. Il est donc probable que Benoît est seul responsable de son initiative.

VIE DE SAINT BENOIT

C'est à Grégoire lui-même que nous devons le peu que nous savons de saint Benoît. Grégoire lui consacra tout le second livre de ses Dialogues *de Vita et miraculis patrum italicorum*, rédigés en 593. Il recueillit les éléments de cette biographie (si l'on peut dire) auprès des moines du Mont-Cassin, qui, chassés par les Lombards, avaient trouvé refuge à Rome. Il nomme ses garants [2] : les abbés du Mont-Cassin Constantinus, Simplicius, Honoratus et l'abbé du monastère du Latran, Valentinianus.

Persuadé que le miracle est, à soi seul, pierre de touche de la sainteté, c'est surtout le thaumaturge que Grégoire s'est appliqué à faire admirer en Benoît, l'homme de Dieu qui lisait dans les consciences, prophétisait l'avenir, déjouait les attaques du démon. Les faits positifs qu'on peut dégager sont les suivants : Benoît naît à Nursia (aujourd'hui Norcia), en Sabine, d'une famille aisée ; il reçoit à Rome une éducation « libérale » ; il se sent appelé à la vie solitaire et, après un bref séjour auprès d'un prêtre d'Enfide, au milieu des montagnes de la Sabine, il vit en anachorète dans une grotte, non loin de Subiaco. Les moines d'un petit monastère voisin de Vicovaro sollicitent sa direction ; mais il se les aliène par la sévérité de la discipline qu'il essaie de leur imposer, et revient à sa solitude, où de nombreux disciples se groupent autour de lui. L'hostilité d'un prêtre du voisinage le décide à quitter Subiaco. Il s'installe au Mont-Cassin, en Campanie, sur la Via Latina qui conduisait de Rome à Naples, et y édifie le monastère qu'il devait rendre si fameux [3]. C'est là qu'il écrivit sa Règle, composée d'un Prologue et de 73 chapitres, à l'usage exclusif des cénobites [4].

(1) Textes dans *P. L.*, t. LXVII.

(2) *Prologue* du 2e Dialogue, trad. française par les **Bénédictins de Paris** (Paris, Beauchesne 1922).

(3) La chronologie de la vie de Benoît n'est pas sûre. On place généralement en 529 son installation au Mont-Cassin, et au 21 mars 543 sa mort. Dom CHAPMAN, dans son ouvrage *St Benedict and the sixth century*, Londres, 1929, propose 520 pour la fondation du Mont-Cassin, 526 environ pour la publication de la *Règle*, et il fait mourir Benoît entre 553 et 555.

(4) La *Règle* nous est parvenue sous trois formes : 1° Le manuscrit original, rédigé de la main même de saint Benoît, fut apporté à Rome en 581, après la destruction du Mont-Cassin par les Lombards. Il y revint en 750, le pape Zacharie en ayant fait cadeau aux moines de l'abbaye. C'est d'après ce manuscrit (brûlé dans un incendie en 896) que fut faite la copie offerte à Charle-

L'ORIGINALITÉ DE LA RÈGLE

Saint Benoît ne présente nullement sa *Règle* comme une œuvre originale. Il se réfère lui-même à saint Augustin, à Cassien, à saint Basile, aux *Vitae Patrum*. Mais il suffit de consulter une édition où les « sources » soient indiquées [1] pour s'apercevoir qu'il puise de toutes mains, et qu'il s'est assimilé non pas seulement les essais de réglementation occidentaux, mais tout l'esprit du monachisme oriental. « De part et d'autre, c'est le même ascétisme, la même spiritualité, la même atmosphère religieuse [2] ». De là, la tentation à laquelle ont cédé certains critiques [3] de considérer la *Regula* comme une simple compilation, où rien ne refléterait la personnalité de l'écrivain. En fait, il y a des parties vraiment neuves dans la Règle bénédictine, ne fût-ce que cette conception de la « stabilité », le moine s'enchaînant par un acte libre à la communauté où il a reçu sa formation et qui doit rester pour lui une famille permanente ; ou encore les dispositions minutieuses de l'Office, selon les saisons et les heures de la journée. Le Bréviaire romain conservera, de cette ordonnance, les linéaments essentiels.

Puis, à considérer la forte cohésion de ces éléments puisés en maints endroits et l'unité de l'esprit qui les pénètre, on ne peut que s'approprier les justes remarques que voici : « Pour ne voir dans la *Règle* qu'une compilation, il faut l'avoir étudiée superficiellement. Pour la connaître réellement, pour en apprécier toute la doctrine, pour y découvrir toute la sève ascétique qui y est contenue, il faut l'avoir vécue, pratiquée, méditée... C'est là que le monachisme va sans cesse renouveler sa jeunesse ; c'est la source toujours fraîche où il s'abreuve pour se rafraîchir et se fortifier... Il y a là une philosophie expérimentale de premier ordre [4] ».

L'ESPRIT DE LA RÈGLE

Non seulement Benoît avait mis dans ses prescriptions un sens pratique remarquable, un merveilleux discernement (*discretione praecipua*, disait déjà Grégoire le Grand) [5], un sentiment délié des possibilités humaines ; mais il avait vécu sa *Règle* avant de la proposer à autrui, afin de ne rien exiger dont il n'eût fait lui-même l'essai prolongé. C'est ce condensé d'expérience qu'il offrait, non certes à toutes les âmes, mais à celles qui, soucieuses d'une perfection plus haute, n'espéraient point y accéder sans le soutien

magne par l'abbé Theodemar en 787. De cette copie procède le *Codex Sangallensis* 914, qui doit servir de base à toute édition critique (cf. dom MORIN, dans *Revue Bénédictine*, t. XXXIV, 1922, p. 129). A quoi s'ajoute 2° une rédaction retouchée, quelquefois abrégée, fort répandue en Occident dès le VIe siècle ; et 3° une rédaction mixte, constituée pour l'usage pratique à l'aide des deux premières, et connue dès le VIIIe siècle.

(1) Par exemple celle de dom BUTLER.
(2) Dr GORCE, *La part des Vitae Patrum*, etc., p. 61.
(3) En particulier, H. SCHROERS (voir à la *Bibliographie*).
(4) *Revue Bénédictine*, t. XXXII, 1922, p. 383*.
(5) *Dial.*, II, XXXVI.

d'une forte discipline collective. Dépouillée des fioritures chères aux lettrés de l'époque, la langue latine recouvrait son expressive concision pour définir le véritable *opus Dei* et les articles d'une sagesse à la fois très élevée et très humaine, praticable dans tous les temps et dans tous les pays.

SAINT BENOIT ET LES TRAVAUX DE L'ESPRIT

Le magnifique labeur intellectuel poursuivi au cours des siècles par l'Ordre bénédictin laisse d'abord supposer que son législateur avait expressément recommandé les travaux de l'esprit. Sur ce chapitre, on pourrait éprouver quelque déception. Certes, Benoît considère l'*otiositas* comme la grande ennemie de l'âme [1] ; mais il ne prescrit de la combattre que par la *lectio divina*, c'est-à-dire en lisant et en méditant la Bible en vue de l'oraison, et par l'*opera manuum*. Parmi ces travaux manuels, il ne mentionne même pas la transcription des manuscrits, ni la calligraphie. Son horizon est tout ecclésiastique, et les réminiscences, qu'on a cru repérer chez lui, de Térence [2] ou de Salluste [3] se réduisent à des formules passées dans l'usage courant et devenues quasi proverbiales. Pas davantage les quelques hellénismes qu'on relève dans la *Règle* ne décèlent-ils une connaissance quelconque du grec. C'est par des traductions latines que Benoît avait eu accès aux *Vitae Patrum* et à toute cette spiritualité orientale dont il a tiré si grand profit.

L'étude proprement dite n'est donc pas, selon Benoît, l'objet essentiel de la vie conventuelle. Ce qu'il veut promouvoir avant tout, ce sont les vertus, sinon propres au moine, du moins caractéristiques de son « état » : esprit d'obéissance joyeuse, sous l'autorité absolue de l'abbé ; persévérance dans le choix de vie, goût d'humilité, célébration attentive de l'office divin (qui est bien, cette fois, la tâche principale du moine) ; hospitalité généreusement pratiquée.

LA PROPAGATION DE LA REGULA

Benoît avait-il songé seulement à ses religieux du Mont-Cassin, en rédigeant sa règle ? La pensée plus ambitieuse de munir tous les monastères d'Occident de définitives formes de vie avait-elle mûri dans son esprit ? Il est difficile d'en décider. Mais ce qui est sûr, c'est que la diffusion de ces admirables ordonnances fut prompte, et que, du VIIIe au XIIe siècle, elles dominèrent toute la vie monastique occidentale. Le pape Grégoire le Grand contribua puissamment à en assurer la prépondérance. Il est possible que Grégoire, bien jeune encore, l'ait déjà introduite dans son monastère de Saint-André, aménagé vers 575 sur le *Mons Scaurus*, et dont il fut l'abbé avant de devenir diacre sous Benoît Ier (574-578). Plus tard,

(1) *Regula S. Benedicti*, XLVIII.
(2) *Ibid.*, LXIV.
(3) *Ibid.*, I, *in fine*.

l'abbé Augustin la porta aux Anglo-Saxons [1]; Isidore de Séville et Fructuosus de Braga la firent connaître à l'Espagne ; la Gaule la reçut avec honneur et elle triompha dès le VIIIe siècle en Germanie. Vers la même époque, Paulus Diaconus y fournissait un premier commentaire explicatif [2]. Les autres *Regulae*, celle de saint Césaire d'Arles, celle de saint Colomban, furent peu à peu supplantées par la Règle de Benoît. Et partout surgirent des monastères du type bénédictin, asiles de paix et de travail, points d'appui pour un avenir meilleur.

A tout prendre, c'est surtout à Grégoire le Grand que le chef-d'œuvre de saint Benoît doit son incomparable rayonnement. Ce fut là, entre tant d'autres, une des magnifiques initiatives de ce grand animateur dont le rôle sera étudié bientôt sous ses multiples aspects [3] et dont l'élection, en 590, marque une date capitale dans l'histoire de l'Église au moyen âge.

(1) Cf. R. Liddesdale Palmer, *English Monasteries in the Middle Age*, Londres, 1930, chap. I.
(2) *Bibliotheca Casinensis*, t. IV, 1880, p. 1 et suiv.
(3) Voir t. V.

TABLE DES MATIÈRES

Pages

BIBLIOGRAPHIE GÉNÉRALE 7

PREMIÈRE PARTIE. — DE LA MORT DE THÉODOSE AU CONCILE DE CHALCÉDOINE (395-451)

CHAPITRE PREMIER. — LA DESTRUCTION DU PAGANISME, par P. de LABRIOLLE 15

§ 1. — La législation 15

Les fils de Théodose, 15. Les lois, 15.

§ 2. — L'application des lois. 18

L'action des autorités locales, 18. Quelques faits, 19. Résistance des populations, 21. Le Sérapéum d'Alexandrie, 22. Le temple de Jupiter à Apamée, 23. Les mystères sinistres des temples, 24. Les destinées des œuvres d'art et des temples, 25. La transformation des temples en églises, 29.

CHAPITRE II. — SAINT JÉRÔME ET L'ORIGÉNISME, par P. de LABRIOLLE 31

Les vicissitudes de la gloire d'Origène, 31. Disciples et adversaires du maître, 32. Saint Épiphane de Salamine, 33. Les premiers enthousiasmes de saint Jérôme, 33. Rufin d'Aquilée, 34. La démarche d'Atarbius, 35. Épiphane à Jérusalem, 35. L'ordination de Paulinien, 36. Saint Jérôme traduit la lettre d'Épiphane, 36. La petite guerre, 37. La réconciliation de 397, 37. Rufin à Rome, 38. Rufin traduit le Periarchon, 38. Saint Jérôme traduit à son tour le Periarchon, 39. La réaction anti-origéniste en Orient, 39. L'apologie de Rufin à Anastase, 40. L'apologie contre Jérôme, 40. L'apologie de Jérôme contre Rufin, 42. La fin du conflit, 44. Les enseignements de ces débats, 44. La victoire finale de l'anti-origénisme, 45.

CHAPITRE III. — SAINT AUGUSTIN, par P. de Labriolle 47

§ 1. — Sa personnalité 47

Observation préliminaire, 47. Les étapes de sa destinée, 48. Son tempérament, 49. Sa sensibilité, 50. Son intelligence, 51. Les réserves nécessaires, 52. Conclusion, 52.

§ 2. — La *Cité de Dieu* 52

Occasion de l'ouvrage, 52. Chronologie de la composition, 53. Plan du livre, 53. Origine de la notion de « cité », 54. Sens du titre, 55. Inconvénients de l'opposition entre les deux « cités », 55. Augustin et l'État, 56. Portée philosophique de l'œuvre, 58. Les parties caduques de l'ouvrage, 58. Prestige de la *Cité de Dieu*, 59.

§ 3. — Le manichéisme 59

Mani, 59. Diffusion de sa doctrine, 61. Le dogme manichéen, 61. Place du Christ dans la doctrine, 62. Augustin et le manichéisme, 62. Causes de sa désaffection, 64. Ses polémiques, 66. La vitalité de la secte au ve siècle, 66. Les limites de l'influence manichéenne, 67. Conclusion, 69.

§ 4. — La fin du donatisme 69

Le donatisme à la fin du ive siècle, 69. Ses principaux champions, 70. L'entrée en lice d'Augustin, 71. Le « bras séculier », 71. Formes diverses de sa polémique, 72. Les traités, 73. Ses idées maîtresses, 73. Habileté de sa propagande, 74. Le psaume abécédaire, 74. Les conciles, 75. Les colloques publics, 76. Les résultats obtenus, 77.

CHAPITRE IV. — LES LUTTES PÉLAGIENNES, par G. de Plinval. 79

§ 1. — Pélage et le mouvement pélagien 79

Aspects de la piété chrétienne, 79. Pélage, 81. Son œuvre, 83. Son enseignement moral, 84. L'Église immaculée, 87. L'impeccantia, 88. La philosophie de Pélage, 89. Son entourage, 92. Célestius, 93. L'extension du pélagianisme, 94. L'apogée de Pélage, 94. L'esprit pélagien, 95.

§ 2. — La réaction catholique; saint Jérôme et saint Augustin. 96

Pélagianisme et catholicisme, 96. Paulin de Milan. Condamnation de Célestius, 97. Orose et la conférence de Jérusalem, 97. Concile de Diospolis, 98. Polémique d'Orose et de Jérôme, 100. Polémique d'Augustin, 102. Conciles de Carthage et de Milev. Condamnation du pélagianisme, 104. Défense et réhabilitation de Pélage, 106. Condamnation finale des Pélagiens. Grand concile de Carthage, 108.

§ 3. — L'hérésie pélagienne. Résistance de Célestius et de Julien d'Éclane 110

L'opposition à la *tractoria*, 110. Les évêques pélagiens, 111. Manifeste d'Aquilée, 111. La polémique de Julien, 112. L'action anti-pélagienne de l'Église d'Afrique, 114. Seconde phase de la polémique augustinienne, 115. Controverse avec Julien. Le péché originel, 116. Théorie de la grâce. La grâce et la prière, 116. Don de persévérance. La prédestination, 117. L'opposition contre l'augustinisme, 118. La dernière phase du pélagianisme, 119. Échec des Pélagiens en Orient. Le concile d'Éphèse, 120.

§ 4. — La consolidation du dogme catholique. 120

Mort d'Aurélius et de saint Augustin, 120. Le dogme catholique devant les problèmes de la grâce, 121. Prosper d'Aquitaine, 123. La doctrine de Rome, 123. L'*hypomnesticon*, 124. Les capitulaires « célestiniens », 125. Traité de la vocation de toutes les nations, 125. Les résultats dogmatiques. Primauté de la grâce, 127.

CHAPITRE V. — SAINT JEAN DE CONSTANTINOPLE, par G. Bardy 129

§ 1. — L'épiscopat de saint Jean. 129

Nectaire, évêque de Constantinople, 129. Sa succession, 130. Élection de Jean, 131. Saint Jean Chrysostome, 131. Ses premiers actes, 132. Disgrâce d'Eutrope, 132. Gaïnas à Constantinople, 133. Les ennemis de Jean dans le clergé, 133. Chez les dévotes, 134. Parmi les évêques, 134. L'affaire d'Éphèse, 134. Les moines alexandrins, 135. Saint Épiphane à Constantinople, 136. Arrivée de Théophile. Ses menées, 136. Scrupules de Jean, 136. Le concile du Chêne, 137. La sentence, 138. Exil de Jean, 138.

§ 2. — Entre deux exils. 139

Retour de Jean, 139. Départ de Théophile, 139. Nouvelles intrigues, 140. Accusations canoniques, 140. Menées obscures contre Jean, 141. Les fêtes pascales de 404, 141. L'ordre d'exil, 142. Départ de Jean, 142. Élection d'Arsace, 142. La persécution, 143. Mort de Flavien d'Antioche, 143. Élection d'Atticus, 144.

§ 3. — L'exil et la mort de saint Jean 144

L'exilé, 144. Rome est informée des événements de Constantinople, 145. Attitude du pape Innocent Ier, 145. Dernières tentatives, 146. La mort de saint Jean, 147. Victoire de l'église d'Alexandrie, 148.

CHAPITRE VI. — ATTICUS DE CONSTANTINOPLE ET CYRILLE D'ALEXANDRIE, par G. Bardy 149

§ 1. — La fin de l'épiscopat de Théophile 150

Les débuts du règne de Théodose II, 150. Atticus de Constantinople, 150. A Alexandrie, 150. Saint Nil, 151. Saint Isidore de Péluse, 151. Synésius de Cyrène, 152. L'épiscopat de Synésius, 153. L'inscription de saint Jean dans les diptyques, 154. A Antioche, 154. A Constantinople, 155. A Alexandrie, 155.

§ 2. — Saint Cyrille d'Alexandrie 156

Saint Cyrille, 156. L'affaire d'Oreste, 156. Contre les Juifs, 157. Contre les païens, 157. Les diptyques de Constantinople, 157.

§ 3. — Les dernières années d'Atticus. 158

Le siège de Thessalonique, 158. Privilèges de Constantinople, 159. Contre les hérétiques, 159. Mort d'Atticus, 160. Élection de Sisinnius, 161. Proclus, évêque de Cyzique, 161. Mort de Sisinnius, 161.

CHAPITRE VII. — LES DÉBUTS DU NESTORIANISME (428-433), par G. Bardy. 163

§ 1. — Avant le concile d'Éphèse (428-431) 163

Zèle de Nestorius, 163. Les hérétiques à Constantinople, 165. Loi contre les hérétiques, 165. Application de cette loi, 166. Les Pélagiens, 166. Le théotokos, 166. Une personne dans le Christ, 167. L'apollinarisme, 167. L'école d'Alexandrie, 168. L'école d'Antioche, 168. Difficultés du vocabulaire, 169. Position de Nestorius, 170. Émotion soulevée en Égypte, 170. A Constantinople, 171. A Rome, 171. Correspondance entre Cyrille et Nestorius, 172. Activité de saint Cyrille, 172. Dossier transmis à Rome, 173. La réponse romaine, 173. Condamnation de Nestorius, 173. Les anathématismes de saint Cyrille, 174. Convocation du concile général, 175. Appel de Nestorius au pape, 175. Une situation embrouillée, 176. Le pape accepte le concile, 176. Instructions aux légats, 177. Préparation du concile, 177.

§ 2. — Le concile d'Éphèse 177

Les membres du concile. 1° Les Égyptiens, 177. 2° Nestorius et ses amis, 178. 3° Juvénal de Jérusalem et les Palestiniens, 178. 4° Memnon d'Éphèse et les Asiates, 178. Discussions préliminaires, 179. Arrivée des retardataires, 179. Convocation du concile, 180. La séance du 22 juin 431, 180. Nestorius refuse de comparaître, 181. Les lectures,

181. Condamnation de Nestorius, 182. Lettre à Nestorius, 182. Lettres à l'empereur, 183. Arrivée de Jean d'Antioche, 183. Réunion des Orientaux, 183. Attitude de l'empereur, 184. Arrivée des légats romains, 184. Session du 11 juillet, 185. 4e et 5e sessions (16 et 17 juillet), 185. Lettres à Théodose et à saint Célestin, 185. 6e session (22 juillet), 186. 7e session (31 juillet), 186.

§ 3. — Au lendemain du concile 861

Lettre impériale, 186. Accueil fait à la lettre de Théodose, 187. Activité de saint Cyrille : 1o Auprès de la cour, 188. 2o Auprès des évêques, 188. 3o Auprès des moines, 188. Essai d'un compromis, 189. Les délégués du concile à Chalcédoine, 189. Les réunions de Chalcédoine, 189. Le concile dissous par Théodose, 190. La situation de Cyrille et de Memnon, 190. Élection de Maximien à Constantinople, 190.

§ 4. — Vers l'union. 191

Le problème à résoudre, 191. Modération de Cyrille, 191. Acace de Bérée, 192. Légation d'Aristolaüs, 192. La réponse de saint Cyrille, 192. Lettre d'Acace aux Orientaux, 193. Réponses des Orientaux, 193. Paul d'Émèse à Alexandrie, 194. Nouvelles difficultés, 194. Vers la paix, 194. L'acte d'union, 195. La lettre « *Laetentur cœli* », 195. Caractères de l'union, 196. Conclusion, 196.

CHAPITRE VIII. — DE L'ACTE D'UNION A LA MORT DE PROCLUS (433-446), par G. Bardy. 197

§ 1. — Les conséquences de l'acte d'union. 197

Au lendemain de l'acte d'union, 197. Résistance des Cyrilliens, 198. Explication de saint Cyrille, 198. Agitation à Antioche, 199. Chez les Orientaux, 199. Recours d'Helladius et d'Euthérius à Rome, 200. Adhésions nouvelles à l'acte d'union, 200. Élection de Proclus à Constantinople, 201. Soumission de Théodoret, 201. Les dernières résistances, 202. Nestorius exilé, 202. Loi impériale contre les Nestoriens, 202. Application de la loi, 203.

§ 2. — Les débuts de l'affaire des Trois chapitres 203

Nouvelles offensives des Cyrilliens, 203. Le cas de Théodore et de Diodore, 203. En Arménie, 204. Ambassade à Proclus, 204. Le tome de Proclus, 204. Autour de la signature du tome, 205. Activité de Jean d'Antioche, 205. Intervention d'Ibas d'Édesse, 206. Rétablissement de la paix, 206. Les restes de Jean Chrysostome ramenés à Constantinople, 206. Les affaires de l'Illyricum, 207. Les affaires de Smyrne, 207. Interventions de Proclus en Asie, 207. Mort de Jean et de saint Cyrille, 208. Jugements sur saint Cyrille, 208. Dioscore d'Alexandrie, 208. Mort de Proclus, 209. Théodoret de Cyr, 209. Son rôle doctrinal, 210.

CHAPITRE IX. — LE « BRIGANDAGE D'ÉPHÈSE » ET LE CONCILE DE CHALCÉDOINE, par G. BARDY 211

§ 1. — Les débuts du monophysisme 211

L'agitation des moines, 211. Eutychès, 212. Son enseignement, 212. Diffusion des idées d'Eutychès, 213. Premières attaques contre Eutychès, 213. Défense d'Eutychès par Théodose, 214. L'offensive des Eutychiens, 214. Lettre d'Eutychès au pape, 215. Dénonciation d'Eutychès par Eusèbe de Dorylée, 215. Flavien expose la foi catholique, 215. Eutychès devant le synode, 216. La condamnation d'Eutychès, 217. Appel d'Eutychès à Rome, 217. Le jugement de saint Léon, 217. Revirement en faveur d'Eutychès, 218. Convocation d'un concile général, 218. Enquête sur le synode de Constantinople, 218. Saint Léon désigne des légats, 219. Le tome de saint Léon à Flavien, 219.

§ 2. — Le « brigandage » d'Éphèse 220

Arrivée des membres du concile d'Éphèse, 220. Réunion du concile, 220. La procédure conciliaire, 221. Profession de foi d'Eutychès, 221. Le vote des évêques, 222. Dioscore demande la déposition de Flavien, 222. Scènes d'émeutes, 222. Les derniers votes, 223. Dépositions d'Ibas, d'Irénée, de Théodoret, de Domnus, 223.

§ 3. — D'Éphèse à Chalcédoine 224

Appels à Rome, 224. Protestations de saint Léon, 225. Intervention de Valentinien III, 225. Nouveaux évêques en Orient, 225. Attitude de saint Léon, 226. La succession de Théodose II, 226. Lettres de Marcien au pape, 226. Revirement des esprits, 227. Convocation d'un nouveau concile, 227.

§ 4. — Le concile de Chalcédoine 228

Arrivée des évêques, 228. Transfert du concile à Chalcédoine, 228. Première réunion, 228. Questions de procédure, 229. Lecture des actes d'Éphèse, 229. L'orthodoxie de Flavien est reconnue, 230. Fin de la première séance, 230. Deuxième session, 231. Troisième session : déposition de Dioscore, 232. Promulgation de la sentence, 232. Quatrième session, 232. L'attitude des Égyptiens, 233. L'attitude des moines, 233. Discussions doctrinales, 234. Tentatives de conciliation, 234. Nomination d'une commission, 235. La formule de Chalcédoine, 235. Acceptation de la formule, 235.

Séance solennelle du concile, 236. Le cas de Théodoret, 236. L'affaire d'Ibas, 237. Le patriarcat de Jérusalem, 237. Le patriarcat de Constantinople, 238. Discussions soulevées par le canon 28, 238. Réserves des légats, 239. Lettre du concile à saint Léon, 239. L'œuvre du concile de Chalcédoine, 240.

CHAPITRE X. — LA PAPAUTÉ DE SAINT INNOCENT A SAINT LÉON LE GRAND, par G. BARDY 241

§ 1. — Les premières années du ve siècle 241

L'autorité du Siège romain, 241. Le siège de Milan, 242. Saint Anastase, 242. Saint Innocent, 243. Affaires d'Italie, de Gaule, d'Espagne, 243. Affaires d'Illyricum, 244. Affaires d'Orient, 245. Affaires d'Afrique, 246.

§ 2. — Saint Zosime et ses successeurs (417-440) 248

Élection de Zosime, 248. Le vicariat d'Arles, 248. Protestations des évêques gaulois, 249. En Afrique : les affaires pélagiennes, 249. La « *tractoria* » de Zosime, 250. L'affaire d'Apiarius, 250. Mort de Zosime, 251. L'élection du nouveau pape, 252. Intervention de la cour de Ravenne, 252. Désordres à Rome, 252. Reconnaissance de Boniface, 253. Le problème de la succession pontificale, 253. Les affaires africaines : l'affaire d'Apiarius, 253. Antoine de Fussala, 254. Appel d'Antoine à Rome, 254. Affaires de Gaule, 255. Affaires illyriennes, 255. Rescrit de Théodose II, 256. Saint Célestin Ier, 256. En Afrique : l'affaire d'Apiarius, 257. La controverse nestorienne, 258. Saint Sixte III, 258.

§ 3. — Saint Léon le Grand (440-461). 259

Saint Léon le Grand, 259. La papauté selon saint Léon, 259. A Rome : Les Manichéens, 260. En Italie, 260. Dans les provinces, 260. En Gaule : saint Hilaire d'Arles, 261. Ravennius d'Arles, 262. En Espagne, 262. En Afrique, 263. Dans l'Illyricum, 263. En Orient, 264. Alexandrie et Antioche, 264. Constantinople, 264. Attitude de saint Léon à l'égard du concile d'Éphèse, 265. Le concile de Chalcédoine, 265. Résistance de saint Léon au 28e canon, 266. Après le concile de Chalcédoine, 266. Rome et l'Orient à la mort de saint Léon, 267.

DEUXIÈME PARTIE. — DU CONCILE DE CHALCÉDOINE A L'AVÈNEMENT DE JUSTIN Ier (451-518)

CHAPITRE PREMIER. — LES LUTTES CHRISTOLOGIQUES APRÈS LE CONCILE DE CHALCÉDOINE, par G. BARDY. . . . 271

§ 1. — Du concile de Chalcédoine à la mort de l'empereur Léon. 271

L'œuvre théologique du concile de Chalcédoine, 272. Questions de personnes, 273. Le canon 28, 274. Protes tations de saint Léon, 275. Les rapports entre Rome et Constantinople, 275. Agitations monophysites, 276. En Palestine, 276. Fuite de Juvénal de Jérusalem, 277. Installation d'évêques monophysites, 277. Rétablissement de Juvénal, 277. Révoltes monastiques, 278. Soulèvement de l'Égypte, 278. Élection de Proterius, 279. Timothée Aelure et Pierre Monge, 279. Consécration de Timothée Aelure, 280. Massacre de Proterius, 280. Installation d'évêques monophysites en Égypte, 281. Intervention de Constantinople, 281. Consultation des évêques, 281. Consultation des moines, 282. Activité de saint Léon, 282. Entêtement de Timothée, 283. Exil de Timothée Aelure, 283. Timothée Salofaciol, patriarche d'Alexandrie, 284.

§ 2. — L'Église d'Orient sous Basiliscus et Zénon 284

L'empereur Zénon, 284. L'Encyclique de Basiliscus, 284. Retour de Timothée Aelure, 285. Synode d'Éphèse, 286. Aelure à Alexandrie, 286. Le monophysisme en Syrie, 286. A Antioche, 287. Pierre le Foulon, 287. Les évêques d'Orient signent l'Encyclique, 288. Attitude d'Acace à Constantinople, 288. Restauration de Zénon, 289. Les premiers actes de Zénon, 289. Revirement des évêques, 289. Réflexions d'Acace, 290. Les projets de Zénon, 290. Pierre Monge, évêque d'Alexandrie, 291. L'Hénotique de Zénon, 291. Caractère de l'Hénotique, 292. Son insuffisance, 292. Résistances des Alexandrins, 292. Les moines d'Égypte, 293. A Antioche, 293. En Palestine, 294. Répercussion à Rome des événements d'Orient, 294. Légation romaine à Constantinople, 295. Défection des légats, 295. Déposition d'Acace, 296. Énergie de Félix III, 297.

CHAPITRE II. — SOUS LE RÉGIME DE L'HÉNOTIQUE : LA POLITIQUE RELIGIEUSE D'ANASTASE, par G. Bardy. . . . 299

§ 1. — L'Église jusqu'à la mort du pape Anastase II 299

L'Église d'Orient en 490, 299. Fravita de Constantinople, 300. Euphème de Constantinople, 301. Mort de Zénon, 301. L'empereur Anastase, 301. Le gouvernement d'Anastase, 302. Politique religieuse d'Anastase, 303. En Égypte, 303. En Syrie, 303. En Palestine, 304. Déposition d'Euphème de Constantinople, 304. Son remplacement par Macédonius, 305. Exigences de saint Gélase, 305. Le pape et l'empereur, 305. Interventions du pape, 306. Les traités de saint Gélase, 306. Attitude des évêques gaulois, 306. Le pape Anastase II, 307. Élection de Symmaque, 307.

§ 2. — La fin du règne d'Anastase 308

La situation de l'Orient en 498, 308. Reprise des luttes religieuses, 308. Sévère d'Antioche, 309. Zèle de Philoxène de Mabbough, 310. Sévère à Constantinople, 310. Déposition de Macédonius, 311. Timothée patriarche de Constantinople, 312. L'action de Philoxène à Antioche, 312. Concile de Sidon (octobre 512), 313. Déposition de Flavien d'Antioche, 313. Sévère patriarche d'Antioche, 314. Oppositions à Sévère, 314. Déposition d'Élie de Jérusalem, 315. Jean de Jérusalem, 316. Les événements de Constantinople, 316. Émeutes de novembre 512, 317. Victoire d'Anastase, 317. Révolte de Vitalien, 317. Anastase écrit au pape, 318. Nouvelles négociations avec Rome, 318. Leur échec, 319. La situation : à Antioche et à Alexandrie, 319. A Jérusalem et à Constantinople, 320. Mort d'Anastase, 320.

CHAPITRE III. — LES ÉGLISES DE PERSE ET D'ARMÉNIE AU Ve SIÈCLE, par G. BARDY 321

§ 1. — L'Église de Perse 322

L'Église de Perse à la fin du IVe siècle, 322. Avènement de Yazdegerd, 322. Le catholicos Isaac, 322. Concile de Séleucie (410), 323. Approbation du concile par le roi, 324. Yahballaha devient catholicos, 324. Élection de Ma'na, 324. Persécution de Bahram V, 325. La liberté du culte reconnue en Perse, 325. Le catholicos Dadiso, 325. Insuffisance des documents, 326. L'école d'Édesse, 326. Ibas d'Édesse, 326. L'école transportée à Nisibe, 327. Barsauma de Nisibe, 327. Le nestorianisme en Perse, 328. Le synode de Beit-Lapat, 328. Concile de Beit-Adrai (485), 329. Concile de Séleucie (486), 329. Les canons conciliaires, 329. Mort de Barsauma, 330. L'agitation monophysite, 330.

§ 2. — L'Église d'Arménie 330

Partage de l'Arménie, 330. Le renouveau religieux, 331. Sahag le Grand, 331. L'alphabet arménien : Machtots, 332. Traduction arménienne de la Bible, 333. Autres traductions, 333. La littérature arménienne, 333. Propagande nestorienne : le tome de Proclus, 333. Concile de Chahapivan (444), 334. La révolte (454), 334. Le règne de Péroz, 335. Nouveau soulèvement de l'Arménie, 335. Vie religieuse, 336. L'Arménie devient monophysite, 336.

CHAPITRE IV. — LA PAPAUTÉ APRÈS CHALCÉDOINE. LES SCHISMES ROMAINS (461-514), par G. BARDY 337

§ 1. — De saint Hilaire à Anastase II. 337

Saint Hilaire, 337. Simplicius, 338. L'importance des élections pontificales, 339. Le règlement de 483, 339. Félix III, 339. Saint Gélase, 339. La personnalité de saint Gélase, 340. Anastase II, 340.

§ 2. — Symmaque et le schisme laurentien 341
Élection de Symmaque et de Laurent, 341. Séjour de Théodoric à Rome, 342. Accusations contre Symmaque, 342. La question pascale, 342. Symmaque à Rimini, 344. Pierre d'Altinum, visiteur apostolique, 344. Le concile de Rome, 345. Émeutes contre Symmaque, 345. Symmaque refuse de comparaître, 346. Les décisions conciliaires, 346. Retour de Laurent à Rome, 346. Concile de 502, 347. Troubles persistants, 347. Livres pour et contre Symmaque, 348. Les apocryphes symmachiens, 348. Lassitude générale, 349. Intervention de Dioscore, 350. Le témoignage du *Liber pontificalis*, 350. Le *Liber pontificalis* laurentien, 350. Le *Liber pontificalis* symmachien, 351. Mort de Symmaque, 352.

CHAPITRE V. — L'ÉGLISE ET LES BARBARES, par P. de Labriolle. 353

§ 1. — La première poussée des envahisseurs. 353
L'invasion du IVe siècle, 353. Wisigoths, Ostrogoths et Francs, 354. Élaboration d'un ordre nouveau, 355.

§ 2. — Le sentiment chrétien à l'égard des barbares . . . . 35[illegible]
La « Romania », 355. Les souffrances morales de l'élite, 356. Le témoignage de saint Jérôme, 356. Autres témoignages parallèles, 358. Racines de cette hostilité, 359. Le mépris du barbare, 359. Rome devant l'opinion chrétienne, 359. L'évolution du sentiment chrétien, 362. Motifs qui l'ont commandée, 363. Survivances des vieilles antipathies, 365. Y eut-il un « plan » de conquête ? 365. Les facteurs du succès, 366.

§ 3. — Les pays danubiens 367
La première évangélisation des Goths, 367. Ulfila, 368. L'arianisme et la légalité, 369. La diffusion de l'arianisme, 369. La contre-action catholique, 369. Saint Séverin, 370. Conséquences politiques de l'arianisme chez les Barbares, 371.

§ 4. — L'Espagne 372
L'Espagne envahie, 372. Le priscillianisme aux Ve et VIe siècles, 372. Le péril arien, 374. Les Suèves, 375. Euric, 375. Les années de paix, 375. Retour des Suèves au catholicisme, 376. L'intervention de Byzance, 376. Le déclin de l'arianisme espagnol, 376. Le concile de Tolède, 377. Léandre de Séville, 377.

§ 5. — L'Afrique du Nord 378

Victor de Vite, 378. Cruauté spéciale de la persécution vandale, 379. Les faits, 379. Les cruautés de Genséric, 380. Hunéric, 381. Problèmes posés par la persécution, 382. La polémique anti-arienne, 383. Gonthamond, 383. Thrasamond, 384. Fulgence de Ruspe, 384.

§ 6. — Les chrétientés celtiques 385

Obscurité des origines, 385. Rome abandonne la Bretagne, 386. Patrick en Irlande, 387. L'apostolat irlandais, 388. La vie religieuse en Irlande, 388. La culture irlandaise, 389. Caractère à part de la chrétienté irlandaise, 389. La partie anglo-saxonne de la Bretagne, 389. Les émigrés bretons, 390. Leur esprit d'indépendance, 390. La vie paroissiale, 391. Originalité des églises bretonnes, 391.

§ 7. — La Gaule 391

La Gaule et les barbares, 391. Léon le Grand et Attila, 392. État de la Gaule vers la fin du ve siècle, 393. Les Francs en Gaule, 394. Sainte Geneviève, 394. La conversion de Clovis, 394. L'État burgonde, 396.

CHAPITRE VI. — L'ACTIVITÉ DOCTRINALE DANS L'ÉGLISE GALLO-ROMAINE, par G. de Plinval 397

§ 1. — Le mouvement des idées de Cassien à Faustus de Riez. 397

Aperçu général, 397. Cassien, 398. Opposition en Provence contre l'augustinisme, 399. Vincent de Lérins, 400. Lutte contre le prédestinatianisme, 402. L'esprit lérinien. Faustus de Riez, 403. Poètes de la Gaule méridionale, 404. Saint Avit, 405. Philosophes et critiques, 406.

§ 2. — Saint Césaire d'Arles 406

Saint Césaire, 406. Le concile d'Agde, 408. L'action administrative et politique de Césaire, 409. La règle de saint Césaire, 411. Les sermons de Césaire, 411.

§ 3. — La doctrine de la grâce. Du concile d'Arles au concile d'Orange (473-529) 413

Le concile d'Arles. Lucidus, 413. La doctrine de Faustus, 413. Les moines scythes et Fulgence de Ruspe, 414. Le concile de Valence et les préliminaires d'Orange, 416. Le concile d'Orange, 417.

TROISIÈME PARTIE. — DE L'AVÈNEMENT DE JUSTIN Ier A L'ÉLECTION DE GRÉGOIRE LE GRAND (518-590)

CHAPITRE PREMIER. — JUSTIN ET LE RÉTABLISSEMENT DE L'ORTHODOXIE EN ORIENT, par Louis Bréhier 423

§ 1. — Situation religieuse en Orient vers 518 423
Constantinople et Asie Mineure, 424. Syrie, 424. Égypte, 425.

§ 2. — Le rétablissement de l'orthodoxie 426
Réaction orthodoxe à Constantinople, 426. L'édit impérial, 426. La réaction orthodoxe en Orient, 427. La fin du schisme avec le Saint-Siège, 427. Affaires des moines scythes, 429.

§ 3. — L'accueil fait à l'union 430
Europe et Anatolie, 430. Syrie et Orient, 431. Égypte, 432. Doctrine de Julien d'Halicarnasse, 433.

§ 4. — Le conflit avec Théodoric 434
L'édit de Justin contre les Ariens, 434. Protestations de Théodoric, 434. Le voyage du pape Jean Ier à Constantinople, 435.

CHAPITRE II. — LA POLITIQUE RELIGIEUSE DE JUSTINIEN, par Louis Bréhier 437

§ 1. — Justinien et ses doctrines en matière ecclésiastique . . 437
Avènement et caractère de Justinien, 437. Buts de sa politique, 439. Ses principes directeurs, 439. Sa doctrine sur l'autorité du Saint-Siège, 440. Le programme d'action, 441. L'influence de Théodora, 441.

§ 2. — Les mesures contre les dissidents 442
Lutte contre le paganisme, 442. Les missions de Jean d'Asie, 443. Poursuites contre les païens de Constantinople, 444. Le paganisme en Égypte, 444. Fermeture de l'école d'Athènes, 444. Juifs, 445. Samaritains, 446. Lois contre les hérétiques, 447.

§ 3. — Les essais de conciliation avec les monophysites. 448
Point de vue de Justinien, 448. L'action de Théodora, 449. Conférences de Constantinople, 449. Condamnation des Acémètes, 450. Théodora et les sièges patriarcaux, 451. Sévère à Constantinople, 452. Le schisme d'Alexandrie, 452. Le pape Agapet à Constantinople, 453. Concile pour la condamnation d'Anthime, 454. La réaction anti-sévérienne, 454. Déposition de Paul, patriarche d'Alexandrie, 455. La hiérarchie monophysite perpétuée, 456.

§ 4. — Les initiatives théologiques de Justinien 457
Le programme impérial en 537, 457. Déposition de Silvère et avènement de Vigile, 457. Le pape Vigile, 457. La condamnation des origénistes, 458. L'affaire des Trois Chapitres, 460. Doctrine christologique des Trois Chapitres, 461. Accueil fait à l'édit de Justinien, 462. Vigile mandé à Cons-

tantinople, 463. Séjour du pape en Sicile, 463. Vigile à Constantinople, 463. L'enquête du pape, 465. Le *Judicatum*, 465. Le *Judicatum* retiré, 466.

CHAPITRE III. — LE CONCILE DE CONSTANTINOPLE ET LA FIN DU RÈGNE DE JUSTINIEN, par Louis Bréhier 467

§ 1. — La lutte entre Vigile et Justinien 467
La préparation du concile, 467. La confession de foi de Justinien, 468. L'opposition de Vigile, 468. Violences sur la personne du pape, 469. Le pape à Chalcédoine, 469. L'encyclique de Vigile, 470. Revirement de Justinien, 471. Le pape et le concile, 471.

§ 2. — Le Ve concile œcuménique 472
La réunion du concile, 472. Démarches du concile auprès du pape, 473. Le concile délibère sans le pape, 473. Le « *Constitutum* » de Vigile, 474. L'action contre Vigile, 475. La condamnation des Trois Chapitres, 475.

§ 3. — La réception du concile et les dernières années de Justinien 476
Mesures prises pour la réception du concile, 476. Acceptation du concile par le pape, 476. L'opposition du concile. Afrique, 477. L'opposition au concile. Illyricum, 478. L'Italie et l'avènement de Pélage, 479. Justinien et l'aphtartodocétisme, 480. Mort de Justinien, 481.

CHAPITRE IV. — LES SUCCESSEURS DE JUSTINIEN ET L'ÉGLISE (565-590), par Louis Bréhier 483

§ 1. — La situation religieuse à la mort de Justinien 483
Les forces monophysites, 483. Apollinaire en Égypte, 483. Le désarroi jacobite en Égypte, 484.

§ 2. — La politique d'union de Justin II à Maurice (565-590). 485
Justin II et l'union, 485. Le premier Hénotique de Justin II (567), 486. Conférences de Callinicum (567), 486. Querelles trithéites, 486. Le second Hénotique de Justin II (571), 487. L'application de l'édit, 487. Régence et règne de Tibère (576-582), 488. Avènement de Maurice, 489.

§ 3. — L'organisation des églises jacobites 489
Création d'un patriarche jacobite à Alexandrie, 489. Troubles excités par la déposition de Paul, 490. Damien, patriarche jacobite d'Alexandrie, 490. Le patriarcat melkite, 491. L'unité monophysite rétablie, 492. Nouvelles querelles entre Coptes et Syriens, 493.

§ 4. — Les rapports avec l'Occident 493

Les successeurs de Justinien et l'Occident, 493. L'opposition au Ve concile en Italie, 494. La question lombarde, 495.

CHAPITRE V. — LES ÉGLISES DE PERSE ET D'ARMÉNIE AU VIe SIÈCLE, par G. Bardy 497

§ 1. — L'Église de Perse 497

Le catholicat de Babaï, 497. Le concile de 497, 497. Période d'anarchie, 498. Élection de Mar-Aba, 498. Les origines de Mar-Aba, 498. Paul le Perse, 499. Les *instituta regularia* de Paul le Perse, 500. Retour de Mar-Aba en Perse, 500. Le synode de Mar-Aba, 500. Tournée pastorale de Mar-Aba, 501. La réforme des mœurs, 501. Reprise de la persécution, 502. Arrestation de Mar-Aba, 502. Popularité de Mar-Aba, 502. Intrigues des Mazdéens contre le catholicos, 503. Mar-Aba devant le roi, 503. La révolte, 503. Mort de Mar-Aba, 504. Le catholicat de Joseph, 504. Accusations contre Joseph, 504. Déposition de Joseph, 505. La propagande monophysite, 505. Les moines du Tur-Abdin, 505. Abraham de Kashkar, 506. Le règne d'Hormizd IV, 506. Le catholicat d'Ishoyabh, 507. Henana d'Adiabène, 507. L'intérêt de son enseignement, 508. Oppositions à Henana, 509. Révolte de Bahram, 509. Exil et mort de Ishoyabh, 510. Le catholicat de Sabrisho, 510.

§ 2. — L'Église d'Arménie 511

Les conciles de Tvin, 511. L'union avec Constantinople, 511. Sous le règne de Maurice, 511.

CHAPITRE VI. — L'EXPANSION CHRÉTIENNE AUX Ve ET VIe SIÈCLES, par G. Bardy et Louis Bréhier 513

Propagande chrétienne et diplomatie, 514. Pays de la mer Noire et du Caucase, 514.

§ 1. — Le christianisme en Arabie. Les nomades 515

Les arabes nomades, 515. La reine Maouvia et l'évêque Moïse, 515. Obadien, 516. Zocomos, 516. Saint Euthyme le Grand ; l'évêque des parembolai, 517. La Parembolê de Phénicie, 517. L'île Iotabé, 517.

§ 2. — Le christianisme en Arabie. Les sédentaires 518

Le christianisme en Arabie, 518. Le royaume de Hira, 518. La conversion, 518. L'évêque Osée, 518. Influence de saint Siméon, 519. Les évêques de Hira au ve siècle, 519. Tentatives monophysites, 519. Le roi El-Mundhir, 520. Les successeurs d'El-Mundhir, 520. Autres évêchés arabes, 521. L'État des Ghassanides, 521.

§ 3. — Aksoumites et Homérites 521

L'Arabie, 521. Le royaume homérite, 522. Le royaume d'Aksoum, 522. La propagande juive, 522. Origines chrétiennes à Aksoum, 523. Et chez les Himyarites, 523. Au ve siècle, 523. L'Église de Nedjran, 524. Les neuf saints en Éthiopie, 524. Traditions monophysites, 525. Autres récits sur la conversion d'Aksoum, 525. Le christianisme en Éthiopie, 526. Les martyrs himyarites, 526.

§ 4. — Le christianisme en Afrique 527

Le christianisme en Nubie, 527. Propagande chrétienne dans le Sahara, 529.

§ 5. — Les Indes et l'Asie centrale 529

Le golfe Persique, 529. Les récits de Cosmas Indicopleustes, 530. A Ceylan, 530. Dans les Indes, 531. Chez les Huns, 531. Conclusion, 532.

QUATRIÈME PARTIE. — CULTURE ET VIE CHRÉTIENNES AUX Ve ET VIe SIÈCLES

CHAPITRE PREMIER. — LA VIE CHRÉTIENNE EN ORIENT, par Louis Bréhier 535

§ 1. — Constitution de l'Église 535

Le droit canon, 535. La hiérarchie. Les patriarcats, 536. La juridiction sur l'Illyricum, 537. L'épiscopat, 538. Juridiction épiscopale, 539. Rôle civil des évêques, 539. Le clergé, 540. Le droit d'asile, 541. La propriété ecclésiastique, 541.

§ 2. — Les établissements monastiques 542

Les monastères, 542. Égypte, 543. Orient, 543. Les ermites, 545. Législation monastique de Justinien, 545. La vie monastique, 546.

§ 3. — La vie intérieure de l'Église 547

Les liturgies, 547. La messe byzantine, 547. Cadre et accessoires de la liturgie, 548. Office divin, 549. Sacrements, 549. Formes de la piété, 550. Icones, 551. Reliques, 551. Pèlerinages, 552.

§ 4. — Activité extérieure de l'Église 553

Assistance publique, 553. L'enseignement, 554. Littérature religieuse, 556. L'art religieux, 557.

CHAPITRE II. — LA CULTURE CHRÉTIENNE EN OCCIDENT, par P. de Labriolle 559

§ 1. — La culture littéraire 559

La désorganisation des écoles, 559. Le nouveau type de « lettré », 559. Un « cas-limite », 562. Clairvoyance de ces écrivains, 563. La poésie latine chrétienne, 564. Boèce, 565. Cassiodore, 566. Les défiances à l'égard de la culture classique, 568. La transmission des manuscrits, 569. La connaissance du grec, 570.

§ 2. — L'art chrétien en Occident aux ve et vi^e^ siècles . . . 573

La porte Sainte-Sabine, 573. Caractères des sujets traités, 573. L'art chrétien à Ravenne, 574. Les influences orientales, 575.

CHAPITRE III. — LA VIE CHRÉTIENNE EN OCCIDENT, par P. de Labriolle 577

Persistance de l'esprit chrétien, 577.

§ 1. — L'organisation paroissiale 577

Origine du mot « paroisse », 577. « Paroisse » et « diocèse », 578. Le mot « *parochia* » se spécialise, 579. L'origine des paroisses, 580. La moralité du clergé, 581. La cellule chrétienne, 582.

§ 2. — Quelques formes de la piété chrétienne aux ve et vi^e^ siècles 582

Le culte des martyrs et la littérature hagiographique, 582. Le culte de la Vierge, 584. L'onomastique chrétienne, 585. L'abolition des combats de gladiateurs, 586.

§ 3. — Les infiltrations païennes dans le christianisme . . . 586

L'opinion des « Pères », 586. Les résistances, 589. Conclusion, 590.

§ 4. — Le monachisme bénédictin 591

Les règles monastiques avant saint Benoît, 591. Vie de saint Benoît, 593. L'originalité de la Règle, 594. L'esprit de la Règle, 594. Saint Benoît et les travaux de l'esprit, 595. La propagation de la *Regula*, 595.

TABLE DES MATIÈRES 597

Missotte, Imp. Paris. — 1948. — O. P. L. 31-1085
Dépôt légal : 3e trimestre 1948. — N° d'ordre : 1948-80.